生活情報源

遠流出版公司

生活情報源 87

Dr. Spock's 育兒寶典

作　者——Benjamin Spock, M.D. & Steven J. Parker, M.D.
譯　者——趙昌榮
審　訂——林文川醫師
主　編——林淑慎
責任編輯——簡旭裕
發 行 人——王榮文
出版發行——遠流出版事業股份有限公司
臺北市 100 南昌路二段 81 號 6 樓
郵撥／0189456-1
電話／2392-6899　傳真／2392-6658
香港發行——遠流（香港）出版公司
香港北角英皇道 310 號雲華大廈 4 樓 505 室
電話／2508-9048　傳真／2503-3258
香港售價／港幣 160 元
法律顧問——王秀哲律師・董安丹律師
著作權顧問——蕭雄淋律師
2000 年 1 月 1 日　初版一刷
2004 年 3 月 1 日　初版四刷
行政院新聞局局版臺業字第 1295 號
售價新台幣 480 元（缺頁或破損的書，請寄回更換）

ISBN 957-32-3906-X　（英文版 ISBN 0-671-53763-6）
YLib 遠流博識網
http://www.ylib.com　E-mail:ylib @ ylib.com

生 ▼ 活 ▼ 情 ▼ 報 ▼ 源

Dr. Spock'S 育兒寶典

Benjamin Spock, M.D. & Steven J. Parker M.D. ／著
趙昌榮／譯

目　錄

23. 醫療問題 ……………………………………699

〈專文推薦〉 長庚兒童醫院　林奏延院長

用愛養育兒女

每個孩子成長的過程，都需要父母及家人不吝地給予愛心及關懷，共同陪他成長。《Dr. Spock's育兒寶典》自1946年問世以來，基於這個理念，並以不落教條的教養方式，言簡意賅的內容，立刻受到年輕父母的喜愛和信任，並有39種語言的翻譯本，可說是全世界最暢銷的育兒書籍。

全書不僅由產前準備、新生兒護理到各種年齡層父母所需要知道的身心發育、照護方式、行爲心理、醫療保建之外，新版更增加藥物濫用、青少年懷孕、兒童和電腦、電視等新一代兒童會碰到的問題。

半世紀以來，《Dr. Spock's育兒寶典》在全世界許多家庭陪著兒童成長，值此進入二十一世紀之際，特別推薦新版《Dr. Spock's育兒寶典》。

【推薦者簡介】林奏延醫師，台北醫學院醫學系畢業，美國紐約州水牛城兒童醫院及德州達拉斯兒童醫院兒童感染科研究員，現任林口長庚兒童醫院院長、長庚大學小兒科副教授。

〈專文推薦〉 郭靜晃教授

找出最適合孩子的教保策略

健全的兒童是明日社會的動力，就因兒童是我們的核心及未來的主人翁。因此，為兒童創造一個健康安全的成長環境是家長、政府與社會無可推諉的責任。投資兒童就是投資未來及預防未來社會問題的發生，今日不做，明日就會後悔。

我國國民所得已突破一萬兩千美元，政治結構也日趨民主化，然而社會長期的成長卻未能同步跟進，導致家庭和社會結構不論在結構層面或功能層面均起了相當大的變化，也造成台灣的家庭如工業國家一般，對於兒童的照顧承受了相當的壓力。例如：托育服務的品質及支持兒童照顧的托育政策需求；而台灣家庭每戶平均人口為3.5人，也顯現台灣家庭日趨小家庭的模式呈現；婚姻品質不穩定亦導致離婚率上升及單親家庭的增加。為維護國內整體社會經濟能持續的成長，提升婦女就業率，以及為使未來少年及成年能有更高的生產人口之人力素質，提升最沒有聲音的弱勢團體——兒童群體的照顧實有其必要。全面性的兒童照顧政策是二十一世紀兒童福利的願景，先進國家為了因應各種社會變遷的挑戰，各個國家無不撥出預算，結合企業、社區的力量，從福利體制及教育等雙管齊下來培育未來領導世界的主人翁。

時聞家長說：「第一胎孩子按書來撫養，第二胎孩子按豬來撫養，第三胎孩子按個人感覺來撫養。」自古至今，全天下的父母皆希望自己的孩子聰明、活潑、健康成長且有一番作為，而如何教養孩子，是所有的父母一再探討，卻沒有人可以完全參得透的問題。子女教養問題的任何訊息是父母最殷切的需求之一，而在諮詢過程中常缺乏一些專業及具實質幫助的好書來引導父母。

今日遠流出版公司出版最新版《Dr. Spock's育兒寶典》，其內容涵蓋從嬰兒至青少年時期有關生長、照護及心理的發展，此外也加諸一切社會變遷的新題材，如：離婚、單親、繼親家庭及兒童虐待的專題，來加以探討這些相關議題對子女所產生的影響，更增加此書題材的豐富性及完整性。本書文字淺顯易懂，內容精湛，實是國內爲人父母者在教養子女過程中可以參酌的一本好書，期望父母能在本書中找出一種「最適合」自己孩子的教保策略，陪伴他健全成長，並成爲我國未來優秀素質的主人翁。

【推薦者簡介】郭靜晃教授，美國俄亥俄州立大學兒童發展博士，現任中國文化大學青少年兒童福利學系教授兼系主任。

〈專文推薦〉　　薇薇夫人

永不過時的寶典

三十多年前，我捧著《Dr. Spock's育兒寶典》照著養育第一個孩子，結果她成長為身心健康、快樂有用的人。再見新版「寶典」，驚喜而溫馨，原來Dr. Spock永不過時，他增加了這個時代新的婚姻和家庭問題，以及新的兒童營養和醫護知識，甚至電腦文化、網際網路等等。而他的「育兒精神」——「培養孩子的目的不是爲了讓他們超越他人，而是使他們成爲善良的、有合作精神的、和富有同情心的人。」則是永恆的眞理。

【推薦者簡介】爲《聯合報》薇薇夫人專欄執筆長達二十六年，薇薇夫人的名字幾乎已經成爲「情感問題專家」和「家庭問題專家」的代名詞。多年來並投身兒童教育工作，歷任國語日報文化中心主任、副社長、社長至退休，目前擔任《康健》雜誌社務顧問。曾著有十餘本著作，並主編過多套幼教叢書。

〈審訂者的話〉

林文川醫師

養育健康快樂的下一代

養兒育女是人生的一件大事。面對乍來初到的小生命，手足無措的窘境可能是許多年輕父母都有的經歷。尤其當孩子生病或哭鬧不止時，心中的憂慮只怕唯有親歷其境方能體會。透過長輩們的指導或親友們的建議，年輕父母得到了許多養兒育女的知識。但是東一句、西一句的結果，難免令人無所適從且缺乏一個整體的概念。況且許多口耳相傳的經驗以現在的醫學、心理學或社會學的觀點而言，不見得都是正確的。身爲父母者實在需要一些原則與指引來幫助他們養育下一代。

《Dr. Spock's育兒寶典》提供了豐富的育兒知識，而且隨著時代的改變與醫療的進步，Spock醫師不斷地在他的書中加入新的觀念，探討新的問題，使得內容更能契合當今多變的醫療與社會環境。

由於這是一本譯作，讀者在閱讀時可以留意一些地方，例如：中西文化與生活習慣上的差異、兩地醫療體制與環境的不同、社會問題的差異等等。筆者個人有幾點建議可提供讀者參考：

(1)Spock醫師開宗明義地在「父母角色」一篇中闡述「快樂父母，快樂孩子」的觀念，這和東方傳統文化裡「無怨無悔付出的苦命父母」的形象大不相同。身爲父母者能夠做好自己的心理建設、調整自己的步伐，以一個愉快的心情面對子女，相信也是下一代之福。

(2)書中提及的「家庭醫師」與「保育護士」(即通過特殊訓練在臨床上執業的護理人員)的制度，與現今國內的醫療環境大不相同。在國內，多數兒童沒有一個看著他長大、全盤了解他的生活狀況的家庭醫師，亦很少父母能透過電話就獲得他們所需要的醫療諮詢與幫助。所幸在大部分地區（偏遠地區除外），父母們都能很快地找到醫師以解決他們的困惑。然而，相較於西方社會，國人就醫比例明顯較高。若父母能擁有更多的醫療知識，相信對減少不必要的就醫、緊急狀況時的第一線處理、與就醫後和醫師的溝通都會有很大的幫助。

(3)在飲食營養方面，Spock醫師極力推薦素食的好處。隨著國人飲食之西化，肥胖兒童與成人膽固醇過高、心臟血管疾病增加的現象亦日有所增。Spock醫師在此現象更顯嚴重的西方社會提出他的論點，自有其精要之處。唯採行全素的飲食，若在飲食的調配上或某些營養素的補充上有所疏失，容易導致營養失衡的狀況，反倒失去了原有的美意。筆者個人認為，一般均衡的飲食應該能適合於大部分兒童並使他們長成健康的個體；若要實施全素的膳食，也要定期讓小兒科醫師評估兒童的生長發育狀況。

(4)在行為問題上，作者提出了許多理論基礎與解決之道，一改傳統嚴格的管束，但也並非一味地溺愛。他同時針對許多新的社會問題提出看法，例如：單親家庭、酒精及麻醉藥品濫用、同性戀、托育與保姆等部分，相信這些內容對為人父母者會有很大的幫助。

(5)許多醫療術語在國內只有慣用名稱而缺乏統一名稱，若對書中任何名詞感到陌生，可查閱最後部分的「醫療問題」篇及「醫學專有名詞解釋」，或者查閱相關的書籍。

一部經典之作足以超越語言隔閡、文化差異與社會環境，因為「基本原理」是不分國界的。本書有關養兒育女的許多觀念當然可因時因地制宜而融入每個家庭當中，只要為人父母者掌握了基本的原則即可。所以雖然育兒的方法各有巧妙，培養出一名獨立自主、負責任、有愛心的快樂兒童，卻是許多民族共同的理想。Spock醫師的育兒精神不單是行醫者的典範，更是每個人值得效尤的。

【審訂者簡介】林文川，台大醫學系畢業，小兒科專科醫師。現任台大醫學院附設醫院小兒部住院醫師暨小兒感染次專科研究員。

給讀者的公開信

現在大多數人都有自己的醫生或保育護士可以諮詢。他們了解你的孩子，因此，能夠給你提供最佳的意見和建議。通常只要看過一眼或者通過電話提出問題，醫生或保育護士都能給出書本裡找不到的解答。本書並非用於疾病的診斷和治療，而僅僅是爲了使家長們能夠對孩子、孩子出現的問題、以及他們的需要有一個基本的了解。當然，本書的某些章節確實爲家長們提供了緊急事件的處理方法，但是，這是因爲有些家長難以找到醫生或保育護士。對於他們來說，有一個一般的處理意見總比沒有要好些。當然，如果條件允許，醫生或保育護士的意見應該總是首選的。

我要說的最重要的事情是，你們不能過分教條地按照書中所寫的去做，因爲每個孩子各不相同，每個家長也不同，每一種疾病或每一個行爲問題也都各有差異。我所能夠做的就是，用最普通的術語描寫兒童最基本的發育情況和最常見的問題。請記住，你對孩子的氣質和類型的了解總是比我清楚的。

藉此也特別提醒讀者，推銷兒童百科全書，以及其他兒童護理叢書、幼兒園設施、兒童服裝和用具的推銷員們，可能會聲稱史巴克博士同他們的企業有某種程度的密切聯繫，或者至少認可了他們的產品。所有這些宣傳都是欺騙性的，都不應該予以理睬。我與這些企業沒有任何關係，也從來沒有認可任何商品或者服務項目。我爲《父母必讀》（*Parenting*）雜誌定期撰稿，還主編或輔助編寫了幾本書。但是，這些書只透過書店通路或以平裝本形式銷售，從未逐門逐戶推銷過。

第七版序言

本書的新內容及重點

本書第七版增加了一章，這一章主要探討日益增加的離婚問題、單親家庭以及繼父母的複雜關係。同時也對下面幾節的內容進行了補充，如餵母乳、有工作的母親、預防受傷，以及小兒口腔保健等。爲了提倡健康飲食，本書新版還增加了有關嬰兒和兒童營養學的新知識；並對急救、青春期兩節進行了修改。同時，書中還增加了如下幾節——愛滋病、公開收養、同性戀的家庭、酒精和其他麻醉藥品、電腦文化以及網際網路——這些內容涵蓋了當前家長們討論的重點問題。對一些已不再流行的疾病沒有再進行重點論述，而增加了其他幾種疾病（我們永遠沒有那麼多篇幅來敘述當前世界存在的幾百種最常見的疾病）。本書已經對實際資料進行了更新。一個全球性的醫學小組業已加盟，以便幫助父母們照顧他們孩子的健康。

在動盪的社會中養育孩子

自1990年以來，美國社會面臨著空前的壓力。通常，家庭壓力的上升體現在如下幾方面：我們的社會是極端的競爭和過分地物質主義的社會；很多有工作的父母感覺工作中少了安全感和快樂，他們越來越難以找到可以依靠的幼兒日間照顧者；精神和道德方面的追求比過去減少；大家庭和社團組織的傳統支撐正在瓦解；擔心環境惡化和國際關係惡化的人越來越多。所有這些問題都將在後記中進行更充分的討論。

我認爲，要想緩解這些壓力，邁向一個更穩定的社會，就需要在兩個方面做改變。首先，要培養我們的孩子，使他們具有不同於現在且更加積極的理想；具有堅定的而且超越自我需要的價值觀，即：合作、善良、誠實、忍讓。只有這樣，他們長大以後才會去幫助別人，增強人與人之間的關係，最終實現世界的安全。與獲得一個高薪職位或者一輛豪華汽車這樣的表面成功相比，靠這樣的價值觀活著，人們就會感到更自豪、更充實。另外，我們必須要求我們的政府不受大財團利益驅使，因爲這些財團根本不關心個人，不保護環境，也不關心世界和平。他們關心的只是爲自己謀求最大的利潤。我們必須更積極地關心政治，以使我們的政府爲全體公民服務。

如果你想更了解能爲你排憂解難的團體，無論是地區性還是全國性的，請寫信給兒童保護基金會（The Children's Defense Fund, 25 E Street NW, Washington, DC 20001），並在信封上註明：「Field Division」。基金會專門解決兒童和家庭需要解決的問題，已經爲國會工作了二十年以上（台灣亦有類似機構，如「兒童福利聯盟」等，可自行查詢）。

放任自由的問題

雖然我曾經因爲放任自由而受到指責，但是，我不認爲自己對孩子放任自由。所有讀過本書的人在和我說起這個問題時，也都有同感。把我叫做慫恿者的人也都承認，他們原來沒有看過我的書，但是，他們以後也不會看。我第一次遭到非難是在1968年，即：本書出版後的第二十二年。指責來自一位顯赫的牧師，他強烈地指責我反對越戰。他說，正因爲我建議家長要對孩子有求必應，才將這些嬰孩培養成了一批不負責任、沒有教養、沒有愛國心、而且反對祖國和越南打仗的年輕人。

在這裡我要聲明，筆者從來不曾主張要對孩子「有求必應」。我確實一直建議家長去尊重孩子，但是我也提醒家長不要忘記要求孩子尊重家長，要給予孩子堅定而且明確的引導，並要求孩子有合作精神和禮貌。

1 父母角色

要有自信

1. 你知道的已經夠多了。你即將有（或者已經有一個）孩子了，你一定為此感到喜悅和興奮。但是，如果你沒有什麼經驗，就會懷疑自己是否能把孩子帶好。因此，當你和親友談論起如何撫養孩子的事情時，就會更加留心地聽取他們的經驗，並且開始讀一些「專家」們在報刊雜誌上發表的文章。孩子出生以後，醫生和護士也會告訴你們應該如何去做。有時聽起來似乎事情很複雜，所以你查明嬰兒需要的各種維他命和免疫藥物。有的母親告訴你必須給嬰兒使用拋棄式的尿布，還有的告訴你只能使用棉尿布；你既聽說經常抱孩子能把孩子慣壞，也聽說應該儘量多抱抱孩子；有人說神話故事會嚇著孩子，也有人說神話故事能有效地消除孩子的恐懼感。

其實不必把鄰居們說的任何話都當眞，也不要被專家們的話嚇倒。要敢於相信自己的常識。只要你泰然處之，相信直覺，遇事同朋友、家人、醫生或者護士商量，撫養孩子並非難事。事實告訴我們，父母出於本能的愛心而給予孩子的關心和照顧，比之前了解如何把尿布墊舒服以及什麼時候應該給孩子把屎把尿等都重要。每當你把孩子抱起來（即使一開始有些笨手笨腳），為他換尿布、餵奶和朝他微笑時，他就會感覺到他屬於你，你也屬於他。這個世界上的其他任何人，不管他照顧孩子的技能多麼嫻熟，都不能給予他這種感覺。

也許你會感到驚訝——人們對育兒方法研究得越多就越會發現，父母憑慈愛的本能來照顧孩子是最好的方法。做父母的只要順其自然，從容自信，都能帶出最好的孩子來。所以，寧可由於從容而出點差錯，也不要由於不自信而試圖一字不差地照著書本生搬硬套。

2. 學做父母。儘管讀書和聽演講對解答一些特殊的問題和疑慮有所幫助，但是撫養孩子的方法，實際上並不是通過這兩種渠道學來的。人們的基礎知識來自於他們的自身經驗，即他們的父母是如何從小把他們帶大的。這也是他們在玩「扮家家酒」和哄娃娃的時候經常實踐的事情。性情隨和的父母帶大的孩子，很可能成為一名同樣類型的父親或母親；相反的，嚴厲的父母帶大的孩子也很可能成為一名比較嚴厲的父親或母親。儘管我們多數人都希望在某些方面改變小時候父母對待自己的方式，但是，到頭來我們還是變得和我們的父母一樣，至少在某種程度上。對一些人來說，這是一個值得高興的先兆，而對另一些人來說，則應該在思想上引起警覺。做父母的肯定都會有這樣的經歷——如果現在還沒有，將來也會有——在和孩子說話時，發現孩子說話的語調和用詞都和自己一模一樣。

做了父母以後，你也許會從成年人的角度來審視一下父母是怎樣撫育你的，並且找出你認為對自己確有裨益並且有啓發意義的東西。也許你會暗下決心，決不使用父母曾經對待你的方式來對待自己的孩子。所以說，孩子也給你帶來了一個極好的機會，使得你可以認真地想一想，是什麼造就了今天的你，想一想你想當一名什麼樣的父親或者母親。正是這種頓悟，將有助於你了解和信任你自己的直覺，使你成為一位更自信的父親或者母親。

你將會發現，自己在撫育孩子的過程中慢慢地學會了如何做父母。

比如，在照料孩子的過程中，你發現自己會給孩子餵奶、換尿布、洗澡、還會幫孩子拍拍背讓他打嗝，以便排出積在胃裡的氣體。而你的嬰兒對於你給予的幫助和照料總是做出滿意的表情。正是這些反應，使得你增添了信心，培養了對孩子的親切感和愛心。這些就是後來與孩子建立牢固而又相互信任關係的基礎。但是切不要以爲這種方法不學就會。

當父母的都希望自己對孩子有影響力，然而許多人卻驚訝地發現，其實父母和孩子之間是互相影響的。他們通過養育孩子和對孩子的觀察，使得自己增加了不少對世界和對自身的了解。正像許多人已經發現的那樣，你也會認識到，當父母是自己在走向成熟的道路上邁出的最重要的一步。

父母也是人

3. 父母的需要。關於育兒方面的書籍（包括本書在內）太強調孩子的需要，以至於當父母的在閱讀關於自己應該如何做的過程中，不僅在身體上感到疲憊，而且在情緒上也很低落。諸如孩子需要愛，需要理解，需要耐心，需要持之以恆的對待，需要言而有信，需要保護，需要友誼等等，給他們的印象是，除了孩子的需要以外，當父母的似乎就沒有自己的生活需要了。因此，他們自然而然地覺得：只要是維護兒童利益的書，總是把任何差錯都歸罪於父母。

爲了做到公正，本書在闡述父母的實際需要方面所使用的篇幅將和闡述兒童的需要所用的篇幅一樣多。比如父母家裡家外的煩心事，他們的辛勞，以及他們作爲普通人所需要（至少有時需要）聽到的對他們的工作的讚揚之語等等。養育孩子的過程充滿了大量艱辛的工作：準備合適的飲食、洗衣服、換尿布、清理屎尿、勸架擦淚、聽他們講述難以聽懂的事情；和他們一起玩遊戲、看成年人不感興趣的書、逛動物園和博物館；在他們做作業時隨叫隨到地給予幫助；在你們忙裡忙外的時候，要隨時放下手中的活兒來滿足他們急不可待的求助；有的晚上你們感到很疲勞，但是還得參加親師協會的會議等等。

另外，孩子們的需要似乎總是優先於父母的需要。他們的花費在家庭開支中佔很大的比例。比如爲了使住房面積足夠滿足孩子的需要而付出的昂貴房租或貸款；又比如，孩子不是因爲沒過幾天就把鞋穿壞了，就是因爲鞋子很快就不合腳了，因此需要經常花錢買鞋等等。由於孩子的拖累，父母無法參加宴會和聚會，不能去旅行，看不成電影，去不了遊藝活動，也不能和朋友會面——自己想幹什麼就幹什麼的日子早已成爲往事。

事實上，儘管你們懷念過去的自由，但還是寧願有孩子也決不願意做一對無兒無女的夫婦。養育兒女是一項漫長而艱苦的任務，這是個事實——它不能即刻得到回報，而且還常常得不到應有的報償。然而實際上做父母的和他們的孩子同樣都是人，都很脆弱。

當然，做父母的不是因爲自己想當烈士才生兒育女。父母養育兒女是因爲他們愛孩子，尤其是想起小時候得到父母疼愛的情景時，他們就更希望養育自己的親生兒女。儘管很辛苦，但是親手撫育自己的孩子，看著他們長成優秀的人，能給多數父母帶來一生中最大的滿足。不管站在哪個角度上看，它都是一種富有創造性和成就感的行爲。無論什麼樣的成就帶來的自豪感，與之相比都會黯然失色。

4. 不必要的自我犧牲和多餘的勞神。許多知道自己即將成爲父母的年輕人覺得，他們將不得不放棄原來的所有自由和樂趣。這不僅是因爲現實使他們必須這麼做，而且可以說，原則上他們也只能這麼做。另一些人的心思則已經完全投入其中，忘記了自己的愛好和興趣。即使他們偶爾偷空出去輕鬆一下，內心裡的愧疚感也使他們難以盡興。他們開始令朋友們感到厭煩，朋友們也使他們感到不快。

久而久之，他們就會厭倦這種囚徒似的生活，並且開始下意識地抱怨起孩子來。

我認爲，應該避免自己把心思全部放在孩子身上，注意保持夫妻間的親密關係。當你們在時間上和精力上爲自己的孩子做出了必要的犧牲以後，應該擠出一些有質量的時間與對方共享。不要忘記相互看上一眼，相互笑一笑，以表達自己對對方的愛慕之情。要儘量擠出足夠的時間和精力來繼續夫妻生活。要記住，父母之間的親密關係是孩子學會如何同他人保持親密關係的最有效的榜樣，是孩子成人以後與他人建立關係時最有可能做仿的例子。所以你可以爲孩子（同時也爲你自己）做的最有價值的事情之一，就是努力使你們夫妻之間的關係在孩子的印象中不斷地加深，而不是抑制。

生兒育女的目的

5. 生兒育女的難處。對許多父母來說，生兒育女的目的越來越難以說清——我們已經失去許多老的傳統標準，不知道應該讓孩子具備什麼樣的道德標準、什麼樣的雄心和什麼樣的個性。我們不確定他們成年以後等待他們的是一個什麼樣的世界，只能爲此而著急。社會變化的速度之快幾乎讓人跟不上，我們幾乎難以及時了解孩子所面臨的最新危險和最新機遇，以便確保他們平安成長：吸毒、暴力、資訊高速公路等等，不勝枚舉。

在一個前途未卜、世事多變的世界上，我們很有必要捫心自問：我們生兒育女的目的是什麼？我們最期望他們的學業，還是更希望他們能與人親密相處？是希望他們具有鋒芒畢露的個性，以便能在競爭激烈的社會中獲得成功，還是希望他們學會與人合作，並且有時能爲了他人的利益而犧牲自己的利益？如果養育兒女的最終目標是塑造一個完全符合我們期望的成年人，那麼他要是一個什麼樣的人才能成爲社會中一名幸福而又富有創造性的成員？

這些問題是培養子女的首要問題——養兒育女面臨的就是做出各種選擇。爲了確定哪種選擇最適合你們的孩子，每次做出決定之前都應該先後退一步，仔細考慮考慮這些難以回答的問題，這樣做肯定會有好處。

許多父母日復一日地困惑於如何養育孩子的問題中，以至於在為什麼要養育孩子這個首要問題上茫然不知所措。我希望養兒育女這件事能有助於你們弄清自己的見解——你們生活中最重要的是什麼？這一深刻的見解將引導你們在培養什麼樣的後代方面做出正確的選擇。

6. 不同的時代與不同的國度。父母對子女的期望總是受他們所處的生活年代和文化背景所影響。在過去，人們幾乎一直認為人類除了生存以外，活在世上的主要作用就是通過實現自己的目標來為上帝服務（正如宗教給人們的啓示那樣）。在殖民時期的美國，情況差不多就是這樣。當時的父母根本沒有「生活的目標就是為了獲得成就和幸福」這種比較現代的意識。孩子們不停地被強迫去克服他們的粗野本性，以便能長成讓上帝滿意的人。

在有些國家（比如在中國和以色列），人們一直認為為國效力是最重要的。在這種思想的作用下，這些國家的父母、宗教領袖和老師們，在鼓勵孩子們培養什麼樣的道德觀念方面的意見通常是一致的；比如要孩子遵紀守法，樂於合作，勤奮好學，為某些特定的民族主義而獻身等。而在世界的其他地方，人們認為生兒育女是為了家庭或者家族的發展，因此孩子應該準備做對家族有重要意義的工作。孩子必須尊敬長輩並且服從他們的意旨，甚至被迫嫁給由父母選定的陌生人，以便獲得整個家族的幸福。這種傳統在某種程度上為父母們簡化了培養子女的煩心事，因為他們在生兒育女的意義上觀點一致。這和美國的情況形成了鮮明的對照。在美國都是各家自己決定自己的目標是什麼，不論是唯物主義者的家庭還是宗教家庭，也不論是宗教信仰起重要作用還是以心理學理論為決定性的因素。

父母對自己培養孩子的目標深信不疑的時候，通常不會懷疑和擔心自己的做法。一切都順其自然地朝著他們的文化所期望的方向發展，而且人人都贊同對孩子的這種期望，並且堅持用同樣的方法培養孩子——一切都像明鏡般的清楚。年輕的父母們在古老的傳統中明白了生兒育女的目的，學到了生兒育女的方法。他們還可以從住在附近的家族成員那裡尋求指點和幫助。

但是這種安全感在當前已經減少了。比如在美國，很少有人教育自己的孩子長大後要把爲家族服務、爲國家或者爲上帝服務當作他們的主要目標。人們通常給孩子們灌輸的觀念是，他們可以根據個人的意向來決定自己生活的目標和職業。我們是在把他們培養成純粹的利己主義者，通常用物質尺度來衡量他們的成就。一位英國人類學者說，大多數國家的人都教育孩子把父母當作傑出而又了不起的人看待；而在美國，父母們會對孩子說：「如果你們的成就超不過我們，你們就是失敗者。」

如果想從關係較近的同族親戚那裡得到幫助，常常難以如願。我們的祖先離開養育他們的土地，就是因爲他們厭倦了舊的生活方式，並且有勇氣去面對未知的世界。從那以後，他們的子孫後代爲了尋找發展機會，就一直不安分地從一個地方遷移到另一個地方。因此他們常常在遠離親屬數千里以外的地方撫育自己的孩子。

由於這個原因，許多父母只能向專業顧問或者書籍（如本書）尋求所需的幫助。問題是有關撫育子女的心理概念和忠告並不能起多少作用，除非父母們確信什麼是正確的，什麼是可行的。換句話說，除非他們自己有堅定的價值觀。

7. 我們醒悟了。在60年代的兒科專家生涯中，我目睹了社會發生的奇蹟般的變化。現代醫學能夠創造奇蹟——現在的兒童比以往任何時候都要健康。科學技術給我們所有的人提供了舒適，而僅僅在幾十年以前，就連最富有的人都難以夢想得到這樣的條件。我們對世界上正在發生的事情比以往任何時候都了解得多——地球村變成了事實。

與此同時，我也目睹了在文學、戲劇和電影中存在著一種越來越嚴重的傾向——貶低人類仁慈和理智的一面而強調其殘忍的一面。社會生活中的禮貌和禮節被魯莽化；長期信奉的宗教信仰被腐蝕；大眾媒體在迎合兒童最低級的趣味；社會的兩極（富有者和一無所有者）之間的分化擴大了。

我們在很多方面失去了對生活意義的信念，失去了理解我們的社會和世界的信心。我要說的是，你們是在二十世紀末、二十一世紀即將到來之際，在一個迷茫而又迅速變化的背景下撫育你們的子女。你們對子女的期望和培養子女的目標勢必受到這個時期流行的理想和信仰所影響。你們的核心價值觀和信念（即經過動蕩的社會變化仍未動搖的價值觀和信念）將成爲你們指引家人在人生旅途中行進的最好指南針。我希望你們起碼要偶爾在度過又一個緊張忙碌的日子之後，坐下來想一想自己的目標是什麼，看一看你們每天在和孩子的接觸中給予他們的影響，是否能體現出你們眞正的價值觀和對未來的夢想。

父母為何對不同的孩子有不同的情感？

8. 面對現實。誰都知道孩子生來就個性有別。有的天生活潑開朗，有的則少言寡語，羞於見人；有的好帶，有的累人。不管你喜歡與否，都不可能預訂你想要的那種孩子。你只能生什麼養什麼。

如果你生的孩子不是你想要的那種類型又會怎樣呢？根據我的經驗，如果你們意識不到這個問題，它將成爲令你們和孩子雙方都傷腦筋的主要原因。當然，父母的個性已經形成，不可能一夜之間就改變過來。一對個性溫柔的父母或許適合養育一個愛耍小性子的男孩，但是不一定同樣適合養育一個精力旺盛而又堅持己見的男孩。不管他們如何愛這個男孩，他們都會覺得他不可理喻，愛招惹是非。然而有的夫婦能輕鬆愉快地應付一個易怒的兒子，但是卻沒有信心帶好一個文靜而又善於思考的兒子。

其實這個問題關係不大，因爲父母都是明智的人。他們非常清楚自己不可能預訂自己最想要的那種孩子。他們也是人，有了不理智的期望之後，就難免情不自禁地產生一些失落感。

另外，當孩子長大一點兒的時候，他們就會使我們有意或者無意地想起曾經常常使我們不愉快的哥哥、姊姊、父親或者母親。比如，女兒可能會像她小阿姨小時候那樣總是戰戰兢兢的，而她媽媽卻一點兒也意識不到這是由於自己總是對孩子發火所致。當父親的可能特別為兒子的膽怯傷腦筋，但是卻從來沒有聯想到他自己小時候克服害羞的艱難過程。

有些人把這種現象稱為「可塑性」(goodness of fit)。也就是說，你們對孩子的期望、寄託、希望、夢想和抱負能實現多少，取決於他們與生俱來的智慧和氣質。正是這種可塑性在你們培養兒女的過程中發揮著相當重要的作用。它決定了你們能夠取得多大的成功，以及你們的孩子能夠取得多大的進步。

根據我的經驗，在教育子女方面和其他方面給父母帶來最多煩惱的，似乎正是可塑性的問題。比如，如果你們因為孩子不是數學天才或者笨手笨腳的而經常感到失望，或者如果你花費了大量的時間試圖把孩子培養成一個他不可能成為的人(因為他不具備成為那種人的先天條件)，那麼我敢保證，你和孩子都將產生煩惱。反過來，如果你們能夠學會接受現實中的孩子，而不是你們期望中的孩子，並且愛他，那麼你們雙方的日子就可以過得平順多了。

平等地愛所有的孩子？

9. 什麼是平等對待孩子。這個問題困擾著許多有心的父母，因為他們懷疑自己在某種程度上沒有平等對待自己的孩子。他們因為對每個孩子有不同的感情而自責。我以為，他們是在期望自己做不可能做到的事情。

善良的父母平等愛護自己的每一個孩子是在這樣一個意義上而言的：他們關心每一個孩子，期望每個孩子都是最好的，並且為實現這個願望甘願做出必要的犧牲。但是由於每個孩子都是那樣的不同，以至於不論哪位父母也不可能做到對每個孩子的感情完全一樣。我們對不同的孩子有不同的感情，對某些孩子的某種特點感到不耐煩，而對另一些孩子感到驕傲。這些都是正常的，也是人類在所難免的。

我認爲，正是接受並且理解這些不同的感情（而不是對此感到內疚），才使得你能用每個孩子所需要的愛心和特殊關注來對待他們之中的每一個人。

扮演好父親的角色

10. 父親的作用與職責。男子，尤其是在外工作的丈夫，在各種家務和哺育孩子方面參與得越來越多了。當父親的沒有理由不能和當母親的一樣把這些工作做好，爲孩子的安全和成長做出平等的貢獻。但是如果丈夫做這些工作只是爲了討妻子的歡心，那就會失去它的實際意義，因爲這意謂著帶孩子其實並不是丈夫的事，而只是因爲丈夫格外慷慨大方而已。

越來越多的男子所娶的妻子在外頭有一份全職的工作。這些男子在孩子尚小的時候都承擔起了照料孩子和家務的大部分工作。在情況最好的家庭裡，丈夫能在平等參與的精神作用下，參與對孩子的養育工作。

我認爲，即使當母親的沒有工作待在家裡，有全職工作的父親在周末回到家裡的時候，如果能承擔起料理孩子和家務的大部分工作，這將是對孩子、妻子和他自己的最好善待。母親的領導能力和耐心到了晚上可能已經消失。其實如果當父親的一天到晚和孩子在一起也會這樣。另一方面，有些當母親的很不願意讓做父親的在這些事情上承擔主要職責。這或許是因爲她們心存疑慮：如果自己不能成爲養育孩子的權威者，那麼她們在家庭中還能發揮什麼作用呢？其實，孩子們從父母親不同的領導風格和管理風格中能得到不同的益處──這些風格既不互相排斥，也不互相詆毀；而是互相豐富、互相補充。

在照料孩子方面，當父親的完全可以用奶瓶給孩子餵奶，或者餵其他食物，換尿布，換衣服，擦眼淚，擤鼻涕，洗澡，哄孩子睡覺，講故事，修玩具，勸架，幫助解決作業中的問題，講解規章制度和佈置任務等。長期以來，父親們一直沒有接觸這種靈巧的勞動，缺乏給孩子換尿布所需要的智慧、靈巧性和視覺運動技巧。其實，父親們可以參與各種家務：購物、準備食品、做飯端菜、洗碗、鋪床、打掃房子以及洗衣服等。在我七歲左右的時候，我母親就開始教我做這些事情了。

如果一位父親認爲做家事是自己理所當然應該做的事情，那麼，他就不會僅僅是爲了減輕妻子的負擔或者爲了陪伴妻子才去做，而會認爲這項工作對家庭的幸福至關重要；它不僅需要判斷力而且需要技巧；他在家的時候應該和妻子負有同樣的責任。如果想讓兒子或者女兒長大以後也這樣看待女人和男人的能力和作用，那就需要讓他們看到你們的實際行動。

在二十世紀的美國，薪水和威信一直是男人的主要價值觀。在我看來，正是由於這種價值觀的誤導，才把許多男人引入歧途——過分地競爭，過分地追求實用主義，過分地輕視與妻子、兒女的關係，輕視友誼，輕視與鄰里的關係，輕視自己的文化愛好，以及忽視自己由於緊張而引起的疾病。充足的收入對於一個雙親家庭來說絕對必要，而對於一個單親家庭則更爲重要。這一點我並不想否認。我要說的是，如果一心只想在工作上取得更大的成績，就常常會給家庭生活帶來無法忍受的壓力，而且會使許多婦女和男子把出外工作看成他們生活中的主要職責。

我認爲，不管是男孩還是女孩，都應該使他們深信，生活中可以獲得滿足的最多、最長久的源泉就是家庭。這樣，婦女就會比較容易地接受男子的傳統價值觀念，而男子從迷戀工作和追求地位的狹窄世界觀中解放出來以後，也會學做婦女的許多工作，並且接受她們的價值觀。如果爸爸和媽媽把照料孩子的事情看得和他們的工作同樣重要，如果他們在決定做每件工作時總是仔細考慮一下，看看是否會給家庭帶來什麼影響，這樣的家庭該是多麼幸福啊！

其實，我和許多家長都進行過交談。當孩子長大成人離開家以後，沒有一個當父母的說他後悔當初在孩子和家務上花的時間太多。但是我卻無法告訴你們，有多少父母由於在有機會的時候沒有能夠擠出更多的時間來陪伴家人而感到後悔莫及。

優質時間

11. 父母必須外出工作怎麼辦？當父母雙方或者一方必須外出工作時，通常需要儘量把時間安排好，以便能夠有最多的時間和孩子在一起。在雙親家庭中，有時只要有一位家長能關心孩子，孩子就會感到很滿足。如果學齡前的兒童能夠有規律地早晨晚起，或者白天能在幼兒園小睡一會兒，就可以讓他們晚上有規律地玩到比較晚。和孩子一起度過的時間的品質比陪伴孩子的時間長短還要重要。這也就是「優質時間」（quality time）的確切涵義。

從實際意義上講，「優質時間」是指和孩子在一起時，能與他親密地互動、給他教養和充滿愛心的關懷。行車時間、吃飯時間以及在做任何例行事務的時候都可以成爲優質時間。去超級市場的路上都可以和孩子交談，也可以教孩子知識。所以，優質時間並不是指做什麼非凡的事情。能對孩子的成長產生深遠影響的是平常每天和孩子的接觸，而不是像去看馬戲這種激動人心的旅行。

優質時間這個想法本身是好的。但是，我擔心有些做事認眞而又苛刻的父母，會在自己的耐心和興趣都消失以後，仍然把和孩子交談、玩耍，以及給孩子講故事等當作義不容辭的義務來完成。如果當父母的爲了給孩子提供優質時間而常常忽視自己的需要和意願，久而久之就可能抱怨自己的犧牲。自己的那種友好、有呼必應的精神就會慢慢消失。另外，如果孩子察覺到他們可以向父母要求更多的時間，他們也會更加放肆，變得煩人和需索無度。

關於「優質時間」的涵義我還有另一個擔心，有些父母可能會錯誤地把它理解爲，只要他們和孩子在一起的每一分鐘時間都是高質量的，時間長短就無關緊要了。但是，時間長短（和孩子一起做一些並不令人興奮的事情的時間）也很重要。孩子有時只是需要和父母在一起，看著父母做事，學習他們每天的樣子，並且了解父母在自己生活中的重要作用。處理好上述矛盾的竅門就是找到合理的均衡——既要儘量多和孩子在一起，又不能以犧牲你們自己的需要爲代價。

∽ 特定時間 ∽

12. **特定時間**。我喜歡「特定時間」（special time）這個概念。它是確保我們至少每天都有優質時間的好辦法。特定時間就是你們每天留出來單獨和每個孩子相處的一段短暫的時間——一般5～15分鐘就足夠了。特定時間中的「特定」不是指你專門和孩子一起做什麼（如一起拼圖、逛商場、或聊天）的時間，而是指當孩子需要你們的特殊關照時，和他們一起單獨享受的時間。在孩子需要這種特殊關照的時候，你們不應該採取不去理會他們的方式來懲罰他們，而應該給予他們特定的關照。因爲，這樣做不爲別的，只是因爲他們是你的孩子而且你愛他們。如果你忙忙碌碌的不能每天都有時間和孩子在一起，這樣做就能體現你對孩子的特別關注。

∽ 當心寵壞孩子 ∽

13. **雙薪父母對孩子的寵愛**。有工作的父母可能會感到很內疚，因爲他們沒有時間陪伴孩子，或者很少和孩子見面。所以他們就給孩子買大量的禮物，給予他們各種特殊對待，滿足他們的所有願望，而毫不考慮他們自己的願望，並且任憑他們做什麼壞事也不管。然而，當孩子發現自己的父母對自己有求必應的時候不僅不會感到滿足，反而會變得貪婪。

由此可見，雖然有工作的父母應該儘量滿足孩子的要求，並且向孩子奉獻出應有的愛心，但是在他們感到疲勞的時候也可以不這樣做——完全可以考慮自己的願望，用不著天天都給孩子買禮物，而應該理智地花費。另外，還可以要求孩子對自己表現出應有的禮節和關心。換句話說，要像每天都待在家裡的父母一樣自信。這樣做不僅能使孩子變得更懂事，而且能使他們更喜歡同你在一起。

ဟ 分娩後的夫妻生活 ဟ

14. 懷孕、陣痛和分娩期間的夫妻生活。懷孕、陣痛和分娩過程可能會影響許多夫妻的性生活。在懷孕期將滿的時候，性生活可能會不舒服，或者至少由於體形上的變化而變得難以進行。分娩以後通常都會感到不適，還需要一段時間的調節才能使身體和內分泌恢復到產前的正常狀況。另外，由於照料新生兒的工作繁忙和勞累，在這段時間裡的睡眠也會不足，這樣一來，性生活可能幾天、幾個星期、甚至幾個月都過不上一次。

這段時間也可能是男人的性欲不振時期，因爲他可能很勞累。對於有些男人來說，對方在他們心目中的地位已經發生了變化——已經從情人轉變爲孩子的母親。這種看法很難使他們把對方同性欲聯繫起來。因此就在內心深處產生了各種情感矛盾。比如有些男人從小就受「不是貴婦，即爲娼妓」的觀點的薰陶，所以他們很難想像一個女人既可以是孩子的母親，又可以是自己的情人；這兩種情感似乎無法統一，正如我們有些人甚至無法把自己的父母想像成性行爲者，而儘管我們自己就是父母性行爲的有力證人。

在你認識到自己的性生活可能需要一段時間才能恢復正常以後，就不會爲目前暫時的缺乏而擔憂了。另外，不應該由於性生活的中斷而中斷一切性關係——應該經常互相摟一摟，抱一抱，親吻，說句浪漫的話，深情地看著對方，或者出其不意地給妻子送上一束花。

既要維護美滿的婚姻，又要教養好兒女，這裡面有很多訣竅。其中重要的一項就是要把當父母這件事同你們生活中的其他事情協調起來。幾乎所有的父母不久以後就恢復了正常的性生活。所不同的是，即使在照料新生嬰兒的忙亂時期，他們也沒有忽視對對方的愛戀之情。他們總是有意識地去撫摩對方一下，或者向對方說一句富有愛意的話來表達自己的愛心。以下的活動可以供你們參考：朗誦一首詩給對方聽；一起去散散步，但是不要帶孩子；互相說點溫情而又好聽的話；一起默默地祈禱，安靜地吃頓飯；以及經常擁抱和親吻對方等。

父母也是孩子的好夥伴

15. **孩子需要友好、令人接受的父母**。不管是男孩還是女孩都需要有機會待在父母的身邊，需要父母欣賞他們，和他們一起做事。然而事與願違，有職業的父母在工作了一天之後，回到家裡最想做的事就是放鬆一下。如果他們知道自己的友好態度對孩子多麼重要，他們就會更樂意做出適當的努力，比如起碼向孩子打個招呼，回答他們的問題，或者當孩子們認爲什麼東西很有趣並且希望父母分享這種樂趣的時候，能表現出自己的興趣。我使用「適當的努力」這個詞，是因爲我不主張父母對此過於認眞——他們不必在超出自己的忍耐程度之外去勉強自己。我認爲，寧可和孩子高高興興地聊上十五分鐘以後就對他們說：「我要看報紙了。」也不要和孩子氣哼哼地玩上一個小時。

關於「單親家長的孩子」將在959-965中談到。

關於「紀律」的問題將在644-662中談到。

在426-432中將談更多父母與兒女的關係問題。

16. **男孩需要一位慈善的父親**。有時當父親的可能急於讓自己的兒子盡善盡美。這種望子成龍的願望往往會導致和兒子在一起的時候並不開心。比如一位急於讓兒子成爲運動員的父親，可能在兒子很小的時候就帶他去練習接球。很自然，兒子每次投球、接球都難以準確地掌握要領。這時，如果父親不停地批評他（哪怕是以一種友好的口氣），兒子也會在內心裡感到不高興。而且這樣還會使他產生一種印象，認爲自己在父親的眼裡什麼也不是，從而也會認爲自己是個笨蛋。其實，如果一個男孩子的性格開朗並且自信，到了一定的年齡就會自然地對體育產生興趣。另外，父母親對他的肯定實際上比對他的輔導還要重要。如果兒子想玩接球，而且純粹是爲了好玩，那麼，玩一玩也還是很有意義的。

男孩子並不會因爲他生來就是男性的身體而必然會在精神上成爲一名眞正的男子漢。他之所以感到自己是一名男子漢，並且能表現得像一名男子漢，是因爲受一種外界力量或者信念的驅使。正是由於這種力量或者信念的驅使，才使得他去模仿他認爲對自己友好的兄長的樣子，並且按照他們的樣子去塑造自己。也只有在他喜歡並且佩服一個男人的時候，他才有可能去傚仿他。如果父親總是對兒子不耐煩或者發脾氣，兒子就可能不但在父親面前感到不自信，而且在別的男人面前也會感到不自信。

所以，如果父親想幫助自己的兒子長成一名有信心的男子漢，就不應該在兒子哭的時候向他發脾氣，在兒子和女孩子玩耍的時候批評他，或者強迫他去練習體育技能。他應該看到兒子在身旁而感到歡喜，讓兒子覺得自己和爸爸親如一人。有秘密也可以告訴兒子，並且應該時常帶他去旅行。

17. 女孩也需要慈善的父親。在女孩的成長過程中，父親所起的作用雖然不同，但也同樣重要。女兒只是在一定的方面模仿父親的樣子，但是她從父親對自己的稱讚中獲得信心。爲了不使自己感到不如男孩子，她就會認爲不管她想不想接受邀請，父親都可能希望她到後院參加體育活動，一起去釣魚、露營，以及觀看各種球類比賽等。當她覺察到父親對她的活動、進步、觀點和抱負很感興趣的時候，她就對自己有了信心。

懂得欣賞父親那種典型的男子氣質以後，女孩子就做好了當成年人的準備，就可以在一個有一半是男人的世界上生活。她後來同男孩子和男人建立友誼的方式、她最終愛上的男人的類型以及她採取的那種婚後生活方式等，都受到孩提時期與父親的關係以及父母互敬互愛的關係的強烈影響。

18. **母親也要當好孩子的夥伴**。不管是男孩子還是女孩子，他們需要和母親在一起做的事情，遠不只每天翻來覆去地重複老花樣。他們還需要有機會同母親一起參加一些特殊活動，比如有時和父親一起參加的那些活動。這些活動包括去參觀博物館、看電影、看運動會、去旅行或者騎自行車兜風等。

19. **單身家長怎麼辦？**我已經強調了孩子與父母的關係。但是如果家中只有一位家長，或者兩位家長都是同一個性別（較爲少見），那該怎麼辦？是不是孩子的心理健康不可避免地會受到影響呢？

答案是個響亮的「否」字。儘管孩子們確實需要兩種性別的榜樣，但是扮演這些榜樣的角色不一定要住在一起。孩子們最需要的是教育和愛護，最需要有人一直在他們的生活中支持他們，並且教育他們如何在世界上生活。即便一個孩子和單親一起長大，但是如果他的父親或母親能給他提供所有上述需要，他就會成長得很好。反過來，即使一個孩子父母俱全，如果他們由於自己不幸福而不關心他的需要，那麼孩子的情況也將遠不如前者。多數單親家庭的孩子都在自己的家庭之外找到了自己的榜樣，比如一位特殊的叔叔或阿姨，或者是家庭的一位親密朋友。

我們已經知道孩子是有活力的：只要他們需要什麼營養就給他們什麼營養，這樣他們就會開花、結果。在孩子的生活中最需要的東西就是愛心、陪伴和照顧。只要掌握這個要領，孩子無論生活在什麼樣的家庭格局中，都能成長得很好（參見959-997）。

2 兒童發展

兒童的成長發育

奇妙的成長過程

20. **再現人類的整個進化過程**。世界上沒有任何事物比看著孩子成長更使人感到驚奇。一開始你只是認爲，這只不過是孩子的身體在慢慢地長大罷了。後來當幼兒開始做一些事的時候，你可能會認爲他是在「學著玩什麼小把戲」。但是實際上，要比你們認爲的更複雜、更深奧。

在某種意義上說，不管從身體上還是從心靈上看，每個孩子的成長都是在一步一步地再現人類的整個進化過程。嬰兒一開始在子宮裡只是一個微小的細胞，就像第一個生物在海洋中出現的時候一樣。幾個星期以後，他們躺在溫暖的羊水裡，像魚兒一樣長出了腮，並且像兩棲動物一樣長出了尾巴。當他們快到一歲的時候就能站立起來。這時，他們是在慶祝數百萬年前，我們的祖先不再用四肢行走，並且學會靈巧地使用手指的那一刻。

21. 單個細胞是如何變成嬰兒，而這個嬰兒又是如何學會走路、說話和思考的呢？由於這些問題涉及到「我們是誰」，「我們來到這個世界上幹什麼」和「我們要到哪裡去」的大問題，所以幾乎從人類剛剛誕生的那一刻起，它們就開始引起人們的好奇。

進化心理學家們曾經就孩子是如何發育成長的問題進行過仔細的科學探究，並且獲得了不小的成果。但是還有很多問題仍然沒有搞清楚。

在某種意義上說，人的發育成長是一種簡單明瞭而又規律的過程。這些規律通過一般常識就可以理解。與此同時，這種發育成長過程又是世界上最複雜、最神秘的演變過程。爲了提高你對孩子發育成長過程的興趣和好奇，在這一部分裡，我想談一談（科學已經告訴我們的）嬰兒的發育成長過程。你們馬上就會發現，這個過程是世界上最平常而又最令人驚奇的過程，而且你將親眼所見並且對它的結果發揮重要的作用。

大腦的發育

22. 新發現。二十世紀下半葉，在孩子的發育成長方面有許多發現。但是，在所有這些發現中，或許沒有一件比得上「孩子的經歷如何改變大腦神經細胞的發育」更令人好奇。幾十年來，科學家們一直以爲，人類大腦的結構是由孩子的遺傳模式決定的。他們認爲生物學就是命運學。無論你的遺傳因子讓大腦怎樣發育，它都將按既定模式形成。

實際情況要複雜得多。首先，人的大腦由大約一千億個神經細胞（神經元）組成，而每個神經細胞都與大約一萬個其他細胞相連。每一個細胞每秒鐘能向相鄰的細胞發送一百個信息。由此可見，大腦神經細胞之間的信息交流次數之多，是無法計算的。

原來，大腦神經細胞之間的這些聯繫（科學家們稱之爲腦建築）在很大程度上是由幼兒在生活中的經歷所決定的。一個孩子的生活環境竟會對其大腦結構的形成有影響，多麼令人驚奇！

現在我們知道，人類的早期經歷確實會改變大腦的結構，尤其是在大腦正處於發育期，而大腦神經細胞交流信息迅速的前幾年。後來，大約在童年的中期，大腦就停止了發育，並且停止了新的信息交流。這時，大腦的結構就已經牢固地形成了。雖然這並不意謂著大腦的發育過程已經完全停止，但確實證明，大腦本身的複雜性和豐富性基本上已經定型。用電腦術語說，就是「硬碟已經格式化完畢，等待設計程式」。到了這個時期，我們只能將就著使用現有的大腦了，因爲大腦的關鍵發育期已經結束。

豐富多彩和主動參與的經歷，有利於大腦神經細胞之間的複雜聯繫。儘管被迫式的經歷也能在一定程度上促進大腦神經細胞的相互聯繫，但是，它卻是一種我們不希望看到的聯繫方式：比如把恐懼感同某種聲音或某種氣味聯繫起來。若是缺乏刺激，會導致大腦神經元網絡的構造簡單和大腦神經細胞之間的聯繫減少。在一個充滿憂慮和緊張氣氛的家庭裡長大的孩子，似乎沒有多少處理感情問題的方法，而且他們很容易被自身的感情壓垮。

這種原因在一定程度上解釋了爲什麼在充滿關心和愛護的家庭中長大的孩子，在生活的各個方面似乎都能做得比不受重視的孩子好。這就是爲什麼科學家們確信，孩子的早期經歷在他們的長遠成長過程中發揮著重要作用。這也說明，培養孩子的工作，從一開始就對孩子本人、家庭乃至整個社會都十分重要。

23. **超級兒童**。父母能培養出「超級兒童」來嗎？儘管我們發明「超級兒童」這個新名詞，但是這絕不是說，我們可以試圖在孩子剛一出生的時候，通過不懈的鼓勵和教育就能把他培養成超級兒童。實際上，孩子最喜歡的經歷似乎是天生的——即充滿愛心、照顧、安全感以及他覺得有意義的經歷。你們怎麼會知道幼兒認爲什麼有意義呢？這很容易：通過他們的微笑、他們的笑聲和他們的呀呀語。孩子學習東西的最佳時候，是在他最高興、最自在、最專心和最投入的時候，而不是在受到冷冰冰的、不願接受的和不自然的鼓勵的時候。

所以說，大腦的發育受經歷的影響，同時也受到遺傳因素的限制。不論我們的父母給我們演奏過多少音樂，也不論他們在我們多麼小的時候就把一個橘黃色的大籃球放在我們的搖籃裡，我們中間也很少有人會成爲莫札特（W.A. Mozart）或者麥可・喬丹（Michael Jordan）。幼兒大腦發育的最新科學知識只能給予我們以下啓發：只要孩子有開發潛力，就應該想辦法去鼓勵和發掘，而不是試圖採取人爲方式來超越這種固有的潛力。

兒童發育的不同側面

24. 智力發育和運動神經及肌肉的發育。當心理學家考慮兒童的發育成長問題時，他們通常把它分成智力發育和運動神經及肌肉的發育。智力發育包括認知發展（即我們怎樣學會理解事物和認識事物）、感情發展和語言發展。運動神經及肌肉的發育通常被分成大體運動發育（諸如學會坐起、走路和攀登）和纖巧運動發育（如拾起細小的物件或者拿蠟筆等）。

兒童在這幾個方面的發育就是發育的不同側面，即兒童能做什麼和什麼時候能做什麼。由於對兒童發育的不同側面的關心，科學家們曾對成千上萬名孩子進行研究，以便弄清孩子一般從什麼時候開始走路和說話。現在有兒童發育進程表可供查對，看看自己的孩子是否能做到這個時期應該能做到的事情。

五十年來，我一直反對在本書中插入這個發育進程表。首先，每個孩子的發育模式都與別的孩子不同。有的可能在力道上和協調機能（一種幼兒運動）方面發育較快，但是他可能在使用手指做技巧性的動作和說話方面發展較慢。後來在學習方面很聰明的孩子可能在幼兒時期很晚才學會說話。而長大後智力有平均水準的孩子，在幼兒時期卻可能發育較快。

我認爲完全按照一般兒童的發育時間來衡量孩子的發育情況是錯誤

的，最重要的是要看孩子的發育是不是在不斷進步。另外，孩子的發育通常呈現一種時而突然加快，時而又略有倒退的模式，常常在一個飛躍之前會有一個小小的倒退。當幼兒出現退步的時候父母不必擔心，也不必試圖加快他們的發育速度。沒有任何證據可以表明，父母齊心協力地提前教孩子走路、說話或者識字，能收到眞正的長遠效果。這樣做不但會產生一些問題，而且還會使父母感到氣餒。孩子需要一個自然發展的環境，而不需要父母強行推著他向前。

25. **父母的心情**。和其他父母一樣，你也是帶著一種強烈而複雜的心情看著自己的孩子發育、成長的。當孩子急匆匆地來到這個世界上的時候，你既爲他感到驕傲，也爲自己生育了他而感到自豪。當他取得了新的成就或者因發現了周圍的世界而感到高興的時候，你也像又回到了童年那段最美好的日子。

但是，如果有跡象表明孩子的發育速度不如原來快，或者不如你認識的某個孩子，你就會不知不覺地著急起來——既擔心又內疚，似乎覺得是由於自己做得不夠所致。善良的父母就是這樣。出現任何略有不正常的情況都會使他們產生懷疑；是因爲自己照顧得不夠呢，還是因爲自己給孩子的遺傳因子不好？或者是因爲過去做過的某件虧心事對孩子造成了不良的影響？

不要忘了，孩子的早期發育模式是很獨特的：他個人的先天條件發揮的作用遠遠大於你給他帶來的影響（當然，前提是他應該有一個受教育和受鼓勵的環境）。他只是按照自己的正常速度發育著、成長著。所以你可以盡情地查看兒童發育進程表，但是切不可全信。如果孩子在某個方面的發育遲緩並且引起你的擔心，不要忘了向醫生或保育護士（nurse practitioner）請教。

26. **從孩子的發育成長中尋求樂趣**。無論孩子發育偏早還是偏遲，都應該爲他的每個發育成長階段感到高興。孩子發育正常對你來說是好事，但是即使出現一點兒偏差，也不應該感到擔心。

兒童的發育模式和動因

個性：發育模式

27. 兒童的發育模式。兒童的發育模式是指兒童的個性（temperament）養成，而發育動因則是指兒童的行爲動機。從長遠看，兒童在這些方面的發育或許和孩子將來的專門技能一樣重要。例如，一個不想超過別人的孩子無論先天多麼聰慧，都不可能在學習上取得好成績；喜歡拋頭露面的孩子，可能比天賦聰穎但個性不強的孩子更容易獲得成功。

28. 個性的概念。 聽說「個性」這個概念是由一位生了第二胎的母親發明的。多數父母和專業工作者都認爲嬰兒一出生就有個性差異。有的平靜、隨和，有的急躁、多變。孩子對外界反應的這種先天性的差別就叫做個性。

隨著孩子的成長，這種個性上的差別越來越明顯。孩子的個性表現在很多方面。在情感活動層面上的表現是：抵制干擾的能力如何？表達感情的熱烈程度如何？平時的情緒是積極的還是消極的？是否對聲音、接觸、味道、光線或者氣溫特別敏感？是否能在毫無思想準備的情況下適應突然改變的環境？是否能堅持做好手裡的任何工作？綜合上述各種表現，就可以對孩子的個性加以描述了。

我認爲了解孩子的個性非常重要。有些父母由於孩子天生的個性特點而陷入苦惱且難以自拔。其實，有些孩子不好帶就是因爲他們的個性問題。

29. 重視個性的意義。個性通常很值得重視，因爲它關係到你的教育方法是否適合孩子。斯特拉・切斯（Stella Chess）和亞歷山大・托馬斯（Alexander Thomas）觀察個性不好的孩子，從他們出生一直到中年。在此期間，他們發現了令人驚訝的東西。他們原以爲，個性不好的孩子在以後的生涯中可能會遭遇到更大的困難。結果發現，孩子的天生個性給他後來的生活帶來的影響並不重要，重要的是父母的教育風格適不適合孩子的個性。以一個非常活躍並且好奇心極強的孩子爲例，有的父母很可能覺得孩子的不安分讓人心煩，而且孩子容易發生危險。因此，他們就會不停地對她說：「坐著別動！」或者「安分點兒！」這樣一來，孩子長大後就會覺得「我不是個好孩子，因爲我總是闖禍」。這就是一個父母的教育與孩子的個性之間配合度很差的例子。

而另一對夫婦可能會對這種孩子的好奇心感到自豪。他們對孩子的充沛精力感到驚奇，並且給她提供許多耗費精力的機會。由於爲孩子感到驕傲，所以他們把她稱作「火星塞」，而且欣賞她的冒險精神。由於父母對孩子的期望和教育風格適合孩子的個性，所以孩子將會成長爲一名自信的女孩。教育風格適合孩子性格的父母，往往都具有與孩子相似的個性特點。首先，他們了解孩子的個性並且接受它，而不去強迫孩子成長爲一種違背自己天性的人。基於這種理解，當孩子出現行爲問題時，他們就會採取理智的做法。通過父母的領導技巧，不但對孩子的旺盛精力因勢利導，而且也沒有傷害自己的自尊心。例如，如果讓一個好動的三歲男孩在飯店裡吃午飯坐著不動，他就會感到非常難熬。如果父親或母親能領他出去跑一跑，雙方在這次活動中都會過得很愉快。

語言發展

30. 很難想像，如果沒有語言我們的生活將會是什麼樣。我們不能不說話、不寫字。語言學家們認爲，我們每個人生來就會學習語言。他們還認爲，語言交際在人類獲得成功的因素中發揮著非常重要的作用，所以，嬰兒不得不去學習它。換句話說，大腦思維模式不允許我們做別的選擇，而只能把該學的語言學好。有的孩子學習英語，有的學習表層結構不同的斯瓦希里語（Swahili，非洲東岸諸國的共通語言）。但是，他們都是受同樣的發育過程的驅使，才開始學習語言的，而且，每種語言的深層結構都是一樣的。所以，在語言方面我們都是眞正的同一類人，都是同胞兄妹。

看到幼兒學會了說話是件令人激動的事。下面我就把他們學說話的過程簡單明瞭地描述一遍。最初，嬰兒生下來並不會說話。我們哪裡知道他最注意的是說話聲，尤其是他媽媽的聲音（他在媽媽的肚子裡已經聽了好幾個月了）。然而，他說出來的話並不是和媽媽的話一樣，而是很隨意的。

正如其他方面的發育一樣，幼兒漸漸地開始對以往偶然發生的事情有了控制能力。開始意識到他聽到的聲音就是他自己發出來的。有時這個聲音甚至會在周圍產生，比如大人的驚訝聲：「你聽見他在叫『媽媽』了嗎？喂，再叫一聲『媽媽』。」後來他就開始主動地發出這些聲音。一開始他發出的聲音是最容易發的，比如「爸—爸—爸」，或者「大—大—大」，這就標誌著兒語的開始（一般是從四個月左右的時候開始）。幼兒對發出聲音的興趣越來越大，越來越想發出更多的聲音來。但是，這些聲音並沒有內在的涵義，它們不表示一個物體或者一個意願。因此，它們不是語言。

以後的幾個月裡，嬰兒開始發出有音調和韻律的聲音。此時，如果嬰兒聽到的語言是以英語爲主，那麼他就會發出有英語韻律的聲音。而中國嬰兒發出的聲音就是漢語音調的。在九個月左右，嬰兒開始有創造性地把一些聲音連在一起，比如「吧—大—咕—拉」等，並且能變化這些聲音的音調和韻律。這叫做「喋喋語」（jargoning），而且聽起來只能算是他們自己的語言。這些聲音還是不能被稱之爲語言，因爲它們實際上並沒有什麼意思。

31. **大約在周歲生日的時候，嬰兒開始茅塞頓開了**。「原來我聽到的那個聲音是表示我特別想要的那個東西（如，ㄋㄟㄋㄟ、媽媽或爸爸）！」這種理解令他振奮，從此，孩子開始進一步鞏固這種認識。正如在語言發育的整個過程中一樣，幼兒總是先理解然後才學會說這些話。這和成年人學習第二語言一樣，他們實際理解的語言比會說的語言多得多。

在出現這一突破性進展之後不久，「單字」階段開始了。由於嬰兒一直在練習發音，所以已經具有發音的能力。現在他可以運用這種能力來發出有意義的聲音或單字。最初這些單字都是他心愛的人或物（如「ㄋㄟ」、「爸」、「媽」等），接著又學會了表示行爲的單字（如「走」、「吃」等）和形容詞（如「冷」等）以及社交詞（「拜拜」）。「單字」階段是個令人難以捉摸的階段，因爲孩子試圖用一個字表達多個意思。有的時候意思很容易猜出來，比如「ㄋㄟㄋㄟ」的意思是「我要喝奶」，還有的時候意思令人費解，因此常常使幼兒和父母雙方都感到氣餒。

再過大約六個月（當幼兒一歲半左右的時候），幼兒出現了又一個認識上的飛躍：「哦，原來可以把兩個字放在一起來表達意思啊！」研究「雙字」階段的科學家們注意到，無論幼兒的母語是什麼，這個階段表達思想的方法都一樣，要麼用一個名詞加一個動詞（「媽走」），要麼用一個形容詞加一個名詞（「大餅」）。幼兒在雙字階段表達的意思比單字階段多得多。這或許是因爲他在交際方面的成功使他加快了學習新詞彙的速度。兩歲的孩子平均每兩個小時就能多學會一個新字。這個速度一直持續到孩子的青春期。

32. **幼兒沒有「三詞」階段**。孩子找到了竅門以後，就開始以一種令人驚奇的省略方式來組合句子，而且語法準確得令人吃驚。和發育期出現的多數飛躍一樣，這位小科學家也對如何組詞造句進行假設。他總是先做一個基本假設，然後再經過實踐的檢驗來不斷改進。

33. **複數名詞的構成**。說英語的孩子很快就確信，在任何單詞的後邊加上「s」都能表示「不止一個」的意思。這是個很好的假設，而且對他表達思想確實起作用。但是，當出現不規則複數名詞的時候，孩子就不知道該怎麼辦了。在這個階段給孩子糾正這類錯誤是起不了作用的，因爲這些規則和他認識事物的方式不一致。比如，儘管你不停地告誡孩子：表示幾隻老鼠時要說mice，而不是mouses，但是你能得到的只是一種理解的表情，而回答還是「我看見許多mices」。他們這些關於語言規則的基本假設在經驗中得到修改，再經過一次比一次更爲複雜的新假設不斷得以完善，最終他們將明白：「哦，原來並不是所有的名詞都需要加『s』才能構成複數形式。」

過程就這樣週而復始地繼續著。到了孩子四、五歲的時候，他就基本地掌握了母語的多數規則，並且掌握了八千多個單詞。

皮亞傑的認知發展理論

34. 認識事物的過程。幼兒是怎樣學會認識事物的？這就是研究認知發展（cognitive development）的科學家們提出的問題。這個領域最有影響力的思想家是瑞士的心理學家皮亞傑（Jean Piaget）。皮亞傑的早期認知發展理論是在認眞觀察自己的三個孩子的過程中得出的。後來，他把餘生精力全都用在通過科學研究來論證自己的理論上。但是，他的這些想法都是通過每天對自己的孩子仔細觀察得到的。你也可以在觀察自己孩子的過程中獲得這種啓示。

皮亞傑認爲，每個人的發展過程都是一樣的。通過對人的各個發展階段的認眞描述，他解釋了爲什麼幼兒一開始沒有什麼抽象思維能力，但是後來卻能學會邏輯推理和對事物的發展進行假設，並且產生自己以前沒有聽過的新想法和做出沒有見過的新舉動。皮亞傑把孩子看作「小科學家」，他認爲孩子生來就具有想去認識事物的動力；我們也是在這種動力的驅使下不停地進行實驗的。比如一個四個月大的孩子會不停地扔東西，然後又到處找，他就是在檢驗自己的物質不滅的想法。他可能會向自己提出這樣一個問題：「如果我把這塊吃的東西丟掉了，是否以後就再也看不見它了？它還存不存在呢？」

在幼兒進行這種「看不見就等於忘記了」的實驗之前，除了他當時能看到、聽到和摸到的東西以外，他的腦海裡實際上什麼也不存在。可想而知，幼兒確實需要跨越一個信念上的飛躍才能明白，即使一件東西自己看不見了，它也仍然存在。幼兒在前幾個月裡，通過一次又一次的驗證，開始理解了這個概念。在三個月的時候，幼兒可能偶然把奶瓶或者安撫奶嘴掉到地上，但在幾秒鐘之後驚訝地發現，他掉的東西就在地上。這種事情可能一次又一次地發生，並且逐漸在他腦子裡留下印象：地上的那個東西就是我原來手裡拿著的那個東西。

這時小科學家開始實踐了。他開始故意把東西丟到地上，並且發現低頭就能看見它。他把東西再丟到地上，發現還能看見。這樣，他就一次又一次地把東西扔到地上。幼兒喜歡玩「躲貓貓」也是出於同樣的原因：一張臉忽隱忽現，眞是有趣。幼兒繼續這種遊戲的興致是無限的，因爲這正是他在此發育階段需要解決的問題。一旦他確信，即使看不見這張臉它也仍然存在，他就會放棄玩「躲貓貓」，並開始一個新的遊戲，即一個正符合該發展階段的遊戲。

最後，當丟東西的研究圓滿結束的時候，他就有了一個見解：如果他剛才見過什麼而現在不見了，這個東西肯定在地上。如果地上沒有，那它可能已不復存在了。一直到下一個階段，即八個月左右的時候，幼兒對物體不滅的理解才開始變得複雜起來，東西不見了以後，他開始到處尋找。

35. **皮亞傑把兩歲前的階段叫做感覺運動期**（sensorimotor period）。意思是說，幼兒和學步兒的知識是在運用手、感覺和運動能力的過程中學到的。他們對事物的認識，是以物質世界上所發生的事情爲基礎的，因此，他們理解抽象事物的能力仍然很有限。但是到兩歲末的時候，他們運用概念和抽象理論去理解事物的能力已有很大進步。比如，此時幼兒已經知道，不管他能否看見或者摸到那樣東西，它都依然存在。

從感覺運動期往後，孩子還要經過三個階段：前運思期（pre-operational period）、具體運思期（concrete operations period）、和形式運思期（formal operations period）。皮亞傑認爲，孩子不可能跳躍任何一個階段，後一個階段總是緊密相連地產生於前一個階段。對事物的每一個新的認識都基於前一個階段的認識，而這一新的認識又被後來的新經歷和認識這些新經歷所需的更好的理論所改變。每經過一個階段，孩子的能力就增長一點，就能更好地生活在這個充滿觀念的世界上，更好地進行思考，創造出更好的想法來。

對認知發展的理解使我們產生一個重要的觀點：孩子不僅僅只是個「小大人」，他們理解事物的方法和大人存在著根本的區別。在他們的認知階段，是以自我爲中心的，即一切事情都是圍繞他們發生的。雖然這可能使當父母的感到惱火，但是，學前兒童的這種思維方式是很正常的。這個年齡的孩子，對因果的理解很具魔術色彩，認爲事情的發生不一定都有邏輯道理。我認爲，這也正是成年人對魔術很著迷的原因。

根據我的經驗，父母有時感到孩子難以管教，就是因爲他們沒有眞正認識到，自己和孩子對事物的認識存在著根本差別。因此，他們就會認爲，自己的孩子實際上能理解更深的東西。也正是由於這個原因，他們有時長篇闊論地給一個兩歲的孩子解釋爲什麼要理解父母。儘管這個階段的孩子還做不到「理解」，但是，這並不是說孩子以後也不會理解別人。由於對孩子的這種類似的誤解，有些大人教育十幾歲的孩子不要吸菸，因爲吸菸可能導致肺癌，並且使他們活不到四十歲。其實，對他們講直接的利害關係，效果要好得多。比如，吸菸使人呼吸氣味難聞、耐力減弱、和表情愚鈍等。因爲這些是這個年齡的孩子們確實忌諱的事。

情感發展

36. 孩子的情感需求。孩子在二～三歲時性格大部分已經定型。這個時期他們最容易受到影響，尤其容易受到父母或者經常照顧他們的人對他們態度的影響。在過去的年代裡，有的孩子在人手不足的孤兒院度過，或者在日間托兒所裡整天躺在搖籃裡沒有人管。這些孩子往往身體瘦小、智力低下、情緒萎靡，而且一直也沒有完全康復。然而，如果孩子主要靠充滿愛心的父母的熱情哺育，或者還有別人的幫助，他就會茁壯成長。父母給予孩子的是他們那份看得見的愛，比如，看見孩子有了進步而感到自豪，爲他精心選擇玩具，解答他的問題和看著他盡情地玩耍（只要不損壞東西）等；他們還給他讀故事，給他圖片看。這種態度和活動能促進孩子的情感發展和培養孩子的聰明才智。

孩子將成長爲樂觀主義者還是悲觀主義者？成爲富有愛心的人還是冷漠無情的人？成爲有信譽的人還是令人多疑的人？這些很大程度上都取決於前兩年主要照顧他們的人對他們的態度。因此，他們的父母和照顧者的個性十分重要。

有的人基本上把孩子當作壞孩子對待，總是懷疑他們，批評他們。這樣的孩子長大後就會懷疑自己，總覺得自己不對。一個敵視別人的人總能找到各種理由來向孩子發脾氣，孩子也會養成相應的敵視態度。還有的人喜歡統治孩子，而且很不幸的是他們總能獲得成功。孩子在頭一年主要依賴大人對他們的留意、對他們的直覺和幫助來得到他們需要和想要的東西。如果大人對他們麻木不仁或者不理不睬，他們就可能在某種程度上變得冷漠或者憂鬱。

37. 小孩的特殊需求就是持之以恆的照顧。主要負責照顧嬰兒的，一般都是一兩個人。從幾個月的時候開始，嬰兒就開始喜歡他們的保護，依靠他們的保護，並且從他們那裡得到保護。一個只有六個月的嬰兒，如果一直照顧他的父母不見了，也會變得很憂鬱，沒有笑臉，不愛吃東西。如果一個定時幫助父母照顧他的人離開了，他也會表現得心情憂鬱，只不過不像父母離開時那麼嚴重罷了。如果一個孩子被從一個養育他的家庭送到另一個家庭，然後又被送到另一個家庭，幾次以後他就會失去深愛和深信別人的信心，一次又一次的失望似乎令他痛苦萬分。

所以在最初的二、三年裡，父母或其他主要照顧孩子的人不應該放棄照顧孩子的職責，這一點很重要。如果迫不得已，也應該在孩子逐漸地適應了別人的照顧以後，才把他交給這個人。要儘量確保替代者能一直把孩子帶下去，這一點也很重要。在孩子需要集體托育，並且每組孩子有二、三個阿姨負責的情況下，也必須保證每個孩子只由一個阿姨負責，以便孩子與其建立起母子般的關係。

38. 三歲以後的情感需求。下面我想談一談所有孩子（尤其是三歲以後的孩子）的情感需求問題。

孩子知道自己沒有經驗，需要依靠別人。他們需要父母的領導、愛護和保護。他們總是本能地觀察著父母，模仿著父母，因此他們的個性、品行、信念和處事能力都是這樣學來的。在孩提時期，他們就通過模仿自己的父母，學習如何當一名成熟的公民、工作者、配偶或父母（參見427）。

從父母那裡得到的最好禮物就是愛。父母表達愛的方式很多：做一個愛的表情；出自內心地抱一抱或者撫摸；為他們取得的成就感到高興；他們受到傷害或感到害怕時對他們表示安慰；保護他們的安全；幫助他們成為有責任心的人；以及教育他們做有遠大理想的人等等。

正是因為父母（或照顧者）愛孩子，才換來了孩子對父母的愛。孩子也正是從愛父母開始，逐步建立起生活中的所有關係，即和朋友、老師、配偶、子女、鄰居和同事的關係。父母（或照顧者）的尊重使孩子獲得了自信。在以後的生活中，這種自信有助於他們對自己感到放心，並且在各種人面前都感到無拘無束。來自父母的尊重教育了他們，使他們也用尊重來回報父母。

39. 三歲時，男孩和女孩都開始注意父母的作用。男孩三歲的時候就能意識到，他的目標是當個男人，所以他特別注意他的爸爸：注意他的興趣、舉止、說話、愛好、對待工作的態度、與妻子和子女的關係、以及他如何與其他男人相處，等等。

女孩子對爸爸的需要，表面上不像男孩子那麼明顯，但是實際上也同樣重要。她一生中有一半的關係是和男性建立的。她對男人的了解，主要是通過對父親的觀察得到的。她最終愛上並且以身相許的男人，可能在個性和世界觀上的某個方面和她的父親相似。比如，他是強勢還是溫和，是忠誠還是浪蕩，是自負還是幽默。

媽媽的個性在很多方面都將被心愛的女兒繼承。媽媽在當女人、當妻子、當媽媽、和工作時的態度，都將給女兒留下深刻的印象。她與丈夫相處的特別方式也將影響女兒未來同丈夫的關係。

母親是兒子的第一個偉大的情人，並且將以一種明顯的或微妙的方式確定他的浪漫理想。這不僅影響他最終選擇什麼樣的妻子，而且影響他和妻子如何相處。

40. 孩子需要母親，也離不開父親。根據我當兒科醫生和精神科醫生的經驗，我覺得如果可能，最好讓孩子和雙親生活在一起。假如其中一個是繼母，只要雙方互敬互愛也一樣。這樣，孩子就會眞實而且理想化地了解父母雙方，使他們長大後有一個婚姻模式能夠指導自己的婚姻。父母雙方應該做到在感情上互相支持，還要做到均衡或者化解對方對孩子的不必要的擔心和憂慮。

這並不是說沒有父親或母親的孩子就肯定不能健康地成長。很多孩子同樣可以成長得很好。如果沒有父親，他們就根據他們記憶裡的、媽媽告訴過他們的、或者他們經常看到而且對他們友好的男人的誘人特點想像出一個父親來。由於這個想像中的父親富有男子氣質，所以，其形象對孩子以後在成長過程中發揮著很好的作用。與此相似，沒有媽媽的孩子也是根據記憶、家史故事和與其他婦女的關係，來想像出母親的樣子。當然，如果爲了讓孩子有媽媽或爸爸而匆忙選擇一個配偶，你便犯了極大的錯誤。

∽ 動機說：發展動因 ∽

41. 二十世紀最有影響力的兒童發展理論家或許要數佛洛伊德（Sigmund Freud）了。成爲兒科醫生以後，我接受過精神病學和佛洛伊德的精神分析學培訓。我從這次培訓中學到的有關人性和兒童發展方面的知識，深深地影響了我對孩子、父母和家庭的認識。這就是本書的心理學基礎。

佛洛伊德認爲，所有的孩子都要經歷同樣明顯的階段。他不像皮亞傑那樣去描寫孩子的思維方式，而是強調我們的生理本能──對性的要求、對食物的要求、對滿足欲望的及時要求、和對安全感的要求（尤其是在家裡）與孩子的社會經驗之間的矛盾。佛洛伊德的研究目的，是爲了弄清人的這些生理動機是如何得到引導，最終使人遵守文明社會的法制，而不是去追求個人的滿足。

佛洛伊德還認爲，如果孩子在早期發展的某一個階段停滯不前，其後的各個階段都將受到影響。對佛洛伊德來說，培養孩子的最終目標是使他們在感情上成熟起來，而皮亞傑卻尋求一種更高層次的抽象推理能力。在佛洛伊德和病人一起探究他們的不理智思維時，他的主要目的之一，是緩解病人的恐懼、困擾和歇斯底里症狀，以便他們能在日常生活中更有效、更幸福地發揮作用。我之所以借用佛洛伊德的某些發現，是爲了了解感情怎樣才能健康地發展，以便幫助父母了解孩子的哪些行爲是正常的，哪些是不正常的。

∽ 是先天的還是後天的？ ∽

42. 有很多方法可以了解人類的神秘發展過程。我們可以借鑑豐富的理論。有些人認爲，這個過程完全是遺傳因素決定的。我們生來就具有某種智慧和個性，這是決定我們的現在和將來的最主要因素。比如有些被分養在不同家庭的雙胞胎在個性上仍然具有顯著的（有時甚至是不可思議的）相似之處。這些有趣的發現就是這些科學家們的證據。

有些人確信，我們完全是環境下的產物。環境鼓勵我們去做的事，我們就學著去做；環境不允許我們去做的事，我們就知道不應該去做，這個理論叫做行為主義理論（behaviorist theory）。它堅信，只要通過獎懲的手段，人類就能理解任何學問。這一思想學派是通過許多長期的試煉，比如觀察、記錄、取消特權等，才形成的。

也許每個有關兒童發展的理論都有它的核心眞理。當然，誰也不會否認，孩子生下來就有自己的不同個性和不同發展時間表。另一方面，孩子是被怎樣帶大的與他以後長成什麼樣的人也有很大關係，這也是毫無疑問的。也有一些罕見的例子——環境對孩子的影響如此之大，以至於他們的潛在智慧從未得到發展。但是，無論怎麼說，我們將來能長成什麼樣的人，與父母教育我們的方式以及我們兒時的經歷都密不可分。

兒童發展的相互作用模式

43. **兒童發展的相互作用模式**。這一模式有助於回答「是先天的還是後天的」這個問題。實際上，人的個性既不完全是環境的產物，也不完全是遺傳因子決定的。發揮關鍵作用的是這兩方面之間複雜的相互作用。

下面我就舉一個例子。有一個孩子很早就在家庭裡表現出了他的音樂天賦，他不停地唱歌、聽音樂。有心的父母意識到孩子對音樂的興趣以後，就給孩子放更多的音樂聽，而且還在他兩歲的時候給他買了玩具木琴。孩子對音樂越來越濃的興趣和越來越熟練的音樂技能激勵著父母，所以，父母後來又給他提供更多的機會。這些機會反過來又進一步激勵著孩子在音樂方面的智慧和欲望。

相互作用分析者可能會說，孩子的天賦和環境都對孩子的發展有影響。確實如此，因為這個孩子生來就有音樂天賦。但是，正是因為受到這種天賦的啓發，他的父母才為他在家裡提供更多的機會去接觸音樂，從而改變了他的環境。孩子在環境中的這種經歷反過來又進一步鼓勵著他的才能和動力，而孩子的才能和動力又反過來激勵著家長去爲他提供更多的音樂養分。孩子的音樂天賦和個性改變了環境，環境又反過來改變了孩子的動機和行爲，孩子的動機和行爲又反過來以新的方式改變了環境，就這樣不斷相互作用……。

相互作用模式可以解釋，爲什麼兄弟姊妹們長大後，就像不是在同一個家庭長大的一樣。也就是說，由於家庭成員的個性和數量上的變化，家庭生活環境也在不斷地變化，所以，每個孩子的經歷並不是完全一樣的。第一個孩子的生活經歷和第二個、第三個很不相同。有的孩子個性不好，難帶，而他的弟弟可能很聽話，因此他們兩個在父母面前的遭遇肯定很不一樣。孩子改變了環境，環境又反過來改變了孩子。孩子的發展過程就像跳一種複雜的舞，一會兒天賦帶著環境跳，一會兒環境又帶著天賦跳。

我喜歡用相互作用模式來考慮兒童的養育問題。假如對一個愛爭辯的兩歲孩子束手無策，相互作用模式就會告訴你，要首先考慮一下孩子和你之間引起了什麼問題：是孩子的討厭個性使你煩惱嗎？他是不是就是這種倔強性格？他是否對什麼都反應激烈？他是否討厭別人改變他的習慣？他的發展階段是否與此有什麼聯繫？他是否由於年齡小，所以想表示感謝的時候一刻也忍不住？他是否還沒有能力把他的煩心事告訴你？這是否正是他容易發脾氣的原因？要弄清這個問題就要像拼拼圖一樣，而孩子就好比一幅拼圖中的一片。

你還需要向自己提出以下幾個問題：我在這些問題中扮演什麼角色？我本來想阻止孩子的某些行爲，所以總是對它很關注，這樣一來，是不是反而助長了這種行爲？我希望一個兩歲的孩子成爲模範公民是不是太過分了？是否由於孩子使我想起一個與自己合不來的人，所以我就下意識地感到惱怒？

最後，你還需要對這兩個方面進行綜合考慮，才能對發現的問題有一個完整的理解，才能確定解決這個問題的辦法。比如想一想孩子的個性和發展階段與他這種討厭的行爲有什麼聯繫？或者，我的個性對孩子的行爲有什麼影響？更重要的是，還要想一想你自己需要改變什麼，才能使這種煩惱不再無休止地繼續下去？你怎樣才能更清楚地了解導致孩子這種行爲的原因，以便改進自己的應對方法？

對有些人來說，我所說的這些聽起來可能理論性太強。但是，儘管他們自己並沒有意識到，這些確實是許多父母經常自己問自己的問題。我認爲，弄清兒童的這種發展模式之後，你就能更清楚地知道，這種相互作用力在孩子的行爲和成長背後所起的作用。這將有助於弄清自己應該扮演什麼樣的角色，以便去推進孩子的發展，改進孩子的行爲。

性別差異

44. **人們讚揚小男孩時，往往是由於他取得了什麼成績，而讚揚小女孩時，一般是因爲她逗人喜愛**。看見小女孩穿著具有女孩特點的衣服時，大人們就會說「你眞漂亮啊！」在某種意義上說，這是一種讚美，但是，它也給女孩一種感覺，好像人們賞識的，主要是她們的外表，而不是她們的成績。在兒童畫册裡看到的，往往都是男孩子在製作什麼，或者在從事冒險活動，而女孩子要麼在一旁觀看，要麼在玩布娃娃。由於女孩沒有男孩子強壯，容易受到傷害，所以大人往往會警告她們不要去爬樹，也不要爬到屋頂上。男孩子得到的禮物往往是玩具汽車、積木、運動器材和成套的醫療器械等，而女孩得到的卻是布娃娃、針線、成套的護理器械和裝飾品等。給孩子這些禮物本身沒有什麼不對之處，尤其是當孩子要這些東西的時候，就更應該給。但是，如果大人總是不斷地製造這種差別，讓女孩子（或男孩子）覺得她們（或他們）適合的職業只限於幾種，這樣就會給孩子帶來危害（參見957）。

家長常常讓男孩子幫著修車、整理地下室裡的雜物，或者修剪草坪等，而只讓女孩子待在家裡做家事。當然，家事對全家人來說都很重要，做家事的人應該受到應有的尊重。但是，如果社會給男性的特權太多，而只讓女性做家事，家務勞動就會受到男女雙方的歧視。

爲了掩飾不如女孩的自愧心理，男孩就經常嘲笑女孩，說女孩沒有他們跑得快，投不了球，所以不讓她們加入籃球隊。還有些家長和老師告訴女孩說，她們天生學不了高等數學或高等物理，所以當不成工程師。到了青春期，許多女孩開始相信，她們在抽象推理、複雜籌劃技能和感情掌握方面不如男孩子。如果接受了這些不切實際的評價，女孩的自信心就會受到打擊，並且可能因此而使她們（包括許多男孩）先天就具有的許多才能得不到發揮。

45. 對同性戀的擔心。如果父母認爲自己的小兒子有些女孩子氣，或者女兒太男子氣，他們就可能懷疑孩子長大後也許會成爲同性戀者。由於對同性戀的偏見很普遍，因此父母可能爲此而感到焦慮。然而，女孩子或者男孩子是否願意和性別不同的孩子玩耍，是否喜歡他們的活動和玩具，現下的事實並不說明他們將來的性愛傾向可能會出現什麼問題。儘管小時候有異性表現的孩子長大後有一小部分成爲同性戀者，但是大部分不是這樣。

如果男孩子什麼也不要而只要衣服和布娃娃，只願意和女孩子玩，並且說他想當女孩子，這時我們就該考慮考慮，是不是由於誤會或憂慮使他弄不清自己的身分。由於這個問題將成爲孩子的巨大苦惱之源，比如他可能受到同伴們的排斥等，所以應該找專家來解決這個問題。如果女孩子特別喜歡和男孩子玩，並且有時希望自己是個男孩子，她很可能只是抱怨女孩子不好，沒有男孩子那麼強壯和聰明，並且想驗證自己的能力。也有可能是因爲她對父親或哥哥表示佩服和認同。但是，如果她只想和男孩子玩，而且總是因爲自己是女孩而悶悶不樂，我建議你們帶她去找專家看一看。

46. 什麼是同性戀？在美國的社會上，有5～10％的成年男女是同性戀者。由於還有更多與同性戀相關的特點，所以專家們很難準確地統計出同性戀者的比例。

雖然同性戀在我們的文化中更加顯而易見了，比如在電影中、雜誌上和電視上都可以看到；儘管像音樂家、時裝設計師、運動員甚至政客這樣的知名人士，越來越願意公開承認自己是同性戀者，但是，仍然有很多人對同性戀有一種毫無道理的恐懼感。這種恐懼叫做「同性戀恐懼症」（homophobia）。它的普通表現形式是，異性戀者擔心自己會變成同性戀者而產生的恐懼心理。因爲他們認爲同性戀是不正常的。這種恐懼可能會導致把同性戀者當作替罪羔羊，說他們把愛滋病瘟疫傳染給他們，或者導致家長們阻止孩子和成年同性戀者密切接觸。同性戀恐懼症的激進表現形式是導致仇恨犯罪，比如鞭打同性戀者或者通過法律來限制同性戀自由。

有些家長認爲，如果自己的孩子和成年同性戀者有來往，他們就會成爲同性戀者。然而，沒有任何證據表明，孩子的同性戀傾向或者異性戀傾向會透過模仿而改變。心理健康專家、科學家和其他專家都在激烈地爭論，異性戀或同性戀傾向是先天決定的，還是由於心理經歷或感情經歷的影響所決定的？但是，專家們一致認爲，人的基本性愛傾向是在最初幾年的發展中確定的。無論孩子生活在什麼風格的家庭中，也無論他受到什麼樣的保護，都對他的基本性愛傾向沒有關聯。

如果你的孩子向你打聽同性戀的事情；如果他們都在六歲以上或者到了大約性成熟的年齡，你可以很簡單地告訴他們：有些男人和女人愛上了同一性別的人並且和他們住在一起。

47. 有必要加強性別角色嗎？玩具汽車和穿牛仔衣褲，並不能使男孩子清楚地認識到自己是個男子。眞正使他認識到這一點的，是他童年初期和父親之間的有益關係。正是這種關係，使他渴望長大後成爲和父親一樣的人。

如果父親有意拒絕兒子要布娃娃的請求，或者表現出爲兒子的女孩品味而擔心，孩子的男子氣概也並不會因此而得到加強。事實上，兒子甚至會覺察到自己和父親的男子氣概都值得懷疑，或者認爲兩個人都缺乏男子氣概。如果父親對自己的男子氣概感到自信，他就應該通過給兒子買布娃娃的方式，來幫助兒子發展父愛中的母愛一面。

與此相同，女孩也從媽媽身上尋找自己的偶像。如果當媽媽的能鼓勵女兒去參加許多活動來開發她的極限潛能，並且自己也這樣做，她就能培養出一個既自信又健壯的女兒來。但是，如果當母親的過分擔心自己的女子氣質，或者擔心自己對男人沒有吸引力，她就可能過分地重視女兒的女子氣質。如果她只給女兒布娃娃和炊事用具玩，並且總是把她打扮得花枝招展，她就會使孩子曲解女性的特點。

女孩子同父親建立積極的關係也很重要。如果當父親的不理女兒，輕視女兒，拒絕和她玩球，或者不讓她參加露營、釣魚等活動，她就可能產生自卑感並進一步養成刻板的性格。

我認爲小女孩想要玩具汽車，小男孩想玩布娃娃都很正常，而且完全可以給他們買這種玩具。男孩子想玩布娃娃是因爲他具有做父母的情感，而不是因爲他的女子氣。因此，應該幫助他成爲一名好父親。不論男孩子還是女孩子，如果他們想穿不分性別的衣服（如牛仔褲和T恤），或者女孩子喜歡穿禮服，那就讓他們穿吧，不會有什麼壞處的。

至於做家事的問題，我認爲，應該給男孩子和女孩子分配同樣的工作。男人和女人無論在家還是在外，都應該從事同樣的職業。男孩子可以和他們的姊妹一樣，應該做鋪床、打掃房間和洗碗等工作，而且工作量要同樣多。女孩子也可以做整理院子或者洗車等工作，就像我希望她們的媽媽也能這麼做一樣。但是，我並不是說不管什麼工作他們都不應該交換，都應該完全平等，而只是說不應該對他們有明顯的歧視或者區分。父母的榜樣十分重要。看孩子的特點時要記住，男孩子主要像父親，但是也常常有點兒像母親，或者更準確地說，在一定程度上像母親。我敢肯定，我之所以成爲兒科醫生，就是因爲我在疼愛嬰兒方面像我的母親。在我之後，我母親又生了五個孩子。我記得我特別樂意用奶瓶給他們餵奶，並用嬰兒車推著性情焦躁的小妹妹在走廊裡走來走去地哄著她不哭。

我記得，有些找我看過病的女孩子就像她們的父親，她們有的喜歡養鳥，有的成了免疫學家，而當母親的並沒有這種興趣。所以，孩子的特點問題只存在著程度上、興趣上或對事物的看法上的差別，而不是要麼是百分之百的男性，要麼就是百分之百的女性這麼絕對。從這個意義上講，每個人都在某個方面或某種程度上存在著異性的特點。這樣能使他們長大以後理解異性，並且具有更豐富、更容易變通的個性。從整體上講，它也有益於社會，因爲它能使人對各種職業有一個綜合的看法。

由於一個人不可能具有百分之百的單一性別特點，所以，只要孩子能欣然地接受他們的現狀，那麼，不論他們已經養成什麼樣的複雜特點、對事物持什麼態度或者有什麼愛好，都可以儘管放心地讓他們去發展。這樣總比由於家長的反對而讓他們感到羞愧和憂慮要好。

人的抱負從何而來

48. **在三至六歲期間，孩子是在對父母的無限崇拜中成長的**。他們心目中的父母不是像鄰居們看到的那樣，而是被他們美化了的形象。他們過高地評價父母的智慧、能力和魅力。男孩子渴望長大後能像心目中的父親一樣，所以整天模仿著父親的舉止和學著做他所做的事情。與此同時，他還浪漫地把自己的媽媽想像成理想中的女性偶像。因此，媽媽對兒子成人後的擇偶問題影響很大。

女孩子恰恰相反。她渴望長大後，在職業上和生兒育女方面都像自己的媽媽一樣，並且產生了一種自己就屬於父親的浪漫聯想。

由於孩子們非常清楚地知道，在他們需要依賴父母的這個年齡，父母對他們的愛非常重要。因此，他們也同樣慷慨地去愛自己的父母和其他人。正是出於這種原因，他們以後才會培養出對自己孩子的愛心和對人類的奉獻精神。在三至六歲的這個階段，兒童的感情在其他幾個方面也有發展。男孩子和女孩子都對結婚生孩子著迷。這個時候很難說服男孩子相信他們不能生孩子。據說，他們之所以在發明、藝術和機器製造方面表現出創造性，原因之一就是因爲自己不會生孩子，所以要在其他方面和女孩子展開競爭。

按自然規律，在孩子們確定了理想並且進一步成熟之後，就會大幅度地減少對父母的強烈依賴。這樣，他們在六至十二歲的時候便開始在感情上邁出更獨立於父母的下一步，去適應外面的社會和外面的處世方法。這是由於他們對父母的感情發生了戲劇性的轉變而引起的。

孩子對異性親人的浪漫依戀會慢慢地導致想和同性親人競爭的不安分念頭。在大約六、七歲的時候，他們不斷感到失敗並且意識到輩分差別，所以他們就逐漸打消了這種念頭，並且內疚地把它埋藏起來。與此同時，他們開始對婚姻、生孩子和異性感到好奇。他們能夠把這種興趣轉向與情感無關的抽象興趣，比如三R（讀、寫、算）、科學和自然等。他們不再把父母當作他們的偶像，轉而去崇拜上帝、政府當局、法律、歷史英雄、小說、電視和喜劇等。

我們會驚訝地發現，人類竟然在五歲以後就有了明顯區別於其他動物的特性：能對性欲進行壓抑和昇華；能理解符號、抽象概念、體制和規則；能被英雄、上帝和精神偶像所感召。人類在培養這些特性的過程，首先是對異性親人產生特殊的愛慕，然後又擔心和另一個親人發生衝突，同時也認識到輩分上存在著差別，最後又不得不放棄這種浪漫的感情。青春期的內分泌壓力，打亂了孩子們在兒童中期試圖擺脫感情困擾的調整過程。孩子的性欲和浪漫驅使他們以某種形式表現出來，並且慢慢地打破從前的戒律。他們仍然保留著原來的一部分情感，並且正如他們的父母一樣，只把它投入到理想主義的幻想中。男孩子對母親的浪漫崇拜，由於已經被抑制了多年而變得模糊又不現實。此刻由於萌發了對女孩子的愛，所以就對女孩子的神秘感到不可思議，並且把慇勤和靈性一股腦地用在女孩子身上。

人類對異性的理想化也能和他們的創造力相結合，而且是他們在農業、工程、技術發明、科學發現、文學、戲劇、音樂和繪畫方面的創造性的主要靈感來源。一個典型的例子就是但丁（Dante）的《神曲》

(*Divine Comedy*)。該書是義大利詩聖在佛羅倫斯名門之女比特麗斯(Beatrice)的感召下為她而寫的。然而，作者只在九歲時見過與他同年的比特麗斯，但卻從來無緣相識。把這兩種靈感結合起來，人類就能在成年時期，根據童年早期的幻覺，比如對父母不現實的、超理想化的而又天眞浪漫的愛和信任，創造出偉大的現實。

人類的這些潛能在少部分人身上得以高度的發展，在大部分人身上得到較好的發展，而幾乎沒有人沒有這方面的發展。這種理想主義的、創造性的和精神上的潛能是所有孩子與生俱來的。他們能否意識到這些潛能，在某種程度上取決於他們的父母。在三、四歲的時候，他們都會在某種程度上把他們的父母理想化。如果父母有抱負、尊重自己、相互尊重、同時也尊重孩子，他們的後代就會繼續受到這種模式的鼓勵，甚至在童年後期，孩子不太與父母親近時也不會改變。

產前準備

懷孕與分娩

49. 懷孕時的複雜心情。我們都想當然地認為，女人知道自己要生孩子的時候都欣喜萬分。在懷孕期間，她一直憧憬著有了孩子後的幸福，所以，孩子出生以後，她就會輕鬆愉快地去體貼和愛護孩子。她對孩子有著本能的愛，而且是一種如膠似漆的愛。

從總體上看，只能說這種看法在一定程度上符合事實，因為它對有些人的情況符合得多一些，而對另一些人則符合得少一些。當然，這也只是問題的一個側面。我們現在知道，有些婦女對懷孕也有一些正常的抗拒心理，在懷第一胎的時候尤其是這樣。

在某種意義上說，婦女一懷孕就表示無憂無慮的青年時代已經過去。少女風采將成為過往煙雲，活潑瀟灑的氣質也隨之漸漸地消失。這種情況雖然只是暫時的，但卻非常眞實。婦女們能認識到，生了孩子以後，她的社會活動和戶外愛好將受到極大的限制，再也不能想去看電影時跳上車就走，也不能很晚才回家了。家庭開支要精打細算，丈夫和自己的注意力也將很快轉向不容忽視的孩子身上。

50. 每一次懷孕的不同心情。生了一、兩個孩子以後又要生孩子的時候，婦女的心情變化並不像想像的那麼劇烈。但是，在每次懷孕期間，她們都可能會產生抗拒心理。有時，她們不願意接受懷孕的事實，其原因很明顯：事情來得太突然；有一方工作很緊張；有一方有病或者是雙方出現感情不和。在其他情況下則沒有明顯的解釋。我認識的一位婦產科醫生說，他有時能覺察到，儘管有些父母本來一直盼望著有兩、三個孩子，但是在想要有第二個或第三個孩子的時候，心裡還是會產生危機感。即使一位媽媽確實還想要孩子，在她懷第二胎的時候，仍然還會感到心煩意亂。她可能會忽然懷疑自己是否有時間、精力或者用不完的愛來照顧另一個孩子。做父親的也會在心裡產生猶豫，因為他覺得妻子用在孩子身上的精力越來越多，關心他自己的時候越來越少。事情往往這樣：首先是夫妻中有一個感到憂慮，然後另一個也跟著洩了氣。隨著預產期的不斷臨近和憂慮的不斷加劇，夫妻雙方能給予對方的關注也會越來越少。

我並不是說，這種反應不可避免，而只是想讓你相信，即使在最恩愛的夫妻之間也會發生這種情況。這是妻子懷孕期間夫妻雙方表現出來的一種正常的複雜心情，但是在大多數例子中都是暫時的。有些夫妻在妻子懷孕期間沒有任何消極心理，因此有時間來解決他們自然的矛盾心理和憂慮。這樣一來，孩子出生以後，事情就不會像原來想像得那麼難。如果等孩子出生後再去解決這些問題，事情就要難辦得多了，因為到那時，所有的精力都要用在照料孩子的事情上。

51. 懷孕期間的丈夫。妻子懷孕後，丈夫可能會出現各種各樣的想法：對妻子的保護意識、對婚姻的自豪感、對自己的生育能力的自豪感（這是男人在某種程度上經常擔心的問題之一）和對孩子出生後的美好遐想。但是，他們在內心深處仍然可能有一種受到忽視的感覺，就像小孩子看到媽媽懷孕後有一種被拋棄的感覺一樣。這可能導致他們對妻子的誤解，因此就想和朋友們在外多過上幾個夜晚，或者和其他女人鬼混。

這種反應對妻子一點幫助也沒有，因爲她在這個陌生的階段更渴望得到理解與支持。

52. 妻子懷孕期間丈夫應該給予的支持。不久以前，做父親的根本看不到這樣的育兒書籍。不過，原來的那種男女之間的明確分工現在已經模糊不淸了。做父親的在家看孩子，而做媽媽的在外上班，這已經不像過去那樣新鮮了。我們過去曾經很刻板地規定，做母親的只能做什麼，做父親的只能怎麼做。與此相比，現在的變化多麼令人歡喜啊！

現在，許多丈夫在妻子懷孕和分娩期間，承擔起了家中的全部或主要的工作。他們可能在嬰兒出生前陪伴妻子去看醫生或者參加生育講座；在妻子分娩時，可能會忙裡忙外地幫著接生。在有的醫院裡，丈夫還可能親手接住生下來的嬰兒，剪斷臍帶，把嬰兒送到保育室，然後替他洗乾淨。而此時，妻子可能正在產房裡得到醫護人員的照顧。如果在孩子出生後的幾個小時裡妻子感覺不舒服，或者孩子有什麼特殊問題，做父親的可能就是最忙碌的人。他們再也不是過去的那種孤獨而又悶悶不樂的旁觀者了。

53. 慢慢地培養起對孩子的愛。在孩子還沒有出生之前，許多父母都爲他感到高興和自豪。但是孩子出生後卻發現他很陌生，旣沒有親眼見過面，也沒有想到他竟是這個模樣，所以很難實實在在地愛上他。愛是難以捉摸的，而且對不同的人有不同的涵義。有些父母在感到胎動的時候就已經把胎兒看作現實中的人，並且接受了他。這樣，他們就慢慢地培養起了對孩子的愛。還有些父母在做第一次超音波檢查時，看到了胎兒跳動的心，這時，他們就已經對孩子產生了愛。另有一些父母一直到實際照料孩子的時候才對孩子產生愛。我想強調的是，你什麼時候開始愛孩子並沒有什麼規律可循，而只能說到時候就會自然地愛上他。如果對孩子的愛不像原來想像的那樣強烈，你也不必感到愧疚。這種愛可能產生得早，也可能產生得晚。但是，這並不是個對與錯的問題。在1000個例子當中，有999個都是在需要展現愛的時候，愛就產生了。

即使有些人在懷孕期間非常急切地盼望著孩子的到來，但是，當孩子眞正來到他們的生活中以後，也會同樣感到愛的勁頭有所下降。第一次有孩子的父母尤其會這樣。他們都希望孩子一生下來自己就能產生噴發而出的父母之愛和難捨難分的骨肉親情，而且，這種愛將高於一切，永遠不變。但是在很多例子中，這種情況在第一天，甚至在第一個星期裡都不會出現。它一直等到和孩子一起度過一段時間以後，並且在母親產後恢復了體力和精力的時候才緩慢地達到高峰。

我們多數人都認爲，如果我們本來想要個女孩，但是卻生了個男孩，或者本來想要個男孩卻生了個女孩，這時，如果再有別的想法就不對了。但是，我並不把這個問題看得太嚴重。如果我們一開始不去把孩子想像成男孩或者是女孩，又怎能設想出孩子的模樣呢？這是孩子出生前父母同他建立感情的自然聯想過程之一。我認爲，每個父母在孩子出生前都會有自己的偏愛，或者希望生個男孩，或者希望生個女孩。但是，如果他們生的孩子與自己希望的不一樣，也能很自然的去愛他。所以，你可以盡情地去喜愛自己想像中的孩子。即使不久就會在做產前超音波檢查時發現，孩子和你想像中的不一樣，那也沒有必要感到愧疚，因爲你有充足的時間在心裡重新塑造孩子的形象。

54. 你準備採取什麼樣的分娩方式。生養孩子的問題涉及到許多選擇。其中將要面臨的一個問題就是你們想選擇哪種分娩方式。我剛開始當兒科醫生的時候，可供選擇的方式不多，脊椎麻醉方法和硬膜外麻醉方法都採用，這樣，母親們在醒來幾分鐘以後就能看到自己的孩子。也有許多很重視自己體形的母親不願意用母乳餵養孩子。由於我們擔心孩子感染上沒有抗生素可以治療的疾病，就讓嬰兒在保育室裡度過出生後的第一週，由身穿消毒白袍，頭戴消毒白帽，渾身洗得乾乾淨淨的護士照料著。而母親則平躺著一直等到「恢復」過來。

這已經是很久以前的事了，現在可供選擇的方法很多。你們想「自然分娩」還是採取局部止痛法，比如，硬膜外麻醉法？需要丈夫或別的孩子在產房裡給予你們不懈的鼓勵嗎？想躺著，還是想坐臥著？想在接生室分娩呢，還是在產房分娩？想在家裡分娩呢，還是想在醫院裡分娩？由醫生接生，還是由助產士接生？和嬰兒住在一起，還是自己單獨住以便更好地休息？想產後立即回家，還是在醫院住上一兩天以後再回家？需要護士探視嗎？

作爲兒科醫生，我旁觀了許多母親生孩子，所以知道沒有一種普遍適用的好方法。每個婦女對分娩和陣痛的反應都不一樣。有些婦女對不使用藥物感到非常自豪。而我的一個好朋友曾去醫院生第三胎。在她向麻醉師做完自我介紹以後，又清清楚楚地對他解釋說，應該在什麼位置、什麼時間，以及如何給她採取硬膜外麻醉。對有些婦女來說，分娩是一種不得不忍受的痛苦，但是還有些婦女認爲，這是一個意義深遠的感人經歷。有些母親馬上就能對嬰兒產生熾熱的愛，而另有一些母親聽說嬰兒安然無恙以後就想睡上一會兒。有些母親每一次宮縮的時候都屏氣收腹，以便嬰兒快點出生，但是卻遲遲不能如願。也有的母親要求別人的幫助，並且在做剖腹產的時候驚叫不已。我還見過疲憊不堪的妻子朝好心的丈夫大罵，讓他走開並且永遠不要再回來見他們母子。儘管他們當時的表現五花八門，但是後來都成了充滿愛心的父母。

我之所以要提及這些，是因爲我見過有些母親，因爲沒有像原本自己期望中的那樣把孩子生下來而抱怨自己。她們擔心剖腹產可能會影響孩子和父母之間的感情。還擔心自己的身體有問題，因爲醫生給自己接生時動用了鉗子。她們甚至還認爲自己體弱，根本就不適合做母親，否則就不用非要使用麻醉劑了。

做父母是容易產生罪惡感的典型事例，甚至在剛剛分娩後，就會引發一連串這樣的罪惡感。我認爲，引起這種情況的部分原因是不了解母子情的產生過程（參見117），而另一部分原因是父母異想天開地認爲，孩子要完美就得在出生時一切順利。當然，什麼也駁不倒現實。第一，即使母親想尋求完美，她也不能不讓孩子生出來。第二，不但沒有必要去尋求完美，而且也沒有必要非要認爲某個模式才是完美的。人類的發展規律是不可抗拒的。它允許出現各種差別，甚至允許出現各種錯誤。幼兒有驚人的恢復能力，只要身體健康，出生時出現的問題就不會產生不良結果。但是，如果母親總是爲這件事感到愧疚，就會對做母親的自信心產生負面影響，或者由於這種強烈而又不正確的愧疚感逐漸導致信心不足。所以我建議你，無論你和家人怎麼想，都要做到把孩子當作正常孩子來看待。即使出現了什麼偏差，也不要著急。當父母就應該堅強，起碼不應該在沒有煩惱的時候自尋煩惱。

55. **如何選擇兒科醫生和保育護士**（nurse practitioner，編按：指取得專業證書的執業護士，國內無此培訓制度）。在你懷孕期間，如果你還沒有替孩子找到醫生或保育護士，也許應該考慮給孩子找一個。找哪一個好呢？而你又怎麼知道哪個好呢？一般說來，爲孩子接過生的家庭醫生，以後還會繼續來看他。家庭醫生熟悉照顧嬰兒的工作，如果沒有特殊情況，他能和專家做得一樣出色。但是，在生孩子的時候，多數人都需要婦產科醫生的幫助，而且還需要爲孩子找個醫生或保育護士。

在準備找醫生和保育護士之前，應該考慮一下你需要一個什麼氣質的人。有些家長喜歡和性格隨和而且又不會太小題大作的醫生相處；而有些家長則希望醫生給予他們的指導面面俱到。或許你信任歲數大一點、而且經驗多一點的；也許想找一個剛剛接受過培訓的年輕人。如果你們在這件事上已經有了明確的想法，就應該和你們的婦產科醫生商量一下。你們的朋友當中，肯定有些人對嬰兒保健很內行，因此也可以找他們商量一下。

56. **產前諮詢**。在你懷第一胎時，或者懷孕期間要搬往別處居住的時候，我建議你一定要去找幾個醫生或保育護士進行產前諮詢。這可不是僅僅爲了找一個值得信任的人去和他說說心裡話。這裡有幾個問題可供你在諮詢的時候提問：你是一個人開業呢，還是有合作者？有電話找你的時候你都怎麼處理？如果我的孩子在你下班的時候病了怎麼辦？如果白天有急病怎麼辦？你都接受什麼樣的健康保險？你的收費標準高不高？你的合作醫院是哪家？用於健康檢查的時間有多少？如果你想找一個保育護士，你可以問她：她通常都在什麼時候去請教醫生。

還要和他討論幾個你很重視的問題，比如，他如何看待用母乳哺育孩子的問題。如果你的孩子需要做一個痛苦的檢查或手術時，他會不會同意你在旁邊看著。他如何處理一些嚴格說起來不屬於醫療方面的事情，比如行為問題和發育成長問題。諮詢結束後，要找的醫生或保育護士就心中有數了。依我看，別的不說，首先要看的就是要找的人是否熱心，以及有沒有幽默感。

然後，再看看你對這個辦公室本身的印象如何？對工作人員的印象如何？候診室裡有沒有孩子玩的東西？場地是否能讓孩子喜歡？另外，你還需要確定一個就診的地方：你最喜歡到哪一種地方就診？到私人診所？隸屬大醫院的衛生所？還是社區的保健中心？根據我的經驗，上述任何地方都能提供優良的服務。選擇什麼地方只是你個人的偏愛而已。

57. 選擇醫生還是保育護士。保育護士承擔的兒童保健工作越來越多了。在有些社區裡，家庭醫生助理也開始承擔這項工作。保育護士是經過專門培訓後獲得專業證書的護士，他們通常都獲得了碩士學位，所以在很多方面能起到醫生的作用，比如給孩子做健康檢查和處理兒童常見的疾病等。有些保育護士經過專門進修以後，成了次級專業的保育專家，比如在新生兒加護病房護理早產兒等。

保育護士總是和一名醫生搭檔，遇到問題就去找醫生請教。在美國很多州，保育護士還具有處方權，可以給常見疾病開處方而不用經過醫生簽字。但在某些州不管什麼樣的處方，醫生都必須和保育護士共同簽字。根據我的經驗，保育護士能夠提供非常好的醫療保健服務。如果有人給我推薦一位保育護士，並且對她的評價很高，或者在進行產前諮詢時碰巧遇上一位合意的，我就會毫不猶豫地選定她。

回家以後的安排

58. 怎樣對待來訪者和探視者。孩子的出生是個熱鬧非凡的時刻，親戚朋友成群結隊，有前來祝賀的，也有來看孩子的。這使得父母感激萬分並且充滿自豪。然而，這種事情太多就會使他們疲憊不堪。那麼多少算太多呢？不同的情況有不同的定義。多數產婦回到家裡的前幾個星期很容易感到疲勞。她們剛剛感覺到內分泌的強烈變化，因此，平時的睡眠習慣被擾亂。更重要的是，她們需要在感情投入方面有所改變，生第一個孩子的時候更是如此。

對有些人來說，來訪者能帶來歡樂，它能令人感到輕鬆、轉移大腦的勞累和恢復活力。而對我們多數人來說，只有幾個老朋友才能起到這樣的作用。其他來訪者，即使我們歡迎他們來，也仍然會不同程度地使我們感到緊張。當他們走後，我們就會感到比較疲勞，如果在我們的身體不舒服的時候，疲勞感就更加明顯。如果產婦感到十分疲憊，就可能在一生中的這個重要的轉折階段種下病根，而這是我們誰都不願意看到的。我認爲，一開始的時候，產婦應該先嚴格限制來訪者的數量，看看自己的承受能力如何。如果覺得自己還有精力，就可以逐漸增加來訪者的數量。

59. 來訪者逗孩子怎麼辦？多數來訪者看見嬰兒都會很興奮。他們想抱抱孩子，想搖一搖孩子，搔一搔孩子，朝著孩子晃腦袋，或者沒完沒了地和孩子說兒語。有些嬰兒忍受能力很強，有的則一點兒也忍受不了，但是多數嬰兒界於二者之間。做父母的要善於判斷，把握住讓孩子接受多少最好，然後就要果斷地拒絕。但是，這一點很難做到，因爲讓別人欣賞孩子是做父母的最大樂趣之一。多數嬰兒很容易由於陌生地點和陌生事物引起疲勞感，這一點可以在看醫生的時候，在醫生的辦公室裡得到證實。

60. 盡早安排幫手。如果能在前幾個星期找到人幫你照料孩子，那就一定要找。什麼事情都想自己去做會使你疲憊不堪、精神沮喪，這對你和嬰兒都不利。

如果你和你的母親相處得很好，她可能是你的理想幫手。如果你覺得她仍然拿你當個孩子，喜歡對你發號施令，此時讓她幫忙就不合適了。你可能希望找到這樣一種感覺：孩子是我自己的，我能把孩子帶得很好。因此，找一個帶過孩子的人最好，但是，最重要的是要找一個和你合得來的人。

如果你僱得起管家或者督拉（doula），那就先僱傭幾個星期看一看，如果她做得不好，就可以隨時打發她走。有一點可以肯定，請幫傭是最合適的，因爲做媽媽的從一開始就可以把百分之百的精力都放在孩子身上。但是，管家不好找，而且很貴。

「督拉」是個希臘詞，意思是「女人的助手」，是一名很老道的女人，專門指導和幫助新媽媽照料新生兒。在過去的幾年裡，這個名詞一直被用來指女人分娩時在旁邊給予幫助和鼓勵的女伴。儘管她可能受過專門培訓，但是她不提供醫療幫助。她的工作只是給產婦和家人提供感情方面的、行動方面的和諮詢方面的幫助和支持。

多次研究結果都很樂觀，有督拉幫助的產婦需要做剖腹產的較少。另外，分娩時有人陪伴的產婦需要做手術的較少，而且分娩時間短，產程中發生病變的情況也較少。這種產婦臨產時有人陪伴對母嬰之間的感情、母親的自尊和產後憂鬱症會產生什麼樣的長期效應呢？相關專家正在研究這方面的問題。

61. 幫手僱傭多久爲宜。當然，這個問題要根據你的經濟狀況、你接管孩子的願望以及你的身體狀況而定。隨著體力不斷恢復，你應該漸漸地多接手一點兒工作。如果兩個星期快要過去了，你還是容易感到疲勞，那就最好留住幫手。

有不少待產婦，一想到要第一次照料一個什麼也不知道的嬰兒，就有點兒發慌。有這種感覺並不表示你帶不好孩子，也不表示你非得讓一個護士來教你怎麼做。但是，如果你確實感到恐慌，那麼，如果能辦到的話，就可以找一個態度和藹的親戚。這樣，你就能更加從容地從她那裡學到需要的知識。

即使你僱不起全天的幫手，或許還可以僱一個兼職性的助手，讓她每週來一兩次，幫助你打掃，把耽誤的家務補回來，或者在你需要出門幾個小時的時候，讓她照顧一下孩子。

用具和衣物

62. **事先準備必需的物品**。有些父母直到孩子出生以後才想要買東西。據我所知，這種拖拉行為的唯一原因是迷信，或者叫文化信仰——認為事先買好東西對分娩不利。其實，事先把東西準備好的好處很多，它可以減輕父母後來的負擔。有一部分婦女，開始自己照料孩子的時候特別容易感到疲勞和灰心。即使像買幾個奶嘴這樣的小事，她們也覺得顧不過來。一些感到沮喪的媽媽們後來對我說：「下一次我一定把需要的東西全部事先買好，把孩子穿的每一件衣物都擺放得井井有條」。

照料新生兒都需要什麼呢？這可沒有定規，但是，下面會有一些建議。至於買什麼牌子的產品，那完全是你自己的事。我只能建議你參考一下最新的雜誌中關於安全、耐久和實用產品的最新介紹。

戶外用品

63. **汽車安全座椅**。沒有耐撞的汽車安全座椅，嬰兒是不允許上車的。汽車安全座椅有三種，第一種是專門為新生兒製作的，叫做汽車座兜（car seat carriers）。它是設計在汽車內部面向後方的專門座位，適於體重約9公斤、身高69公分左右的嬰兒使用。這種座兜的最大優點是，它有把手，並且可以從底部取下來。這種座兜一般都有一個罩子，可以遮住向嬰兒眼睛照射過來的陽光。它的後背上還有插鎖，可以安在多數（商場內使用）的購物車上。有些生產廠商還設計了可以安放汽車座兜的輕便嬰兒車，以方便汽車座兜從汽車上卸下來以後使用。它的材質可以用洗衣機洗。

第二種叫做調節式汽車座椅（convertible car seat），是爲新生兒或學步幼兒設計的。它適合體重約18公斤、身高107公分左右的孩子使用。這種座椅既可以後仰，也可以垂直坐立，材質也可以用洗衣機洗。它還可以面向前安放，也可以面向後安放。

第三種叫做汽車附著式座椅（booster car seat）。它適合體重14～27公斤，或者身高大於140公分的孩子使用。使用這種座椅，大一點兒的孩子可以向窗外觀看。它很像餐廳裡使用的那種桌椅一體式的幼兒高腳椅。

我勸家長們不要在座椅的扶手上掛玩具。在車禍中最容易使孩子面部受傷的，就是玩具。即使汽車的側面裝有乘客側面保護氣囊，也不要把孩子放在前面的座位上，而只能放在後面的座位上。實際上，所有的孩子坐在後面都比較安全。

64. **飲用水**。如果你飲用的是井水，就需要在孩子出生前檢驗一下它的細菌含量和硝酸鹽含量。井水中的硝酸鹽能導致孩子的嘴唇和皮膚發紫。你可以寫信給縣或州的衛生部門詢問有關情況，也可以打電話。還要和你的醫生討論一下有關孩子補充氟化物的問題。

育兒設備

65. **嬰兒床**。也許你打算給孩子買一個用絲綢襯裡的漂亮童車，但是嬰兒並不在乎這些。只要四周有圍欄，不要讓他滾到地上，他就滿足了。當然，他還需要一個既軟又硬實的墊子。我傾向使用表面硬實的墊子，而絕不使用軟墊子。有些科學家認爲，如果嬰兒臉朝下趴在軟墊子上，有可能造成窒息。一開始使用有輪子的簡易童車比較方便。有的家庭可能有一個擺放了多年的搖籃，也可以使用。也有些父母想自己做一個搖籃，尤其是有了第一個孩子以後。但是多數父母最初都使用嬰兒床，用一塊緩衝墊圍在嬰兒床裡面。嬰兒床框架上的板條間隙應小於6公分，要有小巧舒適的墊子，四周要有固定孩子的設置。但是，必須保證這些設置不會被孩子弄壞。床的框架上不應該有任何銳利的稜角，也不應該有含鉛的油漆。床上邊的邊框到床墊底座的高度至少要66公分。

現在多數床墊都是裡邊用彈簧，外邊用泡棉材料包裹，然後再用防水材料保護。也有的用高密度泡棉包裹，外邊用防潮材料保護。你也可以用一塊大小合適的泡棉自己做一個床墊，然後再在外邊包上防水材料。兒童床四周的圍欄需要包裹一下，以防傷著孩子。如果在小床裡邊的四周圍上緩衝墊，嬰兒的頭部就不會輕易受涼了。嬰兒不需要枕頭，所以不要給他墊枕頭。

66. **嬰兒的換洗和穿戴**。給嬰兒換衣服或穿衣服的時候，可以把他放在一張矮桌上，或者放在一個高度適宜的寫字檯上更換。換衣檯上有防水墊、安全帶和存貨架，使用起來很方便。但是，它價格昂貴，而且以後也派不上別的用場。有些換衣檯可以折疊，有些上面還附有浴盆。

其他設備

67. **尿布袋**。尿布袋在帶孩子出門的時候很有用。它裡面分成幾個部分：有裝尿布的、裝毛巾的、裝嬰兒油的、裝折疊式換衣墊的，還有裝奶瓶的。

68. **帶蓋的尿布桶**。它的容積最好是11公升。如果你是自己洗尿布，那就要在尿布髒了的時候，立即把上面的糞便沖洗乾淨。沖洗的時候要用手抓緊，然後再把它放到桶裡用水浸泡，並且在每3.8公升水裡加入一杯硼砂。如果你是去尿布店裡洗，他們將為你提供一個容器。

69. **可彎式塑膠童椅**。這是一件最有用的輔助用品。你可以用帶子把嬰兒綁在裡面，搬著它到較近的地方，隨時隨地把它放下，讓嬰兒觀看周圍的風景。有些汽車安全座椅也有這樣的用途。可彎式塑膠童椅的底座應該寬於座面，否則在孩子活動的時候容易翻倒。也有布製童椅，孩子坐在裡面晃動時童椅也隨著一起動。不管使用什麼童椅，都要特別注意：把孩子放在任何平檯上或桌子上的時候，都要特別小心，不要讓童椅隨著孩子的晃動而滑出桌面。

可彎式塑膠童椅現在叫做蹦蹦椅，使用的材質可以用洗衣機清洗。有的童椅會顫動，有的會搖動，有的會跳動，還有的帶有背帶，可以背在身上。這是一種很好的輔助用品，但不是必需品。你也可以用汽車嬰兒座兜攜帶孩子在住處周圍活動，可以把它安放在地上，也可以用來搖嬰兒。

然而，人們使用蹦蹦椅的機率太頻繁了，孩子似乎總是坐在裡面，被剝奪了同大人進行身體接觸的機會。所以，平時餵奶和安撫孩子的時候，家長應該把孩子抱起來才對。

70. **肛門用溫度計**。它是測量肛溫和腋溫的必備用品。也許你想使用耳溫槍，但是它比較貴（參見1047）。

71. **兒童鼻孔沖洗器**。它帶有一個眞空吸鼻器。嬰兒患感冒的時候，鼻子裡的黏液很多，會影響嬰兒喝奶。這時，可以用它有效地吸去黏液。

72. **室內監視裝置**。它不一定很貴，可以插在任何牆上的電源插座上，也可以使用電池。如果嬰兒在一個房間裡睡覺，而父母在別處照顧不到，這個裝置就能幫很大的忙。

73. 遊戲圍欄。使用遊戲圍欄是很有爭議的。有的家長和心理學家反對把孩子圈在圍欄裡，擔心這樣會約束孩子的探索精神和欲望。我理解他們的心情。不過我認識很多幼兒，他們小時候每天都在圍欄裡度過好幾個小時，可是後來，他們都成了精力過人而且很有熱情的探索者。實際上，這兩種觀點哪一種也不是絕對的正確。當你不在孩子跟前，無法仔細地照顧孩子的時候，遊戲圍欄就能幫很大的忙。現實一點兒說，如果在必要的時候不把孩子放在遊戲圍欄裡，我就不知道媽媽帶著一個到處亂爬的孩子怎樣做飯，怎麼做其他事情。實際上，在母親小睡的時候，也可以把孩子放在遊戲圍欄裡。有的遊戲圍欄還設計了附屬搖籃，可以坐在遊戲圍欄之上，這樣就不必專門準備一個搖籃。這個搖籃也可以當作童床使用。有些遊戲圍欄可以折疊，能放進袖珍旅行箱裡，並且有袖珍搖籃和袖珍遊戲圍欄兩種功能。這樣的遊戲圍欄尤其適合體重14公斤以內，或身高83公分以下的嬰兒使用。

如果你想使用遊戲圍欄，就應該從嬰兒三個月起，每天都讓他在裡邊躺一會兒。每個嬰兒各有不同，有的能在遊戲圍欄裡玩得很好，有的則很不適應。如果你一直等到孩子會爬的時候（六～八個月）才把他往遊戲圍欄裡放，他肯定會把遊戲圍欄視爲監獄，並且會在裡面哭鬧不停。

74. 幼兒學步車。它是幼兒受傷的主要肇因。它除了能給幼兒提供一時的快樂以外，基本上沒有什麼有益之處，而且，危險性顯而易見。所以，不要使用。生產廠家現在生產一種能跳躍、旋轉和搖動的固定式學步車，它上面繫有玩具供幼兒玩耍，而且對孩子安全多了。

75. 搖盪鞦韆。固定式學步車看上去像沒有輪子的學步車，很有用。搖盪鞦韆對幼兒也很有用。它既可以用電池做動力，也可以用發條做動力。有的鞦韆上的座椅靠背向後傾斜，也有的是垂直的。有的鞦韆上還掛有玩具。它的坐墊可以取下來清洗。這種鞦韆適合體重11公斤以內的孩子，尤其適合腹痛的孩子或者喜歡不停地運動的孩子使用。

76. **體重器**。如果孩子一切正常，並且定時由醫生做檢查，那麼，在家裡準備體重器就沒有實際意義了。我認為，在家裡準備體重器，基本上可以說是既浪費錢，又浪費空間。另外，經常給孩子稱體重只會讓你自尋煩惱，而解決不了任何問題。

床上用品

77. **毯子**。毯子通常是由丙烯酸或聚酯棉製成，既容易洗，而且不會引起過敏反應。即使孩子使用的蓋被主要是睡袋或小兒連體睡衣，在天冷的時候也還需要多加兩三條毯子。長方形的編織披巾是最便於給孩子使用的一種形狀，孩子睡醒以後，用它把孩子裹著抱起來很方便；孩子躺在床上的時候，可以用它蓋在孩子身上。它的四邊容易垂到下面，所以不容易散開。一定要保證毯子上沒有線頭，以防纏住孩子的手指頭或腳趾頭。不要把毯子綁起來，只給孩子留一個洞，這樣有使孩子窒息的危險。丙烯酸毯子和編織披巾都很保暖，而且容易清洗。但是，選用的毯子要大，以便能垂在童床的床墊下面。薄棉毯不太保暖，但是很適合包裹孩子，使他不會把蓋在身上的東西蹬掉。另外用它把孩子包緊以後，孩子就會感到舒服和安全，就像被緊緊地抱著一樣，他睡起覺來就感到踏實多了。

78. **防水床單**。絨布面的防水床單最受歡迎。有些媽媽告訴我說，這種床單特別好用，它不會打捲，也不會滑動，所以不會使下面的床單露出來。即便有時嬰兒接觸到它，也會感到很舒服。由於它的面是絨布的，墊在孩子身下有透氣性，所以，一般沒有必要再在它的上面加墊子。這樣，就可以少洗很多床單和墊子。但是，天熱的時候需要再加一個墊子，以增加孩子身下的透氣性。防水床單在孩子尿濕後需要換洗（可以用洗衣機洗），所以應該準備兩套。

防水床單最好要大一點兒，要大到四邊可以垂到床墊下面爲宜，防止床墊的四邊被孩子尿濕。順便說一下，僅僅依靠新床墊上原來的塑膠包裝是不夠的，因爲有時孩子的尿會從氣孔裡滲進去。這樣，過不了多久，床墊就會臭氣撲鼻了。

如果在防水床單的上面再墊上絨布面的小方塊墊子，就可以少洗更多的東西。把一塊這樣的墊子墊在孩子的屁股下，只要孩子不亂動，就可以使大床單保持乾淨。當你抱著孩子坐著的時候，還可以把一塊這樣的墊子墊在身上，防止孩子尿濕你的褲子。

千萬不要在童床上使用薄塑膠袋子，比如我們用來罩衣服的那種，因爲萬一孩子的頭捲到裡面，就會有發生窒息的危險。

79. **尿墊**。如果你使用的是普通防水床單（不帶絨布面），就需要在上面墊上有填充物的墊子，以便吸收濕氣，增加孩子身體下面的空氣循環，否則，孩子的皮膚就會又濕又熱。準備幾塊尿墊合適呢？這取決於洗尿墊所需要的時間和孩子的排尿頻率。但是不論什麼情況，都至少需要準備三塊。準備六塊就更方便了。

80. **床單**。床單需要準備三至六條。如果一開始用的是搖籃，你可以用尿布當床單。如果是比搖籃大的床具，最好使用機器織的棉床單。它容易洗，乾得快，好舖，不用燙。即使弄濕了也不太顯眼。另外買兩條大小合適的床單，用於遮蓋床墊。

衣物

81. **美國聯邦法律規定，從嬰兒睡衣到14號睡衣都必須具有防火的性能**。因此，買回每一件睡衣後，都要看看洗滌說明，弄清楚怎樣才能在洗滌時防止破壞它的防火性能。洗滌的時候不要使用任何類型的清潔劑，無論是肥皂塊、洗衣乳、或洗衣粉，都不可使用；也不要使用任何漂白水或柔軟精，這些東西都能去除衣物的防火性能。決定購買之前，要先看一看包裝盒上的說明，弄清這類經過防火處理的產品對纖維是否有損傷。然後還要看一看這類貼身睡衣和外衣有沒有標籤。

要記住，嬰兒第一年長得很快，所以一定要買寬鬆的衣物。除了尿布以外，其他衣物一開始就應該按三到六個月的嬰兒買，而不應該按新生兒去買。

在穿衣方面，嬰兒或更大一點兒的孩子都不像成年人需要得那麼多。即使需要什麼，有三、四件也就夠了。比如一件實用的睡衣，孩子夜裡可以穿，白天也可以穿；與孩子衣服袖口相連的連指手套（用於防止孩子把自己抓傷）既可以把袖口用拉鏈拉上，也可以打開讓手露出來；長睡衣可以防止孩子把被子蹬掉；短睡衣可以在熱天使用。但還是需要買上三、四件。如果你沒有洗衣機和烘乾機，那就更應該買這麼多了。

82. **睡袋和連身睡衣**。嬰兒六個月的時候就能在小床上爬了。這時，多數家長都發現，給孩子蓋著毯子睡覺的時候，他們總是從下面爬出來，所以遠不如讓他睡在睡袋裡或連身睡衣裡。睡袋就像一件長睡衣，它有袖子，但是腳下是封口的。若因孩子長大而不合用，還可以在腳下和肩上向外放大。連身睡衣就像工作褲或兒童風雪衣一樣，兩條腿，腳下縫合，腳底由結實的防滑材料製成。它的拉鏈可以從頭拉到腳，非常方便。要經常檢查褲腳裡面有沒有頭髮，頭髮容易纏在孩子的腳趾頭上，那是很痛的。

如果孩子睡覺的房間很暖和，你穿一件棉布襯衫再蓋一條毯子就感覺很舒服，那麼，給孩子用的睡袋或連身睡衣也不應該比棉毯厚。如果房間很冷，你需要蓋著厚毛毯或聚脂纖維毯子睡覺，孩子也需要使用更厚一點兒的睡袋或連身睡衣，然後還需要加蓋一條毯子。

83. **汗衫**。汗衫有三種類型：套頭式的、側開口的，還有單片式的，即從頭上套下去，用按扣扣住。小嬰兒腿腳伸不直，所以適合使用側開口的。如果房間不是特別冷，就要選袖子短、厚度適中的。有些型號的汗衫上有一塊垂片，可以把尿布別在上面，這對沒有經驗的父母很有幫助，因爲它能防止尿布掉下來。但是，如果你擔心孩子的肚子著涼，可以給他穿一件後背扣的單片式襯衫，叫單片衫。給孩子穿在身上之前要把標籤和說明取下來，以防止摩擦孩子的脖子。孩子穿著最舒服的是百分之百純棉的衣物。比如給嬰兒貼身穿一件純棉小T恤，外面再穿上單片衫就能使嬰兒的腹部保暖了。單片衫或T恤和所有的外衣都可以搭配，防止嬰兒的肚子露在外邊。購買時，一開始就要選用適合一歲兒童穿的。如果嫌它太大不合身，那就買六個月孩子穿的。至少應該買三件，再多買兩、三件更方便一些。如果你們沒有洗衣機和烘乾機，那就更應該多買兩件了。

84. **棉質混紡的連身套腳裝**。幼兒白天穿這種童裝的越來越多，它也可以穿著睡覺。它的拉鏈從脖口起，順著一條腿或兩條腿一直拉到底。也有使用按扣的。拉拉鏈的時候要特別小心，避免夾著孩子的皮膚。要經常檢查褲腳裡面是否有頭髮。頭髮容易纏住嬰兒的腳趾頭，使嬰兒感到疼痛。

85. **罩衫**。是短夾克和長袍，前開口，通常是用帶花的棉絨布製作。它可以穿在襯衫外面，顯得講究一點兒，但不是必需品，通常都是別人贈送的禮物。

86. **套頭衫**。嬰兒睡覺起來時，可以給他穿在別的衣服裡面或外面，保護嬰兒不受涼。選購時一定要買領口寬鬆的。如果是肩上開口的，按扣一定要結實牢靠。還可以選用領口後面有拉練的那種。

87. **拉鏈連身衣**。它是一種有拉鏈的袋裝，嬰兒穿上以後，只把脖子和頭露在外面。它通常還有一個連體帽。購買時，一定要選擇中間有洞口的那種，以便汽車嬰兒座兜上的按扣可以伸進去。

兒童**風雪衣**樣式像工作褲，腳下縫合。有的由兩片組成，常常帶著一個連體帽。它在後背開口，用拉鏈從上拉到腳。

88. **其他衣物**。在大人感到冷，需要戴帽子的天氣裡，如果外出，就要給嬰兒戴一頂**聚脂纖維或純棉編織帽**，捂住孩子的耳朵。在這樣寒冷的房間裡睡覺時，也應該給嬰兒戴帽子。如果夜間給嬰兒戴，帽子不能太大，否則，在嬰兒睡覺移動時，容易蓋住他的臉。在比較溫暖的天氣裡不需要給孩子戴帽子，反正多數嬰兒也不喜歡戴。不要給嬰兒穿**毛線鞋子或襪子**，至少要等到他會坐起來，並且能在比較冷的房間裡玩耍的時候才需要穿。嬰兒穿上**外衣**顯得有精神，但是沒有必要，而且孩子和大人都會感到麻煩。如果嬰兒能忍受，給他戴一頂**太陽帽**（用帶子繫上）還是很有用的。**鞋子**的選購請參見332。

由於孩子長得太快，衣服更新頻繁。因此，有些父母發現，一個比較理想的辦法就是讓孩子穿哥哥、姊姊們穿過，但是仍保存得很好的衣服，也可以讓他穿別人家的孩子穿過的衣服。但是，揀舊衣服穿的時候需要仔細檢查衣服的衣縫，尤其是容易摩擦孩子的臉和胳膊的地方。有些硬的衣縫能使孩子感到癢，甚至連大人都會感到無法忍受。給女孩綁髮飾很好看，但是如果綁得太緊，或者馬尾巴紮得太緊，就會導致刺癢或頭痛。

尿布

使用尿布有兩種選擇：可以自己買棉尿布，髒了自己洗，這種選擇比較經濟；還可以買紙尿褲，這是比較昂貴的選擇。

89. 棉尿布。尿布有折疊好的，也有沒折疊的。沒有折疊的用處較多，可以鋪在童車上當床單，還可以當毛巾，等等。最常用的尿布材質是棉紗布、棉絨布和鳥眼花紋織物。棉紗尿布乾得快，但是由於吸水少，孩子大一點兒的時候就不適合使用了。如果你每天洗，而且當床單和毛巾用的情況不多，買兩打就夠用了。如果買六打，不管拿來做什麼都夠用。但是，一定要買大號的。如果買三分之一折疊好的，三分之二不折疊的，那麼，不管拿來當什麼用都夠了。

90. 紙尿褲。這種尿布使用方便，在美國很受歡迎。但是它造成了可怕的生態環境污染。首先，它佔用了大量的垃圾堆放空間。第二，它不能被生物分解。某些生產廠商用精美的字體，把紙尿褲的生物分解性印在包裝上。但是如果仔細看一看就會發現，這種塑膠質料在陽光下曝曬許多年後才能被「分解」成小碎片。第三，由於上面的糞便沒有經過處理就被一起扔進垃圾堆，所以必定污染地下水源，對公眾健康造成危害。即使你決定使用紙尿褲，準備一包棉尿布也很必要，它可以用來給嬰兒當圍兜兜，抱孩子時給大人墊在腿上，鋪在換衣檯上當墊布等。拋棄式尿布要和棉尿布換得一樣勤。由於它的吸水性能好，所以有時候表面上看起來乾燥，但實際上已經該換了。如果出現滴漏現象，說明它的尺寸太小，需要換大一點兒的（參見122-125）。

91. 尿布別針。尿布別針應該用防鏽的不鏽鋼製成，頭上有安全的密封頭。一開始的時候需要準備四個。

92. 嬰兒專用濕紙巾。你可以用一條洗臉巾沾著水和肥皂給孩子擦洗屁股。如果覺得濕紙巾使用方便，可以使用不含藥物和香精的。含酒精、其他藥物和香水的濕紙巾有時可能會引起皮膚疹。

93. 尿片。它用於鋪在尿布的上面。尿片種類很多，有天然纖維的，也有合成纖維的，它們在價格上和吸水性能上都有區別；有套在尿布上的，有用按扣扣上的，還有自動鬆緊的。它的四邊有鬆緊帶，很柔軟，所以在摩擦到皮膚時不會產生刺癢。

只要嬰兒接觸尿布的皮膚正常，尿片就可以放心使用。如果出現皮膚疹，就不能再使用了。但是要注意，不要讓尿片纏住嬰兒的腿。

沐浴

94. **沐浴地點**。可以把嬰兒抱到廚房的水槽裡面洗澡。如果水槽上有散射噴頭就更好了。它像小型淋浴設備一樣，非常適合給嬰兒洗頭和保溫，同時，還可以使孩子感到快活。另外，還應該準備一個塑膠盆，要寬邊的，以便把胳膊放在上面，減輕你的勞累。還要準備一個托盤或臉盆架。洗澡的時候，你可以坐在一隻高腳凳子上。浴缸的裡面有一塊配套的襯墊，是用海綿材料製成的，很適合嬰兒的皮膚。這套東西很好買，而且價格一般也不貴。如果使用海綿襯墊，每次用完之後都要放到烘乾機裡徹底烘乾，以防有害細菌在裡面生長。

沐浴用溫度計雖然沒有用，但是，它能使沒有經驗的母親感到放心。儘管如此，還是要經常用手去試試水溫。水不能太熱，要始終保持微溫。另外，孩子在盆裡的時候，千萬不要直接往裡面加熱水，除非你能做到讓接觸到孩子的水保持恆溫。熱水器上的溫度要設定在50℃以下，以防把孩子燙傷。

化妝品

95. **棉球**。在沐浴的時候，棉球可以用來給嬰兒擦眼睛。使用紗布塊更好，它不容易在孩子的眼睛上留下碎屑。

任何溫和不刺激的香皂都是嬰兒的理想用品。不要使用液態的嬰兒香皂和除臭香皂，它容易引起皮膚疹。還有一種不刺激眼睛的洗髮精和嬰兒沐浴乳，它是專門給皮膚容易過敏的嬰兒使用的。

嬰兒護膚水：如果嬰兒的皮膚不乾燥，就不一定非要使用它。有很多家長傾向於使用無味無色的護膚乳液和護膚水。這種東西往往比一般的嬰兒用品便宜。

嬰兒護膚油：這種產品多數是由礦物油製成，被大量用於乾性皮膚或正常皮膚的保護，也可用於尿濕引起的皮膚疹。但是實驗證明，礦物油本身也能使某些嬰兒產生輕微的皮膚疹。所以，比較明智的做法是，先試用一下，看看這種產品對你的孩子是否好處多於壞處，否則，不可天天使用。

不要給嬰兒使用**爽身粉**。嬰兒吸入這種東西以後，對肺的刺激很大，而且有可能造成嚴重的後果。

含羊毛脂和礦脂的油膏：它通常是條裝或瓶裝的。嬰兒出現尿疹的時候，可以用它塗擦，以便保護皮膚。

嬰兒指甲剪：它的頭是鈍的，用於剪去嬰兒的指甲。但是，有很多父母覺得**嬰兒指甲刀**更好用，而且不容易傷著孩子。

你的藥箱裡應該準備什麼藥品？請參見1092。

∽ 餵奶用具 ∽

96. 吸奶器。如果你打算定期給孩子餵奶和擠奶（有很多有工作的母親需要擠幾個星期甚至幾個月），使用吸奶器可能很方便（參見203）。

97. 奶瓶。即使你打算直接用乳頭給孩子餵奶，也至少要準備三個奶瓶，以便用於給孩子餵開水和果汁。但是，偶爾也需要用來給孩子餵奶。如果你事先就打算不餵母奶，那就至少要買9個奶瓶，因爲一開始的時候，你每天通常需要用到6～8瓶。買塑膠奶瓶比較實用，孩子和大人把它掉到地上的時候不會打破。除此之外，還需要準備一個奶瓶刷。

98. 奶嘴。如果給孩子用奶瓶餵奶，需要準備一打奶嘴。即使用乳頭餵奶，也需要準備五、六個。不僅如此，而且還應該多準備幾個，以防給奶嘴扎孔的時候，出現報廢的。你還需要準備一個奶嘴刷。奶嘴有各種各樣的，但是，生產廠商對各種奶嘴的優點的說法並沒有科學的證據。市場上出售的奶嘴，孔眼有大有小，這樣，大小不同的孩子就可以根據各自需要的流量，選擇孔眼適合的奶嘴。另外，有的奶嘴比別的奶嘴耐熱、耐磨、耐扯，所以，一定要根據說明，按規定的使用期限更換新奶嘴。

99. 安撫奶嘴。如果你打算使用安撫奶嘴哄孩子，準備三、四個就夠了（參見808-811）。

100. 圍兜。圓形小圍兜很有用，能防止嬰幼兒的口水流到衣服上。幼兒或大一點的孩子吃食物的時候，總是灑得到處都是。要解決這個問題，可以給孩子戴一個大圍兜，它可以是塑膠、尼龍、或毛巾製成的，也可以是這三種材料搭配而成的。圍兜的下沿最好有兜，用來接住上邊流下來的食物。塑膠圍兜容易擦洗乾淨，就是大人看了不舒服。另外，圍兜的脖口必須用布帶子綁好。使用毛巾圍兜時，如果它上面有乾淨的邊角，還可以拿它給孩子擦嘴。圍兜可以作爲很好的禮品。

101. 調配奶粉。使用有刻度的度量杯調奶比較方便。但是，你也可以使用任何有刻度的量杯，然後，倒入容積爲1公升的平底鍋裡、壺裡、或罐子裡調製。

用奶粉調奶的時候，你還需要一把用來攪動的長柄勺、一套調配淡煉乳用的量勺、一個開罐器和一把打蛋器。不論什麼時候，都要完全按著標籤上的說明調配。罐裝奶粉最便宜，濃縮奶粉的價格居中。

102. 奶瓶消毒。消毒的時候可以用桶子、鍋子，或有蓋子的烤爐。它們的體積最好是高20公分，直徑23公分，以便將八個奶瓶垂直擺放在鐵絲筐裡，可以一起放進這些容器裡。市面上可以買到放在爐子上加熱的消毒器，也有能自動斷電的插電式消毒鍋。還有用來拿熱奶瓶的夾子，它的前端夾奶瓶的部分有外加一層塑膠或橡膠，很好用。多數家長不給奶瓶專門消毒，所以，用不著準備這種用具。另外，洗碗機的溫度也足以消毒奶瓶。

103. **奶瓶加熱器**。現在已經沒有必要專門準備奶瓶加熱器了，因爲它可以在任何一種容器裡加熱。如果熱水供應不可靠，準備一個電加熱器就方便多了。還有一種特殊的加熱器，可以插到汽車上的點菸器上。但是，千萬不要在微波爐裡熱牛奶，因爲在微波爐裡加熱以後，即使奶瓶不熱，裡面的牛奶也可能很燙。無論採取什麼方法熱牛奶，餵奶前一定要先用手腕內側試一試溫度。

104. **食物研磨機或攪拌機**。它可以把煮熟的蔬菜、水果和肉類攪磨成糊狀，這樣，大人吃什麼，嬰兒也可以吃什麼。最好選擇沒有使用化學肥料和殺蟲劑的水果和蔬菜。自己給嬰兒做食物可以節省買罐裝嬰兒食品的花費。另外，罐裝食品的純度也不夠，裡面摻入了許多澱粉和水。有的手動研磨機可以放在洗碗機裡洗。

戶外活動

105. **嬰兒背袋**。嬰兒背袋很有用，在大人出門購物、散步、訪友、做家務，或者當孩子焦躁不安的時候，可用它把孩子背在背上或胸前，很方便。另外，使用嬰兒背袋還有利於在身體上和感情上與孩子保持親近。胸前背袋看上去有些不方便，但是很多家長喜歡使用，因爲可以很容易地把孩子放進去或抱出來。使用它的時候不但便於看著孩子，隨時檢查孩子的情況，而且能和孩子保持最密切的身體接觸和感情接觸。爲了能用眼睛關照孩子，家長們喜歡使用這種背袋把很小的孩子帶在胸前。胸前背袋要在孩子很小的時候就開始使用，而且要堅持使用。如果等到孩子長大了以後再使用，不僅孩子不習慣，大人也背不動了。經常使用背袋的人很快就會覺得離不開它了。

注意：駕車的時候千萬不要把孩子放在胸前背袋裡，更準確的說，只能把孩子放在幼兒汽車安全座椅裡，而不可以把孩子放在任何其他的位置。

106. **背架**。這種背架穩定性好，適合背著身體能坐直的幼兒走遠路使用。背架的框架上沿需要用軟墊子裹上，以便於孩子睡著的時候把臉貼在上面。但是，如果乘公共汽車的時候，背著背架就不舒服了。有些型號的背架可以立起來給幼兒當童椅。軟式的胸前背袋也通常可以背在背上使用。

圖1　胸前背袋不僅便於攜帶嬰兒，而且使孩子感到舒適

圖2　嬰兒和大人都喜歡背架給他們帶來的溫情

107. 得到政府的許可且通過動力試驗的汽車座椅。它就是嬰兒汽車座兜或兒童安全座椅，是兒童乘車的必要設備。如果孩子沒有這種設備怎麼辦？請參見63。

嬰幼兒應該臉朝後，身體向後仰，用安全帶捆綁在汽車座兜裡，固定在汽車的後座上。大一點的孩子可以面向前，身體向後仰。體重在9～20公斤的孩子應該用安全帶固定在一個專門的座椅上，以防受到側面碰撞或正面衝撞。如果你的汽車座兜要求使用上端固定卡鎖，那就必須使用。安裝時一定要保證不要把卡口的方向裝反了。

在購買、借用，或者租用汽車座兜的時候，必須保證它符合1981年或1981年以後的「聯邦機動車安全標準」（Federal Motor Vehicle Safety Standard），而且上面必須標有「經過動力試驗」（dynamically [crash] tested）的字樣，否則就不要使用。我有個好主意，你驅車訪友或訪親戚的時候，可以帶上你的汽車座兜。你在旅途中，無論乘飛機還是乘公共汽車，都使用它，然後再把它安在小車上開到目的地。

我認爲，讓孩子養成良好的安全習慣有個最好的辦法，那就是制定一條規矩：孩子不坐到汽車座兜上不開車；體重20公斤以上的大孩子和大人不繫好安全帶不開車。如果你確實需要在沒有汽車嬰兒座兜的情況下帶孩子駕車，最好是把他放在後座，而不要讓大人抱著坐在前座，更不要把孩子放在鐵路貨車或卡車的後甲板上。不可以讓兩個孩子同用一條安全帶。大人繫著安全帶的時候，既不可以再用胸前背袋帶著孩子，也不可以把孩子放在腿上抱著。

108. 嬰兒推車。家長可以每天用它推著孩子外出散步，或者把推車停放在門廊裡，讓孩子在裡面睡午覺。他們很喜歡使用它，而且派上用場的機會也很多。但是，在美國的大部分地區，家長們根本就不考慮買嬰兒推車，也不想用它推著孩子外出散步。

109. 折疊式嬰兒車。外出購物和做其他事情的時候，用它推著孩子是很方便的。對那些自己沒有汽車的城市家長來說更是如此。這種像折疊傘一樣的小推車，很便於在公共汽車上或小轎車裡攜帶，但是，一定要買結實的。使用時必須用帶子把孩子固定在裡面。有些折疊式嬰兒車的架子可以很便利地卡在轎車座位上，並且可以在不驚醒孩子的情況下，很容易地取下來。

110. **攜物式推車**。它是童車和尿布袋的結合體。在你訪友的時候，孩子可以在裡面睡覺，不用時可以折疊起來。

下面列出了足夠的物品清單，可供你外出時攜帶。但是有些也許是不必要的。

- 嬰兒推車
- 汽車安全座椅
- 換衣檯
- 折疊式嬰兒車
- 嬰兒床
- 攜物式推車
- 嬰兒監視器
- 尿布袋
- 攜帶式遊戲圍欄或嬰兒床
- 燈具
- 汽車安全座椅上的枕墊
- 嬰兒澡盆
- 蓋被和床單
- 6條毛巾
- 4條嬰兒床床單
- 4條帶帽式的浴巾
- 3塊嬰兒床褥墊

- 指甲剪
- 2～5條毯子
- 牙刷和梳子
- 奶嘴
- 香皂、洗髮精、護膚水、護膚油、棉花棒
- 急救箱
- 嬰兒毛巾、尿布疹藥膏、洗澡玩具
- 吸奶器
- 6件單片衫
- 3～6頂帽子和毛線鞋
- 3～6條嬰兒包巾
- 連身裝
- 4～6件睡覺或玩耍外衣
- 嬰兒玩具
- 4～6件圍兜
- 會動的玩具
- 3～8件長袍或睡衣
- 玩具箱
- 每個月4打棉尿布，或每天10片紙尿褲
- 高腳椅
- 輔助座椅
- 8個安全別針
- 一套回家時穿的衣物
- 2～8個奶瓶
- 1～3件套頭衫
- 奶瓶加熱器
- 一件兒童風雪衣或連身衣
- 奶瓶消毒器

- 奶瓶
- 安全門、彈簧鎖
- 盤子及廚房用具

4 新生兒護理

享受寶寶帶來的樂趣

111. 不要害怕寶寶的來臨。當你聽到有人（包括醫生）說嬰兒特別纏人，所以你就可能認爲，寶寶來到這個世界上就是爲了折磨大人的。實際上並不是這樣。儘管寶寶有時候折騰人，但是他們生來就是通情達理，可親可愛的小生靈。

當你認爲孩子確實餓了的時候，不要不敢給他餵奶。即使你理解錯了也沒有關係，他只不過會拒絕吃奶罷了。不要害怕去愛他，喜歡他。每個嬰兒都需要大人用溫柔的愛心去愛撫他，向他微笑，和他說話，同他玩耍——就像他需要維他命和熱量一樣。也正是這些將把他塑造成一個愛人、熱愛生活的人。如果孩子得不到愛，他長大以後就將成爲一個對人冷漠無情、遇事無動於衷的人。

只要孩子的要求合理，只要你不會因此而成爲孩子的奴隸，你就不應該害怕滿足他們的要求。在最初幾個星期裡，孩子哭是因爲某種原因使他感到不舒服所致：也許是餓了，也許是消化不良，也許是感到累了，也許是感到害怕。聽到他哭的時候，你就會產生一種不安的感覺，因此就想去安慰他。這是善良的本性驅使你做出的一種反應。你也許會想到，孩子可能需要抱一抱，搖一搖，或者抱著走一走。

理智地善待孩子不會把孩子慣壞，另外，孩子也不會一下子就被寵壞。孩子的壞毛病是慢慢養成的。做父母的如果害怕根據常識來對待孩子，或者他們確實願意成爲孩子的奴隸，而鼓勵孩子成爲奴役者，這樣，孩子才會眞正被寵壞。

每個人都希望孩子能養成良好的習慣，使別人容易與他相處。其實孩子自己也想這樣，想按正常時間吃飯，並且還想學會餐桌上的禮節。儘管他們有時排大便很規律，有時不規律，這些都是根據自己的身體需要。所以，只要不出現排便障礙，就用不著去管它。當孩子長大一點，開始懂事以後，就可以告訴他們應該在什麼地方解大便了。孩子還將根據自己的需要養成自己的睡眠習慣，用不著大人給予太多的指導。他們也會一步一步地改變自己，使自己的所有習慣和家人的習慣一致起來。

112. 順其自然，孩子才能成長得最好。就像孩子的長相各不相同一樣，他們的成長模式也各不相同。有的孩子在力氣方面和肌肉協調方面發育較快，很早就能坐起、站立和走路，頗有點兒幼兒運動員的架勢；但是在說話方面，或者用手做一些需要技巧的事情方面，卻發育得很慢。有的嬰兒很早就能翻身、站立和爬行，然而卻很晚才學會走路。還有的嬰兒身體的敏捷方面發育很早，但是卻很晚才長牙；而長牙很早的嬰兒不一定在身體的敏捷方面發育得很早。有的孩子很大了還不會說話，以至於家長曾擔心他的大腦有問題；可是上學以後，學習成績卻很好。還有的孩子智力很普通，但是很早就學會了說話。

這幾個例子是我有意挑選的，目的是讓你了解一下，每一個人的發展模式和發展特點有多麼的不同。

有的孩子生下來就骨架大、結實、健壯，而有的孩子生下來就小巧玲瓏。有的人似乎生來就是胖子，如果由於生病而體重下降，身體康復後也會迅速復原，他們在生活中的煩惱從來不會影響他們的食欲。還有的人恰恰相反，即使他們吃的是營養最豐富的食品，即使他們的人生一帆風順，他們的體重也不會發生什麼變化。

不管孩子是男是女，不管孩子長的什麼樣，也不管孩子喜歡做什麼，家長都應該去喜歡他們、愛他們，而不應該總想著他們的不足之處。我提這些忠告的目的絕不只是出於柔情，而是因爲其中有一個非常重要的現實問題：那就是，即使孩子其貌不揚，有些笨拙，或者反應遲鈍，如果能得到大人的欣賞，他就能在長大後感到自信和幸福，就能具有一種去充分調動現有能力的精神，就能充分利用所有機遇。

有的孩子從未得到過大人的完全贊同，因此，總是覺得自己不夠好。這樣的孩子長大後就會缺乏自信心，就不能充分利用自己的智慧、技能和魅力。如果他們一開始就有身體缺陷或智力缺陷，那麼，長大以後，這種障礙給他們帶來的困難就會比實際困難大十倍。

113. 嬰兒並不嬌嫩。剛有第一個孩子的媽媽可能會說：「我總是擔心不小心傷著他。」其實用不著擔心，你們的孩子挺結實的。抱孩子的方法很多，如果不小心使他的脖子猛地向後仰一下也沒有關係，因爲他的顱骨頂端的囟門由一層像帆布一樣結實的細胞膜覆蓋著，不會輕易發生危險。多數嬰兒的體溫調節系統都很好，只要他穿的衣服能夠起到一半的保溫作用，一般就沒有問題。嬰兒的抗菌能力也很強，能抵禦多數細菌的侵犯。家裡所有人都染上感冒的時候，他被傳染的程度往往是最輕的。如果他的頭被別的東西纏住，他有很強的本能去掙扎、呼救。如果他吃不飽，就會哭鬧著還要吃。如果燈光太強、刺眼睛，他就會不停地眨眼，並且表現得煩躁不安。他知道自己需要睡多少覺，所以他就一定要睡那麼多。對於這樣一個什麼也不會說，什麼事情也不懂的嬰兒來說，他已經算把自己照顧得很好了。

初期的感受

114. 憂鬱感。剛開始帶孩子的時候，你可能會感到信心不足。這是一種很正常的感覺，在第一次帶孩子的時候尤其是這樣。你可能也說不清楚到底問題出在哪裡，只是覺得自己動不動就想哭。你還可能總覺得某些事情不對勁。有一位婦女的孩子總在哭，所以她就確信自己的孩子生病了。另一位婦女確信自己的丈夫變得很奇怪，而且疏遠了她。還有一位婦女確信自己已經面目全非了。

這種憂鬱感在孩子出生以後不久，或者幾個星期以後就會出現。最常見的時間是在產婦從醫院回到家裡的時候。但是，這並不是雜事的壓力所致。即使當時有人承攬了全部家務，她也仍然可能產生這種感覺。問題的根源在於她的內心活動，也就是既要負責全部家務，還要負責孩子的全部吃、喝、拉、撒、睡，所以內心總有一種不悅的感覺。另外，分娩後發生的身體變化和內分泌變化，也可能在某種程度上改變母親的情緒。

多數母親在這個階段並不太感到灰心，所以還達不到憂鬱的程度。我之所以提及這一點，是因為有好幾個媽媽後來對我說：「如果我早知道灰心喪氣感很普遍，就不會那樣沮喪了。我可眞是的，原來還以為我對生活的看法從此徹底改變了。」所以，在面對困難的時候，如果你知道許多其他人已經有過這樣的經歷，而且知道這個困難是暫時的，你就能比較正確地面對它了。

如果在前一、二個月裡你感到心情不好，尤其是在孩子哭鬧不止的時候，你就應該想辦法先把照顧孩子的繁忙事務推給別人，自己尋求一點兒解脫。比如去看一場電影，或去散散步；給自己買一件很想要的衣服；做一件新的、或過去沒有做完的事情——寫作、繪畫、縫衣和製作等既有創造性，又能使人產生滿足感的事情。還可以不時地拜會一下朋友。如果找不到看顧孩子的人，你可以把孩子帶上，或讓朋友來看你，這些都是精神調節劑。如果你感到憂鬱，也許還不太想做這些事情。但是，如果你說服自己去做，你就會感到好多了。這對於你丈夫和你自己都很有好處。

如果低沉的心情沒有好轉，或者更加嚴重，說明你可能患有產後憂鬱症，應該立即找醫生，醫生可能會讓你去找一位精神科醫師診治。精神科醫師或精神分析學家在這種情況下，將給你最大的幫助和安慰。

如果做母親的感到情緒沉悶，並且認爲丈夫對她漠不關心，原因可能有兩個：從一個方面看，每一個情緒低落的人，都感到別人對他缺乏友好和熱情。從另一個方面看，當父親的也是人，當妻子和其他人都圍著孩子轉的時候，他感到受冷落也是很自然的事。所以，這是一種惡性循環。妻子（好像她的事情不夠多一樣！）還是得去關心丈夫，而且還要鼓勵丈夫去分擔對孩子的照顧。

115. **最初幾個星期丈夫在家裡的義務**。在妻子懷孕、陣痛和分娩的忙亂階段，以及回到家裡以後，丈夫可能會發現，自己有時對妻子和孩子有一種很矛盾的感情。但是，他不應該感到奇怪，他應該想到（尤其回到家裡以後），或許妻子的心情比自己的還要亂。她正在經歷一段強烈的內分泌變化時期。如果她生的是第一胎，她將有一種無法控制的焦慮感。尤其是在一開始，無論是個什麼樣的嬰兒，都將佔據她的大量精力。

所有這一切都說明，多數婦女在這個時候都需要得到丈夫的大量支持和安慰。如果她想多給予孩子一點兒，她就必須從丈夫那裡多得到一點兒。她希望從丈夫那裡得到的，就是在照顧孩子和做家務方面的支持和幫助，而更多的是希望丈夫在感情上給予的支持，比如：耐心、理解、認可和愛護。丈夫的工作可能比較難做，因爲如果妻子累了或者感到傷心，她就不會有心思去欣賞丈夫的努力。而實際上她可能還會發牢騷。但是，如果丈夫認識到妻子多麼需要他的幫助和愛護，他就不會去計較了。

116. **在家裡的頭幾個星期**。這個期間，多數新任父母發現自己比平時容易上火和勞累。聽到嬰兒煩躁的哭叫聲，他們就會懷疑孩子是否有什麼嚴重的毛病。孩子每打一個噴嚏，皮膚上每出現一個紅點，都會使他們感到擔心。他們甚至會踮著腳走進房間，看看孩子是否還在呼吸。也許是出於父母的本能，他們對孩子有一種過分的保護意識。我想這是大自然的魔力，是它確保世界上千千萬萬個新任父母（有的甚至還沒有成熟），能認眞地負起這一新的職責。對孩子關心一點兒可能是件好事，不過，這種關心的勁頭會漸漸地消失。

身體接觸和其他聯繫

117. 我們在媽媽與嬰兒之間加上了距離。嬰兒出生前，他們不僅得到媽媽的關懷、溫暖和營養，而且還參與媽媽的各項體力活動。

在世界上許多比較原始，或者工業不發達的地方，多數嬰兒出生後，都是從早到晚由母親用背袋背在身上，而且在夜間還同媽媽睡在一起。在媽媽忙忙碌碌地做雜務（收割、做飯、推碾、編織、收拾家務）的時候，嬰兒仍然和媽媽一起運動著。嬰兒一哭就能吃到媽媽的奶。他們不僅能聽到，而且能感覺到媽媽說話和唱歌時的聲音。

在許多國家裡，嬰兒稍大一點兒以後，都是由姊姊一天到晚地背在背上。而我們的國家（美國）卻想出許多天眞的方法來拉遠嬰兒和母親的距離。

我們想出了麻醉分娩法，使媽媽錯過了親眼目睹自己生孩子的戲劇性場面。而嬰兒剛剛出生就被抱到保育室由別人照管，使大人感到好像他們自己沒有能力把這些事做好一樣。在哺乳階段，嬰兒喝的是裝在奶瓶裡的嬰兒奶粉，使媽媽失去了和嬰兒密切接觸的機會。

我們還想出了用吊瓶餵奶的主意，在嬰兒的胸前上方吊一隻奶瓶，以便大人忙其他事情的時候，孩子可以自己喝奶。

我們要麼把嬰兒放在平平的硬墊子上，要麼放在固定的嬰兒床上，而且還總是把他們放在安靜的房間裡。然而我們卻覺得自己的做法並無不妥之處。我們還發明了嬰兒座椅，用帶子把嬰兒緊緊地捆在上面。這樣，當孩子醒著的時候、亂動的時候，或者需要帶著走動的時候，就不用大人抱了。

我們還把嬰兒放在圍欄裡圍起來，這樣，不用扶、不用動、不用抱，孩子也不會出事。但是，我們以往最成功的做法是，當大人或孩子受到傷害、受到侮辱，或感到悲傷的時候，就給予他們一個擁抱。這和現在的做法形成了多麼鮮明的對比啊！

我有兩個當醫生的朋友，一個叫約翰・肯內爾（John Kennell），另一個叫馬歇爾・克勞斯（Marshall Klaus）。他們兩個人在瓜地馬拉的一個印第安村莊裡住了好幾個月，專門觀察嬰兒的自然撫養方式。他們說，那裡的嬰兒好像從來不嘔吐、不哭鬧、不煩躁，也不肚子痛。當媽媽的甚至沒有聽到過孩子打嗝。

如果讓美國的媽媽們分娩後就和嬰兒在一起，她們會怎麼做呢？肯內爾和克勞斯醫生也對此進行了觀察。他們發現，在這種情況下，當媽媽的不僅只是看著孩子，而且不停地用手指去摸他們的胳膊、腿、身體和臉。幾個月以後，這些媽媽們和孩子的關係發展得很密切，孩子也很聽話。相比之下，一開始沒有和嬰兒在一起的媽媽們和孩子之間的關係並沒有這麼好。但是，如果由於某種原因一開始接觸不到嬰兒，那也不必擔心。嬰兒同媽媽、爸爸和兄弟姊妹之間的這種親密關係肯定會有機會發展，而且只要一接觸，這種親密關係的發展過程就開始了。比如，當嬰兒還在保溫箱裡的時候，如果你伸手進去撫摸他，這種親密關係的發展就開始了。

我認爲，在比較原始的社會裡撫養孩子的方法比較自然。所以，我們社會裡的父母們可以參考他們的方式，改進自己的做法。

118. 如何合乎自然。我認爲應該採取以下措施：如果父母願意自然分娩，希望和嬰兒住在一起，就應該給他們提供這樣的機會。父母要求這樣做的時候，醫院、醫生和護士都應該滿足他們的願望。

孩子出生以後，爸爸和媽媽應該抱著孩子親暱上一個小時。如果沒有條件和孩子住在一起，那就更應該這麼做。

應該鼓勵用母乳餵養嬰兒。護士、醫生和親屬更應該鼓勵他們這麼做。

除非迫不得已，否則就應該避免採取吊瓶餵奶。但是，如果生了雙胞胎，而媽媽又沒有幫手，每次餵奶時也只能對一個嬰兒採取吊瓶式餵奶。

帶孩子出門的時候，如果孩子焦躁或肚子痛需要安撫，爸爸和媽媽應該儘量多使用背袋背著他們，要少使用兒童座椅。用背袋把嬰兒背在胸前更好。

呵護你的寶寶

119. 做孩子的好同伴。無論什麼時候，只要和孩子在一起，就要慈祥地對待他。當你給他餵奶、拍著他打嗝、給他洗澡、穿衣、換尿布、抱著他或者在房間裡陪著他靜靜地坐著的時候，他都會感覺到你對他的深情厚意。當你把他緊緊地抱在胸前的時候，當你向他發出聲音的時候，以及當你讓他感到他是世界上最好的孩子的時候，你實際上是在給予他精神上的鼓勵和營養，使他朝著這個方面發展。就像你給他餵奶，使他的骨骼發育成長一樣。我們見到嬰兒的時候，爲什麼本能地和他說兒語和做鬼臉，就連高傲、孤僻的人也這樣，原因就在這裡。

沒有經驗的父母的問題是有時候做事太投入，所以就會忘記去和孩子親近親近。這樣，大人和孩子都會失去一些。當然，我不是說只要孩子醒著，就應該和孩子喋喋不休地說個沒完，也不是說要不停地搖動孩子，或者逗他玩。其實，這樣反而會使孩子感到疲勞，而且最終還會使他覺得緊張，並且把他寵壞。和孩子在一起的時候，多數時間可以靜靜地坐著，這種溫馨、隨和的氣氛對孩子和大人都有好處。當你抱著孩子的時候，一股舒服的暖流會傳遍你的胳膊；當你看著他的時候，臉上會露出喜愛慈祥的表情；當你和他說話的時候，你的聲音也會變得柔和。

120. 愛而不寵。幼兒會玩耍的時候，應該讓他在父母或哥哥、姊姊身邊玩。這樣，大人就可以看著他、叫他；對他說話，並且可以隨時教給他一種玩耍的方法。但是，爸爸、媽媽沒有必要，也不應該在大部分時間裡總是把他抱在懷裡，或者放在腿上哄著。他盡可以喜歡和爸爸媽媽在一起，並且從中得到益處，但是他還是應該學會自己給自己找樂趣。如果新父母特別喜愛自己的孩子，在孩子醒著的時候總是抱著他，或教他玩遊戲，孩子就可能產生很強的依賴性，總是希望父母關注自己，而且要求也會越來越高。

121. 可以看和可以玩的東西。嬰兒的睡眠時間越來越短，在下午快要結束的時候，醒得就更早了。這樣，他在這些時間就想做點兒什麼，而且希望有人陪伴。在二～四個月的階段裡，他們喜歡看色彩鮮艷的東西和會動的東西，但是最愛看的是人和他們的臉。到外邊的時候，他們特別喜歡看樹葉和陰影。在屋裡的時候，他們就饒有興趣地端詳著自己的手和掛在牆上的照片。你可以在嬰兒床的上邊掛幾個色彩鮮艷、形狀不同，而且會動的塑膠玩具。當孩子能用手搆東西的時候，要把玩具掛在可以搆到的地方，但是不能放在孩子的鼻尖上。你也可以自己製作一些會移動的物體，比如用紙板做成各種東西，上面再糊上彩紙，然後掛在天花板上或吊燈上，使它們有點兒搖擺旋轉的感覺。但是這些東西不結實，不能讓孩子拿著玩，而且也不衛生，所以不能讓孩子放到嘴裡嚼。你還可以在孩子能搆到的地方掛一些家裡的用具，比如勺子和塑膠杯等。這些玩具都很好，但是千萬不要忘記，嬰兒最喜歡的還是人的陪伴，而且只有人的陪伴才能對孩子的發展產生特殊的作用。

122. 尿布的用法。關於尿布、嬰兒紙巾和尿片，請參見89-93。許多家長喜歡事先疊好的尿布，它採用魔鬼氈（一種尼龍製黏著膠帶）搭扣黏合。如果你們喜歡老式尿布，在給孩子墊的時候，應該在最容易尿濕的地方墊得厚一些，而不要把孩子的兩腿之間塞得滿滿的，以致把兩條腿分得很開。對於正常身長的嬰兒，你可以用普通大小的正方形或長方形尿布，按照下面的圖示折疊：首先折成三層長條，然後在一端折起三分之一。這樣，有一半尿布是六層，另一半是三層。男孩的身前需要六層；如果女孩趴著，她的身前需要六層，如果仰臥，她的身後需要六層。使用別針的時候，要先把另一隻手的手指伸進尿布裡把尿布墊起來，以防止扎到孩子。使用前先把別針往肥皂上扎一下，就更容易穿透尿布。把針在頭髮裡擦一擦，也有這樣的效果。

折疊棉尿布的方法

將尿布折成三層長條，然後在一端折起三分之一。使用別針的時候，要在尿布和孩子之間伸進兩個手指將尿布墊起，防止扎到孩子的皮膚。

多數家長在抱起孩子餵奶之前先給他換尿布，在把他放回床上之前，再給他換一次。一些工作很忙的家長在給孩子餵奶的時候，只在餵完奶以後給他換一次尿布，這樣既節省時間，又可以不用洗那麼多尿布，因爲孩子往往一邊喝奶，一邊排便。多數嬰兒不在乎潮濕，但是有的對潮濕特別敏感，所以要勤換尿布。如果給孩子蓋的東西足夠多，尿布濕了也不會感覺涼。只有當濕尿布暴露在外邊，熱氣蒸發掉以後，尿布才變涼。如果嬰兒總是把尿布尿透，並且把床浸濕，就需要使用兩塊尿布，或者加一層塑膠墊。如果把第二塊尿布也像第一塊那樣給孩子墊上，就會顯得太厚。所以，你可以像繫圍裙那樣給孩子圍在腰上，然後再用別針別住，還可以把第二塊疊成長條，順著墊在第一塊的中央。

123. 排便後的清洗。你可以使用棉球或洗臉毛巾沾著清水擦，也可以使用嬰兒紙巾。給女孩清理的時候，一定要從前往後擦洗。給孩子換濕尿布的時候，不必給孩子洗澡。給男孩換尿布的時候，先把一塊事先準備好的尿布蒙在他的生殖器上，等到把尿布穿好以後再拿走。這樣能防止還沒給孩子墊好尿布，就讓他尿了你一身。換完尿布以後要用肥皂和清水把你的手洗乾淨，這樣能預防有害細菌的擴散。

124. 紙尿褲。紙尿褲有多種樣式和型號。現在很多家長都選用紙尿褲，這種尿布在市面上到處都有在賣，而且使用方便。尿布的邊上有黏帶，代替了棉尿布的別針。紙尿褲要和棉尿布一樣勤換。由於它們的吸水性能好，所以，雖然看上去乾燥，但可能已經該換了。如果你依靠尿布店提供服務，那麼，使用棉尿布和紙尿褲的費用相差無幾。在家裡洗棉尿布可以節省一部分開支。有的人家選用棉尿布是出於環境保護意識，即少用紙，少伐樹。

125. 尿布的洗滌。要準備一個桶子，裡面裝上一部分水，尿布換下來以後，馬上放進去。如果在每加侖水中加入半杯硼砂，就能有效地去除污漬。換下沾有糞便的尿布時，要將糞便刮到馬桶裡，或者用手抓住，在浴室裡用水龍頭沖洗。每次洗完尿布的時候都要把尿布桶刷一遍。

尿布可以放在洗衣機裡或洗衣盆裡洗，肥皂或洗滌劑要使用中性的。先把肥皂溶解好，搓洗完了以後，再沖洗二至三遍。沖洗的次數取決於水是否已經變清，孩子的皮膚是否嬌嫩。如果孩子的皮膚不太敏感，沖洗兩遍就夠了。

如果有跡象顯示，孩子的皮膚將長皮膚疹，你就需要採取格外的預防措施；至少在疹子出現的時候，要專門採取措施。或許還需要定期採取措施。（請參見347-351）

如果尿布（或別的衣物）變得僵硬，吸潮性能下降，或者被肥皂沉積物污染得灰暗不清，就像澡盆中的墊子一樣，一般可以使用水質調節劑將它軟化並且去除污漬。但是不要使用衣物柔軟精，因爲它能在衣物上留下一層膜，從而降低了尿布的吸水性能。

排便

126. **胃腸的反射作用**。多數人吃完飯就想排大便，因爲胃裡裝滿食物以後對腸道從上至下產生了刺激。這種反應是胃腸的反射作用。早飯後最容易產生排便感，因爲在漫漫長夜的休眠之後，胃腸的活動又開始了。

在嬰兒最初的幾個月裡，這種胃腸反射往往是最活躍的時候。尤其是吃母奶的嬰兒，每一次吃完奶都會排便。不方便的是，有些嬰兒只要一吃奶，就使勁要排便，雖然也排不出什麼來，但是他還在使勁，只要乳頭不離口，他就不停地使勁，以至於連奶都喝不成。在這種情況下，你就需要中斷15分鐘，讓他的大腸穩定下來，然後再給他餵奶。

127. **胎便**。出生後的一、兩天內，嬰兒的糞便中含有一種叫做胎便的物質，色黑綠、狀黏稠。以後就逐漸變成棕色，然後又變成黃色。如果嬰兒過了第二天還不排大便，就應該報告醫生了。

128. **吃母奶的嬰兒排便的次數有多有少**。在頭幾個星期，多數嬰兒一天要排好幾次。有些每次吃完奶以後都要排便。大便顏色通常是淺黃色，可能呈稀狀、糊狀、散狀、或者可能有黏液。這些一般都是正常的。

滿一～三個月的時候，有許多餵母奶的嬰兒的排便次數從頻繁改爲不頻繁。發生這種變化的原因是，母奶非常容易消化，所以沒有多少剩餘的東西可以形成大便。從這個時候起，有的孩子開始一天只排一次，還有的每隔一天排一次，還有的排便次數更少。有些家長從小就認爲，人每天都要排大便，因此他們可能爲孩子的排便次數少而擔心。但是，只要孩子沒什麼不舒服，就不用擔心。不管餵母奶的孩子排便的次數多麼少，不管是兩天排一次，三天排一次，還是更少，大便的形狀始終是軟的。

有些吃母奶的孩子排便的次數不多，但是過了兩、三天以後，他們就開始經常使勁，好像排不出大便一樣。然而，一旦大便排出來以後，它還是軟的。對這個問題我能做出的唯一解釋就是：由於大便很稀，對肛門內側產生的壓力不正常，所以產生了相應的反射。如果在每天的飲食裡，加入2～4茶匙糊狀的或過濾的梅子汁，通常能收到較好的效果。即使嬰兒還不需要固體食物，也可以這樣做。在這種情況下根本不需要瀉藥。我認爲，最好不要使用栓劑或灌腸劑，以防孩子的腸子對它們產生依賴。就用乾梅或梅子汁來解決這個問題吧。

129. **喝嬰兒奶粉的嬰兒，最初每天排便1～4次**。而有些嬰兒一天的排便次數可達6次。隨著他不斷長大，每天的排便次數將減少到1～2次。只要大便的稠度正常，孩子排便順利，次數多少並不重要。

喝嬰兒奶粉的嬰兒排出的大便通常呈黏狀、淺黃色或棕黃色。但是有的嬰兒排出的大便總是像炒雞蛋一樣——凝結的塊狀中夾雜著稀溜溜的物質。如果嬰兒沒什麼不舒服而且體重增長正常，這也沒有關係。

喝嬰兒奶粉的嬰兒最常見的排便障礙是糞便堅硬。這個問題將在342-344「關於便秘」中討論。有的喝嬰兒奶粉的嬰兒，他們在前幾個月裡的排便呈稀散、綠色的凝乳狀。如果孩子的大便總是有點兒稀散，但是沒什麼不舒服，體重增長正常，而且醫生或保育護士都沒有發現孩子有什麼問題，那麼就不必去理會它。

130. **大便的變化**。現在你知道了，如果一個嬰兒的大便總是和別的孩子有點兒不一樣，只要他們都很好，就沒有什麼問題。但是，如果孩子的大便發生了變化，這表示可能有問題，就應該向醫生或保育護士說明情況。比如，無論是吃母乳的嬰兒還是喝嬰兒奶粉的嬰兒，他們的大便都可能是綠色的。如果大便總是綠色的，孩子也很好，就沒有什麼可擔心的。如果他們的大便原來是糊狀的，後來轉變成塊狀，有點兒稀散，而且排便次數也有所增加，這就可能表示孩子的消化有問題，或者腸子有輕微的感染。如果他們的大便變得很稀，顏色發綠，排便次數頻繁，氣味也發生了變化，這就幾乎可以斷定，孩子的腸道發生感染，只是輕與重的問題。一般說來，排便次數和大便的堅硬度的變化比大便顏色的變化更重要。暴露在空氣中的大便可能變成綠色，也可能變成棕黃色，這一點沒有任何重要意義。

當孩子**腹瀉**的時候，大便中常見黏液。這就是腸道受刺激的另一個症狀。消化不良也可能出現這種症狀。這種黏液也可能來自上邊，比如從一個患感冒的或健康的新生兒的喉嚨裡或氣管裡排到腸道。有些嬰兒在出生後的頭幾個星期能排出很多黏液來。

如果給孩子的食物中加入一種**新蔬菜**，即不經常吃的蔬菜，它從大便中排出來的時候，有一部分看上去和剛吃進去的時候一模一樣。如果大便中同時還出現發炎現象，比如腹瀉並且含有黏液，下一次就應該給孩子少吃這種蔬菜。如果沒有發炎現象，就可以繼續給他吃這麼多，甚至可以逐漸增加，直至孩子的腸胃適應這種蔬菜，能更好地消化它為止。但是如果給孩子吃甜菜，他的大便就會變成紅色。

大便上的血絲通常是由於大便乾燥而造成肛裂出血所致。出一點兒血並不要緊，但還是應該找醫生看一看，以便能迅速把便秘治好。這個問題對身心健康都很重要（請參見753）。

大便中出現大量血的現象很少見。如果有，可能是由於腸道畸型、嚴重腹瀉、或腸套疊引起（參見1135-1136）。遇到這種情況應該立即看醫生，或者馬上送醫院。

沐浴

多數嬰兒洗過幾個星期的澡以後，就喜歡上了洗澡。所以，洗澡的時候不要催孩子，要和孩子一起享受這種樂趣。

131. 餵奶之前。在最初的幾個月裡，給孩子洗澡的最方便時間是在中午餵奶之前。其實，在任何一次餵奶之前都可以，就是不能在餵奶之後——因爲你希望孩子在這個時候睡覺。到孩子可以一日三餐的時候，你就可以把洗澡時間改到午飯前或晚飯前。孩子再大一點兒以後，他吃完晚飯後總要玩一會兒，這樣，晚飯後給他洗澡更好一些。如果他的晚飯吃得很早，晚飯後洗澡就更好了。洗澡的房間一定要溫暖適宜。

132. **海綿浴**。如果你喜歡，可以用海綿給孩子擦澡。很多父母習慣於每天都給孩子洗一次盆浴，或者每天用海綿給他擦洗一下屁股，但是實際上，只要孩子的屁股和嘴的周圍清潔，一個星期洗一、兩次就足夠了。在你不給他洗澡的時候，可以用海綿將他的手擦洗一下。由於新父母沒有經驗，一開始使用浴盆的時候肯定很緊張，擔心把孩子掉到水裡。嬰兒不會自助，四肢柔軟，身體打滑，尤其是上完肥皂以後，很難抓牢。另外，嬰兒剛開始在盆裡洗澡的時候也感到很不自在，因爲在那裡面感到失控。所以，你可以先用海綿給他擦洗幾個星期，等到嬰兒感到安全以後，再把他放到浴盆裡洗。如果你願意，甚至可以等到幾個月以後，嬰兒會坐立的時候，再把他放到盆子裡去洗。一般說來，嬰兒的臍帶沒有長好之前不要給他洗盆浴。這方面可以向醫生或保育護士請教。

用海綿給嬰兒擦洗的時候，可以把他放在桌子上，也可以放在大腿上。你需要用一塊防水布料鋪在嬰兒身下。如果你使用硬面的桌子，上面應該鋪上墊子，比如大枕頭、折疊起來的毯子或被子等，這樣，嬰兒就不那麼容易滾動了（嬰兒特別害怕滾動）。頭和臉要用溫暖的清水和洗臉巾擦洗。每個星期給頭上一、兩次肥皂。在需要的地方或需要的時候，可以用洗臉巾或手給他輕輕地擦上一點兒肥皂，然後，用洗乾淨的洗臉巾將他身上的肥皂擦乾淨，至少擦兩遍。要特別注意擦洗有褶皺的部位。

133. **盆浴**。開始給嬰兒洗澡之前，一定要把需要的東西都放在隨手可以拿到的地方。如果忘記了毛巾，你就只好抱著濕淋淋的嬰兒再去拿了。

要把手錶摘掉，然後再圍一條圍裙，防止把你的衣服弄髒。接著準備好下列各項物品：

・肥皂
・洗臉巾
・毛巾
・脫脂棉
・護膚水
・T恤、尿布、別針、睡衣

嬰兒還可以在臉盆裡、廚房水槽裡，或者搪瓷盆裡洗澡。有些新式盆子裡有海綿襯墊，可以幫助固定孩子，使他處於適當的姿勢。採取常用的洗澡方法時，大人往往累得腰酸背痛。為了舒適一點兒，你可以把一隻洗碟盆或者搪瓷盆放在桌子上，坐在桌子前給孩子洗澡。你也可以把盆子放在更高一點兒的地方（比如梳妝檯）上，站著給孩子洗澡。你還可以坐著高腳凳，在廚房的水槽裡給孩子洗澡。

洗澡水的溫度大約應該和體溫一致（32～38℃）。使用溫度計可以使沒有經驗的父母感到踏實，但是，實際上沒有必要。要用你的肘或手腕來測試水溫，水不應該有燙的感覺，而應該感覺溫暖舒服。一開始水量要少，2.5～5公分深即可。當你掌握了安全地抱孩子的時候，就可以多加一些水了。為了防滑，你可以在給孩子洗澡的時候，將毛巾或尿布鋪在澡盆的四周。

抱孩子的時候，要用你的手腕托住嬰兒的頭，同時，用這隻手的手指牢牢地抓住他的手臂。要先用一條洗臉巾給孩子洗臉，但不要上肥皂。然後再給他洗頭，他的頭每個星期只能上一、兩次肥皂。上完肥皂以後，用一條濕洗臉巾把頭上的肥皂泡沫洗掉，要沖洗兩遍。如果洗臉巾太濕，肥皂水可能侵入眼睛，刺痛孩子的眼睛。有幾種嬰兒專用洗髮精，它們對眼睛的刺激性比普通洗髮精小。然後，你就可以用洗臉巾或你的手給孩子洗身子、胳膊和腿。女嬰的陰唇外部要輕輕地擦洗。（參見141「關於割除了包皮和未割除包皮的陰莖的洗法」。）使用肥皂的時候，如果你的另一隻手被佔著，往手上擦肥皂要比往洗臉毛巾上擦省事得多。如果皮膚變得乾燥，那就應該儘量避免使用肥皂，一個星期使用一、兩次即可。

盆浴

用手托住嬰兒的臂膀，用手腕托住嬰兒的頭。

如果你一開始感到緊張，害怕把嬰兒掉進水裡，你可以把孩子抱在大腿上，或者放在桌子上抹肥皂，然後用雙手把他抱緊，放到浴盆裡沖洗。洗完後用一條軟浴巾擦乾。擦的時候，要採取沾的方法，不應該用浴巾搓擦。如果嬰兒的肚臍還沒有長好就給他洗盆浴，洗完後一定要用棉球把它徹底擦乾。

134. **耳朵、眼睛、鼻子、口腔和指甲的清潔**。你只需要給嬰兒洗外耳和耳朵的入口處，不需要洗耳朵的內部。要使用洗臉巾，不要使用棉花棒，因為它只會把耳屎推進去。耳朵內的耳屎有保護和清潔的功用。

眼睛不一定在嬰兒哭的時候才流淚。它平時也不停地流淚，使眼睛不斷地得到沖洗。這就是爲什麼在眼睛健康的時候不必用眼藥水沖洗眼睛的原因。

口腔一般不需要額外的護理。

嬰兒的指甲最適合在他睡著的時候剪。指甲刀比指甲剪好用，還有一種圓頭的指甲剪。鼻子有一個非常好的系統，可以保持自己的清潔。鼻孔內部的四周長滿了看不見的細毛，它們不停地把黏液順著鼻孔向下排出，最終匯集到多毛的鼻孔出口處。這時，鼻涕刺癢了嬰兒的鼻孔，使嬰兒打噴嚏，或者用手把它揉出來。洗完澡給嬰兒擦乾的時候，你可以先把乾結的鼻屎弄濕，然後再用洗臉巾的角，輕輕地把它擦出來。如果擦鼻子的時候嬰兒感到生氣，那就沒有必要和他較勁兒。

有時侯，特別是在房間裡有暖氣的時候，嬰兒的鼻孔裡會積累很多乾鼻痂，使嬰兒的呼吸感到困難。這時，嬰兒每次吸氣，他的胸肋下緣就向裡收縮，嘴唇甚至都可能變得微紫。在這種情況下，大一點兒的孩子或成年人就會張開嘴呼吸，但是多數嬰兒不會張著嘴呼吸。所以，無論什麼時候，嬰兒的鼻孔被鼻痂堵住了就需要馬上把它弄濕，並且用上一段所說的辦法把它取出來。

135. 護膚水。洗完澡給嬰兒塗擦護膚水的時候很好玩，而且嬰兒也喜歡擦。但是在多數情況下，根本不需要給嬰兒擦護膚水。如果需要擦，大自然也會自然地給他塗上。尤其應該避免使用嬰兒爽身粉，因爲有時爽身粉的粉粒會被嬰兒吸進肺裡，從而對肺氣管的內膜產生刺激。如果嬰兒的皮膚乾燥，或有點皮膚疹，擦一點兒護膚水會有一定的好處。嬰兒油（不同於護膚水）和礦物油更要少用，因爲它們本身就會引起輕微的疹子。但芝麻油是可以使用的。

囟門

136. 囟門。嬰兒頭部上方的柔軟部位叫囟門，它是構成顱骨頂端的四塊骨頭還沒有長合的部位。囟門的大小因嬰兒而異。囟門較大沒有必要擔心，而且它肯定比較小的囟門長合得晚。有的囟門在九個月的時候就已經長合，而有的一直要到兩歲的時候才長合。但是一般都在12～18個月長合。

如果光線好，你就能看見囟門在搏動。搏動頻率介於呼吸頻率和心臟的跳動頻率之間。家長們都怕碰到這個軟的部位，擔心發生危險。這種擔心是多餘的，實際上，它由一層像帆布一樣結實的膜狀物覆蓋著，一般的觸摸不會傷著嬰兒。

肚臍

137. 肚臍的癒合。在媽媽子宮裡的時候，嬰兒通過臍帶中的血管獲得母體的營養。出生後，醫生將臍帶紮死，並且在貼近嬰兒肚子的位置剪斷，剩下的一段像葡萄乾一樣慢慢地乾縮，並在兩、三個星期（有的要好幾個星期）以後從身上脫落下來。臍帶脫落以後，留下一個稚嫩的傷疤，還需要幾個星期才能完全癒合。這個嫩傷疤必須保持乾淨和乾燥，以防止受到感染。如果保持乾燥，上面就會有一塊硬痂保護，直至完全癒合脫落爲止。它不需要遮蓋物，因爲這樣會更乾燥一些。臍帶脫落以後，嬰兒就可以洗盆浴了。洗完後，要馬上用毛巾的角（如果你喜歡，也可以用棉球）把它拭乾。在嫩傷口完全癒合之前都要這麼做。臍帶脫落的前幾天，肚臍可能會出血或有滲出物，這種現象可能一直持續到完全癒合爲止。有的家長很聰明，爲了不弄濕肚臍，他們總是把尿布包在嬰兒的肚臍以下。如果尚未癒合的肚臍傷口變得潮濕，並且有膿水流出，那就必須更加認眞地保護它，避免讓尿布再把它浸濕。另外，還需要每天用棉花棒沾著酒精清洗肚臍周圍有皺褶的地方。如果傷口癒合得很慢，嫩傷口就可能變得凹凸不平，而長出肉芽組織。這沒有什麼關係，在這種情況下，醫生可能會使用一種促進乾燥和癒合的藥物。

如果肚臍和周圍的皮膚變得發紅，或流出有臭味的膿水，說明可能發生感染。這時，應該立即和醫生或保育護士聯繫。在找到醫生之前，你應該用暖和、濕潤的裹料把它包裹上。

如果尚未癒合的肚臍上的硬痂被衣物弄掉時，可能會流出一、兩滴血，這點血對嬰兒沒有任何影響。

陰莖

138. 包皮。它是嬰兒出生時包裹在陰莖頭部（龜頭）的皮套。包皮前端的開口已經足以讓嬰兒把尿排出，但是卻小得足以保護陰莖口（尿道）不患濕疹（參見1145「陰莖頭部發炎」）。隨著孩子慢慢長大，包皮一般都開始和龜頭脫離，並且變得有彈性。這個過程通常需要三年的時間，有些孩子需要的時間會更長一些，直到青春期包皮才有充分的鬆緊性。但是這個問題根本沒有必要擔心，只要堅持每天清洗陰莖，即使清洗的時候不把包皮後推，也能使陰莖保持乾淨和健康。

在嬰兒的包皮裡頭可以看到白色的蠟狀物，叫做陰垢。這是很正常的。陰垢是由包皮內側的細胞分泌出來的，是包皮和龜頭之間的天然潤滑劑。在性交的時候，它還能起到潤滑陰莖頭的作用。

139. 包皮割除術。包皮割除術就是將包皮割掉，讓陰莖頭暴露在外邊。這種手術通常在嬰兒出生後的第一個星期裡做。包皮割除術是從什麼時候開始興起的呢？這無從考證。但是，它已經流行了至少四千年，而且流行的地域很廣，流行的原因也很多。猶太人和穆斯林人（Muslim）割包皮是出於宗教的意義，而在許多其他國家，它是一種青春期儀式，表示一個男孩子已經成年。

在二十世紀，美國人割包皮一般是爲了別的原因。有的家長擔心，如果孩子不割包皮，他就可能心裡不舒服，因爲自己和割過包皮的爸爸、哥哥或學校裡的朋友們看上去都不一樣。有很多醫生認爲，雖然每天堅持洗陰莖似乎可以和割包皮一樣有效地防止感染，但是，陰垢在包皮下面的正常積累有時也可能導致輕微的感染。科學家們曾經認爲，如果丈夫沒有割過包皮，妻子患子宮頸癌的可能性很大。但是最新的研究已經否定了這一點。80年代後期的研究顯示，不割包皮的男孩子在兒童時期容易患尿道感染，但是，割了包皮的男孩子也患尿道感染。

在80～90年代之間，美國割包皮的嬰兒從90％下降到了60％。如果你想割包皮，你應該知道它是一個比較安全的手術。在這個過程中也有風險，比如流血或感染，但是通常可以很容易地治癒。儘管有些醫生現在使用局部麻醉，能夠減輕痛苦，但是對嬰兒來說，肯定是痛苦的。一般說來，嬰兒在24小時之內，就能從做手術的緊張狀態中恢復過來。如果你的孩子感到不舒服的時間超過24個小時，或不停地滲血，或陰莖腫大，那就應該馬上告訴醫生。如果在換尿布的過程中，一連幾次發現一滴血或幾滴血，那只能說明陰莖上的硬痂被碰掉了。

我覺得，現在並沒有強力的醫學證據來支持包皮割除術，最好還是讓家長們自己去選擇吧。有些人割包皮是由於宗教、家庭或文化上的原因。如果沒有這些原因，我建議把包皮留著，大自然讓它是個什麼樣子，就讓它是個什麼樣子吧。

140. **後期包皮割除術**。有時，割包皮的問題一直到童年以後，才由於發炎或手淫被提出來。但是我認爲不應該把這些問題當作割包皮的理由。在個別情況下，如果認爲有必要給一個大孩子做包皮割除術，也要首先和他商量一下。要向他說明，把包皮割去以後，他的陰莖仍然完整無損。要告訴他，他的陰莖一開始會感覺痛，但是很快就會康復。要給他足夠的時間去考慮，提問題。要有耐心，因爲同一個問題他可能提問好幾遍，也可能用好幾種不同的方式提出同一個問題。一定要讓他理解，這個手術不是對他的手淫行爲的懲罰。

141. **陰莖護理**。從出生之日起，不管是否做過包皮割除術，培養良好的生殖器衛生習慣都很重要。這是孩子培養個人衛生習慣的一部分。

如果嬰兒沒有做包皮割除術，那麼，每次洗澡的時候都要給他清洗陰莖。用不著專門爲陰莖做什麼，只要輕輕地把外邊洗一下，就能把過多的陰垢清除。有些家長可能希望確保包皮和龜頭的清潔和衛生，如果這樣，可以把包皮輕輕地向後拉，直到感到有阻力的時候爲止。然後把包皮裡面的陰垢洗掉，並且沖洗乾淨。千萬不可以把包皮強行向後拉，因爲這樣可能導致感染或其他併發症。孩子長到一定程度的時候，包皮自然就會變得有彈性了。

嬰兒做了包皮割除術以後，在傷口尚未癒合之前要經常換尿布，這樣能減少由尿液和大便導致的感染。傷口大約需要一個星期才能癒合。在此期間，要按照醫生的吩咐護理好嬰兒的陰莖：如何使用繃帶，如何洗澡擦乾，如何使用護膚水或護膚油等。傷口癒合以後，在洗澡的時候就可以和正常的孩子一樣處理了。

男嬰的陰莖勃起是常見的。在膀胱裡充滿了尿液或在排尿的時候都很常見，這種現象不足爲怪。

衣物、新鮮空氣和陽光

142. 室溫。給孩子蓋多厚的被子才恰當呢？這個問題沒有固定不變的答案，只能給你提供一個粗略的參考。體重2.3公斤以下的嬰兒體溫調節系統還不太靈敏。而體重在2.3～3.6公斤的嬰兒通常就不需要體外加熱了。他們能在溫度18～20°C的房間裡把自己保護得很好。到他們的體重達到3.6公斤的時候，他們的體溫調節系統就工作得很好了，而且他們已經有了一層皮下脂肪可以幫助保溫。在這個時期，天冷的時候可以允許他們臥室的溫度低達16°C。

嬰幼兒不應該在冷氣機的正前方睡覺，因爲這樣可能把他們的體溫降到危險的程度。也不應該讓他們在熱氣口、葉片式電熱器或室內加熱器的前面，因爲這樣會把他們的體溫升得太高。

體重2.3公斤以上的嬰兒可以和大一點兒的孩子以及成年人一樣，在室溫18～20°C的房間裡吃飯和玩耍。

寒冷的天氣裡，空氣中水分較少，如果房間裡有暖氣，尤其是室溫達到21°C的時候，空氣就更加乾燥了。乾燥的熱空氣烘烤著孩子的鼻腔，使他的鼻涕變乾，這會使嬰兒感到不舒服，並且會降低嬰兒抵抗病菌的能力。

由於父母沒有經驗，或出於對孩子的自然保護意識，要想讓他們給孩子提供充足的涼爽空氣是很難辦到的。不僅如此，他們還總是特意把孩子放在溫度很高的房間裡，並且給孩子捂著厚厚的被子。在這樣的條件下，有的嬰兒甚至在冬天還長痱子。

多數人習慣於有暖氣的房間，並且在冬天無意識地讓室溫不斷升高。在私人住宅裡，避免這一問題的有效方法就是安裝一個恆溫儀，這樣，當室溫達到規定的溫度（18～20°C）時，它就會自動關閉電暖氣。在沒有恆溫儀的私人房間裡，家長應該在一個顯眼的位置掛一個溫度計，每天觀察幾次，直到非常熟悉18～20°C的溫度，以至於不用看溫度計就能感覺出溫度的變化。

我發現，家長們都容易給孩子穿得過多，甚至有經驗的父母也這樣。正常的嬰兒和大人一樣，有很好的體內恆溫系統。只要不給他穿得太多，蓋得太厚，他的恆溫系統就能很正常地工作。

143. **穿衣**。嬰兒和大一點兒的孩子若是胖嘟嘟的，需要穿的衣服比大人少。然而，多數孩子都穿得過多。這對於他們並沒有好處。**一個人如果總是穿得太多，他的身體就會失去溫度調節功能，就更容易罹患感冒。因此，寧可給孩子少穿，也不要給他多穿**。不信你就試試看。也不必害怕孩子的手涼，因爲孩子穿得正常的時候，手總是涼的。如果想知道孩子是冷是熱，可以摸摸孩子的胳膊、腿或脖子。最好的辦法是看孩子的臉色。孩子感到冷的時候，臉上就沒有了紅潤，而且他們還會哭鬧著抗議。

給嬰兒穿套頭衫和襯衫的時候，要記住，他的頭是橢圓形的而不是圓形的。如果領口小，要把套頭衫的下襬提起，挽成環狀，先套到嬰兒的後腦勺上，然後再向前往下拉。在經過孩子的前額和鼻子的時候，要用手把衣服伸平托起來。孩子的頭套進去以後，再把他的胳膊伸進去。脫衣服的時候，要先把孩子的胳膊從袖子中退出來，再把衣服向上挽到孩子的脖子，接著，托起前面，抹過他的鼻樑和前額，使套頭衫呈環狀留在脖子的後邊。最後，再把它從孩子的腦後抽出來。

在寒冷的天氣裡必須給孩子戴帽子，因爲孩子的大部分熱量是從頭部散發掉的。冷天睡覺時戴的帽子應該是用壓克力纖維織成的，這樣，即使孩子把帽子滑到臉上，他也可以通過上面的縫隙呼吸。

144. **實用被蓋**。嬰兒在寒冷（18～20°C）的房間裡睡覺的時候，最好使用純壓克力纖維毯子或睡袋。這種材料既暖和又耐洗。編織披巾比紡織毯子更貼身，而且更容易包裹。所以在孩子睡醒以後，用來包孩子特別方便。另外，編織披巾比毯子薄，所以更容易根據所需溫度來準確地調整所需厚度。不要使用感覺發硬而且沉重的被蓋。睡袋也能像毯子一樣讓孩子蹬開。在孩子能夠站立的時候，使用連體睡衣更爲合適。

在溫度22°C的房間裡或天氣裡，給嬰兒蓋上棉被就足夠了。現在有一種保溫棉毯，據說在溫暖的房間裡和寒冷的房間裡都適合使用。使用的毯子、被子和床單都必須大一些，以便能牢靠地將兩側塞到床墊下面，這樣，就不會讓孩子蹬散。防水床單和尿墊要麼需要大一些，以便能塞到床墊下面，要麼需要用別針把四角別住，以防鬆散。還有一種方法可以選擇，你可以在床墊的四角和邊上，以及在床單的四個角上都縫上魔鬼氈，這樣，你就可以把床單牢固地黏到床墊上了。

床墊子應該硬實、平整，使孩子躺在上面的時候不會下陷。嬰兒床和嬰兒車的墊子應該大小合適，使四邊不留空隙，防止嬰兒的部分身體掉進去。在嬰兒車和嬰兒床上不需要使用枕頭。

145. **戶外活動**。應該經常帶嬰兒到戶外去呼吸新鮮空氣，因爲空氣溫度的變化有利於增強嬰兒適應冷熱變化的能力。冬季在戶外停留的時候，銀行職員患感冒的可能性比伐木工人要大得多，因爲伐木工人已經習慣了這種氣溫。一直住在溫暖房間裡的嬰兒往往臉色蒼白，食欲不振。每天在戶外活動兩、三個小時，對嬰兒的身體很有好處。在室內需開暖氣的季節尤其要這樣。我生長在美國東北部，並在那裡開業當兒科醫生，那裡的家長們認爲，每天讓孩子在外邊活動兩、三個小時是理所當然的。孩子們喜歡在戶外活動，而戶外活動又使他們的臉蛋紅潤、胃口大開。因此，我不得不相信這種傳統做法的好處。

體重3.6公斤的嬰兒在16℃以上的溫度下完全可以抱到戶外去。抱嬰兒到戶外去的時候，氣溫不是應該考慮的唯一因素。濕度、冷氣流和風比同樣溫度的空氣要寒冷得多，其中，風是最寒冷的。即使氣溫較低，體重5.4公斤的嬰兒在朝陽的避風處也會感到很舒適。但是，要穿戴保暖才行。

如果你住在城市裡，沒有院子停放童車，你可以推著他到外面去。如果你習慣了用嬰兒背袋把孩子背在胸前或身後，等到你把孩子背大以後，你的身體就會變得很健康。嬰兒將會很樂意讓你背著，因爲他可以向四處張望，也可以睡覺。如果你喜歡背著孩子到戶外活動，而且有時間這麼做，那麼你出去活動的時間就越多越好。

146. **日光浴**。陽光含有紫外線，它的直接照射能使皮膚產生維生素D。在嬰兒還不能自動獲得所需的全部維生素D的時候，他們維生素D的來源就是嬰兒奶粉和維生素滴劑。在充分理解紫外線的危害作用之前，我曾建議讓嬰兒曬日光浴。既然現在已經得到證實，後來患皮膚癌的人與他早期受紫外線照射得太多有關，所以，我現在堅決反對在任何年齡曬日光浴。

皮膚病專家們現在建議，爲了不使嬰兒和大一點兒的孩子（或大人）受到陽光的直接照射，當他們要在沙灘上或船上受到陽光直接照射的時候，應該用防曬係數15以上的防曬油或隔離霜來保護皮膚。也就是說，要把所有暴露在外邊的皮膚用防曬係數15以上的防曬油或隔離霜塗上。多數孩子都可以用防曬係數15以上的防曬油或隔離霜來防止日曬。容易陽光過敏的皮膚需要使用防曬係數更高的隔離霜或防曬油。嬰兒在海灘上的時候應該待在陽傘下面，並且帶上遮陽帽（參見635-639中的「防日曬」）。

如果你生活的地方陽光充足，而你的孩子的皮膚白皙，那麼你每次上午出門之前，都應該給孩子擦防曬油或隔離霜。在孩子放學回來又要出去玩耍之前，還應該再給他擦一次。

隔離霜或防曬油裡含有五種有效化學成分：對一氨基苯酯（PABA esters）、苯乙烯基（cinnamates）、二苯甲酮（benzophenones）、二氧化鈦（titanium dioxide）或二氧化鋅（zinc oxide），購買時一定要看清楚，成分說明上必須標有其中一種以上的成分。在像美國這樣的國家裡，人們如此習慣於日光浴以至於把曬得黝黑看成是「健康」、美麗和性感，所以，要想堅決抵制它很難。但是，爲了預防皮膚癌，做這樣的努力還是值得的。

睡眠

147. 日夜顛倒。許多沒有經驗的家長都會遇上嬰兒的睡眠時間日夜顛倒的問題；孩子在白天睡得多，而夜間卻沒有睡意。但是，這個問題不值得大驚小怪。嬰兒畢竟不太在乎是白天還是黑夜，只要自己有奶喝，有覺睡，被窩裡暖和乾燥，他就心滿意足了。反正他在娘胎裡的時候總是很黑暗，根本沒有機會去適應晝夜的循環。

由於這個原因，我給各位家長的忠告都是一樣的：白天陪著孩子多玩，到了餵奶的時間就把他弄醒。如果你要陪他玩，就在天亮的時候進行，到了晚間就不要這樣做了。天黑以後給他餵奶的時候，一定要把他餵飽，而且儘量不要逗他玩。千萬不可以在天黑以後再把他弄醒了給他餵奶，除非有時爲了給他餵藥不得不把他弄醒。要讓他從很小的時候就知道，白天好玩，而夜間是無聊乏味的。這樣，他很快就能調整自己的生活規律，白天不睡，夜間多睡。

148. **睡眠量**。嬰兒的覺睡多少爲宜？家長們經常問這個問題。當然，能回答這個問題的只有嬰兒自己。有的嬰兒睡得多，有的睡得少，不過只要他吃得飽，感覺舒服，能呼吸到新鮮空氣，睡覺的地方涼爽，就可以讓他隨意地去睡。

嬰兒只要吃得飽，消化好，在頭幾個月裡總是吃完就睡，睡醒了又要吃。當然，也有少數嬰兒從一開始就睡得少，這並不是他有什麼毛病。如果你的孩子就是這樣，你對他沒有任何辦法。

嬰兒越大睡得越少。你首次發現這個現象的時候可能是在傍晚。再過一段時間，他在白天的某個時候也不睡覺了。每個嬰兒都能養成自己的睡眠習慣，每天都在同一個時間醒來。快滿周歲的時候，多數嬰兒每天只睡兩次覺。一歲至一歲半期間，有的可能就只睡一覺了。只有孩子在嬰兒時期，才可能任憑他們隨便睡。到了兩歲的時候，他們就已經成爲思想比較複雜的人物了，由於興奮、憂慮、害怕噩夢，以及和哥哥、姊姊爭風吃醋等原因，他們就可能出現睡眠不足的問題。

149. **入睡習慣**。許多嬰兒都容易養成喝完奶就睡覺的習慣。也有的晚上喝完奶以後喜歡與大人交流。你可以讓孩子養成一個最適合全家人作息的習慣。最好讓孩子在自己的床上睡覺，不要陪伴。至少在孩子三個月的腹痛期結束後就應該開始這樣做了。這是預防後期出現睡眠問題的辦法之一。如果嬰兒希望大人抱著他，或搖著他睡覺，他就可能在幾個月，甚至幾年內都想得到這種享受。在夜間醒來的時候，他也會要求得到同樣的待遇。如果你們願意抱孩子、搖孩子，那麼你們這樣做正合適。如果怕以後受不了，那就最好不要開這個先例。

許多成年人也有自己的睡眠習慣，而且對睡覺的環境也有要求。我們需要枕頭墊得合適，甚至枕套也得按照老樣子套。因此，有的人只有躺在自己的床上才能入睡，離開身邊這些熟悉的東西和聲音就感到不踏實。嬰兒也一樣，如果給他養成在大人懷裡睡覺的習慣，那麼，他就只有在大人懷裡的時候才能入睡。反過來，如果他們習慣了躺在床上自己睡，他們就能在夜裡醒來的時候，自己再次入睡。這樣，就省去了大人的許多不眠之夜（參見773「睡眠」）。

所以我建議，如果在嬰兒三、四個月的時候，你總是在他還沒有入睡之前就把他放在床上讓他自己入睡，那就應該這樣堅持下去。你將會高興地看到，他在夜裡醒來以後，自己還能入睡。

嬰兒既能習慣於安靜的家，也能習慣於有一般噪音的家。所以，一開始的時候根本沒有必要在嬰兒的臥房周圍踮著腳尖走路和耳語。如果嬰兒或大一點兒的孩子習慣了一般的家庭噪音和說話聲，他通常能在客人的說笑中、音量中等的電視廣播聲和有人走進房間的腳步聲中入睡，並能不受干擾地睡完一覺。但是，也有的孩子對聲音比較敏感，只要聽見一點兒聲音就會嚇一跳，所以周圍越安靜他就越高興。如果你有這樣一個嬰兒，就應該在他睡覺的時候保持安靜，否則，他就會不停地驚醒和哭鬧。

150. 睡覺時仰臥還是俯臥。這個問題曾經引起過激烈的爭論，但是現在沒有人再爭論了。現在人們一致認爲「睡覺時應該仰臥」。如果沒有什麼醫療上的緣故，所有的嬰兒都應該仰臥睡覺。僅僅由於睡覺姿勢的這一小小改變，患嬰兒猝死症而死亡的嬰兒數量減少了50％。（應該和你們的醫生或保育護士討論一下，看看是否有必要讓你的孩子仰臥或側臥。）

爲什麼要做這種改變呢？現在有很多研究證明，嬰兒仰臥睡覺能減少患嬰兒猝死症的危險。仰臥對健康嬰兒似乎沒有什麼壞處。如果嬰兒沒有機會適應俯臥睡覺，他就能很容易地採取仰臥式睡姿。這些研究結果還顯示，側臥睡覺也沒有仰臥安全。所以，從一開始就應該讓孩子仰臥睡覺。

151. 能否培養孩子晚一點醒，或早晨在床上多躺一會兒。在一歲中間的一段時間裡，多數嬰兒願意在早晨多睡一會兒，而不是在早晨五、六點鐘這個違反文明人作息常規的時間醒來。但是，多數家長養成了這樣一種習慣：豎著耳朵聽著孩子睡覺，一聽見動靜便從床上跳起來，從來不給孩子一個再次入睡的機會。結果，等到孩子兩、三歲的時候，大人還是每天早晨不到七點就醒了。由於孩子長期以來養成了早晨讓人陪伴的習慣，所以，他就會有這種要求。但是，有些家長願意在這個時候起床，同孩子一起享受早晨這段美好的時光。

152. 同睡。只要父母離得較近，能夠聽到孩子的哭聲，或有室內通話系統，孩子一生下來就可以讓他自己在一個房間裡睡覺。如果他一開始和父母在一個房間裡睡，兩、三個月的時候就應該把他搬到別處去睡了。在這麼大的時候，他一覺就能睡到天亮，不需要多少關照。如果到了六個月的時候還沒有把他搬出父母的房間，而父母又不想和孩子在一個床上睡，那就應該把他放到他自己的房間裡去，否則，孩子有可能對這種安排產生依賴，不願意或害怕在別處睡覺。他們越大越不容易離開父母。但在有些文化環境中，大人和孩子睡在一起的現象很普遍（高達50%），而且這種習慣是由文化傳統決定的。

餵母奶和用奶瓶餵奶

餵母奶和用奶瓶餵奶指南

153. **嬰兒在剛出生後的幾天裡，體重下降8％是正常的**。這就是說，一個3.2公斤的嬰兒過幾天以後就可能只剩下2.8公斤了。

餵母奶的嬰兒吃到母乳以後，幾天之內體重就會恢復。體重正常的嬰兒因爲吃得多，消化好，所以，即使一開始吃的是嬰兒奶粉，一般在一個星期左右就能恢復體重。身體小或早產兒由於一開始進食少，所以消瘦的時間長，恢復的時間也長，可能需要好幾個星期才能恢復到出生時的體重。但是，這段時間的耽擱並不會妨礙他後來的發育。他最終還是能趕上來的。

有些家長對孩子的體重下降有一種不必要的擔心，認爲孩子的體重不但不增長，反而下降是不正常的。這種擔心使他們產生不必要的苦惱。因此，他們甚至連試試看的耐心都沒有，就放棄餵母奶的做法。所以，做父母的應該明白，孩子的體重下降是正常的。如果有什麼擔心，應該告訴醫生或保育護士，以便消除自己的疑慮。

154. **嬰兒知道飢飽**。如果原本給嬰兒的定量已經不夠，或由於母親勞累和緊張而導致偶爾母乳供應不足，孩子就會醒得越來越早，並且由於飢餓而哭鬧。在吃完奶瓶裡的最後一滴奶以後，他還會四處張望，還想多吃，甚至試圖吃自己的手。有的時候，嬰兒飢餓還會引起便秘。孩子餓得厲害以後，有時在吃飽了以後還會哭。

喝嬰兒奶粉的孩子如果出現上述表現，就應該給他加量了。餵母奶的孩子如果醒得早，就可以早點兒餵。增加餵奶次數不僅能滿足孩子的需要，而且由於乳房經常被孩子吃空，還可以刺激它多產奶。要記住，乳房的產奶量是由孩子的需求量決定的，給孩子餵得多，奶水就產得多。如果過去每次只給孩子吃一隻乳房的奶，孩子出現吃不飽的現象以後，就應該兩隻乳房都讓他吃一會兒了。

155. 讓孩子打嗝順氣。餵奶的時候，奶瓶必須舉到一定的高度，始終保持奶嘴裡的奶是滿的。儘管如此，嬰兒喝奶的時候還是會吸進一些空氣，並且在胃裡形成氣泡。因此，有些嬰兒還沒有吃到一半就感到漲飽難受，所以不得不停下來。但是多數嬰兒不會吸進太多的空氣，所以不會中斷喝奶。有少數嬰兒，尤其是餵母奶的嬰兒，甚至在吃完奶以後，胃裡也不會積累氣泡。

給孩子順氣的方法有兩種，你可以選擇一個對你最有效的。第一個是把嬰兒平放在你的大腿上，輕輕地給他撫摩腹部。另一個是讓他趴在你的肩上，輕輕地按摩或拍打他背部中央。爲了防止他反胃的時候吐到你身上，最好的辦法是在你的肩上墊一塊尿布。有的孩子很容易把胃裡的空氣排除，有的卻總是把氣體留在裡面。如果氣體排不出來，可以讓孩子躺一會兒，然後再把他放到肩上，這樣往往有效。

如果嬰兒吞進的空氣太多，無法繼續喝奶，就需要停下來給他順氣。即使在吃奶的過程中不用給孩子順氣，在餵完奶以後也需要給他順順氣。如果讓氣泡留在胃裡，多數嬰兒回到床上以後不久就會感到不舒服，有些嬰兒甚至會感到胃絞痛。但是，如果嬰兒胃裡的氣體很難排出來，而且並沒有不舒服的感覺，那也沒有必要一次又一次地折騰，非要他把氣體排出來不可。

另外，嬰兒吃飽了以後，小腹可能顯得鼓脹。有些沒有經驗的父母可能會為此而感到擔心。其實沒有必要，這只不過是因為嬰兒吃的奶在體積上比他的小腹大而已。成年人吃的食物在體積上與小腹差不多，因此不太顯眼。如果你的體重是50公斤，一次喝下1公升的奶，你的肚子也會鼓溜溜的。

餵母奶

餵母奶的意義

156. **餵母奶好處多**。近幾年的審慎研究顯示，嬰兒能從母親的初乳（眞正的奶水到來之前的液體）和奶水中獲得多種抵抗力。雖然母乳中含鐵量很低，但是它含有一種特別容易消化吸收的鐵質。

母奶的最大優點就是純淨，嬰兒絕不會因為吃母奶而患腸道感染。從單純的實用觀點上看，餵母奶不用刷奶瓶，不用消毒，不用調配奶粉，不用為冷藏的問題操心，也不用熱奶。因此，每個星期能節省好幾個小時，而且省錢。如果你要去旅行，就更能體會到這些好處。另外，餵母奶最適合嬰兒的吮吸習慣，他可以含著乳頭盡情地吮吸。我認為，餵母奶的嬰兒之所以較少吮手指，原因就在這裡。

關於餵母奶的好處，最有說服力的證據來自於哺乳媽媽們的親身體會。她們說，她們知道自己為孩子提供了別人無法提供的東西，看到了孩子對乳房的喜愛和感受到了孩子對自己的親近，所以，她們的心裡有說不出的滿足。

做母親的並不是因為自己生了孩子，就感到自己像個母親、喜歡當母親，並且對孩子產生母愛。在生第一胎的時候尤其是這樣。母親完全是在照料孩子的過程中才轉變成爲眞正的母親。她在一開始的時候做得越成功，孩子對她的照料越滿足，她就會越快地進入情況。從這個意義上說，餵母奶不僅能奇蹟般地塑造一個年輕母親，而且能奇蹟般地加深母子情，使母子溫馨相伴，愛意綿綿。

在二十世紀，世界各地餵母奶的人很少。但是最近幾年，美國餵母奶的數量有所增長；上過大學的母親餵母奶的最多。導致這種現象的第一個原因是出於新的認識：餵母奶對身體、對感情都有好處。另一個原因是年輕人比較尊重自然，有按照自然規律辦事的願望。我們已經看到越來越多的低收入家庭和中等收入家庭用母奶餵孩子。希望這種趨勢能夠繼續下去。

對餵母奶的看法

157. 對餵母奶的不同看法。有少數婦女，由於受自身經歷的影響，一想到自己要用母奶去餵孩子就感到特別不痛快。她們覺得那樣做很不雅觀——簡直就像動物一樣。有些做父親的，包括一些很喜歡孩子的父親，由於出於嫉妒，也反對用母奶餵孩子。而其他做父親的都爲妻子用母奶餵孩子感到驕傲。因此，到底是否用母奶餵孩子，只能靠當媽媽的自己來決定。

還有些問題很少有人提到過。比如：兩個星期以後，母親就會自然地喜歡上用母奶餵孩子了。許多哺乳媽媽們說，在給孩子餵奶的時候，她們的胸部和陰部有一種極大的快感，就像她們做愛時所經歷的那樣。由於沒有意識到自己完全和平常一樣，所以有些婦女爲有那種感覺而感到迷惑和自責。有些婦女可能會有這樣的經歷：如果別人的孩子在旁邊因爲餓而哭泣，她的乳房就開始流出奶水。如果她們不了解這也是正常的，自己就可能感到很尷尬。在做愛的時候，妻子的乳房也會流出奶水。有些人爲此感到掃興，而有的爲此感到振奮。由此可見，夫妻雙方很有必要坦誠地交流一下帶孩子的感受。有時同醫生、保育護士和哺乳專家討論一下這方面的問題，也有助於克服一開始遇到的問題。

如何圓滿地嘗試餵母奶

158. **有的婦女願意給孩子哺乳，但就是不能如願**。人們常說我們的生活方式如何複雜，如何使媽媽緊張得沒有奶水餵孩子。確實，當母親心情煩亂的時候，她的奶水就會暫時減少，而且這種情況偶爾還會使孩子感到不舒服。但是我認爲，餵奶失敗的原因並不在於媽媽感到緊張，而在於她沒有很好地嘗試一下。

能改變這種現狀的關鍵因素有三個：(1) 徹底放棄嬰兒奶粉；(2) 不要過早地氣餒；(3) 給乳房多一點兒刺激。如果你再做到以下幾點：從嬰兒會吃奶的時候就立即給他餵母奶；前五天餵得頻繁些；允許嬰兒摸乳房；並且在分娩後一直和嬰兒住在一起，那麼，你就能一步一步地走向成功。

如果嬰兒出生後的前三、四天你一直用奶瓶餵他，你的成功機會就會大大減少。由於從奶瓶裡吃奶要比從乳房裡吃奶容易得多，所以，嬰兒通常會選擇一種最容易的方法。其實，嬰兒和我們一樣懶惰。如果嬰兒滿足於奶瓶裡充足的奶水，他就不會樂意費勁地吃媽媽乳房裡的奶了。遇到這種情況，沒有經驗的母親可能會認爲，嬰兒就是喜歡奶瓶，不喜歡乳房。而實際上並不是這樣。解決這個問題的最好辦法，就是一開始儘量不要使用奶瓶，而且不用奶瓶的時間越長越好。當然，到嬰兒養成吃母奶的習慣以後就沒有問題了。

有的時候，奶水剛來一、兩天以後就不夠孩子吃了。因此，媽媽就會感到洩氣。但是這絕不是放棄的時候，因爲還有一半的成功機會。如果這個階段家裡有幫手，那麼別人的鼓勵與合作就顯得很重要。丈夫和家人也一樣能幫助解決問題。

媽媽吃得好，睡得足，乳汁就多。但是，她還需要增加給孩子餵奶的次數，以便刺激乳房多產奶。爲了增加對乳房的刺激，在最初的時候，夜間餵奶也和白天餵奶一樣重要。

159. 嬰兒體重連續下降是怎麼回事？有的嬰兒一連好幾個星期都處於極度飢餓之中，體重也不斷下降。在這種情況下，不餵嬰兒奶粉是不行的。如果母親經常和醫生或保育護士取得聯繫，就能知道每一步應該怎麼做。比如，在奶水不足的情況下，嬰兒可以堅持多少天不吃嬰兒奶粉；乳頭能經得起多少次吮吸；以及應該給孩子餵幾次奶等等。當然，醫生和保育護士在進行指導的時候，也受到母親的態度的影響。如果母親明確表明她想獲得成功，他們就會受到鼓舞，並且能想辦法指導她獲得成功。

160. 信心不足。新媽媽往往會懷疑自己的奶水不足。在我們這樣一個是非顛倒的社會裡，用奶瓶餵孩子被認爲是正常的，而用母奶餵孩子反而被認爲是不應該的。因此，她不知道自己的奶水是否眞的足以把孩子餵大。有些媽媽雖然有經驗，但總是信心不足，因此也會產生這種疑慮。醫生發現，在媽媽懷疑奶水不足的時候，實際上常常並不存在這個問題，而只是她的信心不足而已。

161. 成功在一定程度上取決於別人的幫助。比如，在鼓勵還是反對餵母奶的問題上，接生的醫生、醫院的護士、家庭醫生和保育護士的態度都發揮著非常重要的作用。母親的親戚朋友對此事的態度也同樣重要。如果做父親的抱持支持的態度，就能避免半途而廢。

162. 不要讓朋友給你洩氣。或許我們需要提一下這個問題：有的母親想用母奶餵孩子，但是卻常常受到親戚朋友的懷疑。而這些人本來都是很富有同情心的。他們可能會說這樣的話：「你不會是想用你自己的奶餵孩子吧？」「沒有幾個成功的。」「你爲什麼想這麼做呢？」「就你那樣的乳房也能把孩子餵大？你不會成功的。」「瞧你那孩子餓得多可憐。你是不是想不顧孩子的飢餓，來證明什麼？」最溫和的評論可能只是表示一下驚訝，而不懷好意的評論中則包含著強烈的嫉妒。甚至到了後來，一旦你有點兒猶豫，還會有朋友勸阻你。

163. 為什麼半途而廢？有些母親一開始給孩子餵得好好的，可是後來為什麼又放棄了給孩子哺乳呢？其實，有相當一部分母親願意給孩子哺乳，而且在醫院的時候已經成功地哺乳了好幾天，甚至回家以後又餵了好幾個星期（可能不包括回家後的前兩天，因為這個時候乳汁會暫時減少）。但是後來，她們之中很多人可能覺得她們的身體開始凋謝，所以就放棄了。她們的說法往往是這樣的：「我的奶水不夠。」或，「我的奶水好像不適合孩子的口味，或孩子長大了，我的奶水已經不夠了。」

在世界的很多地方，母奶可以供應孩子吃好幾個月，而為什麼偏偏在我們這樣愛用奶瓶餵孩子的國家裡，大部分婦女的奶水竟然回去得這麼早呢？我不認為美國的媽媽們會如此緊張。她們無疑和別的國家的婦女一樣健康。我認為主要的原因只有一個：我們的媽媽們本來是在做一件最平常的事情，而且本來應該相信自己能和別人一樣獲得成功；然而，她們認為自己是在做一件很不平常，而且很艱難的事情。由於她沒有足夠的自信心，所以她就不停地懷疑自己可能會失敗。也就是說，她總是在尋找自己失敗的跡象。如果孩子比平時多哭了兩聲，她的第一個反應就是自己的奶水不夠了。如果孩子消化不良，或肚子痛，或者長皮膚疹，她也總是首先懷疑自己的奶水有問題。

這種憂慮使她相信，只有奶瓶才能解決問題。最難辦的是，她可以隨時拿到奶瓶。比如在她離開醫院的時候，護士可能會告訴她調製奶粉的方法，或還會給她幾包奶粉，以備萬一需要時使用。由於孩子每天能吃到好幾次充足的嬰兒奶粉，所以以後就不像原來那麼愛吃母奶了。這樣一來，乳房裡就總有奶水積累，所以就給乳腺提供了少產奶水的信號，導致以後的奶水減少。

換句話說，是由於母親缺乏信心，再加上嬰兒奶粉的便利，才使得她們容易放棄餵母奶。要想使餵母奶獲得成功，就必須把奶瓶丟到一邊。在餵母奶走上正規以後，每天可以再用奶瓶餵一次，以便爲將來給孩子斷奶做準備。除此之外，必須堅持餵母奶（參見204-206）。

奶水產量在正常條件下也有一定的變化。由於乳房根據嬰兒的需求量來生產奶水，所以，產量隨時都可能增加或減少。隨著孩子的成長和食量的增加，乳房被吃空的機會越來越多，這樣就對乳房產生刺激，使它增加產奶量。

164. **哺乳媽媽的信息來源**。現在許多醫院裡都有哺乳專家，負責給哺乳媽媽提供幫助。多數醫生和保育護士也都很精通如何支持用母奶餵養嬰兒。她們成功地餵孩子喝母奶，並且樂於給沒有經驗的母親提供支持和建議。你還可以查一下你的電話號碼簿，或向當地衛生部門的護士打聽與她們取得聯繫的方法。

哺乳媽媽的身體狀況

165. **孕婦在懷孕期和哺乳期的乳房**。有些媽媽不願意用母奶餵奶，擔心會損害她們的身材。實際上你並不需要多吃飯，或吃得很胖才能生產乳汁。哺乳媽媽確實需要足夠的水、熱量和鈣，來保持身體的原狀，但是，她並不需要比原來多增加任何體重。

那麼，哺乳對乳房的形狀和大小是否會有影響呢？在懷孕期間乳房增大，在剛剛分娩後的幾天裡變得更大，即使不給嬰兒餵奶，它也是這樣。但是，當嬰兒一個星期大的時候，乳房就不像原來那樣漲滿，那樣結實了。因此，哺乳媽媽雖然還在繼續給孩子餵奶，她也可能懷疑自己的奶水減少了。

其實，乳房的豐滿與否，是個人乳房的支撐組織決定的，它與是否給孩子餵奶，或給孩子餵了多長時間的奶（一個月、三個月、六個月，還是一年）都沒有關係。有些婦女從來沒有給孩子餵過奶，但是，乳房卻是扁平的。我在行醫的經歷中看到，有些婦女用自己的乳汁餵大了好幾個孩子，但是身材沒有任何改變，有的人反而更美了。

有兩點需要注意：在餵奶的階段，或在懷孕後期乳房脹大的階段，哺乳媽媽都應該戴一個合適的胸罩，以便把乳房托起。而且不論在白天還是在晚上，都應該堅持戴著。在乳房變重的時候，這樣做能防止皮膚和支撐組織拉長。有的胸罩附有可以換洗的襯墊（也可以使用棉墊代替），它能吸收不餵奶時流出的奶水。這種乳罩前面還可以開口，能夠在餵奶時打開。有的用一隻手就能很容易地解開，應該選用這一種。選用這種胸罩是很值得的。在懷孕期和哺乳期需要注意的另一個問題，就是要防止體重過分增長。如果乳房過分肥大，超出了懷孕期的正常增長，它就難免會下垂。

166. 乳房大小無所謂。乳房小的婦女認爲她們產不出足夠的奶水。這種看法毫無根據。在婦女懷孕前和開始餵奶之前，乳房大部分是由脂肪構成。由於乳腺組織處於休眠狀態，所以只佔乳房的很小一部分。乳房大是因爲它含的脂肪組織多，乳房小是因爲它含的脂肪組織少。隨著婦女懷孕期的進展，來自卵巢的分泌腺刺激乳腺和產奶組織，使之不斷膨脹。與此同時，爲乳腺組織提供營養的動脈和靜脈也開始膨脹，乳房表面上的靜脈也變得粗壯起來。分娩幾天以後，奶水又進一步使乳房增大。護理哺乳媽媽的醫生們一致認爲，即使婦女在懷孕前乳房很小，她也能生產充足的奶水。

167. 媽媽的飲食。有些媽媽聽說給孩子哺乳會使自己失去太多，所以不願意給孩子哺乳。一般說來，情況並不是這樣。沒有任何證據顯示，媽媽連非競爭性的體育活動都不能參加；如果參加，就會對嬰兒不利。另外，媽媽也完全可以繼續維持自己的飲食均衡。但是，應該避免吸菸和喝酒。

有時會有這種情況：每當媽媽吃了一種特殊的食物，嬰兒就會很不高興。比如，如果媽媽喝了牛奶（我不贊成她們喝），有些牛奶蛋白就會進入乳房，給嬰兒的胃黏膜造成刺激。有時喝了咖啡，吃了巧克力，或其他食物以後，過幾天也會產生類似的結果。所以，如果連續幾次發生這類事情，做媽媽的就不應該再吃這類食物了。有些藥物也能進入母奶，但是，通常含量不大，所以不會影響嬰兒的胃口。最好請教一下你的醫生，弄清在哺乳期間吃什麼藥安全，吃什麼藥不安全。

哺乳媽媽的飲食中必須包含嬰兒需要的充分營養，以便嬰兒能從她的奶水中獲得。奶水中含有大量的鈣，以保證嬰兒的骨骼迅速發育。如果媽媽吃得太少，鈣質只能從她自己的骨質裡分泌。人們過去曾經認爲，哺乳媽媽將從牙齒上損失鈣質。但是，實際情況可能不是這樣。哺乳媽媽還應該攝取大量的水分，以便供應嬰兒和她自己的需要。但是，不一定非要喝牛奶。我建議多吃綠色蔬菜和豆類。

鈣質需求量

	年齡階段	需要鈣質量
嬰　兒	0～5個月	400毫克
	6～12個月	600毫克
兒　童	1～10歲	800毫克
男　孩	11～18歲	1200毫克
女　孩	11～18歲	1200毫克

哺乳媽媽的日常飲食應該包括以下的營養成分：(1) 大量的蔬菜，尤其是像硬花甘藍一類的綠色葉菜；(2) 新鮮水果；(3) 菜豆、豌豆和扁豆。這些蔬菜中含有維他命、大量的鈣質和微量脂肪；(4) 所有穀類。

應該從植物中獲取營養的另一個原因，就是動物容易把殺蟲劑和其他化學藥物沉積在它們的奶中和肉裡。魚尤其是這樣。所以，在所有的肉食中，都能檢驗到化學藥物。如果哺乳媽媽吃了這些食品，其中的微量化學物質就會進入奶水中。儘管蔬菜不是自然生長的，但是，它們受到的污染比較輕。另外，讓醫生開處方，配置綜合維生素也是一個好主意。但是，未經醫生同意，你服用的維生素劑量絕對不可以超出他給你規定的劑量。

假如有需要，做運動是增強母親體質、減輕體重的最好辦法。比如，每個星期用背袋背著嬰兒散幾次步，每次快走30分鐘，對身體很有好處。

關於**補充水分**有兩點需要注意：爲了攝取水分而喝得肚子不舒服是沒有必要的，因爲身體很快就會把多餘的水從尿中排出。但另一方面，如果媽媽很激動或很忙，她也會意識不到自己渴了，從而忘記喝水。所以，最好在每次餵奶前15分鐘喝一次水。

媽媽特別需要好好照顧自己。在餵奶時期，她可以把電話拔下來，孩子睡的時候她也睡，丟下家務不管，忘記外界的煩惱和義務，合理地安排好自己的飲食。

168. 哺乳會使媽媽疲勞嗎？有時候你可能會聽別人說，哺乳對媽媽的體力消耗很大。另外，有很多媽媽確實在一開始的幾個星期裡感到疲勞。但是，用奶瓶餵孩子的媽媽也同樣覺得很累。其實，她們的身體在產後一直在恢復之中。眞正使她們感到勞累的是照顧孩子導致的神經緊張。當然，她們的乳房每天要給孩子提供許多的熱量，所以她們必須比平時攝取更多，才能維持身體正常。實際上，哺乳導致的疲勞程度，遠不如度假期間由於散步和游泳而導致的疲勞那麼嚴重。我們的身體能很快地適應能量的增加或減少，我們的胃口也能相應地增大或減小，以便使我們的體重保持穩定。如果哺乳媽媽身體健康、精神愉快，她的胃口就能自然地產生進食欲望，去攝取哺乳所需要的熱量。如果她感覺不舒服，或體重持續下降，不用說，也應該立即去看醫生。

169. 行經與懷孕。有些婦女在哺乳期間一直沒有月經。有的月經有規律，有的沒有規律。在媽媽的經期裡，孩子會偶爾地感到煩亂，或一時拒絕吃奶。

即使哺乳媽媽不來月經，哺乳也並不一定能防止懷孕。所以，很有必要去請教醫生，弄清什麼時候應該恢復使用你的計畫生育措施。

全職工作的媽媽

170. **哺乳媽媽與工作**。如果你休完產假就得上班，因此在哺乳的問題上拿不定主意怎麼辦？如果你有決心在用母奶餵哺方面獲得成功，有決心得到工作單位和家人在感情上對你的支持，那麼，無論你的工作時間和其他情況怎樣，你都能在工作上和哺乳上獲得成功。多數把工作與哺乳的關係處理得很好的媽媽，都是在下班以後給孩子多餵幾次奶，而不把餵奶時間規定得很死。但是在休息日，她們就可以全部用母奶餵孩子了。這樣做有助於她們保持正常的奶水產量，否則，她們的奶水將會減少，成爲她們能否繼續給孩子哺乳的主要障礙。其實，即使你打算上班以後不再給孩子餵奶，也應該爲了孩子的健康，在恢復上班之前暫時先給他餵幾天奶。有些媽媽就是這樣做的。所以，在生孩子之前你就應該向他們請教請教，這對你肯定有幫助。

171. **餵母奶與用奶瓶餵奶相結合**。有些媽媽恢復上班以後仍然堅持給孩子哺乳，她們很有經驗。下面這些建議就是她們提供的：

1. 孩子三、四個星期的時候已經習慣了在固定的時間吃奶，而且此時你的奶水也已經正常了。所以，如果情況允許，要儘量等到這個時候才給他使用奶瓶。

2. 開始的時候要先把母奶裝在奶瓶裡餵孩子。有很多嬰兒，剛開始用奶瓶餵他們母奶的時候他們不肯吃，因爲他們知道奶瓶和媽媽的乳房不一樣。所以，這時就需要爸爸、哥哥、姊姊或保姆來代替媽媽餵奶。

3. 孩子喜歡喝熱奶。這是因爲吃母奶的孩子還沒有習慣喝涼奶。有些嬰兒很痛快地就接受了奶瓶，但是還有一些則需要極大的努力和耐心才能接受。

4. 如果孩子不願意用奶瓶喝奶，媽媽就應該離開房間，甚至離開家。有些孩子只要聽見媽媽說話，就堅決不用奶瓶喝奶。用奶瓶餵奶時可以換一個抱孩子的姿勢，比如，把孩子放在大腿上，使他腳朝裡，頭朝外，然後再用奶瓶餵他。有的孩子喜歡甜味，所以剛開始的時候，他寧可喝加了一半水的蘋果汁，也不用奶瓶喝奶。

5. 必須在嬰兒適應了奶瓶以後媽媽才能去上班。要保證孩子每天至少能順利地用奶瓶喝一瓶奶。爲了保持奶水的產量，在用奶瓶餵奶的階段，你必須把乳房裡的奶擠出去。

6. 要儘量在上班之前和下班以後馬上給孩子餵奶。如果工作時間超過六個小時，你至少要擠一次奶。

7. 如果你需要擠奶和保存奶，最容易的辦法就是讓孩子吃一隻乳房的奶，把另一隻乳房的奶用吸奶器吸出來。這麼做確實很管用，因爲給孩子餵奶時產生一種下奶反應，所以吸奶的時候很容易。母奶在冷藏室裡能保存好幾天，在冷凍室裡能保存好幾個月。

但是在給孩子餵奶的時候，一定要先聞一聞，嚐一嚐，確保它沒有變酸。一旦你把保存的一整瓶奶拿給孩子喝了，剩下的部分過了24小時以後一定要倒掉。多數吸奶器能把奶直接吸到有密封蓋的奶瓶裡，然後，你可以在這些奶瓶上貼上標籤，放入冷凍室保存。你也可以買幾個冷凍冰塊用的盤子。這種盤子由多個冰塊模子組成，這樣，你就可以把母奶冰凍起來，一份一份，用塑膠紙封口，以便於保姆用奶瓶餵奶的時候使用。即使完全餵母奶的嬰兒，在媽媽的正常工作日裡，也能比較順利地吃完一奶瓶的母奶，甚至還可以喝一瓶稀釋果汁。

當然，幾個星期以後，你就能發現什麼方法最適合你和你的嬰兒。

開始餵母奶

172. **心情放鬆與奶水**。你也許會注意到，你的情緒好壞與奶水是否正常有關。焦慮和緊張能把奶憋回去。因此，在餵奶之前應該忘記你的煩惱。先深呼吸，然後使你的肩部放鬆。如果條件允許，你可以在孩子醒來之前先躺下來休息15分鐘。也可以做一些最能讓你放鬆的事情，比如閉上眼睛安靜一會兒，看一會兒書，或看一會兒電視。

幾天以後你就會發現，每次給孩子餵奶前，自己能明顯地感覺到奶水來了。當你聽到孩子在隔壁房間裡哭的時候，乳房可能就開始流出奶水了。這說明，情感和奶水的產生與釋放有著非常密切的聯繫。但是，不是所有的媽媽都能感覺到奶水的到來。

173. 餵奶時，大人和孩子的姿勢都應該感到舒服，並且要使孩子的嘴與乳頭「吻合」。不管你採取什麼姿勢，都必須把孩子放在胸前最合適的位置。如果位置不合適，常常會導致乳頭疼痛。

嬰兒喝奶時，把乳頭和乳暈（乳頭後面的深色部位）一起含到嘴裡感到最舒服。媽媽可以用一隻手托著孩子的頭部，幫助孩子找到最舒服和最方便吃奶的位置，同時，用另一隻手把乳頭放入孩子的嘴中。

有些媽媽喜歡坐著給孩子餵奶，甚至在住院期間躺在床上的時候也喜歡這樣。採取「搖籃式」抱孩子的方法對多數媽媽都很適合。方法是，用前臂托住孩子的背部，用手托住孩子的臀部或大腿，使孩子的頭部枕在你的胳膊肘彎處，面向乳頭。這樣，孩子的臉、胸、腹部和膝蓋都面向你。如果再用一個枕頭墊在孩子身下，用另一個墊在你的胳膊肘下，你就會感到更舒服了。最後，用你的另一隻手的四指托住乳房，拇指按在乳暈外圍的上方，輕輕地用乳頭觸動孩子的下唇，直到他把嘴張大。要有耐心，因爲有時需要幾分鐘才能使孩子張嘴。等到孩子的嘴張大以後，把孩子向近靠，使他的嘴對準乳頭，牙床正好在乳頭之後，大部分或全部乳暈都進入他的嘴中，這就叫做吻合。孩子的鼻子將會觸及到你的乳房，但是，通常不必要留有通氣的位置，除非你聽到他在喝奶的時候有鼻子不通氣的聲音。如果你聽到他的呼吸受阻，就把他的臀部向你的近前拉一拉，或用手指輕輕地把乳房向上托一托。這樣，不用把孩子的鼻子移開，也能增加呼吸所需的空隙。

搖籃式哺乳法

如果你喜歡側躺著餵奶，或因爲你有縫合的傷口，這樣餵奶舒服些。你可以讓別人給你的背後和兩腿之間墊上枕頭，嬰兒也應該面向你側躺著。你也可以試著在孩子身下和你的肩部和頭部下面墊上枕頭，使你的乳頭的高度正適合嬰兒吃奶。假如你面向左側躺著，就要用你的左臂環抱著孩子，然後按照以上說明使孩子的嘴與乳頭吻合。

如果你動過剖腹產手術，或給很小的嬰兒餵奶，或想換個姿勢餵

床上臥姿餵奶

坐姿餵奶

奶，你可以採取「坐姿」。你可以坐在舒適的椅子上（最好是搖椅），也可以坐在床上，用幾只枕頭依在你的後背上使自己坐直，然後把胳膊放在枕頭上，把孩子的身體和腿放在你的一隻胳膊肘下方，用另一隻手托住孩子的頭，使他的腿伸向椅子的靠背，或伸向你身後的枕頭。這樣，孩子的嘴就能像搖籃式餵奶姿勢那樣，正好和你的乳頭吻合。

174. 嬰兒如何吃奶。嬰兒僅僅含著乳頭吮吸是吃不到奶的。原來，乳房裡充滿了乳腺組織，奶水從乳腺中產出後，通過分泌腺流向中間，聚積在好幾個乳竇中。這些乳竇，或叫做儲藏室，都環繞在乳暈的後面。每一個乳竇都有一根很短的導乳管把奶水引向乳頭，因此，乳頭上有多個孔眼。嬰兒吸吮的時候，他把大部分或全部的乳暈含在口中，通過牙齦對乳暈的擠壓，把乳竇中的奶水通過乳頭擠入口中。嬰兒的舌頭在吸吮中發揮的作用不大，它只是保證使乳暈部分含在口中，同時，把吸出來的奶水從口腔的前部帶入。

175. 如果嬰兒只含著乳頭，他基本上吃不到奶水。如果他去咬乳頭，乳頭肯定會疼。但是，如果他把大部分或全部乳暈含在嘴裡，他的牙床就只能用來擠壓乳暈部分，而不會咬痛乳頭。如果嬰兒開始只把乳頭含在嘴裡咬，那就應該果斷地制止。如果必要，可以把一隻手指頭伸進嬰兒的嘴角或中間，來終止孩子的吸吮動作，否則，你就得強行把乳頭從孩子的嘴中拉出來，這樣，乳頭可就要吃苦頭了。然後，再把乳暈部分伸進孩子的嘴裡。如果嬰兒還是咬乳頭，就應該停止給他餵奶。

奶水剛來的時候，乳房漲滿是常見的事。它能導致乳房發硬，乳頭平陷，使嬰兒的嘴很難與乳暈吻合。因此，嬰兒就會感到生氣，甚至氣餒。如果遇到這種情況，你可以在餵奶之前先將乳房熱敷幾分鐘，然後再擠出一點奶，把乳頭向外拉一拉，使嬰兒能夠把乳暈含到嘴裡（參見192-193）。

176. 餵奶之前一定要避免兩件事。第一件是不要用手抓住孩子的頭來使孩子的嘴對準乳頭。嬰兒討厭別人抓自己的頭，他會掙扎著擺脫。另一件是不要捏住孩子的兩腮，試圖把他的嘴擠開。嬰兒有一種本能，只要有東西觸及到他的腮，他就會去尋找。幫助他們找到乳頭的正是這種本能。如果你同時捏住他的兩腮，他就會感到糊塗，甚至生氣。

如果嬰兒拒絕接受乳頭而且堅持不接受，媽媽就會感到失望、氣餒和惱怒。但是，做媽媽的不應該爲一個什麼也不懂，而且又固執己見的家庭新成員感到傷心。如果堅持多試幾次，嬰兒就會明白你的意思。

177. 乳頭下陷。如果媽媽的乳頭沒有凸出來，或有些下陷，這是被支撐組織拉緊而不能凸出來的緣故。這種情況可能給餵奶帶來麻煩。如果嬰兒是易怒型的，困難就會更加突出。當他四處尋找，仍然找不到乳頭的時候，他就會把脖子向後挺，惱怒地哭鬧。

但是，有幾種聰明的辦法你可以試一試。如果可能的話，在他剛一醒來還沒有發火的時候，就馬上把乳頭遞給他。如果剛一試他就哭了起來，就要馬上停止，把他安慰好了以後再試驗。遇到這種情況不能著急。有的時候用手指把乳頭輕輕地向外拉，也能使乳頭稍微的凸出來。有的婦女的乳頭屬於典型的下陷型，一點兒也凸不出來，但這並不妨礙她們哺乳。這是因爲她們使用了乳房罩（參見 196）。你的醫生或護士將會告訴你如何使用它。

實際上，乳頭的狀況並不那麼重要，關鍵是如何引導嬰兒把乳暈含到嘴裡。但是，由於支撐組織的拉扯導致乳頭下陷，嬰兒想要把乳暈弄成適合的形狀含到嘴裡是很困難的。或許最好的辦法還是要靠媽媽或護士來進行。她們可以用手把乳竇中的奶水擠出一些來（參見第 200-202），使乳暈部分變得柔軟易壓，然後再用拇指和食指按住乳暈的外圍，使之凸起，同時將它送入孩子的口中。

178. 乳頭護理。有的醫生建議，在懷孕期的最後一個月，要經常按摩乳頭，使它堅韌。也可以讓丈夫用嘴吸吮。在孩子出生以後，一般不需要再對乳頭進行專門的護理了。比如，不需要擦油膏之類的東西。許多哺乳婦女很喜歡使用某種油膏，而且這類油膏的品種很多。在按摩乳頭或檢查乳頭之前，媽媽必須用肥皂把手洗乾淨，因爲細菌會通過乳頭進入乳房。如果這樣，嬰兒很容易得鵝口瘡。這是一種酵母對口腔的感染。如果你的乳頭正常，就不需要用手接觸乳頭，也就沒有必要在餵奶之前洗手了。

有些有經驗的媽媽深信，要想治癒乳頭痠痛，最有效的方法就是保持乳頭的健康。方法是，在穿上胸罩之前，先讓乳頭在空氣中乾燥15分鐘，或在兩次餵奶的間隔中讓胸罩敞著。另外，如果胸罩上沒有防水襯，乳頭就會保持乾燥和健康。

必須避免採用任何能導致乳頭乾裂的預防措施，比如，不要使用肥皂或含酒精的物質來清洗乳頭。

179. **乳頭痠痛**。如果乳頭痠痛加劇，首先要看看孩子在喝奶的時候，嘴是否和乳頭吻合。另外，應該增加餵奶的次數。這樣，不但可以防止孩子過於飢餓，同時也有利於把乳房裡的奶水吃空。另一個辦法就是改變餵奶的姿勢，使孩子的牙床擠壓乳暈的不同位置，這樣對防止乳頭痠痛也有幫助。

如何確立哺乳模式

180. **初期的自然哺乳模式**。儘管奶水通常需要幾天以後才來，但是，一旦奶水來了，就應該儘早給孩子餵奶，而且餵奶的次數要多。這樣做不僅能促使乳房生產乳汁，而且可以防止乳房腫脹。一開始和孩子住在一起非常有利於媽媽哺乳。雖然有些嬰兒很容易適應護士定的時間表，但是，還有一些嬰兒最初的睡眠和飢餓時間很不規律。如果他們不到吃奶的時間就醒來哭鬧，護士也不會把他們送到媽媽身邊，這樣，他們就只好自己哭。等到該餵奶的時間了，他們就會因爲哭得疲勞而大睡起來。如果和媽媽住在一起，只要媽媽認爲孩子餓了，就可以隨時給孩子餵奶。這樣，孩子就不會餓得哭鬧，也不會過分的疲勞。

有些醫院支持母親與嬰兒住在一起，以便媽媽哺乳。他們常常在孩子出生不久，就讓媽媽給嬰兒餵奶。得到允許後，在產房裡就可以讓孩子吸吮乳頭。這樣做是非常理想的，因爲爸爸和媽媽可以有機會好好看一看，親近親近他們的小寶貝。

有些嬰兒在前兩、三天睡覺的次數多，每一覺睡得也很長，而且也不太容易餓。如果媽媽分娩時用過很多鎮靜藥或麻醉藥，嬰兒最容易出現這種情況。但是在其後的幾天裡，嬰兒又很可能睡得很少，甚至每兩小時就會醒來一次。

但是還有些嬰兒從一開始就睡得少，而且容易飢餓。在前兩個星期裡，他們可能需要每天餵十幾次。只有到了第二、第三或第四個星期的時候，他們才會把吃奶的次數固定在每天六、七次。

181. 奶水分泌。奶水來的時間和方式很多，它通常在嬰兒出生後的第三天或第四天來。有些母親的奶水來得早一些。她們一般是原來生過孩子的母親或分娩後和嬰兒住在一起的母親。後者在醫院的時候，就能根據孩子的需要給孩子餵奶。有時候奶水來得非常突然，以至於母親都可以說出具體的時間，但是在一般情況下，奶水來得都很緩慢。嬰兒也通常都是從第三、四天起，明顯地開始睡得少，飢餓次數增多。大自然總是把事情安排得天衣無縫，這就是其中的許多例子之一。有些孩子只要餓了就能吃到媽媽的奶水，對這些孩子的研究顯示，在第3～6天之間，他們之中的絕大多數需要每天餵10～12次，而且大便的次數也很頻繁。渴望哺乳成功的媽媽可能會因此感到失望，因爲這表示她的奶水可能供應不上。其實，這種想法是不對的。她應該這樣想才對：孩子現在正在踏踏實實地吃奶，實實在在地長大；他吃奶的次數這麼多是爲了刺激乳房，使乳房多產奶，以滿足他越來越大的需求。實際上，也正是在第一週的後幾天，乳房受到荷爾蒙（最初促使奶水產生的腺分泌物）的刺激最大。所以在前幾天裡，乳房有時很漲滿，有時奶水又滿足不了孩子的需要。儘管如此，媽媽的這個分泌系統總的說來還是很完善的，無論你我，都設計不了這麼好。

在第一週結束時，荷爾蒙的分泌開始減少。這時，乳汁分泌系統主要根據孩子的需要來決定奶水產量。在這個轉變階段（通常在第二週），奶水可能不夠用，直到乳房適應了按需要生產奶水的時候，情況才會扭轉。在以後的幾個星期乃至幾個月裡，奶水的產量都是根據嬰兒的需求量而生產的。換句話說，即使孩子好幾個月大了，如果他需要更多的奶水，奶水產量仍然可以增加。

182. **每次餵奶所需的時間**。每次餵奶餵多久爲宜呢？人們曾經認爲，由於一開始的時候乳頭容易痠痛，所以，最好先限定時間，等到乳頭適應了以後，再逐漸延長時間。但是，經驗告訴我們，最好從一開始就讓嬰兒來決定。如果嬰兒餓了就能吃到奶，而且想吃多久就吃多久，那麼，他就不會餓得發瘋似地，以至於在每次吃奶的時候不等他的嘴和乳頭吻合就去咬，從而把乳頭咬痛。

從一開始就讓孩子盡情地吃奶，能使下奶反應提前發揮作用，否則，這種反應就會來得很遲緩。但我還是認爲，在前一、兩個星期裡，每次餵奶的時間應該限制在20～30分鐘以內，因爲孩子可能每隔兩個小時就要餵一次。如果把每次餵奶的時間延長，媽媽可能就沒有時間做其他事情了。

183. **餵奶次數**。每天給孩子餵幾次奶合適呢？從一個方面說，只要你覺得你的奶水能供應得上，孩子餓了就應該餵。在不發達的國家裡，媽媽們有時剛剛給孩子餵完了半個小時，就接著再餵一次。儘管孩子並不太餓，每次只吃一會兒，但是她們還是這麼做。在我們的國家裡，哺乳成功的媽媽們也是這樣做的。如果她們認爲孩子餓了，哪怕剛剛餵過一個小時，也會毫不猶豫地再給孩子餵奶。

但是，我認爲不應該一聽到孩子哭就給他餵奶。我這樣說的理由很多。首先，孩子不一定因爲餓了才哭，而是可能有別的原因，比如肚子痛、消化不良、不明原因的突然煩躁，以及由於疲勞而無法入睡等。如果媽媽沒有經驗，從早忙到半夜地餵奶，就可能感到極度疲勞。這種情況就可能導致奶水減少，並且可能擾亂下奶反應。

所以，一方面，應該想餵幾次就餵幾次。但另一方面，沒有經驗的媽媽應該儘量把餵奶間隔控制在兩個小時以上，以便能夠保護好自己。她可以任憑孩子哭而不去管他，看看他是否能再次入睡。如果孩子就是不能再次入睡，她可以給孩子一個奶嘴來安慰孩子。她也可以搖晃他幾分鐘，或用背袋把他背在胸前。如果你還是認爲他餓了，可以再給他餵一次奶，但是不能超過20分鐘。對要求喝奶次數太多的嬰兒，要限制每次的餵奶時間，每次只餵20分鐘，或最多不超過30分鐘。

如果你的乳頭很結實，對自己的奶水供應很有信心，而且能正確判斷孩子的飢餓和其他的不舒服，你就可以根據自己的想法，想餵幾次就餵幾次，想餵多長時間就餵多長時間。

184. 每次只餵一隻乳房還是兩隻乳房？在世界上多數不發達的地區，餵母奶是唯一的哺乳方式。在這些地區，媽媽們在工作時都用背袋把孩子背在身上，根本沒有定時餵奶的說法。只要孩子醒了想吃奶，就能吃到媽媽的奶水。孩子吃奶的時間通常比較短，而且每次只吸一隻乳房的奶，然後接著再睡。但是，在我們的國家裡，人們基本上都按照規定時間給孩子餵奶，而且餵完奶以後，就把孩子放在安靜房間裡的嬰兒床上。餵奶的次數也傾向於越來越少，而每次餵奶的時間則越來越長。儘管如此，在奶水充足的情況下，嬰兒每次吸一隻乳房的奶就夠了。雖然在4～8小時才能輪上一隻乳房，但是每次被孩子吃空以後都能受到一次刺激。

然而在很多情況下，一隻乳房的奶水滿足不了孩子的需要，所以，每次餵奶時需要讓孩子吸兩隻乳房，先左邊的，然後再右邊的。其實，有些媽媽和醫生都贊成用兩隻乳房餵奶。為了讓孩子吃飽，每次餵奶時可以讓孩子先吸一隻乳房。如果孩子願意，吃上15分鐘以後可以再換另一隻，直到吃飽為止。一個專心吃奶的孩子在5、6分鐘內就能半飽（乳房不斷地生產出新奶，所以孩子總是能嚐到一點兒新的味道），因此，媽媽可以根據孩子的欲望和自己的時間，把餵奶時間限制在20～40分鐘以內，而沒有必要超出這個範圍。

185. **嬰兒對乳房的反應**。不同的嬰兒對乳房有不同的反應。有一位很有幽默感的醫生，他研究了數百個嬰兒最初對乳房的反應後，把他們劃分成多種類型：

・**急不可耐型**——這些孩子見了乳房後，就迫不及待地把乳頭吞進嘴裡，起勁地吸吮起來，直至吃飽為止。這類孩子的唯一毛病就是好咬乳頭。

・**激動型**——這些孩子吃奶的時候很激動。他們一次又一次地鬆開乳頭，然後，他們不是再去尋找乳頭，而是哭鬧。這類孩子需要抱起來安慰好幾次，才能平靜下來重新吃奶。但是，過幾天以後，他們就不再那麼激動了。

・**遲緩型**——這類孩子頭幾天的吃奶問題不用擔心，他們會一直等到奶水到來才想吃奶。督促他們吃奶反而會使他們變得更執拗。但到時候他們都表現得很好。

・**品嚐家型**——這些孩子在正式開始吃奶之前，先含著乳頭吸吮一口，然後就咂著嘴唇品嚐一會兒。如果催促他們，他們就會生氣。

・**斷斷續續型**——這類孩子總是吃一會兒奶，休息一會兒，然後再接著吃。但是用不著催促他們，他們通常能按照自己的方式吃得很飽，只是需要的時間長一點。

186. 嬰兒在最初幾個星期裡吃奶時有各種各樣的毛病，給媽媽餵奶帶來很多麻煩，也使媽媽感到非常惱火。但是，即使你不去管他們，用不了幾個星期，他們也會自己改掉這些毛病。

第一個毛病：有的孩子吃奶從來不起勁兒，剛開始5、6分鐘就睡著了，也不知道他們是否吃飽了。如果他們一次能睡上2～3個小時，事情就不會這麼糟糕了。麻煩的是，剛把他們放到床上幾分鐘，他們就會醒來哭鬧不止。有些孩子吃不到多少奶，就自己睡著了，但是，如果把他們往又硬又涼的床上一放，他們的飢餓感就又復發了。到目前爲止，我們還弄不太清楚是什麼原因導致孩子每次吃不飽，覺也睡不長。但是有一種可能，那就是孩子的神經系統和消化系統工作不協調。也許是媽媽的胳膊和他們口中的乳房使他們得到安慰，所以能很容易地入睡。但是他們稍微大一點兒，並且懂事以後，他們的飢餓感就會使他們睡不著覺，迫使他們直到吃飽了爲止。

其他孩子發現奶水不夠以後就會動怒。或許是因爲他們餓得厲害，或許是因爲睡不著，或許是因爲天性急躁，所以，吃不飽的時候就會猛地把脖子往後一挺而大哭起來，然後再試著吃一次，吃不著又接著哭。發現孩子吃不飽以後，媽媽就會著急，而著急又會使奶水減少，從而導致惡性循環。

如果媽媽知道精神緊張能影響下奶，她就會在餵奶之前想盡一切辦法來放鬆自己的神經。每個人的情況都不一樣，可以聽音樂、看雜誌，或看電視，哪個辦法有效就採用哪個辦法。

如果孩子剛吃幾分鐘就感到睏了，或感到焦躁不安，你可以馬上讓他吃另一隻奶，看看是不是奶水流量充足的時候孩子就不會這樣。當然，必須保證每一隻乳房都至少讓孩子吃上15分鐘，以達到刺激乳房的目的。如果孩子不想吃，他也就不會再吃了。

如果你的孩子是斷斷續續型的，吃一會兒，睡一會兒，但是每次都吃得很好，那就隨他去好了。但是如果他不再繼續吃了，最好不要延長餵奶的時間，也不要把他弄醒。否則，你就會打消他的吃奶熱情，使他對吃奶不感興趣。那麼，如果把他放到床上不久他就醒來怎麼辦呢？對於這個問題，我們最好這樣理解：如果他已經吃了5～10分鐘，應該在2～3個小時之內不會感到餓，所以不應該馬上再給他餵奶。如果你能忍受，那就不妨讓他哭一會兒。你可以給他一個奶嘴安慰他一下，還可以在他的肚子上放一個熱水袋，看看他是否會感到舒服一些（參見323）。這麼做的目的是告訴他，每次吃完奶以後，要過幾個小時以後才能再吃下一次；自己要想吃飽，就要在吃奶的時候好好吃。如果每隔一個半小時就餵他一次，孩子就會感到你總是在催促他吃奶。這樣一來，他有時就會感到，唯一的逃避方式就是睡覺。但是，如果你把他往床上一放他就醒來，並且哭鬧不止，哄也哄不好，那麼，你最好馬上再餵他，不要去介意理論上的問題了。你起碼可以再餵他一次，如果還是解決不了問題，就不要再去試第三次或第四次了，至少要讓他等上一個多小時。

如何知道嬰兒是否吃飽了

187. **綜合嬰兒的體重增長情況和每次吃奶的滿意程度，就能知道他的進食量是否足夠**。沒有體重計和醫生的地方，媽媽們判斷孩子是否吃飽，都是根據孩子是否表現得知足，是否看上去精神很好來決定的。這種辦法至少在90％的情況下是準確的。一般說來，你和醫生都可以根據孩子幾個星期的表現和體重增長情況來判定這個問題。但是，僅靠一個方面不一定能說明問題。一個活潑可愛、體重增長迅速的嬰兒肯定沒飢餓的問題。如果一個嬰兒每天下午和晚上哭鬧不止，但是體重增長正常，那他很可能是進食充足，只是肚子痛。如果孩子體重增長緩慢，但是對吃奶很滿足，這基本上可以說明，孩子本身就屬於那種體重增長緩慢的類型。但是還有的孩子，雖然體重一點也不增長，可是也沒有任何反抗表現。真正吃不飽的，是那些體重增長緩慢，而且大多數時候都表現得很飢餓的孩子。吃不飽的孩子通常看上去很委屈，而且沒有活力。他每天尿濕的尿布不到六塊，尿液顏色深，或氣味重，大便次數也很少。

如果孩子到了第二個星期末的時候體重增加仍然不正常，就應該每2～3個小時把他弄醒餵一次奶。如果嬰兒吃奶的時候睏了，你可以給他拍打拍打，順順氣，然後再讓他吃另一隻乳房的奶。如果每次餵奶的過程中這樣重複四、五次，經過5～7天以後，多數嬰兒就會增加體重，在吃奶的時候也更加有勁了。

吃母奶的孩子離開醫院七天以後，應該讓醫生或護士給他做一下體檢。如果在醫院的時候哺乳進展得不好，就應該提前一點兒。如果醫生或保育護士沒有明確的不同的說法，就應該認爲孩子的進食量是充足的。每次餵奶以後，如果孩子吃得很滿意，你當然也應該感到滿意。

188. 嬰兒是否吃得飽是不能根據他吃奶的時間長短、乳房的形狀和乳汁的顏色來判斷的。新媽媽可能說不清楚孩子是否吃得飽，其實這個問題單憑經驗就能判斷得比較準確，比如，孩子到了第五天的時候，每天通常要尿濕6～8塊尿布，大便4～10次，吃奶8～10次。

單純根據孩子每次吃奶時間的長短來判斷孩子是否吃飽肯定是不行的。他有時吃飽了以後還繼續吃；有時多吃10分鐘，有時多吃30分鐘。原因可能是他吸吮到的奶水流量很小，可能是他僅僅喜歡吸吮而已，也可能是因爲他還不睏，所以在自找樂趣。有人對稍大一點兒的嬰兒進行過仔細的觀察，並且對他們吃奶前後的體重進行了比較。結果發現，同一個嬰兒有時吃85C.C.左右的奶水看上去就很滿足，而有的時候需要吃280C.C.。

多數有經驗的媽媽很肯定地說，在餵奶之前，她們無法根據乳房的情況來判斷裡面有多少奶水。在前一、兩個星期裡，乳房由於荷爾蒙的變化而脹滿得很結實。但是後來，雖然奶水增加了，而乳房卻變得柔軟，不像原來那樣堅挺。有的時候媽媽可能認爲乳房的奶水不多，但是嬰兒卻能從中吃到170C.C.以上的奶水。另外，你也無法根據乳房的形狀和奶水的顏色來做出判斷。和牛奶相比，人奶看上去稀薄一些，顏色發藍。但是，人奶成分一直比較穩定，沒有重大變化。甚至每個母親的奶水也沒有多少差別。

189. 飢餓與哭鬧。孩子哭鬧的常見原因並不是飢餓。有時孩子剛剛吃完奶就哭鬧起來，也有時孩子在兩次餵奶的間隔中哭鬧不止。這是媽媽們最頭疼的事。遇到這種情況，媽媽們的第一個反應就是懷疑自己的奶水不夠。然而這種懷疑往往是不正確的。實際上，幾乎所有的孩子，尤其是第一胎的孩子，都會出現這種陣發性的哭鬧，而且常常出現在下午或晚上。喝嬰兒奶粉的孩子也這樣。嬰兒吃得很飽的時候和吃得不太飽的時候都會有這種表現。（由腹痛引起的哭鬧在312中討論，由一般原因引起的哭鬧在321中討論。）如果媽媽能清楚地認識到，嬰兒在前幾個星期的哭鬧並不是由於飢餓引起，她就不會輕易地對自己的奶水供應失去信心了。

嬰兒由於飢餓而哭鬧的可能性雖然不大，但是依然存在。比如，有時還不到下一次的吃奶時間，嬰兒就可能由於飢餓而醒來。但是，嬰兒剛吃完奶1～2個小時以後，一般不會醒來。如果他餓了，很可能是由於消化機能突然增強，或因爲媽媽由於勞累和緊張而導致奶水減少。不管是哪一種原因，解決辦法都一樣，孩子肯定會在一至幾天內頻繁地醒來要吃奶，而且吃奶的時候顯得飢不擇食。遇到這種情況可以不要急於去管他，因爲等到媽媽的奶水供應能滿足他需要的時候，他就會恢復到原來的吃奶次數。

我認爲，解決孩子哭鬧的辦法很清楚。首先，不應該急於給他餵嬰兒奶粉，起碼要過兩、三個星期以後，才考慮這個問題。應該每兩個小時（從上一次開始餵奶的時間起，到下一次開始餵奶的時間止）餵他一次，每次餵20～40分鐘。如果在一、兩個星期裡他的體重增長正常，就應該繼續延遲給他餵嬰兒奶粉的時間，至少可以再延遲兩個星期。在孩子的哭鬧階段可以用奶嘴哄他，也可以用奶瓶餵他白開水或糖水（參見255-256）。有時媽媽可能等不到兩個小時就想再餵他，這樣當然不會對孩子有什麼害處。我只是在爲媽媽著想：如果她從早到晚地忙著給孩子餵奶，肯定會上火，而且即使多給孩子餵幾次奶，也不一定能給孩子帶來多少好處。實際上每天給孩子餵 10 次奶，就足以給乳房充足的刺激。另外，媽媽也需要時間放鬆和休息。家人和朋友應該給予幫助，比如幫忙抱抱孩子，搖搖孩子，或拿奶嘴哄哄孩子等。

哺乳期的特殊問題

190. **餵奶時的疼痛**。在大約一個星期左右的時候，每次給孩子餵奶你可能感到小腹痙攣，從而使你感到很煩惱。其實這是正常的反射作用，它促使子宮收縮，使子宮恢復到懷孕前的狀態。子宮痙攣不久就會消失。

在最初的幾天甚至幾個星期裡，常見的還有乳頭刺痛。這種症狀從嬰兒開始吃奶時起，持續幾秒鐘就消失了，沒有任何關係，而且不久以後就不會再出現了。

191. **乳頭痠痛和乳頭皸裂**。如果在餵奶的整個過程中乳頭都感到疼痛，很可能是乳頭破裂了，應該仔細檢查一下。不過有些媽媽過分敏感，即使乳頭很健康，她們也總是感到乳頭疼痛。如果乳頭眞的破裂，往往都是因爲嬰兒在吃奶的時候不是把乳暈部分全部含到嘴裡，而是單單去咬乳頭所造成的。在這種情況下，我建議增加餵奶次數，經常改變餵奶的姿勢，同時再用冰袋對乳頭進行冷卻。如果找家庭醫生或保育護士看，他們可能給你開一種用來擦乳頭的藥膏。有些媽媽發現，餵完奶之後在乳頭上留一點乳汁，並且讓它乾在上面，就會感覺很舒服。另一個方法是，餵完奶以後先讓乳頭風乾 15 分鐘，然後再穿上胸罩，或乾脆就不穿。還可以把胸罩上的防水襯裡取下來。有一位媽媽發現，如果戴一個肥大的胸罩，在裡面給乳頭扣上一個小濾茶器（能把把手卸下來的那種），就能有效地減輕乳頭疼痛。

勤餵奶能給乳房持續的刺激，並且能減輕腫脹感。

乳房發脹

192. **乳暈腫脹**。乳房腫脹最常見，最簡單的原因是乳竇脹大（乳竇位於乳暈裡面，是用於儲存乳汁的空間）。乳暈腫脹時，哺乳媽媽並不感到不舒服。但是它使得乳暈部位堅實平整，以至於嬰兒無法將它含入口中，因此，吃奶的時候無法用牙床來擠壓它，使奶水進入口中。這樣，嬰兒能含住的唯一部位就是乳頭，所以他就容易把乳頭咬痛。在這種情況下，哺乳媽媽或護士必須從乳竇中擠出足夠的奶水，以確保乳暈部位柔軟，使嬰兒能夠將它含入嘴中（參見200-202）。

但是，沒有必要從乳暈中擠出太多的奶水，每隻乳房擠2～5分鐘就足夠了。然後，媽媽可以一邊按壓乳暈的上面和下面，一邊把乳房送向孩子的口中，幫助孩子開個頭。這種類型的乳房腫脹，在第一個星期的後幾天最容易發生。只要繼續正常餵奶，它只持續兩、三天就消失了，而且以後也不會再出現。

193. **乳房腫脹**。這種腫脹不僅僅在乳暈部位，而是整個乳房。整個乳房變得很堅硬，而且不舒服。這種情況一般不太嚴重，但是也有少數例外。在個別的病例中，乳房腫脹得很大，非常堅硬，令患者痛苦不堪。

平常的腫脹只要讓孩子吃奶就能馬上緩解。如果太硬，孩子無法將乳暈含入口中，可以用手按摩乳暈，使它變軟。嚴重的腫脹需要經過好幾種方法加以治療。如果嬰兒消耗不了那麼多的奶水，無法緩解，就需要對整個乳房進行按摩。按摩時要從外圍開始，向乳暈部位推拿。爲了防止搓傷皮膚，需要使用一種含有羊毛脂和凡士林的油膏，也可以使用植物油。但是，油膏不能塗在乳暈上，因爲它將使乳暈太滑，使下一步擠奶的工作無法進行。

按摩乳房對媽媽來說是一件很累的工作，因爲需要進行很長時間才能使腫脹狀況得到部分緩解。每天都需要按摩一至數次才能有效。但是，這種情況通常只持續兩、三天。按摩前要用熱毛巾先熱敷一下，這樣更利於按摩。如果沒有人會按摩，或沒有人教媽媽如何按摩，按摩就不可能取得成功。在這種情況下，可以試著使用吸奶器來解決問題（參見203）。在餵完奶或按摩完以後，需要用一個大而硬實的胸罩將乳房托起，也可以用一條寬帶子吊在肩上將乳房托起。但是，使用帶子的時候，不能從前面把乳房平壓在胸前，而應該從乳房的下面和兩側將乳房向上托起。短期內還可以使用冰袋或熱水袋熱敷或冷敷。另外，醫生或保育護士還有多種處方可以治療乳房腫脹。差不多每個哺乳媽媽都可能遇到乳房腫脹的現象，而且都在第一個星期的後幾天發生。在此之後則很少見。

194. **導乳管阻塞**。第三種乳房腫脹是由導乳管阻塞引起。它和乳房腫脹相似，因爲它涉及到乳暈以外的部位，而且疼痛。這種情況只是乳房的一個部分出了問題，即導乳管阻塞，常發生在產婦出院以後的期間。它的治療方法也與乳房腫脹相似：

- 先熱敷，然後對腫脹部位進行按摩。
- 用大胸罩或繃帶將乳房托起。
- 治療期間用熱水袋或冰袋進行熱敷或冷敷。
- 增加餵奶次數。
- 經常變換餵奶的姿勢。
- 給媽媽充足的休息。

195. **乳房感染或膿腫**。如果乳房中出現有痛感的部位，可能預示有發炎的症狀。這種炎症有時可能發展成膿腫。疼痛部位的皮膚表面可能會發紅，並且可能導致患者體溫增高，感覺發冷。在這種情況下，應該測量一下體溫，並且和醫生或保育護士取得聯繫。然而，因爲有現代化的治療炎症的方法，所以，仍可讓孩子吃那隻乳房的奶水，哪怕是暫時停止餵奶也沒有必要。

196. **乳房罩**。有很多婦女發現，乳房罩很有用，把它罩在乳暈上以後能促使下陷的乳頭凸出來，而且能保持乳頭乾燥。它包括一個圓拱形內罩，上面有一個小孔，正好讓乳頭露出來。它的上面還有一個更高一點兒的外罩，保護乳頭不受胸罩的壓迫。同時，這個外罩還可以接住乳頭溢出來的奶水，避免乳汁直接溢到胸罩上弄濕乳頭。內罩的邊緣對乳竇的壓迫可以減輕乳房腫脹，而且還可以使乳頭凸出來。即使把乳房罩拿掉以後，乳頭還可以在一段時間內保持凸出。最好，在懷孕的最後幾個星期就戴上這種乳房罩。

197. **媽媽生病時**。媽媽在家裡患有一般的疾病時，習慣於和平時一樣餵孩子吃奶，因此，孩子也可能染上這種疾病。當然，即使孩子不吃母奶，也同樣可能受到傳染。多數傳染病在還沒有明顯症狀時就已經開始傳染了。在一般的情況下，嬰兒受到的傳染在家庭成員中是最輕的。

有些媽媽生病時奶水減少，但多給孩子餵幾次後，就恢復正常了。

198. **嬰兒咬乳頭怎麼辦？**孩子長牙以後，如果咬你幾下也不要埋怨他。孩子長牙的時候牙齦發癢，所以經常磨牙。他並不知道把媽媽咬疼了。但是，被孩子咬了以後不僅僅是疼的問題，常常還不得不中止餵奶。

其實，我們很快就能教會孩子不咬人。比如在孩子咬人時，可以馬上把一隻手指頭伸進他的嘴裡，並且說「不許咬」，然後再給他餵奶。如果他還咬，就再把手指頭伸進去，說「不許咬」，但是這次餵奶必須到此為止，反正孩子開始咬人，都是快要吃飽的時候。

用手擠奶和吸奶器

199. **用手擠奶和吸奶器**。即使媽媽有充足的奶水，有的孩子就是不願意，或不會用乳房吃奶。在這種情況下，可以用手或吸奶器把奶吸出來，然後再用奶瓶餵給孩子吃。早產嬰兒太弱，不會用乳頭吃奶，而且也不宜把他從保溫箱裡抱出來。所以，可以通過藥用滴管或胃管給他餵食母奶。當媽媽生病住院不在家的時候，或她不適合直接接觸孩子的時候，都可以把母奶吸出來，再用奶瓶餵給孩子吃（也可以倒掉），直到她能直接給孩子餵奶爲止（參見171）。

200. **用手擠奶**。要學會用手擠奶，最好的辦法是在醫院時就向有經驗的媽媽請教。即使你不打算擠奶，了解一點兒也有好處。另外，在需要的時候，公共衛生護士或哺乳專家也可以在你回家後教你如何做。哺乳媽媽也可以自己學著做，但是需要的時間要長一些。無論是誰，一開始都是笨手笨腳的。至少要經過好幾次才能做得得心應手。所以不要輕易氣餒。

奶水產生於乳房中的乳腺組織，然後通過纖細的導管流向乳房的中央，並且儲存於15～20個乳竇（或叫液囊）中。這些乳竇正好位於乳暈（即乳頭周圍的深色皮膚）的裡面。用手擠奶的時候，要首先對乳房進行按摩，然後把奶水從乳竇中擠出來。每個乳竇都有一根細管通向乳頭外面。

如果只想擠出一點兒奶水，比如爲了緩解乳暈部位的腫脹，你可以使用任何一個方便的杯子或奶瓶來接住奶水。如果你想把奶水都擠出來，並想馬上給孩子喝，就應該把杯子刷洗乾淨，然後再用乾淨毛巾把它擦乾。擠完奶以後把它倒入奶瓶，然後再用瓶蓋蓋上。奶瓶和瓶蓋都應該在上一次用完後就刷洗乾淨。如果你想把奶水保存幾個小時，比如你在外面有工作，或每天都要往醫院送一次餵給早產嬰兒吃，那就應該放在冰箱裡保存。

201. **手指擠乳法**。你首先應該用肥皂把手洗乾淨，然後按摩乳房，把奶水推到乳竇中。最常用的方法是，用拇指和食指反覆揉擠乳竇，把奶水擠出來。要想擠壓到乳暈裡面的乳竇，就必須把拇指和食指放在乳暈的兩側向深處壓，直至觸及肋骨為止，然後再在這個位置上用兩個手指同時有節奏地反覆擠壓。通常用右手擠壓左邊的乳房，用左手拿著杯子接住奶水。

關鍵是要按住乳暈的準確位置，並且要達到按壓的深度。乳頭是不需要用手捏的。如果你不僅用拇指和食指一起擠壓，而且同時還將乳房輕輕地向乳頭方向推擠，就能擠出更多的奶水來。

擠一會兒以後，你可以把捏住乳頭的拇指和食指圍著乳暈順時針轉動一下位置，然後繼續擠壓，以保證所有的乳竇都能被擠壓到。如果手指累了（一開始的時候往往會累），可以放棄從兩面擠壓的辦法，改為由後向前擠壓。

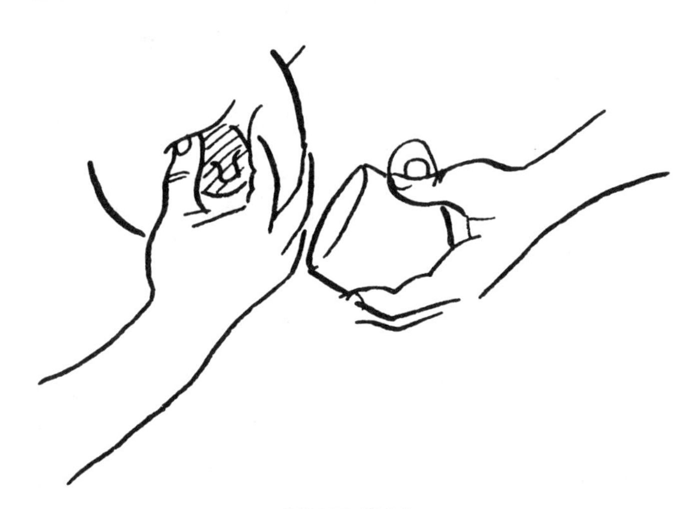

手指擠乳法

202. 拇指與茶杯並用法。這個方法不常用，但是學會了以後很有效。它是用拇指和茶杯口的內沿對乳竇進行擠壓。但是，茶杯口的沿必須是滾圓的，如果帶有稜角，把拇指和乳暈都塞進去的時候就會感到很難受。

擠壓前首先要用肥皂把手洗乾淨，再用左手拿著茶杯，把茶杯口的內沿伸到左乳房的乳暈下面的邊緣處，使杯子半仰斜著對準乳頭。然後再把拇指按在乳暈的上緣，使乳暈處於拇指和茶杯內沿的擠壓狀態。擠壓時，先用拇指用力按向茶杯內沿擠壓，然後再向乳頭方向擠壓。這樣就把乳竇裡面的奶水擠向通往乳頭的導管。當你向乳頭方向擠壓的時候，不要讓拇指滑過乳暈，而要讓皮膚和拇指一起移動。不必去擠壓乳頭，甚至連接觸乳頭的必要也沒有。

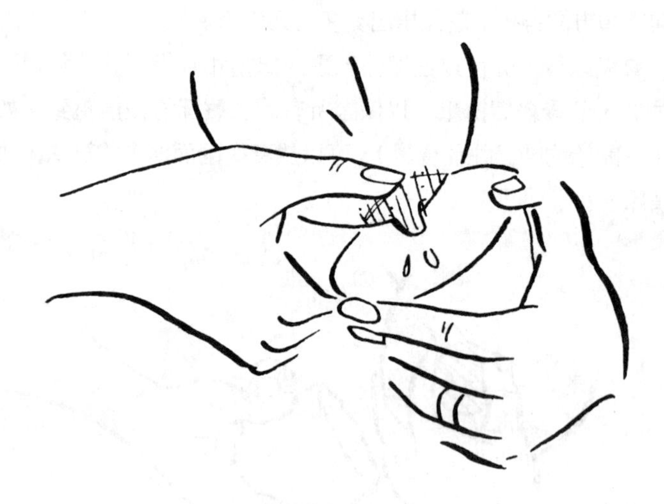

拇指與茶杯並用法

只要稍加練習，就能使奶水噴射而出地被擠出來。一開始幾天，你的手指可能痠痛，甚至不敢用力，但是這種情況不會持續很久。把一隻乳房的奶水全部擠出來大約需要20分鐘。如果你是初學者，需要的時間更長一些。餵完孩子以後，如果你想把剩下的奶水全部擠出來，只需要幾分鐘就夠了。乳房裡奶水充足的時候，奶水將噴射而出。如果奶水不足，擠出來的時候是一滴一滴的。擠不出來時就不要再擠了。當然，如果你再等10分鐘，乳房會生出新的奶水來。但沒必要再把它擠出來。

203. **吸奶器**。許多需要定時擠奶的媽媽喜歡使用吸奶器。有工作的媽媽尤其是這樣。她們往往需要使用好幾個星期，甚至好幾個月。吸奶器可以買，也可以租借。市面上出售的吸奶器種類很多，價格也各不相同。最好在孩子出生之前先請教一下你的兒科醫生、保育護士或哺乳專家，弄清哪一種最適合你。有一種千萬不要買，它有一個塑膠圓錐罩子，正好可以扣在乳暈和乳頭上，還有一個橡皮球體，和塑膠罩一起固定在一個圓圈上，這個圓圈可以擰在普通的奶瓶上。這種吸奶器最便宜，但是對乳頭和乳暈很不好。另外，細菌也容易在橡皮球體中繁殖（關於保存母奶的方法，請參見171）。

哺乳與奶瓶餵奶相結合

204. **偶爾用一下奶瓶也是可以的**。是不是無論在什麼情況下，只要媽媽想繼續給孩子哺乳，就不應該用奶瓶給孩子餵奶呢？當然不是。很多媽媽喜歡每天定時給孩子餵一瓶奶。但是，她們中間的多數人發現，這樣做並不影響奶水產量。當然要有個前提，那就是她們的奶水必須在幾個星期內已經趨於穩定，而且每天只能給孩子餵一瓶奶。如果媽媽還沒有給孩子養成每天定時喝一瓶奶的習慣，偶爾給他餵上一瓶也是可以的。比如在媽媽因爲某種原因可能會耽誤一次餵奶的時候，或她感到特別疲勞或心情不好，因此導致奶水不夠孩子吃的時候。在這種情況下，給孩子餵一瓶奶並不會使奶水停止。我想強調的是，如果你還想繼續給孩子哺乳，就不要除了給孩子餵母奶外，每天還要再給他餵兩、三瓶嬰兒奶粉。

205. **適應奶瓶**。從第三、四個星期開始，就應該每個星期給孩子餵一瓶用母奶和嬰兒奶粉混合的奶。即使媽媽的奶水仍然很好，如果她想在二～九個月的時候讓孩子改用奶瓶吃奶，明智的做法就是每個星期至少餵他一瓶嬰兒奶粉。由於有的嬰兒在這個階段會養成很固執的習慣，所以，如果他在早期沒有養成用奶瓶吃奶的習慣，後來就會拒絕接受奶瓶。這樣，到了需要用奶瓶餵他的時候，就會造成極大的困難。但是嬰兒在二個月以前很少能養成固定的習慣。過了九個月以後，如果你願意，而且孩子也樂意接受，你就可以直接讓他用杯子了。有人建議，吃母奶的孩子每一、兩個星期都應該吃一瓶嬰兒奶粉。即使媽媽打算一直用母奶把他餵到會使用杯子的時候，這樣做也是必要的。理由是，如果媽媽萬一有事耽誤了餵奶，孩子也不會因爲拒絕使用奶瓶而挨餓。你可以權衡一下利弊，是麻煩一點早些讓孩子適應奶瓶呢，還是冒一冒風險，在萬一突然斷奶的時候和孩子較量一番？

206. **混合哺乳法**。如果媽媽的奶水供應不足，可以採取混合哺乳法，即奶瓶與母奶並用的方法。但是在很多混合哺乳的例子中，媽媽的奶水都在逐漸減少，而且孩子往往會喜歡使用奶瓶，拒絕接受媽媽的乳房。

如果媽媽還有一定的奶水，比如還能滿足孩子的大半需求，那麼最好的做法就是不要急於給孩子吃嬰兒奶粉。如果媽媽已經盡了全力，但是仍然不能促使奶水增加，那就需要採取混合哺乳法，或完全用奶瓶餵奶。你的醫生或保育護士會幫助你確定最佳的混合哺乳方法。

用奶瓶餵奶

奶粉的選擇和準備

不久前，嬰兒都是靠嬰兒奶粉餵養的。現在我們知道，母奶對孩子的身體很有好處，只有在得不到母奶的情況下才需要給孩子餵嬰兒奶粉。如果你不得不使用嬰兒奶粉，那麼，有好幾種品牌可供選擇。

207. **合成豆奶**。合成豆奶比用牛奶加工而成的合成奶粉有更多優點。它不含任何動物蛋白（此蛋白和腸絞痛及胰島素依賴型糖尿病有關聯）和乳糖。在美國各家醫院的保育室和副食品商店都能買到合成豆奶。合成豆奶在過去是專門用來餵養牛奶過敏的孩子，但現在人們都把它當作除了母奶外最佳的嬰兒食品。

注意，一定要用嬰兒專用合成豆奶，而不要買普通豆奶。嬰兒專用合成豆奶中專門添加了有利於嬰兒快速生長的補充養分，而普通豆奶是給大孩子和大人吃的，所以不含這些養分。有一種加鐵合成豆奶，只能給四個月以上的嬰兒吃。

208. **合成牛奶**。它是用牛奶加工而成的，其中的乳脂被植物油取代，減少了蛋白含量並添加了碳水化合物、維他命和礦物質。有些還補充了鐵質。合成牛奶中的蛋白會導致某些嬰兒腹痛，而且很可能是導致兒童多尿症的元兇。科學家們正在探究這個問題。有證據顯示，給嬰兒吃合成豆奶更安全一些。

但是合成牛奶和合成豆奶都能導致過敏反應。大約有一半的嬰兒既對牛奶過敏，也對豆奶過敏。對兩種食品都過敏的嬰兒通常要改吃水解酪蛋白奶（casein hydrolysate formulas）。這種蛋白奶含有經過特殊加工的牛奶蛋白，價格比較貴。用淡煉乳、米、其他穀類、豆類、或堅果類製成的自製合成奶粉，其營養成分不全，所以不應該使用。

209. **特製嬰兒奶粉**。特製嬰兒奶粉是用牛奶或大豆製成的，是最常用的嬰兒食品。它共有三種：即液體、濃縮液體和奶粉。爲了使它們更像人乳，研究人員降低了其中的蛋白含量和鹽的含量，增加了糖分，補充了乳糖，用植物性脂肪代替了牛奶乳脂，並且添加了維生素A、B和D。雖然加鐵特製嬰兒奶粉幾乎對每個嬰兒都適用，但還是應該根據醫生或保育護士的建議，依嬰兒的適應性選用含鐵的，或不含鐵的。

必須消毒還是只要清洗？

210. **嬰兒奶粉和奶瓶的消毒**。一般來講，多數人使用的水源都很可靠，所以不需要天天消毒。如果不需要消毒，最好在餵奶的時候一次準備一隻奶瓶。但是，如果你使用井水，或由於某種原因懷疑水的衛生指標，就需要向醫生、公共衛生護士或衛生部門核實一下，看是否需要消毒。

如果需要消毒，可以參看213-218的說明。如果不需要，你可以採用清水刷洗的方法來代替消毒。細節請參見211。

211. **奶瓶、奶嘴、套環、奶瓶蓋和儲奶瓶的清洗**。孩子喝完奶以後，要趁奶瓶裡的剩奶還沒有乾在奶瓶上的時候就馬上用清水和刷子把它刷乾淨。這樣刷洗起來又快又省事。如果洗碗機能把餵奶用具清洗乾淨，你就可以把這些東西先稍微刷洗一下，然後再用洗碗機洗。但奶嘴必須用手刷。儲奶瓶和蓋子的清洗方法和清洗奶瓶一樣。如果不需要消毒，就必須仔細清洗奶瓶、奶嘴、套環、奶瓶蓋和儲奶瓶。

清洗奶瓶的時候必須使用奶瓶刷。清洗奶嘴的時候也必須使用奶嘴刷，同時，還要用針或牙籤捅一捅奶嘴的孔眼，然後再用水沖一沖。

212. **塑膠奶瓶裡有一層經過消毒的襯裡，僅供一次使用**。許多家長喜歡使用這種奶瓶，因爲只要多花點兒錢，就能節省清洗和消毒的時間。如果醫生和保育護士讓你對其他餵奶用具進行蒸煮消毒，這種奶瓶的奶嘴和瓶蓋也應該煮五分鐘。這種奶瓶不能採取集中消毒的方法消毒。

塑膠奶瓶是用硬塑膠製成，它兩頭開口，兩側各有一條溝槽，沿溝槽的邊緣標有刻度，可以通過溝槽查看襯裡中的奶水有多少，或看看孩子已經吃了多少。但是，配奶的時候不應該參考這些刻度，因爲它們不是很精確。

使用這種奶瓶之前，先從成捲的塑膠襯裡上扯下一個襯裡，稍微把它順著捲一下，再把它伸進塑膠奶瓶。然後扯住上邊的拉邊將它打開，並將拉邊反過來套在奶瓶口的上沿。一定要避免用手觸摸奶嘴的內側，也不要觸摸孩子含在嘴裡的部分。你只能用手觸摸奶嘴的外沿。

要注意的是，奶瓶安裝好以後，一定要把襯裡的拉邊丟掉，因為即使很小的嬰兒也能把它吞進去。

需要放在冰箱裡保存或外出旅行的時候，有一種大塑膠蓋子可以蓋在奶嘴的上面。

消毒

你可以根據醫生或衛生單位的要求，選用不同的消毒方法和消毒設備。如果對水源的衛生指標不放心，我建議你去請教當地的衛生單位，聽聽他們的具體建議。他們能夠告訴你從什麼時候起可以不用消毒。我的基本看法是，只要你一整天都用不可靠的水給孩子調配奶粉，就應該一直堅持消毒。

213. **兩種消毒方法**。如果你不得不消毒，有兩種方法可供選擇。一種叫做集中消毒法，就是先用未經消毒的水把奶粉調配好，然後再裝入未經消毒的奶瓶裡，最後一起消毒。只有當你需要把所有的奶瓶都裝滿的時候，才需用這種辦法。如果你打算使用拋棄式奶瓶，並且打算把配好的奶全部放入一個大容器裡保存，在需要時用一瓶裝一瓶，那麼，集中消毒法就不適合了。

另一種消毒方法也叫預先消毒法。就是首先對餵奶用具單獨消毒，然後用開水調配無菌奶粉，最後再把配好的奶粉倒入消過毒的奶瓶裡。用這種方法，既可以同時把所有奶瓶（包括拋棄式奶瓶）裝滿，也可以把配好的奶倒入一個大容器裡保存。

214. **集中消毒法**。首先按照說明把你需要的奶粉調配好。不需要用開水，也不需要使用消過毒的餵奶用具。但是，奶瓶和奶嘴應該按正常的方法刷洗乾淨（參見211），然後把所有的奶瓶裝滿，再把奶嘴反扣在奶瓶口上，蓋上瓶蓋，最後擰上套環。套環不能擰緊，以便奶瓶加熱和冷卻時，氣體可自由出入。

準備好以後，就可以按照說明，用你的爐上消毒箱或電消毒箱消毒。也可以在鍋裡加入2.5～5公分高的水，用筐子裝著奶瓶放到鍋裡，蓋上鍋蓋，煮沸25分鐘。一定要使用定時器，時間到以後把氣放掉，讓鍋冷卻，但是不要把鍋蓋打開。直至一、兩個小時以後，奶瓶冷卻爲止。此時就可以把套環擰緊，把奶瓶放到冰箱裡去了。

215. **奶瓶、奶嘴、奶瓶蓋和套環的消毒**。你可以買一個放在爐子上的消毒器（它和鍋子長得差不多），或買一個到了時間能自動斷電的電消毒箱。消毒箱通常都帶有（一開始就需要使用的）奶瓶架、奶瓶、奶瓶蓋、奶嘴和套環，同時還有奶瓶刷、奶嘴刷和夾子。你也可以買一個大鍋，它裡面要能放下一個裝6～8瓶奶瓶的奶瓶架，同時還要能把所有的奶瓶配件都放進去。這個鍋子只能用於裝奶瓶，不能挪做它用。

另外，還必須準備兩把夾子。要把它們和其他奶瓶配件一起消毒，這樣，在奶瓶燙人的時候可以用它們把奶瓶從奶瓶架裡夾出來。如果夾子燙人，可以用端鍋用的布襯墊捏住它的把手將它取出來。當奶瓶裝滿了配好的奶以後，夾子還可以用來把奶嘴反扣在瓶口上，防止觸摸到奶嘴接觸奶的部分。如果不使用夾子，你應該拿著奶嘴的外沿，而不要拿奶嘴的乳頭，因爲這個部位接觸奶水，孩子要放在嘴裡。

要按照說明使用電消毒箱和爐上消毒箱。如果你使用一般的鍋，就要把奶瓶倒放在奶瓶架裡，以便蒸汽能容易地進入奶瓶裡，而水也容易流出來。奶嘴和其他配件的容器也應該倒著放。要在鍋裡倒入約五公分深的熱水，把奶瓶筐放進去，蓋上鍋蓋，把水燒開，然後再用急火煮五分鐘。要使用定時器。時間到以後讓鍋自然冷卻。

奶瓶冷卻後就可以裝調好的奶了。如果不能馬上裝奶，就必須把它們放在乾淨的地方。如果你在調配奶粉的時候想把奶瓶放在一個無菌的地方，可以把鍋蓋或消毒箱的蓋子翻過來，然後把奶瓶放進去。

216. **奶瓶的消毒**。你可以使用任何一個玻璃奶瓶來儲存調好的奶。多數塑膠容器加熱後容易變形（且會分解出毒素），所以不宜使用。消毒的時候可以用一個大平底鍋，把用來裝配製奶的大容器和蓋子平躺著擺在裡面，再把鍋裡裝上水煮五分鐘。等容器冷卻到可以用手拿的時候，再把裡面的水倒乾，然後在裡面裝滿消過毒的配製奶。最後把瓶口封上，但不能太緊，以便奶冷卻或冷藏的時候，空氣可以進到裡面去。

快到餵奶的時候，按定量把調好的奶裝入消過毒的奶瓶（包括拋棄式奶瓶）裡。裝完瓶後再把夸脫瓶放回冰箱。

217. **不必什麼都消毒**。雖然你需要給配好的奶消毒，也許還需要把喝的水燒開，但並不需要把孩子吃喝的所有東西都消毒。比如，你不必要把盤子、勺子和杯子等都消毒，因爲細菌根本沒有機會在乾淨而又乾燥的器皿上生存。你剛買回來的磨牙圈、哄孩子用的奶嘴以及讓孩子啃咬的玩具等，都可以用洗碗精洗刷。只要這些東西不掉在地上，以後就沒必要不停地清洗。因爲這些玩具上唯一的細菌就是孩子自己的細菌。對於這種細菌，孩子已經適應了。

218. **什麼時候可以停止給奶粉和奶瓶消毒**？應該向醫生、公共衛生護士或當地的衛生單位請教，弄清什麼時候最適合停止這些消毒措施。如果你沒有人可以請教，那麼我就根據一般規律告訴你，只要一天24小時都需要用水調配奶粉，你就不應該停止給奶瓶和奶粉消毒。

調配奶

如果使用調配奶，一定要嚴格按照包裝上的說明去做，調配得太濃或太淡嬰兒都不愛喝。

219. 奶粉。奶粉一般是袋裝和罐裝的，重450公克左右，並且帶有量匙和可以重複使用的塑膠蓋子。這種奶粉最便宜，給吃母奶的孩子偶爾餵一瓶不僅很方便，而且能促使孩子排便。它也便於旅行攜帶。你可以帶一大瓶開水或蒸餾水，在需要的時候用來調配奶粉，省去消毒的手續。

調配時，要嚴格按照包裝上的說明，按順序加入奶粉和水，避免結塊。比如，首先要量好需要的水，然後在一個乾淨的罐裡或碗裡調製。調配時需要使用一把乾淨的打蛋器攪拌。攪勻後倒入乾淨奶瓶或拋棄式奶瓶裡。也可以倒入乾淨的大容器裡，每次餵奶的時候再往奶瓶裡裝。最後，把這些裝奶的奶瓶蓋上蓋子並放入冷藏室。

如果你只需要調配一瓶奶，可以按照說明往水裡倒奶粉。如果奶調好後不馬上餵孩子，就需要把奶瓶放進冷藏室裡。

220. 濃縮奶。濃縮奶是罐裝的，使用前需要再加上一倍的水將其稀釋。雖然這種濃縮奶沒有即用奶方便，但價格只有即用奶的三分之二，而且它的包裝體積小，便於保存和旅行時攜帶。

開罐之前要先把罐子和開罐器洗乾淨，然後按規定的比例把水加入濃縮奶罐裡進行調配。稀釋好以後，再倒入乾淨的奶瓶裡，蓋上蓋子，放入冷藏室裡保存。

你也可以把稀釋好的奶倒入乾淨的夸脫瓶裡，蓋上蓋子，放入冷藏室裡，需要的時候再往乾淨的奶瓶裡倒。如果只需要調配一瓶奶，你可以在奶瓶裡倒入半瓶水和半瓶濃縮奶，然後蓋上蓋子，輕輕地搖晃奶瓶使其混合。如果不馬上使用，就需要冷藏保存。

221. 罐裝即用奶。這種奶已經稀釋，無須再加水，所以很方便，最適合沒有經驗的父母選用。

開罐之前，要把奶罐和開罐器洗乾淨。開罐以後，直接把奶倒入乾淨的奶瓶裡，然後蓋上蓋子，在使用之前先放入冷藏室裡保存。也可以每次只灌一個奶瓶，用蓋子蓋上，放入冷藏室裡備用。沒有用完的部分應該蓋上蓋子（在賣濃縮奶的地方，能夠買到塑膠蓋），冷藏保存。

還有一種用拋棄性奶瓶包裝的即用奶，分113公克瓶裝和226公克瓶裝兩種。使用這種奶能省去很多麻煩——無論是對剛開始帶孩子的媽媽，還是對吃母奶的孩子（他們可能偶爾需要吃一瓶），或是對需要外出旅行的孩子都十分方便。只要不開瓶，這種奶就不需要冷藏。儘管這種瓶裝奶比大罐即用奶和濃縮奶都貴，但仍是一種很好的選擇。它的奶瓶上已經裝上了拋棄式奶嘴，並且還有密封蓋。

嬰兒奶的裝罐方法

222. **每個奶瓶裝多少**。多數嬰兒一開始的時候都需要頻繁地餵奶，體重少於3.2公斤的嬰兒尤其是這樣。在第一個星期，喝嬰兒奶的孩子需要每天餵6～10次。如果你在醫院期間和孩子住在一起，就會發現孩子需要吃多少次奶了。雖然嬰兒一開始並不急於吃奶，但是到了三、四天以後就開始醒得頻繁，餓得快了。所以不要爲此感到驚訝。一般說來，在一個星期到一個月這段期間裡，嬰兒每天需要餵7、8次；在一～三個月期間減少到每天5～7次；在三～六個月期間，每天減少到4、5次；在六個月～周歲期間，每天只需要餵3、4次。你必須記住，每次餵完奶以後，嬰兒需要三個小時才能把奶消化掉。

一個體重3.2公斤的嬰兒在第一個月的時候，每天需要的配製奶不到600C.C.；體重3.6公斤的嬰兒每天也只需要680C.C.以下。

液體奶的奶罐和奶瓶一旦打開，就必須一直保持密封和冷藏，而且保存時間不能超過說明上規定的期限。配好的奶可以在冷藏室裡保存24～48個小時。

我剛才說的奶，每瓶的容量都在740～900C.C.之間，所以幾個星期大的孩子一天吃不完這麼多。

如果你使用的是即用奶或奶粉，每個包裝裡面都有900C.C.的奶。一開始的時候，每個奶瓶裡只需要裝110C.C.的奶。除非孩子個頭很大，或胃口很好，否則，他是吃不完的。再往後，孩子的吃奶次數減少，而每次吃奶的量將增加，所以就需要在奶瓶裡多裝一些奶。不要把奶瓶擰得太緊，否則空氣進不去，奶水就流不出來了。

如果你使用的是濃縮奶，就必須在370C.C.濃縮奶中加入370C.C.的水，共兌成740C.C.的奶。然後，在八個奶瓶中各裝入90C.C.左右的奶即可。隨著孩子逐漸成長，就用不著這麼多奶瓶了，只需要在每個奶瓶裡多裝些奶即可。

223. **裝奶瓶**。先把適量的奶倒入奶瓶，然後把奶嘴反套在瓶口上。如果是消毒過的奶嘴，安裝時要用夾子夾著奶嘴往瓶口上套，或用手拿著奶嘴的底部外沿往上套。把蓋子蓋在奶嘴的上面以後，再把套環擰上。如果奶瓶裡裝著消毒過的奶，就不要把套環擰得太緊，以便奶瓶冷卻後的冷藏。

224. **節約用奶**。如果你用不了一整罐濃縮奶或即用奶，剩下的可以留著第二天用。但是不要把它從罐裡倒出來，只要蓋上蓋子，放入冷藏室裡保存就可以了。第二天要把它全部用完，否則就必須把剩下的倒掉。蓋子打開以後，保存的時間千萬不要超過說明上規定的期限。

如果你要調配一大瓶的奶或要一下子把所有的奶瓶都裝滿，必須把它們放在冷藏室裡保存，而且也要在第二天全部用完，否則就必須倒掉。按照標籤說明上的規定，配製奶的保存時間不能超過24～48小時。

225. **奶瓶從冷藏室裡取出以後，在多長時間以內還可以使用呢**？在飲用溫度、室內溫度，或溫暖的室外溫度下，一旦細菌侵入奶瓶就會迅速繁殖。所以我建議，不管奶瓶是滿的，還是喝過的，如果它長時間地放在室內其他地方，或放在嬰兒車及汽車上，都不能再給孩子喝了。

如果你需要離開家2～3個小時以後再餵孩子，那就應該把奶瓶從冷藏室裡取出立即放入帶有小冰袋或大冰塊的絕緣袋裡保存。如果奶不涼了，就不能給孩子吃了。

如果你的嬰兒常常剛喝完一點奶就睡，60分鐘以後醒來再喝剩下的，那麼，你就應該在他第一次喝完後，立即把奶瓶放回冷藏室。如果過了一個小時，就應該把它倒掉。

226. **無法冷藏怎麼辦？**如果你遇到特殊情況，比如冰箱故障了或停電，沒有辦法將奶瓶冷藏到下一次餵奶的時間，你就應該使用拋棄式的方便奶瓶。要事先準備幾個，餵完奶以後把剩下的奶和奶瓶一起扔掉。如果這種情況經常發生，最簡單的解決辦法就是使用奶粉。每次用的時候再沖泡，每次只沖泡一瓶。如果你使用的水需要消毒，那就準備一瓶蒸餾水和一些拋棄式的奶瓶，再準備一罐奶粉。

其實，把奶從冷藏室裡拿出來以後，不必像人們通常認爲的那樣，非要加溫以後才能給孩子喝。直接給孩子喝是沒有問題的（編按：這與國人的習慣不同）。

用奶瓶餵奶

227. **最初幾天**。雖然在孩子出生後只要他餓了就可以餵奶，但是通常都是在他出生後的第4～6個小時以後才餵第一次奶。嬰兒一開始都吃得很少。即使他只吃一點點，也不要試圖多餵。一般說來，要過三、四天以後他才能像你期望的吃那麼多，有的孩子甚至需要在一個多星期後才能達到這種食量。但不要著急，他的消化功能這樣慢慢地增強可能是件好事。幾天以後他將變得活躍起來，屆時，他們就知道自己需要什麼了。

228. **用奶瓶餵奶**。奶瓶從冷藏室裡取出以後，不必搖晃。據發現，只要每次給孩子喝的奶的溫度都一樣——不管是溫熱的，是室溫的，還是剛從冷藏室裡拿出來的——孩子都一樣喜歡。我認爲，許多媽媽一直給孩子熱奶是因爲她們認爲奶應該是熱的，因爲母奶就是熱的。所以，在她們看來，給孩子冷奶喝是不疼孩子的表現。如果我是個新媽媽，我就會利用這個新發現，一直給孩子餵與室內溫度相同的奶。如果要給奶瓶加溫，可以把奶瓶放入一個平底鍋或一只熱水罐中加溫，也可以放入一盆熱水中加溫。如果嬰兒房間附近沒有熱水管，使用電加溫器也很方便。奶的溫度與體溫相同最理想。測試溫度的最好方法就是往手腕內側上滴幾滴奶，如果感覺熱，那就是太熱了。

注意！絕不可以使用微波爐熱奶。否則，即使奶瓶摸上去感覺發涼，裡面的奶也會把孩子燙傷。微波爐也不適合用於給奶瓶、奶瓶配件和調配好的奶消毒。

餵奶時，要坐在舒服的椅子上，並讓嬰兒像躺在搖籃裡一樣躺在你的胳膊上。多數媽媽喜歡坐在扶手椅上，或許還要在胳膊肘的下面墊上一個枕頭。也有的喜歡坐在搖椅上。

229. **拿奶瓶的姿勢**。餵奶時，要斜拿著奶瓶，保持奶嘴裡一直有奶。多數嬰兒喝奶時都願意一直不停地喝下去，直到吃飽了爲止。所以，要斜拿著奶瓶，使奶瓶中的氣體在奶嘴之上，防止孩子吞進大量的空氣。儘管如此，仍有很多孩子喝奶時吸入大量的氣體。如果氣體在他們的胃中積累過多，他們就會感到飽脹，並且在喝到一半的時候就停止喝奶。如果這種情況發生，就需要把孩子胃裡的氣體排出來（參見155），然後繼續餵奶。有些孩子在喝奶的過程中需要打兩、三次嗝，而有的孩子根本不打嗝。你很快就會發現你的孩子屬於哪種類型。

當孩子停止了喝奶，並且看上去很滿足的時候，就不要再餵了。孩子比任何人都清楚自己需要吃多少。

230. **抱著孩子餵奶**。抱著孩子餵奶好處很多，因爲大自然就是這樣安排的。喝奶是孩子的最大樂趣。抱著孩子餵奶的時候，大人和孩子緊密地挨在一起，互相看著對方的臉，使嬰兒把這種樂趣同媽媽的存在和媽媽的臉聯繫在一起。

231. 奶嘴孔要大小合適。如果奶嘴的孔很小，孩子喝不到多少奶就會哭鬧，而且還會由於疲勞，不等吃飽就睡著了。如果奶嘴的孔太大，孩子喝奶時就會嗆著，或導致消化不良。久而久之，就會對喝奶不感興趣，並且養成吸吮手指的習慣。對多數嬰兒來說，一瓶奶連續吸吮20分鐘左右吸完最合適。如果把裝滿奶的奶瓶倒過來，奶水在一兩秒內呈細流噴射而出，然後就開始滴流，這樣的奶嘴孔一般比較適合很小的嬰兒使用。如果奶水不停地噴射而出，說明奶嘴孔可能太大。如果一開始就是慢慢地滴，說明奶嘴孔可能太小。

奶嘴與奶瓶的接合處可能有小孔或其他進氣通道。所以，孩子吸吮奶水的時候，空氣就能進入奶瓶，防止奶瓶內出現真空。但是經過一段時間以後，嬰兒自己也能學會把吸扁了的奶嘴鬆開，讓空氣進去。如果你把奶瓶的套環擰得太緊，這種空氣通道可能就會變細，甚至完全關閉，從而使奶瓶中產生部分真空。這樣一來，嬰兒喝奶時就需要用更大的力氣，費更多的時間。所以，奶瓶套環擰得鬆一些，孩子就能吃得快一些。

有很多奶嘴的孔都太小，不適合小嬰兒使用，但適合大一點的或強壯一點的孩子使用。如果你的孩子感覺孔太小，可以按照下列方法把它弄大一點：先將一根十號針的針眼插入軟木塞，然後手持軟木塞，把針尖放在火上燒紅，再將它從奶嘴的頭上扎入。但不要插得太深，也不要從舊孔眼中插入，另外，使用的針不要太粗。如果發現孔不夠大，你可以在奶嘴頭上再扎上一個孔；如果還不夠大，可以再扎一個。如果把孔扎得太大了，就得把奶嘴扔掉。如果你沒有軟木塞，可以用布把針眼這一頭纏上，或用鉗子夾著在火上加熱。

232. 奶嘴孔堵塞。如果奶嘴孔容易被奶垢堵塞，你可以買那種有「十」

字切口的奶嘴，而不要再使用帶孔的奶嘴了。這種十字形切口並不像你想像得那樣會流出奶來，因爲切口的邊緣一直合在一起，只有在孩子吸吮的時候才打開。你也可以把刮鬍刀片消毒後，在普通奶嘴上切個十字口。方法是，先把奶嘴頭捏扁，使之形成一條稜，然後橫著切一刀，再順著刀口把它捏扁，用同樣的方法再切一刀，使切口成爲「十」字形。十字切口的奶嘴不能用於餵餬狀食物。

233. 不要逼孩子多吃。在我看來，用奶瓶餵奶的主要麻煩是餵奶的人能看見剩下多少奶。有些嬰兒每次喝的奶都一樣多，還有一些嬰兒每次的食量都不一樣，所以你不要認爲，你的孩子每次都應該喝一樣多的奶。吃母奶的嬰兒早晨可能一頓吃280C.C.的奶，而在晚上可能只吃110C.C.。但是，他每次都感到同樣的滿足。了解這一點以後，你就不會因爲自己的孩子每次喝的奶量不一樣多而著急了。如果你相信吃母奶的孩子每次都能吃飽，那就應該相信你的孩子也能吃飽。

指出這一點很重要，因爲很多孩子後來出現不愛吃飯的問題。他們失去了原有的胃口，對所有的或多數食品都不感興趣。在這類例子中，十個有九個都是因爲父母督促孩子多吃而造成的。有的父母從孩子剛出生不久就督促孩子多吃。如果孩子不想吃了，而你又想辦法讓孩子多吃一口，這時，你似乎覺得自己做得很成功。實際上卻不是這樣，因爲下一頓孩子將會吃得更少。嬰兒知道自己需要吃多少，甚至還知道自己的身體需要什麼。所以，根本沒有必要督促孩子多吃，而且即使這樣做，你也不會得到任何收穫。除此之外，這樣做還有害處，因爲它會影響孩子的食欲，使他不能獲取身體所需要的營養。

時間久了，督促孩子多吃不僅會破壞孩子的消化系統，使他的身體消瘦，而且還會使他失去生活中的某些美好感受。嬰兒在一歲以內容易飢餓，總想吃東西，喜歡吃東西，而且要求吃得飽。這種從欲望到滿足的過程，日復一日地每天至少要重複三次。這樣，他們就能樹立起自信心和對父母的信任，並且養成開朗的性格。但是，如果喝奶成爲一件不愉快的，或是被迫的事情，他們就會反抗，就會對喝奶，甚至對人產生執拗的懷疑態度。

我並不是說孩子喝奶的時候只要一停下來，就應該把奶瓶拿走不再餵他，因爲有些孩子在喝奶的過程中需要中斷好幾次。但是，當你把奶嘴再次送到他的嘴邊時（不必給他拍背順氣），如果他顯得漠不關心的樣子，那就說明他已經吃得心滿意足了。

234. 爲什麼剛睡就醒。如果孩子只吃了五分之四的奶就睡著了，幾分鐘以後又醒來哭鬧，這是什麼原因呢？很可能是因爲孩子的胃裡積累了空氣，肚子不舒服，或是間發性的煩躁所致。但不會是因爲飢餓。嬰兒感覺不出30c.c.的差別，在他們睡著以後就更感覺不出來了。實際上，孩子只要吃個半飽就能睡得很好（儘管有時可能醒得早一點兒）。

如果你認爲孩子確實餓了，可以把剩下的奶再餵給他喝，不過要儘量晚一點兒。但我還是認爲孩子不一定是眞的餓了。所以，你可以拿安撫奶嘴哄哄他，當然也可以不給他，看看他能否再次入睡。換句話說，就是儘量把下次餵奶的時間延遲到兩、三個小時以後。

235. 僅吃半飽的嬰兒。從醫院裡把孩子抱回來以後，你可能發現，孩子只吃半瓶奶就睡著了。然而據醫院的護士說，孩子每次都喝一瓶奶。因此，你可能不停地把他弄醒，想盡辦法再給他多餵一些。但是，進展緩慢而艱難，令人灰心喪氣。問題到底出在哪裡呢？原來，他可能是那種還沒有完全「醒過來」的孩子。有些嬰兒在出生後的兩、三個星期裡一直這樣萎靡不振，但是後來會突然活躍起來。

因此，我建議讓孩子隨意。即使他才喝了50～60C.C.，如果他不想再喝了，那就隨便他好了。那麼，他會不會等不到下次喝奶時間就餓了呢？也許會，也許不會。不過，如果他餓了，那就餵他好了。你可能會說，「這樣我豈不是要沒日沒夜地給孩子餵奶了嗎？」其實情況不一定那麼糟糕。理由是，如果你能做到讓孩子隨意，他就會慢慢地增加食欲，吃得越來越多，堅持的時間也會越來越長，你就能幫助他把喝奶的間隔拉得更長——從兩個小時拉長到兩個半小時，再拉長到三個小時，使他在喝奶的時候更飢餓。不要一聽到孩子哭就馬上把他抱起來，要等一等，因爲過一會兒他有可能又睡著了。如果他哭得很厲害，你當然應該要餵他了。

236. 嬰兒一喝奶就哭，或一喝奶就睡怎麼辦？有些孩子剛剛喝了幾口奶就哭，也有的剛喝幾口就睡著了。原因可能是奶嘴的孔太小，或孔眼堵塞，孩子喝奶太費勁兒所致。所以要查看一下，把奶瓶倒立，看看奶水是否噴射而出。如果奶流太細，可以把孔眼擴大一點兒再試試看。

237. 不要讓嬰兒睡著喝奶。孩子躺在床上喝奶的時候，容易嘴裡含著奶入睡，使牙齒受到嚴重的腐蝕。嘴裡含著奶入睡還容易引起耳朵發炎，因爲奶水會順著喉嚨後面的耳咽管流向耳鼓的後面，使細菌在聚積的奶水裡繁殖，釀成感染。

六個月以後，很多嬰兒就想坐起來了。他們將從父母的手中奪過奶瓶，自己拿著喝。有些父母就會把孩子放在嬰兒床上，讓他自己喝奶，自己睡覺。看上去這種方法很省事，但是，除了容易引起孩子的牙齒和耳朵方面的疾病外，還容易使孩子養成離開奶瓶就睡不著覺的習慣（參見262）。當孩子到了九個月、十五個月，或二十一個月的時候，如果家長在孩子睡覺的時候把奶瓶拿走，他就會哭鬧不止，長時間不能入睡。因此，如果你不希望讓孩子養成難入睡的問題，就不要讓他自己在床上喝奶。你可以讓他自己拿著奶瓶喝奶，但是要讓他坐在你的大腿上，或坐在一把椅子裡（如果他願意的話）。

6 第一年的飲食

嬰兒如何看待飲食

238. **嬰兒對飲食的了解**。嬰兒對飲食很了解。他知道自己的身體每天需要多少的熱量，也知道自己每天能消化多少。如果總是吃不飽，他就會哭鬧著還要吃；但是，如果奶瓶裡的奶太多孩子吃不了也不要勉強。應該尊重孩子的意願。

在第一年要這樣去理解孩子：孩子醒了就是餓了，孩子哭的時候就是想吃東西了。當你把乳頭送到他的嘴邊時，他就會顯得急不可耐，以至於渾身發抖。你將會發現他吃奶的時候有多麼投入，甚至會累得滿頭大汗。如果他剛吃到一半你就讓他停下來，他就會大聲哭鬧。當他吃得心滿意足的時候，便會昏昏沉沉地安然入睡。即使他進入夢鄉以後，有時仍然還像是在香甜地吃奶，小嘴一咂一努地做著吸吮的動作，小臉上露出快樂的表情。

所有這些顯示，吃奶是他最大的樂趣。他從吃奶的感受中首次體會到生活的意義，並從給他餵奶的人身上首次認識到世界的模樣。

如果父母不斷地催促他多吃，他就會慢慢地失去吃奶的興趣，甚至會想辦法逃避吃奶。他將會不等吃飽就睡覺，而且睡覺的時間越來越提前。他還可能越來越執拗地抗拒吃奶。這樣一來，他必然在一定程度上喪失原來的生活樂趣和對生活的美好感受。他會覺得，好像生活就是鬥爭，別人總是在逼迫他。所以，他必須通過反抗來保護自己。

因此，孩子不想再吃了就不要勉強他。要讓他自己去享受他的美食，讓他感到你是他的朋友。要想讓他在第一年裡建立起自信心，熱愛生活，熱愛他人，這就是一個主要的途徑。

239. **重要的吸吮本能**。嬰兒渴望吃奶有兩個原因。首先是因爲餓，另外是因爲喜歡吸吮。如果你經常餵他吃奶，但是又不讓他盡情地吸吮，他的吸吮願望就得不到滿足，所以就會去吸吮別的東西，比如自己的拳頭、大拇指、或衣服（當然，不同的嬰兒對吸吮的需要也大不相同）。因此，每次餵奶的時候都應該讓他們盡情地吸吮，而且每天餵奶的次數也要滿足他的要求。這一點非常重要。

餵奶的時間

240. **在二十世紀上半葉，人們通常都是按照嚴格的時間表給嬰兒定時餵奶**。當時，醫生還弄不太清楚，爲什麼每年有數十萬名嬰兒患嚴重的腸胃道感染。據當時認爲，引起這種感染的原因不僅是奶受到污染，而且也由於奶粉的成分比例不對。另外，餵奶不規律也是其中的原因之一。

嚴格地按照固定的時間表給孩子餵奶，對絕大多數嬰兒都很有效。無論用母乳還是用嬰兒奶粉餵孩子，孩子吃飽後一般都能維持2～4個小時。因爲嬰兒的消化系統通常需要這麼長的時間才能把吃進去的奶水消化掉。

但是，總有一些嬰兒在前一、兩個月裡難以適應按固定時間吃奶。比如，有的嬰兒胃裡裝不下夠四個小時消化的奶水；有的不等吃飽就睡著了，所以等不到下次吃奶的時間就餓了；有的焦躁不安，不好好吃奶；也有的肚子痛，吃不飽。這些可憐的孩子有時哭的時間短一些，有時哭的時間比較長，而他們的媽媽和醫生卻不敢打亂餵奶的時間表，甚至都不敢把他們抱起來。這對嬰兒來說是難以忍受的。但是我認爲，更加難受的還是孩子的父母。

還好，腹瀉後來基本上都消失了。主要原因是嬰兒奶粉都經過了消毒處理，而且可以得到乾淨安全的飲用水。又過了許多年以後，醫生才敢試驗按照靈活的時間表餵奶。

按照孩子的需要餵奶試驗是由三個人進行的。他們是心理學家普雷斯頓・麥克倫登（Preston McLendon）博士，一位新媽媽法蘭西絲・西姆塞倫（Frances P. Simsarian）和她的新生嬰兒。他們想弄清楚，如果嬰兒餓了就給他哺乳，他會養成什麼樣的吃奶規律呢？在最初的幾天裡，嬰兒醒的次數很少。但是，在出生第一個星期的後幾天，也正好是奶水剛下來的時候，孩子開始醒得非常頻繁——大約每天10次。又過了兩個星期，他開始把吃奶次數固定在每天6～7次之內，但是間隔很不規律。到了第十個星期，他的吃奶間隔略有規律，大約2～4個小時需要吃一次。

他們把這個試驗稱之爲「自我需求」（self-demand）餵奶，亦稱「及時餵奶」。自從1942年的這次試驗以後，人們已經不把定時餵奶看得那麼重要了，從而給嬰兒和家長都帶來了益處。現在人們知道，吃母乳的新生兒，前兩個星期的平均吃奶間隔是2個小時。這就是說，有些嬰兒每3個小時需要吃一次奶，還有一些每1.5個小時就需要吃一次。

241. 什麼叫規律和定時。多數嬰兒先天就有規律吃奶和規律睡覺的本能。他們的吃奶間隔每隔24個小時就可能發生變化，但是，每天的變化都有規律可尋。規律隨著孩子的成長在不斷變化——不睡覺的時間越來越長，而孩子越來越活躍。在家長的指導下，孩子的生活規律將逐漸固定下來，和家長共同進入一個比較和諧而又有節奏的生活階段。

雖然有些家庭能做到定時餵奶，而且孩子也能適應這種規律，但這並不是說，任何孩子都應該每2～4個小時餵一次。有些新生兒從醫院裡一出來似乎就已經養成了2～4個小時吃一次奶的習慣。還有的孩子好像要自己培養自己的習慣，但是，可能需要幾個星期的時間才能完成。孩子在白天的某些時候好像比其他時間更容易飢餓，而且想多吃幾次。在這段時間裡，他們多數時候都是每1.5～4個小時就醒來吃一次奶。也許每天都有一次能睡上5個小時的時候，但是這段時間可能在早晨，也可能在晚上。他們也可能一連好幾個小時都不安寧，而且常常是從剛剛天黑的時候開始。在這段時間裡，如果總是讓嬰兒含著媽媽的乳頭，他就會很高興。但是只要把他一放下，他就會哭鬧起來。喝嬰兒奶粉的嬰兒可能看上去很餓，可是給他餵奶的時候他卻吃不了多少。如果給他安撫奶嘴他反而貪婪地吸吮起來。有些父母為此很惱火，抱怨他們的孩子日夜顛倒。這些嬰兒在白天總是沉睡，甚至推都推不醒。而一到了夜晚，他們就醒來吃奶，而且每隔1.5小時就會醒來煩躁地哭鬧（參見774「如何預防這個問題」）。

嬰兒在前幾個星期趨向於夜間睡的時間越來越長，夜間哭鬧的習慣也將在幾個月之內有所改變（儘管這可能是個長期存在的問題）。在這幾個月裡，嬰兒在夜間吃奶的次數、玩耍的次數，甚至哭鬧的次數都將隨著白天睡眠時間的減少而相應地減少，逐步把大部分睡眠時間轉移到夜晚。

相比之下，將近周歲的嬰兒的睡眠更有規律，通常能安靜地睡一整夜。雖然也有不到時間就醒來要吃奶的時候，但通常都是吃完奶後接著還能睡上一、兩個小時。他每天要吃三頓正餐，一、兩次點心，小睡一、兩覺，然後在一個比較適當的時候正式就寢（通常是在吃完最後一次奶以後）。

他的這些變化是如何發生的呢？這可不是僅靠家長就能辦到的，而是嬰兒自己在逐漸地延長吃奶的間隔和縮短睡眠時間。隨著嬰兒的不斷成長，他會自然地調整自己的生活規律，使其適應全家人的生活節奏。

242. 引導嬰兒形成自己的規律。照料嬰兒主要應該考慮的就是不要讓他由於飢餓而長時間啼哭，也不要讓他覺得沒有人管他。

所有的嬰兒都能自然地養成固定的飲食規律。如果父母稍加引導，這種規律就會養成得更早。比如嬰兒吃完奶以後睡了三、四個小時了，如果這個時候把他叫醒餵奶，他是不會介意的。

體形瘦小的嬰兒往往比體形壯碩的嬰兒吃奶次數多。但是，隨著他們不斷長大，吃奶間隔就會越來越長。由於母乳比牛奶和豆奶容易消化，所以吃母乳的孩子的吃奶次數比吃嬰兒奶粉的孩子多。到了一個月、二個月或三個月的時候，嬰兒就感覺不需要半夜起來吃奶了。大約在四～十二個月期間，他們吃飽了以後就能和父母一樣睡上一整夜。

他們這些習慣的養成——從定時多餐到定時少餐——都在很大程度上取決於父母對他們的引導。如果白天孩子吃過奶以後就睡著了，四個小時以後還沒有醒，媽媽就應該把他叫醒。這就是在幫助孩子養成固定的白天飲食習慣。即使孩子吃過奶以後在睡覺期間哼了兩聲，媽媽也應該忍耐幾分鐘。假如孩子真的醒了而且哭鬧，可以給他一個奶嘴哄哄他，以便他能有機會再次入睡。這就是幫助孩子適應更長的吃奶間隔。反過來說，在孩子剛吃過奶睡下不久，如果大人一聽見他哭就馬上把他抱起來餵奶，這就是在幫助他保持少量多餐的習慣。

嬰兒多久才能順利地養成固定的飲食習慣呢？在這一點上，每個嬰兒都很不相同。大多數嬰兒在出生後兩、三個月內，就能通過引導養成比較固定的飲食習慣，並且不再需要半夜起來吃奶。這些孩子的特點是：吃奶專心，比較聽話，吃得飽。

如果嬰兒最初的時候吃奶無精打采，迷迷糊糊；或躁動不安，很少睡覺（參見 186、234-236）；或媽媽的奶水還沒有正式下來，那麼，耐心一點對誰都有好處。即使在這種情況下，如果家長堅持適當地引導孩子，使他的吃奶間隔不斷向規律發展，比如讓吃母乳的孩子每 2～3 個小時吃一次，讓吃嬰兒奶粉的孩子每 3～4 個小時吃一次，他們減少了忙亂，孩子也能早一些養成固定的吃奶習慣。

243. **在處理及時餵奶和定時餵奶的關係上一直存在著錯誤的想法**。我們給孩子定時餵奶的主要目的是培養孩子的良好習慣，同時也可以使父母在照料孩子上節省體力和精力。這就是說，只要孩子到了可以每天只吃幾次奶，夜間不起床的發展階段，就應該使他基本上做到這一點。

有些年輕父母望子成龍心切，就擺脫以往那種嚴格的餵奶習慣。這樣，他們就反其道而行之——孩子一醒就餵奶，孩子睡了就任他睡。

如果孩子聽話並且消化良好，而做父母的也不在乎自己的作息時間被打亂，不介意在半夜或清晨六點鐘起來餵奶（當然，很小的嬰兒在這些時間裡是需要餵奶的），這種方法還是很可行的。但是，如果嬰兒是那種躁動不安型的，這種方法就會導致孩子吃奶次數頻繁，使父母好幾個月不能好好休息。有些孩子甚至在將近周歲的時候還要半夜醒來吃兩次奶。

如果家長喜歡在幾個月內按照那種不規律的及時餵奶法給孩子餵奶，並不會對孩子的營養狀況造成危害。如果家長本來就是討厭按照鐘點做事的人，那麼，這對家長也沒有什麼壞處。但是，如果他們平時的生活比較規律，而且有別的事情要做，我就會感到困惑了：他們會不會以爲爲孩子付出得越多就對孩子越好呢？還是想通過犧牲自己的方便來證實自己是好父母呢？這種做法最終是會導致很多麻煩的。

244. 使孩子養成吃奶規律的具體建議。白天如果孩子吃完奶睡了四個小時還不醒，就應該把他弄醒。這是引導孩子養成吃奶規律的最簡單的辦法。不過用不著催促他吃奶，因爲過不了幾分鐘他就會感到飢餓了。

如果他吃完奶剛睡一個小時就醒了，也不要一聽到他哼就馬上餵他，因爲此時連他自己也不清楚是否餓了。如果他不但不再入睡，反而完全清醒了，而且開始哭鬧不止，就應該馬上餵他。

245. 剛睡下就醒怎麼辦？如果孩子每次吃完奶，剛睡下不久就醒來怎麼辦？這可能是因爲他沒有吃飽。在這種情況下，如果他吃的是母乳，就需要多餵他幾次。這樣有利於奶水產量的增加，使他以後吃奶的時候能多吃一些，從而延長吃奶的間隔。另外，媽媽吃飽喝足並充分休息也很重要。只有這樣，她才能生產出足夠的奶水來滿足嬰兒的需要。如果孩子吃的是嬰兒奶粉，就需要每次多餵他30～60C.C.，看看這樣是否能夠延長他的吃奶間隔。

246. **嬰兒需要多久餵一次奶？**我已經說過多次，如果一個嬰兒通常都是每隔3～4個小時吃一次奶，只是偶爾2～2.5個小時就醒了，而且顯得確實餓了，這時餵他是沒有問題的。但是如果他在睡覺前吃的和往常一樣多，說明他不可能餓得這麼快，而很可能是消化不良導致他提前醒來。因此，你可以幫他順氣打嗝，也可以餵他30～60C.C.的水，或用奶嘴哄哄他，看看這樣能否使他得到安慰。如果用各種辦法哄了一小會兒仍然哄不好，你就可以決定再次給他餵奶。如果是我，還是不會急著馬上餵他。即使孩子起勁地吃手，或給他奶吃的時候顯得急不可耐的樣子，也不一定說明他眞的餓了。腹部絞痛的孩子往往會有這種表現。嬰兒似乎分不清楚肚子不舒服是飢餓引起的，還是絞痛引起的（請參見313和321）。

換句話說，不要孩子一哭就餵奶。如果他哭的時候不對，就應該好好分析一下情況。他可能尿濕了，也可能感到太熱或太冷，他也可能需要順氣打嗝，也可能需要安慰，或只是想哭兩聲來釋放一下自己的情緒。如果孩子總是這樣，而你又弄不清楚是什麼原因，就應該請教一下你的醫生或保育護士。

247. **半夜餵奶**。最簡單的夜間餵奶原則就是不要主動地去弄醒孩子，而要等孩子自己醒了以後把你吵醒。需要夜間餵奶的嬰兒通常都在接近凌晨兩點的時候醒來。在他二～六個月的期間，就會一直睡到下半夜三點至三點半。要等到他醒來以後再餵他。第二天夜裡他可能醒得更晚。或許會出現這種情況，他醒來以後不痛不癢地哭兩聲，吃不到奶又接著睡著了。嬰兒到了六～十二個月的時候就可以夜間不吃奶了。這時，他往往在兩、三天之內就匆匆忙忙地把這個習慣改掉了。對吃母乳的嬰兒來說，他可能在其他時候延長吃奶的時間。如果嬰兒吃的是嬰兒奶粉，可以根據他的需要，在其他餵奶時間適當地增加餵奶量，以彌補夜間少吃的數量。夜間餵奶時，房間應該比白天餵奶時的房間暗，而且應該靜靜地進行。這樣能使乳房受到更大的刺激，增加奶水的產量。

248. **放棄夜間餵奶**。如果嬰兒已經兩、三個月了，而且體重達到了5.5公斤，但是還在半夜醒來吃奶，那麼，就應該想辦法使他放棄。在這種情況下，不要在孩子一醒來就急忙給他餵奶，而要讓他折騰一會兒。如果他不但沒有安靜下來，反而哭鬧得更凶，那就應該向他表示歉意，並且馬上給他餵奶。但是，過一、兩個星期以後還應該繼續試驗。從營養學的角度來說，如果一個體重5.5公斤的嬰兒白天吃得很飽，夜間並不一定需要吃奶。

你也許可以在睡覺前，就你的方便安排一次餵奶時間。幾個星期大以後，多數嬰兒都很情願地等到夜裡十一點再吃奶，有的甚至可以等到半夜。如果你想早一點兒睡覺，可以在十點，甚至可以再早一點兒把孩子弄醒餵奶。如果晚一點兒餵奶更方便，你可以隨意，只要孩子願意睡覺等著就行。

但是，如果孩子還沒有改掉半夜醒來吃奶的習慣，我建議不要讓他睡過晚間十點或十一點的餵奶時間。即使他想繼續睡，也應該把他叫醒餵奶。等他到了可以少吃一次奶的時候，你可能希望他先放棄半夜的這一次，以便不打攪你的睡眠。

有的孩子雖然已經可以做到半夜不吃奶了，但是白天的吃奶時間仍然很不規律。如果他願意在晚上十點或十一點吃奶，我就會繼續在這個時候把他弄醒餵奶。這樣做至少也算有計畫地結束了一天，同時，還可以避免孩子在半夜至下半夜四點之間醒來喝奶，有助於他睡到第二天早晨五點或六點。

∽ 吃得飽，長得快 ∽

249. 後幾個月拒絕吃奶的原因。四～七個月的嬰兒，在吃奶的時候，有時表現得很古怪。當媽媽的肯定會說，她的孩子先是起勁兒地吃幾分鐘，接著就猛地鬆開乳頭大哭起來，好像是什麼地方很疼痛似的。雖然他看上去仍然很餓，可是當他繼續吃奶的時候，就會在更短的時間內感到不舒服。不過，他吃固體食物時很起勁兒。

我認爲，孩子的這種痛苦現象是由於長牙引起的。我猜想，嬰兒長牙時牙齦本來就疼痛，而吃奶的吸吮動作又使牙齦充血，所以引起了無法忍受的疼痛。既然只有在孩子吸吮了幾分鐘以後才感到疼痛，你可以將一次餵奶時間分成好幾段，並且在間隔中給他餵固體食物。如果孩子用奶瓶喝奶，你可以把奶嘴的孔扎得大一些，以便他能在較短的時間內，不用很費力氣地吸吮就能把奶吃完。如果孩子的疼痛來得迅速，而且極其難忍，你不妨在幾天之內不用奶瓶餵他。比如，如果孩子能比較熟練地使用杯子，你就可以改用杯子餵他。也可以使用湯匙，或把大量的奶摻到穀類食品或其他食物裡給他吃。即使他吃不到原來那麼多也不必著急。

感冒引起的中耳炎能連帶使顎骨關節疼痛。因此，即使嬰兒吃固體食物都沒有任何問題，此時也會連奶都不想吃。在媽媽的月經期裡，嬰兒偶爾也會拒絕吃奶。在這種情況下，可以每天多餵他幾次。也許還需要媽媽進行人工擠奶，以便緩解乳房的腫脹，保持奶水的產量。經期結束後，嬰兒就會和往常一樣吃奶，奶水的產量也將恢復正常。

250. 嬰兒體重增長多快爲宜？關於體重增長情況，我認爲最好是孩子願意增長多快就增長多快。多數孩子是知道自己應該增長多快的。比如說，你給他們多吃，他們不吃；如果給他們少吃，他們就會等不到下一次吃奶時間就醒來飽餐一頓。

另外，沒有任何一個嬰兒的體重增長速度正好界於中間狀態，有的嬰兒天生就長得快，有的生來就長得慢。如果你能牢記這點，我們不妨就使用「一般嬰兒」這個術語。醫生們說的「一般嬰兒」是指把長得快的、長得慢的，和長得中等的加在一起後得出的平均值。

如果嬰兒的體重增長緩慢，並不一定說明他就是屬於長得慢的。如果他一直很飢餓，這就是一個很好的跡象，表明他可以長得快一點。有時孩子的體重增長緩慢說明他有病。所以，體重增長緩慢的嬰兒應該經常去找醫生看一看，才能確保身體健康。你偶爾會遇見個別很懂禮貌的孩子，雖然體重增長緩慢，看上去卻好像不餓。但是如果你給他多吃，他很願意吃，而且體重增長也隨之加快。換句話說，不是所有的嬰兒吃不飽就會哭鬧。

嬰兒出生時的平均體重是3.2公斤多一點兒，三～五個月期間達到6.4公斤左右。這就是說一般嬰兒在出生後的三～五個月之內體重增長一倍。但是在實際狀況中，出生時體重較輕的嬰兒往往長得更快，好像是爲了追趕別的孩子似的。而出生時的大嬰兒在三～五個月之內很難在體重上再增長一倍。

一般嬰兒在前三個月平均每個月增長約0.9公斤（每個星期170～227公克）。當然，也有些很健康的嬰兒體重增長比較緩慢，而有的增長比較快。到了六個月以後，平均增長速度爲每個月450公克（每個星期105公克）。在三個月期間減慢這麼多可算幅度不小了。在第一年的後三個月裡，平均每月增長速度又下降到300公克（每個星期60～80公克）。到了第二年，又下降到每個月大約增長230公克（每個星期57公克）。

你將會發現，隨著孩子不斷長大，體重增長速度越來越慢，而且也不規律。長牙或生病能使孩子好幾個星期沒有胃口，因此，孩子在這幾個星期裡可能幾乎不長。當他感覺好一些以後，就會胃口大開，迅速趕上去。

你不可能根據孩子每個星期的體重變化得出太多的結論來。他每個星期的體重增長速度將取決於他最近的排尿情況、大便情況和進食情況。如果有一天早晨你忽然發現，孩子在上個星期裡只長了110公克，而在過去都是長200公克，那也不要馬上斷言是因爲孩子沒吃飽或有什麼毛病。如果孩子看上去很幸福和滿足，不妨再等一個星期看一看，也許他會有一次非常迅速的增長過程，來彌補上一次的短缺。如果吃母乳的嬰兒每天至少尿6～8次，醒著的時候機靈活潑，睡眠良好，而且每個星期的體重都在增長，這就足以表明他吃得飽。但你應該知道，隨著年齡的增大，他的體重增長速度將越來越慢。

251. **多久量一次體重**。當然，多數家長沒有體重計，只能在去看醫生的時候量一下孩子的體重。這就足夠了。如果嬰兒活潑可愛，一切表現良好，一個月量一次就夠了。多量幾次除了能滿足家長的好奇以外，沒有任何別的用處。如果你自己有體重計，也不要超過每個月量一次。另外，如果孩子總是哭，或消化不良，或大量嘔吐，經常去醫生的辦公室給孩子量體重能有助於你和醫生或保育護士共同查出病因。比如，雖然孩子哭得厲害但是體重增長迅速，這可能表示孩子是腹部絞痛，而不是飢餓。

252. **幼兒肥胖**。幼兒肥胖並不表示孩子將終生肥胖，但是，把孩子養得胖胖的絕對不是什麼良善之舉。爲了防止孩子出現不愛吃奶的問題（參見233），或養成不好的吃奶習慣（參見534），孩子看上去吃飽了以後就不要繼續餵了。

有些人認爲嬰兒胖嘟嘟的很招人喜歡，因此，要想讓他們改變這種看法很難。親戚朋友們可能會因爲孩子胖而對家長大加讚揚，似乎胖就說明家長養育有方。有些家長認爲孩子胖是一種儲備，就和在銀行裡存錢一樣。而實際上，孩子胖將來對孩子可能產生不利的影響，甚至引發疾病。

嬰兒體內的維生素

253. **嬰兒需要額外補充維生素C和D**。這兩種維生素將在511、512中討論。牛奶和最初孩子吃的固體食物中，這兩種維生素的含量都很少。

如果媽媽的飲食中含有豐富的柑橘類水果和某些蔬菜（參見167），母乳中的維生素C含量通常是充足的。

在美國，每夸脫或每一罐濃縮即用奶中含400單位的維生素D。這個含量足以預防幼兒佝僂病的發生。母乳中的維生素D含量不足，但是多數嬰兒可以通過短暫的日曬來獲得足夠的維生素D。當幼兒的皮膚暴露在陽光下的時候，皮膚中就產生一種化學反應，天然維生素D實際上就是在這種反應中產生的。在某些情況下，你的醫生或保育護士也可能向你推薦一種含有400單位的維生素製劑。

如果你的孩子吃母乳，醫生可能會建議你給孩子補充含有維生素C、D和維生素A的製劑。附帶在藥瓶上的滴管標有0.3C.C.和0.6C.C.的刻度。首先用滴管把製劑吸入到0.3C.C.的位置，然後把它直接擠入嬰兒的口中。從孩子一個月（或更早）的時候起就應該無論春、夏、秋、冬，每天在第一次餵奶的時候，給他補充一次。有的醫生可能會建議補充0.6C.C.，但是不能再超過這個劑量，因為服用過量對身體有害。

254. **複合維生素製劑**。除了維生素A、D和C以外，複合維生素製劑還包含多種維生素B群。但是，奶、穀類食品和嬰兒吃的其他固體食物中都含有充足的維生素B群。雖然攝取複合維生素對身體肯定無害，但是這種額外的開支通常是不值得的。

嬰兒的飲用水

如果水中沒有氟，醫生將給你開處方，或把氟加入維生素滴劑裡面，或單獨服用。關於氟的重要性，請參見297、617-618。

255. **有的嬰兒需要專門補充水，有的不需要**。一般認爲，每天在嬰兒吃奶之間的間隔，應該餵他一到兩次水，每次餵上30C.C.左右。實際上並不需要這樣做。嬰兒吃的奶水中所含的水分便足以滿足他的日常需要。在孩子發燒的時候，或在特別熱的天氣裡，尤其是當孩子的尿液顏色很深，而且看上去特別口渴的時候，給孩子補充水倒是很重要的。即使孩子平時不愛喝水，在這些情況下他也會喝的。有些媽媽發現，在水中摻入一點兒果汁，孩子就更愛喝了。

事實上，有很多孩子從一、兩個星期開始，一直到大約周歲的時候，根本就不需要專門補充水。在這個階段，他們比較喜歡有營養的東西，所以，給他喝白水他會很生氣。如果你的孩子喜歡喝水，那就一定要餵他喝，而且每天要餵一至數次。應該在他醒來以後的兩次吃奶之間餵水，千萬不要在吃奶之前餵。他想喝多少你就可以餵他多少，但是一般情況下，他一次喝不了60C.C.。如果他不想喝水，千萬不可強迫他喝。沒必要因爲此事把他惹火，因爲他知道自己需要什麼。

256. **糖水**。如果孩子生病了，或因爲天氣特別熱而不愛吃奶的時候，你可能特別希望他喝一點水。如果他不肯喝白開水，你不妨試著餵他糖水。你可以在100C.C.水中加入一大湯匙的砂糖，然後一直將它攪拌到溶化爲止。

斷奶

斷奶不但是媽媽的一件大事，而且是孩子的一件大事；不但是身體上的大事，而且是感情上的大事。一位非常重視哺乳的媽媽停止哺乳以後，可能會感到有點兒失落或沮喪，似乎覺得自己和孩子有點疏遠，或自己已經失去了原有的重要性。這就是爲什麼要在可能的時候才採取逐步斷奶的又一個理由。斷奶不一定非要「不斷則罷，一斷必絕」。你可以每天給孩子餵一、兩次奶，一直餵到他兩歲，也可以一下子徹底斷掉。

通常的斷奶過程都是從四～六個月的時候開始，先讓孩子一點一點地學會吃固體食物，然後在六～十八個月裡，根據孩子和媽媽的情況，逐漸把奶斷掉。

257. **從餵母奶改爲以奶瓶餵奶**。有很多媽媽要麼因爲無力做到，要麼因爲不想等到孩子六～九個月能使用杯子的時候再斷奶。有的是因爲奶水不足，影響到孩子的正常發育。像這樣忍飢挨餓的嬰兒極少有因爲換用奶瓶而哭鬧的。改用奶瓶需要多少時間才能成功呢？這要由媽媽的奶水產量來決定。

如果你發現自己的奶水產量在迅速下降，而且孩子很餓，或由於別的原因，你想迅速地改用奶瓶餵奶，最簡單的方法就是調配夠孩子 24 小時吃的嬰兒奶粉，然後根據他每天吃奶的次數分成幾份裝入奶瓶。每次在孩子吃完母乳以後給他一瓶，讓他能吃多少就吃多少。此外，一開始要先在奶水最少的時候取消一次哺乳，兩天以後在奶水最少的時候再取消一次哺乳，剩下的哺乳次數每兩、三天取消一次。如果媽媽的奶水只是穩定地逐漸減少，而嬰兒也只有一點兒吃不飽，那麼，每次餵奶的時候都用奶瓶餵他一點兒，效果會更好一些。

但是，假如媽媽奶水不足的問題不存在而又想斷奶怎麼辦？比如，媽媽只是想爲孩子哺乳幾個月，以便給他的身體奠定個好的基礎，而不想給他哺乳大半年。那麼，需要哺乳多久合適呢？這個問題肯定沒有絕對的答案。母乳的優點是純淨、易消化，這在一開始對於嬰兒來說是很寶貴的。但是，它不會在某個時段突然變得毫無益處。母乳餵奶對加深母子感情的好處，也不可能到了某一個具體的時間以後就一下子失去它原有的作用。改用奶瓶餵奶的理想時間是在孩子大約三個月的時候，因爲這個時候孩子的消化系統已經正常運轉，腹部絞痛的易發期即將過去。他將變得比較健壯，體重迅速增長。如果媽媽想要在一、兩個月的時候給孩子斷奶，這就是個比較理想的時間。

假如你打算在大約一個月以後改用奶瓶餵奶，明智的做法就是從嬰兒一個月起，每個星期（如果你願意，也可以每天）給孩子用奶瓶餵兩、三次奶，使他早日習慣奶瓶。

如果奶水很充足，改換奶瓶的工作從一開始就應該漸漸地進行。要在你計畫斷奶結束的前兩個星期開始著手。首先，每天在奶水最少的時候減去一次乳房餵奶，改用奶瓶餵奶。要讓孩子隨意，不要在乎他吃多少。再過兩、三天，等乳房適應了變化以後，就用奶瓶取代另一次母乳餵奶。然後再等兩、三天，再用奶瓶取代另一次母乳餵奶。此時，孩子每天只有兩次吃母乳，其他三次用奶瓶。在省下最後這兩次餵奶前，可能每次都需要間隔三、四天才能完成。每當乳房不舒服的時候，可以採取手工擠奶，也可以使用吸奶器吸幾分鐘，只要解除了腫脹感就不要再吸了。

258. **嬰兒拒絕奶瓶怎麼辦？**一個四個多月的嬰兒如果還沒有習慣定時使用奶瓶，就可能完全拒絕使用奶瓶。在這種情況下，要在每天餵母乳或固體食物之前，試著用奶瓶餵他一、兩次。但是不要強迫，不要讓他生氣。如果他不吃，就把奶瓶拿走，讓他吃其他的東西，包括母乳。過幾天以後他可能改變心意。

如果他仍然毫不動搖，那就徹底取消一次下午的餵奶，看看這樣會不會使他乾渴，以至於在傍晚的時候想用奶瓶喝奶。如果他仍然堅持，你就應該把乳房給他，因為這時乳房將腫脹得很不舒服。但是幾天以後，還必須繼續放棄一次下午的餵母奶。雖然第一次孩子不接受，但是他可能後來就接受了。

第二步就是把全天的餵母奶都取消，並減少固體食物數量，使孩子感到飢餓。甚至可以連固體食物也不要餵他。

你可以使用吸奶器或用手擠奶（參見200-203），只要解除了不舒服的腫脹感就可以了。

259. 在嬰兒九～十二個月的時候，就可以一邊斷奶一邊讓孩子學習適應杯子了。那麼，如果媽媽的奶水充足，她應該把孩子餵到多大呢？答案是，最好（也是最自然）的辦法就是一直餵到孩子可以直接使用杯子的時候。

我覺得大部分嬰兒在九～十二個月期間，都表現出對乳房的依賴有所減少。比如在吃奶期間，他們往往要停下來好幾次和媽媽玩耍。所以，有時還不得不把乳房送到他的嘴裡。在這個階段，孩子經過鼓勵，完全可以學會如何從杯子裡喝到更多的奶，並且能在幾個月內很順利地完全改用杯子。

所以說，孩子在頭一年的下半年，已經可以學習使用杯子了。我要說明這一點是爲某些媽媽的利益著想。她們打算只要孩子需要吃奶，她們就一直用自己的乳頭餵他。她們根本就不想改用奶瓶餵奶。有一些哺乳媽媽非常希望至少把孩子餵到周歲，有的甚至想把孩子餵到兩歲。如果媽媽和孩子都樂意，把孩子餵到兩歲當然很好。

從孩子六個月開始，經常讓他從杯子裡喝一口奶或別的液體，是個很好的主意。這樣，就能不等孩子形成固定的概念就已經適應杯子了。到九個月的時候，就可以鼓勵他自己拿著杯子喝了（參見265）。如果到了九個月以後孩子的吃奶時間減少，表示他已經可以慢慢地斷奶了。這時，你可以每次都用杯子餵他，他願意多吃，你就可以多餵。但是，在他用杯子吃完奶以後，還要用乳房餵他一會兒。下一步就可以把孩子最不感興趣的一次正常哺乳改爲用杯子餵奶，這一次通常都是早餐或午餐。一個星期以後，如果孩子看上去樂意，就可以再把另一次母乳餵奶改爲用杯子餵奶。再過一個星期，就把最後一次也改掉。但是，孩子斷奶的意願並不是一成不變的。如果趕上長牙或生病的時候心情不好，他可能會退縮一點兒。這是很自然的，不會影響他最終改用杯子喝奶。

斷奶進行順利的時候，媽媽的乳房一般不會出現什麼問題。但是，如果乳房腫脹得不舒服，媽媽就需要採用手工擠奶了。只需要擠15分鐘，解除腫脹就可以了。

多數媽媽會驚訝地發現，她們並不願意扯斷這條聯繫母子感情的紐帶，因此，有的媽媽就會一個星期又一個星期地延遲斷奶。

還有的時候，媽媽可能害怕給孩子徹底斷奶，因爲孩子用杯子吃奶以後，沒有原來吸乳房的時候吃得多。這樣一來，斷奶的事情就可能無止境地延遲下去。如果換成是我，只要孩子平均每餐能吃到大約120C.C.，或每天總共能吃到350～450C.C.左右，我就會給他斷奶。斷了奶以後，他用杯子喝奶的量或許會增加到每天450C.C.以上。一般說來，這個量就足夠了，因爲孩子還要吃別的東西。

260. **突然斷奶**。如果你生了重病，或由於緊急事務必須出遠門，就可能需要給孩子立即斷奶。但是，如果你生的是小病，或不十分嚴重，那就沒有必要給孩子斷奶。究竟該不該斷奶應該由醫生來決定。在需要突然斷奶的情況下，應該避免採取手工擠奶，因爲手工擠奶雖然能減輕乳房一時的腫脹感，但是也會刺激乳房生產更多的奶。有一個辦法比較有效，就是在乳房上使用壓力冰袋。使用這個辦法有點兒不舒服，但是醫生會給你開適當的藥物處方來緩解疼痛。「乾涸」片（dry-up pills）的效果不怎麼樣，不要使用。它的價格昂貴，有副作用，而且效果常常出現反彈。這樣，就給乳房增加了新的腫脹感。

從使用奶瓶到使用奶杯

261. **斷奶的準備**。有些父母很想在一年之內就使自己的孩子放棄使用奶瓶而改用杯子喝奶。還有些家長比較固執地認爲，他們的孩子應該用母乳或奶瓶餵養到兩歲。實際上，什麼時候斷奶取決於兩個因素：家長的願望和孩子的條件。

有些嬰兒到了五、六個月就對吸吮不太感興趣了。他們不再像過去那樣，一口氣吃上20分鐘，而是5分鐘就停下來，要麼和媽媽耍逗，要麼玩弄奶瓶或自己的手。這些就是說明孩子已經可以斷奶的早期信號。

這些嬰兒在八、十或十二個月期間，儘管在多數情況下只要給他奶就吃，但是在吃母乳或用奶瓶吃奶的時候，仍然在某種程度上表現出漫不經心的樣子。他們不但喜歡用杯子吃奶，而且越來越喜歡。

262. 有些嬰兒在第六、八或第十個月的時候，反而對奶瓶的依賴更強了。他們之中的某個家長會說：「呵，他太喜歡他的奶瓶了！在他吃固體食物的時候就一直盯著它看。到了吃奶的時候，他就會急不可待地抓過奶瓶就吃。每次吃奶的時候他都愛惜的撫摸它，而且還對它咿咿呀呀地說著什麼。雖然他在六個月之前很願意用杯子吃奶，但是現在對杯子裡的奶存有很高的戒心。」很多這樣的嬰兒一直到了一歲半，甚至到了兩歲的時候，還一直對睡前吃奶很依戀。如果不吃，他們就很難安靜地入睡，而且仍然抗拒使用奶杯。但有趣的是，他們很願意用奶杯喝水或喝果汁。

第一年下半年對奶瓶的依賴性增強的嬰兒，恰恰就是那些獲准抱著奶瓶睡覺的嬰兒。奶瓶成了他們睡前的寶貴安慰者，使孩子牢記他們幾個月前的日子——那時，最大的樂趣和安全感都是來自於和父母親密無間的關係。從這個意義上講，奶瓶又成了父母的替身。而坐在父母大腿上喝奶的孩子，到了五、六個月甚至七個月的時候，都沒有養成對奶瓶的這種依賴，因爲他們的眞正父母就在他們的面前。

所以，要想避免嬰兒養成對奶瓶的永久性依賴，避免一直等到十四～二十四個月才給孩子完全斷奶，最好的辦法就是不要讓他們抱著奶瓶睡覺（參見237）。關於其他與此類似的例子，比如依戀一個柔軟的玩具或一個奶嘴等，將在786-811中做完整的說明。

263. 比較理想的做法就是從第五個月起就開始讓孩子每天試著用奶杯喝奶。這麼做並不是想馬上就讓他改用奶杯，而只是想在他還沒有形成一個固定的概念之前，先讓他形成這樣一個概念：奶杯也是用來喝奶的。具體做法是，每天在一隻小杯子裡倒入約15C.C.調好的奶，拿著讓孩子喝。孩子一次頂多喝一口。一開始他雖然不會多喝，但或許會感到好玩。等他習慣了用杯子喝奶的時候，還要用杯子給他餵水和稀釋果汁。這樣他就會明白，所有的液體都是用杯子喝的。

264. **幫助嬰兒習慣杯子**。讓嬰兒習慣使用杯子的計畫一旦開始實施，就要在每次餵固體食物的時候，都用杯子餵孩子一、兩次。還要讓他看著杯子，這樣他就可以做出是否還想喝的表示。如果你通常都是在他吃完固體食物的時候才用奶瓶餵他喝奶，那也就應該在這個時候才讓他看見奶瓶。另外，他對你喝的東西也會產生興趣。所以，如果你喝的東西適合孩子喝，就可以把你的杯子送到他的嘴邊，讓他也嚐一嚐。

265. **讓孩子自己喝**。假如孩子六個月了，抓住什麼東西都想往嘴裡放，你可以給他一個拿得住的細小的空塑膠杯子，讓他假裝拿著它喝東西。你也可以給他一隻帶有兩個把手的嬰兒杯子。當他能拿得很穩的時候，就可以往他的杯子裡倒一點奶。隨著他拿杯子的技術越來越嫻熟，你可以往他的杯子裡多倒一點奶。如果他失去了興趣，而且執拗地不再自己端著杯子喝，那也不要勉強他。可以在一、兩次餵奶的時候暫且不提此事，以後再給他杯子使用。但是要記住，在一開始的幾個月裡，孩子總是一口一口地喝。很多嬰兒直到一歲甚至一歲半才學會連著喝。練習使用杯子的好地方就是在浴盆裡。

有的一、兩歲的孩子對媽媽總給他使用舊杯子很反感。如果你給他一個不同形狀或不同顏色的杯子，他就會很高興地接受。給他喝涼奶有時會改變他的主意。有些家長發現，在奶杯裡加入一點兒麥片能使孩子產生新奇感，從而順利地接受。但是應該一點一點地減少麥片，直至幾個星期以後完全取消。

有一種專門給孩子斷奶用的杯子，它的蓋子上帶有一個平伸出來的嘴。蓋子能防止奶濺撒出來，它的嘴可以伸到嬰兒的口中。但是，以後孩子就可以慢慢地不用蓋子和嘴了。有些家長喜歡使用這種杯子，因爲它能在最初的幾個月裡防止奶濺出來，而且可以一直用到嬰兒能熟練地使用它爲止。有些家長有不同的看法，認爲孩子一開始從奶瓶過渡到奶杯的時候就很不樂意了，何必還要再找一次麻煩，讓他再從有嘴的奶杯過渡到無嘴的奶杯呢？有一種帶有兩個把手的斷奶杯子，嬰兒拿著很方便。還有一種加重底座型的。

266. **一歲左右改用奶杯的原因**。孩子要在一歲左右改用奶杯的主要原因是，這個年齡的孩子容易接受新東西。到了這個年齡，多數孩子都是自己拿著奶瓶喝奶，而且最好讓他們自己拿著奶瓶喝奶。你還可以先讓他們學著使用杯子，幫助他們成長得更成熟一點。如果家長已經給孩子養成習慣，讓他自己拿著奶瓶喝奶，喝完後就摟著奶瓶睡，這就必然導致睡前問題。那麼如何避免讓孩子摟著奶瓶睡覺呢？237爲您提供了更多的信息。

此外，有些家長看見蹣跚學步的孩子手裡拿著奶瓶到處閒晃，時而喝上一大口，就感到心煩。他們認爲，孩子這樣看上去傻呼呼的，滑稽可笑。

讓孩子慢慢斷奶

267. **觀其行，從其願**。也許你的孩子已經九～十二個月大，對使用奶瓶有點膩煩了，因此想用杯子喝奶。在這種情況下，應該在杯子裡多裝些奶，而且每次吃奶的時候都讓他用杯子喝一會兒。這樣一來，他用奶瓶吃的奶就越來越少了。接著，就可以在他最不感興趣的那次喝奶時間（很可能是早餐或午餐）完全改用杯子。一個星期以後，再改掉第二瓶，然後再改掉第三瓶。多數嬰兒最喜歡晚餐時使用奶瓶，所以，這一次最不容易改變。還有些嬰兒在早餐時對奶瓶也有同樣的依戀之情。

雖然孩子希望改用奶杯，但是，他們的願望並不總是穩定發展的。由於長牙或生病帶來的痛苦，孩子常常暫時還不希望改用杯子喝奶。在這種情況下，應該尊重孩子的意願。當他們感覺好一些以後，就會重新像原來那樣開始對杯子產生興趣了。

268. **極不情願斷奶的嬰兒**。有的嬰兒到了九～十二個月還不願意放棄奶瓶。給他用杯子的時候，他可能會喝一口，但馬上就不耐煩地把杯子推開。他甚至會假裝不知道杯子是幹什麼用的。比如讓奶從自己的嘴角裡流出來，並且傻笑著。到了十二個月的時候，他可能會有所改變，但是很可能一直到十五個月大，甚至到了更晚的時候還對杯子表示懷疑。遇到這種情況，你可以每天都在一個他便於拿的小杯子裡倒入大約30C.C.的奶，然後把它擺放在茶盤上，期望有一天他能對它產生興趣。如果他只想喝一口，那就千萬不要試圖讓他喝兩口。要表現出你對此無所謂的樣子。如果一個多心的孩子開始用杯子喝奶了，你仍然應該耐心，因爲他可能還需要好幾個月才能徹底放棄對奶瓶的依賴，尤其是晚上或睡前的這頓奶，他更是難以很快放棄。許多改用奶杯較晚的孩子，一直到兩歲的時候還要在睡覺前用奶瓶喝一次奶。那些有抱著奶瓶睡覺習慣的孩子，尤其是這樣。

269. **在有些情況下，往往是父母在擔心孩子斷奶**。阻礙孩子改用杯子的往往是父母，因爲他們擔心孩子使用杯子喝奶時，沒有使用奶瓶時吃得多。孩子到了九～十二個月的時候，即使他在早餐時每次都能用杯子喝170C.C.的奶，在午餐的時候也能喝170C.C.，在晚飯的時候能喝大約110C.C.，而且對奶瓶也不太熱中，如果媽媽每次在吃完飯的時候再用奶瓶餵他，他還會願意再吃上幾十C.C.。我認爲，如果一個九～十二個月的孩子每天能用杯子吃到450C.C.奶，而且沒有十分懷念奶瓶的表現，只要父母願意，就可以完全不用奶瓶餵奶了。

在第二年，如果家長拿奶瓶當作哄孩子的玩具，也可能產生另一個問題。比如，每當孩子在白天或夜裡哭鬧，好心的爸爸媽媽就會再給孩子泡一瓶奶。結果，孩子在一天裡可能吃到八瓶，總共約1800C.C.的奶。這樣一來，孩子自然就沒有胃口了。從營養學的角度上說，孩子一天喝的奶量不應該超過約900C.C.。

補充固體食物

270. **保持營養食品的均衡**。當你的孩子能吃固體食物的時候，他就已經跨過了走向獨立自主的第一個里程碑。在這個過程中，你將遇上人生僅有的一次機會爲孩子養成良好的飲食習慣，爲將來的身體健康打下好基礎。孩子們一般都容易接受早期的飲食習慣。在人們都追求健康食品的今天，孩子們很容易就適應了這種飲食習慣。這一點很重要，因爲嬰兒很容易學會把他們引向錯誤之路的壞習慣。營養學家們（我也一樣）對大多數美國大人和孩子日益惡化的飲食習慣感到擔心。他們吃的糖、高度加工的食品、肉食、油炸食品和食鹽越來越多，結果導致現在的肥胖症患者越來越多，甚至連很小的孩子也難以倖免。隨著時間的推移，這些飲食習慣還將導致其他身體疾病，比如心臟病、高血壓和糖尿病等。過量攝取富含油脂和糖分的食物能夠迅速緩解飢餓，但是，也使得孩子攝取蔬菜、水果、穀類、豆類等有價值的食品減少，因此得不到充足的維他命、礦物質、蛋白質和富含纖維的食物。

271. **人的飲食習慣是從很小的時候養成的，而且從此一直保持下去**。所以，從幼兒起就應該給孩子養成良好的飲食習慣。比如，雖然鹽的攝入量對高血壓病的影響很大，然而，一個人的口味是重還是淡則是在他嬰幼兒時期或兒童時期就已經養成的習慣。（當然，導致高血壓還有其他因素，比如種族和遺傳。）因此，當你出於習慣而不是因爲孩子要求才在孩子的食物裡加鹽的時候，你實際上是在某種程度上促使孩子得高血壓，並且縮短他的壽命。

喜歡吃油膩食物的習慣好像也是從很小的時候就養成了。研究幼兒發展的學者們越來越懷疑有些終生性肥胖症（儘管不是全部）也是從幼兒時期開始食用不必要的高熱量飲食，比如攝入過量的糖和脂肪而引起的（參見252）。

飽和脂肪和膽固醇對動脈阻塞和心臟病的產生有一定的關係，對那些有這類家族病史的人更是如此（參見500）。

老年人容易罹患大腸癌，對此外科醫生很關心。現在得到證實，這種疾病也是文明時代的產物，其主要病因是，有些人一生中很少吃全麥麥片和全麥麵包，吃的水果和蔬菜也很少。這樣一來，由於食物中缺乏纖維質而導致腸道內的糞便排洩速度緩慢。所以，幫助嬰兒喜歡這類有益於健康的食物，將在未來的歲月裡得到好幾倍的回報。

嬰兒食譜中應該包含的食品與一生中各個階段都需要的食品類似。其中只有一點變化，我們不久就將講到。總的說來，食譜的主要內容應該是蔬菜、穀類、水果和豆類。這些東西營養豐富，所以習慣於這些食品的孩子，成年後將從中得到巨大的好處。

272. 在過去的幾年裡，我們對營養的概念又有了十分重要的新認識。雖然我們曾經提倡在嬰兒的食譜中包含充足的肉類和乳製品，但是現在我們認識到，**讓孩子從植物中獲取養分對他們更有好處**。蔬菜、水果、穀類和豆類富含維生素、礦物質和纖維，而且脂肪含量低，不含任何膽固醇。我們只是最近才發現到這些不起眼的植物的可貴之處，因此才認識到，如果把它們擺在第一位，使之成爲食譜的主要成分，將能預防身體疾病。

如果家長和孩子一起吃有益於健康的食物，事情將非常好辦。不過，儘管我們多數人從小就養成的飲食習慣與我們認爲的理想飲食習慣相差甚遠，但是我們多數人也在重新認識我們的飲食習慣，並且在努力做出更有利於健康的選擇。

許多家庭開始減少肉類的使用量，去掉肥肉，並且轉向吃低脂肪的乳製品。這些都是正確的措施。但是，我建議再向前邁出一步，讓家人都從植物食品中獲取營養，而不是從動物產品、油炸食品或油膩的食品中獲取。我將鼓勵你尋找以植物為主的食物，儘量少吃肉食。

下面就讓我們看一看嬰兒如何才能養成正確的飲食習慣。

273. **孩子應該從什麼時候開始吃固體食物？**這個問題不能一概而論。在二十世紀初期，都是在孩子周歲的時候才開始餵他固體食物。隨著時間的流逝，醫生們試驗了不斷提前給孩子餵固體食物的時間，甚至從一、兩個月的時候就開始了。實驗證明，從孩子六個月起餵固體食物肯定有兩個好處：孩子還比較小，尚沒有養成固定的習慣，所以容易接受這種做法；各種各樣的固體食物使食譜的營養成分更加豐富，對解決奶水中鐵質含量貧乏的問題，好處尤為明顯。

現在的醫生都習慣地建議，固體食物應該從孩子四～六個月的時候開始餵起。但是，餵得太早並沒有太大的好處，因為在前六個月裡，嬰兒通常可以從奶水中獲得身體所需要的足夠熱量。另外，尚未發育成熟的消化系統在好幾個月內都不能有效地消化澱粉，所以大部分都隨著大便排出體外了。

如果你有家庭過敏史，醫生可能會建議你除了母乳和特製的嬰兒奶粉外，其他固體食物要等到更晚的時間才能給孩子餵食。因為，接受新食物時，孩子越大，越不容易對它產生過敏反應。

274. **嬰兒的飢餓感和消化系統**。這兩項都將影響醫生建議孩子吃固體食物的時間。吃母乳的嬰兒如果到了八個星期的時候出現體重增長不正常的現象，或看上去很餓，就應該多餵幾次奶。這個時候不宜餵他固體食物。另外，如果孩子在單獨吃嬰兒奶粉的時候大便一直有點稀，醫生可能會建議你多等一段時間以後再餵固體食物，因為擔心孩子吃了固體食物後，會導致消化系統的進一步紊亂。

275. **不應過早地餵固體食物**。有些家長不想讓自己的孩子比那些在大街上玩耍的其他孩子落後，所以在孩子很小的時候就急於給他們餵固體食物。這樣就給醫生帶來了不小的壓力。我認爲，至少要等到孩子四個月的時候才可以餵他固體食物。如有可能，再晚一點更好。你可以觀察孩子，要等有跡象表明他可以吃固體食物的時候再餵他。比如，他可能會對飯桌上的食物感興趣，並且試圖用手去抓。另外，一定要等他的脖子能夠挺直，反射性伸舌頭的現象消失以後，才能餵固體食物。

276. **固體食物應該在餵奶之前餵呢，還是應該在餵完奶之後再餵？**多數不習慣固體食物的嬰兒到了吃奶的時間都希望先吃奶。如果他一開始吃不到奶，而得到的是一湯匙別的什麼食物，他就會非常氣憤。所以，一開始要先餵他喝奶。再過一、兩個月，當孩子知道固體食物可以和奶一樣解除飢餓的時候，你就可以在孩子吃奶吃到一半的時候，或在吃奶之前試著餵他固體食物。這樣，幾乎所有的孩子都會慢慢地喜歡先吃固體食物，然後再喝點奶當飲料，就像我們大人吃飯的習慣一樣。

277. **該使用什麼樣的湯匙？**茶匙太寬，不適合嬰兒的小嘴使用。而多數湯匙都比較深，嬰兒無法把裡面的東西都舔食乾淨。小咖啡匙比較合適，尤其是那種比較淺的就更合適了。有些家長喜歡使用塗抹奶油用的小刀，或使用木制壓舌板（醫生使用的那種）。還有一種專門給長牙的孩子使用的湯匙。因爲這個時期的孩子喜歡咬東西，所以在湯匙頭上塗有一層橡膠。另外，周歲的孩子已經能夠自己拿著湯匙吃飯了，所以還爲他們專門設計了一種湯匙，它的頭部能夠通過自轉保持平衡。另外還有一種頭部較寬、柄較短的湯匙，也很好用。

278. **怎樣餵固體食物？**餵孩子吃飯的時候，應該讓孩子圍著圍兜直坐在穩當結實的高腳椅上。餵飯的最佳時機是等到孩子餓了但又不是餓得很厲害或感到很疲勞的時候。一個小女嬰吃了第一匙固體食物以後的樣子可能很滑稽，甚至可能有點叫人感到可憐。她可能看上去很困惑，而且感到有些噁心的樣子。她會抽動鼻子，皺起眉頭。這不能怪她，她畢竟從來沒有嚐過這種味道，沒有吃過這種類型的東西，也沒有使用過湯匙。當她吮吸乳頭的時候，奶水就會自動地流向該去的地方。然而她卻從來沒有學過用舌頭的前端接住一團食物，然後再把它移到嗓子裡。所以，她只是用舌頭吧嗒吧嗒地觸動上牙床，而把多數麥片擠到自己的下頦裡。所以你就得把它從她的下頦裡摳出來，重新用湯匙把它送到她的嘴裡，結果，還是有大量的食物被擠出來。但是不要氣餒，有一部分還是被她吃下去了。你一定要有耐心，相信孩子會越來越有經驗。

無論你從哪一餐開始餵固體食物都沒有什麼關係，只要不是在他不餓的那餐餵他就可以了。在吃完奶以後的一個小時左右餵固體食物往往比較容易。但是，必須在嬰兒很清醒，心情也很好，而且樂意嘗試的時候進行。另外，你的狀態也必須這樣。一開始每天只能餵一次固體食物，等到你和孩子都適應了以後再增加。我不贊成在孩子六個月之前餵兩餐固體食物，因爲這個時期母乳或嬰兒奶粉對孩子的營養非常重要。

279. **麥片**。先給孩子餵什麼食物、後給孩子餵什麼食物，都無關緊要。但是，一般都是先餵麥片粥。然而，不是所有的孩子都很喜歡它的味道。不同的孩子喜歡不同的食物。雖然讓孩子適應多樣化食品有好處，但也不能同時給孩子餵兩種食品。用孩子熟悉的飲料調製穀類食品常常能收到較好的效果。所以，可以根據孩子的習慣，用母乳或嬰兒奶粉調製麥片粥。

280. **要給孩子時間去適應新食物**。醫生或保育護士通常會建議你，一開始只給孩子餵一湯匙左右的新食物。如果孩子願意吃，再慢慢地增加到兩、三匙。這種循序漸進的做法，就是爲了確保孩子能慢慢地喜歡上這種食品，不至於爲此而感到惱火。所以不妨先讓他品嚐幾天，直到孩子表現出喜歡吃的跡象時再正式餵他。所以，沒有必要著急。

比較好的主意是，先給孩子餵麥片粥，要調製得比說明上要求的更稀一些，這樣，孩子就會對它更熟悉，而且也容易下嚥。另外，嬰兒不喜歡黏稠的食物。

281. 麥片粥的選擇。多數家長在剛開始的時候，都給孩子餵特製的免煮麥片粥。這種麥片粥種類很多，一調製好即可食用，十分方便。這些麥片粥中多數都補充了鐵，否則，孩子的飲食中將缺乏。缺鐵性貧血在孩子周歲之內很常見。比較聰明的辦法是，每次只餵孩子一種麥片粥，連續餵上四、五天。有的時候，如果孩子的家族有多種過敏史，醫生可能會建議等孩子比一般的孩子都大的時候再餵他麥片粥，而且一開始要先餵他大米粥、燕麥粥或大麥粥。小麥粥要在幾個月以後再餵他，因為它比其他麥片粥更容易引起過敏。另外，醫生還可能建議，一直等到孩子分別食用了其他麥片粥，而且不出現任何問題以後，才讓孩子食用綜合麥片粥。

你也可以讓孩子和其他家庭成員吃一樣的麥片粥。一開始的時候，你可以先給孩子吃白麥片粥（精製麥片粥）。這種麥片粥的原料顆粒細小，含纖維少。等孩子六個月以後，就應該給他換吃最有營養價值的麥片粥——全麥麥片粥。這種麥片粥含有最好的蛋白質、維生素和纖維質。另外，還可以把全麥糙米用手磨細後製成米糊餵孩子。

282. 不吃麥片粥的嬰兒。幾天以後你就會知道你的嬰兒是否喜歡麥片粥了。有些嬰兒好像很確信，「這種東西很怪，但是很有營養，所以我得吃」。隨著時間一天一天的過去，他們越來越感興趣。他們就像鳥巢裡的小鳥一樣，早早地張著大嘴等待餵食。

也有一些嬰兒，從餵食麥片粥的第二天起就認定麥片粥不好吃。到了第三天以後，他們就更不喜歡吃了。在這種情況下你一定要有耐心，絕對不可著急。如果你不顧他的意願強行讓他吃，他就會越來越反感，這樣一來，你也會感到惱怒。這樣再過一、兩個星期以後，他就會變得非常不信任你，甚至連奶瓶也會拒絕接受。所以，每天只能給他餵一次麥片粥，而且不能多餵。在他習慣之前，每次用湯匙前邊盛一點兒餵他就可以了。還可以在裡面加一點兒水果，看看他是否喜歡。如果過了兩、三天以後，雖然你想盡了辦法，但是他還是越來越討厭麥片，那就乾脆過兩、三個星期以後再說。如果你再次試驗的時候他還是拒不接受，那就應該向醫生說明情況，請醫生幫忙解決。

我認爲，不應該在孩子第一次吃固體食物的時候就和他較勁兒。有的孩子後來養成的難以克服的厭食問題往往就是這樣引起的。即使這個問題不會持續下去，這種不必要的僵局對父母和嬰兒也沒有什麼好處。

如果你無法向醫生或保育護士請教，我建議你先餵孩子水果，而不要急於餵他麥片粥。嬰兒第一次吃水果的時候，也同樣感到困惑。但是過了一、兩天後，幾乎所有的孩子都發現自己喜歡吃水果。兩個星期以後，他們就會認爲，所有用湯匙餵的東西都很好吃。這時，你就可以餵他麥片粥了。

283. **開始餵水果**。在嬰兒適應了麥片粥（或同時也適應了蔬菜）幾個星期以後，給他補充的第二種或第三種固體食物通常就是水果。有些醫生認爲應該把它作爲第一種固體食物，因爲嬰兒一般都非常樂意接受它。但是也有的醫生不願意鼓勵孩子偏愛甜食。

在孩子到了可以吃固體食物的時候，通常應該先餵稀釋果汁。你的醫生將幫你確定什麼時候開始餵他。

在孩子六～八個月期間，除了熟透的香蕉之外，其他水果都應該熬煮熟了以後再給孩子吃。給孩子吃的最常見的水果有蘋果、桃子、梨子、杏子和李子。你也可以用爲家人燉煮的新鮮水果或冷凍水果餵孩子，但是要打碎過濾以後才能餵。你也可以使用爲其他家庭成員準備的水果罐頭。但是，一定要買泡在清水裡或水果本汁裡的水果罐頭，而不要買那種用糖漿浸泡的。你還可以買小罐裝的嬰兒果醬。要看清標籤上的說明，確保是百分之百的水果。

無論在哪一餐餵水果都可以，甚至可以根據孩子的喜好和消化情況，一天餵兩次。

孩子喜歡上水果以後，可以慢慢地增加餵食量。多數嬰兒吃半罐嬰兒果醬就夠了，剩下的半罐可以第二天再餵他。如果冷藏得法，水果可以保存三天。如果你不打算把一罐果醬一次餵完，那就不要直接從罐裡取出來餵，因爲進入容器中的唾液可以很快地破壞食物。

給孩子吃的香蕉必須熟透，皮上必須有小黑點，果肉必須棕黃，餵食前將其打爛。如果你認爲對孩子太乾，可以加入一些嬰兒奶或豆奶調製一下。

人們一般認爲水果有通便的功能，而實際上，包括幼兒在內的多數人，食用上述水果以後（除了李子和李子汁，偶爾也包括杏子以外）並沒有明顯的腹瀉或急性腹痛的現象。李子差不多對所有嬰兒都有輕微的腹瀉作用，因此，它對那些慢性便秘者來說是一種十分有價值的食物。對於一個需要排泄而且喜歡水果的嬰兒來說，可以每天在某一餐中安排吃李子醬或李子汁，在另一餐中安排吃別的水果。

如果你的孩子有腹瀉現象，你可以在二、三個月內不再給孩子吃李子和杏子，而每天只給孩子吃一次其他的水果。

孩子六個月以後，除了香蕉以外，你還可以給他補充或改吃其他新鮮水果。比如，用湯匙刮下的蘋果泥、梨泥、鱷梨泥等。由於害怕孩子噎住，所以草莓類水果和無籽葡萄一般都應該在兩歲以後才給孩子吃。即使到了那個時候，你也應該把這些水果打碎了餵他們，而且至少在孩子三歲之前都應該這樣做。

284. 蔬菜。當孩子習慣了吃麥片粥和水果，或兩樣都習慣吃了以後，通常就該在孩子的飲食裡加入濾乾的熟蔬菜了。在給孩子吃水果之前先補充蔬菜可能對孩子有好處，因爲這樣不會讓孩子養成偏愛甜食的習慣。一開始給孩子吃的蔬菜通常是菜豆、豌豆、南瓜、胡蘿蔔、甜菜和馬鈴薯。

還有一些蔬菜也可以給孩子吃，比如硬花甘藍、花椰菜、包心白菜、蘿蔔、高麗菜和洋蔥等。但是這些蔬菜如果像平常那樣加工，就會出現一股極強的異味，所以很多嬰兒都不喜歡。如果你的家人喜歡這些蔬菜，那就可以盡力把它們濾乾，餵給孩子吃。也可以加入一點蘋果汁，以便中和一下菜的異味。一開始的時候不能給孩子玉米吃，因爲玉米粒上裹有一層又厚又大的皮。

新鮮的或冷凍的蔬菜都可以餵孩子。用食品加工處理器、攪拌器或研磨機加工成糊狀的熟的或濾乾的蔬菜也可以餵。還可以餵嬰兒專用的瓶裝菜泥，但是要買純蔬菜加工的，而不要買混合物。

如果你不打算一次餵一瓶，那就不要直接從瓶裡取出來餵孩子，因爲唾液會使食物腐壞。你可以根據孩子的需要，餵他好幾匙或半瓶菜泥，剩下的冷藏好以後第二天可以繼續給孩子吃。要注意，熟蔬菜壞得比較快。

嬰兒對蔬菜比對麥片粥和水果挑剔得厲害。你可能會發現有一、兩種蔬菜你的孩子不喜歡吃。但是，不要督促他吃，可以過一個月左右再試一次。我們有很多蔬菜可以選擇，所以，沒有理由爲一、兩種蔬菜而傷腦筋。

孩子剛吃蔬菜的時候，大便裡出現沒有消化的蔬菜是很正常的。只要大便不稀，沒有黏液，就不是壞信號。在這種情況下，要慢慢地增加給孩子吃的各種蔬菜的數量，直至孩子的消化系統學會處理這類蔬菜爲止。如果某種蔬菜導致孩子腹瀉或大便中含有黏液，可以暫時停止餵他這種蔬菜，過一個月以後再試試看。

甜菜會導致尿液顏色變深，並且會使大便顏色變紅。所以，如果你知道這是甜菜在作怪，而不是血，就沒有什麼值得擔心的了。另外，綠色蔬菜常常把糞便的顏色變成綠色。而菠菜能導致某些嬰兒嘴唇乾裂，以及肛門周圍紅癢。出現這種現象後，要放棄餵食菠菜，過幾個月以後再試一次。

285. **高蛋白食物**。孩子熟悉了麥片粥、蔬菜和水果以後就可以餵別的食物了。你可以把小扁豆、雛豆和菜豆等豆類煮得很爛，試著餵他吃。如果你使用罐頭菜豆，應該把它們放入濾器裡沖洗乾淨，以便去除一部分蘇打。一開始餵煮熟的菜豆時，只餵一點就可以了。如果你發現孩子的屁股上長疹子，並且在大便中發現沒有消化的菜豆碎塊，那就需要等幾個星期以後再餵，而且一定要煮爛了以後再餵。豆腐也是一個很好的選擇。很多嬰兒很樂意一小塊一小塊地吃，或用蘋果醬、其他果醬或蔬菜拌著吃。

有些人主要把家畜肉、魚、家禽肉、蛋類，或乳製品作爲蛋白質來源。而許多營養學家現在認爲，這些產品對人不是很有利。學齡前對這些食物已經成癮的孩子，成年以後將爲這些食物中所含的脂肪、膽固醇和動物蛋白付出昂貴的代價。爲此，我建議你多開發素食，把這些素食的好處帶給你的孩子。

關於很小的嬰兒的吃肉問題更需要特別的關注。家禽肉、牛肉、豬肉和其他肉類往往都含有細菌。這些細菌肉眼看不見，但是能導致嚴重的感染。最近幾年裡，這種疾病的流行程度很值得警惕。對於這種疾病，嬰幼兒比大人更爲敏感。每次加工肉食的時候，都必須使之徹底熟透，生肉接觸的任何表面或器皿都必須仔細清洗乾淨。如果你能爲全家人準備不含肉食的飯菜，那就更好了。

286. **嬰兒正餐食品**。有很多種瓶裝嬰兒「正餐」食品，它們通常含有某種少量的肉和一種蔬菜，並且配有大量的馬鈴薯、米或大麥。我認爲最好買個別瓶裝的蔬菜、穀類、菜豆和水果，這樣，你就能清楚你的孩子每一種食物吃多少了。

有時孩子可能會出現過敏。如果他吃的是混合食物，就很難弄清楚這是哪一種食物引起的。只有當孩子分別吃過其中的每一種食物，並且沒有任何反應的時候，你才能心中有數。

287. **第六個月後的飲食**。到了六個月的時候，你的孩子就可以吃麥片粥、各類水果、蔬菜和菜豆了，而且可能每天需要吃一至三餐固體食物

（參見 303）。在孩子比較飢餓的情況下，一般可以安排早餐吃麥片粥；午飯吃蔬菜、豆腐或煮得很爛的菜豆；晚飯吃麥片粥和水果。但是並沒有不可改變的規則，一切都取決於你的便利和孩子的食欲。比如孩子如果不太餓，就可以早晨餵他水果，中午餵他蔬菜、豆腐或菜豆，而晚上只餵麥片粥即可。有便秘傾向的孩子每天晚上可以和麥片粥一起餵李子醬，在早餐和午飯的時候餵另外一種水果。你可以讓孩子在晚飯的時候和其他家庭成員一起吃菜豆和蔬菜，在午飯的時候吃麥片粥和水果。

許多吃母乳的孩子和有些吃嬰兒奶粉的孩子，到了第六個月的時候才開始吃固體食物。這些孩子的消化系統和飲食興趣比他們四個月的時候成熟得多。所以，餵他們新食物的間隔可以縮短，而且可以馬上就讓他們向一日三餐邁進。

288. **手抓食物**。孩子六、七個月的時候就想自己用手抓食物吸吮或啃咬，而且已經能夠做到了。這是一種很好的訓練，可以爲孩子一歲左右自己用湯匙吃飯做好準備。如果永遠不讓孩子自己用手抓東西吃，他們就不太敢自己拿著湯匙吃飯。

在這個階段，習慣上給孩子的第一種手抓食物是全麥麵包，或是吐司。但是不要給孩子含糖的磨牙餅乾。嬰兒啃咬或吸吮食物時，全憑光禿禿的牙齦。但是，他們可能感到牙齦刺痛，因此就想去咬。慢慢地唾液就會將食物泡濕，使其有些部分被摩擦或溶解到嘴裡，使孩子感到有所收穫。當然，多數食物都沾到了他們的手上、臉上、頭髮上，甚至家俱上。

不久以後，你就可以把一小片水果，或煮熟的蔬菜和豆腐，放到孩子的高腳椅的盤子上，讓他自己去用手抓著吃。

有些嬰兒喜歡父母從自己的盤子裡拿食物餵他們。也有些嬰兒，如果父母拿著他們的手抓食物餵他們，他們就堅決不吃，但是卻很願意自己抓著吃。有的嬰兒可能會把所有的東西一下子塞到嘴裡，所以在一開始的時候，你一次只能給他一塊。

一般說來，嬰兒在七個月左右會長出第一顆牙，然後，一年內會長出4～6顆銳牙。也許要等到十五個月以後才能長出第一顆臼齒。但是，他們對飯桌上的多數食物都能應付自如。所以差不多所有的孩子到了周歲的時候，都可以丟開嬰兒專用食品，靠自己用手抓家人飯桌上的食物來吃。

289. **泥狀食物和塊狀食物**。孩子到了六個月以後，你可能會希望他適應塊狀食物或剁碎的食物。如果孩子過了六個月以後很久仍然僅僅吃糊狀食物，那麼，他將越來越難以改變這種飲食習慣。人們以為，孩子沒有長出一定數量的牙齒之前沒有辦法吃塊狀食物。這是不正確的。其實，他們能夠用牙齦和舌頭把煮熟的塊狀蔬菜或水果、全麥麵包和吐司磨成糊狀。

有些嬰兒似乎生下來見了塊狀食物就噁心，也有些嬰兒和大一點的孩子則見了粒狀食物就噁心。原因是父母讓孩子改吃剁碎的食物改變得太突然或太晚。或因為孩子不想吃某種食物的時候，而家長強迫他吃引起的結果。

讓孩子改吃剁碎的食物有兩點必須注意。首先，一定要慢慢地來。比如，當你第一次給孩子吃剁碎的蔬菜時，要用湯匙把它打得爛一些，而且千萬不要給孩子餵得太大口。要等孩子習慣了這種稠度的食物以後，再逐漸地一次比一次不爛一些。第二，要允許孩子拿起熟胡蘿蔔塊來吃。比如，允許他自己用手抓起它，並且把它放進嘴裡。當孩子還沒有適應塊狀食物的時候，如果把一整匙這種食物放進他的口中，他就會受不了。

所以，在孩子六個月左右的時候，你應該先給他手抓食物。你可以把為家人準備的熟蔬菜、新鮮水果或燉熟的水果打爛給孩子吃，也可以買現成弄碎的瓶裝嬰兒專用食品。

你沒有必要把所有的食物都做成塊狀。只要把孩子每天習慣吃的那幾種食物做成塊狀就可以了。

如果給孩子吃肉，還應該繼續把它研磨成細膩的醬泥。多數孩子不喜歡肉塊，因為他們咀嚼起來很費勁。只要一小塊肉塊，他們就常常咀嚼很久而沒有任何收穫。另外，他們也不敢像大人那樣，在咀嚼累了的時候就把整塊肉囫圇吞下去，因為這樣可能導致窒息（請參見546）。正如我早些時候提到的，無論在什麼情況下，我都不贊成給孩子肉吃。

多數孩子都喜歡吃馬鈴薯、通心粉和米，所以可以將家庭成員吃的其他食物餵給孩子吃。但是要選擇全麥通心粉和糙米，因為這些食物中的纖維和維他命含量比精製產品高。另外，還需要補充一些別的穀類來作為調劑。

290. 自製嬰兒食品。由於想法上或經濟上的原因，許多家長都喜歡自己製作嬰兒食品。這樣做是比較安全的。優點是，你可以自己掌握製作方法和配料，可以自己選用新鮮的和有機的食物，而且自製嬰兒食品價格低廉。

關於這方面的知識有很好的書籍可以參考。你需要準備一台研磨機、絞碎機或食品加工器。你可以在一個廉價的煎蛋鍋裡、雙層蒸鍋裡或微波爐裡把某一種食物重新加熱。但是，一定要把食物攪動好，而且要試試溫度（使用微波爐的時候尤其需要這樣做），溫度合適的時候才能餵給孩子吃。你可以一次煮很多食物，然後再按照孩子目前的喜好做成泥狀。如果需要，可以用水、擠出來的母乳或嬰兒奶粉把它調稀。還可以按照需要的塊狀把它裝入冰塊冷凍盤上冷凍，然後放入冷藏袋裡保存備用。周歲以內的孩子的食物不應該加佐料。

如果你的孩子和家人吃一樣的飯，你們的口味就需要做適當的調整，避免太鹹或太甜。在這種情況下，準備一台小型手動食物研磨機將十分方便。

291. 市售嬰兒食品。最早的瓶裝嬰兒食品只包含一種蔬菜、一種水果和一種肉。從那時起，生產廠家便開始向著蔬菜與澱粉混合，水果與澱粉混合，以及包含澱粉、蔬菜和肉食的「正餐」食品罐頭方向發展。食品罐頭中使用的澱粉多數都是精製的大米、精製玉米和精製小麥。由於精製加工，這些穀類中的維生素、蛋白質和纖維含量已經減少。

生產嬰兒食品的廠商為了使他們的食品對家長和孩子有吸引力，多年來一直在食品中添加糖分和食鹽。但是，由於醫生、營養學家和家長的抱怨，這種做法已經大大地收斂了。當你購買瓶裝嬰兒食品的時候，要仔細閱讀標籤上的小字。因此要注意買瓶裝純水果或純蔬菜，確保你的嬰兒在吃到充足而又營養豐富的食品的同時，又不攝取過多的精製澱粉。不要買加糖或加鹽的瓶裝嬰兒食品。

一開始不要給孩子吃玉米澱粉布丁和果凍甜食，因為這兩種食物的營養配方不科學，而且都含有大量的糖分。應該給孩子吃純淨的濾乾水果。由於嬰兒從來沒有吃過精糖，所以他們會覺得這種食物很甜。

許多家庭都自己動手做一部分或全部嬰兒食品。這種做法不僅有利於自己掌握配料，而且能增加食品的花樣。另外，其他家庭成員吃的許多食物，都可以讓孩子一起吃。

292. **在適應塊狀食物的過程中，所有的嬰兒都會發生哽塞**。就像他們學走路的時候都會摔跤一樣。十次中有九次，孩子噎住後都會自己嘔出來，然後再嚥下去，根本不需要任何幫助。當他們不能馬上嘔出來或嚥下去的時候，如果能看得見，你可以用手指把它摳出來。如果你看不見，可以讓孩子臉朝下趴在你的大腿上，用你的手掌在他的後背連拍兩、三下。這樣一般都能解決問題，孩子又可以接著吃飯了。有些家長非常擔心孩子哽塞後不知如何處理，所以他們一直拖延到孩子很大了，能夠避免這些問題的時候才開始給孩子餵手抓食物和固體食物。

在孩子五歲之前，最容易使他哽塞的食物是熱狗、圓糖塊、花生、葡萄、小蕃茄、小果凍、小甜餅、肉塊或肉片、生蘿蔔片、花生糖、蘋果塊和爆米花等。出現這類問題的原因並不是因為孩子的咀嚼能力和吞嚥能力弱，而是因為孩子哈哈大笑、咯咯笑、哭叫或驚訝的時候，突然深呼吸所致。突然的深呼吸能夠將食物直接吸入肺中，阻塞氣管，導致肺萎陷。

但是，這並不是說五歲以下的嬰兒不應該吃這幾種食物。不過，除了切碎的蔬菜熱狗以外，我不贊成給孩子吃別的熱狗，也不贊成給他吃糖果。無論幾歲的孩子，都不應該吃這幾種食物。孩子吃東西的時候應該坐在飯桌前，由大人仔細地監護著。要鼓勵他細嚼慢嚥，而且要把蔬菜熱狗、葡萄和類似的食物切成更小的碎塊。

293. 飲料。在使用奶瓶階段，應該用奶瓶給喝嬰兒奶粉的孩子餵水，而不是餵果汁。果汁中含單糖，它會產生齲齒，並且破壞孩子對其他營養食品的食欲。

當你的孩子能夠使用杯子的時候，就可以餵他果汁了。有些果汁中補充了鈣，對孩子有好處。要買百分之百的原汁，而不要買加糖的混合果汁。由於果汁中含單糖，所以，每天給孩子的限量最好在110～220C.C.之內。如果你喜歡，可以用水稀釋。由於有些嬰兒消化不了橘子汁，甚至還會產生過敏，所以，必須在孩子九～十二個月的時候才能作爲常用飲料。嬰兒通過母乳、嬰兒奶粉以及補充的維生素獲得了充足的維生素。如果你的醫生建議給孩子補充橘子汁，你可以購買新鮮的或冷凍的、瓶裝的、紙盒裝的或罐裝的。橘子汁通常都是加一倍水配製而成的，這樣，它的味道就不會太濃了。一開始餵孩子的時候，要用一湯匙橘子汁加一湯匙水，第二天餵兩匙橘子汁加兩匙水，第三天餵三匙橘子汁加三匙水，這樣依次類推，一直達到每天餵30C.C.爲止。然後慢慢地減少水分，增加橘子汁的比例，直至你每天餵孩子60C.C.純橘子汁爲止。如果你的孩子還在使用奶瓶吃奶，就要把橘子汁濾淨，以免裡面的果肉阻塞奶嘴上的孔。孩子開始使用杯子以後，你就可以用杯子餵他橘子汁了。你可以從冷藏室裡拿出來直接餵他，也可以餵他室溫的，還可以稍微加溫。但是，決不能把它加熱，因爲加熱以後就破壞了維生素C。

不給孩子喝蘇打水是對的，因為裡面含有嬰兒不需要的糖分、人工色素和咖啡因。

294. **蛋類**。很久以來，蛋黃被認為是一個重要的鐵質來源。然而最近的研究證明，嬰兒的腸胃很難吸收蛋黃中的鐵質。而且還證明，如果不是和維生素C一起吃，蛋黃中的鐵質還會影響嬰兒對其他鐵質的吸收。另外，蛋黃中含有大量的膽固醇，它對成年以後的血管硬化和心臟病有著重要的關係。有這類病史的人更容易受其影響。很久以前人們就知道，蛋白能導致某些孩子過敏，對於那些有這類病史的孩子尤其如此。

295. **周歲後的飲食**。為了防止被孩子的飲食內容弄糊塗了，這裡有一個清單，上面大致列舉了周歲末的孩子成長發育所需要的食物。這個飲食安排適合比較大一點的孩子。但是要記住，和父母的願望相比，這個年齡的孩子的飯量常常不能令父母滿意。

- **早餐**：麥片粥（全麥小麥粥或全麥燕麥粥，或不含糖的涼麥粥）、吐司、薄煎餅、法國吐司、水果、果汁、豆奶。
- **午餐**：蔬菜（塊狀的綠菜或黃菜）、馬鈴薯、豆製品或菜豆類、水果、小塊三明治（例如用豆奶稀釋的花生醬，同香蕉泥混合）、吐司、豆奶或豆製優格。
- **晚餐**：麥片粥、水果、豆奶或家常飯。也可以讓孩子在晚飯時和全家人一起吃，而午飯時只吃一些含澱粉的食物，例如馬鈴薯或麥片粥，然後再吃些水果或蔬菜就可以了。
- **奶**：在每餐之間通常不給孩子餵奶，因為奶在胃裡要停留三到四個小時，會影響孩子下一餐的胃口。
- **果汁**：包括橘子汁，每天在餐與餐之間和早餐中都要餵。
- **麵包**：全麥小麥或黑麥麵包，在吃飯的時候或餐與餐之間都可以給孩子吃。

• **冷凍食品**：冷凍食品和新鮮食品、罐頭食品一樣，都很適合孩子吃。但要注意，如果把冷凍食品從冰箱裡拿出來的時間太長，就很容易變質。諸如奶、含奶的製品（布丁、肉餡、沙拉醬）、蔬菜和禽肉餡等更容易變壞。

296. **嬰兒不宜食用的食物**。有些食物對人的害處大於益處。雖然你的孩子將不顧你的阻止，最終發現這些不益於健康的食物，但是，現在你還是應該控制他們的飲食。下面就是他們應該迴避的食物：

• **含糖食品**：糖果、加糖果汁和蘇打水會產生齲齒，並且影響孩子對其他營養食物的食欲。

• **肉類**：家畜肉、家禽肉、魚等食物都含有脂肪和膽固醇，會導致肥胖、心臟病和某些癌症。如果孩子長大以後沒有養成吃這些食物的習慣，他將終生受益。他們的口味將不會再轉向這類食物。另外，肉品中的細菌經常將肉品腐壞，不吃肉就會大大減少被感染的機會。

• **乳製品**：非乳製品（尤其是豆奶）具有牛奶和其他乳製品無法比擬的優點。這些產品中不含動物脂肪、動物蛋白和乳糖，而營養價值卻相當高。這個問題將在302中詳細說明。

• **人工味精和人工色素**：爲了吸引孩子（和他們的家長），生產廠商在嬰兒食品中加了色素和味精，但是它們根本沒有任何營養價値。這些人工添加劑能導致過敏，甚至能導致少數兒童的行爲問題。

• **咖啡因**：咖啡因見於可樂、紅茶和巧克力中。它有興奮作用，應該儘量避免食用。

• **玉米糖漿和蜂蜜**：玉米糖漿和蜂蜜絕對不應該給一歲以內的嬰兒食用。這些甜食中含有臘腸毒菌的孢子，而嬰兒的消化系統尚未發育成熟，不能消滅這些孢子。

297. **補充養分**。孩子的需求包括：

・**鐵**：無論是吃母乳還是吃嬰兒奶粉的孩子，到了四～六個月的時候都需要補充鐵。六個月～三歲的兒童平均每天需要10毫克的鐵，其中還不包括他們從食物中攝取的鐵，以及他們可能攝取的維生素和礦物質。如果用加鐵奶粉就可以解決這個問題。

・**氟**：如果水中不含氟，就應該給嬰兒補充。六個月～三歲的幼兒每天應該補充0.2～0.5毫克。三～六歲的兒童應該每天補充0.5毫克。六～十二歲的兒童應該每天補充1.0毫克。如果你的孩子飲用的水中含氟，那就沒有必要特別補充了。

・**維生素D**：如果讓孩子的頭部和手部在一個星期中平均每天曬兩個小時的陽光，他就能自己製造維生素D。黑皮膚的孩子和住在寒冷地區的孩子，需要曬更長時間的陽光才能獲得足夠的維生素D。缺乏維生素D會導致佝僂病，這是一種骨質柔軟而且脆弱的疾病，所以，如果對孩子獲得的日照時間有懷疑，就應該給他補充維生素D。吃母乳的孩子和皮膚上有色素沉澱的孩子，如果每天獲得的日照時間有限，就應該每天補充400國際單位（IU）的維生素D。

・**維生素B_{12}**：如果餵母乳的媽媽吃的主要是植物類食物，而且孩子斷奶以後的主要食物也是植物類，那麼，就應該給他補充維生素B_{12}。這種飲食對身體有很多好處，所以我才衷心向你們推薦。但是，爲了確保營養均衡，一種最簡單的辦法就是補充維生素B_{12}。從六個月～一歲的孩子，每天應該補充0.5毫克維生素B_{12}。一～三歲的孩子每天應該補充0.7毫克。

298. 低脂肪飲食對幼兒無益。儘管我建議大一點的孩子和成年人應該吃低脂肪的食品，但是對於嬰兒和兩歲以內的孩子來說，這種飲食是不適合的。有些脂肪對孩子的成長和大腦的發育很重要。兩歲以下的孩子需要吃豆製品、花生醬、其他堅果醬和鱷梨，因爲他們需要這些食物中的脂肪爲他們提供足夠的熱量。孩子不需要動物脂肪，比如不需要肉類和全奶中的脂肪。他們需要的脂肪主要來自菜油。所以，不要讓你的孩子靠低脂肪飲食維持生命，而要選擇一些除了能提供脂肪以外，還能提供其他東西的食物。當然，如果孩子的身體有什麼特殊的疾病，你應該遵照醫生的囑咐給孩子餵食。

飲食時間的變化

299. **什麼時候可以取消父母睡前餵奶？**這要看孩子是否已經做好了準備。判斷孩子是否已經做好準備的方法有兩個：

第一個是看孩子是否能一覺到天亮。但是，不能因爲孩子經常在前半夜十點或十一點還睡不醒（而需要大人把他弄醒）就認爲他已經做好準備。因爲即使你不把他弄醒，他也會在半夜醒來。如果他天天都需要你把他弄醒，那也最好過幾個星期以後再說，看看他是否能一覺到天亮。如果他在下半夜餓得醒來，那就應該在你睡覺前繼續餵他，而且要繼續餵上幾個星期。

當然，如果你的孩子很小，長得很慢，或有消化障礙，那麼，在你們睡覺之前還是應該堅持給他餵奶，而且應該多堅持一段時間。即使這樣的孩子能夠一覺睡到天亮，也有必要在你們睡覺之前堅持餵他一段時間。

第二個是看他是否不停地吮吸大拇指。如果是，可能說明他在吃奶的時候沒有盡興。如果在這種情況下減少一次餵奶時間，你就會進一步減少他的吸吮機會。但是，如果你盡了最大的努力來滿足他的吃奶要求，而他仍然不停地吸吮手指，那就沒有必要一直堅持睡前餵奶了。一方面是因爲孩子長到一定的時候不願意在夜間醒來。另一方面，即使你夜間費很大的勁兒把他弄醒了，他吃了一些奶以後也會馬上又睡著。所以在這種情況下，無論孩子是否繼續吮吸手指，我也肯定不會在睡覺之前再給他餵奶了。

一般說來，當孩子能夠一覺睡到天亮，而且父母睡前不給他餵奶他也不感到餓的時候，就可以給他斷掉這一次奶了。這大約是在孩子三～

六個月的時候。如果孩子特別喜歡吮吸拇指，而且特別需要父母在睡覺前餵他一次奶，那麼，就需要等到孩子五～六個月的時候才能給他斷掉這次奶。

多數嬰兒到了自己能夠做到的時候，就不再需要父母睡前餵奶了。但是也有一些孩子，特別是那些一出聲媽媽就急忙餵奶的孩子，將會無限期地繼續下去。如果你的孩子已經七、八個月了，但是仍然在大人睡前醒來要吃奶，那就應該想辦法幫助他克服這個習慣。這麼大的孩子如果白天吃得飽，體重增長正常，夜間根本不需要補充營養。所以，你可以儘管讓他哭鬧而不要去理他，看他過幾分鐘以後能否再次入睡。

有的時候孩子需要在其他的吃奶時間多吃一些，以彌補父母睡前少餵他的這一次。有的時候則不需要。如果是我，孩子不想吃了，我就不會再督促他吃。

300. **如果你的孩子在六～九個月的時候沒有食欲怎麼辦？**其實，一個孩子可能在最初的二、三個月很樂意吃固體食物，然後卻突然沒有胃口。其中的一個原因，可能是他到了應該減慢成長速度的時候了。在他的前三個月裡，他可能平均每個月增長0.9公斤。到了六個月以後，他就可能下降到每月0.45公斤了。否則，他將長得太胖。另外，他還可能由於長牙而感到不適，所以有些孩子變得很多固體食物都不愛吃，還有的連母乳和奶粉也不想吃。六個月以後，有些孩子甚至會不讓大人餵。如果你讓他們吃可以用手抓的食物，同時你再用湯匙餵他，這個問題往往就能得到解決。

無論孩子在睡覺之前吃母乳還是嬰兒奶粉，在白天都要執行三餐制（參見303）。

如果經過這麼多的努力之後，孩子的胃口仍然沒有長進，就應該帶他去看醫生，看看他的身體有沒有別的毛病。

301. **什麼時候可以開始給孩子改餵豆奶或其他奶。**一歲以內的孩子需要母乳或嬰兒奶粉。未經處理的奶（不同於特別調配的嬰兒奶粉）含有的蛋白質、脂肪和碳水化合物等成分很不適合孩子吃，而且所含的維生素和礦物質也滿足不了幼兒的需要。爲大孩子和成年人製作的豆奶、米漿、堅果奶也存在同樣的問題。

大約周歲的孩子可以吃強化豆奶。但是要選擇加鈣和維生素D的豆奶。如果孩子不吃動物產品，維生素B_{12}強化豆奶就是孩子攝取這類維生素的便利來源。維生素B_{12}的其他可靠來源包括強化麥片粥、兒童維生素、營養酵母和人造肉（通常用大豆製成）。

兩歲以內的嬰兒不應該食用低脂奶或脫脂奶，因爲他們還需要天然脂肪爲他們提供熱量。

302. 吃什麼奶好？我建議不要給孩子餵牛奶，而應該餵豆奶或從植物中提煉出來的其他奶。強化豆奶中含有鈣和維生素D，它提供了自然的脂肪，但是又不是動物脂肪，而且不含任何動物蛋白和乳糖。雖然幾乎所有的事物都可能導致過敏反應，但是，豆奶引起過敏的可能性比牛奶要小得多。

有些孩子有呼吸道、皮膚過敏、慢性中耳炎或消化不良等疾病。不吃牛奶以後這些疾病就消失了。另外，牛奶還影響孩子對鐵質的吸收，而且它自身幾乎不含任何鐵。

很多健康食品店和正規的副食店除了出售濃縮奶以外，還出售豆奶。豆奶對大人也很有好處。如果你還給家人喝牛奶，我建議你嚐一嚐各種品牌和各種味道的豆奶，以及其他植物奶。下面我就告訴你一些術語。

「巴氏消毒」（Pasteurized）是指該奶製品經過了長時間的適當加溫，已經將對人體有害的細菌殺死，但是並沒有經過高溫將所有的細菌殺死，否則，奶就會有一種煮熟的味道。「均質」（homogenized）是指把脂肪顆粒均勻地分解成很小的顆粒，使孩子吸收比較容易，而且使奶油均勻地混合在奶中。「維生素D奶」是指每一夸脫中含有400單位維生素D的奶。「全奶」(whole milk)是指含有3.25～3.5％的乳脂的奶。

市面上可以買到各種各樣的低脂奶，有液體的，也有粉狀的。但是它們不適合兩歲以內的孩子吃。所以除非醫生讓你把它作爲孩子的特殊食品的一部分，否則不要給孩子吃。

303. **什麼時候可以讓孩子改爲一日三餐制？**這要看孩子什麼時候能夠適應。一般說來，在孩子四～十個月期間的某個時候就可以著手這麼做了。如果你的孩子在下一餐之前的一個小時就餓得哭鬧，那麼，無論他多大，都不適合改爲一日三餐制。不管在什麼情況下，剛開始改爲一日三餐的孩子仍然需要在三餐之間補充點母乳、嬰兒奶粉或其他食物。

嬰兒在四～六個月的時候可以吃固體食物。首先每日餵一次，然後按照他們自己的發展需要，逐步實現每日三餐制。在這段期間，他們幾乎不可避免地仍然需要在早晨吃一次奶。但是，他們會接著再睡上一個小時(他們的父母也將慶幸地再睡上一個小時)。之後，全家人就該起床吃早餐了。

在上午時段的小睡之前，小嬰兒可能需要再吃一次奶、水果或果汁。如果孩子試圖放棄上午的小睡，他可能就需要早一些吃午餐，這樣，上午的小睡就改成了下午的小睡了。比較小的嬰兒在下午的小睡之前，可能需要吃一次奶，而大一點的孩子可能需要吃水果或果汁。晚餐通常都吃得比較早。孩子大一點以後，就可以和家人一起吃晚餐了。還在吃奶的嬰兒通常要一直吃到他們斷奶的時候爲止。斷奶開始以後，清晨和深夜的兩餐奶通常是最後取消的。

到了某個階段，你的孩子可能有淸楚的跡象顯示，他可以改爲一日三餐了。比如，到了他每隔一餐才能好好地吃一頓飯的時候，就需要讓他改爲一日三餐了。這樣他就能在每次吃飯的時候都感到飢餓。否則，孩子勢必會養成不愛吃飯的習慣。

另外還要考慮父母的方便。在嬰兒已經能夠間隔四個多小時吃一頓飯(儘管他仍然願意多吃幾頓)的情況下，如果媽媽還要忙於給大孩子準備飯，那麼她就會自然地考慮到讓嬰兒和其他大孩子一樣，一日三餐在同一個時間吃飯。她完全可以這樣做。當孩子已經不太吮吸手指的時候，尤其可以這樣做。有些（尤其是那些剛有第一個孩子的）家長發現，每隔四個小時左右餵一次孩子比每日三餐還方便。其實，讓孩子多堅持一段時間的四小時一餐制也不是不可以，只要他們到了四個小時就感到飢餓就可以堅持這樣做。換句話說，孩子的飲食間隔變化並沒有定規，而只能合情合理地憑著感覺走。孩子的生活規律發生變化的時候你當然知道，而且你也知道如何根據你的情況做出相應的調整。

當孩子改爲一日三餐以後，每次餵飯的具體時間主要取決於其他家庭成員的習慣和孩子的飢餓規律。你慢慢地就會知道什麼時候需要餵孩子水果或果汁。而且你還會知道餵多少才不至於讓孩子在吃飯前過於飢餓，並且不至於到該吃飯的時候不想吃飯。

一般說來，孩子需要用三、四個小時才能將喝進去的奶消化掉，所以吃飯前不應該給孩子喝奶，否則就會影響孩子對下一餐的食欲。當孩子的吃奶次數減少到每天三次的時候，他每天吃奶的總量可能會比原來的少，因爲他可能還像原來一樣，每次只吃170～220C.C.，而不想多吃。但是不要爲此而著急，也不要爲了讓他達到每天吃850C.C.的目標，而設法在其他時間裡補餵。多數嬰兒每天能吃到560～680C.C.就足以維持身體的正常需要。另外，如果你的嬰兒與衆不同，他每餐都需要喝280C.C.的奶，那麼，你可以一直這樣餵到他兩歲。

食欲與習慣的變化

304. 飲食習慣變化。孩子的飲食習慣很容易發生變化。他們對食物越來越挑剔的原因很多。到了大約一歲的時候，嬰兒將在食欲上發生變化。他們對食物更加挑剔，而且飢餓感減退，這一點不值得大驚小怪。如果他們一直像很小的時候那樣吃東西，那樣長大，那麼，他們就將長得像一座大山一般。現在，他們似乎感到他們有時間先看看食物，然後再問一問自己：「今天吃點什麼好呢？」這與他們八個月前形成了多大的反差啊！那時，還不到吃飯時間他們就已經餓得受不了了。當媽媽給他們繫圍兜兜的時候，他們就會急得可憐兮兮的，並且向前伸著脖子等待吃東西。他們根本不太在乎吃什麼，因爲他們已經餓得顧不了這麼多了。

他們現在之所以變得挑剔，除了感覺不太飢餓之外還有別的原因。他們已經認識到，「我是一個和他人不同，而且有獨立見解的人」。所以，就對他們原來不喜歡的食物進行堅決抵制。他們的記憶力也比從前好多了。他們或許已經認識到，「這裡的開飯時間很規律，而且吃飯時間也很長，每頓飯都能等到我吃飽喝足爲止」。另外，當孩子長牙的時候，尤其是前面幾顆門牙正在出頭的時候，他們的食欲也常常大減。他們可能連續幾天一直僅吃半飽，有時甚至完全拒絕吃東西。

最後（也許是最重要的）一點：孩子的食欲實際上每天或每個星期都在發生變化。我們大人知道，某一天我們會津津有味地喝上一大碗蕃茄湯，而到了第二天我們可能又想喝豌豆湯。嬰兒和大一點的孩子也一樣。你之所以常常看不出周歲以內的幼兒的這種食欲改變，是因爲他們常常餓得很厲害，所以才對任何食物都來者不拒。

305. **暫停某種蔬菜**。孩子到了周歲的時候，如果他上個星期還很喜歡吃某種蔬菜，而現在突然拒絕吃，那就不要讓他吃了。如果你今天不太把它當作一回事，也許到了下個星期或下個月他又會想吃這種蔬菜了。但是，如果他不想吃的時候你非要讓他吃不可，你只會使他加深這樣一種印象：這種食物是絕對不可以吃的。這樣一來，你就把他暫時不想吃的東西變成了令他永遠討厭的食物了。所以，如果他連續兩次拒絕吃同一種蔬菜，那就過兩、三個星期以後再說。

對於家長來說，把孩子幾天以前很喜歡吃的東西買回來，煮熟了，再端到孩子的跟前，而這個小傢伙卻不吃，這肯定會令人惱火。在這種情況下，要想做到心平氣和，避免武斷是很難的。但是，如果你強迫他或催促他吃，他就會對這種食物更加反感。所以，如果某種蔬菜他只吃了一半就不想吃了（這是兩歲的孩子常有的事），那就應該給他吃他喜歡吃的那一種。這是一種明智而又使人愉快的做法，因爲你可以充分利用現有的，而且花樣繁多的各式新鮮的、冷凍的或罐頭食品。如果他暫時什麼蔬菜都不想吃，而只喜歡吃水果，那就讓他多吃水果好了。如果他能吃到足夠的水果、豆奶和高質量的穀類，他就不會缺少任何蔬菜中的養分了。

306. **吃膩了麥片粥怎麼辦？**許多孩子從兩歲的某個時候起開始厭惡麥片粥。他們尤其不喜歡午餐吃麥片粥。遇到這種情況也不必強求，因爲有許多替代品可以給他們吃（這類替代品將在521-523中詳細介紹）。即使在幾個星期內他們拒絕吃任何澱粉類食物，也不會對他們有任何影響。

307. **做好心理準備，應付孩子的口味變化**。如果你不去強迫孩子吃某種食物，那麼，即使他們每一餐或每天都有偏食現象，也很可能會在各個星期之間保持均衡。如果他們的飲食在幾個星期內無法保持均衡，你就應該和你的醫生或保育護士共同研究解決這個問題。

308. **吃飯時玩耍**。在孩子周歲之前，這個問題可能就已經相當突出了。這個問題的出現是因爲孩子對食物的興趣減弱，轉而更關注於各種新鮮的活動，比如到處爬、玩弄湯匙、玩弄食物、把杯子弄翻以及往地上扔東西等。我曾經見過一個周歲的孩子，在吃飯的整個過程中都緊靠著椅背站著讓大人餵；有的時候卻要大人一手拿著湯匙，一手端著盤子滿屋子追著餵。

不正經吃飯只不過是一種現象。它不僅說明孩子在長大，同時也說明，大人在孩子吃飯的問題上有時比孩子還著急。孩子的這種表現給大人帶來很多不便，所以很令人惱火。另外，它也容易導致孩子的飲食障礙。我是決不會允許這種現象繼續下去的。你可能會發現，孩子都是在吃得大半飽的時候，或在完全吃飽了以後才到處爬著玩耍，而不是在他眞正飢餓的時候。因此，無論什麼時候，只要他對食物失去興趣，就應該認爲他已經吃飽了，就應該把他從椅子上抱下來，並且把吃的東西拿走。堅決一些是對的，但是不必要爲此而惱火。如果你把吃的一拿走孩子就哭，好像是說他並不是不餓，那就應該再給他一次機會。但是，如果他沒有一點悔過的表現，那就不要再餵他了。如果他在兩次正餐之間餓得很厲害，你可以適當地增加點心的分量，或把下一餐的開飯時間提前。如果每當他開始不好好吃東西的時候你就停止餵他，他就會在飢餓的時候認眞主動地吃飯了。

應該停止餵食的時候。

接下來我想說一說我的保留意見。一歲左右的嬰兒特別願意把手指插入到菜盤子裡，用手去抓捏麥片，或把撒在托盤上的奶滴滿盤子。但是，這並不是他不好好吃飯的表現，因爲與此同時，他可能把嘴張得大大的等著你餵他。實際上，他只是在試驗一下食物的感覺，所以我不會阻止他。但是，如果他想把托盤掀翻，那就要穩穩地把盤子按住。如果他堅持要掀，你可以暫時把盤子拿開，或結束餵飯。

309. **盡早讓孩子自己吃飯**。嬰兒多大的時候能夠自己吃飯，在很大程度上取決於大人。有些幼兒還不到一歲就能自己拿著湯匙熟練地吃飯了。而有一些孩子由於受到父母的過分保護，到了兩歲的時候還一點兒都不會自己吃飯。所以，他什麼時候能夠學會自己吃飯，完全取決於你什麼時候給他實踐的機會。

多數孩子到了一歲的時候，都試圖自己拿著湯匙吃飯。如果他們有實踐的機會，到了十五個月的時候就能自己獨立地吃飯了。其實，從嬰兒六個月的時候起，就可以自己拿著麵包片和其他可以用手抓的食物吃了。這實際上就是做使用湯匙的準備。然後到了大約九個月吃塊狀食物的時候，他就想自己一塊一塊地用手抓起來往嘴裡放。那些沒有機會自己拿著東西吃的孩子，往往很晚才學會使用湯匙。

有些十～十二個月的孩子很聽話，在父母給他們餵飯的時候，他們只想把手放在爸爸或媽媽的手裡。但是多數孩子急性子一來之後，就會從父母的手中搶湯匙。但是，不要和孩子爭搶，你不妨就把湯匙給孩子，自己再另拿一把。孩子很快就會發現，僅僅拿著湯匙還遠遠不夠，自己餵自己是一件更爲複雜的事情。他可能需要學習一個星期左右，才能用湯匙盛起一點點的食物。如果想做到往嘴裡送食物的過程中不把湯匙弄翻，大約還需要好幾個星期。

孩子自己吃東西吃累了以後，就會拿著湯匙亂攪亂撒，這時就應該把盤子拿開了。但是可以在托盤上留點兒肉渣或麵包屑，讓他拿著做試驗。有的時候，即使他非常認眞地自己吃東西，也會把吃的東西撒得到處都是。對此，你必須容忍。如果你擔心把地毯弄髒，不妨把一塊塑膠桌布鋪在孩子的椅子下面。帶格子的熱水盤子很方便，它不但可以保持食物的溫度，而且比較重，不容易讓孩子掀翻。另外，它的邊緣是直立

讓孩子感受也是一種學習。

的，這樣，孩子用湯匙盛食物的時候就能防止把食物扒到外邊。嬰兒湯匙寬而淺，把是彎的，很好用。你也可以使用普通的湯匙。

310. **放手讓孩子自己吃飯**。如果孩子周歲的時候能夠自己吃東西了，就應該放手讓他自己吃。僅僅給他使用湯匙的機會是不夠的，你還需要不斷地創造條件，逼他自己吃飯。比如孩子剛開始的時候因爲好奇才想自己拿著湯匙吃東西。但是，當他發現自己吃東西很困難的時候，如果你仍然繼續餵他，他就可能徹底放棄努力。換句話說，當他能夠把一點點食物送到自己的嘴裡的時候，你應該在他剛開始吃飯，並且很飢餓的時候，讓他自己單獨多吃一會兒。這個時候他的食欲能夠促使他不停地吃下去。他自己吃得越好，每次吃飯的時候就越想多吃一會兒。

等他能夠在10分鐘之內把愛吃的飯菜吃乾淨的時候，你就該撤手讓他自己吃飯了。家長常常在這個問題上處理不好。他們會說：「孩子現在自己吃麥片和水果沒有問題了，但是，吃蔬菜和馬鈴薯的時候還需要我來餵。」這種做法有欠妥當。因爲如果他能自己吃一種食物，他就應該能自己吃其他食物。如果你不停地餵他不喜歡吃的東西，你將把他喜歡吃的和不喜歡吃的東西越來越明顯地區別開來。久而久之，他就會對你餵他的東西毫無興趣。但是，如果你一直堅持用他喜歡吃的食物來保持他的飲食均衡，而且完全讓他自己吃，那麼，即使他的某一餐有所偏食，他也完全可能在每個星期之間保持飲食均衡。

311. 不要介意孩子餐桌上的舉止。孩子希望自己能熟練而又乾淨俐落地吃飯。只要他感覺自己能夠做到，他就不想再用手去抓飯，而想使用湯匙。接著又不想用湯匙而想改用叉子——就像他見到別人做什麼難事，自己也想試一試一樣。克拉拉·戴維斯（Clara Davis）博士在她觀察的嬰兒身上注意到了這一點，而這些嬰兒並沒有受過訓練或指導。她指出，小狗也一樣，用不著別人教，就特別想學習吃飯時的舉止。一開始，小狗需要站在奶盤裡面使勁低著頭才能吃到奶；接著，它們就學會了站在奶盤外面，不用吃力地低著頭就能吃到奶了；最後，它們很有禮貌地把鬍鬚上沾的奶舔乾淨。

我一直在強調，應該讓孩子在十二～十五個月的時候自己學著吃飯，因爲這個年齡的孩子最喜歡學習。假如某位家長不讓孩子在這個年齡自己學著吃飯，那麼等孩子到了二十一個月的時候，他就會宣布：「你這個小笨蛋，該自己吃飯了。」而這個時候孩子就會持這樣的態度：「不，我才不呢！我習慣你們餵我，而且你們也應該餵我。」所以，等到孩子這麼大的時候，再想讓他學習使用湯匙就不那麼容易了。事實上，是孩子業已形成的是非觀在作怪，而家長已經失去了塑造孩子世界觀的最好機會。

但是，也不要太把這件事當作一回事，好像過了這個年齡的孩子就學不會自己吃飯了。其實，不必因爲孩子的進步緩慢而著急，也不要強迫孩子，否則就會產生問題。我只是想說，嬰兒是願意自己學著吃飯的，而且學起來不像大人認爲的那樣難。當孩子能夠自己吃飯的時候，家長就應該逐步放棄餵食的做法。這一點很重要。

7 一歲以下嬰幼兒的護理

最初幾個星期的哭鬧

312. 哭鬧意謂著什麼？一般說來，這個問題很值得重視。如果是你的第一個孩子，就更應該給予足夠的重視。嬰兒哭鬧的涵義和大一點兒的孩子不一樣。這是他和陌生的外界進行交流的唯一方式，所以涵義很多，而不僅僅是由於疼痛或傷心。隨著他越長越大，你也將越來越熟悉孩子哭鬧的原因，不再因爲孩子哭鬧而過於著急。你將明白在一天的不同時間裡可能是什麼原因導致他哭鬧，而且能夠區分不同的哭聲所表達的不同涵義。這樣一來，你就能及時爲他排憂解難，使他哭鬧的次數越來越少。

但是在最初的幾個星期裡，莫名其妙的問題將會不斷地鑽入你的腦海：孩子是不是餓了？是消化不良？還是感到寂寞了？但是家長很難想到孩子會感到疲勞。然而，這恰恰是孩子哭鬧的常見原因。

有些哭鬧的原因比較容易解釋，也有很多令人百思不得其解。事實上，幾乎所有的嬰兒（尤其是第一胎的嬰兒）在兩、三個星期以後都進入了煩躁不安的時期。我們雖然能夠給這個時期命名，但是卻不能準確地解釋它的起因。如果孩子只在晚上或下午比較規律地哭鬧，我們把它稱之爲**腸絞痛**或**周期性躁動哭鬧**（periodic irritable crying）。這種哭鬧可能與腹脹和排氣有關。如果嬰兒一到了某個時辰就哭一陣，停一陣，我們只能嘆息地說，他就是屬於這種**煩躁型的嬰兒**（fretful baby）。如果他哭起來聲嘶力竭，令人心煩意亂，有人把這樣的孩子叫做**驚厥型嬰兒**（hypertonic baby）。但是我們不知道孩子爲什麼會這樣，而只知道到了三個月的時候，他們一般就會逐漸地平息下來。也許這些現象只是同一種情況的不同表現而已。我們只是模模糊糊地認識到，孩子從出生到三個月的這個階段，神經系統和消化系統都不成熟，還不能適應外界的生活，正處於一個調整和適應的過程中。但是，有些嬰兒很難順利地適應這個過程。無論怎麼說，要緊的是要記住，嬰兒早期的這些常見的哭鬧現象都是暫時的，而且通常不是什麼嚴重的問題所引起的。

實際上，父母應該做的第一件事情就是先學會猜測孩子爲什麼哭鬧。比如，你可能會注意到，孩子「飢餓時的哭聲」嗓門高，聲音大，而且具有連續性。而他「稍感不適時的哭聲」比較柔和，嗓門較低，而且比較動聽。即使在別的房間裡，你也能聽出來，哪種哭聲表示「立刻到這裡來！」也能判斷出哪種哭聲可以等一等，看一看孩子是否能夠自己停止哭鬧。

313. **孩子是否餓了？**不管你是按照固定時間，還是根據孩子的需要給孩子餵奶，都會很快了解孩子的生活規律。比如，什麼時候他可能想多吃一點兒，什麼時候他可能醒得早一點兒。這種能力有助於你判斷孩子的哭聲是否由於飢餓引起。比如，如果孩子一天當中的最後一餐只吃了平時的一半，他就很可能在一個小時以後就醒來哭鬧，而不是像往常那樣要三個小時以後才睡醒。當然，有的時候孩子比平時吃得少，但是仍然能一直睡到下一次吃奶的時候。

如果孩子一天當中的最後一次奶吃得和平時一樣多，但是兩個小時左右就醒來哭鬧，這就不太可能是飢餓引起的。

314. 孩子會不會由於食量增加了，原來的奶水不夠吃而哭鬧？實際上，嬰兒不會突然就感到奶水不夠。如果感到奶水不夠，他就可能在吃母乳的時候延長吃奶的時間，或在喝嬰兒奶粉的時候把奶瓶吃得乾乾淨淨，而且吃完以後還要四處張望，希望再多吃一點。他還將比平時醒得早一些，但是不會早很多。在多數情況下，都是在他連續幾天餓得提前醒來之後，才會開始在吃完奶之後哭鬧。

下面我就憑經驗來做一個歸納：如果孩子在吃完正餐兩個多小時以後，或在少量餵食後兩個小時之內哭鬧，而且哭鬧超過15分鐘，說明孩子該餵了。如果他吃完以後滿意地睡著了，原因就清楚了。如果吃完正餐還不到兩個小時他就開始哭鬧，原因不太可能是飢餓。

要認眞辨別孩子哭鬧的特點，聽一聽像不像是孩子感到不安？如果像，看看把他抱起來能否使他安靜下來？如果他能滿意地入睡，說明他不是因爲飢餓而哭鬧。如果他仍然哭鬧不止，你可以餵他一點兒試試看，或全面地考慮一下其他原因，比如，想一想是否需要給他拍拍背，讓他打嗝？如果他的哭聲不是那種低沉的哀鳴，不像特別傷心，你可以暫時不去管他。先讓他哭上10～15分鐘，甚至只要你能忍受，就可以讓他盡情地哭下去，看看他最終能否自己停止哭泣。如果他還是不停地哭，你可以把他抱起來搖一搖，或給他一個安撫奶嘴哄哄他，或採取任何一種平時有效的方法，看看他是否能夠重新入睡。如果他比平時哭得厲害，餵他一次也沒有什麼壞處。

315. 孩子是否不舒服？有的時候孩子哭鬧是因爲感覺不舒服。孩子生病之前常常先是變得易怒，後來才明顯地看出生病的症狀。除了哭鬧以外，孩子往往還有別的症狀來向你表示他生病了。比如流鼻涕、咳嗽、拉肚子等。如果孩子的哭聲不僅顯得十分沮喪，而且還有別的生病症狀，比如從總體的精神面上、表現上或氣色上都能看出來，就需要給孩子測量體溫，並且把醫生或保育護士請來。

316. **孩子是否因爲尿濕或大便而感到不舒服而哭鬧？**多數嬰兒不太在乎這些，但是也有極少數對此比較挑剔。所以，孩子哭鬧的時候需要檢查一下，如果拉了或尿了就應該及時換洗乾淨。

還需要檢查一下安全別針，看看孩子是否被扎到了。雖然這種現象不常遇見，但是還是需要認眞對待。另外還需要看一看是否有頭髮或線頭纏住了孩子的手指或腳趾頭。

317. **是否胸口灼熱？**多數孩子會溢奶，有的甚至很嚴重。對有些孩子來說，當奶從胃裡湧上來的時候是很難受的，因爲胃酸會對食道（從胃到口腔的管道）造成刺激。如果孩子有胸口灼熱的毛病，在他吃完奶以後（奶還停留在胃裡的時候）馬上就會溢奶，然後就會哭鬧。在這種情況下，即使你已經給孩子順過氣，打過嗝，仍然需要再一次給他拍拍背，讓他打嗝。如果孩子經常由於這種原因哭鬧，你就應該向醫生或保育護士請教。

318. **是否消化不良？**有一些孩子消化奶水的能力比較差，吃完奶一、兩個小時以後就會哭鬧，因爲此時奶水正處於活躍的消化過程。如果在哺乳期間孩子很早就出現了這種規律，你就應該考慮改變一下你自己的飲食，比如減少奶類或咖啡因的攝取量。如果孩子吃的是嬰兒奶粉，可以請教一下醫生或保育護士，看看是否需要改餵其他種類的奶。

319. **是否嬌慣？**雖然大一點的孩子可能被寵壞，但是你可以放心，在第一個月裡，你的孩子不會因爲嬌慣壞了而哭鬧。他哭鬧都是由於別的原因。

320. **是否疲勞？**有些嬰兒似乎生來就不會安安穩穩地入睡。他們醒一段時間以後就會變得疲勞、緊張和憂鬱。他們必須克服這種困擾才能入睡，因此就會哭鬧。有些孩子哭起來眞是聲嘶力竭，揪人心肺。但是，他們會慢慢地或突然地就睡著了。

如果孩子醒著的時間比平時長，和陌生人在一起的時間過長，在一個陌生的地方時間過長，甚至被父母戲耍的時間過長，他們都會變得緊張或易怒，從而不但不容易入睡，反而會導致入睡困難。在這種情況下，如果家長或陌生人試圖安慰他們，比如和他們多玩耍，多交流，或搖動他們，往往只能把事情鬧得更糟糕。所以，如果你已經給孩子餵完奶並且換了尿布，可是他過了很久仍然沒有入睡，反而開始哭鬧，那一定是他累了，需要把他放到床上讓他睡覺。如果他繼續哭，我建議在幾分鐘之內（只要你能忍受）先不要管他，給機會讓他安靜下來。如果他能從很小的時候起就學習自己睡覺，在其後的幾個月裡，就可能不用家長多操心，完全能自己入睡。這將是孩子的很大優點。

也有的孩子過於疲勞以後，如果輕輕地搖一搖他，很快就能安靜下來。比如可以把他放在搖籃裡或嬰兒車裡前後搖動，也可以抱著或用背袋背著慢慢地走動。如果在黑暗的房間裡進行，效果就會更好。我遇到孩子偶爾煩鬧的時候肯定會這樣做。但是，我不會每天都採取這種方式哄孩子入睡，因爲它容易給孩子養成習慣，使他只能以這種方式才能入睡，使你無法擺脫。

321. **如果嬰兒出生兩個星期以後哭鬧得厲害，我們就把他們稱之爲煩躁型嬰兒、驚厥型嬰兒、腸絞痛或易怒型嬰兒**。一般說來，幾乎所有的孩子出生兩個星期（如果是早產兒，通常從媽媽懷他的時候算起的第四十二個星期）以後，都要經過這段煩躁不安的階段。雖然我們能夠給這些不同特點的哭鬧命名，但是無法確切地解釋原因。

在這個階段中，嬰兒的煩躁程度不斷加劇，一直到第六至第八個星期的時候才慢慢地開始緩解。多數嬰兒感到煩躁時，持續的時間都比較短暫，而且只是偶爾出現一次。只要他們的要求得到滿足，就能迅速安靜下來。但是，大約有十分之一的嬰兒身體很健康，而且吃得也很好，但他們哭鬧的次數比較頻繁，而且難以制止。他們極其悲傷地哭嚎著，而且哭的時間較長。這就是人們說的「腸絞痛型」的嬰兒。腸絞痛的意思是腸道絞痛，然而我們一點兒也不清楚到底是不是這個原因引起孩子哭鬧。

腸絞痛引起的嬰兒哭鬧好像有兩種明顯不同的模式。有些嬰兒只是在晚上哭，典型的時間是下午五點至八點。在白天的大多數時間裡，孩子都表現得比較滿足，而且容易安慰。但是一到了晚上，麻煩就來了。他們嚎哭不止，一哭就是幾個小時。

這就引出一個問題：傍晚時什麼東西使他們如此煩躁？如果是消化不良，那麼，在白天的任何時候也都可能發作，而不會只是在晚上。這種所謂的突發性煩躁，至今還是一個難解之迷。

還有的嬰兒在白天或晚上的任何時候都可能哭鬧，甚至整天整夜地哭個不停。這些嬰兒中有一些總的看來有些緊張或神經過敏。他們的身體總是不能放鬆下來。他們很容易受到驚嚇；只要聽到一點兒聲音，或被挪動得快了一點兒就會大哭起來。比如，如果他仰面躺在硬實的床墊上的時候突然翻了個身，或大人抱著他的時候沒有把他抱緊，或抱他的人突然移動了一下，都會嚇著他。由於這個原因，在前兩個月裡他還可能厭惡在澡盆裡洗澡。

自己的孩子總是這樣不高興，當父母的自然會感到苦惱，甚至會認爲孩子有什麼毛病。他們不知道孩子能夠這樣堅持多久而不感到疲勞，也不知道自己能忍受多久。奇怪的是，從身體狀況看，腸絞痛和易怒型的孩子通常發育良好。儘管一哭就是幾個小時，但是他們的體重不斷增長，而且非常健康。

322. **由於孩子焦躁、驚厥、腸絞痛或易怒，家長也感到很痛苦**。如果孩子腸絞痛或易怒，一開始的時候只要把他抱起來，他就能平靜下來。但是過了幾分鐘以後，他反而會手打腳踢地哭得更凶。他不僅拒絕安慰，而且好像由於你的多事而對你感到生氣。看到孩子的這種反應，你會感到很痛苦，覺得對不起他，至少在一開始的時候你會有這種感覺。後來你就會越來越感到不知所措，因爲你沒有任何辦法來減輕孩子的痛苦。時間一分鐘一分鐘地過去，孩子的肝火也越來越旺。你將會感到他根本沒有把你當作父母，因此你就會禁不住地由於受到藐視而惱火。但是，爲一個嬰兒生氣又使你覺得沒面子，所以你就儘量去抑制這種情緒。這樣一來，你就會比以往任何時候都感到緊張。

我們實際上並不知道嬰兒的這種哭鬧行爲的原因和涵義，而只知道這是常見的現象，而且到了孩子三、四個月的時候就會逐漸消失。關於這種現象的解釋很多，但是每一種都只能算是部分正確。比如，有的認爲孩子哭是因爲忍受不了奶的質量，然而，吃母乳的嬰兒和吃嬰兒奶粉的嬰兒同樣患有腸絞痛；還有的認爲是嬰兒的腸道尚未成熟，所以會產生痙攣；也有的認爲是嬰兒沒有吃飽；或認爲是內分泌暫時失調；或認爲嬰兒的神經系統對外界過分敏感，受到的刺激太多；或認爲是嬰兒的性情太急躁，等等。你還應該知道，嬰兒很少由於父母做錯了什麼而變得腸絞痛。總的說來，腸絞痛是內在原因引起的。環境能使它加劇或緩解，但是絕不是發生的原因。

如果你的嬰兒患有腸絞痛，首先應該做的就是讓醫生或保育護士檢查一下，確保不是明顯的疾病原因而導致孩子哭鬧。另外，孩子哭鬧的時候一定要把通常可能想到的原因全面地考慮一遍：孩子是否餓了？尿濕了？還是病了？只有在確信孩子吃得飽，而且很健康的時候才能斷定是腸絞痛。

得知孩子是一般性腸絞痛以後就可以放心了，因爲這樣的腸絞痛到了三、四個月的時候肯定消失。但是，消失的原因和出現的原因一樣，令人感到神秘莫測。沒有人發現腸絞痛會引起後遺症。腸絞痛的孩子長大以後和其他孩子沒有任何兩樣，比如在性格上，他們和別的孩子一樣活潑，在智力上和他們一樣聰明，脾氣上也不比他們急躁。關鍵是，你必須保持信心和熱情，堅持度過其後的幾個月。

323. **腸絞痛的醫治**。最重要的是父母必須認識到這種情況很平常，不會給嬰兒帶來長期的危害，而且多發生在成長發育很好的孩子身上。即使腸絞痛消失得晚，到了孩子三、四個月以後也會消失，而不會給孩子留下後遺症。如果家長能對孩子的這種狀況持一種比較平靜或聽其自然的態度，他就成功了一半。

有很多辦法可以幫助你應付這種局面。其中第一條就是必須在感情上對這種局面表示認可。在無法使孩子平靜下來的時候，幾乎所有的家長都會感到焦急、難過、害怕、甚至不知所措。大多數家長還感到內疚。如果是第一個孩子，這種內疚感會更強烈，好像孩子哭是由於他們做錯了什麼而引起的。另外，多數家長也生孩子的氣，這些都很正常，因爲這個尖叫的小東西確實把你的生活擾亂了。即使你知道這不是孩子的過錯（因爲他既不是故意哭鬧，也不是對你感到憤怒），你感到生氣也是很自然的。有些家長還會因爲自己對孩子生氣而感到自責，好像由於他們對孩子產生這種感情以後，自己就成了更不稱職的父母一樣。所以，在對待腸絞痛嬰兒的問題上，首先就應該不要在感情上自責。雖然還將遇上同樣的感情困擾，但是至少可以認識到自己不應該產生這種情緒，因爲所有的家長都有過同樣的經歷。如果這種消極情緒不斷增強，就應該找醫生或保育護士看一看。

孩子腸絞痛的時候，你是否應該輕輕地搖一搖他，或抱著他走動走動呢？這樣做能使他停止哭鬧，但是會不會把他寵壞了呢？其實，我們現在已經不像過去那樣擔心把孩子慣壞了，因爲即使在孩子感到傷心的時候你安慰了他，他也不會在心情好的時候繼續要求這種安慰。當孩子因爲腸絞痛或易怒而哭鬧時，如果把他們抱起來或搖一搖能夠使他們安靜下來，那就應該這麼做。但是，如果把他們抱起來並不能使他們感覺舒服一些，那就乾脆不要給他們養成被抱著的習慣。

在請教醫生或保育護士的時候，他們會告訴你一些人們用來安慰腸絞痛嬰兒的其他辦法（這些辦法有的時候有效，但不是任何時候都有效）。比如，在兩次餵奶的間隔可以給孩子一個安撫奶嘴讓他吮吸（按照一位兒科醫師的名言，就是「只要能堵住這個噪聲出口就行了」）；或用一條嬰兒浴巾把孩子舒適地包裹起來；把他放在搖籃裡或嬰兒車裡搖一搖；用胸前背袋背著他走動走動；把他放在車上到遠處兜兜風；讓他盪一盪鞦韆（雖然多數嬰兒幾分鐘以後就會感到膩煩，並且重新哭鬧起來，但是仍然值得一試）；還可以先在他的腹部擦上潤滑油，然後給他推拿推拿肚子；在他的腹部放一個熱水袋；給他餵一點兒草藥茶；換吃另一種奶粉；如果孩子吃的是母乳，你可以改變一下自己的飲食，比如不要吃乳製品和含咖啡因的食物；或給孩子聽一聽音樂。還可以試一試讓他橫著躺在你的大腿上，或躺在一個熱水袋上，同時給他推拿背部。但是必須用手腕內側試一試熱水袋的溫度，感覺舒服的時候才可以用。另外，爲了以防萬一，還應該用一塊尿布或毛巾將熱水袋裹起來，然後再讓孩子完全躺在上面，或部分躺在上面。

驚厥型嬰兒通常在安靜的環境中表現最好。所以，房間要保持安靜，來訪者要少，大人的說話聲要低，挪動他們的時候要慢，抱他們的時候要摟緊；換尿布或用海綿給他們擦洗身子的時候，要把他們放在帶有防水套的大枕頭上，使他們不能滾動，或在多數時間裡都用浴巾把他們裹緊。

如果這些辦法一個也不管用，而且孩子不但不餓，也沒有尿濕，並且也沒有生病，這該怎麼辦呢？我認爲完全可以把孩子放在嬰兒床裡，讓他哭幾分鐘，看看他最終能否自己安靜下來。讓孩子自己哭而不去管他確實令人難以做到。但是，從現實的角度看，除了讓你的聽覺能力在孩子的哭聲中慢慢地變得麻木一點以外，還有什麼辦法呢？有些家長甚至認爲，在這種情況下，讓孩子自己想辦法平靜下來對他是有好處的，因爲這樣，他就學會使自己平靜下來的竅門。孩子哭的時候，有些家長能夠出門走一走，不去管他，而有的根本不忍心離開房間。所以，你認爲怎麼辦好就怎麼辦吧，因爲應付這種局面本來就不存在什麼辦法對、什麼辦法不對的問題。讓孩子哭一會兒以後，如果他仍然哭個不停，你就應該把他抱起來，再重新試一試各種辦法。

你能爲孩子做的只有這些。你應該想一想能爲自己做點兒什麼。你或許屬於那種不太為孩子的哭鬧傷腦筋的父母，因為你知道孩子沒有什麼嚴重的毛病，而且也採取了各種辦法使他高興。如果你天生就是這種性情的人，這樣做是很好的。但是，很多家長被孩子哭鬧得疲憊不堪，煩躁難忍。如果是他們的第一個孩子，就更會如此。由於媽媽總和孩子在一起，她的日子就更難過了。所以，她應該努力狠下心來，每周至少離開家和嬰兒兩次，每次離開幾個小時。如果能安排，還可以多離開幾次。最好父母能同時出去。你可以僱一個保姆，也可以請朋友或鄰居來幫助媽媽解脫一下。

如果你和許多其他父母一樣，就可能在這個問題上遲疑不決。「我們為什麼要把孩子強加於別人呢？再說，如果我們離開這麼長時間也會感到緊張和不安的。」但是，你不應該這樣考慮離開的時間，好像這只是對你的照顧。實際上，如果你能保證不搞得疲憊不堪，灰心喪氣，這對於你自己、你的配偶和孩子都很重要。如果你找不到人幫忙，父母可以每個星期輪流出去一、兩次，或訪友，或看電影。孩子並不需要兩個愁容滿面的父母同時在旁邊聽他哭叫。你還應該想辦法請朋友來看望你們。要記住，什麼都可以幫你保持心態均衡，什麼都可以幫你分散一下精力，使你不至於為孩子把自己的精神累垮。從長遠看，這麼做對孩子和全家人也都有好處。

父母會把孩子寵壞嗎？

324. **這個問題發生在從醫院回到家裡的前幾個星期裡**。如果孩子在兩次餵奶的間隔中不能安安穩穩地睡覺，而是經常哭鬧，你就會很自然地懷疑自己是否把孩子寵壞了。你一把孩子抱起來走動，他就（至少暫時）停止哭鬧。可是一把他放下，他又哭鬧。我認為，在第一個月裡，甚至在前六個月裡，你用不著擔心孩子會被寵壞。孩子哭很可能是他感到難受。如果把他抱起來他就停止哭鬧，那麼，很可能是因為抱他的時候分散了他的注意力，使他暫時停止哭泣。也可能是因為你抱著他的時候溫暖了他的小腹，使他忘記自己的痛苦和緊張感。

你想，一個月大的孩子能明白什麼道理呢？孩子能否被寵壞的答案就在於此。很顯然，他不可能懂得，只要一哭就會有人來關照他。只有在他懂得這些道理的時候，才說明他被寵壞了。但是我們知道，小嬰兒不可能預測未來，他完全生活在一個「眼前」的世界裡。他也不可能形成這樣的想法：「等著瞧吧，我不會讓這些傢伙的日子好過，除非我要什麼他們就給我什麼。」這也是判斷孩子是否被寵壞了的另一個關鍵。

在這個時期，嬰兒明白得越來越多的只是對外界的一種基本的信任（或不信任）感。如果他的需要能迅速而周到地得到滿足，他就會感到世界是一個充滿慈愛和通常只發生好事的地方。因此，即使他原來有過不良的印象，也會很快地轉變過來。著名的精神科醫師艾瑞克森（Erik Erikson）認爲，這種基本的信任感將形成孩子性格的核心。因此，「小嬰兒能否被慣壞」的答案是否定的。一直等到他能夠理解爲什麼他的需要不能馬上被滿足的時候（可能在九個月的時候），他才可能被寵壞。爲此，我將改問另一個問題：要如何才能培養嬰兒對你的基本信任？

325. **等到孩子六個月的時候，腸絞痛和其他身體不適的症狀都已經消失**。在腸絞痛期間經常需要抱著走動的嬰兒，已經很自然地養成了習慣，需要得到不間斷的關注。他們需要被人抱著不停地走動，需要始終有人陪伴。

就以一位媽媽爲例，如果她一刻也忍受不了孩子的哭鬧，那麼，只要孩子醒著，她就會在大部分時間裡一直抱著他。到了孩子六個月的時候，只要一把他放下，他就馬上哭起來，並且伸著手要人把他再抱起來。由於孩子纏身，想做家事是不可能的。因此，媽媽難免會感到惱怒。但是，她又忍受不了孩子憤怒的哭聲。我們這個社會中的媽媽們正是處於這種矛盾之中。而生活在比較原始的社會中的媽媽們的情況則大不相同，她們只要孩子一哭，就會心甘情願地把孩子抱起來。甚至在孩子不哭的時候，也會用背袋整天把他背在身上。我懷疑，正是由於我們的某些媽媽們在精神上感到緊張，所以才把自身的焦躁情緒也傳染給了孩子，從而使孩子也焦躁不安（孩子肯定能感覺到媽媽越來越強烈的不滿情緒）。這樣一來，母子雙方相互影響，導致了這種情況永無休止。

326. 父母爲什麼會寵孩子？首先應該說明的是，容易受寵的往往都是第一個孩子。對於多數人來說，第一個孩子是世界上最好玩的玩物。既然一個大人能對一輛新車著迷，他一連幾個月迷上一個嬰兒也就不難理解了。

但是，喜愛不是唯一的因素。父母除了容易把自己的希望和擔心轉嫁在第一個孩子身上以外，還有其他的操心事，比如，要爲一個無能爲力的小生命的幸福和安全負起全部的責任。但是這種責任感是陌生的。嬰兒的哭聲就像是一種強烈的呼籲，使你不得不做點兒什麼。然而你有時又不淸楚怎麼辦最好。有了第二個孩子以後，你就比較有把握了，知道什麼該做，什麼不該做。比如，你知道爲了孩子，有些事情必須拒絕他。而且，當你確信自己的做法是正確的時候，就不會由於自己的鐵石心腸而感到自責了。

但是，有些家長是容易把孩子慣壞的。他們通常都是：

- 等了很久才有孩子，而且懷疑自己可能生不了第二胎的人。
- 缺乏自信心，情願做孩子的奴隸，並且期望孩子能夠成爲他們理想中的人。
- 由於孩子是抱養的，所以想通過超常的努力來完善自己的父母資格的人。
- 在大學裡學過兒童心理學，並在心理學領域工作過，而且信心百倍地想證實自己能力的人。（實際上，當他們把理論眞的弄懂以後，就會明白這是一件更加艱苦的工作。）
- 由於對孩子發脾氣而感到內疚，因此想採取孩子要什麼就給什麼的方式來把事情扯平的人。

• 聽到孩子哭就受不了，因此時而憤怒，時而內疚的人。

無論內在因素是什麼，這些家長都是孩子想要什麼就給什麼，所以自己犧牲的安逸和權利太多。如果孩子知道要東西的時候要明智一些，情況還不至於太糟糕。但是，他們並不知道什麼對他們有好處。其實，聽從父母的指導是孩子的本性，因爲這能使他們得到安慰。當父母表示遲疑不決的時候，孩子就會感到不安。如果只要孩子一哭，家長就急忙把他抱起來，好像如果不管他們，結果就會很糟糕似的。這樣一來，孩子也會產生同樣的感覺。所以，家長越是向孩子的要求屈服，孩子的要求也就越高。這時，家長就會感覺像奴隸一般。麻煩的是，一到這時，家長就會感到生氣，接著又會感到自責，然後再次讓步。

327. 如何不寵孩子。問題發現得越早就越容易醫治。但是，你需要很強的毅力和一定的狠心才能對你的孩子說出「不行」二字，才能在某種程度上給孩子一定的限制。爲了保持良好的心境，你必須牢記：孩子的不合理要求和過分的依賴性，最終給他帶來的壞處將大於給你帶來的壞處。因爲孩子這樣下去不僅會使自己的思想行爲誤入歧途，而且也將使他與外界格格不入。所以，教育和改造孩子完全是爲了他們好。

你應該給自己製訂一個計畫，如果有必要可以寫在紙上。要把家事和其他事情都緊湊地安排好，使自己在孩子不睡覺的大部分時間裡都有事情做。做事的時候要快捷俐落、鏗然有聲。這樣不僅能引起孩子的注意，而且還能給你自己提神。比如，孩子已經養成了需要整天抱著的習慣，當他哭著伸出雙手要你抱的時候，你要和氣而堅決地對他解釋說，這件工作必須在今天下午做完。雖然他聽不懂你的話，但是他能理解你的語氣。這樣，你就可以繼續做你的工作了。不過，頭一天的第一個小時是最難過的。

如果媽媽一開始很少說話，或大部分時間都不露面，孩子就不得不把注意力轉移到別的東西上。這樣，有些孩子也能比較容易地被改造過來。還有的孩子只要能看見媽媽或聽到媽媽和他說話，即使不抱他，也能很快地調整過來。如果你想給他一個玩具並且教他玩的方法，或想在傍晚和他玩一會兒，你應該在他旁邊席地而坐。如果他想往你的身上爬，你可以讓他爬，但是，千萬不要給他重新養成抱著走動的習慣。當你和他一起坐在地板上的時候，如果他意識到你不會抱著他走，他就會自己爬走。如果你把他抱起來走動，那麼，只要你想把他放下來，他就會哭鬧著抗議。當你和他一起坐在地板上的時候，如果他不停地哭鬧，你就應該再找一件事情做。

你應該盡力做的就是幫助孩子鍛鍊忍受挫折的能力。但是要慢慢來。如果他不能從幼兒時期就慢慢地學會忍耐，以後再想學可就難了。

儘管讓孩子哭！

我的意思並不是任憑孩子哭鬧而不去管他。在773節中，我將談到習慣性拒睡的問題。這種現象不太常見。但是，它是一個長期養成而且需要很長時間才能克服的問題。有這種習慣的孩子可以分成兩種類型。第一種是在還不到半歲的時候，晚上該睡覺時就學會了執拗地拒絕上床。第二種發生在大一點兒的孩子身上，特點是，半夜醒來以後拒絕再次回床睡覺。這通常發生在六個月～一歲多的孩子身上。這兩類孩子拒絕上床睡覺的習慣都是由心地善良、順從的父母給慣的。他們一次又一次地試圖把孩子放到床上，但是，當孩子哭鬧著拒絕的時候，他們就一次又一次地打消自己的念頭。因此，儘管孩子和父母之間存在著巨大的年齡差距，但是孩子卻一次又一次地取得勝利，一次又一次地提高要求，一次比一次更加霸道。

雖然我一直主張要善待孩子和父母，但是經驗告訴我，要成功地糾正這種抗拒睡覺的習慣，就要說服父母不要輕易向孩子屈服。要認識到怎樣做才是理智的，並且要堅決地按照理智的想法去做。我的觀點在實踐中得到進一步地肯定，雖然孩子的這種壞習慣可能在幾個星期裡，甚至在幾個月裡變得更加嚴重，但是只要父母堅持讓孩子到了晚上就睡覺，而且半夜醒來以後還必須繼續睡，那麼，這個問題通常在幾天或幾個星期之內就能解決。剛開始的時候，孩子可能會氣憤地哭鬧20分鐘，然後慢慢地減少到10分鐘，再過幾天或幾個星期就不會再哭了。

另外，父母也不要回到孩子的房間裡，不要打開燈，更不要把孩子抱起來。這些信號將使孩子誤認爲家長又要讓步了，從而再次引發孩子哭鬧的決心，一直鬧到父母把他抱起來在房間裡走動爲止。

一些父母的實踐經驗進一步證明我的觀點是正確的。最初，他們的孩子需要抱一個小時，後來又需要抱二個小時、三個小時，甚至四個小時。當他們克服了這個問題以後才高興地發現，原來這個問題這樣容易解決。

怕生

328. **嬰兒對陌生人的感覺**。通過觀察孩子在不同階段對陌生人的反應，就可以了解他在不同階段的成長情況。醫生對一歲以內的嬰兒進行觀察時，就是採取這種典型的方法。在兩個月左右，嬰兒不太理會醫生，他躺在診療台上的時候，只是不停地回頭向他的媽媽張望。醫生對四個月的嬰兒最感興趣，因爲只要醫生一對他兒語或微笑，他就會高興得手舞足蹈地笑起來。到了五、六個月的時候，嬰兒對醫生的態度開始改變。到了九個月的時候，他能確切地辨別出醫生是個陌生人，並且感到害怕。醫生一接近他，他就停止了蹬來踢去和喃喃自語。他可能目不轉睛地，甚至懷疑地盯著醫生看上20秒，同時，身子繃得緊緊地。然後，他的小腹就開始快速地一起一落，接著，小嘴一咧就大哭了起來。也許是他對此感到特別厭煩，所以體檢完了之後還要哭上很長一段時間。

嬰兒在這個階段特別敏感。他對任何不熟悉的東西，比如媽媽的帽子，或爸爸剛刮過鬍子的臉（如果他習慣了看爸爸長著鬍子的臉），都會產生警覺。這種現象叫做怕生（stranger anxiety）。孩子一開始見了誰都愛，而到了後來卻變得疑神疑鬼。是什麼使他發生這種變化呢？說來是很有趣的。首先，嬰兒從六個月起就能想起自己曾經見過，但不喜歡的東西和人。這就是檢索記憶。但是在前幾個月裡，他只有識別記憶。也就是說，他能識別自己的父母，並且喜歡他們。但是，當他們不在他的視線之內時，嬰兒並不能想起他們來。隨著檢索記憶能力的產生，他就能在看不見父母的時候想起他們的形象來，並且能夠拿他們的形象同面前的生人進行比較。如果嬰兒在記憶裡檢索不到面前生人的形象，他就開始感到不安：這個傢伙到底是誰呢？

在六到九個月的時候，嬰兒仍然不能根據自己以往的經驗來預測將要發生的事情。他的世界基本上都在眼前。所以，當他的面前出現一個生人的時候，他就無法理解爲什麼他不熟悉這個人，而且他也想像不出這種情況會產生什麼結果。另外，這位不會走動的嬰兒也找不到什麼辦法來排除自己的擔心。他既跑不了，也不能藏起來，所以就只能急得哭了。

到了十五個月的時候，怕生的心理就基本上消失了。這時，幼兒就具有了根據過去的經驗來預測未來的能力：「也許我不認識這個人，但是等我媽媽回來以後一切都會正常，所以用不著驚慌，我可以應付這個陌生人。」

由此看來，怕生是一種可以預測，而且常見的成長發育現象。它在孩子九個月的時候達到高峰，在大約十五個月的時候消失。如果你的孩子在一歲的中間階段對陌生人和陌生地點特別敏感，我建議在孩子熟悉他們之前，要讓陌生人同他保持一定的距離，防止讓他受到太大的驚嚇。但也不能不讓他看見陌生人。

發育成長

孩子們的工作就是玩

329. **善待孩子**。無論什麼時候，只要和孩子在一起，就要親切地對待他。當你餵他的時候，給他順氣打嗝的時候，給他穿衣或換尿布的時候，抱著他的時候，或僅僅坐在房間裡陪著他的時候，他就會感覺到你對他的感情有多麼的深厚。當你擁抱他，你們倆鼻子互相磨蹭，或向他表示他是世界上最好的孩子的時候，你實際上給了他健康成長所需要的精神食糧，就像你餵他食物使他的骨骼成長一樣。我們成年人見到嬰兒的時候，總是本能地向他搖頭晃腦地說兒語，道理就在於此。

沒有經驗的父母的煩惱之一，就是有的時候對工作太投入，結果忘了享受其中的樂趣。這樣，你和孩子就都會有所失。孩子將會不知不覺地長大成人，離你而去。到那時，你就會後悔當初為什麼沒有多花點時間來親近自己的孩子。

但是，我的本意並不是說，只要孩子醒著，你就應該沒完沒了地和他說個不停，或抱著他不停地搖來搖去，或不停地逗他笑。因為那樣反而會使他感到疲勞，而且時間久了還會使他感到緊張，並且容易把他寵壞。實際上，和孩子在一起的時候，90％的時間可以默默無語。溫柔隨和地陪伴，對他、對你都有好處。當你抱著他的時候，一種溫馨的感情油然而生，傳遍你的胳膊。你的臉上將露出溫柔慈祥的表情，說話的聲音也會變得溫柔和藹。

330. **嬌而不慣**。在孩子能夠下地玩耍的階段，不要讓他遠離父母、兄弟或姊妹，因為這樣，孩子可以隨時看見父母，向他們發出聲音，聽見父母對他們說話，或偶爾讓父母告訴他某樣東西的玩法。但是，不能讓他多數時間都坐在父母的大腿上，也不能總是抱著他，逗他玩耍。他可以得到家長陪伴的樂趣和好處，但是，他還是必須學會自己玩耍。頭一次當爸爸媽媽的人往往把孩子當作寵物，所以在孩子醒著的多數時間裡總是抱著他或逗他玩。這樣一來，孩子就可能對父母的關照產生很強的依賴性，而且還會要求得到父母更多的關照。

331. 好看的和好玩的。小嬰兒將會醒得越來越早，在傍晚的時候尤其如此。所以，在他們醒著的時候，他們需要有點兒事做，而且還需要陪伴。在二～四個月的時候，他們開始喜歡看色彩鮮艷而且會動的東西。在室外，他們饒有興趣地觀看樹葉和陰影。在室內，他們會仔細地看著自己的手和牆上的圖畫。所以，在孩子會用手構東西的時候，你可以買一些用線串著的、色彩鮮艷而且形狀各異的塑膠造型回來，然後把它們掛在嬰兒床上邊的邊框上。要掛在他們能構到的地方，但是不要正好掛在孩子的鼻子上方。你也可以使用硬紙板製作一些活動物體，上面糊上彩紙，掛在天花板上或吊燈上，使之輕輕地旋轉。但是這些東西不結實，不能讓孩子拿著玩，另外也不衛生，不可以讓孩子啃咬。你也可以把湯匙或塑膠杯子之類的東西掛在孩子能構到的地方。

要記住，孩子拿到什麼東西都會往嘴裡放。孩子在一歲的中間階段，最大的樂趣就是拿著東西往嘴裡放，比如連在一起的塑膠物品（專門爲這個年齡的嬰兒製作的）、波浪鼓、咬圈、布製動物和娃娃，以及可以啃咬的安全家庭用具等。有些東西是不能讓嬰兒或小孩子拿著玩的，比如，塗有含鉛油漆的物品或傢俱、能被咬成鋒利的碎塊的塑膠玩具，以及小玻璃球或其他容易導致孩子窒息的小物件。

衣物與用具

332. 給孩子穿什麼樣的鞋子？多數情況下，一直到孩子需要在室外走路之後，才有必要穿鞋。在室內，他們的腳也和手一樣，始終保持著涼爽。換句話說，孩子在一歲之內，如果房間裡不是特別冷，或地板不是特別涼，就沒有必要穿編織襪子或軟鞋子。

嬰兒會站立行走以後，如果條件適合，讓孩子多數時間打赤腳很有好處。最初的時候孩子的足弓比較平，必須通過不停地運用足弓和腳腕站立及行走，才能慢慢地把足弓鍛鍊得拱起來，並且使腳腕有力。我認爲，腳心敏感易癢的原因就是爲了提醒我們要讓腳拱起來，不要沾地。在粗糙不平的地面上走路，也能加強我們對腳和腿部肌肉的鍛鍊。當然，如果天氣寒冷，孩子在室外的人行道上或在不安全的路面上行走時，是需要穿鞋的。但是在二、三歲之前，堅持讓孩子在室內赤腳或穿著襪子走路，或在天氣溫暖的時候讓孩子赤腳在室外、海灘上、沙堆裡或其他安全的地方行走，都大有益處。

孩子一開始最好穿半軟底鞋，這樣走起路來比較省力。買特製加強鞋純屬浪費。選鞋子的重要條件是必須夠大，使腳趾頭能夠伸直。但又不能大得穿不住。

小孩子的腳長得非常快，鞋子穿不了多久就小了——有的時候只能穿兩個月。所以家長要養成習慣，每隔幾個星期就要試一試孩子的鞋，確保鞋子還夠大。鞋子合腳與否不能只看孩子的腳趾頭能否伸直，還要讓鞋子再大一點才行，因爲孩子走路時，每邁一步，腳趾頭就會向前擠。所以，當孩子站立不動的時候，鞋子的前頭必須有足夠的空間，要在孩子伸腳進去以後，腳趾前仍有半個大拇指（約0.6公分）的空間。你可以在孩子坐著的時候試一試，因爲孩子站著的時候，腳在鞋子裡所佔的空間要大一些。當然，鞋子還必須寬鬆舒適。有一種可以調節的軟鞋，能夠放大一倍。給孩子穿防滑鞋很有好處，這樣，孩子就不至於先學會溜冰，後學會走路了。你也可以用砂紙將光滑的鞋底打磨得粗糙一些。

我建議給孩子買廉價合腳的鞋子。只要不使孩子的腳出汗太多，給他穿布面膠底輕便鞋是很合適的。在孩子兩歲前，他的腳是圓圓胖胖的，因此，矮腰鞋子往往穿不住，不如高腰鞋子好。但是沒有任何必要讓鞋子高過腳踝，因爲腳踝並不需要保護。

333. 遊戲圍欄。我認爲孩子三個月以後，遊戲圍欄能派上很大的用途。

在父母很忙的時候，遊戲圍欄的用途尤其突出。你可以把遊戲圍欄擺放在工作地點，比如擺放在起居室或廚房裡。這樣，嬰兒就有伴了。他既可以有機會看著周圍發生的事情，又不至於被踩著或跌倒。如果讓孩子在自己的房間裡，他就會感到孤獨。遊戲圍欄的底座很穩固，不會產生任何晃動。所以，當他能夠站立的時候，就可以抓住遊戲圍欄的圍欄穩穩地站著。天氣好的時候，還可以把遊戲圍欄搬到走廊裡，讓孩子安全地坐在裡面，觀看周圍的世界。

下午孩子在嬰兒床上躺膩了以後，你可以把遊戲圍欄搬到你工作或坐著的地點附近。如果你打算使用遊戲圍欄，就必須在嬰兒三、四個月的時候，趁他還沒有學會坐立或滿地爬行，就讓他習慣於在裡面。否則，等到孩子大了才把他往遊戲圍欄裡放，他就會把它當作監獄看待。等他能坐會爬的時候，就會很有興趣地爬著去拿幾步以外的東西，比如拿大飯匙、平底鍋、湯瓢等大東西。所以，當他厭煩了遊戲圍欄以後，就應該讓他坐在蹦蹦椅上或坐在固定的幼兒高腳椅上，而不應該讓他到處亂爬。這樣是有好處的。

即使孩子願意在遊戲圍欄裡，也不應該讓他一直在裡面。他需要在父母的看護下進行探索性的爬行。每過一個小時左右，你就應該陪他玩一會兒，抱抱他，或用胸前背袋背著他一邊工作，一邊走動。到了十二～十八個月以後，孩子能夠忍受遊戲圍欄的時間將越來越短。

334. **鞦韆**。孩子學會了坐立，但是還不會走路的時候，鞦韆就能派上用場了。有的鞦韆在室內和室外都可以使用，有的還有發條動力裝置，有的是專門在通道上使用的，還有的裝有彈簧，能把孩子彈起來。但是彈簧上必須有套子，防止孩子的手指頭受傷。另外，彈簧的間縫不應該超過0.3公分。鞦韆能夠使孩子在一段時間之內保持快活——有些孩子能高興地玩上很長一段時間，還有的很快就玩膩了。鞦韆能避免孩子爬行引起的所有麻煩，但是也不應該在他醒著的時候總讓他坐在上面。他需要有很多機會去爬行、探索、站立和行走。

335. **學步車**。過去學步車就像保姆一樣，很受歡迎。還有的人認爲，學步車能幫助孩子早一點兒學會走路，而實際上恰恰相反。嬰兒在學步車裡需要做的只是擺動自己的腿，根本用不著擔心身體平衡的問題。走路所需要的技能與此很不相同，所以，嬰兒可能會貪圖省力而不愛去學習走路的實際技能。由此可見，學步車反而不利於孩子學習走路。也難怪，孩子畢竟已經靠他自己的力量玩得很開心了，爲什麼還要學習走路這樣的新花樣呢？這種新花樣很難學，而且一開始也收不到多少效果。

學步車很危險，曾經導致很多孩子受傷。比如，它提高了孩子的高度，使他可以搆到可能對他造成傷害的物件；提高了孩子的重心，使孩子很容易摔到；使孩子向前運動的速度太快；更爲嚴重的是，孩子使用學步車的時候，容易連人帶車順著樓梯滾下去，從而導致嚴重的後果。

我認爲應該停止生產學步車。我決不贊成使用這種東西。

一歲內的常見不適

無論孩子的身體狀況發生什麼變化，都應該馬上找醫生或保育護士診治。千萬不要自己診斷，因爲你很可能出現診斷錯誤。下面提到了一些小兒常見的疾病和它們的多種起因。本節的主要目的就是在醫生或保育護士做出診斷以後，幫助父母進一步熟悉它們。

336. **打嗝**。幾個月大的嬰兒吃完奶以後經常打嗝。實際上，媽媽懷著他做超音波檢查的時候就能看見他打嗝。到了懷孕的後期，媽媽就已經能明顯地感覺到胎兒打嗝了。但是，孩子打嗝並不是什麼毛病，所以，除了看著他打嗝以外，你用不著採取任何措施。如果你一定想做點兒什麼，那就給他喝一些溫開水，這樣偶爾能使他停止打嗝。

337. **溢奶和嘔吐是很常見的**。如果胃裡的食物比較緩和地從孩子的嘴裡溢出，而且數量很少，我們就把這種現象稱爲「溢奶」。導致這種現象的原因，只不過是胃上端的肌肉瓣膜不能把食物控制在胃裡面而已。大孩子和成年人則可以控制。抱著孩子搖動，摟得太緊，把孩子放下，或胃自身的消化蠕動都可能導致孩子溢奶。多數嬰兒在剛出生的幾個月裡都經常溢奶，不過這通常不是什麼大毛病。有些嬰兒吃完奶以後要溢奶好幾次，還有的只是偶爾有溢奶的現象。（要記住，如果床單、尿布、和衣物上弄到奶漬，應該馬上泡在水裡，這樣就能很容易地洗掉。）

剛出生的幾個星期至幾個月是多數嬰兒溢奶最嚴重的階段。隨著他們慢慢地長大，這種現象也慢慢地減輕。多數嬰兒會坐的時候就完全停止溢奶了。有些孩子一直溢奶到會走路的時候，也有些孩子到了好幾個月大的時候才開始溢奶。有的時候孩子由於長牙可能會暫時引起溢奶加劇。雖然溢奶導致髒亂和不便，但是，只要孩子的體重增長正常、精神愉快、既不咳嗽也不出現窒息現象，溢奶就不算什麼問題。

如果食物從胃裡激烈地湧上來，而且噴了出去，我們就把這種現象叫做「嘔吐」。只要孩子一出現大量嘔吐，父母就應該警惕。但是，如果孩子看上去活潑健康，而且嘔吐次數很少，就沒有什麼大不了的。有的孩子，特別是剛出生幾個星期的孩子，每天都要嘔吐一次。當然，即使體重增長正常的孩子嘔吐次數很頻繁，也應該找醫生或保育護士看一看。如果孩子還有其他消化不良的跡象，就更應該找醫生看一看，而且還需要額外的精心護理。如果需要，可以給他拍拍背，讓他打嗝，這對他有一定的好處。但是在多數情況下，無論你怎樣改換奶粉的品牌，減少餵食量或給他順氣打嗝，都將無濟於事。

那麼，如果孩子把吃下去的所有奶水好像都嘔吐出來了，是否應該馬上再餵他呢？這要看情況而定。如果孩子看上去精神很好就可以暫時不去餵他，因為這個時候孩子的胃可能有點兒難受，所以最好讓它有機會平靜下來。要一直等到他看上去很餓的時候再餵。要記住，嘔吐出來的東西通常看上去比實際上多。另外，你可能見過有的孩子雖然每次喝完奶都嘔吐，但是他的體重仍然增長得很正常。

338. **嘔吐出來的奶水是酸的還是凝結的並不重要**。胃腸消化過程的第一步就是分泌胃酸，所以進入胃中的任何食物過了一會兒就會被酸化。胃酸對奶水的作用就是使其凝結。

有些嬰兒的食道（從口通向胃的通道）和胃之間的瓣膜不如其他嬰兒的健壯有力，所以雖然溢奶頻繁，但是不太容易嘔吐。當餵完奶把孩子放下之後，奶水就會從他的胃中又流回到食道中，從而導致溢奶。這叫做**胃食道逆流**（gastro-esophageal reflux）。出現這種情況以後，孩子的體重增長可能不如人意，因此醫生可能會建議你，讓孩子吃完奶以後保持頭部高於腹部。他還會建議你在奶中加入適量的麥片，以便增加奶的稠度。有時還需要採取藥物治療來防止奶水從胃中向食道逆流，避免孩子痛苦、煩躁、體重增長緩慢，或（有可能）引起肺炎。

雖然我說嬰兒溢奶和嘔吐很常見，但是並不是讓你不去重視它。如果孩子一生下來吃完奶就嘔吐，就必須由醫生仔細觀察。這種現象通常都是由於胃黏液引起，幾天以後就會緩解。但是，也有極個別的例子是由嚴重的問題引起。尤其是發現嘔吐物中有綠色膽汁的時候，必須馬上進行藥物治療或手術。

如果你的孩子以前從來沒有嘔吐過，後來頭一次嘔吐就吐得很多，那就應該給他測量一下體溫，看看他是否發燒。如果他不發燒，而且看上去一切正常，就用不著擔心了。如果他看上去有些不舒服，而且再次嘔吐，就應該請醫生診治。

如果孩子在嬰幼兒時期的後期突然嘔吐而且長期不好，可能說明腸道出現梗塞。如果孩子感到痛苦或嘔吐物中有綠色膽汁，腸道梗塞的可能性就更大。這需要立即予以重視。

339. **令人擔憂的幽門狹窄**。嬰兒出生幾個星期以後，很可能會出現一種不太常見的嘔吐現象——幽門狹窄。這是胃的下端通向腸道的瓣膜不能使食物順利地通過而引起的。男孩的這種現象尤為常見。食物劇烈地被嘔吐出來（叫做噴射性嘔吐），而且噴得很遠。這種嘔吐現象可能在餵奶期間發生，也可能發生在剛餵完奶之後不久。但這並不是說，只要孩子經常出現噴射性嘔吐，他就肯定有這種病（幽門狹窄）。不過，如果他的噴射性嘔吐的次數一天達到兩次，就應該請醫生或保育護士診治。如果確定為幽門狹窄，也許需要做一個小手術。

340. **輕度消化不良與胃氣**。有的時候嬰兒可能出現慢性消化不良。常見的症狀是不舒服、煩躁、放屁、吐奶或嘔吐次數增多、大便稀瀉並且含有凝結物，甚至有點兒發綠。如果出現這種現象，可以考慮給孩子換另一種奶粉。如果孩子還有別的不適，而且體重增長也不正常，就必須找醫生或保育護士診治。

341. **大便顏色的變化**。家長最擔心的似乎就是孩子的大便顏色發生變化。實際上，不管孩子的大便是褐色、黃色、還是綠色，都無關緊要。就像圖案設計風格一樣，大便可以有很多顏色，說不上哪一種顏色更好一些。但是，如果孩子的大便變成了黑色、紅色、或白色，你就確實應該重視了。黑色可能說明便中有大量的血，在沿著腸道向下排泄的過程中，變得像瀝青一樣發黑。白色大便可能說明膽汁有問題。

便秘

342. **什麼是便秘**？一般說來，便秘是指大便乾燥、堅硬並且排便困難。嬰兒、兒童、或成年人每天排便的次數多少不能確定他是否便秘。大便乾燥的時候偶爾會導致大便上有血絲。儘管不是什麼特殊情況，大便上出現血絲的時候，都應該找醫生或保育護士診斷一下。

有的孩子總是在每天的同一個時候排便，還有的每天排便的時間都不一樣。有的孩子每天排便不止一次，還有的幾天也不排一次。但是，他們都一樣的健康。所以，根本沒有必要非要使排便不規律的孩子規律起來。首先，這一點通常很難辦到；其次，如果你總是試圖在孩子不想排便的時候要他排便，時間久了就會把孩子惹煩。

343. **吃母乳的嬰兒的便秘**。吃母乳的嬰兒只要大便是軟的，即使他每隔一天或好幾天才排一次大便，也不能說他是便秘。我們沒有任何理由非要孩子每天排一次大便。吃母乳的孩子出生幾個月以後，通常比喝嬰兒奶粉的孩子排便的次數少。

吃母乳的孩子剛開始吃固體食物的時候可能會便秘。好像是由於他的腸道在消化母乳的時候一直很省事，所以現在不知道應該如何對付這些比較複雜的食物。大便變得堅硬和排便次數減少都會使孩子感到不舒服。在這種情況下，你可以餵他一點糖水（一湯匙砂糖兌約55C.C.克的水），也可以餵一點李子汁（一開始每次約55C.C.，然後慢慢增加），還可以餵一點煮熟的李子羹（一開始每天兩湯匙，然後慢慢地增加數量）。有些嬰兒吃了李子羹以後就會感到肚子痛，但是多數嬰兒吃了以後感覺很好。一般說來，便秘是暫時的，但是如果持續的時間超過兩個星期，就應該找醫生或保育護士看一看了。

344. **喝嬰兒奶粉粉的嬰兒大便乾燥**。喝嬰兒奶粉的嬰兒如果大便堅實成型，也屬於便秘。孩子排便時可能會感到不舒服，所以需要找醫生或保育護士診治。你也可以用對待吃母乳的孩子的方法來試一試。

腹瀉

345. **輕度腹瀉是嬰兒的常見疾病**。嬰兒在一、兩歲的時候腸道很敏感。除了引起腹瀉的病菌會使它感到不適外，溫和的細菌、第一次接觸的食物、或果汁喝得太多也都使會它感到不舒服。幸運的是，這種不適通常都比較輕微，而且沒有什麼大的影響。孩子可能會比平時多排兩次略顯腹瀉的大便，而且顏色可能發綠，氣味也和平常的不一樣。這種輕微腹瀉的典型特徵，就是嬰兒看上去正常或幾乎正常。他仍然玩得開心，活躍好動，排尿的次數和平常一樣多。如果說有什麼生病的症狀，也不過是鼻子有點兒輕微的不通氣，食欲略有下降而已。所以用不著任何治療，過兩、三天以後症狀通常就會消失。不過，你也可以給孩子多餵一點水或稀釋的果汁，或把最近給孩子添加的食物取消。如果腹瀉持續超過兩、三天，即使孩子看起來仍然很健康，你也應該請教醫生或保育護士。

孩子以往出現輕微的腹瀉以後，通常的做法就是停止餵他固體食物和嬰兒奶粉粉，取而代之的是大量的高糖液體，比如蘇打水或蘋果汁。但是，經研究發現，這種傳統的腹瀉飲食反而會使腹瀉加劇，並且會延長腹瀉的時間。所以，嬰兒得了輕度的短期腹瀉以後，要繼續餵他母乳或嬰兒奶粉粉，堅持平時的正常飲食——他想吃多少就應該餵他多少。這樣對他才最有好處。

346. **嚴重腹瀉**。如果嬰兒患腹瀉兩、三天仍然沒有恢復，或每天的排便次數比平時多好幾次，而且便中有血或膿液，或嘔吐伴隨著發燒，或有明顯的生病症狀，你就必須立刻找醫生或保育護士診治。嘔吐和腹瀉會引起脫水，有潛在的危險性，對嬰兒來說尤其如此。如果嬰兒不能及時補充腹瀉或嘔吐引起的失水，脫水現象就會發生，身體所需要的水分就將越來越少。

出現輕微失水的時候，孩子的體重將會減輕大約5％，並且出現嘴乾淚少的現象。他的排尿次數也會比平常少。他看起來仍是清醒而好動，而且經常口乾舌燥。

嬰兒中度失水的時候可能會損失佔體重10％的水分。他會口乾舌燥，淚水減少或枯竭，皮膚乾燥蒼白，眼睛下陷，尿液極少。到了這個階段，嬰兒就會變得躁動或昏昏欲睡。如果繼續下去，就會出現很嚴重的後果。

嚴重脫水的時候，嬰兒將失去佔體重10％以上的水分。這是一個危及生命的極限，因爲此時血液中已經沒有足夠的水分來維持正常的血壓。這種狀態叫做**休克**。嬰兒看上去病得非常嚴重，他的面色冷凝蒼白，一幅病態，口唇乾燥，眼淚枯竭，昏昏沉沉，毫無活力。他停止了排尿或只有極少的一點兒。他的呼吸速度加快，呼吸深度極淺。

如果孩子的腹瀉或嘔吐仍然沒有好轉，明智的做法就是和醫生或保育護士保持密切的聯繫。如果有脫水現象，就更應該如此。一般說來，如果經常給孩子餵水，他就不會脫水。孩子口渴以後就想喝水，因此就能促使他攝取足夠的水分來避免脫水。孩子嚴重腹瀉很長一段時間以後，如果你擔心他會脫水，可以在詢問過醫生後，到藥店買一種口服電解質溶液給孩子服用。這是一種糖水，內含比例適當的礦物質，可以補充腹瀉和嘔吐導致的失水。如果孩子的病情不太嚴重，平常的奶水和飲食就足以起到同樣的作用。

疹子

無論孩子長了什麼樣的疹子，都應該找醫生或保育護士診治，因爲你自己很容易誤診。

347. 一般的尿布疹。多數嬰兒剛出生幾個月的時候皮膚都比較敏感。由於尿布上保留的水分緊貼著嬌嫩的皮膚，使這個區域無法呼吸，所以，貼近尿布的部位最容易得尿布疹。實際上，即使我們一整天都裹著尿布，也同樣會得尿布疹。

所以，對任何尿布疹的最佳治療方法，就是儘量不給孩子包尿布。最好每天都讓孩子晾幾個小時。比如孩子解完大便以後，在短時間之內不太可能再次排便，所以，你就可以很好地利用這個機會讓他在微風裡吹一吹。你可以把一塊尿布折疊起來，放在一塊大防水墊子上，然後把孩子放在上面。但是要設法不讓孩子把尿布蹬掉。讓孩子光著屁股在溫暖的空氣裡通常能消除他的尿布疹。差不多所有的嬰兒有時都會得上幾次尿布疹。如果很輕微，而且總是剛得不久就消退，那就用不著專門的治療，只要讓他在空氣裡晾一晾就可以了。

孩子得了尿布疹以後，千萬不要用肥皂給他洗患處，因為肥皂有刺激性，可能使尿布疹加劇。只要用清水洗。你可以在孩子的皮膚上塗一層凡士林，或任何一種尿布疹藥膏作為保護層。孩子患有尿布疹的時候，尿布店會採取特殊的漂洗方法。所以，如果孩子的尿布疹比較嚴重，請尿布店洗尿布可能是很值得的。如果在家裡洗尿布，你可以在最後一次漂洗的時候在水中加入半杯白醋。

348. **尿液的刺激**。多數大一點兒的嬰兒得尿布疹，都是由於皮膚接觸酸性的熱尿時間過長而引起。過去人們曾經認為，引起（尤其是大孩子的）尿布疹的罪魁禍首是氨，即細菌在尿中生產的一種物質。但是最近的研究表明，引起尿布疹的不是氨，而是尿液本身。

349. **脂漏性皮疹**。如果皮疹呈鮮紅色，皮膚的凹處比凸起處嚴重，可能就是脂漏性皮疹。脂漏性皮疹常常也出現在耳後和脖子上。嬰兒的頭皮上也可能出現明顯的痂皮（請參見358「搖籃帽」）。出現這種現象，醫生或保育護士通常會給你開一種含類固醇的乳劑或藥膏。

350. **細菌和黴菌皮疹**。如果出現很多有膿液的丘疹並且伴隨發燒，這可能是細菌引起的皮疹。出現這種情況要找醫生開抗生素治療。黴菌皮疹是鮮紅色小點，通常成片地出現，形成一片又紅又硬的區域，周圍有紅色斑點包圍著。尿布區的皺褶通常呈鮮紅色，凸起的地方有紅點。治療這種皮疹，醫生將給你開一種專門的抗黴菌軟膏。

351. **腹瀉皮疹**。在腹瀉的時候，有刺激性的大便有時能在肛門周圍引起很痛的皮疹，或在屁股上產生鮮紅的皮疹。治療方法就是尿布一髒馬上就換乾淨的。但是，要做到這一點可不是件容易的事。然後清洗弄髒的部位。如果這個部位很疼，不敢擦，可以抱著孩子的屁股用熱水噴頭沖洗。然後沾乾，再擦上一層厚厚的凡士林和羊毛脂油膏進行保護。如果這麼做還是沒用，就要把尿布丟開，讓尿布包裹的地方暴露在空氣中。有時好像只要嬰兒腹瀉不止，就沒有什麼有效的防治辦法。不過很幸運，只要腹瀉一結束，皮疹就不治自癒了。

352. **輕微的面部皮疹**。剛出生幾個月的嬰兒的面部可能患多種皮疹。很難確切的爲它們命名，但是卻很常見。

353. **粟丘疹**。這是微小的白色丘疹，周圍一點兒也不發紅，看上去就好像皮膚上布滿了小珍珠。這是因爲孩子的皮膚裡的油脂腺在不停地分泌油脂，但是油脂腺尚未開口，所以油脂無法從皮膚裡分泌出來，而只能聚集在那裡。再過幾個星期或幾個月以後，油脂腺的管口開放，油脂就排出去了。

354. **痤瘡**。有些嬰兒的臉蛋上或前額上可能會出現幾個小紅點兒，或幾個光滑的丘疹。他們看上去像痤瘡，而實際上也就是痤瘡。這是他們在媽媽子宮裡時，受到荷爾蒙的影響所致。這種痤瘡可能會持續很長一段時間，使父母大傷腦筋。它們過一段時間會自動消失，而再過一段時間還會出現。雖然什麼藥膏都不管用，但是這些紅點兒最終都會消失。

355. **毒性紅斑**。在嬰兒的面部或身上的不同部位可能出現斑點狀的紅斑，直徑在0.6～1.2公分大小，其中有一些還有白色小丘疹頭。我們雖然不知道引起這種常見皮疹的原因，但是，一旦它們消失，就不會再次出現。大一點的膿包或丘疹可能是細菌引起的，所以應該及時找醫生或保育護士診治。

356. **吸吮水疱**。有些嬰兒一生下來在嘴唇上、手上和手腕上就有水疱。這是他們在子宮裡的時候吮吸手指引起的。還有的嬰兒由於吮吸，使嘴唇的中間產生白色的乾疱。有的時候水疱自己就會乾裂脫皮。這些水疱用不著專門治療，到時候就會自己褪去。

357. **痱子**。天氣剛開始變熱的時候，痱子常出現在嬰兒的肩膀和脖子之間一帶。它是由成片的粉紅色丘疹（其中有些頭上有微小的水疱）組成，周圍有粉紅色疹塊。這些丘疹乾燥以後，皮膚就會看上去發黑。痱子通常長在脖子周圍，嚴重的時候可以向下蔓延到胸部和後背，向上蔓延到耳朵周圍和臉部。但是嬰兒一般不太把它當作一回事。你可以每天用脫脂棉沾著碳酸氫鈉溶液（在一杯水中兌一湯匙碳酸氫鈉）擦洗幾遍，也可以往上面撒玉米澱粉製的爽身粉。我不再贊成使用一般痱子粉，因爲如果不巧被孩子吸入，就會對肺氣管產生強烈的刺激。痱子一般不需要治療，因爲它最終會自己消失。讓孩子保持涼爽比治療還重要。所以在炎熱的天氣裡，不要怕給孩子脫衣服。畢竟沒有證據能夠顯示，孩子小時候不穿衣服，長大後就會成爲裸體主義者。

358. **搖籃帽**。搖籃帽（頭痂，脂漏性皮膚炎）是一種輕微的頭皮皮膚病。它是頭皮分泌的油脂太多，覆蓋在皮膚表面上對皮膚產生的刺激而引起。剛出生幾個月的嬰兒常出現這種情況。它通常都是成片的痂皮，看上去就像頭皮上貼著一層蜂蜜一樣的膏藥。最好的治療方法就是每天用清水和肥皂清洗。你也可以試著用油將痂皮浸軟，然後再用去頭皮屑的洗髮精清洗，並用梳子將泡下來的痂皮梳刷掉。但是，在用洗髮精清洗之前，不要讓油停留在頭皮上的時間太久，因爲這個問題本身就是由於油太多而引起的。幾個月以後，搖籃帽通常就消失了。

359. **膿痂疹**。膿痂疹是細菌感染引起的，一般不太嚴重。但是它有傳染性，所以應該迅速找醫生或保育護士診治。最初的時候，通常先是出現一個嬌嫩的小水疱，內有黃色的液體或白色的膿，周圍的皮膚發紅。小水疱很容易破裂，並且留下一小塊紅嫩的傷口。嬰兒身上的這種傷口不像大孩子那樣很快就能結痂。膿痂疹容易在潮濕的地方出現，比如在尿布的邊緣，在腹股溝或腋下。它還可能傳染，產生新的膿痂疹。如果你無法和醫生取得聯繫，最好的辦法就是用一塊脫脂棉，小心地將膿疱破裂流出來的膿水擦淨，以防止膿液感染周圍的皮膚。然後，讓紅嫩的傷口暴露在空氣中，使其風乾。不要將膿疱挑破，但是可以在它的上面塗抹一層抗菌素藥膏。要讓膿疱暴露在外，不要讓衣物遮住。如果需要，可以提高室內溫度。在孩子生膿痂疹期間，要給所有的尿布、床單、內衣、睡衣、毛巾和洗臉巾消毒。按照藥瓶上的說明用次氯酸鹽漂白劑洗滌效果很好。

胎記和其他皮膚狀況

胎記

360. **鮭色斑**。很多嬰兒出生的時候，在脖子後面有一片不規則的紅色區域，叫做「鸛咬痕」，或在眼皮的上面，叫做「天使之吻」，或在兩條眉毛之間。這些斑塊是毛細血管群，是嬰兒在媽媽子宮裡的時候，受到媽媽的荷爾蒙的刺激而造成的。多數斑塊都將消失（但是「鸛咬痕」可能將永遠存在），所以不必採取任何治療措施。

361. **葡萄酒漬**。在孩子的太陽穴、臉蛋或身體的其他部位，可能會出現顏色深紅、皮膚平滑的斑塊。有些斑塊會消失（比如顏色較淺的），有的將永遠存在。現在可以使用雷射光對某些較大的斑塊進行治療。這種皮疹偶爾也與其他疾病有關聯。

362. **蒙古斑**。這是些灰藍色的斑塊，長在深色皮膚的孩子身上。通常在屁股上，也可能分散在別的地方。它們只不過是沉澱在皮膚表面的色素而已。在兩年之內幾乎都會消失。

363. **草莓斑**。草莓斑很常見，是由於毛細血管增生的結果且這些血管沒有同身體的其他血管系統接通。剛出生的嬰兒身上很少見。草莓斑剛開始出現的時候通常是一片蒼白的區域，過了一段時間以後，猛然地變成一塊深紅的凸出斑塊，看上去很像草莓的光亮表面。這種斑塊剛開始的時候通常面積很小，接著就不斷地長大，一年左右停止生長。草莓斑差不多總是自己消退，很少需要治療。

一般的規律是，大約有一半的患者到了五歲以後就完全痊癒；70％要到七歲的時候才會好；90％要等到九歲。有些草莓斑很容易出血，所以，很多家長的日子很難熬。孩子長了草莓斑很難看（比如正好長在鼻尖上），而他們只能任其發展。如果讓它自己萎縮，後來就會好看一些。一般不宜採取手術治療，因爲容易留下傷疤。但是有些新的治療方法，比如雷射光和藥物綜合治療，能收到較好的效果。在極個別的情況下，手術還是必要的。

364. **海綿狀血管瘤**。這是一種較大的、又紅又紫的痣，是由皮膚深處的大量血管膨脹而引起的。他們可能會自己消失，也可能永久存在。如果它們影響美觀，或長在危險的地方，比如在氣管附近，就需要動手術切除。

365. **痣**。痣有大有小，有光滑的，也有長毛的。無論什麼樣的痣，尤其是開始長大或顏色發生變化的時候，都應該找醫生或保育護士進行檢查。多數痣都是良性的，但是也有少數後來有發生癌變的可能性。如果它們有潛在的危險性、影響美觀，或容易受到衣服的刺激，就需要手術切除。

黃疸

366. **皮膚發青**。許多新生兒的手和腳看上去都有些發青。這種症狀叫做肢端青紫，通常在手或腳受涼而導致血管略有收縮的時候出現。還有些皮膚蒼白的嬰兒，在脫掉衣服的時候，渾身都會出現雲紋狀。這兩種症狀都無關緊要，孩子大一些以後就會消失。如果在孩子的身體或嘴巴周圍發青的同時，還伴隨著呼吸困難或其他病態及不正常症狀，就應該找醫生或保育護士診治。

367. **黃疸**。許多新生兒的皮膚上出現一種叫做黃疸的黃色，是由一種叫膽紅素的物質引起的。膽紅素是紅血球分解後產生的，通常由肝臟吸收後再排泄出去。但是，新生兒的肝臟還沒有發育成熟，所以在處理這項工作的時候往往不夠圓滿。這樣，膽紅素就仍然留在血液中，使皮膚看上去發黃。

嬰兒有點黃疸很常見。但是有的時候比較嚴重，看上去令人擔憂。如果有其他的原因使黃疸增高，比如媽媽和嬰兒的血型不一致，症狀看上去就更令人擔憂。這時，通過簡單的驗血檢查就能發現黃疸的程度。黃疸偶爾也需要治療，比如可以採取照光治療。

368. **新生兒階段以後的黃疸**。有時候喝母乳的嬰兒在新生兒階段後會出現黃疸。這種黃疸的危險性極小，而且不同的醫生有不同的處理方法。有的醫生建議停止餵奶一、兩天，也有的建議繼續餵奶或增加餵奶的次數和定量。無論採取哪種方法都不會給嬰兒帶來不良的影響。在極個別的情況下，持續不退的黃疸可能表示肝臟有慢性病。這種慢性病需要通過一系列的特殊檢查才能做出診斷。

新生兒階段的其他常見病症

369. **臍疝氣**。肚臍的皮膚表面痊癒以後，在肚皮內層（即臍帶血管通過的地方）仍然存在著一個開口。當孩子哭的時候，有一小部分腸子就被擠入這個洞口（臍帶環），使肚臍在某種程度上向外凸起，形成臍疝。在臍帶環很小，臍疝的凸起部位不大於一個豌豆的情況下，臍帶環在幾個星期或幾個月之內就可能長合。如果臍帶環很大，肚臍的凸起部位大於櫻桃，就可能需要幾個月甚至幾年才能長合。

人們過去曾經認爲，在肚臍上壓上一個硬幣，然後再用一條膠帶將其黏緊，就可能防止肚臍凸起，使臍帶環早一些合攏。但是現在人們認爲，這種做法起不了任何作用。不使用膠帶反而能省很多事，因爲膠帶不是常常被孩子弄上大便，就是很快變鬆，而且掉下來以後還會在皮膚上留下一條印子。

其實，你用不著爲肚臍的凸起擔心，比如，用不著想方設法地讓孩子不哭。雖然其他疝氣有時會引起別的疾病，但是臍帶環疝氣幾乎不會引起任何毛病。

如果孩子六～八歲期間臍疝仍然比較大，而且沒有減小的跡象，就可能需要進行手術治療了。

370. **乳房腫脹**。無論男孩的乳房還是女孩的乳房，在出生後的一段時間裡都會出現腫脹現象。有的孩子乳房裡還會流出一點奶水來，在過去，人們把它叫做「巫婆奶」。這是由於媽媽在懷孕期間，荷爾蒙通過臍帶輸入到孩子的體內造成的。嬰兒的乳房腫脹不必採取任何措施，因爲到時候肯定會自然消退。千萬不要去擠壓或推拿乳房，因爲這樣可能會對它產生刺激，使其感染。

371. **陰道排出物**。女嬰出生的時候，陰道中可能會流出白色的黏液。這是常見現象，也是由於媽媽的荷爾蒙引起的，就像嬰兒的乳房腫脹一樣，不需要擔心，也不需要任何治療。

幾天以後，許多女嬰的陰道裡可能會排出一點兒帶血的黏液。這與月經相似，是由於出生後母親的荷爾蒙在嬰兒體內消失引起的。這種現象通常持續一、兩天就結束了。如果第一個星期後仍然排泄帶血的分泌物，就應該向醫生或保育護士報告。

372. **隱睪症（未沉降睪丸）**。有一些男嬰的一個或兩個睪丸都不在陰囊中，而是停留在上面的腹股溝中，甚至在小腹中。很多未沉降的睪丸在孩子出生後很快就沉降到陰囊中。有時在檢查時會偶然發現，睪丸好像還沒有沉降下來，但是實際上已經降落下來了，只是它們比一般的睪丸更活躍，常常退縮到小腹中。

睪丸最初的時候是在小腹中形成的，孩子出生後不久就沉降到陰囊中。與睪丸相連的肌肉能夠把它們提到腹股溝甚至小腹中，這樣，在身體的這一部分受到撞擊或抓搔的時候，就能保護睪丸。

有很多男孩子的睪丸只要受到一點兒刺激就會馬上縮回去。甚至在脫去衣服時，寒冷對皮膚的刺激就足以使睪丸縮回到小腹中。在對睪丸進行檢查的時候，它也常常因爲受到刺激而縮回去。因此，家長不應該僅僅因爲常常看不到睪丸，就認爲睪丸沒有降下來。要想看到它們的最好時機就是在孩子洗熱水澡的時候。即使在陰囊中很少見到睪丸，但它們有時確實被發現位於陰囊中，如果是這種情況就不需要任何治療，快到青春期的時候，它們肯定會停留在陰囊中。

但是，有的時候確實有一個睪丸沒有沉降下來。

373. **需要檢查睪丸的時候**。如果男嬰到了九～十二個月的時候，還沒有在陰囊中見到過睪丸，或有一個睪丸從來沒有見到過，就需要找一名稱職的小兒外科醫生來做檢查。如果發現有一個或兩個睪丸確實都沒有沉降下來，醫生可能會建議仔細觀察，或採取能使睪丸沉降的藥物治療，或採取手術治療，以避免睪丸在溫熱的體內停留時間太長而損傷睪丸。儘管這種情況需要治療，但是並不需要過分擔心，因爲即使有一個睪丸後來一直不沉降，剩下的一個睪丸也足以使孩子正常發育，當上父親。

口腔疾病

374. **鵝口瘡**。鵝口瘡是一種常見的輕度口腔黴菌感染。看上去好像一片奶黏在腮上、舌頭上或上頜上。但是和奶不同，它不容易輕易擦掉。如果你把它擦掉，露出來的皮膚就會輕度出血，好像發炎一樣。孩子生了鵝口瘡以後會感到疼痛，給吃奶帶來不便。

所有的嬰兒都可能得鵝口瘡。它與你的衛生沒有任何關係。如果你有疑問，可以果斷地請醫生或保育護士診治。他們將會給你開一種效果很好的口服藥物。如果不能及時得到醫囑，就應該每次給孩子餵完奶之後，再餵上大約30C.C.的水，以便把口中的奶清洗乾淨，使鵝口瘡得不到足夠的養分發展。

不要把牙床內側的白色當成鵝口瘡，因爲那是上臼齒將要長出來的地方。這個部位的皮膚顏色一般是蒼白的。由於媽媽一直在提防著鵝口瘡，所以有時會把它誤認爲鵝口瘡。

375. **牙床和上頜囊腫**。有些嬰兒牙床的頂端會出現兩個像白色小珍珠一樣的囊腫。它們可能會使你誤認爲是孩子長出的牙，但是它們太圓滑，而且用湯匙碰它也沒有響聲。在上頜的隆起部前後也常見類似的囊腫。這種囊腫不太要緊，最終都會消退。

眼疾

376. **眼睛分泌物和眼淚**。很多嬰兒出生幾天以後眼睛就有輕微的發炎。這可能是由於鼻淚管沒有發育成熟，出現部分阻塞而引起。它不需要任何治療，因爲通常都會自己好起來。

377. **鼻淚管阻塞**。還有一種輕微的慢性眼瞼感染。有相當多的嬰兒在出生後的前幾個月會染上這種疾病。它時而發作，時而停止，而且常常只是一隻眼睛患病。染疾後眼睛特別容易流淚（在颳風的天氣裡尤其是這樣），與此同時，分泌物在眼角裡或順著眼瞼聚積。在孩子剛剛睡醒的時候，這種分泌物會使眼簾黏在一起。但是，鼻淚管阻塞不會導致眼白的感染。

上述症狀是由於鼻淚管阻塞引起。淚管從眼簾內角的小口先通向鼻子，然後又順著眼窩的邊緣向下通向鼻腔。當鼻淚管部分阻塞的時候，眼淚就不能剛一形成就被導走，所以就在眼中聚積，然後順著面頰流下來。由於眼淚不能把眼簾充分地清潔乾淨，所以才經常受到輕度感染。當然，患上這種疾病以後應該讓醫生或保育護士檢查一下，然後再出具處方。通常的治療方法是使用眼藥膏或眼藥水，同時對鼻淚管進行輕輕地按摩，使鼻淚管開放。醫生或保育護士將教你如何去做。

淚管阻塞比較常見，不是什麼嚴重的疾病，所以不會損害到眼睛。這種症狀可能會持續好幾個月。但是，即使不去管它，一般也能自己好起來。如果過了一年以後仍然沒有痊癒，眼科醫生就會用一種很簡單的方法將它清洗乾淨。當眼簾黏在一起的時候，你可以把手洗淨，用手指沾著水輕輕地往上塗擦，也可以用乾淨的熱毛巾往上塗擦，將它泡軟以後，眼睛就能睜開了。但是，用熱毛巾的時候不要太熱，因爲眼皮對溫度非常敏感。

378. **結膜炎**。結膜炎是眼白外膜受細菌或病毒感染引起的。染疾後，眼白看上去充血甚至感到刺痛，而且，眼睛通常有黃色或白色的分泌物。在這種情況下，應該馬上請醫生診治。

379. **內斜視**。剛出生幾個月的嬰兒，眼睛常常時而內斜，時而外斜。在多數情況下，孩子長到三個月以後，眼睛就會逐漸地穩定下來。但是，即使在第一個月的時候，如果眼睛總是（或經常）內斜或外斜，或到了三個月的時候眼睛還不穩定，就應該找眼科醫生診治。

有很多時候，雖然孩子的眼睛是正的，但是父母可能會認為是斜的。這是因為嬰兒眼睛之間（即鼻樑上）的皮膚比大人的寬而造成的錯覺。這塊大出來的皮膚把靠近鼻樑的白眼球遮住了一點兒，所以，這一部分的眼白就比外側（靠近耳朵一側）的眼白顯得小了一些。有時，新生兒的一隻眼睛的上眼皮比另一隻眼睛的上眼皮下垂得多一些，或一隻眼睛比另一隻顯得小一些。這些都不罕見。在多數情況下，隨著孩子慢慢地長大，這些問題就會越來越不明顯。儘管如此，還是應該給孩子的眼睛檢查一下，以確保沒有斜視的問題。

嬰兒的眼睛有時看上去斜視還有另一個原因。當他們看著手裡的東西時，由於胳膊很短，所以需要把眼睛向內斜視很多，才能使兩隻眼睛聚焦。實際上，他們也和大人一樣正常地把眼睛向內斜視，只不過比大人向內斜視得嚴重一些罷了。另外，他們的眼睛也不會這樣固定下來。家長們經常問，不知在孩子的嬰兒床上方懸掛玩具是否安全，因為孩子看它們的時候有時眼睛向內斜視。把玩具懸掛在孩子鼻子的正上方是不對的，但是，把它掛在30公分以外的地方是沒有任何問題的。

如果認為孩子的眼睛可能斜視，你可以看看他瞳孔裡的燈影。如果燈影總是落在兩個瞳孔（中間的黑色部位）的同一個地方，眼睛就不存在斜視的可能性。

如果對孩子的眼睛是否斜視有疑問，就應該馬上請醫生檢查，因為如果不能儘早想辦法讓孩子正常地使用它，一直斜視下去就會慢慢失明。當兩隻眼睛不能協調地聚焦到一個物體上的時候，兩隻眼睛就會分別看到不同的圖像，即重影。這樣一來，孩子就會感到很迷惑，而且也很不舒服。因此，大腦就會自動地學會去忽視和壓抑一隻眼睛的視覺。一、兩年以後，大腦就會失去能力，不能傳達受壓抑的那隻眼睛的視覺信息。最終，無論做什麼努力，這隻眼睛都將失明。所以，如果斜視的時間太久，就無法恢復那隻眼睛的視力了。這種症狀叫做「惰眼」（lazy eye）。

在這種情況下，眼科醫生應該做的就是迅速使「惰眼」復明。通常採取的方法是長時間地蒙住那隻正常的眼睛。醫生也可能給他配上一副眼鏡，來進一步促使兩隻眼睛的協調動作。然後就是是否需要手術的問題。有的時候需要連續做好幾個手術才能收到滿意的效果。

呼吸道疾病

380. **打噴嚏**。嬰兒好打噴嚏。但是打噴嚏一般不能說明孩子感冒了，除非他同時還流清鼻涕。打噴嚏常常是由於灰塵或鼻孔前面的黏液乾燥以後，對鼻子產生刺激而引起的。

381. **呼吸微弱**。剛當上父母的人常常對孩子的呼吸有點兒擔心，因爲它經常不規則，有時呼吸很淺，以至於既看不見，也聽不見。當第一次聽見孩子睡覺沉悶地打呼嚕的時候，他們也會擔心。其實，這兩種情況都很正常。

382. **慢性呼吸嘈雜**。有些小嬰兒呼吸的時候有雜音。雖然這通常不是什麼嚴重的問題，但是也應該找醫生或保育護士檢查一下。

有不少嬰兒從鼻腔裡發出微弱的打呼聲，和大人的打呼聲很相似。不同的是，嬰兒的打呼聲是在醒著的時候發出來的。這好像是由於嬰兒還沒有學會控制自己的軟顎所致。所以等他們長大一點兒就好了。

比較常見的慢性呼吸嘈雜是在喉頭（聲箱）的周圍產生的。這是因爲軟骨（在喉頭的周圍支撐氣管的硬組織）還沒有發育好，所以在吸氣的時候產生顫抖的打呼聲，醫生稱之爲哮鳴（stridor）。這種聲音聽起來好像嬰兒被憋住了一樣，其實，他們可以那樣一直呼吸下去。在多數情況下，哮鳴都是在嬰兒呼吸困難的時候，尤其是患感冒的時候才會產生。但是，當他們安靜的時候或睡覺的時候，哮鳴現象通常就消失了。在他們趴著的時候通常也會好一些。發現孩子哮鳴應該找醫生或保育護士看一看，但是，一般不需要治療，或說沒有有效的治療方法。如果哮鳴比較微弱，隨著孩子慢慢地長大會逐漸消失。

383. **急性呼吸嘈雜**。尤其是大一點兒的嬰兒或幼兒，有時會出現突發性的哮鳴。這種情況和慢性哮鳴完全不同。它可能是由於哮吼、氣喘或其他炎症所引起，所以需要立即找醫生醫治。

384. **陣發性憋氣**。願望得不到滿足的時候，有些嬰兒會暴怒而哭。接著就會停止呼吸，憋得臉色青紫。初次發生這種情況的時候，肯定會把父母嚇得不知所措。但是，這種情況很少說明有別的問題，而只能說孩子就是這種個性（往往都是發生在平時很高興的孩子身上）。你可以放心，孩子不會憋死。最嚴重的結局就是孩子停止呼吸很久，渾身憋得青紫，然後身體又恢復活動，恢復了呼吸。有些孩子屏住呼吸的時間過久，以至於不僅憋得渾身發紫，而且還出現抽搐。同樣，這看上去很可怕，但是並不存在眞正的危險。

孩子第一次出現這種問題的時候，你就要告訴醫生或保育護士。後來發生的嚴重憋氣情況也應該一一告知，以便他（她）採取必要的措施，保證孩子的身體健康。除此之外，不必採取其他措施。如果想防止孩子出現憋氣，你可以想辦法轉移他的注意力。比如當他哭的時候，你可以給他別的玩具或其他東西，來轉移他的注意力。但轉移注意力仍然防止不了孩子憋氣。多數孩子都是在一～三歲的時候出現憋氣現象，到了該進幼兒園的時候就好了。憋氣不會導致對大腦的損傷。

嬰幼兒常見的其他問題

385. **嬰兒易受驚嚇**。新生兒在聽到較大聲響或被突然挪動位置時容易受到驚嚇。一些嬰兒對此更加敏感。當家長把他們往又硬又平的地方放的時候，就可能使他晃動一下。這時，嬰兒就可能驚乍地猛地抽動他們的胳膊和腿。這種突然的震動足以使敏感的嬰兒嚇一大跳，驚恐地大哭起來。嬰兒也不喜歡洗澡，因爲洗澡時不容易將他們抱緊。所以給嬰兒洗澡時，家長首先要將孩子放在自己的大腿上爲他沖洗，然後再放進浴盆中。在此過程中，家長要用雙手把孩子扶穩，時時刻刻抱緊孩子，移動的速度要慢。隨著嬰兒逐漸長大，這種不安的狀況就會慢慢克服。請參看321關於嬰兒不正常的哭鬧。

386. **發抖**。一些嬰兒在出生後的頭幾個月裡，有時會出現發抖或焦躁不安的情況。他們的下巴可能會哆嗦，四肢也可能會顫抖。當嬰兒激動，或剛脫下衣服感覺到寒冷的時候，這種症狀尤爲明顯。在一般情況下，家長不必爲此而擔憂，因爲這只不過是嬰兒的神經系統還沒有發育好的一種跡象。過不了多久，這種情況就會消失。

387. **抽搐**。一些嬰兒在睡覺時偶然會抽搐起來，也有個別的嬰兒抽搐得很頻繁。這種現象也會隨著嬰兒的成長而消失。當然，也可以請醫生或保育護士幫助檢查一下，以確定孩子是否正常。

身體發育和運動技能

388. **嬰兒首先學會頭部的運動**。嬰兒是逐漸學會控制自己的身體的。最初是先從頭開始，然後逐漸地才是手、身體和腿。許多早期的運動已被神經中樞安排好。比如，你根本用不著去教嬰兒如何吮吸，如何吞嚥，如何哭叫，如何用眼睛跟踪物體以及如何用手去搆東西，因爲嬰兒一出生就懂得如何吮吸。如果有什麼東西，比如說乳頭或手指碰著了他的臉，他就會努力用嘴去搆。然而幾天之後，不等乳頭觸及他，他就有吮吸動作。如果你試圖扶住他的頭不讓他動，他馬上就會生氣，並且扭動著腦袋以便掙脫。這或許是嬰兒天生就具有擺脫窒息的本能。

389. **手的使用**。有些嬰兒剛一出生就能隨意地將拇指或其他手指放進口中。懷孕期間的超音波檢查發現，嬰兒在出生前就是如此。然而，大多數嬰兒直到兩個月大時，才能有規律地把手放進口中。由於嬰兒的手此時還是緊緊地拳握在一起，所以他們還需要很長的時間才能將自己的拇指與其他手指分開。但是許多嬰兒在二、三個月的時候，竟然能一連幾個小時一動不動地高高地舉著手目不轉睛地盯著看，似乎對此感到很好奇，直到一下子砸到自己的鼻子爲止。然後，又接著重來一遍。這便是手眼協調的開始。自從人類開始直立行走以來，這種手眼的協調對人類生存起著重要的作用。

手的主要作用是抓東西、拿東西。嬰兒似乎事先就知道他下一步要學什麼。在他眞正能夠抓住一件物體的幾週前，他看上去好像很想盡力去抓住物體。在這一時期，如果把一個撥浪鼓放在嬰兒手裡，他就能握住並且晃動這個小玩具了。半歲左右他就學會了去搆離他一臂之遙的東西。大約與此同時，他還學會了如何將一個物體從一隻手上轉換到另一隻手上，並逐漸開始熟練地玩弄手中的玩具了。十～十二個月的時候，嬰兒很喜歡認認眞眞地抓一些小物品，尤其是那些大人們不想讓他碰的東西（例如塵土）。

390. **習慣用右手還是左手**。兒童習慣用哪隻手是一個令人迷惑不解的問題。大多數的嬰兒在一～二歲時都同時使用兩隻手，然後慢慢地開始習慣用右手或左手。然而，嬰兒在六～九個月的時候就偏愛使用右手或左手的情況還不常見。

習慣用右手還是左手是人類與生俱來的特點，並且遲早會在每個人的身上明顯地體現出來。大約有10％的人習慣用左手。慣用哪隻手與不同家庭的行爲習慣有關，所以，有的家庭有好幾個左撇子，而有的家庭則一個也沒有。由於慣用哪隻手是先天的特點，因此強迫慣用左手的孩子改為使用右手是一個極大的錯誤。這會使孩子的頭腦發生混亂，因為他的大腦中樞已經形成一種獨特的工作方式。另外，慣用右手還是左手也與偏愛使用右腿或左腿、右眼或左眼有一定的關係。

391. **從翻身到坐起**。嬰兒多大才能學會控制頭和胳膊的動作是因人而異的，所以，嬰兒學會翻身、坐起、爬行及站立的時間，就更是因人而異了。對於大部分的幼兒來說，這取決於他們的性格和體重。體瘦而結實、精力充沛的孩子活動的欲望極強；而體胖、好靜的孩子學會翻身、坐起、爬行、站立的時間就要遲一些。

嬰兒剛開始想翻身的時候，在無人照看的情況下千萬不要把他放在桌子上。哪怕一轉身的功夫也不行，除非用帶子將嬰兒捆住。等到嬰兒眞正能夠翻身的時候（即二～六個月之間），把他放在任何地方，包括大床的中間，都是不安全的。他到達大床邊緣的速度之快，眞令人驚奇，因此許多孩子就從大床上掉了下來。這使做父母的感到非常內疚。我曾向這些孩子的父母說過，許多孩子一直被過分謹愼地照顧著，雖然從來沒有從床上摔下來，但是這也並不一定是件好事。如果幼兒剛從床上摔下來的時候大哭起來，然後就不哭了，並且在15分鐘內恢復了正常的膚色，這表示他的大腦並沒有受到傷害。如果他睡著了，一個小時之後一定要將他弄醒，以確信幼兒神智淸醒。家長可以帶幼兒去檢查一下，向醫生或保育護士說明當時的情況。在大多數情況下家長們都可以放心，因為幼兒是不會有任何問題的。

大多數的孩子在七～九個月的時候，只要大人幫他坐起來，他不用扶就能坐得很穩。但是幼兒往往在還不能自己坐穩的時候就想坐起來。如果大人拉住他的雙手，他就想使自己站起身來。孩子的這種急切心情總是使家長想到這樣一個問題：孩子多大的時候我才可以讓他依靠著東西坐在嬰兒車或高腳椅上呢？一般說來，最好等到孩子自己能夠穩定地坐上好幾分鐘的時候，才可以讓他依靠著東西筆直地坐著。但是，這並不是說家長不可以為了好玩而讓孩子坐著，也不是說不可以讓孩子坐在大人的腿上或倚靠著枕頭坐在嬰兒車裡。只要孩子的脖子和後背挺直就行。切不可讓孩子長時間處於弓著腰的狀態。

這就引出了一個高腳椅的問題。孩子和家人在一起進餐的益處是相當大的。但是令人十分擔憂的是怕孩子從高腳椅上摔下來，因爲這種情況並非少見。假如幼兒基本上已經可以自己吃飯了，我想最好買一套吃飯用的矮桌椅。如果要使用高腳椅，就要在椅子下面安裝一個結實的大底座以防椅子翻倒。還要用帶子將孩子緊緊扣住。無論是讓孩子坐在高腳椅還是矮桌椅上，都需要有人照顧。

392. 用玩具或食物哄孩子。有一件事情幼兒是從來都不想學的，即在換衣服或穿衣服時躺著不動。這是因爲躺著不動是違背孩子天性的。從幼兒學會翻身到一歲左右能夠站著穿衣服的這個階段，他們會憤怒地哭喊著、掙扎著不想躺下去，彷彿他們從未受到過這種委曲。

有幾種辦法多少能幫助解決問題。有的幼兒聽到家長發出有趣的聲響時能夠轉移注意力，還有的幼兒得到一小塊薄脆餅乾或小甜餅時也會這樣。家長還可以用一個特別吸引人的玩具（比如音樂盒）在穿衣服的時候逗孩子玩。記住要在幼兒躺下來之前就應該分散他的注意力，而不是在他開始喊叫之後才去想辦法。

393. 爬行。幼兒在六個月至一歲之間的某個時候就學會了拖著自己的身體在地板上爬。嬰兒用雙手和膝蓋支撐起身體來緩慢移動，往往要比爬行晚幾個月。通常也有一些完全正常的嬰兒並不會爬行，他們只是坐著轉圈，直至會站立爲止。

嬰兒爬行和緩慢移動的方式是多種多樣的，當他們熟練了之後就會改變方式。有的是先學會向後爬；而有的卻是向兩側爬，像螃蟹一樣。有的嬰兒用雙手和腳趾爬行，而腿是直的；有的是使用雙手和雙膝；還有的卻是使用一個膝蓋和一隻腳。早學會爬行的幼兒走路要晚一些，而爬行較笨或根本不會爬行的幼兒，卻能早些學會走路。

394. **站立**。幼兒通常在十～十二個月之間學會站立，但是精力充沛以及運動神經發達的幼兒，早在七個月時就能站立了。我們也可以見到一歲之後還不會站立的孩子。但是這種孩子在任何其他方面都很聰明健康。他們有的胖，性情溫和；有的則是雙腿的協調發展較慢。只要醫生或保育護士認爲他們健康，只要他們在其他方面很聰明敏感，家長就不必爲站立較晚的孩子擔憂。

相當多的幼兒在剛開始學會站立的時候卻不知道如何再坐下去，因此往往會使他們陷入困境。這些可憐的小傢伙會一直站著，直到累得筋疲力盡而急躁起來。因此大人們就會非常同情地立刻把他們從圍欄中抱起來，並讓他們坐下。然而用不了多久，他們就全然忘記了疲勞，又站了起來。但是過不了幾分鐘，他們就會再次哭叫起來。這個問題的最好解決辦法就是在幼兒坐下來時，給他一些特別有意思的東西玩，或用嬰兒車推著他多走一會兒。父母感到欣慰的是，幼兒通常在一週內就知道如何坐下去了。

某一天幼兒就會開始嘗試著坐下去。他會小心翼翼地使自己屁股蹲下來，直至胳膊搆得著下面的坐墊，猶豫了半天之後，終於「撲通」一下，一屁股坐了下來。這時他發現原來跌得並不重，而且坐下去的地方墊得很舒服。

再過幾個星期以後，幼兒就學會了用雙手扶著東西來回走動。他先是用兩隻手扶著東西，然後就改用一隻手。這一階段被稱之爲「蹣跚學步」。慢慢地他就具有足夠的平衡能力使自己朝前連續走幾秒鐘。由於他的精力集中，根本意識不到他在做一件多麼大膽的事情。這時幼兒就已經可以走路了。

395. **走路**。決定幼兒什麼時候會自己走路的因素很多，其中最重要的一個可能就是遺傳因素了，其次是嬰兒想走路的願望是否強烈、體重、爬行的熟練程度、疾病和不幸的經歷等等。一個剛開始學走路的孩子若生病臥床兩週，就會在長達一個多月的時間裡不想走路。一個正在學走路的孩子如果摔了一跤，也會在數週之內拒絕學走路。

大多數幼兒是在一歲至一歲三個月之間學會走路的。一些強壯而且活潑的孩子早在九個月的時候就學會走路了。也有相當多很聰明的孩子在一歲半，甚至更晚的時候才學會走路。

家長用不著採取任何方式來教孩子走路。當幼兒的肌肉、神經和精神達到一定程度之後，很自然地就學會了。我記得有一位陷入困境的母親。在她的孩子自己會走路以前，她用大量的時間扶著他走路。由於孩子特別喜歡這種「懸浮式」走路，所以整天都要求這樣做。毫無疑問，這位母親早在孩子感到疲倦和厭煩之前，就又累又煩了。

較早會走路的孩子的家長也許會擔心孩子的腿會受到損壞。據我們所知，無論孩子自己想做什麼，都是因爲他們的身體已經具備承受這種動作的條件。有時在學走路的頭幾個月中，孩子的腿可能呈弓形腿或膝內翻，但是這種情況既存在於走路晚的小孩身上，也存在於走路早的小孩身上。大部分幼兒在剛學走路時，他們的腳都存在一定程度的外八

字。但是隨著他們走路技巧的熟練，腳尖就會逐漸地向內並攏。有的小孩在剛開始學走路的時候就像諧星卓別林（Charlie Chaplin）那樣，腳尖筆直分向兩側，而到後來也調整到適當的角度了。開始兩腳水平朝前的幼兒往往到後來反而變成了內八字腳。而內八字腳和弓形腿往往都是同時存在的。

孩子的腿、踝關節和腳是否能生長得挺直取決於多種因素，其中包括孩子的先天發育模式。有些孩子似乎有成爲弓形腿和膝內翻的傾向。比如體重較重的孩子最容易出現這種結果。另外有一些孩子似乎生來就是內八字腳和弓形腿。我認爲那些特別活躍、體格健壯的孩子尤其可能出現這種情況。還有一個因素就是孩子習慣於放腳和腿的位置。例如，我們時常看到足內翻的孩子總是這樣把腳壓在身子下面坐著。人們認爲一些孩子之所以形成內八字腳，是由於他們在俯臥的時候，雙腳的腳趾總是相互對著的緣故。

從孩子開始站立的時候起，醫生或保育護士給孩子做定期檢查時，就會注意孩子的踝關節和腿的發育情況。這就是在孩子兩歲時要定期接受檢查的一個原因。如果足內翻、膝內翻、弓形腿或內八字腳等情況繼續發展下去，就需要採取矯正措施。但是，這些情況以後大部分會自行恢復正常的。

3 一歲的幼兒

一歲幼兒為何如此

396. **自命不凡**。一歲是一個令人興奮的年齡。在許多方面，幼兒都在發生變化：吃飯、走動方式、對世界的理解、想做的事情、對自己和他人的感覺等等。而在一歲以前不能自己行動的時候，他們只能受大人的擺布。比如我們把他們放在我們想放的地方；給他們玩我們認爲合適的玩具；餵他們我們認爲是最佳的食物等。大部分時間幼兒願意受人擺弄，並且很樂意接受這一切。

可是，當幼兒一歲左右時，一切就變得複雜起來了。幼兒似乎開始懂得，在以後的生活中他們不再是大人玩耍的嬰兒娃娃了——他們是有獨立思想和意願的人。

幼兒一歲三個月至一歲半時，其行爲使我們很清楚地看到，他正朝著所謂的「可怕的兩歲」（一個戲謔性的術語）的方向發展，因爲兩歲與其說是具有挑戰性的年齡，不如說是令人驚嘆和令人興奮的年齡。當大人提出一個並不能吸引幼兒的問題時，幼兒就堅決堅持自己的觀點，這是其本性決定的。這就是所謂的「個性化」（individuation）過程的開始，幼兒開始變成一個有自己思想的人，而且與父母之間的蜜月期也結束了，至少部分地結束了。因爲幼兒開始具有自我意識，開始反感對他的控制。

這個時期，幼兒開始用語言或行動表示反抗，甚至對他喜歡做的事情也是如此。有人稱之爲「違拗症」(negativism)。但是，我們來想一想，如果幼兒從不說「不」字，情況會怎麼樣呢？現在的幼兒越來越聰明，能夠做出的決定越來越多（儘管這些決定是錯誤的）。如果幼兒眞的從來不與大人作對的話，那麼他就只好做一個順從的「機器人」了。這樣一來，儘管幼兒學習知識的最佳途徑是從嘗試和錯誤中不斷吸取經驗，然而，他卻沒有這種機會。他可以做的只是記住父母對他的教導。

從這個階段開始，幼兒就想離開父母獨立行動。雖然父母會感到難過，並產生一種被孩子疏遠的感覺，同時在心理上又難以做到不去管他，但是孩子的這種獨立性對他今後的成長是絕對必要的。因此，你只能告別孩子以前曾與你建立的那種眞實的、無條件的特殊紐帶關係，而去迎接同這個「新人」之間的一種更爲複雜的關係。

397. 熱中於探索。一歲的孩子是調皮的「探險家」。他會去搜索每個角落和每條裂縫；用手去撥弄傢俱上的雕刻；去搖動桌子或任何沒有被釘住的其他物品；從書架上把書一本一本地抽出來；爬到他所能上得去的任何傢俱上面；把小東西裝進大東西裡，然後又試圖把大東西裝到小東西裡。總之，他想把什麼事情都弄個明白。

像看待其他任何事物一樣，對幼兒的好奇心也要從兩個方面來看。從一方面來說，這是他們的一種有效學習途徑。在到達下一個發展階段之前，他們必須弄清楚周圍物體的大小、形狀和活動性，並對自己的能力進行檢驗。就如同孩子在上中學以前，首先要通過小學階段的各個年級一樣。幼兒的這種不斷「探索」行爲，證明他們在智力上聰慧，在精神上愉快。

從另一方面看，幼兒的探險行爲也使父母在體力上感到疲勞。但是，做父母的還是要隨時提高警覺。既要讓幼兒去「探索」，又要確保幼兒的安全，還要確保他們所做的事情對他的成長和發展均有益處。

避免受傷

398. **一歲是個危險的年齡**。做父母的不可能保證孩子不受一點兒傷。但是，如果父母過於謹小慎微，不敢讓孩子去嘗試，就會導致孩子的膽怯和依賴性。在一些活潑健康的遊戲中，孩子難免會受傷，但是只要父母多加留意，並且採取些簡單的預防措施，就可以使孩子免受嚴重傷害。

一歲幼兒的恐懼感

399. **避免讓孩子接觸恐怖的聲音和景物**。一歲幼兒會一連好幾個星期對一件物體著迷，比如對電話、天上的飛機和電燈等。但是切莫忘記，孩子只有通過摸一摸、聞一聞、嚐一嚐，才能獲得對物體的充分了解。作爲一名「小科學家」，他必須反反覆覆地做這些試驗。所以應該讓孩子接觸，並且熟悉那些既沒有危險，又不妨礙他人的物品。

然而，這些「倔強的探險家」在這個時期也會對某些東西產生恐懼心理。他們會害怕那些突然移動或突然發出聲響的陌生物品，比如從書中突然冒出來的折疊圖片、雨傘的突然張開、眞空吸塵器的響聲、汽笛聲、咆哮的狗、火車聲，甚至插滿沙沙作響的枝葉的花瓶等。

所有的孩子都有恐懼心理。這在孩子的發育過程中是非常自然的現象。要了解其原因並不是件難事。當幼兒對一個物體或一個事件的理解能力還沒有發展到一定程度的時候，他還不能眞正解釋這個物體爲什麼會突然闖進他的生活，理解不了爲什麼會有這種嚇人的事情發生，不知道這種情況是否對他有威脅。這些都會使幼兒產生恐懼感。其實我們成人也一樣，也會對不理解的東西感到害怕。等到孩子兩歲的時候，害怕的東西就更多了。我建議，在幼兒還未能領會這些令人害怕的物品的時候，要儘量不去使用它們。如果眞空吸塵器使孩子感到害怕，那就暫時不要使用，或至少當孩子在旁邊的時候不要使用。千萬不要試圖通過解釋的辦法來讓孩子懂得這種恐懼心理，這是荒唐可笑的。就孩子的理解能力來說，他們的這種恐懼感完全合乎情理。

400. **害怕洗澡**。幼兒在一～二歲之間的這個階段非常害怕洗澡。他們會擔心在水中滑倒，害怕肥皂進入眼睛，甚至害怕看見或聽到污水流進下水道的聲音。由於幼兒不能不洗澡，所以家長就要想辦法，如何才能使他不受外傷，並且樂意洗澡。為了避免肥皂進入眼睛，可以用一塊不滴水的濕浴巾擦洗幾次，還要使用不刺激眼睛的嬰兒洗髮劑。如果幼兒害怕進浴盆，你也不要強迫他。你可以先用一個淺盆試一試。如果他還是害怕，不妨給他洗幾個月的海綿浴，直到他不再害怕在浴盆中洗澡為止。往後可以先在浴盆中放2.5公分高的水，洗完澡以後要先抱走孩子，然後再拔掉排水塞子。

獨立與合群

401. **依賴性與獨立性並存**。這話聽起來似乎很矛盾，然而這種依賴性與獨立性並存的現象的確存在。幼兒就是這個樣子。一位家長抱怨說：「每次我一走出房間，一歲的兒子就會哭叫。」這並不是說孩子在養成一種壞習慣，而表明孩子在成長，因為他意識到了自己在很大程度上要依賴父母。雖然這種依賴性給家長造成不便，卻有益於幼兒的成長。但是，這個年齡的幼兒也越來越具有獨立性，他獨立的欲望越來越強，想自己去發現新的地方，並且願意和不熟悉的人交朋友。

我們不妨觀察一下，當家長在刷鍋洗碗的時候，處於爬行階段的幼兒的情況。他會高高興興地玩上一陣鍋碗瓢盆。不久他就有點厭煩了，並決定「偵察」一下飯廳。他會在餐桌下面爬來爬去，揀起一點兒灰塵品嚐品嚐，然後又小心翼翼地爬起來去搆抽屜的把手。再過一會兒他似乎感覺需要找人做伴，因此他又突然爬回廚房。所以說，有時我們發現他要求獨立的欲望佔了上風，而有的時候他又需要尋求安全和保護。幼兒就是這樣輪換著在兩者中尋求滿足。

再過幾個月以後，幼兒在嘗試和探險中變得更加勇敢和膽大。儘管他還需要依靠父母，但是卻不總是這樣。他逐步培養起了自己的獨立性，然而他的部分勇氣來自於他對情況的了解。他知道在他需要安全和保護的時候，他就能夠得到。

我一直想說明的問題是，幼兒的獨立性來自於安全感和自由感。而有些人卻曲解了這個問題。他們把孩子長時間地單獨留在一個房間裡，任憑孩子哭叫著要爸爸媽媽而不去管他，試圖通過這種方法來「培養」孩子的獨立性。我認爲，如果強迫性地去處理這個問題，只會使孩子把世界看成一個討厭的地方，最終造成他的依賴性更強。

由此可見，一歲左右的孩子正處於發展的分叉路口上。只要你給他機會，他就會逐漸地有較強的獨立性，就會更願意與外人交往（包括成人和孩子）、更加自立、更加善於交際。幼兒在九個月的時候對陌生人的恐懼感比較明顯，但是到了一歲左右時就開始消失了。如果家長過於限制孩子的活動，使孩子遠離他人，習慣於偎縮在父母身旁，這樣他就需要更長的時間才能學會與外人交往。最重要的是，要讓一歲的孩子與一直照料他的人建立起強烈的依戀關係。有了這種堅實的感情保障以後，他才能最終與他人建立起友好的關係。

402. 如何鼓勵幼兒的獨立性。幼兒學會走路以後，就應該在每次外出時把他從嬰兒車上抱下來走一走。不要怕他弄髒衣服，因爲這是難免的。最好領他去一個用不著大人隨時跟著的地方，或去一個他習慣去，而且有其他孩子玩耍的地方。如果他揀起一截香菸頭，家長必須立即把它扔掉，並且給他其他有趣的東西玩。千萬不要讓孩子吃沙子或泥土，因爲這些東西會刺激腸道，甚至會讓他的肚子裡長寄生蟲。如果孩子非要把東西往嘴裡放，不如給他一塊餅乾或一件可以啃咬的玩具，使他的嘴閒不下來。

這些便是該年齡的孩子尋求獨立時遇到的風險。雖說把一個體格健壯、會走路的孩子「禁閉」在嬰兒車裡可以避免麻煩，但是這樣會限制他的個性發展，阻礙他的進步，並使他精神不振。

403. **用帶子牽著孩子走路好嗎？**有些家長發現，用一條背帶或皮帶繫在這個年齡的孩子的手腕上，牽著他走比較實用。而另一些人擔心這種作法會受到譴責，因爲這樣對待蹣跚行走的孩子就像牽著一隻狗一樣。但是在我看來，如果學步兒童特別好動（特別是當家裡還有一個小孩的時候），可以在逛超市或某些地方的時候，用一條帶子繫在他的手腕上牽著他走，以防止他傷到自己或弄壞商品。當然，決不能將蹣跚學步的孩子用帶子繫在什麼東西上，而家長卻去了別處。如果把確保安全放在第一位，孩子很快就能適應這種管束方式。

404. **孩子不願意在遊戲圍欄裡的時候要讓他出來**。有些幼兒到了一歲半的時候，還願意待在遊戲圍欄裡玩耍，或至少能自己玩上一段時間。還有的孩子在九個月的時候就厭煩了圍欄，彷彿圍欄是個「牢籠」似的。但是多數幼兒都願意在裡面玩，並能一直玩到大約一歲三個月會走路的時候爲止。我建議，當孩子感到不耐煩的時候，就不要讓他繼續待在圍欄裡。當然，我並不是說只要他有一點不樂意就把他抱出來，因爲如果你給他一件玩具，他就有可能又高興地玩上一個小時。幼兒從喜歡在遊戲圍欄裡玩耍到不喜歡，通常要經歷一個過程。開始的時候，他只是由於待在裡面的時間太長才開始討厭圍欄，以後才逐漸地願意在裡面的時間越來越短。到他一點兒也不想進去的時候，還需要幾個月的時間。無論在什麼情況下，只要孩子在裡面待夠了，就應該將他「解放」出來。

405. **讓幼兒習慣接觸陌生人**。出於本能，這個年齡的幼兒對陌生人很警覺，很懷疑。他必須有機會好好打量一下陌生人才放心。但是，接著他就想和陌生人接近，並最終和他交上朋友。當然，他是以一歲幼兒的方

孩子在圍欄裡待夠了就把他「解放」出來。

式來和陌生人接觸和交朋友的。他可能站得很近，目不轉睛地瞧著客人；或很嚴肅地遞給來訪者一件玩具，然後又要了回去；或把房間裡所有能搬得動的東西都搬到客人的大腿上。

許多人並不懂得在孩子打量他們的時候不要去理睬他，相反，他們急於接近孩子，問這問那，滿腔熱情。可是這樣一來，孩子要麼立刻躲到爸爸媽媽的身後，要麼偎在爸爸媽媽的懷裡尋求保護，以防受到這個不受歡迎的「外來者」的「襲擊」。到了這個地步以後，孩子就需要經過很長的時間才能恢復與客人友好交往的勇氣。所以我認爲，家長有必要先提醒來訪者，「如果馬上注意這個小傢伙，他就會害羞。如果暫時先不要去理他，他反而能早點兒過來和你交朋友」。

在幼兒學會走路以後，要給他創造大量的機會去習慣見陌生人，比如每週帶他去幾次食品雜貨店。要儘可能多帶他去有小朋友玩耍的場合。雖然他並不十分想和其他小朋友一塊兒玩耍，但有的時候願意看著別人玩。當他習慣了觀看別人玩耍以後，即兩、三歲的時候，就會非常願意和他們一起玩耍了。

實事求是地對待孩子

406. **幼兒專注好處多**。由於一歲幼兒十分渴望弄清楚整個世界，所以他們並不在意從什麼地方開始，到什麼地方爲止。比如，即使他們正在著迷地擺弄一串鑰匙，只要用一個空塑膠杯就可以使他扔掉那串鑰匙。當孩子快滿一歲的時候，如果他吃完飯以後掙扎著不讓你用毛巾給他擦掉臉和手上的飯粒，你就可以用一個淺盤裝點水，一邊用你的手沾著水給他洗臉，一邊讓他自己用手玩水來分散他的注意力。這就是聰明的家長對待孩子的手段之一。

407. **給會走路的孩子安排房間**。孩子會走路以後就不適合待在嬰兒床或圍欄中了，而應該讓他到地板上來玩耍。當我和家長們說這些的時候，他們明顯不太同意我的看法。他們解釋說：「我擔心孩子會傷到自己，或至少會把屋子搞亂。」其實，你遲早都要讓孩子下地活動，即使在他十個月的時候你不讓他下地，至少在他十五個月會走路的時候也該讓他下地了。另外，即便到了十五個月的時候，孩子也不會變得更懂道理，或更聽話。也就是說，無論你在他多大的時候讓他在房間裡自由活動，你都需要有個適應過程。所以，只要到了該讓孩子走出嬰兒床和嬰兒車的時候，你就應該放他出來。

那麼，怎樣才能防止一歲幼兒傷到自己，或弄壞傢俱物品呢？首先，家長應當整理好供孩子活動的房間，以便他能搆得著的大部分東西都可以玩。這樣，家長就用不著告訴他什麼可以玩，什麼不可以玩了。否則，如果家長不允許孩子碰他能搆得著的東西，就會使自己和孩子都爲此而惱火。如果孩子有很多東西能搆到，他就不會非要去搆那些他搆不著的東西了。說明白點兒，就是要把那些易碎的煙灰缸、花瓶和小裝飾品從矮桌上和架子上拿走，放到幼兒搆不到的地方。把珍貴的書籍從書架和書櫃的底部拿出來，然後放進一些舊雜誌。也可以把好書塞緊一點，以防止孩子拿出來。在廚房裡，可以把炊具和木製的小勺子等放在靠近地板的架子上，而將瓷器和食物放在孩子看不見的地方。再來就是把衣櫃底部抽屜裡裝些舊衣服、玩具和其他有趣的物品，讓孩子自己去發現，去翻弄，以滿足他的好奇心。

408. **如何讓幼兒不去動某些東西**。對一個一、兩歲的孩子來說，有些東西不讓他碰是很難的。然而，家裡總是有很多不適合孩子碰的東西。比如桌子上總得有檯燈，而你絕對不能讓孩子扯著電線把它拽下來。你不能讓孩子把桌子推翻，不能讓孩子碰著熱爐子，不能讓他打開瓦斯開關，更不能讓他爬出窗外。

409. **只說「不行」是不夠的**。剛開始的時候，父母僅僅命令孩子「不要動」是不夠的。即使往後，也仍然需要父母說話語氣嚴厲、多說並且說話算數。只有等到幼兒從經驗中懂得你說話算數的時候，你才可以眞正通過命令來告訴孩子什麼可以動，什麼不可以動。這個年齡層的孩子沒有判斷能力，所以父母不要在房子的另一頭用一種嚇阻的口氣命令孩子不要動東西，因爲這種方式能給他留有選擇的餘地。孩子自己會想「難道我非得像一個懦夫一樣按照大人的話去做嗎？我是否可以像大人一樣勇敢地抓住那根電線呢？」千萬記住，孩子的天性會促使他去繼續探索，同時又會在命令面前猶豫不決。所以很可能會出現這樣的情況，聽到家長的禁止命令後，他仍會繼續向電線靠近，並且偷看父母生氣到什麼程度。因此，聰明的做法是，在他頭幾次朝檯燈走去的時候，你就應該迅速走過去把他拉到房間的另一端，同時告訴他「不許動」。這樣，就能教會他「不許動」的涵義。之後，再給他一本雜誌或一個空盒子，或任何既安全又有趣的物品。

那麼，過幾分鐘以後孩子又走近檯燈怎麼辦呢？家長還是要堅決、果斷、愉快地再一次把他拉走，並同時對他說「不許動」。為了加強你這一次行動的作用，你可以陪他坐幾分鐘，並教他如何玩一樣新東西。如果有必要，這次可以把檯燈放在高處，或把他領出房間。家長要和顏悅色但堅定地告訴孩子，檯燈決不是他能玩的東西，不能有一點通融的餘地。家長要避免給孩子留下選擇的機會，不要和孩子爭論，不要表情憤怒，也不要一個勁兒地責備。這些都不會產生什麼作用，只會導致孩子易怒。

也許你會說：「如果我不教育他玩檯燈是一種淘氣行為，他是不會懂的。」那可不見得。即使你不和他生氣他也會明白的。實際上，只要

最好移開物品或分散他的注意力，不能只說「不許動」。

我們以實事求是的態度來對待他，孩子是很容易接受教訓的。如果父母只是在房間的另一端伸著指頭命令孩子，而他還不懂「不許動」是什麼意思，你的態度只會觸怒他，使他冒險一試，而不去遵從大人的意願。另外，如果家長用手抓著孩子，面對面地訓斥他也沒有什麼好處，因爲家長沒有給孩子留下一個溫雅的讓步機會，或忘掉這件事的機會。所以孩子在這種情況下能做出的唯一選擇，不是順從地屈服，就是反抗。

我記得有一位甲媽媽向我訴苦說，她那個十六個月的小女兒太「淘氣」了。恰恰就在這個時候，蘇茜——一個具有普通孩子一樣膽量的漂亮小姑娘——蹣跚地走進房間裡。甲媽媽立刻不樂意地對她說：「哎，記住了，不要去動收音機！」本來蘇茜根本沒有想到收音機，這下可提醒了她，只見她轉過身來，慢慢朝收音機走了過去。

當甲媽媽的每一個孩子依次表現出獨立、自由的跡象時，甲媽媽都感到十分恐慌。她害怕她再也管不住這些孩子。正是由於她的憂慮不安，導致她對本來不必要擔心的事擔心。就像一個學騎自行車的小男孩一樣，當他看到前面有塊大石頭的時候便緊張起來，以至於直朝那塊大石頭衝過去。

再舉一個例子吧。當孩子朝著火爐走去的時候，父母不應該只是坐在那兒用一種不贊成的口氣喊著「別去」，而應立刻跑上去把他帶走開，這才是家長確實想阻止孩子時應該採取的辦法，而不應該只是和孩子較量意志。

410. **多花些時間，多講些技巧**。有一位母親每天都帶著她那個一歲半的小男孩步行去食品店。她抱怨說，這個小傢伙根本不是好好的一直往前走，而是不停地往人行道的邊上走，並且每經過一所房子他都要在房前的台階上跳上跳下的。你越是哄他，他越不走。母親罵他時，他卻朝另一個方向跑去。所以這位母親擔心孩子可能出現行爲問題。

事實上，孩子根本沒有行爲問題，但是他有可能被管教出行爲問題來。他還沒有達到能把食品店記在腦海裡的年紀，他是受本能的驅使才去探索那邊的人行道和那些台階的。所以每次母親喊他時，都提醒了他去極力堅持自己的主意。那麼母親該怎麼辦呢？如果母親馬上要到食品店去，可以把他放到嬰兒車裡推著走。但是如果她只是帶著兒子外出閒逛，那就應該事先做好心理準備，留出比自己單獨前往多三倍的時間，來讓兒子到人行道旁邊去探索。如果母親在前面慢慢地走，當拉開一定的距離之後，他會自動追上來。

這裡還有一種令人頭疼的情況，比如吃午飯的時間到了，但是你的小女兒仍然興致勃勃地挖著土。如果用一種「你不能再玩了」的語氣告訴她：「該進屋了。」你肯定會遭到拒絕。但是如果你高興地對她說：「走，咱們一起爬台階去。」她就會產生一種想走的願望。

然而，如果這個小女孩又累又煩，房間裡又沒有什麼令她感興趣的東西，她就會十分不滿，並且立即反抗起來。在這種情況下，我就會小心地把她抱進屋裡，即使她又叫又踢，我也會堅持這樣做。要很自信地這樣做，彷彿你在對她說：「我知道你累了，知道你不高興，但是該回去的時候就得回去。」但是不要責罵她，因爲責罵不會使她認識到自己的過錯；也不要和她爭辯，因爲爭辯也不能改變她的主意，只會使你自己感到灰心喪氣。當一個十分氣憤、又吵又鬧的孩子認識到自己的父母用不著生氣就知道該採取什麼措施的時候，他也就從內心得到了安慰。

411. **扔東西**。幼兒快到一歲的時候就學會了故意扔東西。他們一本正經地靠在高腳椅上往地上扔食物，甚至把玩具一個一個扔出嬰兒床。但是扔完之後就會大哭起來，因爲他們搆不著這些玩具了。難道這些孩子是在有意找父母的麻煩嗎？當然不是。他們根本就沒有想到他們的父母，而是陶醉在一種新的娛樂之中。他們整天都想玩這種遊戲，就像大孩子整天迷戀於騎一輛新自行車一樣。當他將玩具扔到地上時，如果你立即撿起來給他，就會使他們逐漸明白，這是一種可以兩人玩的遊戲。這樣，他就會更高興，而且扔得更愉快。所以不要讓他養成這種習慣。當孩子還沉浸在扔東西的快樂中時，還是索性讓他在乾淨的地板上玩好了。無論在什麼情況下，你都不會願意讓孩子坐在高腳椅上往下扔食物。但是他吃飽了以後還是會這麼做的。這時要果斷地把食物拿走，並把他抱下來讓他在地板上玩。試圖責罵一個亂扔東西的孩子是沒有用的，這只會使父母灰心喪氣。雖然孩子應該懂得「物質不滅」的道理（請參見34-35），但這並不是說非要在吃飯的時候弄懂。

扔東西也是一種新的娛樂活動。

睡眠時間的變化

412. **多數一歲幼兒的睡眠時間在發生變化**。一些以前在上午九點鐘小睡的幼兒，到了一歲的時候要麼會全然拒絕睡覺，要麼將上午的睡眠時間不斷往後推。如果上午睡得晚，到了下午三、四點鐘才能再睡一覺。這樣一來，晚飯後的那一覺可能就省去了。或許他們下午就根本不想再睡了。這一時期的孩子每天都在發生變化，甚至在已經有兩週上午不睡覺以後，又開始要在上午九點鐘睡覺了。所以，不要過早地得出最後的結論。家長應該盡最大努力適應這些不便，認識到這些變化都是暫時的。如果孩子不想在上午前半晌睡覺，而只想靜靜地躺一會兒或坐上一會兒，你可以在大約九點鐘的時候把他放到床上，以此法來取代午飯前的這一覺。當然，還有一些孩子不是這樣。如果在他不想睡覺的時候被放進嬰兒床內，他就會大發脾氣，根本不睡。

如果孩子在中午以前發睏，這就提示家長，在這幾天裡要將午飯提前到十一點半，甚至是十一點。這樣，吃過午飯後孩子就能睡一個長覺。但是不久以後，當每天的睡眠只剩下一次（無論是在上午，還是在下午）以後，孩子在晚飯後都會感到非常睏倦。

千萬不要從本章中獲得這樣的結論，即所有的孩子在同一個時期，以同樣的方式放棄上午的睡眠。有的孩子早在九個月的時候就討厭上午睡覺，還有的直到兩歲還渴望著上午的那一覺，並且非常受益。在幼兒的生活中，總會有一個睡兩次覺太多，而睡一次覺又不夠的階段。家長要幫助孩子順利度過這個階段，比如在吃晚飯時讓他一同進餐，到了晚上早點安排他睡覺。

兩歲的幼兒

兩歲的幼兒是什麼樣子

413. 一段不安分的時期。有一些人稱這一時期爲「可怕的兩歲」。實際上，兩歲的幼兒並非眞的那麼令人討厭，雖然沒有人稱之爲「奇妙的兩歲」，但是它確實是一個非常了不起的階段。在這個時期，幼兒正開始形成自我，並且學習成爲一個獨立的人，語言表達能力也在快速提高。但是畢竟對這個世界的認識非常有限，所以在幼兒的眼裡，世界是可怕的。

對於兩歲的幼兒來說，他同時具有許多明顯矛盾的特點：既有依賴性，又有獨立性；既可愛又可惡；既大方又自私；既成熟又幼稚。另外，他們還總是處於兩個世界：溫暖安逸並且依賴父母的過去世界；和充滿刺激、獨立自主的未來世界。由於許多令人興奮的事情都發生在這個階段，所以該階段無論對父母還是對幼兒來說，都是一個挑戰。但是，這並不是一個令人討厭的階段，而是一個令人驚異的階段。

414. 通過模仿進行學習。在一家診所裡，一個兩歲的小女孩非常認眞地用聽診器的聽頭試探自己胸部的各個部位，然後又戴上耳塞，可是她什麼也聽不到，因此便流露出困惑的表情。在家中，小女孩跟著大人到處轉——父母掃地時，她也拿起掃把掃地；父母擦桌子時，她拿起抹布跟著擦；大人刷牙時，她也拿起牙刷刷牙。這一切她都做得極爲認眞。通過反覆不斷地模仿，小女孩在技能上和理解力上均有很大的進步。

兩歲的孩子在某些方面依賴心理很強。這些幼兒看起來非常明白誰能給他安全感，而且還會以不同的方式表現出來。一位母親曾經這樣抱怨說：「我兩歲的寶貝快成了媽媽的『小尾巴』了。我出門的時候她總是拉住我的裙子；有人過來跟我講話時，她就藏在我的身後。」

兩歲是一個愛啼哭的年齡，這正是一種依賴性很強的表現。一個兩歲幼兒在晚間會經常爬出小床，再次回到家人中間，否則他就會在自己的房間裡哭鬧。這是因爲幼兒被單獨放在一個地方而感到膽怯的表現。如果爸爸媽媽，或者其他人離開他幾天，或者是搬進一所新房子，都會使他感到心煩意亂。所以，無論家人有什麼小小的變動，都要把幼兒放在心上，這才是明智的作法。

415. 各玩各的。兩歲幼兒一般不一起玩耍。雖然他們喜歡看別的孩子玩耍，但是在大多數的情況下，他們都喜歡自己玩自己的玩具。這種行爲被稱之爲「各玩各的」(parallel play)。他們的字典裡並沒有「分享」這個詞。他們不會把自己的東西給任何人，而只會說：「這是我的。」但是，這並不表示我們需要費力去教一個兩歲的孩子懂得「分享」，因爲這樣做違背了幼兒的天性。孩子在兩歲時是否懂得與別人分享與他長大後能否成爲一個慷慨的人並無任何關係。當然，即使幼兒還不懂得爲什麼自己從小夥伴那裡搶玩具時爸爸媽媽認爲是不對的，但這並不是說父母必須接受孩子的不良行爲。相反，家長應該堅決而又和氣地把玩具拿走，並還給它的小主人，同時還應該馬上用另一個使幼兒感興趣的東西來分散他的注意力。如果爲了讓幼兒懂得什麼叫「分享」而花費時間去對他說教，實際上是浪費口舌。只有在幼兒眞正明白「分享」這個概念以後，他才能與他人分享。

先在一旁觀看其他小朋友玩耍，然後再加入其中。

違拗症

416. 兩、三歲幼兒的抗拒心理。兩、三歲的幼兒常常表現得任性和在精神上緊張不安。其實，早在一歲三個月的時候，他們就已經開始有反抗情緒了。值得注意的是，幼兒在兩歲以後脾氣會更怪，小花招也會更多。一位名叫佩特尼亞的小女孩在一歲時開始和父母作對。到了兩歲半時，竟然和自己也過不去了。她常常絞盡腦汁地決心去做一件事，可是馬上就會改變主意。從她的表現上看，好像有人總在指揮她做東做西。然而，根本沒有人命令她，反而有時卻是她在指揮別人。她總是堅持按自己的意願和方式做事，誰要是干涉她，她就異常氣惱。甚至別人幫她收拾東西也不行。

幼兒到了兩、三歲的時候，好像是天性促使他們自己做決定，而不允許他人干涉。但是這麼大的幼兒認識世界畢竟有限，因此在自行做決定和反對外來壓力時，心裡其實是很緊張的。由於這個原因，要想和兩、三歲的幼兒友好相處，可不是一件容易的事。

417. 父母要理解這個時期的幼兒。父母既不要過度干涉幼兒，也不要催促他做什麼。當幼兒特別想要自己脫衣服或穿衣服時，家長就應該放手讓他自己去穿；幼兒洗澡時，父母應該儘量讓他有充足的時間在澡盆裡玩耍；吃飯時，父母要讓幼兒自己吃，而且不要催促他，吃飽以後就不要再讓他留在飯桌旁了；到了該睡覺、該外出散步或者該回來的時候，都要讓孩子按照大人的要求去做。但是不能惹怒他，而要多說些有趣的事情來引逗他按照大人的話去做。但是要切記，我們的目的既不是要把他嬌慣成說一不二的「小皇帝」，也不是要把這個什麼都想自己做的「小能人」累壞。

家長要制定一些嚴格的、持之以恆的規矩，但是要仔細地考慮這些規矩的內容和適用範圍。如果發現自己對孩子說「不行」的時候大大地多於「行」，就可能是你制定的規矩太多了。我們應當明白，和兩歲的孩子較量意志是一件大傷腦筋的事。首先我就不主張這麼做，除非在一些十分重要的事情上非要這麼做不可。另外，如果家長一味地妥協，孩子就會被寵壞。所以，關鍵是如何在這兩者之間找到平衡。

418. 開始偏愛父母中的一方。兩歲半到三歲的孩子通常只和爸爸或媽媽一人相處得好。當另一個再加進來時，他就會立刻憤怒起來。其中的部分原因可能是嫉妒。但是我認爲，處在這個年齡層的幼兒不但對別人指揮他特別敏感，而且自己也想命令別人。所以，讓他同時去對付兩個大人的時候，他就會感到難以應付。因此，在這一時期，爸爸通常是不受歡迎的人，他會覺得自己純粹是一個多餘的人。其實爸爸不應該把孩子的這種表現看得過於認眞，也不應該由於難過而疏遠孩子。他應當多去關心孩子，經常單獨同他一起做有趣的遊戲，餵他吃飯和給他洗澡等，要多做一些與孩子有關的日常瑣事。這樣，孩子就會逐漸地把爸爸也看成是一個風趣而又充滿愛心的重要人物，而不是把他看成一個干涉他生活的「外來人」。如果爸爸剛開始接替媽媽的時候遭到孩子的拒絕，爸爸應該高興而又堅決地繼續把孩子帶下去。媽媽也應該欣然而又堅定地把孩子交給爸爸，然後離開。這樣，媽媽就有機會去做自己的事情了。另外，也有必要讓孩子知道，父母是相愛的，也願意待在一起，所以不能因爲他而受到影響。

兩歲幼兒的煩惱

419. 害怕分離。許多正常的幼兒在一歲左右時，都有一種害怕與爸爸和媽媽分離的心理。我認爲，這表明幼兒對尋找安全感的程度有了新的認識，即在父母身邊就感到安全，能得到保護。也許就是這種本性，使得其他剛出生的小動物總是緊緊跟隨在媽媽的身後。例如小羊就是如此，一旦與母羊分開，就會低聲咩咩地叫喚。小羊從一出生就具有這種焦慮感是很自然的，否則它們一出生便會走失。但是人類的孩子到了一歲左右的時候，也就是他們學會了走路的時候，才具有這種恐懼感。這樣，一旦他們離開了大人，就會急於馬上返回。

我們經常可以遇到這樣的情況。一個很敏感而且依賴性很強的兩歲男孩（特別是獨生子），突然必須和與他常在一起的爸爸或媽媽分手。比如因爲媽媽突然要外出幾週或者她決定出去找一份工作，所以便安排一位陌生人在白天照顧孩子。一般說來，母親不在的時候孩子並不會哭鬧。可是當母親回來以後，孩子就會緊緊地黏在媽媽身上，而且不讓任何人靠近。每當想到媽媽會再次離開，他就會驚慌失措。

孩子在睡覺前最害怕同父母分手。因此，他會極力拒絕上床睡覺。如果媽媽強行走開，孩子就會害怕地哭上好幾個小時。如果媽媽坐在小床旁邊一動也不動，孩子也能老老實實地躺下來。但是，只要媽媽一朝門口走去，他就會立刻站起來。

另外，有的孩子可能會害怕尿床，所以他在睡覺時會不停地說：「尿尿！」或者重複他用來表達要撒尿的一些字。但是當媽媽把他帶到廁所以後，他卻只尿幾滴。可是等他剛回到床上，他就又嚷嚷著要撒尿。你也許會說，他這是為了不讓母親離開而找的藉口。情況確實如此，但是又不僅僅如此。實際上，類似這樣的孩子確實會擔心自己尿床。由於他們總是害怕尿床，所以晚上每隔兩個小時就會醒來一次。這麼大的孩子尿了床以後，父母總是表現出不滿意的態度，因此孩子擔心尿了床以後父母就不再那麼愛他了，並因此而更可能離開他。由此看來，孩子害怕睡覺是兩個原因造成的。如果你的孩子擔心尿床，那就要設法打消他的顧慮，並告訴他尿床沒有什麼關係，父母仍然會喜歡他。

420. **兩歲孩子害怕睡覺怎麼辦？**最有效、也是最難實施的辦法就是放鬆地坐在他的小床邊，一直陪他睡著為止。在他入睡前，父母不要急於悄悄離開，以防再一次引起孩子的警覺，從而使他更難以入睡。要堅持陪伴他幾個星期，這樣，孩子就會慢慢地順利入睡了。如果孩子由於爸爸或媽媽離開過家而受過嚴重的驚嚇，我建議家長在數週內儘量避免再次外出。如果孩子出生後母親第一次外出工作，每天出門時要親切地向孩子說「再見」。但是要表現得愉快，態度要堅決。如果媽媽臉上掛著一種苦惱的表情，好像不知道是不是應該出去工作，那就只會加重孩子焦慮不安的心情。

一般說來，讓孩子晚點兒睡覺或者省去午睡能使孩子感到更加疲倦，從而比較容易入睡。但是，這種辦法不一定總是有效，因為即使在孩子精疲力竭和驚恐不安的時候，也能一連好幾個小時不睡覺。因此，家長還是要想出切實可行的辦法，為孩子解除憂慮。

421. **不要過多地改變孩子的環境。**從幼兒時期就與各種各樣的人打交道的孩子，以及有機會發展自己的獨立性和開朗性格的孩子，都不太害怕父母離開。

孩子到了一歲三個月～兩歲之間的時候，應該儘量避免在環境上做大的變動。假如能夠把長途旅行延後六個月，或者慢一點再找工作，那最好這麼做。如果是你們的第一個孩子，那就更應該如此了。

如果父母雙方都不能在家裡照顧孩子，一定要爲他安排一位他特別熟悉的人來照料他。是什麼人無所謂，朋友、親戚、保姆，還是專門在白天到家裡來料理家務的人都可以。如果打算把孩子放在別人家，最重要的是要先花兩個星期的時間，讓他逐漸地熟悉這位陌生人和陌生的地點。要先讓這位陌生人和孩子相處幾天，並且先不要試圖去照料他。要等到孩子對他產生信任並且喜歡上他（她）以後，再讓這位照顧者逐漸地接手照料孩子的工作。

剛開始的時候，父母不要一下子全天離開孩子。要先離開半個小時，然後再逐步延長時間，因爲家長馬上再次出現會使孩子感到放心，感覺到爸爸媽媽總是很快就能回來。另外，不要在剛搬家之後，或者在已經有一人外出的時候一下子，離開一個月之久。兩歲大的孩子需要很長的時間才能分別適應周圍發生的每個變化。

422. 溺愛會加重孩子的恐懼感。害怕離開父母或者害怕其他事情的孩子都相當敏感。他們能察覺到父母是否也害怕同他分手。如果父母每次離開孩子時表現出猶豫或難過的樣子，如果夜裡父母一聽到他的聲音就急忙衝進他的房間，這些焦慮不安的作法就會加重孩子的恐懼感，即離開父母親眞的會有很大的危險。

這與我在前面說過的內容似乎很矛盾。我在前面說到，母親在孩子睡覺時，要坐在他身旁，以便孩子能放心地睡覺；還講到家長不要一次出門達數週之久。我這麼說的意思是，家長必須像照料一個生病的孩子一樣給予這種孩子特別的關心。但是，他們必須盡力表現出愉快、自信和無所謂的樣子。父母應該不斷發現孩子不再依賴他們的跡象，並不斷給予他們鼓勵和稱讚。這種態度對消除孩子的恐懼感有非常積極的作用。隨著孩子不斷成熟，再加上父母的這種態度，孩子就能更好地理解恐懼感和消除恐懼感了。

423. 溺愛的原因。大多數溺愛孩子的父母都是對孩子特別盡心、特別溫和的人。在現實生活中，這些父母常常會為一件本來用不著內疚的事而感到內疚。但是，有時候造成溺愛孩子的一個重要原因，卻是父母不願承認他們有時對孩子感到不滿意，或者對孩子感到十分惱火的事實。

比如，有些父母和孩子有時會對對方產生反感，甚至會詛咒對方倒楣。但是他們害怕承認這個事實，所以就只好憑想像來把這些倒楣事轉嫁到別的來源上，而且還極力誇大這些倒楣事的嚴重性。比如有些孩子不願意承認父母和自己都有惡念，所以就把所有的倒楣事的來源轉嫁到妖魔鬼怪、強盜、狗和閃電身上。當然，孩子找什麼做替身取決於他的年齡和經歷。雖然他並沒有遇到過什麼危險，但是他還是緊緊地纏著父母，以尋求某種保護或得到心理上的滿足。又比如，一位母親會抑制住自己一時的惡念，轉而誇大兒童被綁架、家庭事故或者缺衣少食的嚴重性等。為了確保孩子安全無恙，確保自己流露出的焦慮神情能使孩子確信母親的擔憂是有根據的，母親就只好寸步不離地和孩子在一起。

當然，解決問題的辦法既不是說在父母最生氣的時候可以在孩子的身上發洩，也不是說可以允許孩子辱罵父母。但是，讓父母認識到，他們偶爾對孩子產生反感在所難免，這肯定是有好處的。如果父母能告訴孩子他們是多麼生氣（尤其是當這種生氣根本不應該的時候），就能有助於改變氣氛。經常對孩子講一講這類話很有好處，比如：「我知道我這樣管教你，會讓你多麼生氣。」

424. 如何幫助有恐懼心理的兩歲幼兒。解決幼兒的恐懼心理要從實際出發。在很多情況下，要看有沒有必要馬上去克服這種恐懼心理。比如，根本沒有必要讓膽小怕事的孩子立刻去和狗交朋友，也沒有必要馬上讓他到深水中去練習游泳。因為只要孩子到了敢於做這些事情的時候，他自然就會去做。但是，如果孩子已經到了該上幼稚園的年齡，如果他不是對此感到相當恐懼，那就應該堅決讓他去。另外，不要允許孩子每天晚上跟大人一起睡覺，而應該哄他在小床上睡，因爲一旦給他養成和大人睡覺的習慣，以後就不好改了。儘管有的孩子不愛上學，但是他遲早還是得去的。如果你想往後拖幾天，他就會越拖越不願意去。所以，父母的明智作法是，弄清是否因爲他們對孩子的溺愛，導致孩子害怕離開父母才產生這種恐懼心理，然後再設法排除孩子的這種心理障礙。這兩步光靠家長很難實現，所以有必要得到育兒指導診所、家庭諮詢機構或者其他專家的指導。

425. 幼兒可能利用害怕孤獨爲由來牽制父母。孩子之所以纏著媽媽不放，是因爲他害怕離開媽媽。但是，當他發現媽媽因爲擔心孩子害怕而總是想辦法來安撫他的時候，孩子就學會了利用這一點來牽制媽媽。比如，有一些三歲孩子到了幼稚園以後就怕父母離開，因此，他們的父母就不得不在幼稚園形影不離地陪他們好幾天，而且孩子叫他們做什麼他們就做什麼。結果沒過多久，這些孩子就開始誇張地表現他們的不安心情，因爲他們已經學會利用這種手段將父母耍得團團轉。在這種情況下，家長只能這樣對孩子說：「我認爲你現在已經長大了，不再害怕上幼稚園了。你只不過想讓我做你所要求的事情，所以明天我就沒有必要待在這裡了！」

10 三～六歲的孩子

對父母的愛

426. 三～六歲的孩子容易引導。無論是男孩還是女孩，到三歲左右，感情發展就達到了一個新的階段，開始認為父母是非常可愛的人，因此想模仿爸爸媽媽的樣子。多數孩子在兩歲時剛剛表現出來的那種無意識的反抗和敵對情緒，似乎在三歲以後開始緩和。這時，孩子對父母的感情不僅友好親切，而且還表現出對父母的熱情和關心。但是，孩子畢竟還沒有達到對父母十分順從的地步，所以還做不到時時刻刻聽從大人的吩咐，也不能事事表現出色。孩子畢竟是有自己思想的人，所以儘管有時他們的想法與父母的相反，但是他們還是想堅持己見。

在強調三～六歲的孩子比較聽話的同時，我還要談一談四歲孩子的一些例外情況。許多四歲孩子會覺得自己什麼都懂，因此常常表現得獨斷專行、驕傲自大、說話語氣蠻橫和愛挑釁等。但是這種自信很快就會自然消失。

427. 孩子兩歲時很想模仿自己的父母。比如用拖把拖地板或者用鎚子釘一個虛構的釘子等。但是，他們此時能夠模仿的只是使用拖把和鎚子的姿勢而已。到了三歲的時候，孩子就想在各個方面都像他們的父母。比如，他們做的遊戲有：去上班、做家事（煮飯、清潔打掃、漿洗衣服）和照料孩子等（利用布娃娃或比他更小的孩子）。他們還假裝駕駛家裡的車子外出兜風，或者晚上外出散步。甚至穿上父母的衣服，模仿父母的談話和舉止以及他們的特殊習慣。這個過程被稱之爲**成長定向**（identification）。

成長定向的意義遠遠大於模仿本身，因爲孩子需要首先去理解父母，然後才能模仿，並最終慢慢地使之成爲自己的特點，即兒童對工作、對人和對自己建立起來的基本理想和觀念。當然，這種基本理想和觀念還需要隨著孩子的成熟和懂事不斷加以修正。兒童就是這樣學會了扮演父母的角色，並且在二十年後明顯地表現出來。這一點僅靠父母的語言教誨是辦不到的。其實，他們成年後的個性從他們小時候照料布娃娃時所使用的語言就能看出來，比如，看他總是充滿愛心地對布娃娃說話呢，還是總是責怪它。

另外，小女孩在三歲時就更加清楚地認識到自己是女性，長大後將成爲一個女人。所以她特別注意觀察媽媽，總是把自己塑造成媽媽的模樣。比如，媽媽如何對待自己的丈夫（像對待有地位的人那樣呢，還是像對待小人物或親密的伴侶那樣）；如何對待一般的男性；如何對待女性（知己的女友或競爭對手）；如何對待女兒和兒子（是偏愛某一性別的孩子呢，還是都一樣愛他們）；如何對待工作和家庭（比較重視家裡的事，還是比較重視事業）。小女孩不能完全成爲母親的翻版，但在許多方面確實受到母親的影響。

處在這個年齡的小男孩也意識到自己將長成男人。因此，他主要模仿爸爸的做事方式。比如爸爸是如何對待自己妻子的；如何對待一般女性；如何對待其他男人；如何對待兒子和女兒；如何對待外面的工作和家裡的事。雖然孩子主要是在模仿同一性別的家長，但是，他也在模仿異性家長。這就是爲什麼兩個性別的人能夠互相理解，共同生活在一起的緣故。

428. 小男孩和小女孩開始對嬰兒著迷。小孩子很想知道嬰兒是從哪裡來的。當他們了解到嬰兒來自於媽媽的體內時，無論男孩還是女孩，都急切地想模擬這種能將自己生出來的創造性行爲。他們想照料嬰兒，並且把愛獻給嬰兒，就像他們小的時候父母對待他們那樣。因此他們會把更小的嬰兒或布娃娃當作孩子，並且花上幾個小時的時間來扮演爸爸和媽媽。

人們通常認爲，小男孩不像小女孩那樣迫切地想同大人一樣在肚子裡懷孩子。而實際上並不是這樣。雖然大人告訴小男孩他們不能生孩子，但是他們在很長的一段時間內是不相信的。他們會認爲自己也會生孩子，並天眞地認爲，只要他們努力盼望某件事，就會無所不能地成爲現實。正如在世界上的某些與世隔絕的不發達地區，當女人進入分娩的陣痛期時，她的丈夫也被送進男人的產房，由他那些深表同情的男性朋友守護著，又叫喊又折騰。

429. 男孩對母親，女孩對父親的異性情結。三～六歲之前，男孩對媽媽的愛一直主要表現爲較強的依附心理，就像嬰兒時期對媽媽的依賴一樣。但是現在，他開始產生像父親一樣的浪漫想法，堅信長大後會和媽媽結婚。雖然他根本不懂得結婚是怎麼回事，但是絕對淸楚誰是世界上最重要、最有吸引力的女人。模仿著媽媽長大的女孩，對自己的爸爸也開始逐漸地產生這種愛慕之情。

這些強烈的、充滿幻想的愛慕之情有助於幼兒精神上的發展，幫助孩子獲得對異性的正常情感，並最終引導他們在未來擁有幸福的婚姻。但是這種傾向所造成的另一個結果是，大多數這個年齡的孩子會產生一種無意識的緊張感。當一個人喜歡上某人時，他就會禁不住地想把這個人據爲己有，這種情況是不分老少的。因此，當一個三歲、四歲或者五歲的小男孩更加淸楚地意識到自己對媽媽有一種自私的愛，也意識到媽媽在某種程度上已經屬於爸爸的時候，無論他是多麼喜歡爸爸、羨慕爸爸，他都會感到十分氣憤。他有時甚至會暗暗地希望爸爸迷路，回不了家。但是接著又會對自己這種不孝順的想法感到內疚。他還會從自己的角度來推理，認爲爸爸也會同樣地嫉妒他和怨恨他。

小女孩對爸爸也會產生同樣的自私的愛慕。儘管在其他方面小女孩很愛媽媽，但是她有時仍然盼望媽媽會出什麼事，這樣她就可以獨自佔有爸爸了。她甚至會對媽媽說這樣的話：「你可以外出長途旅行，我會照料好爸爸的。」但是，當她想到媽媽也會這樣嫉妒她的時候，就會不由得爲此而擔憂起來。因爲畢竟父母的個子比他們高得多，身體比他們壯得多，所以孩子想盡力擺脫掉這些可怕的想法。但是，在孩子們進行的象徵性遊戲中和睡夢中，這些恐懼感卻不斷地流露出來。我認爲，兒子對爸爸，以及女兒對媽媽所產生的各種想法——愛慕、嫉妒、恐懼——正是這個年齡的孩子有時愛做噩夢的根源。也正是由於這個原因，他們才常常夢見被巨人、強盜、女巫和其他的可怕東西追趕。

430. 難以維持的眷戀情結。孩子在三～六歲期間對異性父母的浪漫眷戀，可以看成是大自然對孩子的感情塑造，是爲他們將來當配偶或當父母做準備。但是，這種眷戀之情並不能維持多久，也不會變得十分強烈，因此不至於延續到他的一生，甚至不等童年時代結束就消失了。

孩子到了六、七歲的時候，自然會因爲他們不可能獨自佔有爸爸或媽媽而感到沮喪。想像父母因此而生氣的樣子，以及男女生理上的不同，都使孩子產生下意識的恐懼心理。這種恐懼心理把他們心中的浪漫喜悅變成了一種反感。從此，孩子開始躲避異性父母的親吻。隨著眷戀情感的衰減，他們的興趣開始轉向不受個人情感影響的事情上，比如寫作業、學習科學知識和專心模仿其他同性孩子上面，而不再模仿父母了（佛洛伊德稱這種轉移爲伊底帕斯〔Oedipus〕情結的解體）。

如果爸爸意識到幼稚的兒子對自己表示出一種無意識的怨恨和恐懼，也用不著採取什麼措施來使孩子擺脫這些想法。比如，用不著裝得特別溫柔、隨和或並不特別愛自己的妻子等。實際上，如果兒子確信爸爸是一個既不敢做嚴父，也不敢成爲獨自佔據妻子的人，他就會認爲自己過多地佔有了媽媽，從而感到更加內疚和害怕，以致失去當一個充滿信心的爸爸的靈感，而這正是孩子建立自信心所不可缺少的。

同樣，媽媽即使知道小女兒有時在嫉妒自己，也應該充滿信心，千方百計地幫助女兒成長，而不應該受制於女兒。要清楚在什麼時候應該表現出什麼樣的態度。根本用不著擔心自己向丈夫表示親密和愛慕之情會對女兒有什麼影響。

如果母親比父親更隨意、更溫柔地對待兒子，那麼對兒子來說，生活便複雜化了；同樣，如果母親對待兒子的親密勁兒和同情心勝過對待自己的丈夫，那麼對兒子來說，生活也會變得複雜化。母親這樣做通常會使兒子疏遠父親並且特別害怕父親。同樣，如果爸爸任由女兒擺布，總是違反妻子訂定的規矩，或表現出與女兒在一起勝過和妻子在一起，這對妻子和女兒都沒有好處，會影響母女之間應有的親密關係。

但是，如果爸爸對女兒，或媽媽對兒子表現得略爲寬容；如果兒子和媽媽在一起或女兒和爸爸在一起的時候感到更加輕鬆，這些現象都是完全正常的。因爲，異性之間比同性之間存在的敵視情緒要小一些。

在一般家庭中，父親、母親、兒子和女兒之間都存在著有益於感情健康發展的均衡關係，這種均衡關係能引導他們順利度過這些發展階段，所以用不著專門爲他們勞神。我們在這裡討論這個問題的目的，是用佛洛伊德關於三～六歲孩子發育的學說，爲那些相互關係發展不平衡的家庭提供一些參考。

431. **幫助孩子度過這一想入非非，而又嫉妒心極強的階段**。家長可以溫柔地向孩子表明，他們相互屬於對方，因此男孩不可以獨自佔有媽媽，女孩也不可以獨自佔有爸爸。當知道孩子因爲這個緣故感到十分惱火時，家長也不必感到驚訝。

聽到小女兒宣布他要和爸爸結婚的時候，爸爸要顯出愉快的樣子，同時要向女兒解釋說自己已經結婚了，等她長大時可以去找一個同年齡的人結婚。

爸爸和媽媽親密地在一起的時候，不必要也不要讓孩子打斷他們的談話。可以既高興又堅決地提醒孩子，父母有事要談，同時建議孩子去忙自己的事。父母這種機智得體的作法能使他們在表達愛慕時不受孩子的干擾。因為如果有人在場，肯定會受影響，但是，如果父母在擁抱和親吻時孩子突然闖進房間，也用不著像犯了錯似地突然跳開。

男孩對爸爸粗魯無理是因為嫉妒心理，對媽媽粗野蠻橫是因為媽媽使他產生嫉妒心理。在這種情況下，家長一定要堅持和孩子講道理。如果女孩子表現得粗魯，母親也應該客氣地對待她。同時，家長要想方設法減輕孩子生氣和內疚的程度，比如可以對他說，父母知道他有時對他們很生氣。

432. **睡眠問題**。人們發現，三～五歲的孩子在睡眠方面存在的問題，主要是由想入非非的嫉妒心理所造成的。比如孩子之所以在半夜闖入父母的房間，要跟父母一起睡，是因為在他的潛意識中，他不想讓父母單獨在一起。出現這種情況以後，家長應該立刻把他送回小床。但是，態度既要堅決，又要和藹。這樣做對大人和孩子都有好處（參見769）。

好奇心與想像力

433. **強烈的好奇心**。該年齡層的孩子想了解他們遇到的每一件事的意義，而且想像力相當豐富。他們可以把二和二放在一起，靠自己得出結論。他們把一切事物都與自己聯繫在一起。聽到火車叫時，他們立刻想知道是怎麼回事，「我哪天能坐上火車呢？」聽到人們談論某種疾病時，他們就想：「我會得到那種病嗎？」

434. **適當的想像力**。三、四歲的孩子在講述一個編造的故事時，以我們成年人的觀點來看，他們並非在說謊。由於他們的想像力生動逼真，所以他們自己也不清楚真實的說到哪裡了，而編造的又是從哪裡開始的。

這就是為什麼他們害怕暴力的電視和電影，而我們也不應該讓他們看。

當孩子偶爾撒謊時，家長不必指責他或使他感到難堪。一般說來，只要他在外面與其他孩子相處愉快，家長就不用為此而擔憂。但是，如果孩子每天大部分時間都在講述他想像中的朋友或冒險歷程，而且不是把它當作一種遊戲，而是確信他自己所想的事，這就有兩個問題需要我們思考解決：第一個是，他在現實生活中是否感到非常滿足。解決這個問題的辦法是，找一些同齡的孩子來跟他一起玩，並幫助他喜歡上這些孩子。另一個問題是孩子與家長的關係是否隨和融洽。

孩子需要擁抱、需要騎在家長的脊背上、需要從父母的玩笑中獲得樂趣、需要與父母友好地交談。如果身邊的大人都很嚴肅，孩子就會特別嚮往和能夠相互理解的遊戲夥伴在一起，就像飢餓的人嚮往吃巧克力一樣。如果家長總是過分地指責他，孩子便會創造出一個邪惡的夥伴，不斷就自己曾做過的錯事，或願意做的事批評這個夥伴。如果孩子還存在大量的幻想，尤其是到了四歲以後，雖然他經常和其他孩子在一起，但是仍未得到改善，家長就應該向精神科醫生、兒童心理學家或其他的心理健康顧問諮詢，查明孩子到底有什麼問題。

三、四、五歲時的恐懼感

435. 常見的幻想煩惱。在前面的篇章裡，我講述了不同年齡的孩子為什麼會產生不同程度的焦慮。還有一些其他類型的恐懼症，它們絕大部分突然出現在三、四歲左右的孩子身上，比如害怕黑暗、狗、消防車、死亡以及跛腿的人。孩子這時的想像力已發展到了一個新的階段——他能使自己置身於別人的處境，描述出他們從未經歷過的危險。孩子的好奇心涉及到各個層面。他們不僅想知道每一件事情發生的原因，而且還想知道這些事情跟自己有什麼關係。偶然聽說別人談論死人的事，便想知道什麼是「死亡」。等到他有了一點兒模糊的認識以後就會問：「我會死嗎？」

容易產生恐懼症的孩子通常是以下幾類：由於不愛吃飯和上廁所之類的事情而經常被父母搞得精神很緊張的孩子；由於恐怖故事或經常被警告而使想像力受到刺激的孩子；缺乏培養獨立性的機會和不經常外出的孩子；以及爸爸媽媽過於溺愛的孩子。過去積累下來的焦慮感經過孩子進一步的想像加工後，就變成了具體的恐懼感。

聽起來好像我是在說，如果對待孩子的方法不當，任何孩子都會產生恐懼感。其實我說的根本不是這個意思。所有的孩子都有恐懼心理，因爲世界上充滿了他們不理解的東西。無論孩子是在怎樣的愛護和體貼中長大的，他們都會認識到自己的弱點和脆弱性。我認爲，有些孩子生來就比別的孩子敏感，而有些孩子，無論你如何精心撫養，他們都會對某種東西產生恐懼感。

父母的任務並不是要排除孩子想像中的一切恐懼。事實上，學會面對恐懼和戰勝恐懼是人生重要的一課。家長的任務是幫助孩子掌握有益的方法，去對付和戰勝恐懼。塞爾瑪·佛列伯格（Selma Fraiberg）在《神秘的年紀》（*The Magic Years*）一書中闡述了一個很有說服力的觀點：「孩子未來的心理健康與否，並非取決於他充滿幻想的生活中是否存在著可怕的東西，而是取決於他能否戰勝這些可怕的東西。」

436. 害怕黑暗。孩子如果害怕黑暗，家長就要設法幫他排除這種恐懼感。這主要得靠你的方法，因爲它比說教更爲重要。比如千萬不要取笑他們，也不能著急，更不能勸說他們消除對黑暗的恐懼。如果孩子想說出來（有些孩子是願意說的），那就應該讓他說出來。要讓他覺得你們願意理解他，還要讓他知道你們確信他不會有任何事情。當然，家長絕不應該用可怕的怪物、警察或魔鬼之類的東西來嚇唬孩子。

要避免讓孩子看恐怖電影、電視節目以及殘暴的神話故事。他自己憑空想像出來的東西已足以使他害怕了。另外，不要爲孩子在飯桌上的行爲動肝火，也不要在晚間無聊地待著。要明確引導孩子舉止端正，而不要先任由他胡來，然後再去指責他。要爲孩子每天安排一定的時間出去和小朋友一起做遊戲，以便使他過得充實。孩子參加的遊戲和活動越多，內心的恐懼就會越少。如果孩子堅持在晚間開著門睡覺，你不妨就照他說的去做。還可以在他的房間裡開一盞光線微弱的燈，這樣，不用付出多少代價就能讓他看不見妖魔鬼怪了。其實在孩子睡覺時，他房間裡的燈光和大人在起居室裡的談話聲，遠不及他的恐懼對他的影響大。等到孩子的恐懼心理減輕以後，他就不會再害怕黑暗了。

437. **對死亡的疑問**。你早就應該意識到，這麼大的小孩很可能會問及有關死亡的問題。一開始解釋這個問題的時候，家長要儘量顯得很自然隨便，不要顯得很害怕的樣子。你可以對他說：「人到了一定的時候都會死。大部分人在很老的時候和病重的時候就會死去，也就是他們的身體不會動了。」

家長的回答一定要適合孩子的認識程度。類似「阿德叔叔離開了我們」這樣的回答，孩子根本聽不懂，所以就可能使他產生內心的恐懼。這麼大的孩子只能完全從字面上理解事物，所以千萬不要將死亡說成是「去睡覺」，因爲孩子不理解，因此他可能會說，那麼就把他叫醒吧。還可能因此而不敢去睡覺，因爲他害怕自己睡著了以後就死掉了。

我認爲，儘量用最簡單的話來解釋（不要掩飾事實眞相）可能會好一些，比如：「死亡就是人體完全停止了運動。」接下來，家長可以利用這個機會和家人討論一下各自對死亡的看法。大部分成年人對死亡都有某種程度上的恐懼心理和排斥，但是又沒有一種既可以向孩子說明這個問題，又能迴避人類這種基本態度的辦法。如果你認爲人們最終要以尊嚴和剛毅的態度來對待死亡，那麼你就可以把類似的意思告訴孩子。需要注意的是，在孩子提出問題和回答孩子問題時，要做到簡單明瞭。不要忘了緊緊擁抱孩子，告訴他在很長很長的時間內，父母都將和他在一起。

438. **葬禮**。許多家長都不知道是否該讓一個三～六歲的孩子去參加親友的葬禮。我認為，如果孩子願意去，家長也對此感到很正常，並且為此做了必要的準備，那麼，三歲以上的孩子是可以參加葬禮的。甚至還可以讓他和家人一起到墓地去看死人下葬。但是一定要讓一位孩子所熟悉的大人陪著，以便在必要的時候安慰孩子、回答孩子提出的問題，或在孩子感到太難過的時候把他帶回家。

439. 害怕動物。三～五歲的孩子一般都害怕動物，即使是從來都沒有遇到過不愉快經歷的孩子也是如此。千萬不要為了證實狗不咬人而把孩子拉到狗的面前。因為你越拉他，他就越是嚇得朝相反的方向跑。隨著時間的推移，孩子自己就會克服膽怯的心理，而去接近狗。只有孩子自己主動去克服膽怯的心理，他才能更快地克服它。

440. 怕水。千萬不要在孩子嚇得哇哇亂叫的時候還把他強行拉進海中或游泳池裡。當然，有些孩子被強行拉入水中後確實感到了樂趣，並立刻消除了恐懼心理。但是在大多數情況下，這樣做反而增加了孩子的恐懼感。但是有一點我們應該知道，儘管孩子有點兒害怕下水，但是他也渴望下水。

孩子對狗、救火車、警察和其他東西的恐懼感可以通過做相關的遊戲來逐步適應，慢慢消除。如果孩子願意做類似的遊戲，並在玩耍中消除自己的恐懼心理，這是最好不過的。恐懼能促使人做出快速反應，這是因為當我們產生恐懼的時候，腎臟就會迅速分泌大量的腎上腺素，使心臟跳動加快，為我們做出迅速反應提供所需要的糖分。這時，我們就會像風一樣迅速逃跑，或像猛獸一樣去勇猛地打鬥。這樣，通過逃跑或打鬥，心裡的恐懼感就被耗盡了。靜靜地坐著不動，恐懼感是不會消失的。如果讓一個怕狗的孩子做一種遊戲，比如猛烈地擊打一隻玩具狗來發洩自己，就可以部分地減輕他的恐懼。如果孩子的恐懼心理越來越嚴重，或各種各樣的恐懼已經影響到日常生活的其他方面，就應當請教兒童心理健康專家。

441. 害怕受傷。我想在這裡專門闡述一下兩歲半至五歲孩子對受傷的恐懼心理，因爲特殊的對策可以預防或消除他們的恐懼感。處於這個年齡層的孩子渴望了解任何事物發生的原因。他們看見一個跛腿的殘障者或外貌畸形的人時，首先想知道那個人爲什麼會這樣，然後又設身處地的開始擔心自己會不會受到類似的傷害。

在這個階段，孩子對掌握各種身體技能（比如蹦跳、跑步、爬行等）也產生了極大的興趣，所以他們自然會對身體的完整無缺看得很重。如果受了點兒傷，他們就會感到相當難過傷心。爲什麼兩歲半或三歲的孩子看到一塊殘缺的餅乾會感到非常難過，拒絕接受被掰開的餅乾，而非要一塊完整的才行呢？原因就在這裡。

孩子不僅害怕眞的受傷，而且還混淆了男孩和女孩之間自然的差別，並且也爲此感到擔憂。比如，一個光著屁股的三歲男孩看見一個光著屁股的小女孩時，就會感到十分納悶，她怎麼和自己不一樣，沒有「小鷄鷄」呢？因此他就會問大人：「她的小鷄鷄呢？」如果不能立刻得到滿意的回答，他就會很快得出結論：她肯定遇到過什麼災禍。然後他就會擔心地想：「災難也可能會降臨到我身上。」小女孩也是如此。當她發現小男孩和自己不一樣的時候，也會產生同樣的誤解和擔憂。她首先會問：「那是什麼？」然後就會急於想知道：「爲什麼我沒有呢？是我出了什麼毛病嗎？」這就是三歲孩子的思維方式。他們也許會感到非常難過，以至於不敢再問父母親這樣的問題。

對於爲什麼男孩和女孩不一樣的擔心表現在很多不同的方面。我記得有一個不滿三歲的小男孩神情憂鬱地看著媽媽給小妹妹洗澡。看了一會兒後，他對媽媽說：「妹妹，疼！」這是他表達受傷用的詞。媽媽沒有理解他的意思，直到小男孩鼓起勇氣指了指他所說的東西，同時又緊張地握住自己的生殖器。媽媽對此很不高興，認爲這是不良習慣的開端。因爲她從來也沒有想到兩種性別的發育有什麼相關之處。我還記得這樣一件事：一個小女孩發現她與男孩子不同後，非常著急。於是不斷地去脫其他孩子的衣服，想看一看他們都長得什麼樣子。做這些事的時候她並沒有躲躲閃閃的，但是可以看出她擔憂的神情。後來她便開始觸摸自己的生殖器。有一個三歲半的小男孩先是對妹妹的身體感到不安，然後又擔心家中所有壞了的東西。他竟然緊張地問父母：「這個錫鑄的士兵為什麼破了？」這個問題是毫無意義的，因為是他自己在前一天打碎的。只是任何破損的東西似乎都能讓他聯想起與自己有關的恐懼。

兩歲半～三歲半之間的正常孩子，通常會對一些事情感到憂慮，例如身體上的差別。在他們剛感到好奇的時候，如果得不到令他們滿意的答案，他們就容易得出使自己心煩意亂的結論。所以，事先了解這一點是很有必要的。另外，我們不能指望孩子提出這樣的問題：「我想知道為什麼男孩和女孩不一樣？」因為這麼大的孩子還提不出具體的問題。孩子也許能提出某個問題，或許只暗示給父母，或許只是焦急地等待。我們不能認為這完全是孩子對性別產生的一種不健康的好奇心。其實，孩子最初提出的這類問題與他們提出的其他問題並沒有本質上的區別。因此，家長不應該制止孩子提出類似的問題，不應該為此而責怪孩子，也不應該不好意思回答，否則將有反效果，會使孩子認為他們處於危險的境地。而這一點正是我們要避免的。

另外，家長對此用不著過於嚴肅，好像你們是在給他們上課似的。其實，問題並不像你們認為的那麼難以解決。首先讓孩子公開說出他們的憂慮反而有助於問題的解決。比如讓他們說出他們想說的「女孩也應該長小鷄鷄，是不是她們遭了什麼災禍就沒有了」。這時，家長應本著實事求是的態度，用輕鬆的語調給孩子解釋清楚。要告訴孩子，女孩和女人生來就與男孩和男人不一樣，他們本來就應該是那樣的。如果舉例說明，小孩子就能對事物理解得更快一些。你可以這樣向孩子解釋：強尼跟爸爸、亨利叔叔、戴維等都長得一樣，而瑪麗和媽媽、詹凱斯夫人、海倫長得一樣。你可以列舉出孩子最熟悉的所有人。小女孩需要多加解釋才能放心。這很自然，因為她希望自己得到的東西能看得見，摸得著。我還聽說過一個小女孩的事。她曾向媽媽訴說道：「他為什麼那麼不一樣，而我卻這麼平常。」在這種情況下，能給她解除煩惱的方法就是這樣對她說：「媽媽喜歡自己的模樣，而且爸爸之所以喜歡媽媽就是因爲媽媽是這個模樣。」也許可利用這個機會告訴小女孩，等她長大以後她能在體內懷孩子，並能長出乳房給孩子餵奶。聽到這些話以後，三、四歲的孩子會激動不已的。

442. **對核子戰爭和核子事件的恐懼**。孩子聽到父母談論核子戰爭或核子事件後，就會產生憂慮，並表現出極爲恐懼的樣子。孩子擔心父母會死掉，以後沒有人照顧自己。稍大一點的孩子能看到對自己的直接威脅，因此開始變得悲觀。他們會問：「如果還沒等他們開始工作並且當上父母就死掉的話，那麼現在學習和保持身體健康還有什麼用呢？」

如果家長這樣回答，可能會部分地減輕孩子的憂慮。比如：「危險是有的。但是如果我們都採取政治手段去爭取和平，核子戰爭就不會爆發。我們投票選舉的總統候選人、參議員和國會議員，都是支持凍結使用核子武器、支持裁軍和支持和平解決爭端的人。我們還可以給政府官員寫信，而且要經常寫。我們屬於和平組織，並參加集會遊行。你也可以通過寫信和參加遊行來爲世界和平做出貢獻。」

因爲孩子太小，既寫不了信，也不理解什麼是集會遊行。但是可以告訴孩子讓他們放心，父母和其他人都在爲防止核子戰爭的爆發而努力地工作著。

六～十一歲的兒童

適應外面的世界

443. **六歲以後的變化**。六歲以後的兒童對父母的依賴越來越輕，甚至對他們感到厭煩。同時，他們也更加關注其他孩子的言行，並對自己認爲重要的事情產生了強烈的責任感。他們對自己非常苛刻，以至於是否要從小裂縫上邁過去這樣無關緊要的小事都會給他們帶來困擾。他們的興趣開始轉向類似算術和引擎這種與感情無關的東西。總之，他們正在從家庭的束縛中解放出來，成爲一個外面世界中有責任感的公民。

在430中，我提到了佛洛伊德對兒童發生較大變化的解釋。三～五歲的兒童通常是一名親近家人、熱愛家庭的家庭成員。他們自豪地模仿父母的動作、飯桌上的舉止和講話方式等。這個時期的女孩子會努力模仿自己崇拜的媽媽，希望自己也能像她那樣。同時她還對爸爸具有強烈的眷戀。而男孩子正好相反。

但是到了六歲以後，孩子的佔有慾和浪漫想法導致了他們和同性別父母之間的不愉快競爭。由於他們害怕惹父母怨恨而產生一種無意識的恐懼，所以他們開始把自己的各種情感隱藏起來。他們過去那種幻想中的浪漫喜悅現在變成了對父母的反感。此時，當爸爸媽媽試圖親吻他的時候，孩子就會厭煩地躲開，甚至不願意讓別的異性孩子親吻。看到電影上的親密鏡頭時他們也會嗤之以鼻。正是這種厭煩感造成這個年齡層的孩子將注意力轉移到與感情無關的抽象事物上，比如讀書、寫字、算術、力學、科學知識和自然等。孩子之所以在這個年齡願意去上學，部分原因就在這裡。

觀察六、七歲孩子的心理變化還有另一種方法，即這些變化與人類從猿到人的進化有什麼聯繫。我認為，每一個度過六～十二歲的人都是在重複人類進化的這個特殊階段。幾百萬年前，人類祖先曾經在五歲的時候就已經在身材和本能方面完全發育成熟。在完全長大以後，他們對家庭生活的態度也許與現在五歲的孩子十分相似：樂於和家人生活在一起；樂於接受家中年長者的指揮；努力以長輩為榜樣並向他們學習。

換句話說，這些人猿由於密切的家庭紐帶關係而共同生活在一起，只是到了進化末期他們才具有獨立於父母的能力，並學會了通過與他人合作、遵守制度、自我控制和思考問題等手段，生活在更大的社會中。

孩子要學會像成人那樣以複雜的方式同他人友好相處要用好幾年的時間，也許這就是人類長時間停止身體發育的原因。人在嬰兒時期像動物一樣，生長非常迅速。處於青春發育期的孩子也是如此。但是，他們在這兩個階段之間發育得很慢，尤其是在青春期發育前的兩年內。就好像是在本能地告誡自己說：「在不具備強壯的體魄和成熟的本能之前，你首先要學會為自己著想；學會為了他人而把握住自己的願望和本能；學會與同伴友好相處；學會理解在家庭以外的世界中遵守行為規範；以及學會謀生所需要的技能。」

444. 擺脫對父母的依賴。六歲以後的兒童在內心深處仍然熱愛自己的父母，但是他們通常並不表露出來。他們對其他成年人也表現得很冷淡。在這個階段，孩子已經不再希望父母把他們當作私人財物或逗人喜愛的孩子。他們已經開始有了個人尊嚴的意識，並希望別人把他們當作一個獨立的人來對待。為了擺脫對父母的依賴，他們便更加地轉向信任外人，並向他們請教或學習知識。如果他們從欽佩的常識老師那裡錯誤地得知紅血球比白血球大，那麼，家長將沒有任何辦法來改變這種錯誤的認知。

孩子並沒有忘記父母親教給他們的是非觀。但是，由於他們的記憶深刻，所以就認為是自己創造出來的。當父母不斷提醒孩子應該做什麼的時候，他們就會表現得不耐煩，因為他們已經懂事，希望父母把他們當作負責任的人。

445. 不良舉止。這個階段的孩子已經學會了一些大人的話，並且專愛採用粗魯的方式與人交談。他們喜歡模仿其他孩子的穿衣式樣和髮型，而且經常不繫鞋帶，而理由就像參加政治競選的人佩帶黨徽一樣充分。吃飯的時候，他們原有的某些良好舉止不見了，不洗手就趴在自己喜歡吃的菜上，大口大口地往嘴裡塡食物，而且還可能心不在焉地踢著桌腳。他們進屋的時候喜歡隨手把衣服往地板上亂扔，關門的時候要麼用力摔門，要麼乾脆不關門。儘管他們並沒有意識到自己存在的這些毛病，但實際上卻在同時做著三件事：第一，把注意力放在同齡孩子身上，以他們的行為為榜樣；第二，他們在聲明自己有獨立於父母的權利；第三，他們在堅持遵守自己的是非觀念，沒有在道德上做錯什麼。

上述這些不良行為和舉止通常使父母不愉快，認為孩子正在忘記他們的精心教導。實際上，這些變化正是證明孩子已經懂得什麼是良好的舉止，否則他就不會去反抗它了。等他感到自己已經能夠獨立的時候，他也許會重新溫習一下自己的家庭道德觀。

我並不是說這個年齡層的每個孩子都是搗蛋鬼。比如，有些孩子的父母性情隨和，孩子與他們相處得很好，並沒有任何反抗行為。另外，多數女孩的反抗情緒都沒有男孩的強。但是，如果仔細觀察，也能看到她們在態度上的變化。

那麼你該怎麼辦呢？孩子總是要洗澡的，在假日裡也要穿戴整齊。對一些雞毛蒜皮的小事，家長可以不必去計較，但是在一些重要的事情上，態度一定要堅決。該讓他們洗手的時候就必須讓他們洗。但是，責罵和強迫會激怒他們，並使他們下意識地繼續抵制下去。

失去了良好舉止的孩子。

446. 小團體組織。六～十一歲的孩子善於組織各種各樣的小團體。一幫已經是朋友的小傢伙可能會決定成立一個秘密俱樂部。在這個組織裡，這些孩子工作十分勤奮，製作會員徽章，商定會議地點（他們寧可選擇隱蔽的地方）和起草一系列的規章制度。雖然他們永遠領會不到什麼是秘密，但是選擇「秘密」這個詞的想法也許是他們需要證明，如果沒有大人的干涉和其他大孩子的搗亂，他們是能夠主宰自己的。

當孩子想當大人的時候，讓他們與其他有同樣想法的孩子相處，對孩子似乎很有好處。他們的小組織一旦成立，就會盡力排斥外人或捉弄外人。對成年人來說，這似乎很狂妄，很殘忍，但是，這是因為我們已經習慣於使用比較講究的方法來表示我們的反對意見，而孩子只是憑直覺去組織他們的集體生活。這是我們的文明順利發展的一種動力。

447. 使孩子成爲善於交際、受人歡迎的人。要培養孩子的交際能力，並使他討人喜歡，下面就是在最初的時候應該採取的做法：在孩子出生後的頭幾年裡不要總是數落他們；從一歲開始，就應該讓他們多接觸同年齡的孩子；要給他們發展獨立性的自由；儘可能不變換住處和上學的學校；要儘可能讓孩子與其他鄰居的孩子交往，並讓他在穿衣、講話、玩耍、零用錢和其他特權方面，都與其他普通孩子一樣。當然，我並不是讓他們模仿本地區最糟糕的壞孩子。家長也用不著把孩子的某些話當眞，比如，別人家的孩子都可以怎樣等等。

成人在工作中、家庭中和社會上能否與他人正常交往，在很大程度上取決於他幼年時期與其他孩子相處的情況。即使孩子在童年中期的英語成績不佳或態度惡劣，但是，只要家長在家裡對孩子高標準的要求和進行崇高理想的教育，就會形成他們性格的一部分，並在將來表現出來。如果家長對鄰居以及他們的孩子不滿意，並給自己的孩子造成一種感覺，好像自己的孩子與他們不同，並且不讓自己的孩子與他們交朋友，那麼，自己的孩子長大以後就難以與任何人友好相處。這樣的話，他們的高標準要求對社會以及對他們自己就沒有任何意義了。

如果男孩子在交朋友方面有困難，那麼，最有幫助的做法就是讓他們到教學靈活的學校或班級去學習。這樣，老師就能妥善安排教學，以便使孩子有機會運用自己的能力爲班級做出貢獻。這樣就能使別的孩子去欣賞他的優秀特質，並開始喜歡他。一個受全班同學尊敬的優秀老師也會在班上表揚這個孩子，以提高孩子在班裡受歡迎的程度。如果老師能安排他和一個非常受歡迎的學生同座，或讓他在活動中和這個學生一起去學校附近辦些事，那麼，這個孩子就會取得更大的進步。

家長在家裡也可以採取多種辦法幫助孩子與他人交往。比如，當孩子將小夥伴帶到家裡來玩的時候，家長要表現出親切友好的態度。還要鼓勵孩子邀請其他小朋友來家裡吃飯，並給他們做他們認爲「高級」的飯菜。家裡在安排週末旅遊、野餐、短途旅行、看電影和其他表演時，可以邀請一位孩子喜歡的小朋友一起去。但是，這個小朋友不一定非得是家長認爲應該去交的朋友。孩子與成人一樣，也有唯利是圖的一面，所以更容易看到受邀請者的優點。

家長當然不希望自己的孩子只有用錢「買」來的名望，因爲這不會維持長久。家長所要做的只是採取有效措施來爲孩子提供一個機會，使他能夠加入一個曾經由於小團體主義作怪而把孩子拒之門外的小團體。這樣，如果孩子具有優良的特質，他就會抓住這個機會很快地同他人建立起眞正的友誼。

448. **避免過多的課外活動**。一些七歲的孩子幾乎每天都有忙不暇接的課外活動。單親家庭和雙薪家庭的孩子尤其容易這樣。孩子適度地參加一些競爭性不強的體育活動、體育鍛鍊、音樂欣賞和跳舞等，並沒有不對之處。但是，所有的兒童都需要一些空閒的時間。他可以自己單獨待著，也可以和朋友在一起，用自己豐富的想像力來決定該做些什麼。對於單親家庭和雙薪家庭來說，這一點難以實現。不過我認爲，儘量朝著這個方面去努力還是必要的。

449. **不要把家事和零用錢扯在一起**。給孩子一些適當的零用錢可以使孩子懂得怎樣攢錢和花錢。大多數兒童在六、七歲的時候開始明白這些，因此在這個階段可以適當地給他們一些零用錢。數量的多少要根據家庭習慣和經濟條件，以及附近鄰里的情況來決定。我想只要不買爸爸媽媽不同意買的東西，比如過量的糖果等，就可以讓孩子決定怎樣使用自己的零用錢。但是，我認爲零用錢不應作爲幫忙做家事的報酬，因爲做家事有各種不同的目的。它是讓孩子學習在家裡盡義務的一種方式，就像他們將來要在大社會中盡義務一樣。因此，每一個孩子在家裡都要做一些固定的家事，比如吃飯前擺放碗筷、吃完飯後收拾桌子、刷鍋洗碗或倒垃圾等。如果家長堅持本著實事求是的態度對待孩子應負的責任，孩子也會照此辦理。家長一定要堅持讓孩子做家事，不要有任何例外，而且任務未完成就不能允許他們離開。

另外，家裡總會有些額外的家事，這些就可以作爲讓孩子掙點錢的途徑。一個十幾歲的孩子在家裡照顧小孩是否應給付報酬，要根據每個家庭的具體情況而定。還有一些較重的活兒，比如除草或洗車等，也應該根據每個家庭的具體情況而定。

自我控制的能力

450. 六歲以上的孩子開始對某些事情認眞起來。就拿這個年齡的孩子玩的遊戲來說吧。他們現在已經不再對那些沒有計畫的假裝遊戲感興趣，而是喜歡一些有規則，並需要技巧的遊戲。比如，跳房子、丟沙包以及跳繩等。在這類遊戲中，玩者需要按某種順序來進行，難度越來越大。如果失誤，就要受到處罰，要重新回到起點，再重新開始。正是這些嚴格的規則吸引孩子。這麼大的孩子也開始非常喜歡收集東西，無論是郵票、卡片還是小石頭，都是他們喜歡收集的物品。獲得條理性和完整性是孩子收集的樂趣所在。

這個階段的孩子有時願意將自己的物品擺放整齊。他們會突然去整理課桌，在抽屜上貼上標籤，或將成堆的漫畫書擺放整齊。但是，他們不能長久地保持整潔，只是在剛開始時這種願望十分強烈。

451. 強迫性行爲。在許多八歲、九歲和十歲的兒童身上，表現出非常強烈的認眞和固執傾向，因此他們常常處於緊張的狀態之中。你或許也能回憶起童年時代的這種特點。最常見的是在人行道上遇到每一條裂縫都必須邁過去。雖然這種行爲沒有任何實際意義，但是你只是迷信地覺得你應該這樣去做。還有一些其他的例子，比如摸一下每一道籬笆牆的第三個木樁，使其結果呈某種形式的偶數，並在進門之前說某幾個特定的字等等。如果認爲出了差錯，就必須返回起點，而且必須確信沒有把起點搞錯。然後再從頭開始。

強迫性行爲的隱含意義可能從一首童年時代的繞口令中體現出來：

強迫性行爲可能有它的實際意義。

「踩上裂縫，媽媽背痛。」每一個人有時都會對自己最親密的人產生敵視情緒，但是，要去傷害他們又於心不忍，因此就不斷警告自己擺脫這些念頭。如果一個人的良心變得非常苛刻，那麼，即使他已經成功地淡化了這些「卑鄙」的念頭，他的良心還是會不斷地把它們翻出來加以譴責。但是也不知道爲什麼，他還是感到內疚。所以他就更加小心，更加仔細去做一些毫無實際意義的事情，比如在人行道上行走時，每當遇上一條裂縫，他都要邁過去，想以此來使自己的良心得到安慰。

兒童在九歲時容易產生強迫性行爲並非因爲他的思想邪惡，而是因爲他的良心在這個發展階段迫使他對自己的要求更嚴格。他或許在爲自己壓抑著的欲望而擔憂，因爲當他的兄弟、爸爸或奶奶惹他的時候他曾想要傷害他們。我們知道這麼大的孩子也在極力壓抑著自己關於性別方面的一些想法，這也是引起他們強迫性行爲（比如，去做一些無意義的事情）的部分原因。

這個年齡的兒童，其強迫性行爲還表現在對其他小夥伴的控制方面。現在他們已經不總是處於成年人的監督和管理之下，所以他們常常有自大的表現，而這一點也會引起他們的恐懼。輕度的強迫性行爲在八～十歲的兒童身上非常普遍，以至於我們不知道應該把它看成是正常現象，還是把它看做心理緊張的症狀。如果九歲左右的孩子有點兒輕度的強迫性行爲，比如從裂縫上跳過去等，只要他們愉快，常常外出，在學校表現良好，就用不著爲此而擔心。反之，如果他總是具有這種強迫性行爲（比如爲了預防細菌而勤於洗手），或他總是緊張、焦慮或孤僻，那就應當請教心理健康專家了。

452. 痙攣（肌肉抽搐；Tics）。兒童在緊張的時候，常常會出現痙攣現象，比如眨眼、聳肩、扮鬼臉、歪脖子、清嗓子、抽鼻子、乾咳等。和強迫性行爲一樣，痙攣常見於九歲左右的兒童。但是，兩歲以上任何年齡的兒童都可能出現這種症狀。這往往是同一個現象有規律地不斷重複，在十分緊張的時候更加頻繁。一種形式的痙攣可能斷斷續續的持續幾週或幾個月，然後就永遠消失或由另一種形式的痙攣所代替。眨眼、抽鼻子、清嗓子和乾咳通常是由感冒而引起的，但是感冒好了之後，這些現象仍然存在。聳肩是由於小孩兒穿著寬鬆的外衣時，因爲總感覺到要脫落下來而一直聳肩所造成的。還有的是由於兒童模仿其他孩子（尤其是他所崇拜的孩子）的習性所致。不過，這些習性均不能持續很久。

各種痙攣常見於處於緊張狀態的孩子，他們的父母往往非常嚴格，使孩子的壓力過大。只要孩子在父母跟前，就會受到父母劈頭蓋臉的指責，被指揮得團團轉，或不是這不對就是那不對。有的家長總是默默地表現出不贊成的態度，或把標準定得過高，或安排過多的活動，如跳舞、學習音樂和各種體育課程等。如果孩子膽子大，敢於頂撞，也許內心的壓抑感能減輕一些。但是，在大多數情況下，由於家庭教育所致，兒童一般都會抑制住不滿的情緒。因此往往事與願違，導致了孩子的某種痙攣症狀。

家長不應該因爲孩子痙攣而去責備他或糾正他，因爲他們自己是無法控制的。家長應全力以赴使家庭生活輕鬆愉快，儘量不要嘮嘮叨叨，並努力使孩子在學校和與他人交往中感到自在滿意。

這裡，我再談一談孩子童年時代的輕度痙攣現象。它一般在兒童十歲時出現，而且幾乎都可以在大人不去理會的情況下消失。也許有百分之一的兒童會繼續保持多種痙攣現象，並可能持續一年以上。出現這種現象時，父母應該找醫生或保育護士檢查一下。

體形

453. **根據起因糾正不良體形**。健美的體形或不良體形是由多種因素引起的。其中一個最重要的因素就是兒童出生時的骨骼情況。有些人從嬰兒時期就同他們的父母一樣，一直駝背（肩部呈圓形）。也有些兒童出生時肌肉和韌帶都很鬆弛。還有的兒童無論在運動或是休息時，都顯得特別結實，難以看到他們萎靡不振的樣子。另外一些罕見的疾病也影響兒童的體形。比如一些慢性病和由於某種原因導致的長期疲勞，都會造成兒童消沉和萎靡不振。體重超重有時也會使駝背、膝內彎和扁平足加劇。青少年會因爲個子過高而總是害羞地低頭含胸。體形不佳的兒童一定要定期進行體檢，以確信身體沒有毛病。

許多兒童會由於缺乏自信心而常常無精打采。可能是由於在家裡受到過多的批評，學習上遇到各種困難，或與人交往不愉快等造成的。精神活潑和自信心強的人，總是可以從行動上表現出來，如坐姿、立姿和行走的姿態。家長認識到兒童的情緒與他的體形之間有多麼重要的關係後，就能更有效地處理這類問題了。

家長渴望孩子長得好看，自然會爲孩子的體形不佳而著急，因此，他們就會總是不斷提醒孩子：「注意肩膀挺直」，或「看在上帝的份上，站直吧。」但是，由於駝背而經常受到家長喋喋不休地糾正的孩子，實際上並沒有得到改進。一般說來，讓孩子根據物理治療師或醫生的指導，參加跳舞以及其他身體運動課程等體形矯正訓練，效果是最好的。在這些環境和氣氛中，比在家裡鍛鍊效果好很多。如果孩子願意，家長也可以以友好的態度，幫助他們在家裡進行體形鍛鍊。但是家長的主要任務是在精神上給予孩子指導，比如幫助他調節學習上的壓力，促進他與他人愉快地交往，使他在家裡感到充實和受尊重等。

偷竊行為

454. 童年初期的偷竊行爲。一～三歲的孩子常常拿別人的東西，但是這並不屬於眞正的偷竊。孩子並不清楚什麼東西屬於他，什麼東西不屬於他。他拿別人的東西只是因爲他很想得到這件東西而已。最好不要讓孩子感到這是惡劣的行爲。家長只需要提醒他這個玩具是彼得的，彼得馬上就要玩這個玩具了，而你在家裡有許許多多的玩具。

455. 明知偷竊不對而仍然偷竊有什麼涵義。眞正的偷竊行爲發生在六歲至青春期之間。這麼大的孩子已經知道拿別人的東西是不對的，因此，偷偷地拿了別人的東西之後就把它藏起來，而且還矢口否認這種偷竊行爲。

家長和老師知道孩子偷了東西以後當然會特別傷心，因此他們就會衝動地責罵孩子，使孩子感到羞恥。這種作法是很自然的，因爲我們都受過教育，偷竊是一種嚴重的犯罪。發現自己的孩子有這種不良行爲以後，我們肯定會感到震驚。

家長讓孩子明白他們絕不贊成任何偷竊行爲，並且堅持讓孩子立刻退還贓物，這些都是必要的。但是不應該嚇唬孩子說要把此事公布於衆，也不要表現出好像你們再也不愛他了。

我們先以一個七歲左右的男孩爲例。父母盡職地把他撫養長大，給他買了不少玩具和其他物品，並且還給他零用錢。如果他還偷東西，就可能是從媽媽或同學那裡偷點錢，從老師那裡偷支鋼筆，或從別的孩子的櫃子裡偷一本小漫畫。他偷這些東西通常是沒有什麼理由的，因為他什麼也不缺。但是我們可以看出，這個孩子的大腦思維是紊亂的，他好像渴望得到某種東西，因此就去拿一件他並不眞正想要的東西來滿足他的欲望。這意謂著什麼呢？在大多數情況下，這至少意謂著孩子感到不愉快或孤獨。比如，他可能覺得和父母的關係不像從前那樣密切了，也可能覺得在與同齡孩子交朋友方面不太成功（即使別人很喜歡他，他也可能這樣想）。我認為，七歲左右的孩子出現偷竊行為的主要原因，是他們覺得父母疏遠了他們。這樣一來，如果從朋友那裡得不到令他們感到溫暖和滿意的友誼，他們感情上就會陷入無人地帶，感到孤獨無助。有些孩子偷錢去「買」友誼就是這個原因。還有的孩子把一角五分硬幣分給同學們，也有的孩子則去買一些糖果分給同學們吃。應該記住，孩子在這個令人討厭的階段裡逐漸疏遠父母，因此父母也容易對他們產生更多的不滿。

青春期的早期，是一些孩子感到更加孤獨的又一個時期。這是因為他們越來越感到害羞，越來越敏感和越來越渴望獨立所致。

各年齡層的孩子都渴望得到更多的愛，這就是他們偷東西的部分原因。但是，通常也存在著其他個人因素，比如恐懼、嫉妒、怨恨等。如果一個小女孩非常嫉妒她的哥哥，她就會一次又一次地去偷任何和男孩有關的物品。

456. 如何對待偷東西的孩子。大人確定自己的孩子或學生偷了東西之後，一定要對他講明白這是偷竊行為，還要弄清楚是從哪裡偷來的，並堅持讓他物歸原主。換句話說，如果孩子說謊決不能輕易饒過他，因為家長輕信孩子的謊話就意謂著寬恕他們的這種行為。必須讓孩子將物品還給別人或放回他偷竊的商店。如果讓他放回原處，得體的作法是家長陪著孩子一起向售貨員說明：「孩子沒有付錢就拿了東西，現在想還回來。」老師可以將物品還給物主，但是不要當眾羞辱孩子。也就是說沒有必要讓孩子難堪，只要讓他們明白偷東西的行為是絕對不容許的就可以了。

現在是我們應該認眞思考下列問題的時候了：孩子在家裡是否需要得到更多的愛和更多的讚揚？是否需要得到更多的幫助去和他人建立更親密的友誼呢？如果可能，現在應該給他一些零用錢了，而且在數量上要和他認識的同齡夥伴一樣多，因爲這樣做有助於孩子確立自己在小團體中的地位。如果孩子的偷竊行爲屢教不改，或在其他方面與環境格格不入，家長就應該求助兒童精神科醫生或兒童心理學家。

還有一種不同於上述類型的偷竊行爲。在很多的街坊裡，一些孩子認爲偷竊是一種勇敢的行爲。雖然這種行爲不規矩，但是並非惡意，也不是與環境格格不入。我認爲這是一種對個人良知的群體試驗。富有良知的父母在這種街區裡帶孩子，可能需要和孩子進行理解性的對話。但是，不應該由於孩子參加了一次這樣的冒險行動，就把他們像罪犯一樣看待。他們只不過是順從自己的正常本能，以便在這個群體中確定自己的位置而已。要想糾正孩子的這種不良行爲，就需要家長旗幟鮮明地譴責孩子的偷竊行爲，同時還必須做到以身作則。切不要在孩子面前談論或吹噓自己在所得稅上做的手腳，或將個人的電話費記在公家的賬上，因爲這樣做實際上是在給孩子塑造這類行爲的榜樣。

我最後要談一談另一種有偷竊行爲的人。他們是沒有是非觀念和責任感，而且好鬥的孩子或成年人。這種人從童年時代起就缺乏友愛和安全感。唯一的希望就是對他們進行必要的心理治療，並讓他們與善良的、富有愛心的人生活在一起。

撒謊

457. 大孩子爲什麼撒謊。無論是成年人還是孩子，有時都會陷入某種尷尬的境地。在這種情況下，唯一得體的退路就是撒個小謊，因此這並不值得大驚小怪。但是，如果孩子是爲了欺騙而撒謊，那麼大人首先要自問：孩子爲什麼非要說謊不可？

458. 孩子並不是天生愛撒謊。如果一個小女孩經常說謊，表明她受到的某種壓力太大。比如，如果她因為考試不及格而說謊，說明她對考試結果非常在意。那麼，她的學習成績不好是因為她的學習負擔太重呢？還是由於別的憂慮導致她的頭腦混亂而使精神難以集中呢？或是因為家長制定的標準太高呢？我們的任務就是要找出問題所在。要取得老師、指導顧問、學校的心理工作者或精神專家的幫助。當然，家長也用不著假裝被她的謊言所蒙蔽。要溫和地告訴她：「你用不著對我們說謊。如果你有什麼困難就告訴我們，看看我們能不能幫你做點什麼。」但是，她不可能馬上回答這個問題，因為她自己也不清楚是怎麼一回事。即使她清楚某些令她擔心的事，也不能夠將其歸類。所以，幫助孩子表達自己的思想和說出自己的心事，是需要時間和理解的。

12 青春期

青春期是人生的一條雙行道。處於青春期的青少年和他們的父母都需要尋求一種合適的方法，儘可能讓雙方逐步地各行其道。在某些家庭，這一階段進行得十分順利；而在許多其他家庭，雙方總是矛盾重重。這通常是由於家長沒有意識到孩子在青春期出現的一些正常的發育問題。我認爲，如果家長能夠理解青少年並非是有意與他們過不去，而只是想證明他們已經長大成人，那麼，大家在孩子的整個青春期就會更加自在愉快。

青春期的特點

459. **身體變化**。孩子身體特徵的發育標誌著青春期的開始。它包括二～四年內身體快速增長和發育，以及生殖能力形成之前的其他方面發育。

460. **青春期的開始**。青春期的發育起始年齡有早有晚，而且差別很大。大多數女孩在十歲左右開始發育，並在約十二歲半左右開始第一個發育期。男孩的青春期一般比女孩晚兩年開始。

青春期開始的年齡受遺傳、營養、身體健康狀況等因素的影響。一般說來，女孩到十二歲半，男孩到十四歲時，青春發育期的早期階段便開始了。反過來，如果女孩在八歲以前，或男孩在十歲以前就出現青春期的症狀，家長應該請教醫生。

461. 青春期的一般發育情況。雖然男孩和女孩發育成熟的速度不一樣，但是有一些共同的特點。它們包括內分泌引起的一系列必然變化，表現在身高、肌肉、陰毛、腋毛、鬍鬚以及外生殖器官等方面的變化。這些變化對每一個青春期的孩子來說，各系統發育的速度固然有先有後，但發育順序卻是彼此密切聯繫的一個整體。家長可以請醫生或保育護士爲孩子檢查一下他們的發育順序是否正常。

青春期的發育可分爲五個階段，這是根據「性成熟階段」，即塔納（Tanner）階段來劃分的，是每次生理檢查的必要內容。這些都是非常重要的，因爲大多數父母不再看得見孩子的裸體，所以無法通過觀察來評定他們的發育情況，也沒有經驗給醫生提供情況，使醫生據此做出評價。比如說，如果男孩的身體突然迅速增長，聲音開始變得粗而低沉，這通常是青春期的第一外部特徵，而且往往都是已經持續了一年之久才出現的特徵。

462. 女孩的青春期發育。下面我們就追蹤進入青春期的女孩，看看她們從十歲起一般會有什麼變化。她們七歲時，一年長高5～6.5公分；八歲時增長速度減慢，大約一年長4.5公分。這時自然界好像來了個「緊急煞車」。到了十歲左右的時候，「煞車」突然鬆開了，以至於在其後的兩年中平均每年以7.5～9公分的速度飛速增長。體重也由過去每年平均增加2.3～3.6公斤，到現在的每年增加4.5～9公斤。她們的食欲也開始明顯增大，以補充「竄高」時期所需要的營養物質。

在此期間，隨之而來的還有一些其他變化。女孩進入青春期初期的第一個信息是乳房的發育。一開始能注意到的是乳房內出現硬塊。這常常使父母感到擔心害怕，以爲得了乳腺癌。但是，這卻是乳房的正常發育。接著，整個乳房逐漸發育成形。在頭一年半的時間內發育成圓錐形，等到月經初潮將要來臨時，它的周圍就已經豐滿起來了。偶爾也有一個乳房比另一個發育早幾個月的現象，這仍屬正常，所以不必爲此而擔心。發育早的乳房可能在整個青春期內稍大一些，也許會永久地處於這種狀態。

乳房發育不久，開始長出陰毛，隨後腋毛也開始出現，臀部變寬，皮膚組織也開始發生變化。

女孩一般在十二歲半時第一次來月經，常被人們稱之爲「初經」。這時，她的體形看起來更像一個女人了，個頭也差不多已經長到應有的高度。從這時起，增長速度迅速減慢，在「初經」後的第一年內，只長高3.8公分，第二年長1.9公分。多數女孩在月經初潮後的一、兩年內，月經周期都不太規律，但是這並不屬於病態，而是表明在月經初潮時，她的身體還沒有完全發育成熟。

但是女孩進入青春期的年齡是不同的。我們已討論了一般女孩的情況，然而每一個女孩都有自己的發育時間表，而且差別很大。實際上，一個女孩青春期的到來是早於或晚於平均年齡，通常並不意謂著她們體內性腺系統有毛病，而只能說明她是早發育還是晚發育。女孩青春期開始得早還是晚似乎與遺傳因素有關。發育較晚的父母往往會有發育較晚的孩子。反之，發育較早的父母所生的孩子發育也比較早。即使女孩到了十三歲仍無青春發育跡象也不要著急，因爲可以確信她的青春期就要開始，只不過還要等一段時間而已。

決定青春期早到還是晚到的另一個因素，是孩子童年時期的營養情況。過去，許多比較貧困的家庭沒有足夠的食物，因此，當時女孩在平均年齡十六歲的時候才出現月經初潮。

463. 影響青春期發育時間表的其他因素。青春期的發育從什麼時候開始除了看年齡以外，還有許多其他各種不同的因素。有些女孩在乳房開始發育的前幾個月，陰毛就長出來了。偶爾也有腋毛先長出來的例子，而正常情況應該是腋毛最後長出來。從青春期的發育跡象剛開始出現到少女第一次月經來潮，中間通常達兩年半的時間。如果一個女孩完全發育成熟已達兩年之久，或到了十六歲之後還沒有來月經，就應該請醫生做一下全面性的檢查。

464. 青春期帶來的心理變化。無論女孩的青春期在什麼時候開始，她都會有一些情緒上的變化。雖然她通常不流露出來，但是也可以觀察到。一些與母親相處融洽，而且希望自己長成像媽媽這個樣子的女孩，意識到自己在不斷長大時就會很興奮。無論她比其他同學發育得早還是晚，對她都沒有影響。但是有的女孩怨恨自己是個女的。這可能是因爲她嫉妒她的兄弟，並願意有一個男孩的身體；或是因爲她與母親相處不融

身體的發育時間因人而異。

洽，因此不想長成母親的樣子；或是她害怕自己長大。這類女孩在發育初期的跡象剛一出現時，就會感到厭惡或驚恐。

有些女孩的青春期如果早於或晚於一般青少年，她們也會產生心理上的波動。如果一個八歲就進入青春期的女孩發現班上只有她在竄高，並且初具女性身材，她就會感到尷尬和害羞。當然，並不是每一個發育早的女孩都會爲此而感到不愉快。這取決於女孩在多大程度上做好了長大成人的準備，以及她渴望長大成人的程度。

青春期來得太遲也會令女孩感到煩惱。一個到了十三歲還沒有任何青春期跡象的女孩會注意到她的同學們在迅速長高，身材發育更像一個成熟女性，而她自己卻生長緩慢，仍保持著孩童的體型。這類女孩也許會認爲自己不正常。我們應該讓這樣的女孩確信，如同太陽每天東升西落一樣，自己也必然會成長發育。如果她的母親或其他親戚是晚發育者，那就應該告訴她這一點。同時要向她保證，到時候她也會長高，也會發育成女性的身段。

465. 男孩的青春期發育情況。我們首先要知道，男孩的青春期通常比女孩晚兩年才開始。女孩一般在十歲左右，而男孩在十二歲左右。也有一些男孩在十歲左右青春期就開始了，另外有少部分男孩的青春期開始得更早。大多數晚發育的男孩一般在十四歲青春期才開始，還有的更晚。

男孩在青春期時，身高增長的速度可達過去的兩倍。陰莖、睪丸、陰囊（睪丸位於陰囊內）迅速發育。通常是最先長出陰毛，然後睪丸開始變大，最後陰莖開始增大（先是變長，接著變粗）。

男孩所有的這些變化都出現在身體快速生長之前，而且只有他本人清楚。因爲他們不像女孩，別人能看出她們的身體發育和乳房發育跡象。接下來，他們開始長出鬍鬚和腋毛，再往後，他們的聲音開始變得粗而低沉。有些男孩子在青春期會出現乳房脹大的現象。這時，他們的乳房內會出現硬塊，並伴有輕度疼痛，這屬於正常現象。

466. 醜腆階段。男孩同女孩一樣，當身體和感覺發生變化時，在心理上和情緒上就會經歷一段尷尬和難為情的階段。男孩的聲音將會繼續變化，但是他的聲音能告訴別人他既是一個孩子又是個男子漢，然而他又什麼都不是。另外，同齡的女孩子一般都比男孩子提前兩年在身體上先發育成熟，而且常常在社交方面也比男孩子早兩年成熟。

467. 晚發育的男孩。在十四歲時仍是個「小不點兒」的男孩，看到大部分同齡朋友幾乎都成了大人就會焦慮起來，他們需要去除這樣的憂慮。雖說身高、體型和運動能力的發育在這一時期十分重要，但是也不必像有些家長那樣，不是去安慰孩子，告訴他們不久他們的青春期就會開始，並會長高20～23公分；而是到處去尋找醫生，醫生於是給孩子吃生長激素，最後，這些孩子就真的認為自己有毛病。的確，不論孩子的年齡有多大，只要給他補充足夠的荷爾蒙，就能使他出現青春期的跡象，然而，這樣做卻會由於過早地終止了孩子的骨骼發育，從而使他達不到本應達到的個頭。我堅決反對在這樣重要的問題上採取違背自然規律的做法。只有在極個別的情況下，如果孩子的荷爾蒙分泌過多或過少，才可以在兒科內分泌專家（荷爾蒙專家）的指導下，給男孩或女孩服用荷爾蒙。

青春期的其他變化

468. 狐臭。青春期最早出現的變化之一就是腋下散發出濃烈的難聞氣味。有些孩子（甚至家長）並沒有聞到這種氣味，但是卻遭到同學們的討厭。這時講究衛生就尤為重要。每天用肥皂洗滌，並定期使用合適的除臭劑，可以清除這種氣味。

469. 痤瘡。又名青春痘。我們對於造成痤瘡的起因和治療方法有了許多新的理解。人體的皮膚組織在青春發育期內更加粗糙，毛孔擴大，分泌出比過去多十幾倍的油脂性物質。有些毛囊口會被油脂性物質（皮脂）或死細胞堵塞。毛孔周圍的細胞每隔一段時間就會自然死亡脫落，並被新細胞取代。這些死細胞和油脂性物質接觸到空氣以後就會被氧化而變黑，這就是黑頭粉刺形成的過程。通常附在皮膚上的細菌這時就會鑽進這些張大並被阻塞的毛孔，形成一個個小疙瘩，這就是痤瘡（輕度感染）。一般的痤瘡通常也會引起比較深而且容易留下疤痕的痤瘡。這種痤瘡往往全家人都會有。

最新研究已澄清了兩個關於痤瘡的錯誤認識。第一，痤瘡並非由灰塵而引起的；第二，某些食品，如巧克力和油煎食物，也並不影響皮膚的狀況。所以，幾乎所有的青少年在青春期都會長痤瘡，無論他的皮膚是乾性還是油性。由於擠壓痤瘡會造成嚴重感染，所以要注意教育青少年一定不要去擠摳痤瘡。

一些青春期的青少年由於性成熟的干擾，認爲痤瘡是由於性要求和手淫引起的。所以要跟他們講清楚，其實並不是這麼回事。

孩子們需要的任何關於痤瘡問題的幫助，都可以從醫生、保育護士或皮膚專家那裡獲得。這樣，就能幫助他們改進當前的皮膚外觀和精神狀況，防止造成永久性疤痕。現在有了現代化治療手段，所以大部分的治療都會得到顯著的效果，甚至嚴重疤痕型痤瘡也能得到有效控制。對於有些病人，醫生或保育護士將會給他們使用一種抗生素，一種局部外用的過氧化苯軟膏，或是一種含有維生素A的藥物。

無論使用什麼特殊的藥物，都離不開有益的預防措施。每天精神飽滿地鍛鍊身體，吸一吸新鮮空氣，以及避免陽光的直接照射（戴上合適的太陽眼鏡，以防灼傷，參見638）等，都能使皮膚得到改善。另外，早上和晚上睡前用刺激性小的肥皂或肥皂代用品清洗臉部也是一種好的方法。有一些內含5～10％的過氧化苯的外用藥品，不用醫生開處方就可以買到。還可以買到多種水性化妝品（應避免使用油性化妝品），使用它們也能有效地掩飾痤瘡和疤痕，使痤瘡自然消退。

心理變化

青春期少年的身體發育有很明顯的開始和結束，但是在心理上產生的變化卻不容易分類。看待青春期少年情緒發展的方法，就是看一看他們爲了在成人的世界中有效地發揮作用，是否已經在心理上完成了必須完成的任務，即是否到達了必須到達的里程碑。在青春期的每一個階段（早期十二～十四歲；中期十五～十七歲；晚期十八～二十一歲），青少年努力奮鬥，最後達到這些目的。父母必須給予他們的支持和指導，以及必須採取的手段和方法，都隨著各個階段的變化而變化。

青春期心理發展的里程碑

•適應了身體上的新變化；

•形成了一種新的、並獨立於父母的、男性或女性的感情特點；

•適應了同儕和父母的不同道德標準，能夠確立並且表達自己的道德信念；

•培養出爲自己負責的意識，並至少顯示出具有經濟上獨立自主的潛力。

對於青少年和年輕人來說，一個核心問題就是要弄明白自己將來打算做什麼樣的人、從事什麼工作和靠什麼信念生活。這個過程在某些情況下是靠他們有意識地去完成的，而在大多數情況下是他們無意識地去完成的。艾瑞克・艾瑞克森把這種情況稱之爲個人定向危機（the identity crisis），即尋找眞正的內在自我。在尋找自我的過程中，青春期少年會試著扮演各種人物：夢想者、流浪者、愛嘲弄別人者、事業無成的領導者和修道者等等。

爲了尋找自我以及實現自我價值，青少年只好在感情上疏遠自己的父母。但是他們畢竟主要是由父母塑造的，所以不可能完全擺脫父母的影子。這不僅因爲他們遺傳了父母的基因，而且還因爲他們一生中都在有意無意地模仿父母的一言一行。所以，這時的青少年必須想辦法使自己擺脫父母的束縛。但是，最終結果將取決於三個方面的影響：對父母的依賴程度、反抗欲望的強烈程度、生活環境的狀況以及環境對他們的要求。

470. **冒險行爲**。青少年要達到上述里程碑的一種方式就是冒險。冒險可以促進掌握生活技巧，提高自尊心和培養決策能力。我們成年人之所以能夠判斷出自己冒的風險有多大，並能權衡它將帶來的利弊，就是因爲我們在青少年時期經歷了種種磨難與挫折，懂得了可以去冒多大的風險，並能估計到自己需要爲此付出多大的代價。

父母的責任就是採取各種限制措施，幫助孩子安全地度過難關。但是採取什麼樣的限制才合適，應該在孩子年齡多大時採取限制措施？這些大都取決於孩子所處的發育階段。

471. **危險超出正常情況時**。多少年以來，世界就開始變得越來越危險，對青少年的成長越來越不利。未婚媽媽、吸毒、暴力、自殺等事件在新聞媒體上屢見不鮮。這些行爲的複雜起因（說明了冒險行爲的嚴重後果）已超出了我針對一般青少年的討論。但是家長必須意識到，現在比過去的任何時候，都更需要幫助青少年避免過度冒險，解決他們的相關問題。爲了滿足當今青少年的各種需要，醫務工作者正在接受培訓，以便應付特殊行爲問題。還有一個合法的青少年醫學研究單位，專門爲樂於關心青少年的醫生提供額外的培訓，並發給他們資格證書。

青春期的三個階段

472. **青春期早期的心理衛生**。十二～十四歲的青少年需要正確認識正在發育的身體。這個時期的身體發育比任何其他年齡層的變化都要大。在十～十四歲之間，一般女孩比一般男孩發育整整早兩年。她們不僅個子比同齡男孩高，而且興趣也比他們廣。她們開始喜歡跳舞，並且喜歡自己在別人的眼裡是充滿魅力的。而男孩這時只是一個未開化的、看到女孩就感到害羞的小孩子。在這個期間，讓該年齡層的孩子參加一些社會活動對身體健康極有益處。

由於這麼大的孩子在身體和情緒方面變化很大，所以對自己在身體上發生的變化感到特別害羞。他們可能誇大自己的任何一點缺陷，並爲此而擔憂。如果女孩的臉上長了雀斑，她就會認爲這使她看起來很「可怕」。身上長了一個不起眼的特殊東西或容易產生影響的東西都會使女孩子認爲自己「不正常」。

他們可能無法像過去一樣適應自己發育的身體，也無法適應自己新產生的情感。她們容易爲小事動怒，受到批評時心裡會覺得很傷心。她們有時希望自己是「大人」，並能受到別人的重視，可是有時又希望自己是個孩子，需要別人的關心和照料。

青少年在幾年內將會時常對自己的父母表示反感，當小夥伴們在場的時候，他們就會表現得尤其突出。這其中的一部分原因與他們在焦急地尋找實現自我價值有關，另一部分原因是他們存在著害羞心理。他們十分希望處處像其他夥伴們一樣，並完全得到朋友們的認可，害怕因爲父母做事偏離了鄰里街坊行爲準則而受到同學們的嘲笑和拒絕。

爲了確立自我，青春期少年在早期階段常常不理睬自己的父母。這樣一來，他們就會感到非常孤獨。於是，他們就非常想尋找一種補償，即與同齡人建立起一種親密的關係。他們最初通常是與同性孩子形影不離。他們建立起的這些友誼，無論是與同性之間的還是與異性之間的，都有助於使他們獲得某種外來支持。當他們放棄了自己是父母的子女的身分，而且還沒有找到眞正的自我之前，他們就像一棟搖搖欲墜的房屋需要依附於一些木樁的支撐一樣。

有時一個男孩發現好朋友身上有類似自己的東西以後，就更清楚地認識了自己。他可能說起他喜歡某一首歌、恨某一個老師或渴望得到某一種衣服。他的朋友就會十分驚訝地大聲說他也有同樣的想法。兩個人爲此都很高興，都很心情舒暢，而且在一定程度上兩人也都減輕了孤獨的心理，減輕了思想上那種奇怪的感覺，並同時獲得了一種愉快的歸屬感。

再舉一個例子，兩個女孩一直在放學回家的路上聊個不停，到了家門口又聊了半個鐘頭，最後不情願地分了手。但是，另一個女孩一回到家裡就馬上給這個朋友打電話，這樣兩個人又繼續聊著她們的悄悄話。

473. **外表的重要性**。大多數青少年爲了擺脫孤獨感，就去盲目地模仿同學的風格——穿衣、髮型、說話、讀物、唱歌和娛樂等無一不去模仿。他們去模仿的這些風格必須與他們的父輩不同，而且他們認爲，這些風格越能使父母感到憤怒和震驚越好。但是，發人深省的是，即使是那些爲了與自己的父母區別開來，以便確立自己極端特別的風格的青年，也至少還在模仿著幾個朋友的風格，比如在模仿著他崇拜的某個人物，如搖滾歌手等。

父母應該盡最大努力去理解青少年的行爲，並幫助他們認識自己。如果你只是向他們解釋爲什麼你反對某種風格，那麼，你用不著發布「要不然的話」這樣的命令，就可以勸說孩子改變。但是，和父母說話隨便並且常和父母爭論的年輕人可能最終把父母說服，使他們接受年輕人的觀點。成年人接受新風格比年輕人慢。但是，曾經使我們感到可怕或厭惡的東西，將來可能成爲我們和孩子都十分樂於接受的東西。比如60年代年輕人發起的留長髮、穿粗布衣，以及女孩子穿牛仔褲等，就曾經使校方大傷腦筋。但是後來都廣泛地被人接受了。

474. **青春期中期的心理衛生**。十五～十七歲的青少年，已經適應了自己生理上的成熟。這時，他們面臨著兩項重要的心理任務。第一，他們必須適應自己的性欲，適應與同性或異性浪漫地相遇時所引起的矛盾情緒；第二，他們必須從情感上與父母分開，並認爲自己能夠獨立做事。依賴與獨立成爲這個過程的一部分，並相互鬥爭得十分激烈。

青少年常常抱怨父母不給他們足夠的自由。接近成年的孩子堅持自己的權利是很自然的事情，但是父母也不必把孩子的每個抱怨都當一回事。其實，青少年也害怕長大。他們對自己的能力缺乏信心，比如對自己能否像自己希望的那樣，成爲博學的、熟練的、經驗豐富的以及具有吸引力的人，均沒有把握。但是，他們的傲慢又不允許他們承認這一點。當他們下意識地懷疑自己，能否成功地戰勝某一挑戰或危險的時候，他們總是會認爲是父母起到了阻礙作用，而不是自己的恐懼在作怪。因此，他們與朋友談論此事的時候，就會憤怒地指責或責怪父母。

當孩子突然宣佈他們的組織要實施一項行動計畫時，父母可能會十分懷疑這個無意識的越軌行爲，因爲孩子從前從來沒有做過這樣的事情。其實正如父母所料，孩子這樣做可能是在要求父母制止自己，也可能是在試探家規的明確性和一貫性。他們還可能密切注視著顯示父母虛僞的證據。如果父母對他們定的家規和道德標準表現出明顯的不可動搖，孩子就覺得自己是被迫去繼續堅持遵守這些規矩和道德標準。但是，一旦他們發現了父母的虛僞，他們就可以不必在道德責任方面與父母保持一致，而且還找到了一個責怪父母的大好機會。但是與此同時也讓他們失去了安全感。

475. 青春期晚期的心理衛生。青少年到了十八～二十一歲時，隨著個人的情感、身體和道德特徵的發展，多數矛盾開始緩和下來。如果他們沒有經歷過反抗家長的這個階段，他們就可能會缺乏離開家到外面的世界裡闖一闖的動力。對這個階段的青少年來講，最重要的一項任務就是離開家庭，開始爲自己和自己的行爲負責，並從中找到眞正的獨立。

當他們獲得了這種獨立以後，他們也就有了一種強烈的願望：改造世界、找到新方法取代過時的舊方法、發現新事物、創造出新的藝術形式、取代專制主義者以及糾正錯誤等。數量驚人的科學進步與藝術代表作都是那些剛剛踏入成年的人所創造的。與比他們年齡大的人相比，這些人在自己的領域裡並沒有更聰明，經驗必然也少。但是，他們對傳統的方式不滿，偏愛新的和未曾有人嘗試過的方法，情願冒險。這些足以讓他們達到自己預期的目標。世界也正是這樣才不斷取得進步。

有時候，年輕人要用五～十年的時間才能眞正找到自己的明確定向。但是，他們也可能在半路擱淺、停止不前。其表現特點是，對社會主流的消極抵制，退出社會的主流（他們把社會主流與自己的父母等同起來），或予以激烈地反抗。

因此，他們可能拒絕像他們的父母那樣從事一項平凡的工作。相反，他們可能穿一些不合習俗的奇裝異服，不修邊幅，接納一些不認識的人，夜不歸宿。他們似乎覺得，這些作爲能證明他們強有力的自立精神。但是，這些東西本身加起來並不是對生活的一個積極立場，對世界也沒有什麼建設性的貢獻。實質上，它們只是對上一代傳統的一種消極反抗。即使當這種追求獨立的努力只是以古怪的外表而告終的時候，也還是應該把它看作是向正確方向邁出的嘗試性的一步。對他們的這種評價有利於把他們引向一個建設性和創造性的階段。事實上，生長在緊密相繫且具有很高目標的家庭裡的年輕人，很可能爲了自由不得不做出很大努力。

其他有理想化和利他主義特點的年輕人，通常對事物持一種非常激進的或純藝術家的觀點——在政治上、藝術上或其他領域都是如此。這個年齡層的各種傾向一起運作，把他們推上了極端的位置。當他們意識到自己生活的世界充滿了不公正的時候，爲了反擊，他們就走向了猛烈抨擊、憤世嫉俗、蔑視妥協、奮力抗爭以及自願犧牲的道路。

幾年以後，當他們已經在情感上獨立於父母，並清楚如何在自己選擇的領域內發揮自己的作用以後，他們就比較能容忍朋友的弱點，比較樂意去做出一些建設性的妥協了。我的意思並不是說他們又開始變成了自滿的守舊者。他們許多人仍舊思想進步，也有一些則依然很激進。但是，大多數變得比較容易與他人共同生活、一起工作。

對父母的預先指導

在孩子青少年時期，想要當一個聰明的家長一直是很難的事。某位不知名的家長曾說過，「噢，要想做一名聰明的家長，就要讓孩子從小就覺得我了不起，而現在則要讓他覺得我愚蠢。」

如同我上面談到的，無論父母是否有道理，大多數青少年肯定（至少有些時候）都會反對或反抗。迄今爲止，第一點也是最重要的一點是，不管他們和父母怎樣爭吵，青少年還是需要並且希望得到父母的指導——哪怕得到的是毫無商量餘地的規定。他們的傲慢不允許他們公開承認這種需求，但是內心裡他們常常想：「我希望父母爲我制定一些明確的規定。就像我朋友的父母那樣。」他們意識到父母愛他們的一面，就是想保護孩子在外面不被誤解，不陷入尷尬境地，不讓孩子給他人一個錯誤印象，得到一個不好的名聲，不至於因爲沒有經驗而遇到麻煩。

但這並不意謂著父母可以武斷，可以言行不一或蠻橫。青少年特別注意自己的形象，有著強烈的自尊。希望按照他們所認爲的成年人對待成年人的態度那樣，與父母討論這些問題。然而，如果爭論的結果是彼此都沒能說服對方，父母則用不著表現得太民主，認爲孩子的意見可能也是正確的。父母的經驗應該被孩子看得相當重要才行。最後，父母要自信地表達自己的觀點，如果合適，還可以提出自己明確的要求，不過父母也應該讓孩子表達他們的明確態度。

父母應當暗示（不一定非得用語言表達出來）他們知道孩子日後大多數時間將不再和他們在一起，因此孩子只能憑自己對父母的良心和尊重來做事，而不是因爲父母迫使他服從或因爲父母一直在觀察他的一舉一動。

我認爲，父母一定要與年輕的孩子談論一下這些問題：他們（青少年）出去參加舞會或約會時，應該什麼時候回來，他們要去哪裡，和誰一塊兒去，以及誰來開車等等。如果孩子問家長爲什麼問這些，家長可以回答說：「優秀的家長要對自己的孩子負責。」或可以這樣說：「萬一出了什麼事，我們可以知道該去哪裡打聽，或去哪兒找你。」(出於同樣的理由，父母也應該告訴孩子他們要去哪裡，什麼時候回來)另外，如果外出計畫延遲或發生變化，青少年(及父母)在他們不能按時回來之前應該給家裡打電話說明一下。這就提醒孩子，父母眞正地關心他們的行爲和安全。當孩子在家裡舉辦晚會之類的活動時，父母應該在家陪伴。

父母不應該用命令或盛氣凌人的口吻對青少年孩子講話。他們之間應該像成年人那樣，進行互相尊重的交談。雖然青少年從不願意接受父母過度的指導，但是，這並不表示他們未曾從談話中受益。

父母應該理解孩子爲什麼對自己的觀點有明顯的牴觸情緒。一方面，青少年有一種在思想上和行爲上不斷獨立於父母(和老師)的強烈要求，所以他們不希望別人指手畫腳，也不想別人對自己說話時盛氣凌人。另一方面，他們一開始的時候對自己的信念很沒自信，因此的確需要聽聽父母和其他受尊重的成年人的觀點。

許多父母注意到了自己的青少年孩子不願意聽自己的意見，而且尊重孩子爲獨立而做出的努力。所以，他們便小心翼翼地把自己的觀點掩藏起來，並且抑制自己不去指責孩子的愛好和舉止，生怕讓孩子覺得自己太守舊或太讓他們難以忍受。

我認爲，父母應該採取一種很隨便的方式和孩子交談。比如和他們交流觀點，並把自己年輕時的一些情況說給他們聽。談話時，要像和一位受尊重的成年朋友談話一樣，而不應該認爲自己年紀大，所以說起話來就像給孩子制定法律一樣，或覺得只有自己的觀點才是正確的。

476. 孩子公開對抗或默默牴觸父母的要求怎麼辦？如果孩子與父母的關係比較牢固，他們就不會在青春期的初期對抗或牴觸父母的要求，而且往後也可能仍然這樣。在以後的幾年裡，父母甚至會認爲偶爾允許孩子反對自己的觀點是聰明的作法。

即使稍大一點兒的青少年牴觸或不服從父母的指導，這也並不表示這種指導沒有任何作用。它肯定有益於幫助沒有經驗的人聽取各方面的意見。如果孩子決定不接受父母的指導，他們當然可能自己做出一個比較合理的決定，因爲他們可能具有父母所缺乏的知識或洞察力。毫無疑問，隨著他們逐漸進入成年，他們偶爾需要去反對他人的建議，並爲自己的決定負責：他們必須做好這種心理準備。如果年輕人不按父母說的去做，並因此而遇上了麻煩，那麼，儘管他們可能不願意承認，然而事實上這種經歷會使他們更尊重父母的判斷。

那麼，當父母遇到某個問題不知道該說什麼或該做什麼的時候怎麼辦呢？他們不但可以和孩子商量，而且可以和其他父母商量。但是，即使是唯一持不同意見的父母，也沒有必要在還沒商量出結果之前，就覺得自己必須按照他人的方法行事。從長遠看，只有父母確信自己所做的事是正確的，才能做得很出色。只有在聽完辯論之後，父母覺得正確的才是正確的。

對於父母一般應該採取什麼樣的指導原則，我的觀點非常明確。但是我不願意武斷地把這些原則具體說明。時代在不斷地變化，同一個國家的不同地區以及同一個社區的不同團體，其風俗習慣都可能各不相同。每個孩子的成熟期和可信賴程度也有很大的差別。

477. 我認爲年輕人應該遵守以下兩條簡單的準則：

(1)無論是個人還是團體，青少年應該對人有禮貌，眞誠地對待自己的父母、家人、朋友、老師以及同他們一起工作和學習的人們。不知年輕人是否意識到，他們有時對成年人產生一種（至少是輕微的）敵視，每當和他們在一起就會出現衝突。這屬於正常現象。但是不管怎樣，控制自己的敵視態度和禮貌待人，起碼對他們不會有什麼害處。如果他們表現得彬彬有禮，那些與他們有關的成年人肯定會對他們另眼相待。

(2)青少年應該認眞地對家庭盡自己的義務。應該定期幫助父母做些家事和某種額外工作。這種工作對他們的好處很多，使他們不僅獲得尊嚴感、參與感、責任感和幸福感，而且還幫助了父母。

你不能強迫孩子遵守上述準則。我只是說在與孩子談話時，父母應該向他們說明這些道理。即使他們不願遵守，也能使他們了解父母的原則。

同性戀和異性戀

在第45節中，我談到了父母擔心孩子成爲同性戀者，擔心他們與同性戀者有接觸。如果你認爲你的孩子可能成爲同性戀者或雙性戀者，你該做出什麼反應呢？我認爲，你要做的第一件事就是控制自己的恐懼與焦慮。

對每一個青少年來說，青春期都是一個複雜的階段。學校的各種活動、舞會和約會的壓力，可能會對同性戀的青少年產生一種強烈的排斥感或「異樣」的感覺。這種感覺會讓他們苦惱和不愉快。如果你認爲你的孩子正陷入性別特徵的苦惱而難以自拔，那就應該讓他覺得他有一個地方可以尋求幫助。不幸的是，統計數字顯示，在青少年自殺和自殺未遂事件中，與性別問題有關的比例很高。

異性父母給孩子講有關兩性問題的時候，可能不知道從哪裡下手。但是你應該知道，你的孩子很可能和你一樣害怕這個話題。所以，如果你突然對他說起這個話題，他可能會覺得很害怕。由於這個原因，你應該首先試著讓兩性問題的話題成爲家人可以隨意談論的內容。在剛開始的時候，你可以把一些公開的同性戀或雙性戀藝術家創作的書、錄影帶、音樂卡帶或關於這些問題的資料納入家庭的收藏中。爲了繼續增加效果，你可以開始使用雙性戀、男性同性戀和女性同性戀這些名詞，以便使他們不再忌諱其內涵。還有一點也很重要，那就是要意識到並譴責同性戀恐懼症（homophobia，參見46和996）。對十幾歲的同性戀青少年來說，聽家人講述侮辱性的笑話或忍受親友有偏見的評論，都沒有任何幫助。

有些青少年很快就清楚了自己的性愛方向，並把它看作是自己的突出個性。但是，有些青少年則需要經歷一個很長的實驗階段才能確定自己喜歡的性愛方向。因此，在青少年做好準備之前，切不可給他們施加壓力，以免使他們走向同性戀的道路。如果一個青少年說自己有一種被人疏遠和受到孤立的感覺，或對自己的性取向感到很困惑，父母應該建議他們接受專家的指導，而不是建議他們改變自己的性愛方向。要幫助他（她）克服可能破壞他們自尊心的任何羞恥感和焦慮感。父母能夠給予孩子的最好禮物就是讓他們擁有自豪和尊嚴。對一名同性戀青少年來說，儘管已經可以進入正面的角色，並有能力去坦率而誠懇地處理性差異之類的問題，但是仍然還要經過一段長時間才能建立自尊。

青少年的飲食

478. 青少年的飲食問題以及同儕壓力。孩子到了十～十二歲以後，就越來越難以讓他們接受與同齡夥伴不同的特種飲食。在此之前，他們通常服從父母的安排。特別是與父母的意見完全一致的時候，他們就更樂於服從。其實，他們並不認爲這樣的飲食是眞正的特種飲食，而只不過是出現在餐桌上的食物而已。但是，當他們與朋友一起進過餐，或在學校裡吃過幾個月的飯之後，就可能想吃漢堡、洋芋片、法式熟食、奶酪、冰淇淋以及其他的奶油甜食了。

479. 以素食爲主的飲食。如果你和我一樣，非常偏愛以素食爲主的飲食怎麼辦？這往往是一件令人頭痛的事。我認爲用不著爭論，應該繼續以素食爲主。（我一般喜歡在吃飯時保持心情愉快，禮貌用餐，不去責怪孩子。至於孩子在飯桌上有什麼舉止不端等，在飯後私下簡短地說一說即可。）如果孩子問你爲什麼不做以肉食爲主的食物，包括奶製品，你要以平淡、愉快、無戒備的語氣解釋說，以素食爲主的飲食已被證明有助於體質健壯、健康長壽以及增強免疫力，所以家長希望自己的孩子擁有這些優勢。另外，不要與孩子進行長時間的辯論。如果他們要知道爲什麼其他父母不以此爲原則，你可以如實地告訴他們你不知道；也可以回答說，或許這些家長從未看過醫學方面的文章吧。如果孩子還想知道，他們在學校、在其他孩子的家裡或在飯館裡打破你所制定的規定會怎麼樣時，你可以指出，他們將逐漸離開大人，更多的事情必須由自己來做決定。家長不會爲此來藐視或懲罰他們，只是儘可能爲他們提供最好的食物。毫無疑問，父母雙方要愉快地食用經過深思熟慮才準備好的飯菜，這樣才能給孩子產生最大的影響。在孩子還沒有習慣吃你認爲最健康的食物之前，不要阻止孩子吃他們喜歡的菜，因爲阻止往往會適得其反。

聽起來似乎我總讓孩子自己決定是否按照父母的飲食表進食。其實，我一般只是提出建議，而不是和他們不停地爭論。但是，如果青少年堅持食用一些危險或奇怪的食物；或做一些危險或不可思議的其他事情，明智的父母必須以堅決的、甚至生氣的態度去制止，以表明父母眞正的擔憂。

在孩子處於青春期的階段，我勸你避免由於堅持以素食爲主而與孩子爭論。因爲這個階段的孩子最反對素食，希望與同學、朋友吃同樣的食物。曾和青少年一起走過這段時期的營養專家證實，如果孩子的反抗沒有什麼結果，他們就會很快地回到父母規定的飲食上來。換句話說，如果孩子在青春期由於飲食而長時間和父母發生衝突，這種情況可能持續好幾年。

480. **厭食症**（anorexia）**和貪食症**（bulimia）。飲食紊亂會導致青少年體重過度下降，嚴重影響他們的生理和心理健康。厭食症是指由於自我強制節食而造成的體重不斷下降。其原因是患者過分擔心長胖，過分注意體形，以及堅決、固執地追求苗條等。這些都會導致食物攝入量受限和體重下降。患貪食症的青少年會階段性狼吞虎嚥地攝入大量食物，然後要麼偷偷地全部嘔吐出來，要麼服用大量輕瀉劑來排出他們吃下去的所有東西，或者過量運動。

這些問題並非罕見，至少有1％的少女患有厭食症。我們的社會特別關注身材的苗條（如在電影、電視上以及時裝廣告中），尤其關注女人苗條的身材。這種關注向少女在青春期各種變化提出了挑戰。大多數女孩子的臀部變寬，一些部位變得豐滿。這些正常的身體變化導致了有些女孩子對體重的偏見和對體形變化的不滿。但是，令人很難理解的是，爲什麼有些青少年要用飢餓的辦法來對付青春發育階段的身體變化呢？爲了脫離家人，找到自我，許多有厭食症的青少年都經歷了一段難熬的階段（參見472）。也許家庭給予他們的保護太多，使他們心裡有話無處說，有了矛盾也無法解決。

只要青少年體重下降過快，就應該諮詢小兒科醫生或保育護士。臨床醫生不但會考慮孩子是否患有厭食症和貪食症，還會考慮是否有其他問題導致他們體重下降。如果孩子攝入的食物已到最低限度，看上去很瘦，並出現許多行爲方面的問題，如易怒、懶惰、頭暈或失眠等問題時，父母就應該關心一下，看看孩子是否有潛在的飲食紊亂的問題。大多數患有飲食紊亂的青少年不會向你、醫生或保育護士承認他們存在的某些行爲問題。他們會否認自己飢餓、體重下降和飲酒作樂，更不會承認自己強行嘔吐和服用輕瀉劑。青春期初期就患有厭食症的少女，在青春期階段達不到預期的體重。她們的月經初潮來得晚，而且正常的性特徵也發育緩慢（參看462）。

厭食症和貪食症都是對生命有嚴重威脅的疾病，它們的主要症狀表現在關涉青少年和父母的情緒失控。因此，只要懷疑孩子有其中的某一個問題，就應該向醫生詢問。如果病情不重而且及時發現，通常能得到有效的治療。治療方法一般是進行營養方面的教育、行爲干預和對青少年及家人的勸告。如果孩子的病情繼續加重，體重下降到了超過正常體重25％時，一定要請兒童精神科醫生或青少年醫學專家對孩子做進一步的檢查和治療。

13 養育一個身體健康的孩子

營　養

好的營養至關重要

在本章的一開始我想討論一下關於營養的問題。從我的部分生活經歷中，我確信營養不僅對孩子的健康至關重要，而且對我們成年人也同樣重要。

481. 什麼是好的營養？成年人身上的證據不能不使人相信這樣的事實：典型的美國飲食中，過量的動物脂肪、牛奶、蛋白質和高熱量已經和高膽固醇、冠狀動脈心臟病、中風、高血壓、糖尿病以及一些癌症等聯繫在一起。我們還發現，許多這樣的疾病都是童年時代留下的病根。由於典型的美國飲食，現在三歲孩子的心臟冠狀動脈中就很普遍地發現有脂肪沉積；到了他們十二歲的時候，就有70％的孩子屬於這類情況；對於十幾歲的青少年來說，更多更厚的脂肪沉積現象就更不足為奇了。事實上，最終結果是所有的二十歲青年都有脂肪沉積。再過不久，高血壓和其他病症就開始給他們帶來痛苦。此外，肥胖症以及相關的一系列問題，在孩子之中也越來越嚴重。

然而，孩子們很有希望避免這類問題。首先，應該及早糾正他們的偏食現象。要讓孩子心情愉快，定期吃各種各樣健康食品（蔬菜、水果、穀類食品以及豆類），有效的辦法就是把這些食物作爲家庭飲食中定期食用的食物，用不著專門告訴孩子：「這些食物對你有好處」或者接著說：「你把花菜吃了，我給你甜點。」因爲這樣就會讓孩子造成「沒有人願意吃這玩意兒」的印象。只要餐桌上常常出現這些健康食品，孩子自然會接受其中的大部分。

在指導孩子養成健康的飲食習慣的過程中有時會遇到很多困難。比如，孩子也許對不健康的食品可能帶來什麼問題並不太關心；學校提供的食物也許和家裡的不一樣；媒體也可能給孩子錯誤的信息。我們不妨來看一看那些華而不實的各類兒童食品廣告吧！它們宣傳的既不是蔬菜也不是水果。關於炸洋芋片的廣告到處可見，但是卻沒有一個是烤的。孩子們在週六上午觀看卡通時，受到糖衣食品和高脂肪無價值食品廣告的猛烈轟炸——甚至連大字不識一個的幼兒都能把廣告詞背得滾瓜爛熟。所以，難怪他們長大以後對高脂肪食品是最佳選擇確信無疑。

如果我們想讓孩子有一個健康的開端，並通過不斷食用營養食品以保持健康，那就應該從家長做起，改變整個家庭的食譜。

以素食為主的飲食

482. 現在的營養食品。十幾年來，我們已經學到了很多關於如何利用營養促進孩子健康成長的知識。過去，我們常常認爲蔬菜、穀類、豆類只是輔助性食品，而把肉類和奶製品作爲主要食品，而且並不太關心兒童飲食中的脂肪和膽固醇。但是現在我們懂得多了。研究清楚地表明，蔬菜、穀類、豆類和水果應該在兒童的飲食中扮演主角，因爲它們能爲兒童生長提供營養素，並避免膽固醇和動物脂肪引起的諸多問題。

遺憾的是，我們中間並沒有多少人是食用以蔬菜、穀類和豆類爲主的飲食長大的，所以我們常常不淸楚應該如何安排一頓完整的飯菜。這裡有一些可以簡化這項麻煩的工作。其中一些聽起來很熟悉，可是還有一些你可能感到很陌生，就像當時我遇到的情況一樣。但是，每一個步驟都十分重要。

483. **綠葉蔬菜**。花椰菜、甘藍、菠菜、大白菜、小白菜以及其他一些綠色蔬菜含有兒童所需要而且能夠吸收的鈣、鐵和多種維生素。每天應該食用兩、三種綠色蔬菜。烹調綠色葉菜時速度要快，有些只要一、兩分鐘即可，這樣在起鍋時就能保持綠油油的顏色。等孩子稍大一點的時候，可以用一點海鹽來涼拌綠色葉菜。如果孩子很小，就儘量少放鹽。

484. **其他蔬菜**。蔬菜在飲食中應佔25～30％。要在果菜市場、生鮮超市或者當地的菜園中挑選最新鮮的，而且是使用有機肥料的蔬菜。最好的方式莫過於自己種些菜。從使用有機肥料的農場、超市的有機食物櫃台或者當地農民市場選購的蔬菜還有另一個好處，即沒有農藥。我喜歡在每個週六的早晨親自到農民設置的自由市場，從我認識並信任的當地農民那裡挑選使用有機肥料的蔬菜。獲得新鮮而又健康的食品還有另外一條很好的途徑，那就是和孩子一起動手種植一些自己的蔬菜。這是一條可以參考的好經驗。

新鮮是蔬菜含有豐富營養的關鍵。蔬菜應該洗乾淨，切碎後再烹調。不僅選擇的蔬菜品種要多，而且製作的花樣也要多。正確的炒菜方法也會增強孩子的食欲，使得飯菜特別誘人。我向大家推薦一本默雷迪西・邁克卡蒂（Meredith McCarty）著的《素食廚房裡的新鮮菜》（*Fresh from a Vegetarian Kitchen*）。

如果選擇孩子喜歡吃的種類，就能讓孩子多吃幾樣菜。孩子也許喜歡吃用某種方式烹調的菜，比如，喜歡吃涼拌小黃瓜，而不願意吃炒熟的小黃瓜。強迫孩子吃不喜歡吃的菜可能有害無益。

485. 豆類和豆製品。豆類含有豐富的蛋白質、鈣質和許多其他營養物質，所以應該經常食用。用黃豆製成的豆腐可以經常用在許多主菜和湯裡。一頓有青豆、糙米的飯（或者任何豆類和穀類）能給予兒童豐富的蛋白質，而不至於產生動物蛋白或動物脂肪那樣的危害。

486. 水果、種籽類和堅果。這些食品美味可口，可以作爲補充食物。煮熟的水果（如蘋果醬）更容易消化。蘋果、梨和其他當地產的時令水果更受到人們的歡迎，而且用有機肥料的產品比用殺蟲劑處理過的產品好得多。種籽類食品和堅果可以乾炒，磨碎後食用，以利於消化。杏仁醬和天然花生醬是孩子們喜歡的美味食品，對健康有利，可以作爲糖果和冰淇淋的替代品給孩子們吃。

487. 全穀類。全穀類指的是未經去麩的穀類。兒童的大部分飲食應由各種全穀類構成。糙米、大麥、燕麥、小米、全麥麵包、其他麵食以及全麥麵條等，都含有多種碳水化合物。對正在成長的兒童來說，這些複合碳水化合物易於吸收，營養豐富，是巨大能量的來源。同時，它們還含有蛋白質、纖維素和各種重要的維生素。

蔬菜、豆類製品、水果和穀類這四大類食物，可以提供增進健康的基本物質。如果將這些東西合理安排在日常食譜中，主要的營養就已足夠。

此外，還需要重視兩種重要的營養品，即維生素D和維生素B_{12}。

488. 維生素D。兒童需要維生素D來幫助建造強壯的骨骼。維生素D一般是在陽光的作用下在皮膚中形成，然後儲存在體內。每天日照15分鐘就可以提供身體所需要的維生素D。但是，北方的孩子或那些很少在陽光下玩耍的孩子，僅靠陽光也許不能獲得足夠的維生素D。加維麥片中含有維生素D。各種兒童複合維生素中也含有足夠的維生素D，而且不會出現服用過量的危險。

489. **維生素B12**。健康的神經和紅血球需要可靠的維生素B12來源。維生素B12不是由植物和動物所產生的，而是由細菌製造出來的。在不太發達的國家裡，土壤或植物中的少量細菌可提供維生素B12。然而在現代社會中，這些來源就靠不住了。肉類產品中含有維生素B12，是由動物腸道中的細菌形成的，但是因爲含有脂肪和膽固醇，所以不理想。有效的來源是加維食品，如豆奶和穀類食物等。（查看關於鈷胺素 [cobalamin 或 cyanocobalamin] 的一覽表，鈷胺素就是維生素B12，屬於專門術語。）也許獲得維生素B12最方便的途徑是服用兒童綜合維他命。它含有充足的維生素B12。

490. **兩歲以上的孩子喝牛奶的問題**。我不贊成孩子在兩歲以後還吃乳製品。當然，牛奶曾經很受歡迎，但是臨床經驗和研究結果使得醫務人員和營養學家不得不重新考慮這個問題。這是一個在科學家之中仍有分歧的領域，但是有幾點幾乎是大多數人都贊同的。

首先，其他鈣質來源提供的許多益處都是乳製品所不具備的。在許多綠色蔬菜和豆類中，有許多和牛奶中一樣、甚至更易吸收的鈣質。其中，除了鈣以外，它們還含有維生素、鐵、合成碳水化合物和纖維素，都是牛奶中普遍缺乏的東西。富含鈣的豆奶、米漿和牛奶一樣美味可口，而且不含動物蛋白、動物脂肪、乳糖和乳製品污染物。

一開始聽到乳製品能引起這麼多的問題可能會令人吃驚。其中，最嚴重的問題當然要屬於脂肪和膽固醇了。雖然牛奶和酸乳酪是低脂肪產品，但是大多數乳酪、冰淇淋和其他乳製品均含有非常高的脂肪，一種無益處的脂肪。植物油中含有促進大腦發育所必需的基本脂肪，而牛奶中這種脂肪含量較少，卻富含那些在孩子生長過程中容易引起動脈硬化與肥胖的飽和脂肪。

乳製品還有其他令人擔憂的問題，即使是低脂肪產品也令人擔憂。乳製品能削弱孩子吸收鐵的能力，造成稀薄的血液從消化道中流失。正是這些問題，以及牛奶本身根本不含鐵這個事實，才導致了兒童缺鐵。

兒科醫生常常發現，乳製品能導致某些影響健康的疾病加重，甚至引起某些疾病。這些疾病包括氣喘、其他呼吸道疾病、慢性耳疾以及某些皮膚病等，而原因並不只是簡單的過敏反應。究竟是什麼原因目前還不清楚。然而，在飲食中只要不包括乳製品就可以消除這些問題。

最後，隨著孩子的成長，許多孩子會患有乳糖引起的骨頭疼痛、腹脹、腹瀉和放屁等。這些症狀並非異常，而許多人在童年時代的後期喪失了消化乳糖能力所致。在自然界中，動物在幼獸後期就不再喝奶，人類也該如此。

蔬菜和豆類植物富含鈣質以及其他大量天然營養成分，因此完全沒有必要再補充牛奶。

491. 不吃肉類，少吃魚。多數家庭越來越重視肉類中的脂肪含量，因此，很多家庭開始選擇肉類含脂肪比較低的部位。然而，要想獲得最健康的飲食還需要再向前邁進一步：要從豆類、穀類、蔬菜及水果中汲取營養物質。

孩子時常食用豆類、穀類、蔬菜，就會從中汲取大量蛋白質，避免肉類中的動物脂肪和膽固醇。不幸的是，從食用牛、羊肉轉移到吃鷄肉仍然沒有用。事實上，鷄肉和牛肉含有同樣多的脂肪和膽固醇（每113公克大約含100毫克的膽固醇）。研究人員還發現，在烹調牛肉時形成的致癌物質也同樣存在於鷄肉中。

靠吃植物性食品而不是肉類食品長大的孩子，在身體狀況方面具有很大的優勢。他們很少患肥胖症、糖尿病、及其他各種癌症。許多家庭爲什麼越來越喜歡植物性食品呢？其中還有一些其他原因。近幾年來，許多肉食類以及蛋類中的致病細菌的流行程度急劇上升。也正因爲如此，健康專家一貫堅持，如果非要食用肉類不可，那也必須細心處理，徹底蒸煮。

無肉的飲食還可以幫助兒童保持強壯的骨骼。從植物性食品中汲取的蛋白質可以保持兒童鈣質均衡。我和我的兄弟姊妹們到十二歲才開始吃牛、羊肉，卻都長得又高又壯。我們眞後悔，爲什麼在青少年時期和成年時期沒有繼續不吃肉食。

許多家庭了解到這樣做的好處以後，都在改變飲食結構。如果你還在食用肉食的話，那就一定要盡可能多食用素食，看些新出版的烹調書籍，嘗試著用新的素食品來代替肉類食品。諸如無肉三明治和無肉熱狗這類的食品，都保存在副食店或健康食品店的冰櫃中。

我從 1991 年八十八歲的時候開始食用無乳製品和低脂肪的無肉食品。開始這類飲食兩週內，我多年來用各種抗生素都未治好的慢性支氣管炎便痊癒了。我的幾位中年朋友和老年朋友也是通過不吃乳製品、肉類和高濃度脂肪的食物，治癒了心臟病。要想獲得這種成功，最重要的是用全穀類、各種蔬菜和水果來代替肉類和乳製品。另外，還需要多活動。

492. **脂肪和植物油**。我建議做菜使用芝麻油、橄欖油、玉米油、亞麻籽油、以及複合不飽和菜油。做菜的時候，用少量的油塗在平底煎鍋的鍋底，或用植物油噴灑一下即可。植物油比動物油脂更有益於人體健康，但是無論使用何種油都要適量。人造奶油在加工的過程中產生一種脂肪，它和飽和脂肪一樣，對我們的動脈血管有害。所以人造奶油對人的危害只不過比奶油稍小一點兒而已。烤好的馬鈴薯上不宜使用人造奶油和鮮奶油，但是可以使用芥末粉或蒸熟的蔬菜。在烤麵包上放些果醬和桂皮，中間用不著夾奶油，味道就很不錯。另外用全麥製成的麵包不塗抹任何東西，也十分美味可口。

493. **不要吃糖**。經過提煉的糖是一種單一成分的碳水化合物，充滿了無用的熱量。所以根本沒有任何營養價值。而兒童所需的飲食應該富含合成碳水化合物，而這些碳水化合物在穀類、豆類和蔬菜中都有。如果想給孩子吃點兒甜食，那麼最好給他吃新鮮水果和水果汁。在蒸煮水果的時候要用蘋果汁，而不要用水和糖。你也可以煮一些無核葡萄乾，取其汁液也是非常甜的。還可以從稻米或大麥中獲取糖分。在烹調甜味蔬菜時，如南瓜、玉米和胡蘿蔔等，根本不需要加糖。起初，你會覺得這些食物並不甜，因爲它們無法與糖相比。但是，如果你在做飯時不再使用糖，你就能體會到蔬菜和水果的眞正甜味。

494. **限制鹽的攝入量**。鹽要在做飯的過程中加入，而不要等吃的時候再加鹽。有一種專門用於餐桌上的鹽，含有一種人體所必需的營養元素「碘」。雖然海菜含碘量很豐富，但是各種植物含碘量不盡相同。海鹽的代替品可以是醬油、豆醬、或摻進海鹽磨碎的芝麻籽。如果加入過量的鹽，鈣含量就難以保持均衡，實際上是鹽使鈣通過腎進入尿液中。

495. **避免咖啡因**。巧克力中含有大量的咖啡因，紅茶和咖啡也是如此。相反的，代用茶中就沒有咖啡因，所以應當飲用由烤大麥製成的「穀製咖啡」。兒童眞正需要的飲料是純淨水。從種類上來說，兒童可以飲用由糧食、草藥或果汁製成的「茶」，也可以享用甘甜的蔬菜飲料。這種飲料是由瓜類、洋蔥、胡蘿蔔和捲心菜加工而成的。

496. **提高對食物的興趣**。對任何成功的廚師來說，至關重要的是食物種類的多樣化，而且還要使食物看上去有吸引力。一定要給孩子吃多樣化的食物，在顏色、材料以及味道方面都要體現多樣化。菜盤子中的顏色要均勻，這是兒童飲食的關鍵所在。

我在進餐時不希望受電視和電話的干擾。有的家庭在吃飯前要用幾分鐘做感恩禱告或反思，這可以培養一種對進餐的感激之情和由於進餐而團聚的喜悅。即使是不可避免地出現飯菜灑落或舉止不雅，家長也不要在吃飯時責怪孩子。

餵養幼兒

497. **確保營養充足**。在討論兒童能吃的日常食物之前，我們應該先討論一下構成食物的最重要化學物質，以及人體爲什麼需要這些化學物質。

我們可以把孩子的身體比擬爲正在建設中的一座建築物。建築這個建築物和維修它需要大量的不同材料。而人也是一台正在運轉的機器，需要能源和其他物質使其運轉良好。就像汽車需要汽油和機油一樣。

498. **蛋白質**。構成人體的主要材料是蛋白質。例如，肌肉、心臟和腎大部分便是由蛋白質（除了水以外）構成。骨骼也是由充滿了礦物質的蛋白質構成，像衣服的領子用澱粉漿洗過以後而變得挺直一樣。兒童需要蛋白質不斷發育身體的各個部位，也需要蛋白質修補被破壞的組織和恢復細胞的功能。

每天給孩子食用各種各樣的蔬菜、穀類、豆類和各類水果，是爲兒童提供大量高質量蛋白質的最有效途徑。豆奶和其他豆類製品也含有豐富的蛋白質。美國政府和「美國營養學會」（American Dietetic Association）認爲，只要廣泛食用上述食品，而不只是依賴玉米或稻米，就能提供極爲豐富的蛋白質。植物蛋白質來源的另一個好處是，它能提供大量的合成碳水化合物、纖維素和維生素。肉類、乳製品和蛋等動物產品確實含有蛋白質，而且含量相當豐富，但是卻容易引起一些問題。它們含有動物脂肪和膽固醇，缺乏合成碳水化合物和纖維素，維生素的含量也很低。

499. **複合碳水化合物和單一碳水化合物**。這些都是澱粉，它提供兒童需要的大部分能量。合成碳水化合物（如蔬菜、水果、穀類、豆類等），在人體內像燃料一樣緩慢消耗；而單一碳水化合物（如糖和蜂蜜等）則很快被人體消化吸收。這兩種糖作爲肝糖貯存在肝臟中以備用。

500. **脂肪**。脂肪是身體豐富的熱量來源，所含單位熱量是同等重量的碳水化合物的兩倍。脂肪不容易轉化爲燃料，但是卻特別容易在皮下和身體器官周圍堆積。如果碳水化合物無法滿足人體的需要，脂肪也會產生代謝變化變成燃料。脂肪有兩類：一種叫飽和脂肪，主要存在於肉類和乳製品食物中；另一種叫不飽和脂肪或複合不飽和脂肪，主要存在於以植物爲主的食物中。飽和脂肪與心臟病和中風有密切的關聯，而不飽和脂肪就沒有這種問題。素食和低飽和脂肪的飲食之所以最有益於人體健康，原因就在這裡。

501. **纖維素**。纖維素是蔬菜、水果、穀類（如糠）和豆類中所含的纖維質，不能被腸道消化和吸收。在肉類、乳製品、魚、家禽肉中一點兒也不含纖維質。纖維質在促進正常的腸道蠕動方面有很重要的作用。一個人如果只吃無刺激的飲食，如牛奶、肉湯和雞蛋等，就很容易由於腸道下端缺乏物質而引起便秘。所以纖維對保持大小腸的健康起著舉足輕重的作用。現在人們認爲患大腸癌的主要起因是食物過於精細，缺乏纖維，因此通過腸道的速度過於緩慢。另外，纖維還能幫助降低膽固醇的含量。

502. **卡路里**。卡路里是食物所含熱量的單位。水和礦物質本身都沒有熱量，也就是說，不含能量。脂肪的熱量很高，30公克脂肪的熱量比等量的澱粉、糖類或蛋白質所含的熱量高兩倍多。奶油、人造奶油和植物油基本上是純脂肪，奶酥和沙拉的調味品中脂肪含量也很高，因此屬於高能量食品。肉類、家禽、魚、蛋是由蛋白質和脂肪組成，因此是高熱量食物。糖和糖漿熱量也很高，因爲它們是濃縮的單一成分的碳水化合物，不含水和纖維。

所有富含纖維素的全穀類，單位熱量比油膩食物都小得多。大多數蔬菜基本上由水、碳水化合物、蛋白質和纖維素構成，不含任何脂肪，因此單位熱量也低。

503. 礦物質。各式各樣的礦物質在人體的組成和各部位機體活動中起著必不可少的重要作用。堅固的骨骼和牙齒取決於鈣和磷；爲身體各部位輸送氧的紅血球中的物質有一部分是鐵和銅；碘是甲狀腺機能必不可少的元素（參見618）。

所有的天然食物都含有各式各樣有價值的礦物質，而食物的提煉或煮的時間過久，都會造成大量礦物質的流失。

504. 鈣。充足的鈣源在骨骼快速生長期間有十分重要的作用，在嬰兒期和青春期內的作用尤其重要。女孩在青春期消耗掉大量的鈣，因此需要預防將來骨質密度降低（骨質疏鬆症）。綠色蔬菜、豆類、和添加了礦物質的柳橙汁，都是有益於健康的鈣源。以植物爲主的飲食之所以有助於保持骨骼中的鈣，實際上是因爲它減少了通過腎而流失的鈣。雖然牛奶常常被當作鈣源，但是家長還是應該考慮一下乳製品的壞處。這個問題將在524中討論。

505. 鐵。從蔬菜（尤其是花椰菜、甘藍、菠菜和南瓜）中和豆類中可以獲取大量的鐵，足以滿足兒童的正常生長和發育。這些蔬菜不會使兒童發胖，因爲它們不含大部分肉類和乳製品所含有的飽和脂肪。

嬰兒到了六個月大左右的時候，需要更多的鐵來製造紅血球。由於他們生長發育迅速，出生時體內有限的能量已開始耗盡。牛奶中幾乎不含鐵質，而喝牛奶的嬰兒又很少吃其他食物，這樣一來，他們就可能導致嚴重貧血。因此，我們必須特別重視爲嬰兒尋找含鐵的穀類食品和加鐵的嬰兒奶粉。最近發現，雖然母乳的含鐵量極少，但是它含有一種極易消化吸收的鐵質。對六個月以前的嬰兒來說，母乳的含鐵量是足夠用的。

506. 碘。有些內陸地區缺碘。那裡的飲用水、蔬菜和水果中也不含碘。因此，要食用加碘鹽，以防止甲狀腺腫大。

507. 維生素。維生素是身體保持正常生理活動所需要的少量特殊物質。如同機器需要加油，汽油發動機啓動需要電火花一樣。

所有的維生素都能從均衡的飲食中獲取，比如從蔬菜、全穀類、水果、豆類和豌豆類中。但是維生素 B_{12} 除外，它僅存於動物性食品、加維麥片食品以及少數幾種其他加維食品中。因此，如果兒童不吃肉類或乳製品，就需要注意補充維生素。我建議給孩子服用維生素片劑。它對挑食的孩子、不吃水果和蔬菜的孩子或發育不太好的孩子都適用。每天給孩子吃上一片比強迫他去吃蔬菜或水果要好得多。

508. 維生素A。維生素 A 是由 β 胡蘿蔔素在體內轉化而成的。它對保持支氣管內壁、腸道內壁、泌尿系統以及眼睛的各個部位的健康都十分重要，尤其是可以保持眼睛在昏暗的光線下看東西的功能。黃色、橙色的蔬菜最好，它們能提供孩子所需的全部維生素 A。患有消化道疾病或慢性營養不良的人往往缺乏維生素 A。但是攝入過量維生素 A 無論對兒童還是對成年人都有危害。不過，食用大量的蔬菜是沒有什麼害處的。

509. 維生素B群。科學家們曾經認為，在體內發揮著多種作用的只不過是一種維生素 B。但是調查研究發現，那是十幾種不同的維生素 B，這些維生素 B 大部分都存在於同一類食物中。由於人們還不十分了解維生素 B，所以，大量食用含有維生素 B 的天然食品比分別服用維生素 B 片製劑要好得多。對人體最重要的四種維生素 B 的化學名字分別叫做：硫胺素（B_1）、核黃素（B_2）、菸鹼酸（B_3）、吡哆醇（B_6）。這是人體所離不開的四種維生素。奶類、蛋類、動物內臟和肉類中都含有一定的 B_1、B_2、B_3。但是，由於這些食物中常常含有過量的飽和脂肪，所以我們還可以從糙米、全穀類、豌豆、豆類、花生、加維麵包、麵食和各種穀類食物中獲取。以精製的澱粉和糖為主的飲食可能導致兒童缺乏這些維生素。

含有 B_6 的食物有香蕉、玉米，燕麥、豌豆粒、麥麩和咖啡。這些食物在加上大部分的穀類，就可以滿足兒童的日常需求了。

鈷胺（Cobalamin, B_{12}）分布於包括牛奶在內的各種動物食品中，在蔬菜王國的多數蔬菜中找不到它。不吃動物食品的孩子可以把麥片和加入 B_{12} 的豆奶作爲獲取 B_{12} 的來源。爲了保證不吃動物食品的孩子能攝取足夠的維生素 B_{12}，一個比較好的主意就是讓他們服用普通的兒童綜合維生素。

510. 葉酸。葉酸對製造去氧核糖核酸和紅血球非常重要。它存在於菠菜、花椰菜、全穀類和類似甜瓜和草莓這樣的水果中。

511. 維生素C。柑橘、檸檬、葡萄、芭樂、馬鈴薯和生白菜中都含有大量的維生素C。在其他水果和蔬菜中也可以找到。但是，維生素C在烹調過程中很容易遭到破壞。維生素C對骨骼、牙齒、血管及其他組織的發育非常有用，而且在體內大部分細胞的代謝方面也發揮著重要的功能。維生素C缺乏症表現爲骨骼周圍疼痛出血和牙齦腫大滲血。食用大量富含維生素C的蔬菜和水果的人，患癌症的比例較低。當然，這也與這些食物中的其他營養物質有關係。

512. 維生素D。人的生長和發育（尤其是骨骼和牙齒的發育）需要大量的維生素D。它把消化道中的食物所含的鈣和磷吸收到血液裡，然後再由血液送到骨端，滿足骨頭的生長發育。這就是爲什麼我們要在孩子（尤其是在嬰兒快速生長期間）的飲食中加入維生素D。雖然一般食物中的維生素D含量較少，但是一般兒童都能攝入充足的多種維生素。

陽光的紫外線可促使人體皮膚自身製造維生素D，所以常在戶外活動的人們能夠自然地獲取這種維生素。但是在寒冷的天氣裡，人們就會穿著厚厚的衣服待在室內。大多數孩子每週只要曬30分鐘的太陽，就不會出現維生素D的缺乏症。美國黑人或其他黑皮膚的兒童需要多曬太陽，因爲皮膚中的黑色素會阻止部分陽光的射線。母親在懷孕和哺乳期間也需要多補充維生素D。只吃母乳的黑皮膚孩子也應該專門補充維生素D。

513. **維生素E**。維生素E可以從堅果、種籽類以及許多種植物油中得到，也可以從玉米、菠菜、花椰菜、黃瓜等蔬菜和全穀類中獲取。

514. **維生素中毒**。「高劑量維生素」指的是，比美國食品藥物管理局（Food and Drug Administration, FDA）建議的每日最低攝入量高好幾百倍以上，對孩子十分危險。脂溶性維生素（維生素A和D）最可能造成嚴重中毒。即使是水溶性維生素，如B_6和菸鹼酸，都可能產生嚴重的副作用。因此，一定要按照醫生的吩咐給孩子服用維生素，千萬不可服用過量。

515. **水**。雖然水本身沒有熱量或維生素，但是它對人體的構造和運轉起著至關重要的作用（人體中60％是水）。水是兒童和成人最重要的飲料，尤其是在炎熱的夏天，人體由於出汗和蒸發而需要消耗大量的水，因此更需要補充水分。大多數食物（包括母乳）主要由水構成，所以，人們日常獲得的大部分水都是來自於食物。

合理的飲食調配

516. **有意識地保持飲食均衡**。我們不能單純只從熱量、維生素或礦物質的含量來判斷食品的好壞，還要重點考慮食物的脂肪、蛋白質、碳水化合物、纖維素、糖分、鈉等的含量。如果兒童保持均衡的飲食，就能充分獲取上述營養素。但是，我們並不需要在每一餐中都要吃到各種必需的食物。重要的是我們在一天內或兩天內吃的食物是否能在整體上保持營養均衡。

從長遠看，每一個人都需要保持高熱量和低熱量食物的均衡，以及其他飲食方面的均衡。如果一個人只注重飲食的一個方面而忽視了其他方面，就容易出問題。例如，如果一個正值青春期的少女渴望減肥，放棄了所有富含熱量的食物，只食用沙拉、果汁和咖啡，那麼，如果她長期堅持下去，就勢必會得病。有些父母過於謹慎，錯誤地認爲有各種維生素就足夠了，而澱粉類食物沒有什麼營養。於是他們就只給孩子提供胡蘿蔔沙拉和葡萄柚。這樣，可憐的孩子吃的食物只能滿足兔子的需要，不能從中獲得足夠的熱量。一位來自肥胖型家庭的胖媽媽可能爲自己骨瘦如柴的兒子感到害羞。因此，她就可能只給孩子吃油膩的食物，而擠掉了蔬菜、豆類和穀類。這樣一來，孩子就會缺乏各種礦物質和維生素。

517. 素食。肉食品和乳製品中含膽固醇、動物脂肪和過量的蛋白質。所以一般說來，讓孩子以素食爲主更有益於健康。但是，以素食爲主的飲食不應該是低熱量飲食，而要從衆多的綠葉蔬菜、水果、全穀類、豆類以及豆製品中獲取熱量。研究表明，均衡的素食飲食具有許多優點，而且並不妨礙兒童的生長和發育。對於素食者來說，獲得維生素B_{12}的可靠渠道就是兒童專用維生素、穀類食品、以及加了維生素B_{12}的豆奶。

只要兒童和青春期少年食用品種齊全的全穀類食品、各類菜豆、各種蔬菜、各種水果以及各種堅果，就會獲得充足的蛋白質。即使你是一個嚴格的素食者，也能從食物中攝取大量的鈣。非乳製品鈣源來自綠葉蔬菜、豆類、加鈣的豆奶和柳橙汁。我們可以買到或借到許多關於素食的好書，其中一些書還包含了各種食譜。

518. 蔬菜。蔬菜非常重要，因此應該在孩子的食譜中佔重要的地位。一歲以內的嬰兒可以吃下列熟蔬菜：菠菜、豌豆、洋蔥、胡蘿蔔、蘆筍、南瓜、蕃茄、芹菜和馬鈴薯等。嬰兒在六個月的時候，家裡人吃的多數菜都可以餵他們吃了。只要用攪拌機將菜攪碎，製成漂亮的形狀，就可以給嬰兒食用。也可以購買蔬菜類的罐裝嬰兒食品，不過要特別注意閱讀標籤上的營養說明，選擇一種最純淨的食品。一定要提防那些摻了水或澱粉的嬰兒食品。這樣的食品在營養方面遠不如你家裡用攪拌機製作的食品。

嬰兒滿一歲的時候，可以餵他煮得熟透的粗糙塊狀蔬菜。豌豆要稍微搗碎以後才可以餵，以防孩子囫圇吞下去。蒸熟的蔬菜，如胡蘿蔔、馬鈴薯、青豆等，要切成條狀，以便嬰兒手抓方便。有時可以用紅薯或山藥來代替馬鈴薯。如果嬰兒未滿週歲，你一直堅持給他吃容易消化的蔬菜，這時就應當逐漸餵些他不常吃，而且可能不太好消化的食品：比如壓碎的皇帝豆、花椰菜、以及蘿蔔。只要堅持而不是強迫給孩子吃這些蔬菜，過一段時間孩子自然就會對它們產生興趣。

孩子兩歲時就可以吃玉米粒了。幼兒吃玉米粒時並不咀嚼，所以會原樣拉出來。因此，從玉米棒上往下切玉米粒時，不要把玉米粒完整地切下來。這樣，切下來的玉米粒就是破碎的。孩子三、四歲時，如果你開始讓他自己啃一整條玉米，你還是應該把玉米粒一行一行地從中間切開，使玉米粒有裂口。

一般在孩子一～二歲之間就可以餵他比較容易消化的生蔬菜了。最理想的蔬菜是切碎的胡蘿蔔和塊狀的芹菜。一定要清洗乾淨。開始時不要一下子餵很多，要慢慢地觀察孩子是否能夠消化。你可以使用柳橙汁或加甜味的檸檬汁當調料。

與此同時，蔬菜汁和果汁也可以餵了。當然，它們不如完整的蔬菜和水果好，因爲菜汁和果汁中沒有纖維素。如果你有榨汁機，使纖維素含在果汁、菜汁裡，那就更好了。與熟蔬菜相比，汁液的優點是，它不用加熱，所以其中的維生素也就不存在被破壞的問題。如果孩子暫時對沒經過加工的蔬菜反感，你可以給他喝蔬菜湯，比如豌豆湯、蕃茄湯、洋蔥湯、菠菜湯、甜菜湯、玉米粥以及綜合蔬菜湯等。市場上出售的便利菜湯太鹹，所以購買時一定要仔細閱讀食用說明。幾乎所有便利菜湯都需要用等量的水稀釋。如果打開罐頭後，不經稀釋就給孩子食用，就會由於含鹽過多而給孩子帶來害處。

總之，蔬菜是給孩子食用的最有營養的食品之一。

519. 蔬菜的暫時替代品。如果孩子一連好幾個星期什麼蔬菜都不吃，他會不會營養不良呢？蔬菜的營養極爲豐富，含有各種礦物質、維生素和纖維素。各種水果也能提供許多類似的礦物質、維生素和纖維素。全穀類除了具有某些蛋白質，還能提供蔬菜中所具有的維生素和礦物質，因此，如果孩子有一段時間不吃蔬菜，家長用不著大驚小怪。吃飯時，要保持輕鬆愉快的心情。如果家長確實爲此而擔憂，不妨每天給孩子服用一片綜合維生素。如果家長不強迫孩子吃蔬菜，他就會很快對蔬菜再一次產生興趣。反之，他也許會更堅決的拒絕吃蔬菜，讓你看看究竟誰說了算！

520. 水果。一歲前的嬰兒可以食用燉爛的水果或菠蘿罐頭、蘋果醬罐頭、李子罐頭、梨罐頭以及未加工過的熟透的香蕉、蘋果、桃、梨等。滿一歲時，可以把這些水果做成塊狀的果粥給他們吃。如果梨、桃和菠蘿這類的罐頭食品中糖漿加得太多，味道太甜，那就不太適合給孩子吃了。要買那些不含任何添加劑，只含水果和原汁的罐頭給孩子吃。

孩子在一～二歲之間可以吃一些新鮮水果，比如桔子、桃子、李子和甜瓜等。連皮吃的水果務必要清洗乾淨，以除掉噴灑在上面的農藥。

由於可能出現卡住嗓子和堵塞氣管的危險，所以孩子到三歲以後才可以食用櫻桃和小蕃茄。如果把櫻桃去掉果核和果芯並搗成糊狀，在三歲之前給孩子吃也可以。去核的梅乾、棗、葡萄乾、杏乾和無花果等乾果也可以給三歲孩子吃。如果將這些乾果切碎拌成沙拉，三歲以前的孩子也能食用。但是，囫圇的乾果容易把孩子的嗓子卡住，乾果還可能長時間粘在牙齒上，所以不可以經常食用，而且吃完要立刻刷牙。

521. 穀類食品。孩子一歲時，應該食用一種或多種免煮的全穀類食品，也可以食用家中其他人吃的熟燕麥片和熟全麥食品。大部分嬰兒喜歡又硬又細的穀類食物，但是不喜歡糊狀食物。如果發現孩子對某種食物表示厭煩，可以換另一種他以前不太討厭的食物來試試看。

乾穀類食品，尤其是全麥和燕麥製作的各種食品，是最佳的營養食物。而那些由玉米和大米製成的食品，一般說來營養較少。切記要購買全穀類食品，並仔細閱讀產品標籤上的營養說明。裹了糖衣的穀類食品是最無營養的東西，而這些產品卻經常在兒童節目中做大量的廣告。千萬不要去買這類食品。家長可以利用孩子提出的購買要求，好好討論一下什麼是好的營養食品，什麼是最糟糕的東西。

乾穀類食品必須符合四點要求，即低脂肪、低糖分、低鹽分以及高纖維。如同以往一樣，去購買乾穀類食品時，一定要仔細閱讀標籤上的營養說明。

522. **麵包**。麵包是烘烤而成的食品，其營養價值和熟穀類食品相等。如果孩子不再喜歡早餐吃穀類食品，可以給他食用全麥製成的麵包。你可以在兩片麵包中間塗一層果醬，但是沒有必要塗人造奶油或鮮奶油。如果能塗一茶匙天然花生醬和兩大湯匙的熟紅薯，不但脂肪含量低，而且是營養最豐富的吃法了。這種「花生醬夾心麵包」含有各種必需的營養物質，且深受孩子喜愛。

523. **全穀類比精緻穀類更富有營養**。未經加工的糙米比各式各樣的精米更有營養，因爲它含有豐富的纖維素、維生素和礦物質。任何糧食經過精緻加工以後，營養成分均有損失，這就是全穀類總是比精緻穀類更可取的原因。所以，我們應該盡可能地選擇深色的全穀類食品。

524. **奶類**。我們過去常常認爲牛奶是一種近乎完美的營養品。但是在過去的幾年中，研究人員發現了一些足以使我們改變原來觀點的證據。這個問題引起很多可以理解的爭議。但是我已經相信，牛奶對孩子沒有任何必要。

首先，牛奶所含的脂肪實際上並不是大腦發育所需要的那種脂肪（氨基酸）。相反的，牛奶脂肪中的飽和脂肪含量太高，很容易導致動脈阻塞。

另外，牛奶還會使孩子體內的鐵質難以保持均衡。牛奶不僅含鐵量極低，而且還會減弱人體對鐵質的吸收。牛奶還會造成消化道微量出血，從而使孩子損失鐵質。

牛奶中的蛋白質偶爾還會引起嬰兒腹痛（參見323）。研究人員正在研究牛奶蛋白質與孩子初期突發性糖尿病之間的聯繫。但是到目前爲止還沒有結果。還有一些孩子對奶蛋白過敏，其表現形式是耳疾、呼吸道疾病或皮膚疾病。牛奶還含有微量的抗生素、雌性激素以及其他一些孩子並不需要的物質。

當然，母乳沒有任何問題，它是嬰兒的最佳食品。對於稍大一點兒的孩子來說，有很多優質豆奶和米漿，甚至非乳製「冰淇淋」值得一試。如果你的家人喜歡喝牛奶，我建議你們不妨試一試上面的代乳品。

525. 肉類及魚類。過去，我們常常建議給孩子吃肉類以及魚類，因爲它們富含蛋白質和鐵。但是現在我們已經知道，多肉的飲食對人體是有害的，因爲它容易給我們帶來動脈和體重變化方面的問題。另外，我們也知道了這些變化從童年時代就已經開始了，因爲，一旦孩子對肉類產生興趣，以後再想改變這個習慣將是很難的。

事實說明，孩子可以從蔬菜、豆類以及其他植物類食物中獲得大量的蛋白質和鐵，這樣就可以避免動物類食品中的脂肪和膽固醇對他們造成危害。孩子小時候需要的脂肪比他們長大後需要的多。但是，他們不需要動物脂肪。身體生長及大腦發育所必需的脂肪來自植物油。以蔬菜爲主的飲食更可能使我們避免受沙門氏菌和大腸桿菌等細菌的感染，因爲這兩種細菌常見於肉製品中。

現在的營養學家建議說，我們可以少量地吃點兒去掉可見脂肪的瘦肉、魚等；還建議我們要把各種肉徹底煮熟再吃。從可行性上看，這確實是個好建議。但是我還是建議要深入研究這個問題。

如果你的日常家庭食譜中少不了肉和魚，那麼我就勸一勸你，應該去嘗試一下素食，儘量少吃肉食。你幹嘛不去嘗試一下新型的代肉食品呢？健康食品店提供的漢堡包、熱狗、熟薯條等食品吃起來很像肉，但是，實際上是用大豆和麥子製作的。其中的許多食品吃起來味道都特別可口。

526. 蛋類。蛋清中的大量動物蛋白和蛋黃中的大量脂肪和膽固醇都是兒童不需要的。

527. 甜點。小甜餅、蛋糕、薄脆餅乾以及各式糕點很快就能滿足孩子的食欲。但是實際上，它們並沒有給孩子提供任何蛋白質、礦物質、維生素和纖維素。這類甜點心是不可見脂肪的最大來源。它們欺騙孩子，使他們在稍微飢餓時吃得很香，並破壞了他們對更好食品的欲望。

但是你也不必過分懷疑精緻加工食品，沒有必要不讓孩子在生日宴會上或其他特殊場合吃蛋糕。只有經常食用這類食物才會使孩子營養不良。在不必要的時候，或在家裡吃這類食品毫無意義。我們更沒有道理讓孩子養成一種習慣：每次晚飯後都要吃上一塊含脂肪且油膩的點心。

像果醬、果凍和糖果這類高糖食品均含有過量的糖分，能很快滿足孩子的食欲。但是孩子吃了這些食品之後，就不願意吃其他更好的食物了。這類食品還容易使人發胖和蛀牙，所以應該給孩子吃那些沒有多餘糖分的穀類食品和水果。如果偶爾因爲家裡其他人在吃罐頭水果而不得不給孩子吃，那也應該把罐頭裡的糖漿倒掉以後再給孩子吃。你還可以購買用不含糖的果汁泡製的罐頭水果。但是無論在什麼情況下，孩子飯後都必須刷牙。

孩子在飯前外出與夥伴玩耍，通常要吃些糖果、汽水和聖代冰淇淋。這些零食會破壞兒童正常吃飯的胃口並導致蛀牙。但是，如果兒童沒有在家裡養成愛吃這些零食的習慣，外出時就不太可能過多地食用這些食物。研究表明，如果兒童到了五歲的時候對他們進行相關教育，他們就會懂得什麼是好的營養食品。

528. **對甜食和油膩食品的依戀常常是在家裡養成的習慣**。兒童通常是先在家裡品嚐到甜食和油膩食品的味道的。比如，每次吃飯時都可以吃到一份甜點；兩頓飯之間經常有糖果吃；甚至認爲最高的獎賞就是得到一種劣等食品。比如有的家長就這樣說：「把菜吃完就給你吃冰淇淋。」這樣，家長實際上就用一種劣質食物作誘餌，使孩子產生一種錯誤認知。家長這樣做是不對的，他們應該把香蕉和桃子之類的水果作爲給孩子的最好獎賞。

對許多兒童來說，他們對油膩食品的興趣都是由平時的飲食習慣以及各種廣告對他們的影響所決定的。1939年，克萊爾・戴維斯（Clara Davis）博士做了一些試驗，讓一些兒童從大量的天然食品中挑選自己的飲食。結果發現，這些孩子最終只是選擇一些較甜的、高脂肪的食物。

兒童也常常愛吃大人吃的東西。如果你常喝汽水，吃大量的雪糕和糖果，或油炸洋芋片等，那麼，你的孩子也會非常愛吃這些零食。（我認爲，偶然來串門子的祖父母買的點心或糖果，可以看作特殊的禮物。）

・

529. **咖啡、茶、可樂和巧克力**。這些飲料不是兒童的理想飲品，因爲它們含有大量的糖和使人興奮的咖啡因。這些飲料有取代水果汁和白開水等更有利於健康的飲料的傾向。即使一些不含糖或咖啡因的飲料也會影響食欲，所以也應該避免飲用。偶然喝點草藥茶是很有益處的。

膳食

530. **健康配餐的簡明指南**。安排好一日三餐聽起來很複雜，但實際上很簡單。也許比我們過去想像的還簡單。理想的膳食是以水果、蔬菜、雜糧、豆類等爲主。而肉類和魚是沒有必要的，應該淘汰掉。克萊爾・戴維斯博士和伯切（Birch）博士的實驗表明，如果兒童是以吃植物爲主長大的，如果沒有人教他們去偏愛油膩食物，那麼，當你讓他們自己去選擇食品的時候，他們最終就會挑選均衡的飲食。

大體上，孩子每天需要下列食品：

- 吃3～5次綠色或黃色的蔬菜，最好其中一些是生的。
- 吃2～5次水果，至少一半是生的。水果和蔬菜可以交替食用。
- 吃2～3次豆科植物（菜豆、豌豆、其他豆類）。
- 吃2次以上全麥麵包、餅乾、麥片或麵食。

531. 建議膳食。這裡只是給出一些大致的指導。你可以根據孩子的喜愛和家庭的日常習慣來調整膳食。在必要的時候，兩餐中間可以給他們吃一些水果或果汁。如果他們願意，每餐可以給他們吃些全麥麵包。一旦你確定了孩子的伙食安排，就要與孩子的幼稚園的伙食承辦人或學校核對一下。你也可以自己把飯做好給孩子送去。

早餐

- 水果、水果汁或綠葉蔬菜；
- 全穀類食品、麵包、吐司、薄煎餅；
- 綠葉蔬菜炒豆腐；
- 豆奶；
- 蔬菜湯。

午餐

- 主餐：烘豆子；用餅乾、麵包片或大麥粒做的粥；用全麥或全燕麥麥片、小米或大麥做的粥；夾有豆腐或堅果油的全麥麵包或全麥三明治；馬鈴薯；用餅乾、吐司、大麥粒做的粥或鮮奶布丁；蒸的、煮的或炒的綠葉蔬菜。
- 蔬菜或水果，生的熟的均可；

- 炒葵花籽；
- 豆奶、不含咖啡因的茶或蘋果汁。

晚餐

- 綠葉蔬菜（在開水中燙一下即可）；
- 莢豆、或豆製品，如豆腐；
- 米飯、麵包、意大利麵食或其他穀類食品；
- 新鮮水果或蘋果醬；
- 果汁或白開水。

532. **變換午餐的花樣並不難**。許多家長抱怨不知道怎樣變換午餐的花樣。其實，只要你大致上滿足下列三個條件就可以了：

- 能提供充足熱量的主餐；
- 一種蔬菜或水果；
- 以多種方式烹調的綠葉蔬菜（甘藍、花椰菜、洋蔥）。

孩子接近兩歲的時候，他的主食應該是各種麵包和三明治。剛開始的時候，你可以先給他吃黑麥、全麥、燕麥粉或香蕉麵包。一般說來，要避免使用含有高脂肪、低營養的鮮奶油或人造奶油和美乃滋。最適宜的是堅果油，但是也儘量少用。芥子醬不含脂肪，塗抹在三明治和馬鈴薯上孩子很愛吃。

三明治可以用多種食品做夾心。既可以只用一種食品做夾心，也可以用多種食物混合做夾心。可以用作夾心的原料有：生蔬菜（萵苣、胡蘿蔔醬或大白菜）、燉熟的水果、碎乾果、花生醬或用不含雞蛋的低脂肪蛋黃醬拌的豆腐。

營養比較豐富的湯或粥可以有多種做法。可以用大麥或糙米做成比較稠的粥，也可以把全麥吐司切成小塊撒在菜湯裡；菜湯可以勾芡，也可以是清湯。另外，上一餐吃了穀類食物和青菜以後，下一餐可以改吃扁豆湯、豌豆湯和菜豆湯。不含鹽的普通全麥餅乾可以單獨吃，也可以塗上一種上面提到的配料一起食用。

馬鈴薯是一種很好的低脂肪食品，烤馬鈴薯上可以灑上一些蔬菜、芥子醬、黑胡椒粉或沙拉醬。在各種蔬菜上撒點蕃茄醬能使很多兒童多吃青菜。

如果在煮熟的、免煮的或乾麥片上加一些鮮水果片、熟水果或碎乾果，孩子見了也能胃口大開。但是，我建議你不要加糖。

先吃完主食以後，可以不給孩子吃生的或熟的水果，而給他們吃熟的青菜、黃色蔬菜、或水果沙拉。香蕉可以作成很可口的主食點心。

無論是熱麵還是涼麵，都是豐富的多種碳水化合物和纖維素的來源。裡面可以加上蒸熟的蔬菜和少許調味醬。有些孩子似乎不喜歡穀類食品和麵食，但是，只要經常給他們吃各種水果、蔬菜、豆類植物，他們同樣可以獲得充足的營養。其實，如果在他們小的時候你不去強迫他們吃穀類食品，他們以後就會自然地對這類食品感興趣。不加鷄蛋的麵條在大多數的健康食品店有售。我很喜歡吃炒麵或含青菜的湯麵。

零食

533. 吃零食的常識。有些人從來不吃零食，而許多幼兒和大孩子在正餐之餘都要吃些零食。如果他們吃的零食有營養，吃的時間合適，方法也正確，那麼，一般就不會影響他們正常吃飯，也不至於給他們養成不良的飲食習慣。其實，如果孩子能從正餐的穀類和蔬菜中獲得充足的碳水化合物，他們一般不至於在兩餐之間感到飢餓。

牛奶不適於給孩子當點心，因爲它很可能使孩子失去對下一餐的食欲。零食中不應該含有太多的脂肪或蛋白質，所以最好選擇水果或蔬菜。偶爾也有這種情況，孩子在上一餐的時候吃不多，可是還不到下一餐的吃飯時間就已經感到十分飢餓或十分疲倦了。在這種情況下，如果在正餐之餘給他們補充一些高熱量和營養豐富的零食，他們就會長得很健壯。這是因爲他們消化緩慢。如果不讓他們過於飢餓，下一餐食欲就會好一些。

蛋糕、餅乾、甜點、鹹味油炸小吃有三個壞處：脂肪含量和熱量過高；缺乏其他食物中所含的營養價值；而且對牙齒有害。

對大多數孩子來說，給他們吃零食的最佳時間是在兩餐的中間，而且要離下一餐一個半小時以上。當然也有例外情況。比如有的孩子雖然在上午十點左右喝了果汁，但是在午飯前仍然感到十分飢餓。因此，他們就會發脾氣，甚至拒絕吃飯。爲了防止這種情況，就要在他們剛一進家門的時候就給他們喝杯柳橙汁或蕃茄汁。哪怕還有20分鐘就該吃午飯了，也該這麼做，因爲這樣可以緩解他們的心情，增加他們的食欲。由此可見，在正餐之間什麼時候給孩子吃零食，以及給他們吃什麼零食只不過是一個常識問題：怎麼做適合你的孩子，你就怎麼做吧！

家長們也許會抱怨，孩子在吃飯的時候吃得很少，而在其他時間總是討著要吃東西。這個問題並不是因爲家長隨便給他們吃零食而引起的。恰恰相反，在我所見到的這類例子中，都是因爲父母在吃飯的時候苦苦地勸說，甚至強迫孩子吃東西，而在其他時間則不給他們吃東西。正是這種強迫才使孩子在吃飯的時候失去了胃口。這樣數月之後，孩子們就會一進餐廳就反胃。但是，當孩子吃完飯後（即使只吃了一點兒東西），胃裡就會又感到舒服了。很快，它就會像一個健康的空胃一樣，該進食的時候它就會要求進食了。因此，對待孩子的正確方法並不是不讓他們吃零食，而是要設法讓他們該用餐的時候感到很快活，見了正餐就流口水。那麼，到底什麼是正餐呢？正餐就是精心準備的，並且能令人胃口大開的食物。如果孩子發現正餐的飯菜不如零食有吸引力，那就說明你準備的飯菜有問題。

不愛吃飯的問題

534. 孩子不好好吃飯的原因。爲什麼有這麼多的孩子不好好吃飯呢？最常見的原因就是許多家長太想讓孩子好好吃飯了。你不可能見到小狗不愛吃飯。在有些地區，媽媽們不太懂得飲食搭配知識，所以她們也不去爲飲食搭配而操心。在這樣的地方，你也看不到她們的孩子存在不愛吃飯的問題。

有些孩子一出生胃口就特別大，甚至在不高興或生病的時候，胃口也絲毫不減。也有的孩子胃口較小，而且容易受到情緒或身體狀況的影響。但是幾乎沒有例外，孩子一生下來的胃口足以使他們保持身體健康，並且使他們的體重以正常的速度生長。

問題是，孩子生來也具有一種對逼迫進行反抗的天性和對不愛吃的食物產生厭惡感的本能。更麻煩的是，孩子的胃口幾乎隨時都會發生變化。比如，他在一段時間內可能喜歡吃很多的南瓜或一種新的早餐麥片，然而下個月他就可能對這些食品厭惡起來。如果你明白這一點，就會知道，在孩子的不同發育階段，厭食的問題可能都會出現。如果父母總是想方設法讓幾個月大的嬰兒多喝奶或者多喝水，他就會有牴觸行爲。同樣，如果剛開始的時候，你沒有給孩子逐漸適應的機會就讓他吃固體食物，或在他沒有心情吃東西而被迫進食的時候，他都會拒絕吃。許多幼兒到了十八個月以後就會更加挑剔，這也許是因爲他們不打算長得太快，也許是因爲他們更有主意了，或是因爲他們在長牙。督促孩子吃東西會進一步破壞他們的胃口，造成長久不想吃這種食物。不好好吃飯常常發生在有病快好的時候。如果家長著急，不等孩子恢復食欲就強迫他進食，反而會加劇孩子的厭食感，從而無法再糾正過來。

當然，強迫幼兒吃飯並不是造成孩子厭食的唯一原因。比如，孩子可能因爲嫉妒自己的新生弟弟或妹妹而不吃東西，也可能由於各種各樣的焦慮所致。然而無論最初的原因是什麼，如果父母急於催促孩子吃東西，就可能使問題進一步惡化，從而使食欲欠佳的情況無法恢復。

535. 改變孩子吃飯的習慣需要時間和耐心。一旦幼兒出現了不好好吃飯的問題，就需要時間、理解和耐心來解決這個問題。父母當然會感到著急。只要孩子不想吃飯，他們自己也很難放鬆下來。但是，孩子食欲下降的主要原因，正是由於他們的擔心和一再催促孩子吃東西。在這種情況下，即使他們盡最大的努力來改變自己的做法，孩子也需要花上好幾個星期的時間才能逐漸恢復自己的胃口。他需要有機會來慢慢地忘記一切與吃飯有關的不愉快聯想。

幼兒的食欲就好比一隻老鼠，家長急切地勸食就像貓一樣把老鼠嚇回洞裡。我們並不能因爲貓在朝另一個方向看，而說服老鼠膽大起來。要想讓老鼠膽大起來，貓就必須讓老鼠單獨待上一段時間。

536. **父母也有想法**。當孩子經常不好好吃飯的時候，父母精神上的壓力很重。最明顯的是憂慮：擔心孩子會發展爲營養不良或失去一般的抗病能力。儘管醫生反覆地向孩子的父母保證，吃飯有問題的孩子不會比其他孩子容易得病，但是仍然很難使父母相信這一點。這些父母經常感到內疚，猜想親戚、朋友、鄰居、醫生會認爲他們沒有盡到父母的責任。其實，大家根本就沒有這樣想。實際上，這些人的家裡很可能有一個不好好吃飯的孩子，因此他們能理解這類父母的心情。

另外，父母還可能不可避免地在精神上感到疲憊和惱怒。因爲孩子可能我行我素，使父母的各種努力付之東流。這是父母最難過的心情，因爲它使得父母感到很慚愧。

一個有趣的情況是，有不好好吃飯的孩子的家長們，往往會回想起自己在童年時代也存在類似的問題。他們十分清楚地記得被催促或強迫吃飯只能引起反效果，然而卻發現自己不那樣做就沒有辦法。他們此時內心裡的焦慮、內疚和惱怒，在某種程度上說，就是他們從童年時期就深藏在內心的感覺。

537. **不好好吃飯的孩子不會有什麼危險？**重要的是記住，孩子天生具有非凡的生理本能，使他們知道正常的生長和發育需要多少食物以及需要哪些食物。很少能看到孩子的營養不良、維生素缺乏或傳染病是起因於挑食的毛病。當然在給孩子體檢的時候，家長要同醫生請教一下有關兒童飲食的問題。

538. **愉快進餐**。對於挑食或厭食的孩子，我們的目的不是迫使孩子去吃飯，而是讓他產生想吃東西的欲望。

吃飯的時候要儘量不談論有關孩子吃飯的問題，無論是恐嚇還是鼓勵的方式都不要採用。我決不會因爲他吃得特別多而稱讚他，也不會因爲他吃得少而顯得失望。經過練習以後，你就能做到不去想孩子吃不吃飯的問題了。這時，你就有了眞正的進步。當孩子感到沒有壓力的時候，他自然就會把注意力轉移到吃飯的問題上來。

也許你會聽到這樣的建議：「把飯放在孩子面前以後你就什麼也不要說了。三十分鐘以後無論他吃掉多少，你都要把飯撤走，而且下餐之前不要給他任何東西吃。」這話不假，因爲只要孩子餓了，他自然就會吃東西的。但是，這種做法只有在父母不生氣的情況下，而且不是把它作爲一種懲罰手段的時候才是正確的。與此同時，父母還必須表現出心情愉快的樣子。但是，父母往往可能氣呼呼地把飯菜「啪」地一聲甩在孩子面前，嚴厲地說：「聽著！你如果在三十分鐘內不把飯吃完，我就把飯端走。晚飯前你什麼也甭想吃！」然後就站在一邊盯著他，看他到底吃不吃。結果適得其反，這樣的恐嚇使他更加倔強，於是一丁點兒食欲都沒有了。一個決心不想吃飯的倔強孩子，在這種衝突中總是能戰勝父母的。

其實，無論你採用強迫手段還是以拿走食物相威脅，你的目的都不應該是使他覺得對抗不過你就得吃飯，而應該讓他覺得自己吃飯是因爲自己想吃。

要想做到這一點，你首先應該給孩子提供些他最喜歡吃的東西。要使他在吃飯的時候饞得直流口水，迫不及待地要吃東西。所以，培養這種進食態度的第一步，是爲他提供二～三個月的他最喜歡吃，而且有益於健康的食品，同時，儘量使他的進食保持營養均衡，並且避免提供任何他不喜歡的食物。

如果孩子僅僅是不喜歡吃某一類或某一種食物，而對其他大部分食品都喜歡，請參閱519和532。這兩部分講述了在小孩恢復胃口之前，或在他吃飯時的緊張感消除之前，怎樣用一種食品來代替另一種食品。

539. 偏食的孩子。有的家長可能會這樣說：「僅僅不喜歡吃一種食物的孩子不是什麼問題。你不信嗎？我的孩子只喜歡花生醬、香蕉、橘子和水果味汽水。偶爾也吃一片白麵包或幾茶匙豌豆。除此之外就什麼也不吃了。」

雖然這是一個更難解決的進食問題，但是解決的方法完全相同。早餐你應該爲他提供些香蕉片和一片加料的麵包；午餐提供一點花生醬、兩茶匙豌豆和一個柳橙；晚餐提供一片加料麵包和更多的香蕉。如果孩子想多吃，可以給他第二份甚至第三份他想要的食物。爲了確保孩子的營養充足，還要給他吃多種維生素。要連續幾天爲他提供不同搭配的這類食物。對那些不含酒精的飲料和其他沒有營養的食物要堅決地控制，因爲孩子吃了帶有糖漿的東西以後，他們僅有的那一點想吃更有營養食物的欲望也就蕩然無存了。

如果兩、三個月以後孩子想吃飯了，就需要增加兩、三茶匙（不能多）他過去吃過的食物（不是他以前討厭的那種），但是不要對他講這件事。無論孩子吃還是不吃，都不要加以評論。要過兩、三個星期後再給他提供這種食物，同時再試著加進另一種。需要隔多久才能增加新的食品取決於孩子胃口改善的情況，也取決於他對新食品的喜歡程度。

540. 不要給食物劃分明顯的界限。只要保證食物對健康有利，如果孩子想吃四份同一種食物，而另一種一點兒也不吃，那就最好隨他意。假如孩子一道主菜也不想吃，而只想吃飯後水果或甜點，也應該讓他隨便吃。千萬不要說：「把菜吃完才能吃。」否則只能進一步打消孩子對蔬菜的興趣，而增加他對飯後甜點的欲望，從而造成事與願違的結果。處理這個問題的最好辦法就是，在一週內的一、兩次晚餐中，除了水果之外不要提供任何甜點。如果在吃甜點的時候，家裡所有成員都人人有份，那麼孩子也不應該例外。

這樣做當然不是想讓孩子永遠吃這種種類不均衡的食物。但是，如果孩子存在著偏食的問題，而且已經對某些食物感到厭惡，在這種情況下，要想使他們做到飲食合理、均衡，你就應該讓他們感覺到你根本不在意他們吃什麼。

我認爲，父母強迫偏食的孩子去品嚐他們不愛吃的食物是一個巨大的失誤。假如他們被迫吃了點感到厭惡的食物，哪怕只是一點點，就會使他們更堅定不吃這種食物的決心，減少他們今後喜歡這種食物的可能性。與此同時，這麼做還會破壞他們吃飯時的心情，打消他們對其他食物的食欲。

另外，千萬不要讓他們在下一餐的時候，去吃上一餐所拒絕吃的食物，這純粹是自找麻煩。

541. 每次給孩子吃的東西不要太多。對那些不愛吃飯的孩子來說，每次要給他們少一些的食物。如果你在他的盤子裡堆的食物太多，不僅會提醒他去拒絕吃多少，而且還會破壞他的食欲。如果你第一次給他的量很少，就會促使他產生「這不夠我吃」的想法。而這正是你所希望的。你要使他像渴望得到某件東西那樣，渴望吃到某種食物。如果他的胃口確實很小，你就應該讓他少吃，給他一湯匙豆類食品、一湯匙蔬菜、幾口飯就可以了。孩子吃完以後，不要急著去問：「你還想吃嗎？」要讓他自己主動要。即使需要好幾天以後他才可能提出「還想再多吃點兒」的要求，你也應該堅持這樣做。另外，用小碟子裝食物是一個非常好的辦法，因爲它不會像用大盤子盛少量食物那樣，使孩子產生受辱的感覺。

542. 讓孩子自己動手吃飯。 孩子不想自己吃飯，父母有必要去餵他嗎？孩子在十二～十八個月之間，如果給予適當的鼓勵，完全能夠自己吃飯。但是，如果父母總是擔心孩子吃不飽，因此一直把他們餵到兩歲、三歲、甚至四歲，並且還要不斷地催促他們吃飯，這時，如果僅僅告訴他「從現在開始，你自己吃飯吧！」孩子的吃飯習慣還是無法改變。孩子此時不可能有自己吃飯的意願，因爲他認爲父母餵飯是理所當然的，是父母對他的關心和愛護的具體表現。如果現在突然不再餵他吃飯了，就會大大地傷了他的感情，使他感到非常不滿。他很可能絕食兩、三天，而做父母的又不可能這麼長時間對他坐視不管。等到父母再餵他們吃飯的時候，他們便對父母產生了新的怨恨。等父母試圖再次讓他們自己吃飯的時候，孩子已經知道了自己的力量，並看清了父母的脆弱。

所以，兩歲或兩歲多的孩子應該儘早地學會自己吃飯。但是，這是一件棘手的問題，往往需要好幾個星期才能見效。你不能讓他覺得你在剝奪他的特權，而應該讓他覺得是自己想吃飯，你才讓他自己吃的。

你必須每天、每頓都爲他準備他最喜歡吃的飯菜。把碟子放在他前面，然後去廚房或另一個房間待一、兩分鐘，彷彿忘掉了什麼東西。以後每天逐漸延長離開他的時間。

返回來的時候，不管他在你離開的時候有沒有吃東西，都不要做任何評論，而只能高興地開始給他餵飯。當你在另一個房間的時候，孩子等得不耐煩了就會喊你，你要立刻過來給他餵飯，並心平氣和地向他表示道歉。在一、兩週內，孩子可能會在某餐的時候想自己吃，但是仍然堅持讓你在其他的時候餵他。在這種情況下也不可急於求成。如果他只想要吃一種食物，那就不要勸他多吃另一種。要是他對自己能吃飯感到很高興，就應該適當地誇獎他長大了。但是不要過分，以免引起他的懷疑。

假如在一個星期左右的時間裡，你給他端去了合他胃口的食物，讓他自己吃，可是10分鐘或15分鐘以後他什麼也沒吃。這時，你就應該想辦法讓他有飢餓感。你可以在三、四天內，把平時餵他的食物量逐漸減少一半。只要你處理問題機智得體，態度友好，就會使孩子感到特別想吃飯，不由自主地自己動手吃起飯來。

當孩子能自己有規律地吃到半飽的時候，就應該讓他離開飯桌，而不要再去餵他剩下的食物了。不要在乎他吃剩下的東西，這樣他很快就會感到飢餓，因此，以後就會吃得更多。如果家長接著餵他沒吃完的飯菜，孩子就可能永遠也不會自己吃完一頓完整的飯。所以你只能這樣對他說：「我想，你已經吃飽了。」如果孩子讓你餵他吃，你可以高興地餵他兩、三口，然後漫不經心地表示他已經吃飽了。

孩子已經自己獨立地吃了一、兩個星期的飯以後，就千萬不要再餵他吃飯了。如果某天他感到很累，要求父母餵他，你可以隨便地餵他幾口，然後說些他並不太餓之類的話。我之所以說這些，是因為有的父母由於擔心孩子的吃飯問題，長期以來一直餵孩子吃飯，所以，等到最終孩子能自己吃飯的時候還是不放心。只要孩子一表現出對食物沒有興趣，或由於生病不想吃飯，他們就會重新開始餵他吃飯。這樣一來，他們原來的努力就會前功盡棄，一切又得從頭開始。

543. **父母是否有必要陪著孩子吃飯？**這個問題要根據孩子平時的習慣和要求，以及家長為此而擔憂的程度來定。如果家長以前一直陪著孩子吃飯，那麼，家長突然離開就可能會使孩子難過。如果家長能很隨便地和孩子說說話，而且無論孩子是不是在吃飯他都顯得無所謂，那麼，陪著孩子待在房間裡也沒有什麼壞處。但是，如果家長在現實中總是想著孩子吃飯的事情，而且還忍不住地去催促他多吃、快吃，那麼他最好在孩子吃飯的時候離開。當然不應該突然不高興地離開，而要逐漸地、機智地延長離開的時間，讓孩子看不出什麼變化。

544. **不要誘惑、收買或威脅孩子吃飯？**家長決不應該採取某種手段來賄賂孩子吃飯。比如向孩子許諾說，他吃一口飯就給他講一個小故事，或吃完了菠菜就給他表演一個倒立等等。儘管這種做法在當時看起來挺有用，讓他多吃了幾口飯，但是從長遠看，這樣做只能越來越減弱孩子吃飯的積極性。再往後就只能在許諾上不斷加碼來讓他多吃飯，結果，孩子每吃上五口飯就得給他表演一些雜耍動作，直到把家長累得筋疲力盡爲止。

也不要用甜點、糖果或其他各種小玩具作爲獎品，誘惑孩子去吃飯。也不要教育他吃飯是爲了某一個人；或是爲了討爸爸媽媽的歡心；或爲了不得病，長得又高又大。也不要讓他僅僅爲了把飯菜吃完而吃飯。如果爲了讓孩子吃飯而採取體罰或剝奪他的某些特權的手段來威脅他，那就更不應該了。

我再重複一下上述的原則：**決不能用誘惑、收買或強迫的手段來使孩子吃飯**。

如果你們家裡習慣在吃晚飯的時候，由父母來講個故事或演奏一段音樂，那麼，只要不和孩子的吃飯問題聯繫起來，那就沒有什麼害處。

545. 家長用不著逆來順受。前面我已經說了很多，要做到讓孩子因爲自己想吃飯而吃飯。由於我說得太多，所以有可能給一些家長造成錯覺。我遇到過一位母親，過去一直爲自己七歲女兒的吃飯問題而愁眉不展——勸說、爭辯、強迫，手段用盡也無濟於事。後來她終於醒悟了：或許女兒有著正常的食欲，願意吃均衡的食物。她也明白了，使女兒恢復正常飲食的最好方法就是不要催促她吃飯。於是，她又走向了另一個極端，開始不斷的向女兒表示歉意。但是，由於女兒長時間和媽媽衝突，已經對媽媽心存不滿。現在看到媽媽這麼順從，就想利用這一點對她進行報復。女兒將滿滿一碗糖倒在自己的飯碗裡，然後就斜著眼睛偷看媽媽驚訝得啞口無言的樣子。每次飯前，媽媽都要問女兒想吃什麼，當女兒回答說「漢堡」，媽媽立刻順從地爲女兒去買。但是，無論她喜歡吃還是不喜歡吃，漢堡買回來以後她都會說：「我不想吃漢堡了，我要吃臘腸。」這樣，媽媽又只好再往商店跑一趟。

比較適當的做法是這樣的：孩子應該按時吃飯，對其他一起用餐者有禮貌，不能挑剔飯菜，不能說自己不喜歡吃什麼，以及飯桌上的舉止要符合自己的年齡等。這些都是孩子理所當然應該做到的。家長也應該在準備飯菜的時候儘量考慮孩子（也要考慮家裡其他成員）的喜好，並偶爾問問孩子愛吃什麼，以作爲對他們的特殊照顧。但是，如果讓孩子認爲一切都是以他們爲中心，那就糟糕了。家長對某些食物的限制是明智的，也是正確的。比如對白糖、糖果、汽水、糕點以及其他缺乏營養的食物就需要限制。只要父母知道該如何去做，就可以在不爭吵的情況下實現這一切。

546. 作嘔。有的孩子到了一歲以後還只能吃粥狀食物。這是因爲他們常常被逼著吃飯，或至少是連說帶罵的吃飯。他們不吃塊狀食物並不是因爲他們忍受不了塊狀食物，而是因爲他們總是被逼著吃的緣故。這類孩子的父母常這樣說：「眞是莫名其妙，如果是他特別喜歡的食物，即使是塊狀的，他都能很順利地呑進去。他甚至能嚥進從骨頭上咬下來的大塊肉。」

解決孩子對塊狀食物作嘔的步驟有三個：第一，要鼓勵孩子自己獨立吃飯（參見309和310）；第二，要使他消除對某些食物的疑慮（參見534）；第三，要讓他特別緩慢地咀嚼食物。在必要的時候，可以讓他連續幾個星期甚至幾個月一直堅持吃粥狀食物，直到他完全消失了恐懼感，眞正想吃塊狀食物爲止。比如，在他不喜歡吃特別細的碎肉的時候，就不要給他肉吃。

換句話說，就是要根據孩子的適應能力來決定是否給他塊狀食物。

有些孩子的喉嚨十分敏感，連吃粥狀食物都會作嘔。在這些孩子中，有的是因爲食物的濃度所致。因此，需要用奶或水把他們的食物稀釋一下，或將蔬菜、水果剁得細細的，但是不必搗碎。

瘦小的孩子

547. 消瘦有各種原因。有些孩子消瘦是由於遺傳因素所致。他們的父母一方或雙方可能屬於體瘦的家族。他們從嬰兒時期開始就有充足的食物，而且既沒有什麼病，也沒有什麼緊張感。他們只是從來不吃得太多，尤其不吃太多油膩的食物。

另外一些孩子消瘦是由於父母過分地催促他們吃飯，從而使他們沒有食欲所致。還有的孩子是由於精神緊張而不想吃飯，比如：害怕怪物、擔憂死亡，以及害怕被單獨留在家裡等恐懼心理，都能使孩子的食欲大減。整天跟著姊姊到處跑的小女孩消耗掉了大量的能量，而且即使在吃飯的時候她也安靜不下來。所以，處於緊張狀態的孩子消瘦的原因有兩個：一是食欲下降；二是體力消耗過多。

世界上有許多孩子因爲父母無法得到或無法提供合適的食物而造成營養不良。一些慢性病也能引起營養不良。那些由於得病而消瘦的孩子，只要家長在他們沒有恢復食欲之前不催促他們吃飯，等他們恢復健康以後，很快就能恢復到原來的體重。

548. **體重突然下降的問題嚴重**。孩子的體重突然或慢慢下降是個很嚴重的問題，必須立刻做身體檢查。體重下降的大部分常見原因是糖尿病（總感到飢餓、口渴和頻尿）、家庭關係緊張的嚴重壓力、腫瘤以及青春期女孩的節食狂熱等（參見480）。

549. **要關心體瘦的孩子**。體瘦的孩子當然需要定期做身體檢查。在孩子顯得疲倦、體重下降或體重增長不正常的時候，尤其需要爲他做檢查。另外，心理上的原因比生理上的原因更能使人消瘦而且不易恢復和容易疲倦。所以，如果孩子感到緊張或精神沮喪，就應該帶他到兒童診所檢查一下，或求助於家庭諮詢機構。還要和孩子的老師交流一下情況。無論怎樣，都應該考慮一下他和父母、兄弟姊妹、朋友和同學們的關係是否有什麼問題。如果是因爲吃飯方面的問題，你就應該設法妥善解決（參見535）。

有些瘦孩子飯量小，所以平時總想吃點東西。對於他們來說，正餐之間吃點兒東西是有好處的。但是，不停地吃零食沒有好處，它只會給孩子養成不好好吃飯的習慣。我建議在早餐和午餐後，以及睡覺前讓孩子吃點兒有營養的食物。但是千萬不要因為孩子瘦就給他吃高熱量、低營養的劣質食物。既不要把這種食物當作一種獎賞，也不要只要看見孩子吃東西家長就感到高興。

有些孩子很健康。儘管他們的胃口也很大，可是就是胖不起來，這可能是他們自身的特點。在大多數情況下，這類孩子都喜歡吃低熱量食物，比如蔬菜和水果等，而不愛吃油膩的甜食。如果孩子看起來沒有任何問題，從小就很瘦，但是每年體重均有增加，那就不必為他們擔心，因為他們天生就是體瘦型的。

孩子肥胖怎麼辦？

550. 根據起因採取治療。很多人認為，肥胖是由於甲狀腺或其他內分泌疾病所致。而實際上，屬於這種情況的例子極少。如果孩子的身高正常，他屬於這種情況的可能性就更小了。實際上，導致孩子體胖的因素很多，其中包括遺傳、性格、食欲和憂慮等。如果父母屬於肥胖身材，孩子長胖的可能性就達80％，這導致人們認為基因或遺傳是肥胖的主要原因。依我之見，某些生活方式和家庭生活習慣也起著同等重要的作用，比如攝入的脂肪過多就是一個例子。從這本書首次出版到現在的五十年裡，孩子們的遺傳基因並沒有改變，但是肥胖者的數量卻增長得相當可觀。

相對於其他孩子來說，缺乏鍛鍊並且長時間看電視的孩子，會把更多的食物熱量以脂肪的形式貯存於體內。

最重要的原因是進食問題。有些孩子特別喜歡吃油膩食品，如油炸洋芋片、肉類、乳酪、蛋糕、甜餅乾、點心等，這些孩子比主要吃蔬菜、水果以及穀類雜糧的孩子當然要胖得多了。但是，這又提出了一個問題：為什麼有的孩子特別喜歡吃大量的油膩食物呢？我們還無法全面解釋這個問題，但是我們知道有些孩子生來食量特別大，而且一直絲毫不減。他們無論是否生病，無論著不著急，也無論食物是否可口，他們的胃口都一貫如一。也許他們喜歡這些油膩食物是因爲他們常常吃到這類食品，比如要麼是因爲表現好而得到的獎勵，要麼是由於父母愛他們而給他們買的款待品等。這些孩子在兩、三個月的時候就很胖，而且至少在整個童年時期一直都很胖。所以，從那時起就應該培養孩子的健康飲食習慣，要在孩子一出現超重趨勢的時候，就立刻給他制定有益於健康的食譜（參見252）。

551. 有時心情不好也是引起肥胖的因素。童年時代後期養成的暴飲暴食習慣，至少在某種程度上是由於心情不愉快或精神沮喪所致。這種情況一般發生在七歲左右的孩子身上。這個年齡的孩子開始與他們最親近的父母疏遠，因此心情常常不愉快，常常感到孤獨。如果他們沒有掌握和其他孩子平等交友的方法，就會覺得受到冷落。於是，他們就吃些甜而油膩的食物，好像這樣就能在精神上得到一些補償。對功課和其他事情的焦慮有時也會使孩子從食物中尋求安慰。

身體過胖常常出現在青春期。爲滿足加快的生長速度，這個時期的孩子飯量自然增大。但是在某些情況下，孤獨也可能有一定的作用。這一時期的孩子由於正在經歷著各種各樣的變化，通常變得內向並且害羞，所以不願意外出與其他夥伴友好相處。

無論肥胖的起因是什麼，它都可能成爲一種惡性循環。孩子越胖，就越難以使他多參加各種運動；越不動，就使更多的能量變成脂肪，貯存在體內。這種惡性循環還表現在另外一個方面：由於體胖而不便參與活動的孩子就更覺得自己像一個局外人一樣，因此也更容易受到別人的取笑與嘲弄。

肥胖症對任何孩子來說都是一個非常嚴重的問題。由於肥胖常常和生理上以及心理上的問題有關，所以一旦出現肥胖的症狀，就應該立刻找出原因來對症下藥。如果一歲以內的嬰兒體胖超凡，那就不應該認爲他逗人喜愛，而應該立刻改變他的飲食習慣。一般說來，這樣的孩子會很滿足於吃蔬菜、水果、全穀類和豆類等，因此可以讓他不吃脂肪和澱粉。

552. 七～十二歲的兒童略微超重是正常現象。我不想給大家造成這樣的印象：任何一個變胖的孩子都是不愉快的。許多七～十二歲的兒童，包括過得很快樂和學習成績優異的孩子，都略微有點兒超重。他們之中很少有人屬於過度肥胖，只不過是有點兒胖而已。大多數孩子在青春期發育迅速的兩年中體型發胖，但是以後就變苗條了。例如，大部分女孩到了十五歲左右，不用採取任何減肥手段就變苗條了。家長應當了解，學齡期的孩子身體略微發胖是正常現象。他們以後會逐漸變瘦，所以不必爲此而擔憂。

553. 節食並不容易。對一個肥胖的孩子有什麼辦法呢？你也許馬上就會說：「讓他們節食。」這件事聽起來很容易，而實際上很難。那些覺得自己太胖的成年人尚不能堅持節食，更何況一個毅力不如他們的孩子呢？如果父母只給胖孩子吃低脂肪的食物，就表示要麼全家人陪著孩子一起吃，要麼其他家人吃油膩食物，即使孩子想吃也不讓他吃。很多孩子還未成熟到認爲這樣做是件公平的事。因此，他們就會有一種受到不公平對待的感覺，就會更加渴望吃到甜食。所以，無論孩子在飯桌上克服了吃什麼的癮頭，他飯後都可能再從冰箱裡或食物櫃裡找到這種東西吃。

但是，節食也並不像上面所說的那樣難以實現。有些父母很聰明，他們能採取多種方法，幫助超重的孩子抵制食物的誘惑，而且還不會引起孩子的不滿。這些家長的成功經驗是，不購買油膩和高脂肪的零食心；廚房裡不存放蛋糕和餅乾；在兩餐之間提供新鮮的水果；爲全家人提供低脂肪的食物，包括各種蔬菜、水果、穀類食品、豆製品和豌豆等。當全家人接受了素食，並且最低限度地使用植物油時，體重問題也像其他健康方面的問題一樣得到了解決。從常識上講，這算不上節食，它只是意謂著全家人的飲食發生了半永久性的變化，這種新的飲食更富有營養，而且孩子很快便能接受。這種額外的減肥效果就是更加健康的飲食所給予的獎勵。

應該鼓勵孩子了解各種各樣的營養食物，知道它們的來源，了解是如何製作加工的，以及屬於哪一類植物。孩子也應該參與挑選和購買各類食物的工作。家長可以利用去超市購物的機會教會孩子認識各種食物，知道什麼是豐富的營養。

有些胖孩子願意同大人合作，改變自己的飲食習慣。家長應該鼓勵他們去請教醫生，而且最好讓他們單獨去，當面和醫生或保育護士交談。這樣做也許可以讓孩子覺得自己像一個成年人一樣，可以自己安排自己的生活。誰都願意從他人那裡得到關於飲食問題的好建議。實際上，孩子不需要任何藥物就能減輕體重，「治療的方法」就是改變飲食結構，從高脂肪類食物轉向健康食物。

既然暴飲暴食常常是孤獨感和適應不良的徵兆，那麼最有效的方法就是盡可能地保證孩子在家庭生活、學習和社交方面心情愉快，感到滿意（參見447）。

如果儘管你做出了努力，但是孩子的體重還是超出正常，或還在不斷增加，那麼，你就應該求助於醫生。

554. **必須遵照醫生吩咐節食**。青春期少年自作主張進行節食有時會成爲一個嚴重而且危險的問題。比如，有一群女孩一時激動，就按照別人所說的方法去節食，只吃一些野菜之類的食物。幾天以後，飢餓就迫使其中的大部分孩子放棄了這一計畫。但是，有一、兩個狂熱者仍在繼續堅持。有的女孩的確出人意料地減掉了很多重量，可是卻不能恢復她的正常飲食（參見480厭食症）。即使她想這麼做也辦不到了。這種群體性的狂熱似乎喚醒了她內心深處對食物的厭惡感，這就是他們童年時代遺留下來但是一直沒有徹底克服的焦慮感。另一個處於青春期早期的女孩儘管骨瘦如柴，但是卻聲稱：「我變得太胖了。」這可能是因爲她在感情上還沒有做好長大的準備，所以內心裡被乳房的發育弄得心煩意亂。像這些對節食著迷的孩子都應該去求助於兒童精神科專家或心理學家。

減肥食譜應該以種類的變化爲前提，而不應該強調食物的攝取量。當全家人習慣了以低脂肪植物類爲主的食物（如：麵食、豆製品、蔬菜和米飯等，而不是油煎食品、肉類製品或乳製品），就能收到明顯的減重效果，而且任何人都不會感到飢餓，也不會出現厭食現象。

如果想要節食，基於各種原因，你首先要請醫生檢查一下。醫生的首要任務是確定節食是否有必要，或方法是否合適。與接受父母的建議相比，青春期的孩子更願意接受醫生的建議。如果雙方都認爲某種食物比較理想，當然應該聽從醫生或營養學家的建議。爲了給某一個特殊的家庭安排既有營養又切合實際的飲食，醫生或營養學家將會根據孩子的口味以及全家人平時的菜色來做出決定。最後，由於減肥會給節食者的健康帶來一定的壓力，所以，計畫節食的任何人都應當定期接受身體檢查，以保證減肥的速度不至於過快（通常每週減 0.5 公斤爲宜），並且使節食者保持強壯和健康。

預防意外事故

預防的原則

555. 在一歲左右的兒童中，由於意外事故而導致的死亡人數超過所有其他疾病導致的死亡人數的總和。據美國國家兒童安全活動中心（the National SAFE KIDS Campaign）的調查，每年死於意外事故的一～十四歲的兒童估計有 7000 名，另外還有約 12 萬名兒童成爲終身殘廢。造成兒童意外事故的主要原因，從發生的頻率來講，依次是：交通事故、燒傷、溺水、窒息、中毒、無意造成的槍擊以及墜落等。

提到「事故」，幾乎每個人都會認爲這是一種無法避免的事——一種人無法控制的事件。在某些情況下的確如此。但是，有許多所謂的意外事故實際上是很容易就能避免的。即使有些事故無法預防，但是它們可能造成的傷害是可以預防的。而且我們中的大部分人都懂得如何去做，比如：搭車時使用安全座椅、繫上安全帶，戴自行車頭盔，走路和游泳的時候注意安全，安裝室內煙霧監視器和調低熱水器的溫度等。這些簡單的方法可以避免絕大多數的悲劇發生。

556. 爲什麼我們不能經常採取必要的預防措施。我認爲一個重要的原因就是人們在平時往往習慣於這麼認爲：「我不可能出這種事。」所以，首先要做的就是讓人們意識到事故發生的可能性，其次就是按照下面的兩條基本原則去做。

557. 保證孩子有一個安全的環境。爲了盡可能地弄清孩子是否有危險，以便減少孩子發生危險的機會，你必須時刻監視孩子所處的環境。爲了避免孩子出事，一定要把孩子能夠接觸到的所有危險物品清除掉。還要教育孩子養成注意安全的習慣，並且改善能導致孩子受傷的危險環境，比如帶尖角兒的咖啡桌、沒有保護設施的樓梯、孩子的用具或將床擺在敞開的窗戶旁等。

在你最繁忙的時候尤其要謹慎小心。千萬要記住你的剪刀、剃刀、樹枝修剪器等利器的位置，不要因爲其他事情突然離開或注意力分散而忘記把它們收起來。

558. 好好看管孩子。預防孩子意外事故的第二個原則就是對孩子加強看管。即使孩子在有預防措施的環境裡，也同樣應該對他們進行嚴格的監管。剛學步的幼兒喜歡冒險，而且缺乏判斷力，所以更需要有大人監看。當然，這並不是說我們每時每刻都要跟著孩子，而是說在孩子容易出事的環境裡，家長應該對孩子的安全格外留心。比如，如果孩子的活動室裡安全措施相當完善，那麼你完全可以鬆口氣。但是，如果孩子在外邊稍大一些的環境中活動，你就一定要特別警惕。

交通事故

在孩子乘車的時候、步行和騎自行車的時候，都特別容易出交通事故。我之所以把騎自行車包括在其中，是因爲騎自行車引起的死亡事故有近90％都與汽車有關。

559. 汽車安全座椅和安全帶。新出世的小寶寶第一次乘車回家及以後每一次乘車都要放在汽車安全座椅中。這是美國聯邦汽車安全標準局（Federal Motor Vehicle Safety Standards）規定的。安全座椅不同於嬰兒車，因爲嬰兒車的設計不能承受汽車的猛烈撞擊。專爲嬰兒設計的汽車

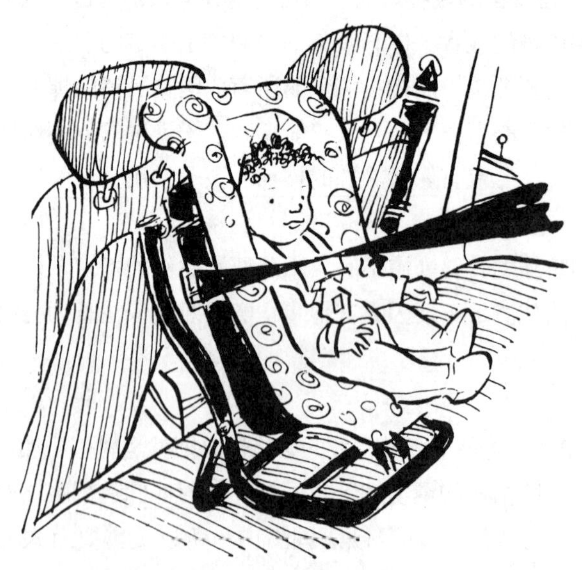

汽車安全座椅最安全，體重不足9公斤的嬰兒可以安置在嬰兒安全座椅中。座椅應該安放在汽車後排座位的中間，並且面朝汽車的後部。

安全座椅供體重不足9公斤的嬰兒使用，可以安裝在汽車的後座上，並且面向車的後部。這麼做的目的是爲了在撞車或緊急煞車的時候保護嬰兒的頸部。

560. **學步兒座椅或可變式汽車安全座椅**。孩子快滿一歲，體重達到9公斤的時候，就應該給他們換用專爲體重18公斤的學步兒設計的安全座椅。他在嬰兒時期使用的可變式安全座椅現在應該改爲面向車的前部。五個拉力點的安全帶比三個拉力點的安全帶更安全。如果你還在使用嬰兒可變式安全座椅，最好不要採用三個拉力點的安全帶或安全防護罩，因爲安全防護罩往往會使嬰兒的胸部和軀幹產生過大的壓力。

561. **輔助座椅**。還有一種專門爲大一點的孩子設計的安全座椅——輔助座椅。它可以從孩子體重達到18公斤的時候一直用到大約27公斤，或用

體重9公斤以上的嬰兒可以面向前方坐在學步兒座椅中。座椅應該安置在後排座位上，同時要給孩子繫好安全帶。

體重超過27公斤的孩子可以使用後座跨肩式安全帶（不要勒著他的脖子和下巴）。

到安全座椅上的肩部安全帶能接觸到他的肩部（不是繞過他的脖子或下巴）的時候。這種座椅只使用安全腰帶或肩部安全帶。如果用它固定孩子的盆骨位置，而不是孩子的大腿和腹股溝上方，它就能給予孩子更安全的保護。許多父母不想使用輔助安全座椅，因爲他們不願意再買一套限制孩子的裝置。這種想法是錯誤的。由於安全座椅的大小不合適，所以常常由於安全帶引起事故。而在輔助座椅中受傷的最少。

562. **正確安裝和使用汽車安全座椅及安全帶**。汽車上的安全座椅和安全帶只有在正確安裝的情況下，才能爲兒童提供安全保護作用。然而在實際使用當中，高達90％的安全座椅存在著某種程度上的使用不當現象。所以在使用前，要首先保證孩子的安全座椅確實已經安全地固定在汽車上。二手安全座椅必須經過仔細檢查，以免缺少零件。發生過撞車事故的座椅絕對不可以再次使用。

全美五十個州都有相關的法律規定，要求汽車在行駛的時候，四歲以下兒童都必須正確固定在安全座椅中。現在，有一半以上的州要求坐在前排座位的人繫好安全帶。有些家長說他們的孩子不願意繫安全帶，這種藉口是毫無根據的。所有的孩子都會按照父母所要求的去做。但是，一旦你破了例，孩子每次就會強詞奪理地找出理由拒絕繫安全帶，從而引起父母和孩子的無謂爭吵。要想避免發生事故，最安全的辦法就是確保車上的每個人都坐穩，並且繫好安全帶以後再發動車子。

讓孩子在座位上坐穩並繫好安全帶還有另一個好處：孩子繫上安全帶以後比不繫安全帶的時候表現得更聽話。

563. 讓孩子坐在後排座位上。汽車的後排座位中間的位置是車內最安全的地方。嬰幼兒和兒童都應該坐在後排座位上。如果汽車的駕駛旁座位裝有安全氣囊，就必須等孩子到了十二歲，腳可以接觸到車地板的時候，才可以讓他坐在前排座位上。只要車內裝有安全氣囊，小孩子就應該坐在後排座位上。這是因爲汽車突然碰撞的時候，安全氣囊會猛地彈出來。由於彈力很大，所以，如果孩子沒有繫好安全帶或離氣囊太近，這個衝擊力就會使孩子嚴重受傷，甚至造成死亡。

因此，如果汽車裡有安全氣囊，無論在什麼情況下都不可以把面朝後的兒童安全座椅放在前排座位上。同樣，學步兒安全座椅或輔助安全座椅也不可以安置在前排座位上，因爲座椅沒有有效的方法固定，所以坐在裡面的孩子經受不住氣囊的衝擊力，也很容易受傷。如果孩子必須坐在前排，那就必須給他繫好安全帶，並且把車座盡可能向後移。我建議你盡可能讓你的孩子坐在後排。另外，不要讓兩個孩子同繫一條安全帶，也不要讓大人抱著孩子坐車。

564. 乘坐飛機。飛機上關於安全旅行和兒童安全座椅的使用介紹令人十分不解：兩歲以下的兒童可以免費乘坐飛機，但是不予提供座位。這樣，如果你的座位旁邊沒有多餘的空位，你就無法使用兒童安全座椅。

毫無疑問，懷裡抱著孩子乘坐飛機絕對不如讓孩子坐在兒童安全座椅中安全（參見915）。好在空中旅行要比駕車旅行安全一些。所以，儘管你不想爲孩子額外買一張飛機票，乘坐飛機仍然要比驅車到達目的地安全。另外，無論你在飛機上能否用得上兒童安全座椅，你最好還是隨身攜帶它，以便到達目的地的時候使用。

飛機上爲兩歲以下幼兒準備了小床，但是只能在機艙座位上使用。兩歲以上的兒童則需要買票。體重低於18公斤的孩子，建議帶上學步兒座椅乘坐飛機。根據美國聯邦航空局（FAA）的規定，爲了空中旅行的安全，安全帶和衝氣坐墊不可以帶上飛機。

步行時的意外事故

565. 五～九歲孩子的常見死因是交通事故。學齡兒童最容易遇上交通事故，因爲他們經常在路上行走，而且缺乏足夠的應急經驗。他們的周邊視覺還沒有發育完善，不能準確地估算出從遠處開來的汽車的時速和距離。因此，許多孩子對什麼時候穿越馬路比較安全，普遍缺乏正確的判斷力。

研究表明，父母通常認爲他們的孩子在路上的應急能力很強，而實際上並非如此。爲了孩子步行時的安全，下面謹提供幾個指導建議：

・從孩子能在人行道上行走的時候就應該教育他，只有抓緊大人的手才能離開人行道。

・無論學齡前兒童什麼時候在戶外活動，都必須有人照顧。要確保他們不在車道和馬路上玩耍。

・要把穿越馬路的規則一遍又一遍地講給五～九歲的兒童聽。在帶他們過馬路的時候，要給他們示範安全通過斑馬線的規則，並講解交通號誌燈和人行道的作用，以及過馬路前爲什麼要先看左邊，後看右邊，然後再看左邊的重要性。甚至還要告訴他們什麼時候號誌燈對他們通行有利，以及什麼時候是過斑馬線的最佳時機等。然而，最使父母爲難的是，他們很難向孩子解釋清楚爲什麼有些司機經常闖紅燈，因此，有時斑馬線上也不是安全地帶。三分之一的孩子在交通事故中受傷，都是發生在標有斑馬線的人行穿越道上！

・千萬記住，孩子至少要到九歲或十歲的時候才能獨自通過交通繁忙的人行道。

・要和孩子一起在附近找塊安全地帶玩耍。還要不厭其煩地告誡孩子，無論遊戲多麼有趣，都不可以在馬路上玩耍。

・要考慮一下孩子經常經過的地方，特別是從家裡到學校的路、去運動場的路以及去同學家的路。家長可以像探險家一樣先和孩子一起走一趟，並確定一條最安全和最容易橫過馬路的路線。然後向他交代清楚，他只能走這條最安全的路線。

・要找時間關心社區的安全問題。要查明孩子上下學的道路上是否有足夠的交通號誌燈和路口警察。如果學校剛落成，就應該調查一下所在地的交通狀況：那裡是否有足夠的人行道、路燈和路口警察。

・在停車場的時候要特別當心那些剛學會走路的孩子。一定要讓他們抓緊大人的手。當你往車裡放行李的時候，一定要將孩子放在小車上或汽車裡。

自行車事故

566. **在美國，十四歲或未滿十四歲的孩子當中，每年因騎自行車而意外死亡的人數達250多人，受傷的人數達35萬人之多。**這些傷亡事故大都發生在孩子們放學之後和天黑之前。其實，如果遵循基本的安全法規，就可以預防大部分的嚴重事故。請記住，在所有發生自行車事故的人中，60％都是頭部受傷。頭部受傷意謂著潛在的腦損傷，而腦損傷又可能導致永久性的大腦損傷。因此，正確使用頭盔可以將頭部受傷的機會減少到85％。

騎自行車的時候都要佩戴頭盔。從學騎自行車的時候起就要這樣做。

567. 頭盔的大小要合適。頭盔應水平固定在頭的上部，不能出現前後或左右擺動的現象。選擇頭盔的時候，要先測量一下孩子頭顱的大小，然後再根據包裝盒上的數據選擇一個合適的型號。包裝盒上的尺寸以英寸爲單位，不要只參照盒子上所給出的年齡範圍。總的原則是，嬰兒頭盔適合一～兩歲的孩子；幼兒頭盔適合三～四歲的孩子；兒童頭盔供七～十一歲的孩子使用；另外還有成人頭盔，分爲大、加大、中、小號。

頭盔由於碰撞或嚴重頭部撞擊而受到損壞以後，應該及時更換。只要將頭盔送去，大部分公司都將爲你免費更換頭盔的襯裡。

爲了騎車的安全，應遵守下列規則：

・騎自行車的時候，必須佩戴頭盔。

・父母騎自行車的時候，也要戴頭盔。只有以身作則，才能更好地要求孩子遵守這項規則。

・孩子的三輪車和自行車要適合他們的實際年齡，不要購買超出他們年齡範圍的車型。

・至少要等到孩子五～七歲具備了身體條件的時候，才可以讓他們騎兩輪車。

・九～十歲的孩子可以使用防滑煞車的自行車，因爲這麼大的孩子已具有處理手煞車的力量和手的協調能力。

・九～十歲以前，孩子只能在人行道上騎車，因爲只有孩子到了九～十歲以後，才有足夠的判斷力應付馬路交通。要教會他們在道路上行駛的基本交通規則，使他們懂得要和汽車司機一樣遵守交通規則。

・要讓孩子在車子、頭盔和身上帶有一些明顯的標誌，便於別人發現。這對孩子在黎明和黃昏的時候，以及放學或從同學家騎車回家時的安全十分重要。

・每次夜晚騎車的時候，都必須打開前車燈。但是，最好還是儘量不要讓孩子在夜間騎車。

568. **自行車幼兒座椅**。家長用自行車幼兒座椅攜帶孩子的時候應格外注意以下規則：

・選擇有頭部保護裝置、手扶裝置和安全帶的兒童座椅。騎自行車的時候切記不要用背帶把孩子背在身上。

・騎自行車攜帶孩子之前，要先用裝有重物的座椅練習一下。練習的時候要選擇一個沒有其他車輛的開闊地方進行，等熟練掌握了載重物的技巧，有信心掌握平衡以後再開始騎車載孩子。

・騎自行車的時候不能攜帶不滿一歲或體重超過18公斤的孩子。

・如果用安全帶把孩子固定在自行車幼兒座椅上，那就必須給孩子佩戴頭盔。

・不要把孩子單獨留在自行車幼兒座椅上，也不要當孩子還在座椅上的時候就將車子停在某處。許多孩子就是因爲從停放的自行車上摔下來而受傷的。

・成年人騎自行車的時候也應當佩戴頭盔。

・要儘量在安全、不擁擠的自行車道上騎車，而不要在馬路上騎。

・不要在天黑以後騎自行車。

火、煙和燒傷

只要採取以下簡單易行、一勞永逸的措施，就能擁有長久的安全防護作用：

・在房子的每層樓裡安裝煙火探測器。要把它們安裝在臥室和廚房外面的通道中，每年定期更換電池。

・在廚房中放置一個固態化學滅火器。

・把熱水器的溫度調到49℃以下。因爲在65～71℃（大多數生產廠家都對產品事先預設了溫度）之間，孩子在兩秒鐘之內就會造成三度

低於49℃的水溫可以預防燙傷。

燙傷。但是在49°C的時候，則需要5分鐘才能構成沸水燙傷，而且你還可以減少電費開支。如果你住在公寓裡，可以讓房東把水溫調低，因爲使用低於54°C的水仍然可以把盤子洗乾淨。在蓮蓬頭上、浴缸和水池子的水龍頭上安裝防燙傷裝置，可以在水溫超過49°C的時候，使水自動停止流動。

・養成經常試水溫的習慣。即使記得剛試過不久，也要再試一次。

・熱水的水龍頭有的時候也會造成燙傷。

・不要在洗澡的時候或手扶在水龍頭上的時候觸摸電器，也不要讓孩子觸摸。

・要教育孩子，如果聞到煙味並且懷疑著火的時候，首先要做的就是逃離房間，並用鄰居家的電話通知一一九消防隊。

・制定一個遇火逃生的計畫，選擇兩條從臥室逃離的路線，並且決定一個在外面會面的地點。要讓全家人都執行這個計畫。

569. **火災是兒童受傷致死的第二個最常見起因**。五歲以下的兒童最容易被火燒傷。大約75％與火有關的死亡實際上都是因爲吸進了濃煙而造成的，並不是直接被燒死的。大約80％與火有關的死亡都是由於家中失火而導致的，其中有50％的家庭失火是由香菸引起。火的蔓延相當迅速，因此千萬不能把孩子單獨留在家裡，即使幾分鐘也不行。家長外出的時候，最好把孩子帶在身邊。

570. **燙傷**。最常見的非致命灼傷是燙傷。在這些病例中約有20％是由水龍頭中的熱水燙傷的；80％是由濺出來的熱食或熱湯所引起。半數以上的燙傷都很嚴重，需要做皮膚移植手術。

571. **防止燒傷和燙傷的其他建議**。醫生們接觸最多的是咖啡導致的燙傷。因此，決不能將孩子抱在大腿上喝熱咖啡和熱茶。另外，千萬不要把裝著熱咖啡的杯子放在桌子的邊緣，以防止孩子搆著杯子，將杯子推倒而導致燙傷。

桌子上不要鋪桌布或桌墊，因爲小孩會把它從桌子上拉下來。千萬不要用微波爐給孩子熱奶，因爲即使奶瓶摸起來不熱，裡邊的牛奶則可能很燙。

原則上，孩子的睡衣應該是防火材料製成的，所以要爲孩子選擇這樣的睡衣，而不要選擇那種純棉睡衣。但是，如果用非磷酸洗滌劑、肥皂或氯化漂白劑洗滌這種衣物，上面的防火化學物質就會被洗掉。要是不斷地用這些東西洗滌防火睡衣，這種睡衣就得扔掉。使用茶壺燒水時，要把茶壺的把手朝向火爐的後面。

火柴（打火機）要裝在盒子裡置於高處，不要讓三、四歲的小孩拿得到。從這麼大開始，很多孩子都特別愛玩火，而且不讓他們玩火柴相當不容易。

打開的熱水器、火爐、壁爐、絕緣不良的烘爐和容易打開的烤箱等都很危險。所以，要把火爐、壁爐和火牆用柵欄或防護裝置圍起來。要告訴剛學走路的幼兒什麼東西是熱的，並警告他們不要觸摸這些東西。

不要讓窗簾、床單或毛巾接觸到火爐或電熱器等，這些都容易引起火災。

電線舊了要更換。電線的接頭處要用膠布黏牢。不要把電線鋪設在地毯下面，也不要讓電線從通道中穿過。

要在所有的電源插座上蓋上蓋子，以免孩子往電源插座中插東西的時候受到電擊。還要注意不要使電源插座超載。

要和孩子們一起討論防火安全知識。要教他們如何在著火的時候「停止、蹲下、滾動」和「在煙霧下面貼地爬行」。

溺水和安全用水

572. 在美國，由於溺水而喪生的十四歲以下兒童每年超出1000人。溺水是這一年齡層的孩子意外死亡的第二個主要原因。溺水的孩子要立即送醫院搶救。數據顯示，四歲以下溺水兒童的死亡率比其他年齡層的兒童高兩、三倍。

在學齡前兒童中，浴缸中發生的溺水死亡非常多。幼小的孩子甚至會在馬桶或水桶中被淹死。因此，即使是5加侖的空水桶也不能放在屋外，以免下雨存水後，孩子掉進去造成溺水死亡。廁所裡的坐式馬桶要儘量低些，否則孩子容易掉進去。孩子可能會頭朝下，或臉朝下地掉進馬桶裡或水桶裡。只要裡面有幾英寸深的水就會造成孩子溺水身亡。

沒有任何資料能證明，早期對孩子（如嬰兒、初學走路的幼兒和學齡前的孩子）進行游泳訓練能防止孩子在浴缸、游泳池、池塘、湖泊或河水中溺水。即使他們接受了這方面的訓練，他們在五歲以前也沒有足夠的力量和協調能力來使自己漂浮在水中，或通過游泳來擺脫危險。實際上，由於早期訓練給家長和孩子一種錯誤的安全感，所以，它反而會增加孩子溺水的可能性。

573. 安全用水。預防孩子溺斃需要家長不斷地提高認識，並且加強對孩子的看管。對所有看護孩子的人都要強調以下幾點：

・千萬不要把五歲或五歲以下的孩子單獨留在浴缸中，哪怕是一會兒也不行，因為孩子在大約3公分高的水中也會造成溺斃。也不要讓一個十二歲以下的孩子來看著浴缸裡的孩子洗澡。在你必須接電話或去開門的時候，要把渾身肥皂泡的孩子用毛巾包起來，然後抱著他一起去。

・孩子應該學會游泳，但是不能認為孩子已經接受過游泳訓練，所以就不會溺水了。家長也不應該依賴游泳池的警報來提醒自己保護孩子，因為等到警報響起來的時候，孩子早已落入水中，這時才去救孩子通常已經來不及了。另外，這些警報器通常做成各種動物的模樣，容易吸引孩子的注意力。比較好的警報系統是掛在游泳池大門上的警報器。

・當孩子靠近水邊的時候，即使有救生員，家長也要嚴密注視孩子。這裡有一條我所認為的最佳原則：在孩子能夠游到400公尺之前，無論是在海灘、在湖邊、在淺水池還是在游泳池，都要讓孩子穿上救生衣。可以預料到孩子一定會像一頭小公牛一樣不願意穿救生衣，直到他發現你決不會破例為止。當孩子到了十～十二歲的時候，如果他已經非常擅長游泳，而且有足夠的脫離危險的技巧和判斷力，那麼，只要他和小夥伴們在一起，就可以不用大人時時刻刻的監督了。另外，只有在水深達1.5公尺，而且有大人在場的時候，才能允許孩子往水中跳。

・在沒有正式宣布池塘或湖泊上的冰已經達到安全標準以前，決不能允許孩子在上面溜冰。

・在有暴風雨的時候，任何人都要遠離池塘和湖泊。

・不要讓孩子在池塘、湖泊或河流的附近滑雪橇。雖說高爾夫球場是相當不錯的滑雪橇場地，但是，由於這些地方靠近水域，所以有潛在的危險性。

・各種水井和蓄水池的蓋子必須蓋好。

・如果家裡有游泳池，四周一定要有防護柵欄。柵欄至少要有1.5公尺高，門上帶有閉鎖裝置，能夠自動關閉，自動上鎖，而且板條的間隔不應超過10公分。另外，不要利用牆來充當其中的一面柵欄，因為這樣一來，孩子特別容易通過門或窗戶溜進去。

・孩子在水邊的時候，應該隨時有大人監護。後院的淺水容器裡的水應該倒掉，並且倒過來放，以防小孩溺水。切記，萬一孩子溺水，就應該立刻施行搶救。

中毒

574. 確保房間內沒有危險藥品。現在，你需要用敏銳的眼光，更確切地說是用孩子的眼光，來仔細地把房間檢查一遍。另外，每次服完藥以後，要立刻把剩下的藥放到孩子搆不著的地方；最好放在兒童打不開的上鎖櫥櫃和抽屜裡。還要在所有的藥品上貼上醒目的標籤，以防不小心拿錯藥。病痊癒之後，要把剩餘的藥倒進廁所裡沖走，因為藥品留著也會變質，不可能再次使用，而且，還容易和舊藥放在一起，造成混淆。要把離家最近的毒物控制中心的電話號碼貼在你的電話上。每一個家裡都要爲孩子準備一瓶吐根製劑糖漿，但是，要在醫生、保育護士、毒物控制中心的指導下服用。使用的劑量通常根據孩子的體重而定（參見1085和1086關於中毒的緊急搶救）。

三分之一以上的藥物中毒都是由於孩子吃進了祖父母的藥品。所以，在孩子來拜訪祖父母之前，一定要確保所有藥品都鎖起來，或放在孩子完全搆不到的地方。

575. **藥品管理的法律規定**。這些規定要求，藥劑師配製的所有藥物都應當裝入兒童打不開的容器中。不要把藥換到另一個容器中，也不要把某個容器中原來的任何藥物換到另一個裝其他藥物的容器中。換句話說，就是不要把殺蟲劑裝入飲料瓶裡，或把洗潔劑裝到茶杯中。而這種情況常常是造成嚴重中毒的主要原因。

576. **一定要將有毒藥品放在孩子搆不到的地方**。在所有的意外中毒事件中，有五分之一發生在兩歲幼兒身上。最近，在某個大小中等的城市，毒物控制中心接到50,000個求助電話，其中90％與孩子中毒有關。兩歲的孩子喜歡探索和品嚐東西。當他興致來的時候，幾乎什麼東西都吃，不管味道如何。他們尤其喜歡吃藥片、一些味道比較好的藥水、香菸和火柴等。當你知道有這麼多的東西常常導致孩子嚴重中毒的時候，你一定會感到十分驚訝。如：阿斯匹靈及其他藥品、驅蟲藥和滅鼠藥、煤油、汽油、苯、清潔劑、傢俱亮光劑、汽車亮光劑、其他用於清潔下水道、碗碟和爐子的強鹼物質和殺蟲劑等。

577. **浴室中潛在的危險物品**。浴室中的潛在危險物品有：香水、洗髮精、護髮乳、美容用品等。

578. 廚房和貯藏室裡有害物品的安全存放。下列物品應該在廚房和貯藏室找一塊孩子接觸不到的地方存放：清潔劑、洗衣粉、除垢劑、馬桶清潔劑、魔術靈、氨、漂白劑、除蠟劑、金屬亮光劑、硼砂、樟腦丸、打火機燃料、鞋油以及其他危險物品。要把滅鼠藥、驅蟲藥和其他有毒藥品清理乾淨，它們也是非常危險的物品。

579. 地下室和車庫。在這兩個地方，要把下列物品保存在絕對安全的地方，如：松節油、油漆稀釋劑、煤油、汽油、苯、殺蟲劑、植物噴灑劑、除草劑、防凍劑、汽車清潔劑、汽車上光蠟等。在丟棄一些容器之前，一定要保證裡面完全是空的，並且把裡面沖洗乾淨。浴室和廚房中有潛在危險的各種清潔劑和藥品也一定要存放在孩子搆不著的地方，或存放在帶有鎖頭的櫥櫃裡。浴室的門上也要安上簡易的鎖以免孩子接觸到浴室內所有的危險物品，同時，還要防止他們中毒、溺水或被熱水燙傷。

580. 植物中毒。我們通常認爲植物和花朵只是很美麗，而剛會爬的嬰幼兒卻認爲它們是「美味的點心」。這種不同的看法是很危險的，因爲總共有七百多種以上的植物和鮮花都能引起疾病和死亡。因此，最好的作法是等孩子度過了「什麼都吃」的年齡，並且能夠接受禁令的時候，再在家裡養花種草。如果要種，也至少應該把植物放在孩子搆不到的地方。另外，當孩子離開家，或在公園裡的植物和花草旁邊玩耍的時候，一定要注意看好他們。

　　這裡列舉一些有潛在致命危險的植物：五彩芋、英國常春藤、風信子、黃水仙、槲寄生、夾竹桃、相思子、蓖麻、毛地黃、鈴蘭、杜鵑花、繡球花、紅豆杉、曼陀羅、牽牛花籽、蘑菇、茄屬植物。

　　一些植物雖然有毒，但是並無致命危險，通常接觸後會刺激皮膚。如果吞嚥下去，會使嘴唇和舌頭腫脹起來。要清楚地區別有毒性的常春藤、櫟樹、漆樹屬植物，以免由於過敏反應造成對皮膚的疼痛刺激。

當地毒物控制中心或衛生單位會告訴你，你家裡或院子裡的植物是否具有毒性。

鉛中毒

581. **當心孩子鉛中毒**。油漆中很可能含有鉛。在房間裡，最令人擔憂的是入口處的外表、窗檻、地板牆圍、所有的門以及1.8公尺以下的門口處。即使油漆沒有脫落下來，經常開關門窗也可以使油漆和含鉛的塵土鬆動下來。

如果六歲以下的孩子吃進了含鉛的油漆和含有脫落下來的油漆的土，就會發生鉛中毒。孩子鉛中毒的另一個來源是飲用水中的鉛。鉛中毒影響六歲以下兒童的大腦發育，可引起多種神經問題，包括不能學習，行動有困難。或在極少情況下，造成大腦損傷。

儘管孩子鉛中毒後沒有什麼症狀，但是如果中毒指數超過10，就要送醫院檢查。當然，鉛中毒的程度要很高才會造成學習障礙或神經問題。輕微的鉛中毒只需要口服藥物治療，比較嚴重的鉛中毒需要靜脈注射治療。要檢查一下家裡和活動場所的潛在鉛污染情況，並在孩子九個月的時候，就給他檢查一下是否有鉛中毒的情況，以後要定期檢查，直到孩子六歲爲止。

哽塞

582. **哽塞是導致幼兒死亡的第四大原因**。當孩子能夠自己拿著東西放到嘴裡的時候，就要注意，不要將任何小物品（如釦子、豆子、珠子等）放在他的周圍。這些物品很容易被吸進氣管，引起哽塞（參見1090-1091）。

引起哽塞的常見物品是破碎的氣球，這些碎片很容易被吸進氣管。當孩子吹氣球的時候，氣球吹破以後很容易被孩子吸進肺氣管而導致哽塞。小圓球（通常安裝在孩子的玩具上或遊戲的時候玩耍用的）也是導致三歲以下幼兒哽塞的常見物品。

熱狗是一種容易導致孩子哽塞的食物，所以給孩子吃的時候要切成條狀，以免進入氣管後膨脹把氣管堵住。又硬又滑的圓形物品對幼兒更是危險，如：堅果、硬糖塊、小胡蘿蔔、小蕃茄、爆米花、葡萄以及葡萄乾等。

人們習慣在食用正餐的時候先喝點兒熱湯，因爲這有助於食管放鬆，使食物容易進去。液體還有助於食物保持濕潤，不至於使食物堵住喉嚨而引起哽塞。基於類似的原因，許多營養學家都建議在吃飯的時候要喝口熱水。（我按照狄巴克·喬布拉〔Deepak Chopra〕的建議，在吃飯的時候喝點兒水。我發現這種辦法的確很好，它有助於濕潤喉嚨並使喉嚨放鬆。）美國的飯店裡通常供應冰水。然而，冰水會導致食道緊張或收縮，而熱水才會使食道放鬆和柔軟。水能把固體食物潤濕，從而比乾硬的食物更容易下嚥。

防止大塊食物噎住喉嚨的最佳辦法是細嚼慢嚥。可以教孩子如何好好咀嚼；如果家長做出榜樣，孩子們就會模仿。在你不催促他們吃飯的時候，他們更喜歡模仿。

小孩在奔跑的時候，嘴裡千萬不能含著糖果或冰塊。也千萬不要讓孩子躺著吃東西，絕不能讓嬰兒獨自用吊瓶吃奶。

直接用湯匙或刀子盛花生醬吃是一種最危險的做法，因爲一旦被吸進肺裡，任何東西都無法將花生醬取出來。所以，只能把花生醬薄薄地抹在麵包上吃。

583. 應該選擇適合孩子年齡的玩具。對三歲以下的幼兒來說，「適合年齡」的玩具是指那些不具有小零件的玩具。如果孩子五歲以後還愛往嘴裡放東西，那麼，就不可以讓他們在沒有人照看的情況下玩那些帶有小零件的玩具。但是，要想不讓小孩子或來家裡玩的小客人玩大孩子們的玩具是一件傷腦筋的事。

凡是能進入「防噎試管」（No Choke Test Tube）的物品都有潛在的危險性，此試管是由消費者產品安全委員會（the Consumer Products Safety Commission）研製的一種比捲筒式衛生紙的軸還要細的一件工具，用來確定食物是否會噎住三歲以下幼兒的喉嚨。然而，即使不能完全嚥下去的物品，比如鉛筆等，也會造成孩子窒息。所以一定要把這些東西放在幼兒拿不到的地方。

窒息

584. **出於無意造成的創傷也會導致死亡，窒息就是一歲以下嬰兒的這類死亡的主要原因**。嬰兒大部分時間都在嬰兒床裡度過，因此要採取措施保證嬰兒床的安全。

爲了防止孩子在嬰兒床裡窒息，應遵循下列建議：

・嬰兒睡覺的時候，一定要讓他們臉朝上平躺在嬰兒床裡。

・嬰兒床裡的床墊一定要緊貼床的四周，這樣嬰兒就不會被床墊和床的邊框夾住了。

・嬰兒躺在床上的時候，旁邊不應該放塡充式大動物玩具，也不能讓他臉朝下趴在羊皮褥子或枕頭上。因爲當嬰兒的臉被東西裹住的時候，他的脖子沒有足夠的力量把頭抬起來吸氣。

・嬰兒在大床上睡覺或小睡的時候，不僅應該防止他從床上掉下來，還應該使床墊和床頭之間，或和牆之間不留空隙。如果大人和嬰兒一起睡，要特別小心別壓著孩子（這種情況很少發生）。

・嬰兒不要在水床上睡覺，以防孩子的臉被床墊的四周給夾住。

・嬰兒開始學爬的時候，就要把尿布包從地板上拿走。衣櫥中裝乾洗衣物用的塑膠袋也應該拿走，以免嬰兒將它們抽出來，不小心蒙在臉上導致窒息。

家中的槍枝

585. **槍枝在美國社會上越來越多**。作爲一名兒科醫師，我不贊成任何有孩子的家庭擁有槍枝。在美國，平均每天都有一個孩子由於手槍意外走火而身亡。

如果家中有槍，孩子就會受到與槍有關的傷害。當然，孩子的年齡不同，受傷的原因也會不同。他們可能受到有意的傷害，也可能受到無意的傷害。我們還知道，手槍還可能被一個入侵者用來傷害家人，甚至打死家人。買來用於自我防衛的手槍很少能實現其最初的目的。

如果你確實擁有槍枝，就必須退出子彈，把槍保存好。子彈要鎖在另一處。除了要符合當地警察局和手槍俱樂部提出的手槍安全要求以外，槍主還應該了解比較新的安全技術，比如：板機鎖住裝置或智慧型手槍。這種手槍只有槍主本人才能射擊。

即使很小的孩子，如果他玩弄裝了子彈的槍，或和另一個拿著裝有子彈的槍的孩子一起玩，都可能會成爲意外槍擊致死的受害者。七～十歲的孩子在向朋友們炫耀手槍的時候，一不留神就可能成爲槍擊者或受害者。

大一些的孩子和青少年，尤其當他們開始嘗試飲酒的時候，往往會失去自制力。如果他們手頭有槍，就會無緣無故地鋌而走險。另外，如果家中有槍，那些心情沮喪或使用麻醉藥的青少年就很有可能自殺。也許你不會急於向孩子同伴的家長詢問他們家中是否有槍，而且是否安全地保管起來，但是，這些悲劇性的數字告訴我們，你應該去了解一下。

摔傷

586. **摔傷是導致死亡的第六大原因，也是非致命傷的主要原因**。每年大約有120個十四歲以下的孩子死於摔傷。其中，死亡率最高的是一歲幼兒。每年有三百萬名兒童由於摔傷到醫院急診室接受治療。但是，接受治療的孩子只佔摔傷人數的10％，其餘的雖然摔傷了，並沒有就醫。

能發生摔傷的地方多得不勝枚舉，只要我們能夠想像到的地方都可能發生。比如：床上、換衣台上、樓梯上、窗戶上、門廊台階上、樹上、自行車上、娛樂設施上、冰上等等。初學走路的幼兒最容易從窗戶上和樓梯上摔下來；稍大一點兒的孩子主要容易從屋頂上、運動場上或娛樂設施上摔下來。在家裡發生的摔傷大多數發生在四歲以下的幼兒身上。在家裡最容易摔傷的時間是吃飯前後，其中40％發生在下午四點至八點之間。

爲了防止學步兒從樓梯上摔下來，應該在樓梯頂部和底部安裝防護門，直到孩子能夠穩當地上下樓梯的時候再將它拆除。

爲了避免孩子在冬季摔傷，要用食鹽或沙子撒在有冰的走道上，使上面的冰雪融化。

587. 從窗戶上掉下來。在春季和夏季，城市裡經常發生孩子從窗戶上摔下來的事故。最常見的是從二樓和三樓的窗戶上摔下來，也有從三樓以上的窗戶上掉下來的嚴重情況。預防建議如下：

- 把靠近窗戶的所有傢俱和床移開。
- 把所有不用的窗戶鎖上。
- 如果開窗，縫隙不要超過10公分。
- 如果開窗，最好開氣窗。
- 安裝窗戶護欄。窗戶護欄由金屬製成，欄杆之間最大間隙爲10公分，能承受67公斤的壓力。在所有窗戶的內側都應該安裝護欄，但是每一個房間至少要有一個窗戶上的護欄是活動的或可以移開的，以防有緊急情況或著火的時候方便使用。可移動的護欄必須不用鑰匙和其他工具就能打開。兒童安全窗戶護欄是近年才生產的產品，不要和爲了防止外人而設計的防盜鐵窗相混淆。一些州已立法規定使用窗戶護欄。

正確安裝在二樓以上的窗戶護欄，可以防止嚴重摔傷事件的發生。

588. 嬰兒學步車。嬰兒學步車曾一度被認爲是一件必要的用具，現在卻被看成是一種存在著潛在危險的東西。六～十二個月的嬰兒在嬰兒學步車中發生的事故，每年估計達23,000件。其中，大約有80％的孩子受傷都是在學步車上從樓梯上跌落下來造成的。所以，有樓梯的家裡不宜使用學步車。我本人堅決反對使用學步車，因爲它使孩子運動速度過快，並且使孩子的重心超出安全限度。再說，學步車對孩子學走路並沒有多少幫助。現在，人們越來越喜歡使用固定學步車。儘管它不能隨意移動，但是卻能使孩子感受到獨立活動的樂趣，並且沒有跌倒的危險。但是，必須確保學步車的彈簧不露在外面，以防擠壓孩子的手指。

嬰兒用具

如果你使用高腳椅，必須保證它的落地面寬於座面，這樣才不易翻倒。同時，椅子上還必須有安全帶，以便固定孩子，防止他攀爬。還必須有固定盤子的裝置，以防止孩子把盤子掀起來。但是，使用配套的低桌椅比高腳椅更安全。

會爬的孩子使用的**嬰兒車**或**折疊式嬰兒車**必須有安全帶，而且只要孩子在裡面，就必須用安全帶把他繫好。

在孩子會坐但還不能隨意活動的時候，**嬰兒鞦韆**很有用處。但是一定要留神，不要讓孩子把手和胳膊伸到外面，以防止擺動的時候碰到框架。在使用嬰兒鞦韆等嬰兒設備的時候，應該有大人看護。如果孩子的身體從座位上下滑得太多，或在嬰兒鞦韆上向前傾倒而無法重新坐直，就有可能造成窒息。

開始使用**嬰兒床**的時候，要在裡面圍上緩衝墊子，嬰兒床欄杆的間隔不應大於6公分。床墊大小必須和床相同，使周圍不留空隙，避免孩子陷進墊子和欄杆之間的間隔裡。嬰兒床不可以使用含鉛的油漆。床的一邊應有鎖住裝置，護欄頂端圍桿至少應高於墊子66公分。到了嬰兒能夠自己坐起來的時候（大約在六、七個月的時候），床上的金屬支架和活動零件就應該全部拿走。

安裝在門口的**嬰兒防護門**在設計上必須便於成年人使用，而且確保孩子不會跌倒。嬰兒門既可以固定安裝在牆上，從一側打開，也可以採用擠壓式活動安裝，每次用完之後就拿掉。一旦嬰兒能從上面爬過或搬動它的時候，就應該立即拆除嬰兒防護門。

589. 留意嬰兒的小哥哥和小姊姊。必須格外留意嬰兒的小哥哥和小姊姊們，因為即便他們最喜愛他，這些學步孩子也會無意將他碰傷。不要讓五歲以下的孩子單獨與嬰兒在一起，也不要讓他在沒有成人陪伴的情況下抱孩子。另外還常常發生這樣的事情：大一點兒的孩子把安全門從樓梯口移走；或漫不經心地拿著什麼東西在嬰兒的臉部上方晃來晃去；或發現一支沒有上鎖的槍，並且拿著玩耍；或把椅子放在敞開的窗子前。這些都有潛在的危險。

運動場上的創傷

590. **每年有大於20萬的孩子由於在運動場受傷而被送進急診室**。他們當中大約75％是由跌倒所致。六歲以下的孩子最容易讓鞦韆撞傷頭部，而六歲以上的孩子則常常由於跌倒而造成肢體骨折。由於運動場上最常見的創傷是由跌倒所引起，所以運動場的地面就成爲運動場上最重要的安全因素之一。地面應由23～30公分彈性材料混合而成，包括沙子、小礫石和木屑。地面應該定期維護，因爲在使用中，將會造成凹凸不平。也可以使用一種橡膠墊，它是專門爲運動場設計製作，符合消費者產品安全委員會標準。家長應該注意檢查運動場的地面安全情況，並且留意其設備的製作是否安全合理以及是否保養良好。如果你對公共設施或學校的運動場的安全性感到擔心，你就應該告知當地的公園管理處或學校。

591. **遊樂設施發生的災禍，一般是由於衣服纏繞或頭部卡住而引起窒息造成的**。所以，孩子使用這些設施之前要脫去寬鬆的衣服，繫帽子和夾克用的帶子也應該拿掉。根據「消費者產品安全委員會」的建議，一些服裝生產廠商已經自覺地不再給兒童服裝設計帶子。

592. **學步兒童正處於一個活躍階段**。他們不僅想在運動場上檢驗自己的能力極限，而且想學習新技巧。因此，有許多孩子因爲缺乏平衡能力和協調能力而在運動場上受傷。所以，孩子玩耍的時候必須有成年人監護。有些孩子無所畏懼，酷愛冒險，所以大人必須密切注視他們在遊樂設施上的活動。

運動和娛樂活動的安全

據估計，有2000萬名兒童在校外參加有組織的體育活動，有2500萬名兒童參加學校的體育比賽。參加體育活動有很多好處，它能增強體質，提高協調性，培養自我約束能力和提高團體合作能力。但是，由於他們正處於生長期，所以在運動中很容易受傷。

593. **小孩子在訓練和比賽中很容易受傷**。小孩子在參加碰撞和接觸身體的運動時受傷機率最高。比如，男孩子在玩橄欖球、打籃球和踢足球的時候受傷最多；女孩子也最容易在玩棒球、體操、排球和曲棍球的時候受傷。男孩子75％的創傷都與體育運動有關。但是在青春期以前，無論是男孩子還是女孩子，在運動中受傷的可能性都一樣。在青春期，由於男孩子成長得更健壯、更高大，所以受傷的頻率比女孩子高，受傷的程度也比女孩子嚴重。由於帶傷或不顧疲勞繼續玩耍，所以他們可能患上慢性抽筋和關節炎。頭部受傷的次數雖然比其他部位少，但是卻可能造成更嚴重的後果。爲了避免運動傷害的發生，我強烈要求使用防護用具，對眼睛、頭部、臉頰和嘴部提供必要的保護。

594. **棒球安全措施**。玩棒球的時候要穿戴合適的防護用具，以保護眼睛、頭、臉和嘴不受傷害。玩棒球的時候應該穿無釘的橡膠底鞋。使用安全基地或由出局的球員和替補球員形成安全屏障能有效地減少受傷。另外，應該教會兒童正確的滑壘技巧，避免頭部朝前滑倒。他們應該使用比標準棒球更軟一點的球，以便減少頭部和胸部遭到打擊而受傷。還應該限制小孩子投擲次數，以避免造成永久性的肘部損傷。

595. **頭頂球**。小孩子剛學踢足球的時候不宜學頭頂球。活動球門容易翻倒，把孩子砸成重傷，所以必須將其固定在地上。另外，還應該禁止孩子攀爬活動球門。

596. **護嘴**。在與運動有關的臉部創傷中，牙齒創傷是最常見的。護嘴可以減輕受打擊的力量，減少下巴骨折的可能性。

597. 溜冰。每年有數以千計的兒童在溜冰的時候受傷。他們大多數都傷在手腕、肘、踝和膝部。如果穿戴合適的護具，如護膝、護肘和護腕，就能把這些傷害降到最低。頭部受傷一般比較嚴重，戴頭盔可以有效地避免頭部受傷。現在能買到一種多功能運動頭盔，它能對後腦提供特別的保護。多功能運動頭盔的流行安全標誌是「N-94」。如果你的孩子沒有自己的多功能運動頭盔，在溜冰或玩滑板的時候可以戴自行車頭盔，它也能提供充分的保護。要保證讓你的孩子在光滑而且沒有車輛通行的場地上溜冰。要提醒孩子不要在街道上和車道上溜冰。還要確保孩子能夠使用溜冰鞋底部的煞車裝置安全地停下來。

玩滑板的時候要戴上護肘、護腕、護膝和頭盔，以避免受傷。

598. 滑雪橇。在雪山上滑雪橇是一項流行的冬季娛樂項目。在滑雪橇之前要先進行以下檢查：

・先檢查一下滑雪場地，看看有沒有危險的東西，比如樹木、長板凳、池塘、河流、石頭和陡坡。

・滑雪場的山下應該遠離馬路和水域。

・充氣式雪橇速度非常快而且難以駕馭，所以，當孩子使用它們的時候要格外小心。有轉舵裝置的雪橇比較安全。

・在無人看護的情況下，千萬不可以讓四歲以下的孩子自己滑雪橇。是否應該允許大孩子自己玩，要根據滑雪場的坡度來決定。

・不要在擁擠的山坡上滑雪橇，也不要讓雪橇超載。

・不要一個人滑雪橇，也不要在傍晚光線不充足的時候滑。

・考慮一下是否應該讓你的孩子戴上頭盔，但是不要讓他以此爲藉口而忽視安全。

與寒冷有關的疾病

寒冷的天氣要讓孩子穿戴暖和，保持乾燥。最好多穿幾件衣服，並且對手和腳採取特殊的保護。當冬季溫度低於零度以下的時候，只能允許嬰兒在室外活動一會兒。要注意孩子是否發抖，如果他不停地發抖就說明該回到室內了。寒冷天氣對身體的威脅就是體溫過低和凍傷。

599. **體溫過低**。如果長時間暴露於低溫下，身體熱量就會嚴重損耗。此時嬰兒會出現一些值得家長警惕的跡象，比如臉色發紅、皮膚變涼以及沒有活力等。大一點兒的孩子會發抖、昏沉、說話哆嗦。如果孩子的體溫下降到35°C以下，就應立即看醫生和給孩子增溫。

600. **凍傷**。出現凍傷以後，身體的受凍部位就會失去知覺和血色。最容易被凍傷的部位是鼻子、耳朵、臉頰、下巴、手指和腳趾。被凍傷的部位可能會出現一片發白或淡黃色區域。凍傷可能造成身體永久性的損傷。出現凍傷以後，應將凍傷部位放於溫水（但切不可以放入熱水）中，或用你的體溫來溫暖它。不要按摩或揉搓。如果是腳凍傷了，切不可用凍傷的部位行走。另外，不能用火爐、壁爐、暖氣片或熱水袋去溫暖凍傷的部位。

與熱有關的疾病

四歲以上的孩子對高溫很敏感。要讓他們常喝水，戴遮陽帽，避免活動過多。在一天最熱的時候要儘量讓他們待在室內。所有的孩子都應注意遮陽，無論他們的皮膚怎樣，都應該讓他們避免陽光的有害光線直接照射（參見635-639）。陽光灼傷和痱子是兒童最常見的與高溫有關的疾病（參見1075）。

601. **痱子**。痱子是由於天氣悶熱、潮濕、孩子出汗過多，而對皮膚產生刺激所引起的。它看上去像一片紅色的丘疹或水泡。最好的治療方法就是保持患部乾燥，不要抹藥膏，因爲藥膏會保持皮膚潮濕，反而使病情惡化。

蚊蟲叮咬

在蚊蟲最活躍的時候，要想保護孩子不被叮咬，就要讓他穿好衣服，儘量蓋住暴露的皮膚。淺色衣服對蚊蟲的吸引力小一些。在有蚊蟲的季節要避免用太多的香水、洗髮精等。應該使用兒童專用的防蟲劑。如果這種防蟲劑中含有DEET，給孩子使用的時候濃度不應高於10％。不要將防蟲劑塗抹於孩子手上，以防孩子將其抹到眼睛和嘴裡。DEET有毒，不可入口。孩子一回到屋內就應該立即將防蟲劑洗掉。

602. **蜂窩或黃蜂巢要請專業人員清除**。周圍有蜜蜂的時候，不要在室外吃東西。吃完東西以後要將孩子的手洗乾淨，避免吸引蜜蜂。

603. **將所有室外的積水及容器內的水排掉，減少蚊子的數量**。晚上蚊子大量出現的時候，要讓學步兒儘量待在室內。要把門窗關好，修好破損的紗窗和紗門。

604. **在室外，尤其是在高草叢或叢林裡玩耍之後，要檢查外衣和頭髮裡是否有扁虱**。鹿虱是一種很小的生物，就像針頭一樣大——在美國某些地方曾發現，它會傳染淋巴疾病。這種疾病可以治療，但是在受其感染之前就將牠清除是最好的預防措施。樹虱大約有釘子頭大，比鹿虱常見，但是對人無害。

605. **去除蜘蛛網**。不要鼓勵孩子玩蜘蛛。

預防被狗咬傷

606. **不要讓孩子靠近陌生的狗**。小孩子喜歡嚇唬狗，或拿著東西打狗。在他們處於這個年齡的時候，千萬不能讓他們單獨接近狗。每年有數百萬人被狗咬傷，多數的受害者都在十歲或更小。按順序排列，容易咬傷人的狗是羅特韋爾狗（Rottweiler）和德國牧羊犬。造成狗把孩子咬傷的原因有兩個：它包括狗的生性和接受訓練的問題（與是否把狗拴起來無關），還有就是孩子的行爲問題。爲此，給孩子提出以下忠告：

・決不要靠近一條你不熟悉或被拴住的狗。

・狗來到跟前的時候千萬不要逃跑，要平靜地站著，它可能只想嗅一嗅你。

・如果狗把你撲倒，就縮成一團，不要動。

・在未得到主人同意的情況下，決不要撫摸狗，也不要和狗玩耍。

・決不要挑逗狗。

・如果是一條生狗，千萬不要和牠互相盯著眼睛看，因爲大多數狗認爲這是一種挑釁的行爲。

・不要打攪正在睡覺、吃東西或照顧小狗的狗。

・在騎車或溜冰的時候要小心避開狗。

607. 對父母的補充提示：

・在選寵物狗之前，要仔細了解一下各種品種的狗的情況。好鬥的和容易興奮的狗不適合家養。

・閹割你的狗能減小它的好鬥性。

・千萬不要讓嬰兒與任何狗單獨相處。

假日安全

608. 國慶日。美國每年國慶日的煙火節造成約6000名兒童受傷。他們受傷的部位通常包括手掌、手指、眼睛、頭部，有的時候甚至造成斷肢和失明。孩子放鞭砲很容易出事，所以我從不讓孩子接觸任何爆竹。許多州禁止燃放煙火爆竹，不允許私人燃放。在公共場所看煙火的時候要遠離燃放地點，以保護小孩子的耳朵不受爆炸聲的傷害。

609. 萬聖節。在萬聖節期間，孩子常常會出現跌倒、被行人碰傷和被火燒傷等事故。所以，一定要確保孩子的服裝和面具不會遮住他們的視線。使用油彩在臉上化妝一般比戴面具更安全。玩「不請吃就搗亂」（Trick-or-treaters）的孩子應該帶著手電筒，不要抄近路穿越院子，因爲那樣容易被看不見的東西絆倒。孩子們穿的鞋子和衣服都應該合身，防止絆倒。他們佩帶的假刀和假劍都應該用柔軟的材料製成，以防傷人。

爲了避免燒傷（萬聖節期間經常發生），孩子們穿戴的衣服、面具、假鬍子和假髮應該選用防火材料製成的。太寬鬆的衣服很容易碰到蠟燭，所以不宜。

一定要在孩子的衣服上貼反光膠帶，並且讓玩「不請吃就搗亂」的孩子們拿著手電筒，確保汽車駕駛員能看到他們。提醒孩子遵守交通規則，不要突然從停著的車子之間跳出來。家長一定要一直陪伴著孩子，等到都回到家裡的時候一起吃節日飯。八歲以下的孩子在無成人和大孩子看護的情況下不能玩「不請吃就搗亂」。要指導孩子們按事先確定的路線走，只有到了室外有燈光的住戶門前才可以停下來。如果沒有成年人陪同，不要進入住屋內。現在有許多居住區認爲「不請吃就搗亂」的遊戲不安全，所以，他們已經用萬聖節晚會取代了它。

610. **聖誕節玩具的安全性**。父母給孩子買玩具的時候應注意說明書上介紹的適宜年齡。聯邦法律已要求生產廠商在玩具上貼上警告標籤。大理石球、氣球和小木塊都可能導致三歲以下的兒童窒息。帶尖或銳角的玩具可能會使小孩子刺傷自己或別人。爲了防止孩子的眼睛受傷，應該杜絕弓箭和彈弓一類的玩具。電動玩具也只能允許八歲以上的孩子玩。

孩子單獨在家時的自理

大約有60%的父母在外面工作。孩子放學後要麼去校外活動中心，要麼自己單獨回到家裡。這種情況越來越普遍。孩子放學後最好去校外活動中心。但是，如果孩子一個人待在家裡，下面有些常識性的建議：

・確定你的孩子知道如何找到你或其他成年人，並且定時相互聯繫。

・教你的孩子遵守基本的安全規則：不給陌生人開門，不單獨使用爐子，以及在發生緊急事件的時候如何處理。

・和孩子談一談他一個人在家的情況，替他排憂解難。

- 把重要的電話號碼表放在電話旁，而且要注意更新這些號碼。
- 要保證你的孩子知道他的全名、地址和電話號碼。
- 教他簡單的急救方法，並且準備一個他可以隨時使用的急救包。
- 交給孩子幾件適合他做的家事，並且要求他按時完成。
- 限制他看電視的時間。鼓勵他讀書和從事其他的活動。
- 做一下調查，看看孩子可以參加哪些社區活動。

保證孩子在家中的安全

除了要讓孩子養成注意安全的習慣，使他的周圍盡可能的安全以外，你還應該使用對孩子安全的家庭用具來防止他嚴重受傷。這個階段的孩子好奇心極強，越是你不允許他們涉足的領域，他們越是感興趣，因此必須對他們進行安全教育。在這種情況下，如果你使用下列安全設施，可能使你少費不少心血。但是，這些安全設施在任何情況下都不能取代大人的監督。

・用鎖將陳列櫃、廚房和浴室的門鎖上，防止孩子接觸到裡面可能存放的有害物質。還可以使用尼龍拉鏈來防止學步兒接觸那些不易上鎖的東西，比如冰箱、抽水馬桶或拉門式陳列櫃等。馬桶蓋鎖是專門為了防止孩子掉進馬桶而設計的。它的裡面裝有一個彈簧卡鎖，能使蓋子緊緊地扣在上面。

・玩具盒蓋支架能防止蓋子打開的時候猛然關閉，從而砸傷孩子的手、頭部和脖子。

・如果門通向樓梯口或通向存放危險清潔劑和危險工具的地方，就應該使用鉤扣鉸鏈將門鎖上，防止孩子從門裡走出去。浴室門也應該鎖上，防止孩子掉入馬桶或接觸刮鬍刀、藥品和有害物質。

・繩子捲縮器能防止兒童把長繩子繞在自己的脖子上。在折疊百葉窗的暗線（許多孩子被百葉窗暗線勒住脖子）上、家用電器的電線上、電話線上和電燈線上等，都應該儘量安裝繩子捲縮器。你可以在窗框上面安裝類似蝶型螺母的百葉窗簾裝置，把過長的繩索都纏繞在上面，防止勒住孩子的脖子。

・水溫計用於測試熱水的溫度，確保水溫不高於49℃。它可以重複使用。

・角墊可以包裹在咖啡桌和工作檯面的邊角上。因爲它們的高度和孩子的臉部一致，所以，在它們的邊角上包上軟墊以後，就能防止孩子的前額或臉碰傷。在孩子兩歲前，這些東西能一直對他們有保護作用。但是，孩子大一點兒以後能很容易地把墊子拿掉。

・水龍頭套用於套在浴池的水管頭上，它可以減緩任何衝撞力。

・所有的電源插座上，無論正在使用的還是不用的，都應該安裝電源插座蓋。這是一個一勞永逸的解決辦法，可以防止孩子把金屬線插入插座的孔眼中，導致觸電。電源插座蓋包括一個彈簧承載裝置，使用的時候能將插頭插入，不用的時候保持閉合狀態。它和觸電防護器不同，每次使用電源的時候不需要把電源插座蓋拿掉。如果使用觸電防護器，一定要保證它夠大，使孩子不容易吞到肚子裡去。

像窗戶屏障、樓梯柵欄、吐根製劑、煙火探測器和滅火器等其他保護兒童安全的設施，在本章的其他部分已經講過。除此之外，還需要做到以下事項：

・不要在孩子能搆到的空燈座上安上燈泡。

・碎玻璃和打開的鐵罐要放進孩子難以打開的垃圾桶中。如果使用開罐器開啓罐頭，就必須選那種蓋子上有溝槽的罐頭。

・要把危險的工具和電動工具放在孩子拿不到的地方。

・往行車道上倒車或駛出車道的時候，要格外小心。

・所有不用的電冰箱和冷凍庫的門都應該卸掉。

・電動割草機容易割斷手指、腳趾或使石頭飛起而傷人。如果你使用的是旋轉式割草機，就應該換用別的。

牙齒的生長和兒童的口腔健康

我年輕的時候曾問過一位聰明的老紳士，快樂生活的奧秘是什麼？他回答說：「保護好你的牙齒！」這是我得到的最好忠告。

作爲父母，你也應該爲了孩子而聽從同樣的忠告。要確保孩子們的牙齒健康並爲他們的牙齒健康而高興。預防是確保牙齒健康的關鍵。怎樣才能使牙齒健康呢？蛀牙能預防嗎？孩子長牙的時候應該注意什麼？氟化物有什麼作用？孩子什麼時候應該第一次看牙醫？需要使用牙齒矯正器矯正恆牙嗎？如果根據我們提供的信息，然後再由孩子的牙醫師加以補充，你將很容易找到正確的答案。

父母最關心的牙齒問題，如果按照時間順序排列，就是長牙、牙齒發育、牙齒保健、齲齒和防止嘴部外傷等。最重要的是，你能否使孩子的牙齒有一個健康的開端。如果你做到了這一點，將使孩子終身受益。

牙齒的發育

611. 孩子的牙齒如何長出來，什麼時候才能長齊？一般的孩子大約在七個月的時候長出第一顆牙，也就是乳牙。但是每個孩子之間有很大的差別。有的孩子三個月的時候可能長出了第一顆牙，而有的到了八個月才長出來。但是，他們都是很健康、很正常的嬰兒。某些疾病確實會影響

孩子的長牙時間，但是很少見。孩子什麼時候長牙和他什麼時候開始學走路一樣，實際上只是個先天的發育模式問題。

由於孩子到了三歲才長出20顆乳牙，所以你會覺得好像孩子在嬰幼兒時期的多數時間裡都一直在長牙。這也是人們容易把孩子的其他疾病歸罪於長牙的原因。人們曾經認爲，長牙會引起感冒、腹瀉和發燒，其實這些疾病都是由病菌引起的（細菌和病毒），而不是因爲長牙的緣故。總的說來，長牙只會產生牙齒，而不會導致別的。如果你的孩子發燒或出現病狀，不要誤認爲是長牙的原因，而應該去請教醫生或保育護士。

612. **通常最先長出來的兩顆牙是下面中央的門牙**。「門牙」是指前面的八顆（上面四顆，下面四顆）牙，它們能很鋒利地咬下食物（所以也叫切牙）。幾個月之後就會有四顆上門牙長出，所以一般的一歲嬰兒有六顆牙，上面四顆，下面兩顆。之後，通常需要再過幾個月才能長出別的牙來。接著，很快又長出六顆牙來：兩顆原來沒有長出來的下門牙和四顆第一臼齒（小臼齒）。臼齒不是緊挨著門牙之後就長出來，而是過一段時間以後才長出來，並且給犬齒留出了位置。

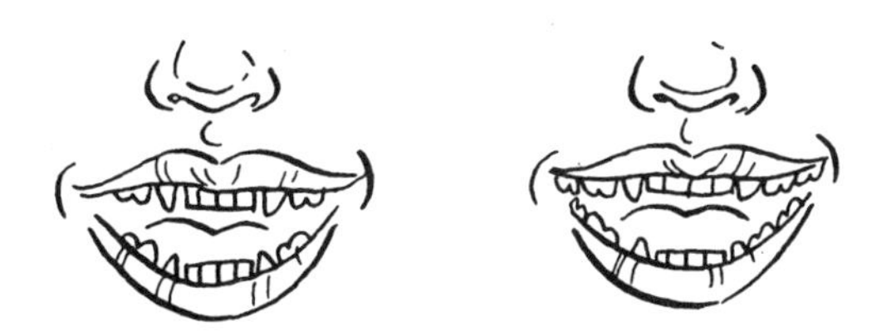

在小臼齒長出來之後，要經過好幾個月的時間，犬齒才從門牙和臼齒之間的空隙中長出來。犬齒出現的最常見的時間是在孩子一歲半至兩歲之間。孩子最後的四顆乳牙是第二臼齒（大臼齒），它正好長在小臼齒的後面，通常在孩子兩歲半到三歲之間長齊。請記住這只是平均時間。如果時間提前或延遲，你也不必憂慮。

613. **恆牙在大約六歲的時候開始出現**。孩子六歲的時候，小臼齒（恆牙）

開始在乳臼齒後面出現。最初脫落的乳牙通常是下面的中央門牙，恆門牙隨後從脫落的乳牙根部長出來。最後所有的乳牙都會鬆動、脫落。孩子的牙齒脫落順序與長牙順序大體一樣。

614. **長在乳臼齒部位的恆牙叫做雙尖齒或前臼齒**。十二齡齒（第二恆臼齒，大臼齒）在六齡齒後出現。第三臼齒（十八齡齒，或叫智齒）可能會楔入頷部。爲了防止它損害旁邊的牙齒或頷骨，有的時候甚至需要將它拔掉。恆牙常常看上去不整齊，如果使用過程中不能將它磨平，就需要牙醫修整。另外，恆牙的顏色比乳牙黃。有的時候恆牙長出來的時候是彎的，或排列不齊。但是最終將在舌頭、嘴唇和臉頰肌肉的作用下得到糾正。如果它們自己不能糾正過來，仍然擁擠、歪斜，在頷骨上排列得不正常，就需要進行牙齒矯正處理，以改進咬合機能。

長牙

615. **長牙對不同的孩子有不同的影響**。有的孩子啃東西、煩躁、流口水、入睡困難，每生一顆牙都會給家人帶來一、兩個月的煩惱。還有的孩子牙齒在不知不覺中就長出來了。無論在哪種情況下，隨著孩子唾液腺變得比以往活躍，大多數孩子都在三～四個月的時候開始流口水。但是，不要誤以爲流口水就表示孩子開始要長牙了。

616. **孩子要啃東西就儘管讓他啃**。孩子到了大約十二～十八個月的時候，最初長出來的四顆臼齒最容易引起麻煩。但是無論哪一顆牙都可能給孩子帶來痛苦。怎麼辦呢？首先，他要啃東西就讓他啃。但是，給他啃咬的東西必須是鈍而軟的東西，最好是各種形狀的橡皮環。這樣，即使孩子把它含在嘴裡跌倒，也不會對嘴巴造成任何傷害。要小心那些細小、易碎的塑膠玩具，它們破碎了以後很容易造成孩子窒息。如果傢俱和其他物品上的油漆有可能含鉛，還需要注意不要讓孩子把它啃下來。

很幸運，現在的所有兒童傢俱和油漆玩具，幾乎都使用無鉛顏料和油漆。

有些孩子偏愛咬某種布料。你可以試著把一塊蘋果包在布中給孩子咬。有些父母喜歡給孩子冰凍的百吉餅。許多孩子有的時候喜歡用力摩擦牙床。所以，父母應該要有創意，只要不會出現危險，孩子想啃什麼就讓他啃。不要擔心橡皮環或布片上的細菌，反正孩子拿到什麼都往嘴裡放，而且沒有一樣是無菌的。當然，橡皮環掉到地上和被狗咬過之後應該將其清洗乾淨，另外，偶爾還需要把布片洗淨或煮沸。商店裡有許多藥，有的時候能緩解長牙時的痛癢。但是，使用之前應該向醫生或保育護士諮詢。

怎樣才能有一付健康的牙齒

617. **在孩子出生前，牙冠（露出來的部分）已經在牙床上形成**。另外，孩子的許多恆牙也是在出生後沒幾月就開始形成，有些甚至更早。我們知道，牙齒的生長需要適當的營養，爲了長出健康的牙齒，食物中應該含有必要的成分。下面這些成分是特別重要的：鈣和磷（存在於蔬菜、麥片和牛奶中。但是我不贊成孩子在兩歲後喝牛奶），維生素D（在加維奶、維生素滴劑和陽光中）和維生素C（在大多數水果、維生素滴劑和捲心菜中）。母乳中含有豐富的維生素C。如果你用母乳餵養孩子，孩子接受日照的時間有限，就需要補充維生素D。其他維生素也很有用，比如維生素A（在黃色、橘色和紅色的水果中）和某些維生素B（在穀類中）。所以，和在許多其他方面的作用一樣，充足的營養是牙齒健康的基礎。

618. **氟化物**。大家都知道一種很重要的元素：氟，它有助於牙齒結實，避免蛀牙。母親懷孕期間的飲食中和孩子的飲食中只要有少量的氟，就能在很大程度上降低以後得蛀牙的可能性。例如，飲用水中含氟量高的地區蛀牙就相當少。牙齒的琺瑯質是由氟形成的，它能很好地抵禦酸對

地區蛀牙就相當少。牙齒的琺瑯質是由氟形成的，它能很好地抵禦酸對牙齒的侵蝕。另外，口中的氟也能阻止細菌對牙齒的侵害。

氟對孩子的主要益處體現在兩方面：在身體組織中和牙齒表面上。如果水中的氟含量極少或沒有，孩子可從維生素中或藥劑中獲得。氟進入體內之後就被在牙床中發育的恆牙吸收。爲了牙齒發育而攝取氟的其他方法就是直接塗用。氟能通過牙膏、漱口水或其他專門的配方進入口中。這些專門配方能浸透牙齒的外層琺瑯，幫助牙齒對付酸的侵蝕。

幾十年來，作爲公共保健措施，人們在社區水源中只加入很安全的少量氟。如果你對水源中的氟含量是否充足有疑問，可以按照水費賬單上的電話號碼打電話詢問有關情況。適當的氟含量是千萬分之七到百萬分之一。如果你有自己的水井，可以給本地的衛生單位打電話，聽聽他們的建議。

有些臨床醫生建議，如果水源中的氟含量不足，吃母乳的孩子需要補充氟。大多數孩子六個月以前不需要氟。嬰兒奶粉中的氟含量不多。如果你用含氟自來水沖泡奶粉，你的孩子就不需要補充氟了。

氟是自然存在的元素，我們的牙齒和骨頭中都含有它。孩子的醫生、保育護士或牙醫師都能確保使你的孩子攝取適量的氟。如果水源中沒有氟，你的醫生或保育護士就會給孩子處方，讓他每天都能攝取適量的氟。這樣做需要根據你的水源、孩子的年齡和體重而定。攝入的氟過多能引起牙齒上出現難看的白色和褐色斑點，所以攝入適量的氟非常重要。你的孩子也可以在牙醫的治療室定期接受特殊氟溶液的局部治療。含氟的牙膏對牙齒的琺瑯質表面也是相當有益的。但是，要小心：大多數孩子可能會吃牙膏，從而導致氟中毒。所以要用細管的牙膏（豌豆大小），用完後把牙膏收起來，防止小孩子拿它當做盥洗室便利點心。

蛀牙

619. **有些孩子蛀牙嚴重，而有些孩子卻幾乎沒有蛀牙**。爲什麼會這樣呢？我們還不完全知道產生蛀牙（齲齒）的所有原因。但是我們知道，母親懷孕期間的飲食和後來孩子的飲食，對形成孩子牙齒的礦物質比例很重要。另外，蛀牙也有一定的遺傳因素。

620. **蛀牙主要是口腔中的細菌產生的酸而引起的**。細菌在孩子所吃的糖和澱粉類食物中繁殖得很快。細菌和殘留食物與唾液結合，形成一種叫牙垢的黏性物質，黏在牙齒表面。牙垢每天留在牙齒上的時間越長，產生的細菌和酸性物質就越多，這些酸會分解牙齒的礦物質（琺瑯質和象牙質）。所以，一旦牙齒結構變弱，細菌就會將牙組織侵蝕掉。酸產生的過程還會引起牙齦紅腫（牙齦炎）、出血和口臭。因此，飯後吮吸棒棒糖，吃黏性糖果和乾燥水果，喝蘇打汽水以及吃餅乾（這些都會黏在牙齒上）等，都特別容易引起蛀牙。

最嚴重的蛀牙叫「乳齲」或叫「奶瓶性齲齒」。如果孩子使用奶瓶的時間過長，特別是在睡覺的時候含著奶瓶，奶水就會聚積在上門牙周圍，造成酸性物質的大量產生並且迅速地腐蝕牙齒。有些孩子甚至還不到一歲就出現齲齒！有的時候乳齲很嚴重，所以只好拔掉。由於這個原因，孩子睡覺的時候，不應該讓他抱著奶瓶、果汁或其他甜水到床上喝。睡覺時可以給孩子喝的唯一飲料就是水。即使是稀釋的甜飲料也會使齲齒加劇。

刷牙與剔牙

621. **怎樣預防蛀牙**。預防蛀牙的秘密就是每日堅持清除牙垢，在它對牙齒形成危害之前就將其清除。下面就說一下關於給幼兒清潔牙齒的方法。首先，一定要用軟毛牙刷！有一個荒誕的說法：給孩子清潔牙齒和牙齦的時候要用軟紗布或棉布，以免弄傷孩子嬌嫩的牙齦組織。但是，所謂嬌嫩的牙齦組織卻能啃桌子腿、嬰兒床、咖啡桌和兄弟姊妹——幾乎沒有它不能啃咬的東西。由於孩子的牙齦「嬌嫩」得像鱷魚皮一樣，所以要用牙刷刷牙，而不是軟布擦牙。其實，孩子很喜歡刷牙。

我建議在早餐後和睡覺前仔細地給孩子刷牙。在每天晚上刷牙之前，通常先用牙線清潔相鄰牙齒的間隙。如果能夠做到，在午飯後用牙刷把牙齒刷一遍也有好處，因爲這樣能夠清除牙齒上面的食物殘渣。一般從孩子兩歲左右的時候開始，他就可能堅持要自己刷牙。但是，大多數孩子在九歲、十歲前還不具備這樣的技能，無法把牙剔刷乾淨。你可以讓你的孩子從很小的時候起就自己學習刷牙，而你僅做收尾的工作，確保把所有的牙垢清除乾淨。在六～十歲之間，孩子的技能將會逐漸熟練起來，因此，你就可以漸漸地全部讓孩子自己刷牙了。

孩子們都想做大人能做的事情。

有些家長對是否需要給孩子剔牙持懷疑的態度，這是不應該的。在大多數情況下，孩子口中後面的牙齒都互相挨得較緊，甚至前面的牙齒也可能緊密地挨在一起。這樣，當飯渣和牙垢擠在縫隙中間的時候，無論你用多大的力氣，刷得多麼認眞，牙刷的毛都進不到這些縫隙裡，所以無法把裡面的牙垢清除乾淨。潔牙線可以把牙垢刮除或摳掉，這樣，牙刷就能將其刷掉了。

只要發現孩子的牙縫裡塞有飯渣，就要讓孩子用軟牙線剔牙。你的牙醫師或牙科保健員將教你如何讓孩子自己刷牙和使用牙線。這樣做的最大好處是，當你的孩子到了能夠自己熟練地刷牙的時候，他就已經養成了每天刷牙的習慣。

牙醫師將教孩子使用牙線的重要性。

父母也可以一邊唱歌或講故事，分散孩子的注意力，一邊用牙刷和牙線輕輕地幫助孩子刷牙和剔牙。

密封膠

密封膠（sealants）是預防牙科學的另一個重要的組成部分。許多牙齒的琺瑯質上有小溝槽或凹陷處，裡面容易積累飯渣或牙垢。多數這類牙齒上的凹陷很小，牙刷的毛很難進入，因此不能把裡面的飯渣和細菌清除掉。這樣，通常就會產生叫做「坑洞齲」的齲齒。但是，牙醫師或牙科保健員常常可以防止這類齲齒發生。密封膠中含有一種液體樹脂，它能在牙齒的表面上流過，將溝槽和凹陷處填滿。然後，樹脂就會凝固，將琺瑯缺陷修復。琺瑯缺陷被樹脂修復以後，飯渣和牙垢就不能侵入了。由於牙醫們在不斷地尋求理想的方法，來保護琺瑯質的缺陷不被侵蝕，所以，像玻璃離子聚合物製造的填充物（glass-ionomer cements）等其他補牙材料也可以用做密封膠。某些乳臼齒也可以使用密封膠來保護，但是牙醫們在保護幼兒臼齒的時候，所使用的材料是很講究的。臨床經驗證明，密封膠不能像在恆牙上那樣，牢固地黏附在臼齒上。雖然密封膠能夠經受多年的磨損，但是，由於孩子的飲食、口腔習慣和口腔衛生狀況的不同，最終有必要在不同的時間進行修補或替換。

外傷對牙齒的損害

人們通常認為門牙最容易受傷，而實際上，所有的牙齒都可能受傷。牙齒受傷包括碎裂、鬆動，甚至完全從牙床上脫落。牙科醫生不僅非常關心外傷對乳牙造成的傷害，而且更關心的是對恆牙造成的傷害，因為恆牙對人的一生很重要。孩子的牙齒受到外傷以後，家長應該立刻帶孩子去看牙醫。雖然一些損傷並不是很明顯，但是受過專門訓練的牙科醫生能夠對此做出全面的診斷，並採取適當的治療。

622. **牙齒破裂**。牙齒由三個部分組成，最外層是起防護作用的「琺瑯質」；裡面的支撐部分叫做「象牙質」；含有神經的中間軟組織稱之爲「牙髓」。牙齒的破裂（折斷）會影響到其中的某一部分或全部結構。微小的破損只需要醫生用類似砂紙的儀器打磨一下即可。較大的破損需要修補，需要重新塑造牙齒的形狀、功能和外觀。如果牙齒的破損影響到了牙齒中心的軟組織，並且露出了牙髓（通常會從暴露部位流血），就要盡快找牙醫師診治並修補破損之處，以防牙髓的損失。假如牙髓已遭到破壞，可用牙髓療法（根管治療）來修補：即清除已喪失功能的牙髓組織，用無菌塡充物塡補牙根管，然後用常規的方法對牙齒進行修補。

623. **牙齒鬆動**。在大多數情況下，鬆動的牙齒無需任何治療。只要讓牙齒休息幾天之後便能自己穩定牢固。但是有的時候，鬆動的牙齒在治療過程中需要用某種夾板之類的物體將其固定住。爲了防止牙髓和牙床組織感染，還需要使用抗生素。牙科醫生會建議病人在以後一段時間內食用較軟的食物，以促進牙齒痊癒。

624. **牙齒脫落**。有的時候，牙齒受到碰撞以後可能完全從牙床上脫落下來，牙科醫生稱之爲「撕脫」（avulsion）。如果是嬰兒的牙齒脫落，牙科醫生一般不主張重新嵌進去。因爲受傷的乳牙被重新嵌入之後，很可能影響下面的恆牙的發育。但是如果是恆牙脫落，就要盡快重新嵌入，通常在30分鐘之內，盡一切努力保持牙髓的活力。首先，必須確保要嵌入的恆牙的確無損，然後輕輕地拿著齒冠部分（牙齒在嘴裡露出的部分，不是齒根），在水龍頭下小心沖洗，千萬注意不要擦洗齒根，否則將損傷需要用來連接牙齒的肌肉組織。最後，再將脫落的牙齒嵌入原處。如果你無法重新嵌入牙齒，就要將牙齒放入一杯牛奶中或商業用的「挽救牙齒」容器中，帶孩子去找最近的牙科醫生或醫院的牙科急診。對脫落的恆牙來說，時間至關重要，因爲牙齒離開口腔達30分鐘以後，成功嵌入的可能性就會大大減小。

預防嘴部撞傷

有些創傷是無法預防的。但是，家長應該意識到年幼的孩子常常摔倒，而且他們的牙齒高度正好容易撞到咖啡桌的桌角。所以，在孩子活動的地方要有防範措施，尤其要小心，不要讓孩子用牙齒咬各種電線；不要讓孩子碰到電線插座。孩子嘴裡含著牙刷的時候，不能讓他在家裡到處亂轉，因爲萬一摔倒，牙刷就會將口腔嚴重戳傷。

孩子長大以後，在參加各種體育運動的時候也會把牙齒碰傷。小運動員可能會被踢到嘴，被球撞，被球拍揮到，或和本隊隊員或對手打棒球的時候一起摔倒。無論是男孩還是女孩，在各種體育運動中，如足球、曲棍球和籃球，都可能導致嚴重傷害。因此，在有組織的活動中，一般需要讓他們佩戴一個舒適的護嘴（一種牙齒防撞護套）。這種用品在體育用品店或醫療用品店有售。兒童牙齒也能按要求訂做牙齒防撞護套。一些劇烈的個人活動，如直排輪、滑板及武術等，也需要戴口腔防護套。

經常檢查牙齒

讓孩子認識牙醫師和牙科診所的工作人員十分重要。我建議，如果沒有特殊情況，在孩子十二個月的時候，即第一顆牙齒長出後不久，就要帶他去看牙醫師。你可以向醫生請教一些有關兒童牙齒保健的問題，並多了解一些其他牙科方面的知識。由於孩子以預防牙齒疾病爲目的經常看醫生，牙科醫生就能根據對孩子的早期檢查，發現正在形成的問題。在牙齒剛出現問題時就進行醫治比較容易，而且不太痛苦，價格也不貴。更重要的是，由於孩子很小就有和牙醫師打交道的實際經歷，到三歲的時候，已經是一個光顧牙科診所的「常客」了。實際上，光顧牙科診所的多數人都是進行預防性檢查，而不是去做那種傳統式的「鑽牙和補洞」。在許多成年人對童年的記憶中，這種經歷實在令人痛苦。

預防接種

在我成長的年代，所有家長都怕孩子染上小兒痲痹症。當時此病每年使25,000人喪生，其中大部分是兒童。那時候的家長警告我們不要飲用噴泉的水；夏天要避開人群；預防各種病毒感染。現在再也用不著這麼做了。自從1979年以來，美國再也沒有出現一例小兒痲痹症。世界上的其他國家也是如此，只不過比我們遲一些而已。天花也完全從地球上根除了。

消滅這些疾病簡直是一個醫學奇蹟，是人類感到最驕傲的成就之一。之所以能取得成功，是因爲有了疫苗。許多疫苗由被殺死或被減毒的細菌和病毒製成。這樣處理過的細菌和病毒本身不能引起疾病，但是仍然能刺激身體的免疫系統，使其具有戰勝致病病毒和致病病菌的能力。孩子注射了預防接種疫苗之後（無論是吞服還是注射），身體就能產生戰勝細菌或病毒的抗體，抵禦細菌或病毒的入侵。

625. **要保存好預防接種記錄**。一定要把孩子的所有預防接種（及藥物過敏）記錄仔細保存好。記錄上必須有醫生或保育護士的簽名。在外出旅行、搬家或更換醫生的時候，要隨身攜帶這些記錄。最緊急的情況是孩子在外邊受了傷的時候——必須對傷口進行特別的保護以防止染上破傷風。這時最重要的是讓在場的醫生確切知道孩子是否接種過破傷風疫苗。如果孩子已全部接種過疫苗，傷口就不必特殊處理。因此，要保存好孩子的預防接種記錄。從幼稚園的孩子到小學生、中學生乃至大學生，都需要保存好自己的預防接種記錄。

626. **做好接種疫苗的準備**。讓孩子做好每一次接種疫苗準備的最佳方法，是根據孩子的年齡和理解能力，用盡可能簡單眞誠的話向孩子解釋：肌肉注射有點兒疼，就像讓蚊子叮了一口一樣，但是以後就不再得病了。得病比接種疫苗要疼痛得多。接種的時候，要安慰孩子不必擔心，想哭則哭，想怒則怒。我想，當你抱著孩子對他解釋必須接種疫苗的理由時，即使他還是個聽不懂話的嬰兒，也仍然能從你說話的語調中獲得安慰。

627. 父母們常常被報紙和電視上的各種報導弄得驚恐不安，不知所措。有些報紙和電視上說，有些孩子對某些特殊的疫苗（特別是百日咳和小兒麻痺疫苗）有不良反應。一些家長聽了以後，擔心孩子接種這些疫苗會引起更嚴重的疾病，所以決定不讓自己的孩子接種任何疫苗。這種作法是錯誤的，因爲和個別對疫苗有不良反應的孩子相比，可能患病的人數要多得多，病情要危險得多。假如你聽到了令你擔憂的事情，你可以和你的醫生或保育護士談談。

628. 疫苗。疫苗可能含有一種活性病毒（如：口服小兒麻痺疫苗、麻疹疫苗、流行性腮腺炎疫苗、德國麻疹疫苗、水痘疫苗）。這些疫苗中的病毒已經過減毒處理，不會導致疾病（極特殊的情況除外）。但是，它們仍然刺激著免疫系統排斥病毒。另外一些疫苗是由殺死的細菌或病毒構成（如：白喉、破傷風、百日咳、B型肝炎疫苗）。這種疫苗通常是這些病毒和細菌中的一小部分，能夠刺激免疫系統起作用。因爲它們是非活性的，所以不會使人受感染。這兩種疫苗植入人的身體後，人體會產生額外的抗體來排斥病毒和細菌。這樣，身體就具有預防該疾病的能力了。

629. 白喉、破傷風、百日咳三合一疫苗（DTP）。預防這三種細菌疾病的疫苗是混合在一起的，一般是連續打三劑。從孩子出生後兩個月開始，每隔兩個月注射一劑。由於這三劑產生的抗體逐漸減弱，因此，等到一年以後，也就是孩子一歲半的時候，還需要再追加第一劑；四～六歲的時候再追加第二劑。以後每隔十年還要注射預防白喉和破傷風的疫苗。

但是孩子七歲以後，就不必再注射預防百日咳的疫苗了。白喉、破傷風、百日咳三合一疫苗可以和其他疫苗合在一起接種，比如和B型嗜血桿菌疫苗（HIB）一起使用。

接種三合一疫苗之前，可以讓孩子服用醋氨酚（acetaminophen），這樣可以明顯地減輕由疫苗引起的疼痛和發燒，而不必等著觀察是否有反應。假如孩子確實出現發燒、煩躁、厭食或接種部位疼痛等情況，醫生或保育護士可以開藥治癒這些症狀，孩子第二天就會好轉。如果孩子仍不退燒，我想這不能完全歸咎於接種，有可能是其他新的感染所致，因爲這些疫苗注射不會導致咳嗽和感冒症狀。

通常在大腿或胳膊的接種處會形成一個小硬塊或硬結，而且持續幾個月之久。家長無需爲此而擔憂，它們以後均能自行消失。

630. **小兒麻痺疫苗**（OPV或IPV）。在美國，所有的嬰兒出生兩個月以後或稍晚，都要口服沙賓疫苗（OPV，即Sabin vaccine）或注射沙克疫苗（IPV，即Salk vaccine）。口服疫苗是一種實驗室裡的活性細胞中培育出來的活性病毒，但已減毒，可以口服。這種口服疫苗沒有味道，可以直接滴在舌頭上嚥進去。沙克疫苗是一種被殺死的小兒麻痺病毒，常用於肌肉注射。

建議嬰兒在兩個月的時候開始接受口服小兒麻痺疫苗，四個月的時候接受第二次口服疫苗，六至十八個月之間接受第三次口服疫苗，四到六歲該上幼稚園的時候口服第四次疫苗。（台灣：六個月第三劑，十八個月追加第一劑，國小一年級〔六～七歲〕追加第二劑。）

假如某一次接種時間被延遲，唯一的危險只會在被延遲的期間內發生；如果接種的次數正確，抗體將會和原來一樣多。本疫苗也可以和其他疫苗一起注射，如白喉疫苗、破傷風疫苗、百日咳疫苗、B型嗜血桿菌疫苗和B型肝炎疫苗。

口服疫苗之後，一些活性小兒麻痺病毒會在好幾個星期內不斷地從孩子的大便中排除。如果一位家庭成員或照料孩子的人對病毒感染特別敏感，比如正在治療期間的癌症患者、繼續服用類固醇的人以及預防接種功能失調者，這便成了一個問題。然而，被殺死的疫苗不會產生上述問題。目前，一些醫生頭兩次使用沙克疫苗，後兩次使用口服沙賓疫苗。而有的醫生只使用口服沙賓疫苗，有的只使用沙克疫苗。至今爲止，對於疫苗的使用還未有統一的認識。醫生或保育護士會向你提供小兒麻痺疫苗管理一覽表上的最新信息。（目前，台灣是選用沙賓疫苗。）

631. **麻疹、德國麻疹、流行性腮腺炎混合疫苗（MMR）**。給孩子注射一劑上述三種疫苗的混合疫苗就可以預防這三種病毒引起的疾病，注射時間通常在孩子十五個月大的時候。這種合成疫苗含有活性減毒病毒。麻疹疫苗出現的反應通常在接種後一至兩週內，就像患有輕微的麻疹一樣。十個月大的孩子可能在接種後一週左右出現高燒，體溫達39.5°C，並且持續一、兩天。二十個月大的孩子會出現輕微的疹子。（台灣：九個月大的時候，單獨接種一劑麻疹疫苗。）

孩子進入幼稚園（四至六歲）之後，還要各追加一劑麻疹、三合一、以及小兒麻痺疫苗。追加的麻疹製劑是麻疹、德國麻疹和流行性腮腺炎疫苗的混合製劑。如果孩子在開始上幼稚園的時候沒有追加這一劑，在十或十二歲的時候要接種麻疹、德國麻疹和流行性腮腺炎的混合製劑。（台灣：國中三年級或國小學生追加一劑混合疫苗。）

632. **B型嗜血桿菌**（Haemophilus influenzae B, HIB）**疫苗**。（目前台灣已開始施打，但需自費）這種疾病由嗜血桿菌引起，與感冒病毒引起的感冒毫無關係。但是「感冒」（influenzae）這個詞用在這種疾病上純屬醫學語言上的一種巧合。在大多數情況下，HIB的症狀與普通感冒極爲相似。80年代中期以前，首次使用疫苗的時候，這種輕微的小病常常導致嚴重的，甚至危及生命的重病。自從HIB疫苗開始使用之後，此類疾病已經大幅度減少了。防治這種疾病的疫苗通常是從小孩出生兩個月就開始，兩個月一次，連續打三針。十二～十五個月的時候，再追加一劑。

633. **水痘疫苗**。水痘疫苗是最近引入美國的（目前台灣也已開始施打，但需自費）。它是一種活性病毒疫苗，能預防水痘或至少減輕水痘的症狀。建議一～十三歲尚未出過水痘的孩子應接受這種疫苗。有特殊預防接種缺陷問題、使用高劑量類固醇治療的人以及已經懷孕的婦女，皆不宜接種這種疫苗。

634. **B型肝炎疫苗**。建議所有的孩子都要打三劑B型肝炎疫苗，以預防B型肝炎病毒感染。B型肝炎病毒能引起嚴重的肝臟疾病，並且特別容易傳染，尤其是在孩子出生的時候更是如此。在某些情況下，大孩子、青少年以及成年人也要注射B型肝炎疫苗。

預防接種推薦一覽表

請注意，下述預防接種推薦一覽表（台灣版）經常變化！新的預防接種藥品不斷問世，實施預防接種的時間和方法也在改變。醫生或保育護士會提供最新信息以及疫苗的副作用。

兒童與吸菸

近來，專業人員已經把吸菸叫做「兒科疾病」。雖然吸菸很少導致年輕人生病（因其副作用幾十年以後才表現出來），但有相當多的人在十八歲以前就開始吸菸，似乎很難戒掉，所以說吸菸是「兒科疾病」。如果我們從一開始就阻止青少年吸菸，將在清除吸菸這一普遍流行的災難性危害方面，向前邁出重要的一步。我們怎樣才能實現這一目標呢？

在孩子很小的時候，大人就應該經常教育他吸菸的害處。所教育的內容和程度要符合孩子的生長年齡。因爲沒有哪一個孩子會擔心四十年之後得肺癌的後果，這對他們太遙遠了。兒童和青少年所關心的是具體、實在的結果。小一點的孩子會理解這樣的意思：吸菸會使他的身體

適合接種年齡	接種疫苗種類	
出生24小時內	B型肝炎免疫球蛋白	一劑
出生滿24小時以後	卡介苗	一劑
出生滿3～5天	B型肝炎遺傳工程疫苗	第一劑
出生滿1個月	B型肝炎遺傳工程疫苗	第二劑
出生滿2個月	白喉百日咳破傷風混合疫苗	第一劑
	小兒麻痺口服疫苗	第一劑
出生滿4個月	白喉百日咳破傷風混合疫苗	第二劑
	小兒麻痺口服疫苗	第二劑
出生滿6個月	B型肝炎遺傳工程疫苗	第三劑
	白喉百日咳破傷風混合疫苗	第三劑
	小兒麻痺口服疫苗	第三劑
出生滿9個月	痲疹疫苗	一劑
出生滿1年3個月	痲疹腮腺炎德國痲疹混合疫苗	一劑
	日本腦炎疫苗	第一劑
	日本腦炎疫苗 （每年3月至5月接種）	隔兩週 第二劑
出生滿1年6個月	白喉百日咳破傷風混合疫苗	追加
	小兒麻痺口服疫苗	追加
出生滿2年3個月	日本腦炎疫苗	第三劑
國小1年級	破傷風減量白喉混合疫苗	追加
	小兒麻痺口服疫苗	追加
	日本腦炎疫苗	追加
國小6年級	卡介苗	普查測驗陰 性者追加
國中3年級 國小學生	痲疹腮腺炎德國痲疹混合疫苗	一劑
育齡婦女	德國痲疹疫苗	一劑

變差，不討人喜歡，看起來像隻「大公鷄」。青少年應該聽到這樣的話：吸菸使他們散發出難聞的味道，導致口臭（令異性極為反感），而這恰恰不是「酷」的表現。小孩子吸菸並不會顯得成熟，事實上顯得更幼稚。就像小孩子穿上父母的衣服，想裝成大人一樣。

媒體上介紹的那些嘴上刁著菸捲，駕船穿行於激流中體魄健壯、誘人的形象，完全是利慾薰心驅使下的傳媒產物，應該好好研究並且加以糾正。「吸菸可恥」應該作為一條無可非議的家庭準則，同時要確保大人和孩子之間交流順利進行。如果孩子試圖吸菸，或已經有了吸菸的經歷，應當讓他與你談一談，不必擔心你會為此大發雷霆。互相交流一下思想比硬性禁止更加有效，事實上靠硬性禁止也起不了什麼作用。

在進行誠懇的交談之後，要避免過多的說教，尖銳的質問，甚至窺探孩子是否還在吸菸。這樣做只會激起孩子反抗。另外，不要總是責備，只能期待孩子具有正確的辨別力。首先你應該做出表率，最重要的是，從孩子嬰兒時代起，相互間就應建立起友好、尊重和信任的關係。

父母吸菸

吸菸是一個非常危險的嗜好。每年大約有40萬例死亡與吸菸有關。如果你吸菸，你可能也想戒掉。但是，這的確是一件很困難的事。

但是，現在你有了一個必須戒菸的理由：這就是為了孩子的身體健康。雖然我們早就知道吸菸能導致成人得癌症以及其他肺部疾病，但是直到現在我們才知道，孩子也會因為二手菸而受到嚴重的危害。空氣中的煙霧會影響孩子呼吸系統的功能，使其易患咳嗽、感冒、哮喘和耳疾。研究顯示，有一些嬰兒（儘管不是全部）突然死於某些綜合病症，就是與父母吸菸有關。吸菸被看作是環境中毒，事實上確實如此。所以，我們至少要在家裡和車內禁止吸菸。婦女妊娠期間吸菸可能導致流產、早產、新生兒體重不足和嚴重的產後併發症。孕婦每天吸菸超過一包，發生上述問題的可能性就會很高。但是，無論她吸多少菸，都會有害胎兒的發育。但是我更擔心的是：父母如果吸菸，孩子進入青少年時期或成人時期以後也很可能吸菸。因此說，這種危險的不良習慣還可能「遺傳」下去。

爲了孩子現在和將來的身體健康，家長必須做出不懈的努力。有數百萬人經過多次努力終於戒菸成功。你必須制訂一個嚴格的戒菸計畫，在兩個星期內把菸戒掉。可以先請教一下醫生，然後選擇一個適合你自己的戒菸方法。有一些戒菸者通過尼古丁替代物（口香糖）來幫助自己戒菸，還有的人則寧願自己乾淨俐落地把菸戒掉。

千萬不要洩氣！無數人都能戒菸成功，你也一定能做到。請永遠記住，你不僅是爲你自己的身體健康而戒菸，也是在爲子孫後代延年益壽而戒菸。

防曬

635. **對曬太陽的認識**。多數人認爲曬太陽對身體有益。古銅色的皮膚散發出的健康光澤使我們看起來很健美，自我感覺也不錯。陽光有助於產生維生素D。我們甚至感覺到太陽的能量能使我們精力充沛，否則我們就會感到萎靡不振。在過去，人們還沒有充分認識到紫外線會對人造成危害，嬰兒也得不到能獲得充足的維生素D的食物配方和維生素滴劑時，我也曾建議嬰兒做日光浴。現在我們的知識豐富了，知道我們的皺紋、太陽斑和雀斑是因爲年輕的時候太陽曬得過多所致。爲此，我們感到很懊悔。我們還知道，很多成人罹患皮膚癌就是童年時期受到陽光灼傷所引起的。甚至很多老年人罹患的白內障，也在某種程度上與陽光中的紫外線照射有關。

所以，家長一定要保護孩子少曬太陽，以免將來產生諸多的問題。這件事做起來並不難，難的是持之以恆的細心照料。

636. **膚色越淺，危險越大**。美國黑人和其他深膚色的民族，因爲黑色素

防曬油、遮陽帽、太陽眼鏡能有效地防止陽光照射的危害。

的原因，具有天生的防曬功能。即使如此，也應該提高警覺。

637. 防止陽光的直接曝曬。在上午十點鐘到下午兩點鐘之間，太陽光最強烈，對皮膚的傷害也最大。因此在這段時間內，不要讓孩子的皮膚直接在陽光下曝曬。判斷陽光強弱，簡單而有效的辦法就是看太陽的影子，如果影子比本人短，證明陽光很強，足以將人灼傷。要記住，即使是在霧天或陰天，大量的紫外線也會傷害人的皮膚和眼睛。因此，在海灘上的時候要撐起陽傘，烤肉野餐要在樹蔭下進行。要穿長袖衫和長褲，戴上太陽帽和其他遮陽帽——只要能防止陽光直接照射皮膚，任何衣物都可以。但是，並不是所有的衣物都能完全阻止陽光照射，透過襯衫的陽光也很可能灼傷皮膚。水也不能完全阻止陽光照射，因此，游泳的時候要特別注意。

638. 必須使用防曬用品。防曬油或隔離霜中含有三種有效的化學藥品：對氨基苯甲酸酯（PABA esters）、肉桂酸酯（cinnamates）和二苯酮（或稱二苯四酮，benzophenones）。買防曬油的時候一定要看清楚，確保包裝上有上述一種或幾種化學成分。六個月以下的孩子不要用防曬油，因爲它會刺激嬰兒的皮膚。對於六個月以下的嬰兒來說，最好的辦法就是不要讓他們曬到任何陽光。六個月以上的幼兒要使用防曬係數（SPF）至少是15的防曬品，也就是說只允許15分之一有害光線透過。使用這種防曬品在陽光下暴露15分鐘僅相當於不使用防曬油在陽光下暴露一分鐘。使用的防曬品要具有防水性能，而且要在曬太陽之前半個小時就塗上這類防曬油。注意塗抹的時候不要漏掉某一個暴露部位。但是不要往眼睛上塗抹，以免刺激眼睛。在必要的時候，要經常使用防曬用品。

639. 嬰兒也要戴太陽眼鏡。紫外線對眼睛的危害（如白內障）直到老年的時候才顯露出來，所以眼睛應該隨時細心保護。不必購買十分昂貴的太陽眼鏡，只要能防紫外線就行了。鏡片的暗度與防紫外線的性能沒有任何關係，但是它的上面必須塗有專門阻擋紫外線的特殊化合物。嬰兒也要使用太陽眼鏡。大多數嬰兒都能忍受戴太陽眼鏡。隨著年齡的增長，孩子會逐漸習慣於戴太陽眼鏡。

14 培養心理健康的兒童

引言

在這一部分，我將分類闡述心理健康的兒童所具備的一些特徵。當然，這些特徵在某種程度上都是相互關聯的。比如，兒童良好的自尊心就是他與人合作和容忍他人的部分條件（反過來也一樣）。另外，還有一些特徵肯定沒有被列入這個分類目錄。而這些漏掉的特徵可能恰好正是你希望孩子擁有的。所以說，我的這個分類目錄肯定是不完美的，它只不過反映了我所認爲重要的幾個方面。

但願讀者不會對本篇產生錯誤的理解。請記住，你並不需要付出多少額外的努力就可以達到我在目錄裡所提到的那些目標。因此，你既沒有必要送孩子去讀培養想像力的學校，也沒有必要給孩子買昂貴的玩具，更沒有必要讓他沒完沒了地參加專門的課程。只要孩子能得到應有的愛心和教養，他身上的優良特質就會自然而然地顯露出來。這樣，他就會有信心和動力，去從各種各樣的經歷中體驗並且掌握那些與他的天分相匹配的經驗。

我這裡談的並不是怎樣培養天才兒童的問題。如果大人不重視自己的孩子，或者總是不理他，比如經常對他說：「我跟你說過多少遍了，不要拿你的問題來煩我？」那麼，孩子的心靈和思想當然就不會得到充分的發展。然而，即便你已經發現，通過你的努力能夠教會一名兩歲兒童，甚至一歲兒童，辨認識字卡，我還是認為這種作法是不明智的。有些父母試圖塑造一名早熟的、才華橫溢的兒童。他們都懷有一種希望，認為只要從孩子幼小時就給他買合適的玩具，並且不論在家裡還是在學校裡都給他適當的精神鼓勵，那麼，他們的目的就一定能實現。

我們正生活在一個智能受到高度重視的時代。人們好像認為通向未來的鑰匙就掌握在計算機專家的手裡。我則以為，儘管父母的這種想法是錯誤的，而且還可能導致事與願違的結果，但是他們的心情是可以理解的。智能只是人的一個部分，如果一個人不能在自己的熱情、理智和對別人的尊重方面與之保持平衡，他在生活中仍然可能失敗。過早地逼迫兒童去獲得成功，總是要付出代價的。比如，父母與孩子的關係可能會變得緊張；由於過於強調智能上的成功而忽視與孩子在情感上的親近；為了達到預定目標，孩子可能會忽略自身應該發展的其他方面。

640. **特殊訓練和特殊器材是沒有必要的**。事實上，我雖然認為培養天才兒童的想法可以理解，但它仍然是家長們犯的嚴重錯誤。當然，我們都希望自己的孩子充分利用他們的天賦，盡可能地多獲取知識。但是，人為地讓這些天賦過早地發展膨脹起來，卻是一種錯誤的做法，而且有的時候對孩子是不利的。到目前為止，還沒有任何證據能夠證明，過早地逼迫孩子做什麼（比如讀書）能給孩子未來的發展創造優勢。在本街區內，孩子可能在各個方面都是最優秀的，但是，這並不意謂著他的能力將勝過其他後來趕上的孩子。這是得不償失的，因為人為地促使孩子早熟總要付出相應的代價。要想讓孩子在某一方面超前（比如，讓孩子很小就學會識字），你往往就需要讓他犧牲另外一方面的能力（比如，與其他孩子相處的能力）。所以，父母的努力只會造成孩子的片面發展，並最終產生叛逆心理。只有讓兒童自然地發展自己的天賦與本性，他們才能把自己發展得更完善。

641. 是什麼因素促進兒童正常、全面的發展——感情因素、社會因素、還是智能因素？出於本能，嬰幼兒經常伸手搆東西或讓人抱他。充滿柔情的家長，在看著寶寶或哄寶寶的時候，對寶寶的每一次微笑都會報以熱情的微笑、點頭或做出一些愛的表示。這種情形重複數月以後，加之父母對寶寶的擁抱，在寶寶不高興的時候對他的安慰，以及在寶寶餓的時候給他餵奶，都會讓寶寶覺得自己得到了很好的照料。正是這種感覺在寶寶的心裡建立起了對父母的信任基礎。他後來與他生活中出現的其他人的關係也都將建立在這種基礎之上。甚至他對事物的興趣，以及他以後在學校和工作中形成的思想觀念，也都源於這個愛和信任的基礎。

隨著年齡的增長，孩子們開始想伸手去擁抱世界，而父母也及時給予愛的回應。孩子的願望與父母給予的反應產生自然的相互影響。隨著歲月的增長，這種相互影響足以把孩子培養成聰明、能幹、友善、富有愛心的青年。

總的說來，培養心理健康的孩子只有一個竅門，那就是在父母與兒童之間建立起一種友愛、教養、互相尊重的關係。

自尊

我同意這樣的說法，即每個人自孩提時代開始都是可愛的。他們應該得到愛，也應該做好自己該做的任何事情。

但是我很討厭使用「自尊」（self-esteem）這個詞。因爲這個詞讓人聽起來（我懷疑一些家長也是這樣認爲的）好像我在極力倡導孩子養成自滿的態度；又好像我在鼓勵家長，不管他們的孩子是不是值得稱讚，都要去不斷地誇獎他們，使他們始終保持自尊。

642. 自尊的要素之一是自信。稱讚孩子能培養孩子的自信心。但是，如果這個稱讚帶著虛假的成分，孩子是能夠一眼看穿的。因此，幫助孩子樹立自尊心的方法之一，就是幫助他處理好情感上的一系列問題，並且讓他相信，父母也能處理好這些情感問題。如果孩子在讚揚聲中成長，那麼，一旦父母動了氣，他們就會覺得自己受到了侮辱。這樣的孩子是樹立不起自尊心的。相反的，他會擔心，並且覺得不安全。所以，在培養孩子自尊的過程中，嚴格要求要比空洞的稱讚有用得多。

有些對孩子很投入的父母可能會在這方面做得過火。我認爲，這是因爲他們憎恨過去的年代裡，兒童經常遭受不愉快和體罰的現象，因此就導致了他們過分地尊重自己的孩子，反而忘記了要求孩子也尊重他們。在當今社會中，有些孩子之所以舉止不端，只一味地需索，部分原因可能就在於此。

我認爲，要弄清楚兒童在哪些方面自尊心不強及其原因是比較容易的。我這樣說也許是因爲我也有過這樣的經歷。當時，我的母親特別熱中於防止她的孩子養成自滿的傾向。她認爲自滿本身就很讓人討厭，而且還有可能導致更嚴重的問題。現在我仍然記得這樣一件事。有一次，她的一位朋友因爲我寫的一本關於青春期的書而誇獎了我。這位朋友剛離開，我的母親就迫不及待地對我說：「班尼，你長得不算好看，只是你的微笑有點兒迷人罷了。」我們六個孩子長大成人後，都覺得自己沒有什麼吸引人之處，而且也沒有成就感。

小時候，我每次從外面玩耍回來或放學回家，總要因爲我在外面的「調皮」行爲受到母親的責備。所以，我內心深處總覺得有一團罪惡的陰影圍繞著我。因此，即便我實際上並沒有做錯什麼事，我也總是問自己：「我做錯什麼了？」我那時是一個謹小慎微的人。母親對我們很苛刻，總是在尋找我們的不是，以至於我們六個孩子也都覺得自己有不是之處。只要我稍微做錯一點兒事，母親便會從我慚愧的表情中和不自然的舉止中立刻覺察出來，並且一定要刨根問底。這樣一來，每當我做錯了事，我也從不否認，因爲否認一點兒用都沒有。我覺得母親有一種不可思議的能力，這種能力使她能夠發現誰做了壞事。而且我還相信，我越快地承認自己的錯誤，母親對我的判決和懲罰也就會結束得越快。

我講這些的目的只是想說明一點：在培養兒童自信心的問題上，最重要的一點就是要盡力避免打擊兒童生來就有的自信心，而不是一味地對兒童進行稱讚。這樣，你也就不必擔心由於過多的稱讚而導致孩子自負或過於自滿了。

嚴厲的母親給我和我的兄弟姊妹們培養起了一種牢固的概念：覺得自己都是無用之人。而當代的大多數兒童，甚至在我孩提時代的兒童也一樣，都沒有我這樣的感覺；現在，稍微有點內疚感的兒童就更少了。但是，從許多家庭裡發生的事情來看，我認爲父母仍舊在依靠責備的手段來嚴明紀律，或至少是在依靠一種批評的口吻。而這種口吻產生的效果則是——「我希望你做錯事」。

643. **積極促進兒童的自尊**。雖然我們應該培養孩子的自尊，但是，我還是不想因爲孩子的一次較好的表現或者有了一點兒進步就不斷地稱讚他。我記得有這樣一個小孩。他的父母一直鼓勵他學游泳。每次他把頭鑽入水中的時候，他的父母就會熱烈地誇獎他。這樣一個小時過去了，儘管他並沒有取得眞正的進展，但是他仍舊不斷地要求父母「看我游泳」。他只是養成了一種對讚揚和注意的欲望和渴求。如果這話聽起來使你覺得我和我的母親都一樣害怕稱讚，那麼，至少你應該淸楚，我對貶低和責怪兒童是持強烈反對意見的。

我認爲，除了要避免不停地責備和貶低兒童以外，讓兒童樹立自尊的最佳作法，就是給予孩子一種能使他愉快的愛。但是，這並不是說父母要隨時準備爲他做出犧牲，而是說父母要陪著他，給他講一些故事和笑話，以及對他的藝術作品和體育技能當場給予讚賞等等。你還可以偶爾給他做一次特別的飯菜，來一次郊遊，或一起散步，給孩子一次使他感到愉快的愛。

除了給予孩子這種愛以外，父母還應該給予孩子應有的尊重，就像對待一位很值得尊重的朋友一樣。這意謂著父母不能對孩子粗魯，不能讓孩子討厭，也不能對孩子冷淡。相反的，做父母的應該保持禮貌和優雅的風度。我們沒有理由因爲孩子小就覺得可以對他們粗魯、冷淡或漠不關心。

有的父母的確做到了尊重自己的孩子。但是這些父母又常常會遇到這樣的問題，即得不到孩子的尊重。出現這種問題的原因，似乎是因爲父母過於認眞。他們想盡力擺脫過去那種對兒童的壓迫式教育方法，因此下意識地覺得，他們應該爲這種過錯採取補救措施。而他們所謂的補救措施就是允許孩子對他們粗魯、沒有禮貌以及一味地向他們要這要那。兒童也和大人一樣，當他們和那些尊重自己並且希望得到別人尊重的人打交道的時候，就會感覺舒服和快樂。但是，他們也沒有必要因爲得不到別人的尊重而感到不愉快，因爲尊重畢竟是一種相互的行爲。

紀律

644. 紀律不等於懲罰。多數人說到要執行「紀律」(discipline)的時候，實際上表示的是「懲罰」的意思。然而，儘管懲罰是紀律的一部分，但是它決不代表紀律的全部涵義。紀律這個詞是從disciple演化而來的，它的眞正涵義是「教育」。

執行紀律的眞正目的，是教育孩子去遵循行爲規則，即社會和周圍的人期望他們應該遵守的行爲準則，以便他們長大後對社會有貢獻，在個人事業上有作爲。要想約束孩子，使他處理好這兩者之間的關係，就是一門藝術了。當然，爲了讓孩子表現得像完美的小機器人一樣，你可能會制訂一整套苛刻的獎懲制度。但是不知你是否想到，你這樣做會在孩子的精神上、自我價值的認識上、個人的幸福上以及他對待別人的態度上，產生什麼樣的影響呢？

另外，你不妨假設有這樣一個孩子：無論他的想法如何異想天開都能得到父母的支持；無論他的行爲是對還是錯也都能得到父母的大力讚賞。這樣的孩子肯定會有自己的一套衡量幸福的標準，但是大多數人都會對他敬而遠之。所以，你需要做的事很棘手。你要讓自己的孩子明白怎樣才能讓別人接受他的行爲，以及什麼行爲別人能接受，什麼行爲別人不能接受。但是，千萬不要因此而損傷他對自己的評價和樂觀主義精神。

645. **紀律應該嚴格還是應該隨和？**儘管多數初爲父母的人不久以後就能找到解決這個問題的辦法，但是，仍有很多人覺得這是個大問題。甚至還有少數父母，即便已經積累了豐富的經驗，但是還在爲此而苦惱。

如果換個說法，紀律隨和就是紀律寬容。但是我不願意使用寬容這個詞，因爲不同的人對它有不同的理解。對於有些人來說，紀律寬容是一種隨和而又不拘一格的管理風格。但是對另一些人來說，寬容就是愚昧無知地寵孩子，任憑孩子隨心所欲。而這樣一來，孩子就會被慣成一個令人討厭、粗魯無禮的壞孩子。

然而，我認爲問題的關鍵並不在於嚴格還是隨和。有的父母雖然心地很善良，但是在必要的時候仍然能對孩子嚴厲。他們這樣適時地採取嚴格或隨和的紀律來約束自己的孩子，反而收到了更好的效果。反過來，如果父母嚴格得讓孩子覺得冷酷無情，或由於父母心軟而對孩子放鬆不管，這樣的管理就收不到好的效果。所以，問題的關鍵在於父母管教孩子的心態和孩子在父母管教下的感受。

646. **堅定信念**。我認爲，那些傾向於對孩子嚴格要求的善良父母就是要這樣來教養小孩。應該對孩子提出講禮貌、聽話和做事有條理等適度的嚴格規範。基本上只要父母能做到在態度上和藹可親，並保證孩子能快樂地成長，那就不會對孩子有什麼害處。但是，假如父母態度專橫、粗暴，經常對孩子所說的話或所做的事表示不滿或反對，或不體諒孩子的年齡和個性，那麼，這樣的嚴格要求對孩子來說就是有害的。這種嚴厲的管教只會導致孩子逆來順受、沒有個性且心胸狹窄。

有的家長傾向於用一種隨和的方式來培養孩子。只要孩子的態度友好，他們就會感到滿足。即使孩子偶爾做事拖拖拉拉或不整潔，他們也會表示寬容。只要他們在重要的事情上態度堅決，同樣也能培養出善解人意、樂於與人合作的孩子。

但是，如果家長對孩子過分放縱，結果將是很令人不愉快的。這並不單單是因爲他們對孩子要求的太少（儘管這是問題的一部分），而是因爲他們不能理直氣壯地對孩子提出要求，或因爲他們在不知不覺中縱容了孩子在家庭中的霸氣。

有的家長或由於不理解孩子的個性表現，或由於自我犧牲精神太強，或因爲害怕激起孩子對自己的反感，所以，每當需要對孩子的行爲提出適當的要求時，他們就會遲疑不決。這樣一來，孩子必然會養成不良習慣，而家長也因此而感到氣憤。他們將會經常暗自生悶氣，然而卻不知道如何是好。在這種情況下，孩子也會感到糊里糊塗，不知道大人爲什麼要生氣。這很容易使孩子產生罪惡感並感到害怕，但同時也會使孩子變得更加自私和驕橫。例如：假如孩子嚐到了晚上不睡覺的甜頭，而父母也不敢拒絕給他這種樂趣，那麼，接下來的後果就肯定不會令人愉快。寶寶主宰了整個夜晚，大人則大吃苦頭，一整晚睡不好覺。這時大人肯定會因爲孩子的專橫而討厭他們。但是，如果大人堅持己見，那麼，他們就會驚訝地發現，孩子變得討人喜歡了，而大人也感到放心。

換句話說，只有家長要求孩子行爲得體，最終才會感到孩子可愛。只有孩子表現得體，他最終才會感到幸福。

647. **逃避責任的父母**。有不少家長儘管經常和孩子一起娛樂，但是卻逃避引導和約束孩子的責任，而把大部分工作留給自己的配偶去完成。這不禁使我想起，每當危機發生的時候，有些作父親的就手拿報紙擋住身體，或全神貫注於電視節目上。而信心不足的母親則習慣於說：「等你爸爸回來再說。」

一些不參與教育孩子的丈夫在妻子責備他們的時候解釋說，他們不想讓孩子像他們恨自己的父親一樣恨他們。相反的，他們想成爲孩子的朋友。擁有一位友好而且能同自己一起玩耍的父母，對孩子當然是有好處的。但是，孩子也希望自己的父母在行爲上也像個父母的樣子，因爲在他們的一生中，孩子雖然將擁有很多朋友，但是他們畢竟只能擁有一對父母。

要是父母心軟或不情願去引導孩子，孩子就會像無所依附的藤蔓一樣感到沮喪無力。如果父母沒有自信或態度不堅決，孩子就會膽大包天，爲自己和父母的生活增添麻煩，直到把父母激怒到要懲罰他們爲止。這時，父母又會感到羞愧並且再次退卻。

由於丈夫躲避教育孩子的責任，所以迫使妻子同時要教育兩個人。在多數這樣的例子中，父親一般都很難如願以償，他並得不到與孩子的友好關係。孩子明白，當他們一再表現不好的時候，大人會生氣的。可是，當他們做錯事的時候父親卻總是假裝沒看見，因此，當他們和父親相處的時候就會覺得很不自然。有些兒童甚至還會害怕這樣的父親。但是和下面這種類型的父親相處時，關係則會好一些。這類父親能自如地參與對孩子的管教，被激怒的時候也會表現出自己生氣了。這樣，孩子就有機會知道父親爲什麼會生氣以及自己如何去應付。當他們發現自己能夠應付父親的時候，就會獲得一種自信感，就像他們克服了恐懼，學會了遊泳、騎車或夜裡一個人走路回家的時候所獲得的信心一樣。反之，與那些總是躲避對孩子的管教並且掩飾自己不愉快情緒的父親在一起，兒童就會認爲父親在壓制自己的怒氣，而這種怒氣比實際上更嚴重、更危險。

在過去的半個世紀裡，教育家、精神分析專家、兒童精神科專家、心理學家和兒科醫生，都曾對兒童心理進行了大量的研究。家長都急於知道研究結果；報紙和雜誌也爲出版和發表這些結果心甘情願地做了一些工作。因此，我們也一點一點地從中學到了很多。比如：與對其他東西的需要相比，兒童更需要父母的愛；爲了更成熟和更富有責任感，兒童完全依靠自己在努力學習；總是遇到麻煩的兒童所需要的是父母的愛而不是懲罰；如果引導兒童的方法適合他們的年齡，如果他們的老師理解他們，兒童就會更樂於學習；他們對兄弟姊妹的嫉妒和偶爾對母親的怨氣都是很自然的事情；兒童對生活中的某些事情和對性愛產生天真的興趣也是正常的；過分粗暴地壓制兒童的好勝心理以及他們對性的興趣，可能會導致兒童罹患精神疾病；無意識的想法和有意識的想法一樣，也會對兒童產生影響；每個兒童都是一個獨立的個體，大人應該允許它的存在。

這些觀點在今天看來似乎十分普通。但是當它們第一次被提出來的時候，許多人曾感到意外和吃驚，因爲其中的許多觀點與幾個世紀以來人們一直持有並實踐著的觀點是背道而馳的。如果沒有衆多家長的參與，要改變那些有關兒童本性和需求的陳舊觀念是不太可能的。童年過得舒坦而又安定的家長大多不會對這些觀念感到困惑。他們甚至很樂於了解一些新觀點，並且會同意這些觀點。然而，一旦輪到他們管教孩子的時候，他們可能還是會採取他們小時候被管教的方式。他們的這些方法，如同在他們身上很成功一樣，用在他們的孩子身上也很成功。多數父母就是這樣，從小時候所受到的幸福家庭教育中學會了兒童護理技巧——這是一種很自然的途徑。

648. 對紀律的常見誤解。不能正確理解新觀點的父母通常是那些童年不幸福的人。其中有許多人爲自己和父母之間經常出現的緊張關係感到怨恨和內疚。他們不希望自己的孩子也有同樣的感受，因此他們歡迎新的觀點。但是，他們又常常誤解科學家們的原本意圖。例如，他們會認爲孩子只需要愛；不應該強迫孩子去服從父母；應該允許他們表露對父母及他人的不滿情緒；無論出現什麼問題都應該從父母身上找原因；孩子犯了錯誤的時候，父母不應該生氣或懲罰他們，而應該努力給予他們更多的愛。

所有這些理解都是錯誤的，而且，如果父母照這樣的理解做過了頭，對培養孩子不會有任何積極作用。相反，它們只能使孩子變得驕橫和難以與人相處；使他們爲自己的過分行爲感到內疚；使父母竭盡全力地去成爲超人，以適應自己培養孩子的需要。孩子表現不好的時候，父母會暫時抑制自己的怒氣，但是最終還是會爆發出來。接下來父母又會覺得內疚和茫然。這樣一來，孩子就會表現得愈來愈糟。

有些家長雖然是很懂禮貌的人，但是他們卻允許孩子對自己和他人無禮，就好像根本意識不到這種問題的存在一樣。經研究發現，這樣的家長在孩提時代都是那些受到太嚴格的管教、有怨恨也不敢發洩的人。而現在他們感到暗自高興，因為他們可以讓自己的孩子來把他們埋藏在心中多年的怨恨發洩出來，而表面上還假裝他們是在按照最好的現代理論培養孩子。

649. **父母的內疚感如何導致紀律問題**。有很多情況會使父母感到對某個孩子心存愧疚。這種情況在有些時候表現得很明顯，比如：媽媽上班之前沒有仔細想一想，是否有怠慢孩子的地方；有一個身體或精神上有缺陷的孩子；抱養了孩子之後總覺得自己必須付出超常的努力才能具備做父母的資格；父母小時候總是受到大人的指責，直到他們被證明是清白無辜的時候，才能擺脫自己的罪惡感；父母在大學裡學過兒童心理學，清楚哪些做法對孩子不利，因此覺得自己必須把孩子帶得比別人好。

不管導致父母內疚感的原因是什麼，這種感覺都會對父母輕鬆地培養孩子造成一定的阻礙作用。父母總是對自己期望得太高，而對孩子則期望得太少。因此，即便他們的耐心已經達到了極限，而孩子也確實淘氣得過了頭，需要一些明確的指正，但是，這些父母還是會努力讓自己保持寬容的態度和溫和的性情。或說，每當孩子需要嚴格管教的時候，他們就會猶豫不決。

像懂事的大人一樣，孩子也知道自己什麼時候淘氣得過了頭或太放肆了。即使父母裝作沒看見而任他胡鬧，他也知道自己太過分。他會在內心裡感到內疚，並希望有人能阻止他。如果沒有人管，他就可能鬧得越發不可收拾。他好像在說：「看我壞到什麼程度才會有人來管我？」

如果任憑孩子這樣下去，他的行為就會越發過火，而父母的忍耐極限也終將被打破。這時，父母就會對他進行責備或懲罰。等到重新平靜下來以後，父母就會對自己失去對孩子的耐心而慚愧萬分。所以，他們不是去認同這種懲罰結果，而是對自己的做法進行矯正，或反過來讓孩子懲罰他們。他們要麼在懲罰孩子的過程中允許孩子對自己無禮，要麼在問題處理到一半的時候就把原有的決定收了回去，要麼當孩子再次出現不良行爲的時候假裝沒看到。有的時候，如果孩子沒有什麼反抗的表示，家長反而會蓄意激他，讓他報復。當然，他們根本沒有想到這樣做的後果會是什麼。

你或許覺得這一切聽起來很複雜難懂，或不合常理。如果你無法想像爲什麼家長會允許，甚至鼓動殺了人的孩子負罪逃跑，這只能說明你不知道犯罪後的心理是什麼樣。但是實際上，犯罪並不是罕見的事。大多數明事理的父母在覺得對孩子有失公正或對孩子考慮不周的時候，就會偶爾放縱孩子一下，但是很快就會恢復正常的做法。可是，要是一個家長說：「孩子每說一句話，每做一件事，都激怒了我。」這很可能就是一個信號，說明家長感到極端內疚並不斷地屈服讓步，因此導致孩子越來越惹是生非。沒有哪個孩子會無緣無故地那樣惹人生氣。

要是父母能夠清楚自己可能在哪些方面做出的讓步太多，並能在這些方面嚴格紀律，那麼，只要他們能這樣堅持下去，就會高興地發現孩子不僅變得守規矩了，而且還變得更加愉快。這樣，父母就會更愛自己的孩子，孩子也會更愛父母。

650. **有必要懲罰孩子嗎？**許多心地善良的父母覺得，他們偶爾不得不對孩子進行懲罰。但是，還有一些家長認爲，他們用不著懲罰就能把孩子管教好。實際上，是否需要懲罰的問題在很大程度上取決於父母自己在孩提時代的受教育方式。如果他們當初時常受到有理由的懲罰，那麼，在他們的孩子犯了同樣錯誤的時候，他們也會懲罰自己的孩子。如果他們在自己的成長過程中始終受到正面的引導，他們也容易採取同樣的方法來教育自己的孩子。

另一方面，表現不好的孩子也確實不少。其中有些孩子的父母經常懲罰孩子，而另外一些父母則從來不這樣做。所以我們不能說應該懲罰孩子還是不應該懲罰孩子。一般說來，這些都取決於紀律的本質。

在我們進一步討論懲罰這一主題之前，我們必須懂得懲罰從來就不是紀律的主要內容；它只是起一個極強的提示作用，表示父母用一種很強烈的方式表達了自己要說的話。我們都看到過那樣的孩子，雖然經常挨耳光、打屁股，並且受到大量的限制，但是，他們仍舊我行我素，惡習不改。

充滿愛的家庭中培養起來的紀律才是好的紀律：孩子得到了愛，同時又學會了愛別人。我們多數時候都希望與人友善，與人合作，因爲我們愛別人，也希望別人愛我們。有的人之所以成爲慣犯是因爲他們在童年的時候從來沒有被人深愛過，所以理解不了愛的意義。其中許多慣犯受到過虐待或親眼目睹過暴力和動亂。兒童從三歲左右開始，就逐漸不太與人爭搶而開始與人分享了。這種變化的主要原因不是他們受到父母的提示（儘管這種提示在某種程度上有助於促成這樣的結果），而是因爲他們已經培養起對其他孩子的感情。他們開始喜歡其他孩子，而且同他們在一起的時候感到快樂。

另一個重要因素是，孩子們都有模仿父母的強烈願望。在三～六歲期間，他們會極力地做到有禮貌、有教養和負責任；很認眞地模仿父母的樣子去照顧他們的布娃娃、料理家務和外出上班等。

651. 父母每天的工作就是堅持而持續地保證孩子在正確的軌道上成長。儘管兒童的良好習慣主要是靠自己在愛和模仿中完成的，但是需要家長做的工作仍然很多。用汽車方面的術語來說就是孩子提供動力，但是要父母來駕駛。有些兒童較具有挑戰性──他們可能比多數孩子活躍，更容易衝動，甚至更頑固──因此，要使他們的行爲不離譜，就需要父母花費更多的精力。

兒童的動機多數時候是好的，但是他們沒有經驗，做不到始終如一。因此，父母不得不一遍又一遍地說：「過馬路的時候，拉著我的手。」「你不能玩那個，會傷著人的。」「向郭阿姨說聲謝謝。」「我們現在進去吧，一頓令我們驚喜的午餐正等著我們呢！」「我們必須把車子留在這裡，因為這是哈利的車子，他現在要用。」「上床睡覺吧，這樣你才能長得又高又壯。」等等。

652. 父母的引導能否有效取決於：他們是否能貫徹始終（當然，沒有人能完全做到），是否能做到言行一致而不是唱高調，是否在阻止孩子的時候做到理由充分，而不是因為他們討厭孩子或只是因為自己專橫。

你當然不會坐在一旁看著孩子毀壞東西而不去管他，等他把東西毀壞了以後才懲罰他。但是，在你的忍耐力達到了極限，或當你失去控制力的時候，你就會採取懲罰的手段來教育孩子。比如，你的孩子可能脾氣很壞；他或許不知道你兩、三個月前規定的限制是否仍然有效；他或許因為生氣而故意搗亂；或許由於疏忽打碎了一件對你很珍貴的東西；或許當你在為另一件事感到悶悶不樂的時候，他對你有輕微的冒犯；或許因為他過馬路的時候沒有朝左右看，而差一點兒被車撞到。在這些時候，你都會勃然大怒，並且會立即懲罰孩子或者至少想要懲罰他。

你的懲罰是否有效，最好的檢驗方法就是（在沒有造成其他嚴重後果的前提下）看它是否達到了預期的目的。如果你的懲罰使孩子變得狂怒，與你對抗，而且比以前表現得更糟糕，那麼，這樣的懲罰顯然沒有任何作用。如果你的懲罰好像使孩子很傷心，那可能說明你對孩子的懲罰太嚴厲了。但是，不同的孩子對同一種懲罰的反應多少有點兒不同。

小孩由於意外或粗心打碎盤子、或者撕破衣服的事經常發生。但是，如果他與父母關係很融洽的話，他會真的為自己的過錯而感到難過。這時，父母應該做的不是去懲罰他，而應該去安慰他。父母對已經知錯的孩子暴跳如雷，有的時候反而會使他不再感到自責，並且會同父母爭辯。

有些大一點兒的孩子喜歡玩弄盤子，而且常常打破盤子。處理這樣的孩子，你就應該讓他拿自己的零用錢買一個新盤子補上，這對他或許比較公平。六歲以後的孩子的正義感正處於形成階段，因此，對他的懲罰是否公平合理，他是看得出來的。然而，對不到六歲的兒童，我就會根據情節從輕發落，而對不到三歲的孩子我根本不會採取這樣的懲罰。我相信你也不願意讓一個小孩子早早地背上罪惡感的沉重包袱。父母的任務是讓孩子遠離麻煩，而不是在事情發生之後當一個嚴厲的審判者。

有的父母發現一個自認爲行之有效的管教方法，這就是把孩子關在他自己的房間裡，直到他想通了才讓他出來。但是，這個管教方法有一個理論上的缺陷，那就是它使孩子覺得自己的房間像一座監獄。

653. **儘量不要威脅孩子**。兒童容易紀律鬆散。「如果你不把自行車放到路邊，我就把它拿走。」這樣的話聽起來好像合情合理。但是，從某種意義上講，威脅就等於試探，而試探就意謂著孩子可以不聽家長的話。如果孩子從經驗中得知父母說話總是當眞，那麼，當父母用堅決的口氣告訴他必須走人行道的時候，他就會更加認眞地對待。反過來，如果你覺得非得採取比較嚴厲的懲罰措施不可，比如必須把孩子心愛的自行車拿走幾天，那麼，你最好還是提前給他一個警告。只對孩子進行威脅而又從來不去兌現或無法兌現，這種作法是很愚蠢的。它很快就會毀掉父母在孩子心目中的權威形象。所以，無論在什麼情況下，用類似「野獸來了」或「警察來了」的話來嚇唬孩子都是完全錯誤的。

654. **避免體罰的幾個理由**。對兒童進行體罰會讓他產生一種誤解：比自己高大的人無論對錯都有權利管教他。因此，那些挨過打的兒童在打比自己小的兒童的時候，就會覺得理直氣壯。與其他國家相比，我們國家的暴力行爲更爲猖獗，這可能就是由於美國人有體罰兒童的慣例。

當一個公司的主管或一家商店的領班對某位僱員的工作不滿意的時候，他不會盲目地衝過去大喊大叫，不分靑紅皀白地把僱員痛打一頓。相反的，他會以一種不失身分的方式向僱員解釋應該怎樣做。在多數情況下，只要有這種解釋就足夠了。兒童也一樣，他們也想盡到自己的責任，也想讓別人說自己好。因此，他們對外人的稱讚和期望所做的反應總是讓人滿意的。

過去人們認爲，要讓孩子表現好就必須採取打的方式。到了二十世紀，父母和專業人士研究了美國和其他國家的孩子以後認識到，沒有體罰或任何其他方式的懲罰，兒童照樣能表現很好，成爲彬彬有禮和具有合作精神的人。我本人就認識成百上千這樣的兒童。我還知道有些國家的人們根本不淸楚體罰是怎麼回事。

655. **管不了孩子並且經常懲罰孩子的家長需要尋求幫助**。有些家長在管教孩子上有著極大的困難。他們總是說孩子「不聽話」或「孩子天生就很壞」。你頭一次觀察這樣的家長（比如一位媽媽）時就會發現，儘管她想盡力把孩子教育好或認爲自己在盡力，而實際上她根本就沒有眞正地盡力。她一再地威脅孩子、斥責孩子、或懲罰孩子，但是幾乎從不把她的威脅付諸於實際行動。有的媽媽雖然懲罰了孩子，但是始終也沒能成功地讓孩子按照她說的去做；有的雖然做到了讓孩子聽一次話，但是過了五分鐘或十分鐘以後，就再也不去管他了；還有的在斥責或懲罰孩子的時候，自己止不住地笑了起來；也有的只是在孩子面前不停地大喊大叫，說孩子不好，甚至當著孩子的面問鄰居是否見過比他還壞的孩子。

類似這樣的父母總是希望自己的孩子能改掉惡習，走上正路，但是就是不能有效地制止孩子的不良行爲。他們在無意當中反而導致了孩子的不規矩行爲。他們對孩子的斥責或懲罰只是一種自己受挫的表現和宣洩。他們向鄰居抱怨的時候，也只是希望從鄰居那裡聽到類似「這個孩子眞是無可救藥」這樣的話，以便他們能從中得到點兒安慰。這些受挫的父母往往都沒有幸福愉快的童年，當時從來沒有人充分肯定過他們的良好本質和表現。因此，他們對自己和孩子就沒有足夠的信心。像這樣的家長就需要一個善解人意的專業人員的幫助。

656. **父母對待孩子能做到旣嚴格又友好**。無論爸爸媽媽多麼隨和，都需要讓孩子懂得他們有自己的權利，知道應該怎樣嚴格要求孩子，而不會允許他無理取鬧。如果孩子認識到這一點，他就會更喜歡爸爸媽媽，因爲爸爸媽媽的要求，從一開始就培養了他與人有禮有節的相處能力。

受寵的孩子即使在自己的家裡也不會覺得幸福。而一旦他們走出了家庭，就會不可避免地遭受到突然的打擊。他們會發現沒有人願意對自己唯命是從。他們將會眞正地明白，所有的人都因爲自己自私而不喜歡他。這樣一來，他們要麼硬著頭皮挺下去，寧願自己不受歡迎；要麼就必須費很大的勁學會如何與人友好相處。善良的父母常常會暫時忍受孩子對自己的欺騙，但是，等到他們的耐心耗盡的時候，就會把怒氣撒向孩子。但是，我認爲父母沒必要非得走這兩步棋。如果父母有健康的自尊心，他們完全可以爲自己辯解，並保持態度眞誠、友好。比如，你的女兒堅持要你繼續和她玩遊戲，而這時你已經累得筋疲力盡了。你可以愉快而又很肯定地對她說：「我太累了。現在我要去看一會兒書，你也可以去看你的書。」

有的時候女兒可能會坐在借來的小車上不下來，而車子的小主人又要把車要回去。這時，你就要試著用別的東西來誘惑她，轉移她的注意力。但是不能總對她這樣溫柔。有的時候即便她還要哭喊一會兒，你也要堅決地把她抱出小車。

657. **讓孩子明白他們生氣是正常的**。當孩子因爲大人要糾正他的錯誤，或因爲嫉妒兄弟姊妹而對父母態度粗魯的時候，應當立即制止他，並且要堅持讓他有禮貌。同時父母應該告訴孩子，自己知道孩子有的時候對他們生氣——所有的孩子都有生父母的氣的時候。你可能覺得這話聽上去有點兒矛盾，好像是在勸家長放棄對孩子的管教。指導兒童的這項工作讓我們學會了：父母堅持要求孩子表現好不但能使孩子感到幸福，而且能使他表現得更好。而且，這樣還可以讓孩子意識到父母沒有生他的氣或沒有因此而疏遠他。這種認識有助於孩子壓制自己的怒氣，不再因此而感到內疚或害怕。把孩子生氣和敵對情緒或敵對行爲區分開來，在實際應用上很有用。

658. 不要問孩子想幹什麼，該做什麼就做什麼。大人對孩子說話的時候，很容易養成問這樣一些問題的習慣：「你想坐下來吃午飯嗎？」「我們現在穿衣服好嗎？」「你想小便嗎？」另外一種常見的作法是：「現在該出門了，好嗎？」這樣問問題的麻煩是：孩子（尤其是一～三歲的孩子）往往會回答「不」。這時，可憐的父母就不得不說服孩子去做他本來就應該做的事。

要說服孩子，就得費口舌。所以，最好不要讓孩子有選擇的餘地。午飯時間到了，你可以一邊和他聊著他記得的往事，一邊把他拉到或抱到餐桌前。當你認爲他該洗澡了，你就可以把他領到浴室，然後，用不著告訴他你要做什麼，就去爲他脫衣服。

你或許會以爲我在建議你給孩子一個措手不及，或不負責任地對孩子進行突然襲擊。其實，我並不是這個意思。事實上，在你每次把孩子從他專注的事情上拉開的時候，講究一點技巧是有益的。如果十五個月大的孩子在晚飯的時候仍然忙著玩玩具，你可以讓他拿著玩具，把他抱到餐桌前，然後，在遞給他湯匙的同時把玩具拿走。如果你的兩歲孩子到了睡眠時間還在玩玩具狗，你可以對他說：「我們把狗放到床上吧。」如果你的三歲孩子到了洗澡時間仍在地上叭叭叭地玩著玩具汽車，你可以建議他讓小汽車做一次到浴室的長途旅行。你對他做的事情表示感興趣，他就會心甘情願地與你配合。

隨著年齡的增大，孩子的注意力越來越集中。如果你的四歲孩子已經花了半個小時的時間在蓋一座木造車庫，你可以對他說：「現在快把小汽車放進去吧。在你睡覺之前，我想看見它已經在車庫裡了。」在孩子玩得興致正濃的時候，這樣做要比突然襲擊或惱怒地警告他要好。不要好像除了孩子把地板搞得一團亂之外，你眞的沒有看見車庫裡有任何東西。

然而，要做到這些就需要有耐心。當然，你不可能總是很有耐心，這是很自然的。任何一個父親或母親都不可能永遠有耐心。

659. 不要給太小的孩子講太多的道理。有的時候，你會看到一個一～三歲的孩子，由於來自大人的警告太多而變得焦慮不安。有個兩歲的小男孩，他的母親總是試圖用這樣的思想來控制他，「傑克，你千萬不能碰醫生的燈，因爲你會打破它的。要是那樣的話，醫生就看不見東西了。」傑克一副焦急的表情，眼睛瞪著燈，嘴裡則咕噥道：「醫生會看不見嗎？」一分鐘後，傑克要把朝街的門打開，他的母親又警告他說：「不要出去，傑克，你會迷路的。傑克迷了路，媽咪就找不到他了。」聽到那麼多的壞結局對他是有害的，會促進他的病態想像。一個兩歲大的幼兒不該總對自己行爲的後果擔心。這個年齡是他在實踐中學習的階段，是他通過促使事情發生而從中學習經驗的階段。我並不是建議你不要警告孩子，而只是說你不應該試圖用他理解不了的思想來引導他。

我想起了一位極有責任感的父親。他覺得他應該把什麼事情都跟他那三歲的女兒解釋清楚。鑑於這種想法，每次他們準備出門的時候，他從來不像大多數人那樣給孩子穿上衣服然後出門。他總是這樣問孩子：「現在我給你穿上衣服，好嗎？」「不!」孩子回答道。「噢，可是我們想出去呼吸一下新鮮空氣。」孩子已經習慣了父親的這種做法，他總是覺得必須把任何事情都解釋清楚。而女兒就利用這一點迫使父親對每一點都做出說明，所以她又接著問：「爲什麼呢？」但是，她並不是眞的想知道。「新鮮空氣能讓你身體健康強壯，這樣你就不會得病了。」「爲什麼？」她又問。從早到晚，她問個沒完。這種沒有任何意義的爭論和解釋並不能使她成爲一個願意與人合作的孩子。也不能使她把父親當作一個應該受到尊重的人來尊敬。如果父親神態顯得很自信，並且在日常生活中總以一種友好、主動的方式來引導孩子，她就會覺得更幸福，並且會從父親那裡得到更多的安全感。

當孩子還小的時候，要想把他從危險或被禁止的地點移開，就需要分散他的注意力，使之轉移到有趣但無害的事情上。隨著他年齡的增長，經歷了一些教訓以後，就要實事求是地對他說「不行」，同時要使用更多的辦法來分散他的注意力。如果他想從你這兒得到解釋或原因，你用簡單的幾句話告訴他就可以了。但是請放心，他不會讓你把每一個指導都解釋一遍。孩子知道自己沒有經驗，因而才指望你的指導使他遠離危險。如果你的這種指導很有技巧和分寸，那麼孩子就會覺得自己很安全。

660. **父母注定是會生氣的**。一些將要爲人父母的理想型的年輕夫婦設想，如果他們是對的，他們會對天眞無知的孩子表現出無限的耐心和愛心。但是我認爲，這種想法是人類不可能實現的。

當你的孩子連續哭上好幾個小時，而你用盡了所有的耐心來安慰他也沒能讓他停下來的時候，你就不會對孩子有同情心了。他在你的眼裡簡直是一個令人討厭、固執、不領情的小東西。因此，你就會禁不住地感到生氣，而且是眞的生氣。有的時候你那稍微大一點兒的兒子明知故犯，做了不該做的事；有的時候他會迷戀上你的一件很容易摔破的物品；有的時候由於他迫不及待地要加入對街的小孩群裡以至於不聽你的話就跑了過去；還有的時候他會因爲你拒絕給他某樣東西而對你發怒，或因爲還是嬰兒的弟妹得到的關心比他多而生嬰兒的氣。所以，他就是會由於簡單的惡意而表現不好。

如果是你的孩子違反了一項被大家充分理解的合理規定，你就很難只做一個冷面的判官，因爲任何優秀的父母都有著強烈的是非觀。你從童年時期就受到這樣的教育。現在，你童年時代所遵循的規則被打破，或是你的財產被毀掉，而做錯事的是你的孩子，你對他的性格非常在意。因此，你肯定會感到特別憤怒。孩子自然會想到這一層，而且，如果你做出的反應合情合理，也不會傷害到孩子的感情。

有的時候，你要花費好一會兒的時間才會意識到自己在發脾氣。男孩可能從吃早飯的時候就一直在做一個又一個惹人生氣的動作。比如對食物做出一些讓人聽了不舒服的評論；有意無意當中碰灑了牛奶杯；玩弄被禁止碰的東西而且把它打碎了；以及捉弄比他小的孩子等。你先是以極大的忍耐想不去理會這些事情，可是到了最後一幕的時候，而這一幕本來並不那麼嚴重，你的憤怒卻突然爆發了。爆發程度之強烈連你自己都感到有點兒震驚。多數情況下，當你回顧這一系列令你惱火的行爲時你就會明白，實際上孩子一直在請求你堅決的態度，是你充滿善意的忍耐使得他繼續一個又一個的挑釁動作，同時又期待著你能去阻止他。

由於來自其他方面的壓力和挫折，我們也可能對自己的孩子發脾氣。比如一位丈夫可能會因爲工作中的麻煩而煩躁不安，回到家裡就批評妻子，而妻子又爲一件平時根本不算什麼的小事去打孩子，挨打的男孩就去捉弄他的小妹妹出氣。

661. 父母最好承認自己生氣了。父母有時會對孩子失去耐心或對孩子不滿，這是不可避免的，因此，我們一直在討論這個問題。但是，同時我們也得考慮一個與此相關而且同樣重要的問題：父母能坦然地對待自己的惱怒情緒嗎？對自己要求不甚嚴格的父母通常能夠讚賞自己的憤怒。如果孩子一直讓人不得安寧，一位自然、直率的母親就會對她的朋友半開玩笑地說：「和他在屋裡再多待一分鐘我都受不了。」或「我眞想痛快地打他一頓。」她可能不會把這些想法訴諸行動，但是她敢於向富有同情心的朋友或自己承認自己的確很生氣。這樣，她弄清楚了自己生氣的問題所在並且在交談中把它說出來以後，她的心裡也就舒服多了。這樣做也使她明白了自己一直在容忍什麼，有助於她以後更堅決地阻止孩子的不良行爲。

有些父母認爲自己訂定的標準過高，有些父母經常生氣而又覺得優秀的父母不應該這樣。因此，眞正受苦的就是這樣的父母。當他們意識到自己的這種情緒時，他們要麼感到非常內疚，要麼就設法否認這種情緒。但是，如果一個人試圖壓制自己的這種情緒，就只能使這種情緒以別的方式爆發出來——比如，緊張、疲憊、或頭痛。

對孩子感到生氣的另外一種間接的表現方式就是對孩子的過分保護。如果一位母親不願意承認自己對孩子有不滿情緒，她就會憑空想像出一些可怕的事情，並且認爲這些來自於別的地方的可怕事情可能會發生在孩子頭上。因此，她就會過分地擔心細菌或交通。她企圖用自己的雙翼保護孩子以避免這些危險，而她這樣做卻很容易養成孩子對父母的過分依賴。

上述問題是由於父母不承認自己生氣而造成的。我指出這些問題的目的並不僅僅是爲了減輕父母不自在的感覺。總的來說，讓家長感覺痛苦的事情同樣也會讓孩子感覺痛苦。當父母害怕自己與孩子之間的對抗情緒而又不敢承認的時候，孩子也會有同樣的擔心和畏懼。在兒童指導診所裡，我們就看到了這樣一些有幻覺恐懼心理的孩子。他們害怕昆蟲，害怕去上學，害怕與父母分開。調查證明，這種恐懼心理就是由於那些尋求完美的孩子平時不敢承認對父母的憤怒情緒，因此就採取這種掩飾手段。

換個說法就是，如果父母敢於承認自己對孩子生氣，孩子就會覺得更加愉快，因爲在這種情況下，如果他們自己也有這種情緒，也就會感到很坦然了。所以，父母把有正當理由的怒氣發洩出來有助於澄清事實，讓每個人都感到心情愉快。我的意思不是說你可以對孩子粗暴，而是說你應該承認自己的怨氣。另外，我也不是說只要有氣就可以往孩子身上發洩。你到處都可以見到粗魯、沒有愛心的父母。他們整天毫無理由地用言語或體罰來虐待孩子，而且絲毫不感到愧疚。而我們一直在談論的是那些對孩子有明顯愛心和獻身精神的父母。

如果一位父親或母親大多數時候都在生孩子的氣，那麼，不管他把怒氣發洩出來還是憋在心裡，他都會在精神上受到不停的折磨。在這種情況下，我建議他到心理健康專家那裡去尋求諮詢，因爲他的怒氣可能來自一個完全不同的方面。

662. 在培養孩子的過程中，不耐煩和讚揚是不可缺少的。人們都很重視孩子的行爲問題。由於我們都急於把父母給予我們的優秀特質傳給我們的孩子，所以，這種重視在我們培養孩子的過程中發揮著積極的作用。我們都是在無意識地做著這些事，而根本用不著專門去想，因爲我們在童年時期就已經形成了完美的理想。如果不是這樣，我們在培養孩子的過程中就會遇到比實際上大十倍的困難。

做父母的往往容易生某個孩子的氣。爲此，他們會感到很內疚。尤其是當他們無緣無故地就產生了這種情緒的時候，他們的內疚感就更加明顯。有位母親這樣說過：「這個孩子總是惹我生氣，可是我總盡力對他更親切、更溫柔，並且儘量不去理會他的不良表現。」

但是，如果我們因爲對某個孩子總是生氣而感到非常內疚，就會使我們和孩子的關係越來越複雜。到了這種地步以後，我們的內疚感就會比我們對孩子生氣更令孩子難受了。

生命的事實

663. **無論你是否打算儘早給孩子進行性教育，都會在很早的時候自然而然地開始**。人們一般認爲，性教育就是在學校裡聽講座或在家裡聽父母嚴肅地講解。這樣看待這個問題目光未免太狹窄了。孩子在童年時代，即使他不能透過一種好的管道來獲得一些有關生活的事實，他也會通過某種不太系統的方式來獲得。性的問題不僅僅局限於嬰兒是怎樣產生的問題，它包括的範圍要比這個寬得多。它包括男人和女人如何相處的整個內容，還包括他們在世界上各自所處的地位及扮演的角色。

下面舉幾個壞例子。如果一個小男孩的爸爸總是對他媽媽發脾氣或辱罵，你就不能在學校裡通過講座的形式來教育男孩說，婚姻就是男女彼此相愛和相互尊重的一種關係，因爲他的經歷告訴他事實並不是這樣的。當他從老師或其他小孩子那裡了解到有關肉體方面的性知識時，他就會把它和他曾見過的男人對女人發脾氣的場面聯繫起來。

我們不妨再拿一個女孩做例子。這個女孩在成長過程中始終覺得自己是個多餘的人，因爲她認爲父母更喜歡她的小弟弟。在這種情況下，她就會覺得男人總在發脾氣，而女人總是無辜的犧牲品，並且這種局面不可能得到改變。因此，她就會憎恨男人。無論你讓她讀多少本關於性和婚姻方面的書，也無論你對她進行過多少次有關性和婚姻方面的談話，都不會改變她的看法。因爲不管她聽過什麼或有過什麼樣的經歷，她都會把它與已經紮根於她頭腦中的這種模式聯繫起來：男人總是佔女人的便宜，而女人則是無法改變這一模式的。

所以，一旦孩子能覺察到父母親如何相處，父母對兒女的感情如何，以及意識到父母親的身體和不同性別的玩伴身體上的差異時，他們的性教育就已經開始了。

664. 性不僅是肉體的而且也是精神的，孩子應該知道他們的父母就是這樣想的。這就是使戀愛成爲一種強烈的情感體驗的因素。戀愛中的男女都希望能互相關心、互相照顧、互相取悅、互相安慰，而且最終共同擁有一個優秀的孩子。如果他們信仰宗教，他們還會希望上帝也成爲他們婚姻的一部分。這些渴望對促成他們牢固而又理想的婚姻起了一定的作用。當然，儘管一歲的孩子與父母之間有著強烈的相互依賴的愛做基礎，你也不可能把這些向他說清楚。孩子只有到了三～五歲的時候才會把他的愛慷慨大方地獻給父母。這時，讓孩子聽到和看到父母互相擁抱和親吻、互相友好、互相幫助以及相互尊重，對他是有一定的好處的。

如果這個年齡層或更大一點兒的孩子問到小孩是從哪裡來的，以及父親的作用是什麼之類的問題時，父母就應該充滿感情地告訴孩子他們是如何獻身於對方，如何希望爲對方做點兒事情，如何送給對方東西，如何共同擁有孩子並且共同照顧他們，以及這些是如何伴隨著肉體的愛和希望把來自父親陰莖的種子放到母親的陰道裡去的。這一切對孩子來說都是很重要的。換句話說，在對孩子進行性教育的時候，父母不應該只從解剖學和生理學的角度來解釋性，而應該把性同理想和精神聯繫在一起。

在任何時候，即使父母彼此意見不同時也一樣，都要表現出對對方的幫助、體貼、友好和尊重，來爲孩子樹立一個好的榜樣。在偶爾說起別的夫婦的時候，父母應該藉此機會告訴孩子這些品質對婚姻的重要性，但是不要自我誇獎。

665. **兒童三歲左右開始問些有關性的問題**。兒童大約從兩歲半至三歲半的時候起，對與性相關的概念開始了解得越來越多了。這是一個兒童總是問「爲什麼」的階段，而且他們的好奇問題涉及到各個層面。他們可能想知道爲什麼男孩和女孩不一樣。但是他們認爲這不是一個性的問題，而是一系列重要問題中的一個。但是如果他們得到的是錯誤的印象，以後他們就會把它同性的問題混淆在一起，並導致他們對這個問題的曲解。

666. **寶寶是從哪兒生出來的**？三歲左右的孩子很可能會提出這樣的問題。對此，父母最好告訴孩子事實，因爲這比先編一個虛構的故事然後再去改變要容易得多。回答這個問題的時候需要用孩子使用的簡單語言。一次給這麼小的孩子講很多東西會讓他糊塗，而每次用簡單的語言解釋一點問題，孩子就會理解得比較透徹。例如，你可以說「寶寶長在媽媽身體裡一個特殊的地方，這個地方叫做子宮」。你暫時只告訴他們這些就足夠了。

但是很可能在幾分鐘以後，也可能在幾個月以後，他們又有了新的問題：寶寶是怎樣進入媽媽身體的？寶寶又是怎麼出來的？第一個問題很容易讓父母感到尷尬，並會倉促地認爲孩子想了解懷孕和性關係的知識。孩子當然並沒有這樣的想法。他們以爲東西之所以能進入胃裡是因爲人們吃了它，所以他們就可能會以爲寶寶也是那樣進入媽媽體內的。對於這個問題，你可以簡單地告訴他：寶寶是由一顆種子長大的，而這顆種子一直待在媽媽的肚子裡。還需要幾個月的時間孩子才會想知道或能夠理解父親在其中所扮演的角色。

有些人認爲，在孩子第一次問及這些問題的時候，就應該告訴他們是爸爸把種子放進媽媽體內的。也許這樣做是正確的，對那些認爲男人與此沒有任何關係的小男孩來說，就更應該這樣解釋了。但是大多數專家一致認為，沒有必要把父母之間的肉體接觸和感情交流準確地告訴三、四歲的孩子。你可能會說，孩子問問題的時候原本並不是想了解這麼多。因此，我們應該做的只是在孩子能理解的前提下滿足他們的好奇心。而且更重要的是，要讓孩子覺得問任何問題都是可以的。

至於「寶寶是如何出來的」這個問題，你回答的時候讓他們理解到這個程度就可以了：寶寶在媽媽的肚子裡長到足夠大的時候就從一個專門的通道鑽出來，這個通道叫陰道。但是一定要讓孩子明白這個通道既不是肛門，也不是尿道。

小孩會偶然發現月經的跡象，並且很容易把它看成是受傷的徵兆。這時，媽媽就應該對孩子解釋：所有的女人每個月都會有這種流出物，而且它不是從傷口流出來的。還可以對三歲以上的孩子解釋為什麼女人每個月會有月經。

667. 跟孩子講懷孕的事為什麼不能編瞎話呢？你也許會說，「如果編個瞎話來對孩子交代懷孕的事豈不是更容易，大人也用不著那麼難為情？」這樣做是不對的。原因有幾個。我們都知道一個三歲大的孩子，如果他的媽媽或姨媽懷孕了，他可能會通過觀察女人的體形或偷聽到大人的隻字片語而懷疑寶寶到底生長在哪裡。如果大人告訴他的情況與他懷疑的事實不同，就會很容易使孩子感到迷惑和心煩。即使他在三歲的時候沒有起疑心，到他五歲、七歲或九歲的時候，就一定能發現事情的眞相或半眞相。因此，最好不要一開始就錯誤地引導他，以免以後讓他覺得你是一個說謊的人。另外，如果他發現你由於某種原因不敢告訴他實情，你們兩人之間就會出現情感障礙，並會使他感到不自在。這樣一來，不管他以後有什麼樣的困惑，他都不太可能再向你請教了。在孩子三歲的時候就應該告訴他實情還有另一個原因，那就是這個年齡的兒童很容易滿足於簡單的答案。這樣還可以為你以後回答更難的問題打下基礎。

有些時候大人會感到很迷惑。孩子聽了大人的瞎話以後，在他們說起孩子生長在什麼地方的時候好像眞的相信了這種說法。他們甚至會同時把兩、三種說法混在一起。出現這種情況是很自然的。兒童相信自己所聽到的零碎的東西，因爲他們有很生動的想像力。他們不是像大人那樣總是去設法找到唯一的正確答案，然後就丟棄那些錯誤的。你必須記住，小孩子不可能一下子就把你一次告訴他們的所有東西都記住。他們每次只能記住一部分，然後回過頭來再問你這個問題，直到他們確信已經弄明白了才罷休。再往後，兒童每到一個新的發展階段，都會爲接受新的觀點做好準備。

668. **循序漸進地引導孩子，通常能滿足他們的需要**。首先必須知道，孩子並不是像你認爲的那樣，到了什麼年齡就能提出某種問題。通常在上床睡覺的時候，孩子比較容易對人產生信任。而在這個時候，父母也容易設想某種場景。實際上，在雜貨店裡或在大街上與一位懷孕的鄰居談話的時候，孩子更容易突然提出這樣的問題。如果孩子眞的提出了這種問題，你要儘量抑制住自己的衝動，不要噓聲讓孩子閉嘴。可能的話，你可以當場就回答他的問題。如果不可能，你可以裝作漫不經心的樣子，隨意地說：「以後我會告訴你的。這些事情要在沒有旁人的時候才可以談。」

也就是說，不要把某個場合搞得特別嚴肅。當孩子問你爲什麼草是綠色的或爲什麼狗長著尾巴等問題的時候，你應該很隨便地回答他，讓他覺得這些都是世界上再自然不過的事情。在回答有關生活中的一些實際問題的時候，也要儘量回答得自然。要記住，即使是讓你感到反感和難爲情的問題，對他來說也只不過是出於單純的好奇心而已。即便是你覺得難爲情的問題，只要你的回答很直接明瞭，孩子也很可能並不感到難堪。

除非孩子觀察過動物，或他們的朋友家裡有嬰兒，否則，他們就要到四、五歲甚至更大一些的時候才能夠提出其他問題，比如：「爲什麼直到你們結了婚才有孩子？」或「爸爸和生孩子有什麼關係？」等。你可以向孩子解釋說，種子從爸爸的陰莖裡出來進入媽媽的子宮。子宮是一個和肚子不同的地方，寶寶就在這個子宮裡生長。但是孩子還需要過一段時間以後才可能想像出這樣的情景。當他們能夠理解這件事情的時候，你就可以用發自內心的話向他們透露一些有關愛撫和擁抱之類的事情。

669. **不提問題的兒童**。有的孩子到了四、五歲甚至更大一些的時候，還提不出任何問題。對這樣的孩子，父母該怎麼辦呢？有的時候父母會認為這樣的孩子很單純，從來沒有想到過這些問題。但是，多數認眞研究過兒童的人卻持懷疑的態度。他們認為，無論父母是否有意給孩子造成這樣的印象，孩子都有可能覺察到這樣的問題令人尷尬。如果不信，你不妨仔細留意，孩子為了試探父母的反應可能會間接地提出問題，或旁敲側擊，或開一些小玩笑。

下面我就舉幾個例子。大人們一般認為七歲的兒童不知道有關懷孕的事。但是實際上，這麼大的孩子會不斷地以一種既羞澀又像開玩笑的方式提及媽媽的大肚子。這時，正是父母向孩子解釋的好機會，千萬不能錯過。如果一個小女孩想知道她為什麼和男孩子不一樣，她有的時候就會做出勇敢的努力，像男孩子一樣站著撒尿。在和孩子談論人類、動物和鳥類的時候，父母應該隨時留意孩子間接提出的問題，並幫助解答孩子眞正想了解的問題。這樣的時機幾乎每天都有。這樣，即使有的時候孩子並沒有直接提出問題，父母也有機會向他做出明確的解釋。

670. **學校如何幫助家長對兒童進行性教育**。如果父母親在回答兒童早期提出的問題時比較自然，那麼，等到孩子的年齡大一些，並想了解確切的知識的時候，他們遇到問題時還會不斷地向父母討教。但是除了父母親之外，學校也可以幫助孩子解決問題。許多學校讓幼稚園或一年級的兒童來照顧諸如兔子、天竺鼠或小白鼠之類的小動物，並且對此非常重視。這種活動給了兒童熟悉動物生活的各個層面——小動物的餵養、爭鬥、交配、出生和哺育。在不針對人的情景下，讓兒童了解這些事實會更容易一些，而且這種了解對兒童從父母那裡得到的知識起了補充作用。但是，他們也很可能會把在學校裡學到的知識帶回家裡與父母討論，使之得到進一步的證明。

學童到五年級的時候，學校最好開設簡單的生物學課程，其中包括對生物繁殖的討論。這時，班上至少有幾個女孩子已經到了青春期，她們需要確切地知道自己體內在發生著什麼變化。這樣，通過在學校裡從科學的角度討論性，她們回到家裡以後就能夠更自然地提出這個問題。

我認爲，性教育（包括它的精神層面）應該是廣泛的健康教育和道德教育的一個組成部分，應該從孩子上幼稚園起一直堅持到高中畢業，並且由父母和教師雙方達成默契，共同進行。

671. **與孩子談論性**。看過一些文章以後，你也許會得出這樣的觀念，認爲父母和青春期的孩子談論性的問題應該容易一些。而實際上完全不是那麼回事。在多數情況下，青少年對自身性別的敏銳意識常常會使討論陷入尷尬的局面。父親和兒子談論這個問題的時候尤其容易出現這種場面。許多父親根本就沒有辦法和兒子談論這個話題。許多母親與女兒之間也存在同樣的問題。這樣，青少年只能從朋友、哥哥、姊姊或書本裡獲得這種知識（因此難免獲得錯誤的知識）。父母最好給孩子準備一本健康的書，可以讓孩子獨自看書，也可以由父母來回答他們的問題（當然，這樣會更好一些）。

最好像在兒童早期一樣，每次只給他們講一點兒性的問題，而不要一次就像上一堂嚴肅的課一樣講很多內容。由於青春期的孩子往往不願意涉及性的問題，所以，做父母的必須主動把這個問題儘早提出來。

672. **保持健康的心態**。有些家長最容易犯的一個錯誤就是過分地注意性的危險一面。那些從小就在迴避性問題的環境中長大的家長尤其容易犯這樣的錯誤。如果媽媽在這個問題面前顯得很緊張，就會使可憐的女兒非常害怕懷孕以至於不管在什麼情況下都害怕男孩子。當父親的也可能給兒子灌輸很多有關性病的事情，從而使兒子非常害怕。兒童在步入青春期以後當然應該了解懷孕是怎麼回事，也應該知道，如果男女亂交，就有得性病的危險。但是，這些不利於兒童心態正常發展的事情不應該急於告訴孩子，而應該讓他們基本上把性愛看成是健康的、自然的和美好的事情。

和孩子討論的這類話題中應該包括避孕的問題，並且應該把男孩和女孩各自的責任詳細地向他們交代清楚。

如果你實在做不到和孩子自然地談論性的問題，那就應該找一個你和孩子都信得過的人去和孩子談。這麼做很重要。

心懷憂慮的父母很難相信，幸福、理智和成功的青少年很少陷入與性有關的麻煩中。但是，那些認眞研究過青少年的人很了解這一事實。青少年在成長的過程中確立的常識、自尊以及對人的友好感情，使他們即使在度過一個全新的發展階段時，也能夠保持平靜的心態。反過來說，只有那些多年來一直對自己和別人認識不清的青少年，才會由於交上壞夥伴而陷入困境。

在性方面嚇唬孩子不僅會讓一個敏感的孩子感到緊張和害怕，而且可能損害兒童日後對婚姻的適應能力。

673. 女孩青春期的性知識教育。在女孩的青春期一開始（十歲左右），就應該對她們進行性教育。家長需要告訴她們再過兩年她們的乳房就會開始長大；陰毛和腋毛也會長出來；她們的身高和體重會迅速增長；她們的皮膚會有所改變，而且可能會出現粉刺，以及大約兩年後她們的月經初潮就可能來臨。（這些變化已在459-463裡討論。）

告訴她們有關月經的事情時，如果強調的面向不同，對孩子的影響也會不一樣。一些母親可能會強調經期很令人討厭，這是不對的，因爲孩子還沒有成熟，這樣對她講容易給她留下錯誤的印象。還有的母親會強調女孩子在這個階段的脆弱性，並要求孩子十分小心。這樣的談話內容會給女孩子留下很壞的印象。有些女孩在成長過程中一直認爲她們的兄弟在什麼方面都比自己強，而且總是爲自己的身體健康擔心。和這樣的女孩講經期的不利因素就會給她們留下更壞的印象。女孩子和女人完全可以在經期擁有健康、正常、精力充沛的生活。也有的女孩子因爲劇烈的經痛不能參加任何活動，但這只是少數，並且現在已有治療急性腹痛的好辦法。

在女孩子即將成爲女人的時候，家長應該讓她懷著幸福的心情去期待它，而不是讓她感到害怕或厭惡。在向她們說明月經的特點時，最好是告訴她們，此時她們的子宮已經開始爲寶寶的生長做準備了。

在女孩子初潮來臨前的幾個月裡，應該給她一包衛生棉。這樣做有助於她保持正常的心境。這會讓她覺得自己已經長大了，並且已經準備好處理自己的生活，而不是被動地去接受生活給她帶來什麼。

674. **男孩青春期的性知識教育**。在男孩的青春期開始階段（十二歲左右），就應該告訴他們陰莖勃起和夜間遺精是很自然的事情。夜間遺精又常叫做夢遺，是在睡眠期間精子（貯存在睪丸內的液體）的噴出，而且常常發生在有關性的夢中。有的父母知道男孩夜間必然會遺精，也知道男孩有的時候會有強烈的手淫欲望，所以就告訴兒子，只要這種事情發生得不是太頻繁就沒有什麼危害。我認爲，父母給孩子限定範圍是不對的。青少年容易擔心他們的性能力，也容易誤認爲自己與衆不同或不正常。如果總對他們說「這麼頻繁是正常的，而那麼頻繁是不正常的」，就會使他們在這個問題上心事重重。因此，應該告訴男孩，不管他們夜間遺精多麼頻繁都是正常的，而且，偶爾也有很正常的男孩從來不遺精。

性別發展

675. **從出生到死亡，我們一直都是有性別的動物**。性別是天生的，也是我們本性的一部分。但是，由於家庭的文化和價值觀的不同，人們表露性欲的方式也不同。在一些文化中，人們欣然地把性行爲看作是日常生活中基本而又自然的組成部分。而我們的文化則恰恰相反。由於受到信奉清教主義的祖先影響，我們總是為自己的性欲忐忑不安，而且不知道怎樣去把它表露出來。如果你觀察一下周圍就會發現，人對性的興趣被利用在很多方面，用作廣告、用作娛樂、用以獲利，等等。或許你會因此而認為，我們的文化似乎已經不再那麼信奉清教主義了。但是我認為這是一個錯覺。事實上，我們的社會之所以對性著迷正是因為對性的壓抑所造成的。也正是由於我們對性欲的壓制才刺激了人們在生活的各個領域中對性的宣傳。

676. 無論對父母還是對孩子來說，表露性欲的方式都是你們價值體系的中心問題。那麼，人的性欲是指什麼？應該如何表露？你想對你的孩子灌輸什麼樣的性欲價值觀？這些都將是你不得不回答的問題。你首先必須回答你自己，然後再回答你的孩子。

我想簡單地回顧一下人在一生中的性欲發展過程來幫助你回答這些問題。我也和其他人一樣，只是站在個人的角度來看待這個問題。但是，我看問題的角度是建立在以下幾個基礎之上的：（1）性欲是生命所賦予人的令人愉快的生理感覺的展現，是人性不可缺少的一部分；（2）最佳狀態的性欲是兩個人對愛情的創造性表露；（3）我們教育孩子的目的是想讓他們在做性行為決定時，要有責任心和很強的道德感。

677. 幼兒時期的性欲。請注意，我這裡說的性欲是指從一般的身體接觸中獲得的感官享受，而不是指局限於生殖器官的感官享受。所有的嬰兒在自己身體受到接觸的時候都有一種難以抑制的快感，尤其是當他們的某些部位，比如嘴和生殖器等被接觸的時候，快感尤為明顯。他們吃東西的時候總是津津有味，吃飽了以後還要咂咂嘴表示滿足，餓了的時候則大聲叫嚷。當他們讓別人抱著、撫摸、親吻、搔癢、按摩身體的時候，就會表現出無法掩飾的快樂。毫無疑問，快樂是他們的最高追求。

隨著時間的推移和根據外界對他的這種性欲的反應，幼兒開始把某些情感和想法與舒適感聯繫起來。如果當幼兒在用手摩擦他的生殖器的時候被告知：「不要摸！不要摸那兒！那樣做很難看！」他就開始把這種感覺與不允許聯繫起來。

當然，他可能會停止這種行為。但是他對快感的欲望並沒有因此而消失，而且還會納悶為什麼這種令人愉快的行為會被禁止。這樣，在身體的迫切需要和社會的禁令之間就產生了矛盾。這往往是幼兒首先要面臨的矛盾之一。佛洛伊德認為，我們長大成人以後的性格在很大程度上取決於這種矛盾的解決方法。

678. **嬰兒**。嬰兒半歲以後，通過隨意地摸索身體的各個部位發現了自己的生殖器，這和他們發現自己的手指和腳趾的途徑完全一樣。他們撫摸自己的生殖器的時候有種快感，並且在他們的成長過程中一直記得這種快感。因此，他們就經常有意地去撫摸自己的生殖器。

679. **學步兒**。十八～三十個月的時候，兒童開始意識到性別的不同，尤其注意到男孩有陰莖而女孩卻沒有。他們就是這樣開始看待性別的。後來他們又知道了女孩有陰道和可以養育小寶寶的子宮，而這兩樣東西男孩都沒有。這時，他們對生殖器的本能興趣導致了手淫次數的增加。

680. **手淫**。如果兒童長到三歲以後，大人還沒有禁止和阻止過他們的手淫行為，以後他們就會經常手淫。除了用手觸摸他們的生殖器外，他們還可能用兩條大腿進行摩擦，或有節奏地前後來回搖晃，或騎在沙發椅或扶手椅的扶手上，或趴在經常玩耍的填充動物身上做一些骨盆前衝動作。

這個年齡的男孩和女孩毫不掩飾自己對異性身體的興趣，而且如果他們得到允許，還會同時把身體的某個部位露出來讓對方觸摸。玩醫生看病的遊戲有助於他們滿足對異性的好奇心，也有助於他們學習成長為更健康的成年人。

另外，這個年齡的兒童在感到緊張、受到驚嚇或擔心自己的生殖器發生什麼不妙的時候，也會觸摸他們的生殖器來自我安慰。

681. **學齡兒童**。佛洛伊德學派的心理學家們認爲，兒童在六、七歲與青春期開始之間的這個階段，存在著一個性興趣和性行爲減少的時期。但是，研究兒童發展的人士注意到，儘管這個年齡層的兒童的手淫行爲不太公開，而且也不太頻繁，但是實際上他們仍然在繼續手淫。他們繼續利用手淫帶來的平靜、舒服的感覺效果，來幫助他們應付各種各樣的焦慮感。

在這個年齡層的孩子中，男孩互相比陰莖的大小，女孩互相比陰蒂的樣子和大小是常見的事情。兒童與同伴之間一直存在著相互攀比的現象，本階段的這種攀比只是整個過程中的一個插曲。

682. **青少年**。青少年壓抑性欲和浪漫情感的原因有幾個。（我表達人的生理本能的時候使用「性欲」[sexual] 這個詞，表達異性之間的溫柔的、極度個人的和理想主義的愛慕之情時使用「浪漫情感」[romantic] 這個詞。浪漫情感主要是青少年在兒童時代與父母相處的時候學到的，而父母的愛就屬於這種類型。我意識到這種用法從很多方面講都有不準確之處，同時也意識到，如果我把某件事情稱作浪漫情感，就會使某些人覺得乏味或裝腔作勢。）

青少年的性欲出現於兩個較早的矛盾階段。在三～六歲階段，兒童透過將父母理想化和對浪漫情感、性欲和嬰兒的興趣，使自己在精神上得到成長。在六～十二歲階段，他們通過複雜的感情交互作用，把大部分對浪漫情感和性欲的興趣壓抑了下來。他們不再專注於父母，而是轉向致力於不涉及個人情感的學校、對社會的適應、法律學習和傳奇文學等等外在世界。

青春期內，生理上的壓力驅使兒童再一次迷戀於對性和浪漫情感的興趣。但是，他們復甦的性衝動在幾年之內仍然擺脫不了早期禁令的束縛，而且還會使他們產生困窘、罪惡感和羞澀。他們和異性交往時的羞澀感就是個最簡單的例子。

這些情感之間的矛盾也給孩子與父母的關係帶來一定的麻煩。當強烈的浪漫情感充滿心田的時候，它就會像春天的洪水沖過乾涸的河床一樣，首先奔向自己異性的父母。但是，他們也意識到他們這樣做是完全錯誤的。因此，他們在這個階段首先要做的事情就是把感情從父母那裡轉移到家庭以外的其他人身上。實際上，兒童常用對父母的消極情感來掩飾那些正面的情感。這至少部分地說明了爲什麼一個男孩會那麼頻繁地與母親吵架，以及爲什麼女兒可能會莫名其妙地對她的父親不時產生敵對情緒。

首先，青春期的女孩（青春期的男孩也一樣）根本不清楚自己的情感所屬。因此，在對待不同人的態度上，她總是既熱情又浪漫，可是在這個年齡，她又不知道怎樣把自己的感情施於具體的某個同齡的異性身上。如果她是一個害羞、理想化的女孩，情況就更會如此。她可能會很欽佩某位同性的老師或小說中的女主角。她和異性之間的壁壘是慢慢才消除的。也許青少年第一次敢於幻想的是好萊塢的某個名演員，然後，他們的男女同學才開始對彼此產生嚮往的心理。但是對那些害羞的孩子來說，要他們面對面地表示對別人的興趣，可能還需要更長的時間。

即使少女的本能已經衝破了早期的限制，並且已經開始與男孩約會，但是她仍然保留部分精力，並把它投入到理想的渴望中。這精力一部分將保證她對異性的態度是浪漫和理想化的，但是另一部分（即便是在本發展階段的後期也一樣）將被昇華爲一種抱負，即創造美的東西或爲人類做出偉大貢獻。這種抱負從表面上看，與性無關，甚至與浪漫也無關。

在對異性產生興趣的最初階段，一些青少年可能意識不到自己對尊敬和親切的人有與性相關的感情，而只能意識到與感情稍微淡薄的人之間有這方面的情感。有些人一生都處於這種狀況，這是一件不幸的事。這是一種嚴重的情感對立跡象。如果父母發現這種跡象，就應該向兒童指導診所、精神科醫生或心理學家尋求幫助。

在青少年對自己的性欲有安全感並且把它與自己的人格融為一體之前，性欲仍然是一種令他們尷尬、使他們激奮和獨立的本能。對性的好奇和強烈欲望驅使他們去通過親身實踐來發現事實眞相。當然，他們的這種情感與他們的理想化的情感是背道而馳的。事實上，他們可能溫柔地愛上某個人，但是同時，他們又發現自己急不可待（猶豫不決或果敢）地想去和對方發生那種不是出自本意的不正常性行為。

十幾歲的少年很容易經歷一系列的熱戀，而且每一次都有強烈的熱戀感。但是他們的愛來得快，去得也快，因為他們發現自己與所愛的人很少有共同點。有的時候，造成這種情況的原因是他們其中一個或兩個都變了。更常見的原因是，他們一開始愛上對方是由於從對方身上發現了某種理想的東西，而這種理想的東西與現實幾乎沒有任何關係。隨著時間的推移，他們會以警惕和現實的態度去尋找自己需要的並能夠與之相處的人。隨著他們逐漸成熟，他們也有了更多的東西給予對方，即眞正的愛所必不可少的東西。

683. **少女懷孕**。早些時期，少女懷孕被認為是不合禮法的，因為她違背了父母和她本人的做人準則。而現在，由於性行為規範的大大放鬆和一定程度上避孕知識的傳播，青少年發生性行為的年紀愈來愈早，而未婚少女懷孕的現象也大大地增多。最讓成年人吃驚和難以理解的是，即使父母和醫生已經對他們千叮嚀萬囑咐，但是，仍然只有少數青少年在性交的時候採取避孕措施。

他們為什麼不對自己的性行為負責呢？對此有各種相互交疊的解釋。事先就做好準備意謂著他們早有意圖，而許多青少年不太願意承認這一點。他們喜歡把每次性交看成是一次意外的激情迸發，而同樣的情景是不會再次出現的。有些青少年說，既然她們（或朋友）已經有過多次性交而沒有懷孕，她們就認為自己不會懷孕。還有的青少年則認為用射精前抽出陰莖（體外射精）的方法來避孕是很可靠的。與父母有矛盾情結的青少年認為父母不愛自己，所以就把自己想像成充滿愛心的人，而且同時也被一個寶寶強烈地愛著。一些青少年與他們多少有點兒愛慕之情的人，或與他們多少有點理想化的愛慕之情的人發生性關係。還有一些主要是根據肉體的強烈欲望以及對性交的強烈好奇心來做出反應。但是後一種青少年常常本能地迴避與他們熱愛和尊敬的人性交，而只選擇那些在肉體上對他們有吸引力的人發生性關係。

過去我常常擔心，父母讓十幾歲的孩子接受避孕的專門教育，就會被認為是在鼓勵他們過早地發生性關係，並製造出隨便的而且沒有愛的成分的桃色事件。可是現在我確信，更大的危險是由於無知和不負責任所造成的懷孕。我認為父母必須採取主動。他們不但必須親自教育孩子或安排他們受教育，而且還要一再強調。尤其是當他們料想自己十幾歲的孩子會有性行為的時候，就不得不為嬰兒、為他們的父母，以及為他們目前和將來的生活著想，讓他們在每次性交的時候都必須採取避孕措施。同時，父母可以向孩子談談自己的理想，解釋性愛不僅是肉體上的，也是精神上的，兩者同樣重要。還要對他們講，父母和許多年輕人一樣，也認為年輕人最好是在發生性關係之前就相信他們之間的愛已經很深，而且能長久保持下去。另外，拒絕性交並不表示缺乏性能力或性欲不正常。

684. **家裡應該保持多大程度的性禮節？**在不到一個世紀的時間裡，從維多利亞時代的過分保守到半裸露浴衣裝束，再到今天許多家庭裡的全裸現象，美國人已經邁出了一大步。大多數人一致認為（我當然也這樣認為）現在人們的隨意態度更健康些。幼稚園老師、兒童精神科醫生以及心理學家也普遍同意，在家裡、在海邊和幼稚園的浴室裡，讓異性兒童經常看到彼此的裸體對他們的心理健康是有益的。

然而也有跡象表明，孩子經常看到父母的裸露身體會心情煩亂。但是他們可能不會表露出來，而且有可能把這種情緒一直壓抑到他們長大成人。這其中的主要原因是小孩對父母有著強烈的感情。一個男孩愛他的母親勝過他愛任何小女孩。他覺得，如果和其他男孩相比，父親比自己的競爭力更強，因此他會更敬畏他的父親。所以，看到他母親裸露身體對他來說可能有點太刺激，而且每天同父親比較的時候總覺得自己處於劣勢，因此他就會覺得自己不夠格。這種感覺也許在他也有了成熟的生殖器以後的很長時間內都還存在。有的時候，男孩對父親非常嫉妒以至於想對父親採取暴力（有一位裸體主義者的父親告訴過我，他早上刮鬍子的時候，他的三、四歲的兒子曾朝他的陰莖做抓捏動作）。接著，男孩則為自己的想法而覺得內疚和擔心。一個經常看見父親光著身子的小女孩也會受到同樣的刺激。

我並不是說所有的兒童都會被父母的裸體行為擾得心煩意亂。許多兒童可能不會有這種心態。當父母的這種行為是健康的，而且不是為了挑逗或炫耀的時候，這種情況就更不會產生了。然而，我們並不總是很清楚這麼做究竟能對兒童產生多大的影響。所以我認為，父母的明智做法是正常穿著。洗澡或上廁所的時候也不要讓孩子待在一旁，否則，如果你感覺不自在，你的孩子便會意識到，徒然增加雙方的感情負擔。

偶爾，由於沒有足夠的警惕，父母可能會被走進浴室的好奇孩子看到自己的裸體。這個時候，父母不應該表現出驚訝或生氣的樣子。你只須說：「你在外面等我穿好衣服好嗎？」六、七歲以後，多數小孩至少有的時候希望自己有一點隱私權。我認為，父母最好尊重孩子的這種想法。

音樂

685. 人從出生的時候起，音樂就是他生活中的一部分。世界上任何地方都有唱給嬰兒聽的搖籃曲，而且所有的文化都有自己的本土音樂。好像製作音樂就是人生的一部分。但是，音樂對兒童的重要性不僅僅局限於滿足聽覺的需要。90年代的科學家們有一個驚人的發現：上過鋼琴課或歌唱課的幼稚園孩子更能好好地完成迷宮遊戲、畫幾何圖形和臨摹圖案等。這些兒童甚至可能在數學和推理能力方面比那些沒有受過音樂訓練的兒童更具有優越性。

這是怎麼成爲可能的呢？首先，我們知道音樂主要由右腦來處理，而這裡恰巧又是空間識別與理解能力、數學能力和推理能力的所在區域。在很小的時候，音樂可以爲右腦提供一些鍛鍊的機會，而這種鍛鍊對日後右腦更好地發揮自己的作用很有益處。大腦的成長和發展受早期經歷的影響，這就是另一個例子。

這些發現的實際涵義既清楚又有趣：嬰幼兒剛出生幾個月就開始聽音樂了。在嬰兒期，這音樂可能是父母睡覺前唱的催眠曲，也可能是抱著寶寶唱的歌，或是當嬰兒躺在嬰兒床裡的時候，父母放的錄音帶。嬰兒長大一點兒的時候，你可以和他一起玩音樂遊戲，給他一個玩具鋼琴或木琴讓地敲。一定要讓你的保姆把唱歌和跳舞列爲每天的活動計畫。

孩子到了上學的年齡以後，你可以考慮讓他在學校或在家裡學音樂。我認爲這總是值得一試的。但是請不要忘記彈奏音樂的能力是一種天賦。一些兒童天生就比其他孩子更有音樂天賦。要鼓勵你的孩子玩他喜歡的任何樂器。但是一旦他決定他不喜歡或不想練習音樂，也不要太勉強他。在這種情形下，我會試著讓他學學跳舞或唱歌，而決不會把上音樂課的問題升級爲孩子與我之間的抗爭。

怎樣讓兒童在早期學會欣賞音樂呢？有一個很好的方法就是參加鈴木小提琴學習班。在那裡，兒童可以學習集體演奏，這種集體精神使他們始終保持對音樂的熱情。而獨自一人學習音樂則需要孩子有一種內在的決心去克服較大的挑戰，但是許多兒童並不具備這種決心。

讓孩子學會欣賞音樂的最好辦法，就是讓音樂成爲你們日常生活中不可缺少的一部分。例如：與孩子一塊去聽音樂會，跟著汽車上的收音機一起唱歌，或每當你心血來潮的時候就在家裡跳舞。音樂欣賞是一種你可以賦予孩子的天賦，這種天賦將在許多方面有益於他以後的生活，並且讓他終生受益無窮。

禮貌

有人把我們所處的社會叫做野蠻社會。如果你觀察一下周遭，你也許會同意這種說法。大人和兒童都說髒話；爲一點微不足道的小事就朝對方發怒；排隊的時候插在別人前面；這一切似乎都越來越被人們接受了。人們似乎都奉行著一條規則：「爲自己考慮。只要能超過別人就超過別人。」

我還記得人們比較有禮貌的那個年代。當時的生活節奏比較慢，超過別人也不是人們的首要願望。文明的這種墮落有許多原因。現在很多父母似乎覺得禮貌已經過時了，應該讓孩子自然地去發展。一些人甚至指控我，說我應該對這種過於隨意的行爲負責。我發現這個指控很具有諷刺意義，因爲我所做的正好相反。我認爲教育孩子講禮貌應當成爲兒童教育的重要部分。講禮貌會讓孩子得到正確的啓示：在我們的社會中，人們做事必須遵守一定的方式；對別人講禮貌可以使每個人都更幸福和更富有愛心。

686. **禮貌是自然養成的**。讓孩子學會禮貌，不一定要先教他們說「請」或「謝謝你」。最重要的是要讓他們喜歡周圍的人和對自己的人品感覺良好。否則，即便你只教他們一些表面的禮節也是相當困難的。

應該儘量避免讓孩子在陌生人面前覺得不自在，這一點也很重要。我們總習慣於把孩子（尤其是我們的第一個孩子）馬上介紹給一位陌生的成年人，而且還要讓孩子說點什麼。但是如果孩子才兩歲，你就會讓他覺得很難爲情。這樣一來，每當他看見你和某人打招呼，他就會覺得不自在，因爲他知道他也必須對此做出某種反應。但是等到孩子三、四歲的時候，情況就會好多了。他需要時間來打量陌生人，還需要時間來想辦法把陌生人的談話從他身上移開，而不是轉向他。比如一個三、四歲的孩子觀察了一會兒陌生人和他父母的談話之後，可能會突然插一句：「盥洗室的水流出來了，流了一地。」這當然不是歐斯特菲爾德公爵（Lord Chesterfield）之流所講究的禮貌。但是這確實是孩子的一種禮貌，因爲他也想和大人共同分享一種迷人的經歷。如果孩子對陌生人一直保持這樣的態度，用不了多久，他就學會怎樣以更有禮貌的方式與人友好相處。

讓兒童生長在一個彼此相互關心、互相體貼的家庭裡是很重要的，因爲在這樣的家庭裡，兒童能從家庭成員的愛心中吸收營養。他們想說「謝謝你」是因爲他的家人都這樣說而且它確實表達這樣的心情。他們喜歡與人握手和說「請」。所以說，父母之間相敬如賓，並且對孩子講究禮貌，能給孩子樹立良好的榜樣。這種榜樣的作用對孩子自然養成禮貌習慣是很關鍵的。

我覺得教育兒童如何對別人禮貌和體貼別人是至關重要的。但是對兒童（尤其是年齡尚小的兒童）來說，要做到這些並不容易。你必須想一想在你的家庭中什麼才是重要的，你到底希望在孩子身上看到什麼樣的禮節和禮貌呢？然後，你就必須給他們樹立一個正確的榜樣。如果你以友好的態度去當好榜樣，他們會很高興地去學習。但是更重要的是，懂禮貌、有禮節的孩子人人都喜歡，而粗魯或自私的孩子人人都討厭。因此，爲了使孩子更討人喜歡，父母就要把孩子討人喜歡歸功於孩子自己的努力。兒童受到別人的讚揚後，反過來就會對別人更加友好。

責任與家事

687. 讓孩子樂於履行自己的家庭義務。兒童怎樣才能學會履行各種各樣的家庭義務呢？從本性上講，一開始的時候他們會覺得自己穿衣、刷牙、掃地和收拾東西這類事情很有意思，因爲他們覺得這是成年人才能做的事情。如果孩子大一點以後仍然和父母保持著和睦的關係，他們就會很樂意做一些跑腿、搬行李及修剪草坪之類的工作，因爲他們也想參與一些重要的工作讓父母親高興。孩子兩歲的時候，就能裝裝樣子把玩具收拾起來了。三歲的時候，儘管並不能幫上多大的忙，父母也應該讓他們做一些諸如擺碗筷或收垃圾之類的雜活。孩子長到七、八歲的時候，父母就應該讓他們每天都做些眞正有用的工作了。誰也不能使自己的孩子時時願意與人合作。但是，如果我們意識到孩子們有幫忙的意願，我們就不應該讓孩子覺得做家事是很不愉快的工作。另外，也不應該在生氣的時候把家事分配給孩子們去做。

我們不能期望孩子總是對自己應該履行的家庭義務負責——哪怕他已經十五歲了，因爲大多數成年人有的時候也失職。他們需要父母的不斷提示。如果你有耐心，要儘量使你的提示平淡而且有禮貌，就像你在同另外一個成年人講話一樣。嘮嘮叨叨和貶低孩子的語氣是抹煞孩子對工作的自豪感的罪魁禍首。不管是擦盤子還是修剪草坪，只要是和其他家庭成員共同完成的工作，分配給孩子以後他們都能做得很好。這樣，做成年人的工作的自豪感以及幫助父母的快樂感，就會鼓舞著孩子繼續努力。

688. **讓孩子自己穿衣**。幼兒十八個月的時候就開始試圖自己脫衣服。大約兩歲左右，他們就能夠很熟練地自己脫衣服了。這時他們開始試圖穿上衣服，但是他們會把衣服糾纏在一起。要再過一年的時間，他們才可能學會正確地穿一些簡單的衣服。一直到四、五歲，他們才能學會做一些技巧性的工作，例如繫鞋帶和扣鈕子。

照料十八個月至四歲的兒童需要很多技巧。如果你不讓孩子做他能做的事，或他做事的時候你過分地干涉，他都會很生氣。如果孩子在這個年齡想學習穿衣服但是又從來沒有機會學，他就可能會失去這種意願。但是如果他在學習穿衣服的時候你一點都不幫他的忙，他就永遠也不會自己穿衣服，而且還可能因爲失敗而灰心。所以，在能幫上忙的時候一定要幫助孩子。

你可以幫他把襪子脫下一部分以便讓他能很容易地脫下剩餘的部分。他想穿衣服的時候就幫他把衣服敞開。在你做較難的事情的同時，要讓他對其中的簡單部分感興趣。孩子把衣服糾纏在身上的時候，你不要堅持完全由你來幫他穿，而是要把衣服敞開以便讓他繼續穿。如果孩子覺得你總是和他想的一樣，而不是反對他，他會更加樂意與你合作。但是，這一切都需要耐心。

還有另一件容易引起矛盾的事情，那就是由誰來決定孩子該穿什麼衣服的問題。一些家長從來不讓孩子來選擇。這個問題甚至成了一些人的日常抗爭。有一個解決的辦法，就是同意孩子在參加某種活動時自己選衣服，但是要合乎常理（在海邊不許穿參加宴會時穿的鞋子）；而在參加一些特殊活動（如節日和婚禮）的時候，孩子可以先選擇，但是要由父母做最後的決定。我認為大人之所以為衣服的事而煩心，原因之一就是他們總覺得別人會以自己孩子的外表來評價自己。

689. **學會收拾東西**。如果孩子還小，而你又希望他不玩以後把玩具收拾好，那麼，你可以把這件事當作孩子遊戲的一部分，很熱情地對孩子說：「這些方木塊應該放在這，推成一大堆；長木塊放在那兒。我們把這兒當車庫吧，讓所有的汽車晚上都進車庫去睡覺。」這樣到了四、五歲的時候，孩子就已經養成了把東西收拾好並且喜歡收拾東西的習慣。在許多情況下他都不需要大人的任何提示。但是，如果他偶爾需要你的幫助，你應該親切地和他一塊兒做。

如果你對一個三歲的孩子說「現在把你的東西都收拾好」，這話聽起來就有點兒刺耳了。即使孩子很喜歡做這件事，但是這樣的任務也是三歲兒童根本沒有毅力完成的，更何況，他現在還處於比較倔強的階段。所以，父母應該高高興興地幫著孩子收拾東西。這樣不僅能培養孩子的良好態度，而且也比你試圖說服他的強脾氣容易得多。

要想引導孩子對自己的行為負責，首先應該做的就是讓孩子盡家庭義務和做一些雜活。這樣的任務有助於孩子理解生活不只是關心自己，它還包括關心和照顧別人。這樣的工作還可以使孩子懂得，即使有的時候自己不願意，但是自己的任務也必須由自己來完成。另外，通過做這樣的事情，孩子還可以明白自己是一個大團體（眼下是指家庭，以後指社會）中的重要一員。所以，無論孩子怎樣抱怨和多麼不情願，他都將在做家事的過程中培養起自己的家庭觀念，並學到日後生活所必須的基本經驗。

讀書

690. **培養孩子的閱讀興趣**。世界正以飛快的速度向前發展。電視節目讓孩子們著迷，而且又有許多頻道供他們選擇。孩子們一個又一個地換著頻道，螢幕上的畫面也一個又一個地交替出現。我們的娛樂活動在很大程度上是被動的：我們舒適地坐在電視螢幕、電腦螢幕以及電影銀幕前，觀看著一個又一個形象展現在我們眼前。我們是不是為這種極端被動的娛樂方式付出了某種代價呢？我認為是的。

我們的研究發現，在引進電視機之後，加拿大的一個小鎮上的孩子們的閱讀水平下降了。和大多數的娛樂活動不同，閱讀需要讀者的積極參與。比如，我們必須親自去閱讀，要主動地瀏覽文字，弄懂詞句的意思，並注意貫穿整個故事的線索。最重要的是，閱讀需要想像力來補充故事中的空白部分，虛構一個惡棍的形象，並使自己進入男女主角的角色。而我們的大眾傳媒缺少的正是這種積極的參與。因此，我們的孩子可能會處於一種危險的傾向中，即要求更直觀的刺激。這會不會阻礙孩子積極的精神生活的發展呢？

691. **培養孩子閱讀能力的理由還有很多**。閱讀能力是在學業上成功的一個先決條件。就是那些酷愛玩電腦的人也得先學會閱讀電腦使用手冊之類的課本。研究顯示，讀起書來廢寢忘食的人往往是比較好的學生。用書來幫助孩子解決問題（書療法），其效果要比用電視更好一些。這是因為用書幫助孩子解決問題的時候，要求孩子積極地去參與整個過程，也就是去讀書。簡言之，閱讀既不需要電，又能讓你終生愉快和終生受教育，是爲數不多的有益活動之一。

我建議你，從孩子很小的時候就開始培養他對閱讀和印刷文字的熱愛。孩子在四～六個月的時候就可以讀一些東西給他聽了。書要選擇又厚又硬的，防止孩子啃咬或流口水而把書弄髒。當然，這個時候他是不會對書中的圖畫或故事感興趣的。但是，當孩子開始喜歡坐在父母的大腿上，緊挨著父母和他們一塊兒欣賞眼前書中的奇怪圖畫時，父母實際上就是在爲他的閱讀興趣奠定基礎。

孩子再大一點兒（九～十二個月）以後，書的內容就變得比較重要了。父母與孩子共同享受讀書的樂趣是一種促進孩子語言能力發展的絕妙途徑。明快而又色彩鮮艷的圖畫能激勵孩子學習新單字，這些新單字又反過來幫助孩子理解圖畫所代表的都是眞實的物體。給孩子講解圖畫的時候，要帶著很高的熱情和豐富的表情。

孩子到了十八個月左右時，他就會對故事本身的意義產生興趣了。他可能會開始看出字詞和圖畫不同，並且想知道這些字是什麼意思。雖然他這時還不是在讀書，但是他是在學著觀賞書和體驗觀賞書的樂趣，這就是他養成閱讀習慣的先決條件。

我建議你經常給孩子讀點兒東西，至少一天兩、三次。除此之外，在睡覺前還可以給孩子讀一個小故事。如果是大一點兒的孩子，就可以給他讀長篇小說，每天晚上讀一節。這是一種非常好的就寢儀式，它包括父母與孩子之間的親密和溫暖，而且還賦予孩子一定的想像力。

孩子再長大一點以後，你就可以鼓勵他自己去閱讀一些高質量的漫畫書、兒童畫報和書籍。重要的是要讓孩子成爲一個酷愛讀書的人。當然，你應該鼓勵孩子讀一些好書和優良的兒童文學作品，但是要做到讓孩子讀自己喜歡讀的東西。兒童一般喜歡訂購雜誌，並且喜歡收到上面寫有自己名字的郵件。

692. 家庭讀書時間是培養孩子閱讀能力的又一途徑。當你的孩子經常在家看到父母讀書以後，他就懂得了讀書對家庭的重要。於是，他就會要求朋友在自己生日的時候送書作爲禮物，並且在家裡保存一些書和雜誌。我擔心讀書會成爲一門被人遺忘的藝術，並被電子媒介所取代。閱讀的才能是想像力的才能，是理解新世界的才能，也是在學業上獲得成功的才能。所以，一定要保證讓你的孩子欣賞和熱愛這種才能。

玩耍和戶外活動

693. **孩子們的工作就是玩耍**。每當我們看到兒童在玩積木、假扮飛機和學跳繩的時候，我們很容易糊塗地認爲，這些僅僅是孩子的消遣活動，和做家庭作業及工作這些嚴肅的事情截然不同。我們糊塗是因爲從小家長就告訴我們說：玩耍是娛樂，做作業是職責，而工作則是苦差事。

無論是嬰兒把波浪鼓從一隻手換到另一隻手，還是他學著往樓下爬，也無論是幼兒推著木塊當汽車，沿著地板上的縫隙向前走，他們都是在努力地學習了解周圍的世界。就像中學生學習幾何一樣，他們都是在訓練自己，使自己以後能勝任有用的工作。兒童並不是因爲某種遊戲簡單才熱愛玩這種遊戲，恰恰相反，他們是因爲它難才喜歡玩的。他們每日每時都在力求取得更大難度的成就，都在追求做其他大孩子和成年人所做的事情。

有一位一歲男孩的父母抱怨說，他的孩子玩膩了空積木，現在只願意把鍋碗瓢盆逗在一起。我想，這其中的原因之一就是孩子知道他的父母是拿著這些鍋碗瓢盆「玩」，而不是拿著積木玩。因此，他覺得玩這些鍋碗瓢盆更有意思。

694. **最好給孩子玩簡單的玩具**。兒童通常喜歡簡單的玩具，而且能玩較長的時間。這並不是因爲兒童頭腦簡單，而是因爲他們有著很豐富的想像力。例如，有兩種大不相同的玩具火車：一種是用金屬做的，上了漆，跟眞的一樣，並且能在車軌上跑；另一種則是由可以拼接起來的單色平板木塊組成。對那輛很逼眞的玩具火車，年紀尙小的兒童所能做的也只是在地板上推著一節車廂走；要把所有的車廂都放到軌道上或把它們連接起來，對這些兒童來說就很難做到了。他們甚至難以把東西放進客車廂裡，因爲這得把車蓋掀開才能做到。這樣一來，過不了多久他們就不耐煩了，因此也就不想玩了。而那些由木塊組成的車廂就不同了。兒童可以把木塊擺成一長串，然後欣賞他們的傑作——長長的火車。兩個木塊就可以組成一輛鉸接式卡車。然後他們可以把小木塊堆在車上，說是貨車，並用這輛車來送貨。他們在乾燥的陸地上玩膩了，還可以把一個木塊當成一艘小船，或把它們擺成一艘拖著一串拖船的駁船。這樣，兒童利用自己的想像力，可以無休止地玩下去而不會覺得膩煩。

有的時候，沒錢的父母會爲自己給孩子買不起嶄新亮麗的汽車或兒童遊戲房而難過。但是爲什麼不想一想，孩子們拿著紙板做成的大卡通不是也能玩出很多花樣來嗎？孩子們可以把它變成一張床、一棟房子、一輛卡車、一輛坦克、一座堡壘、一座玩具小屋和一間車庫。

因此，不要把自己沒給孩子買過很好的玩具這件事看得太重。總有一天，孩子會渴望得到一輛三輪腳踏車或快速二輪單車的，而且如果你有能力，你也想買給他。我想說的意思只有一個，那就是先給孩子買簡單的東西，而比較貴的玩具要在你有能力支付，並且發現孩子確實喜歡的時候再買。

嬰兒學會用手之前，喜歡看吊在小床上方色彩鮮明、黑白相間或輕輕晃動的東西。六個月的時候，嬰兒就喜歡上了他可以抓握、搖晃和啃咬的東西，像塑膠玩具（例如，大環上的小環）。這些塑膠玩具不會掉漆，也不會有碎渣傷著孩子。

一歲至一歲半左右的孩子非常著迷於把一件東西放到另一件裡面，或把東西拉來推去地玩。可以安上輪子或帶有孔眼的積木是孩子最喜歡的。哪怕只是一個繫著繩子的簡單盒子，孩子也同樣喜歡。事實上，孩子先是學會推，然後才是拉。那種可以用棍子推著玩的帶輪子的鈴璫之所以那麼受孩子歡迎，道理就在這裡。孩子對空心積木的興趣保持不了多久。而對鍋、盆、湯瓢以及湯匙等的興趣，則能保持很長的時間。

多數兒童在早期一直都喜歡質地柔軟的布娃娃和毛茸茸的小動物。而有的孩子對這些玩具一點兒興趣也沒有。

兒童快到兩歲的時候，對模仿別人的興趣開始增加。他們最喜歡模仿父母剛剛做完的事，比如打掃房間、洗盤子以及刮鬍子。到了兩歲以後，他們的想像力變得更富有創造性。在這一階段，他們變魔法地玩娃娃、娃娃傢俱、卡車、小汽車以及他們離不開的積木。他們把積木一個壓著一個地推疊起來，說它是帝國大廈。他們又把積木首尾相接地連起來，稱之爲火車。他們還在地板上把積木擺成房子或小船的輪廓，然後坐在裡面。他們還能想出更多花樣來無止境地玩下去。可以說，對任何一個六歲的兒童來說，一袋不同形狀的積木完全抵得上十個玩具。

695. 讓孩子根據自己的能力選擇玩具。大人和孩子一塊兒玩的時候，常常情不自禁地想把遊戲搞得太複雜。比如，父母給孩子買了一個布娃娃，並且有一衣櫃娃娃衣服。在給娃娃穿衣服的時候，父母總想把它打扮得漂漂亮亮的，而且總是先給它穿內衣，但是小孩就有可能想先給它穿紅色的外套。又如，一位母親給生病的女兒買了一盒蠟筆和一本描圖本，孩子拿起一支橙色蠟筆就在紙上來回塗。她既不按照本上的描圖線來畫，也不擔心把天空和草都塗成橙色。這時，做父母的就很容易對孩子說：「哦，不對，不是像那樣的。瞧，你應該這樣畫。」再比如，有一位父親從來沒有玩過火車，所以在聖誕節的時候他給三歲的孩子買了一整套玩具火車。父親迫不及待地要先玩，所以就把車軌安裝起來。可是孩子已經抓起其中一節車廂，並把它投向對面的牆上。「別扔，不要扔！」父親喊道：「你要這樣把車放在軌道上。」於是，孩子就順著軌道把車推了一把，車就在轉彎處脫軌了。「不對，不是這樣推」，父親又說：「你應該給火車頭上緊發條，讓車頭拉著車跑。」可是，可憐的孩子沒有力氣，擰不動發條，也沒有技巧把車放到軌道上，況且，他並不在乎眞實的情況是怎樣的。這樣下去，父親就變得不耐煩了。十五分鐘以後，孩子也就對錫製的玩具火車產生了強烈的厭惡感，而且因爲不能滿足父親的期望而感到不愉快。最後，他只好走開去做別的事情了。

在兒童發展的一定階段，他們的興趣就開始轉向給娃娃穿合宜的衣服、描畫的效果以及玩火車的規程。但是千萬不能催他們。如果你試圖讓他們早些學會這些，就只會讓他們覺得自己無能。所以說，這樣做的結果是弊大於利。如果你樂意按他們的方式和以他們現在的水平與他們一塊兒玩，孩子就會非常高興。要讓孩子告訴你該怎麼玩，等他們需要你幫忙的時候才幫助他們。如果你已經買了一個非常複雜的玩具，我建議你不要管孩子玩的方法是否正確，儘管讓孩子用自己的方式去玩。你也可以先機智地把它藏起來，直到孩子再大一點兒才拿出來給他們玩。

696. 不要強迫孩子慷慨大方。兒童開始在一起玩的時候，很容易毫不客氣地搶奪別人手裡的東西，而擁有這件東西的孩子也決不會為了表示友善而屈服。他們要麼拚命地緊緊抓住自己的東西不放，甚至還可能使勁擊打對方，要麼就糊里糊塗地把自己的東西給了對方。看到這些情景時，父母可能會感到很震驚。如果你的兩歲孩子總想去搶別人的東西，這並不意謂著他將成為一個霸道的人。孩子還太小，對其他人沒有多少感情。因此，有的時候不妨就讓他搶。但是，如果他不斷地這樣做，最好讓他和比他大而且能夠與他爭搶的孩子一起玩，這樣可能會有所幫助。如果他總是威脅某一個小孩，最好的辦法是讓他們兩個分開一段時間。如果你的孩子在傷害另一個孩子，或看上去他好像在策劃著一場謀殺，那就要不動聲色地把孩子拉走，使他的興趣轉移到別的事情上。最好不要過於責備他，因為那樣只會讓他覺得父母不愛他了，並因此而變得更加放肆。如果孩子到了三歲以後還是那麼霸道，而且也沒學會與他人玩集體遊戲，就需要讓他在家裡進行調節了。家庭社會機構或兒童指導診所，可以在這些出現得早而且不太嚴重的問題上，輕易且徹底地幫助父母和兒童。

如果你兩歲的孩子不讓別人與他一塊兒分享他自己的東西，他的這種行為在這個年齡是很正常的。隨著他心理的成熟，並學會欣賞和喜歡其他小朋友以後，他才會逐漸地變得大方起來。如果只要另外一個小朋友要他的東西，你都讓你的孩子讓出他寶貝的玩具，你就會讓他覺得所有的人——不只是小孩，還有大人——都想奪走他的東西。這種感覺只會刺激他產生更強的佔有欲。孩子到了三歲左右就開始喜歡與別的小朋友一起玩了。這時，你可以安排一個大家可以共同分享某一件東西的遊戲，例如：「首先，輪到約翰拉車，凱瑟琳坐車。然後，凱瑟琳拉車，輪到約翰坐車了。」這樣的遊戲會讓孩子覺得分享是一件愉快的事，而不是一種令人不快的義務。

15 一些常見的行爲問題

手足之間的競爭

697. 同一家庭中的孩子彼此必然存在著嫉妒。如果這種嫉妒不嚴重，它很可能還有助於兒童成長爲比較能容忍、獨立和慷慨大方的人。一般說來，父母之間相處得越是愉快，這種嫉妒存在的可能性就越小。當所有的兒童對自己得到的溫暖的愛感到滿意的時候，他們就沒有多少理由去嫉妒父母對他們的兄弟姊妹的關心了。

一般說來，如果孩子覺得父母愛他，而且認可他的現狀，他在家庭中就覺得安全。如果父母公開地或者在心裡不斷拿他和另一個兄弟姊妹進行比較，而且還認爲他不如另一個，他覺察到以後就會對其他的兄弟姊妹和父母產生怨恨。

有一位母親想儘量公正地對待互相嫉妒的兩個孩子，所以她就對孩子說：「蘇西，這兒有一個紅色的小滅火機，給你。湯米，這兒有一個一模一樣的，是給你的。」然而，兩個孩子並沒有感到滿足，而是懷疑地仔細研究這兩個玩具，想看看它們是否有什麼區別。就像媽媽剛才說的是「我給你們買這個就是要你們不要埋怨我向著你們其中的一個」，而不是暗示他們，「我給你們買這個是因爲我知道你們會喜歡」。

所以，應該儘量不要在孩子的手足之間進行比較，也不要表揚一個而忽視另一個。如果對一個孩子說：「爲什麼你不能像你姊姊一樣有禮貌呢？」就會使他討厭他的姊姊，並且一想到「禮貌」這個詞就反感。如果你對青春期的女兒說：「姊姊有約會而你沒有，這沒有關係。你比她聰明得多，這才是重要的。」這話就成了對她因爲沒有約會而不高興的一種輕視，並且還暗示著她實際上不應該爲此而不高興。這就爲她進一步與姊姊競爭埋下了種子。

如果兩個孩子完全能維護自己的權利，那麼，他們打架的多數時候父母都最好不要管。如果父母只批評某個孩子，另一個就會更嫉妒。孩子都想讓父母偏愛自己，因此就產生了嫉妒之心。有時孩子吵架或多或少就是由於這個原因。有的時候父母試圖裁定誰是誰非，於是就很快地站在某一方的角度上說話。這樣一來，只會使他們不一會兒又打起來。這時孩子打架其實就是競賽，他們要比一比，看誰能贏得媽咪的疼愛——即使不能贏得她永遠的疼愛，也至少要贏得這一次。每個孩子都想贏得父母的偏愛，看著另一個受到批評。

爲了保護孩子的性命和四肢不受傷害，或者避免極端的不公正，或者只想恢復平靜，因此你確實認爲必須讓孩子們停止打架，那麼你這樣做就是正確的：要命令他們結束對彼此的敵視，不聽他們的任何爭辯，也不評價誰對誰錯（除非是發生了公然的碰撞），而集中解決下一步該做的事，讓過去的事就此過去。有時候你可以建議一種折衷的解決辦法；有時候你可以分散孩子的注意力來扭轉局面；還有的時候你需要把兩個孩子分開，分別送到一個中立但有點兒無聊的地方去。

我認爲做父母的不應該忽視孩子之間頻繁發生的吵架現象。孩子吵架的時候，我建議家長對孩子這樣說：「想一想你們那樣爭吵讓大家多麼不愉快啊。你們這樣做當然也讓我感到很不愉快。」

698. **對新生嬰兒的嫉妒**。可以想像這樣一個情景：你的丈夫有一天帶著另一個女人回家來了。他對你說：「親愛的，我像過去一樣永遠愛你。

但是現在這個人今後要和我們住在一起了。另外，她也將佔有我更多的時間和精力，因爲我非常愛她，而且她比你更需要幫助。這難道不好嗎？難道你不爲此而高興嗎？」在這種情況下，你覺得你怎樣做才不失你有教養的身分呢？

我聽說過有一個小孩子，來探視寶寶的護士要離開他家的時候，跑到門口對護士喊道：「你忘了帶回你的寶寶了。」

第一個孩子最容易產生這種敵對情緒，因爲他已經習慣了大家都把注意力放在他一人身上，而且他沒有競爭對手。而後面出生的孩子自出生日起就已經學會了與別人分享父母的注意。他明白自己只是父母幾個孩子當中的一個。這樣說並不意謂著第二和第三個孩子不存在對弟弟妹妹的敵對情緒。他們也一樣有。這主要取決於父母如何處理這種敵對情緒，而不是看孩子是老大、老二、還是老三。

699. **嫉妒有弊也有利**。嫉妒和競爭會引起強烈的情緒，即使在成年人當中也一樣。這些情緒更容易擾亂幼兒的心，因爲他們還不知道如何來處理這種情感。儘管不可能完全地防止，但是我認爲，你能夠通過大量的工作來把這種嫉妒情緒減到最低，甚至有可能把它轉化爲積極向上的情緒。如果你的孩子開始認識到自己沒有理由害怕競爭，他的性格就會得到強化，從而使他日後能更好地處理生活、工作以及家庭中遇到的各種敵對情緒。孩子有嫉妒心並不要緊，因爲這是正常的，而眞正要緊的是他如何解決自己的嫉妒心理。父母把孩子的情緒說出來有利於孩子控制自己的情緒。你可以對孩子說：「我知道你在生小弟弟的氣並且在嫉妒他。但是你傷害他也沒有用啊！」你還可以加上一句：「我也愛你。我愛你，也愛弟弟。」比如，一個兩歲的孩子打了嬰兒一巴掌，你可以拉著他的手去撫摸嬰兒，並且對他說「寶寶是愛你的」。這個大一點的孩子的感情是複雜的，你可以幫助他把心中的愛表露出來。

700. **爲寶寶的到來鋪路**。如果孩子到了可以聽懂話的年齡（約一歲半左右），提前告訴他他即將有一個弟弟或妹妹是有好處的，因爲這樣能使他慢慢地習慣這種想法（儘管這還未成爲現實）。當然，你必須用孩子能理解的話來向他解釋。但是，無論父母做多少解釋也不能眞正地讓他做好心理準備，在自己家裡迎接一個活生生的、驕傲跋扈的小寶寶。因此，你的工作就是和他進行一次談話，告訴他他將有一個弟弟或妹妹，並告訴他寶寶將在哪裡睡覺，以及將由他照料的弟弟或妹妹在家裡是個什麼角色。此外，還要經常不斷地向他保證你將永遠愛他。但是不要顯得熱情太高，也不要寄望他能對未來的寶寶很熱心。

應該盡可能做到寶寶的到來不影響大孩子的生活，如果這個孩子到目前爲止還是家中唯一的孩子，那就更應該努力做到這一點。要向孩子強調，一些具體的事情還將和以前一樣：你還將擁有你最喜愛的玩具，我們還會去同一個公園裡玩，我們還將有專門的宴會，我們還將有專門在一起的時間。

爲了讓孩子更快地適應寶寶出生帶來的一些變化，較好的辦法是提前幾個月就做出所有可能的改變。孩子如果還沒有斷奶的話，現在給他斷奶會更容易些。如果等到他覺得自己被寶寶代替了，那時再斷奶就不那麼容易了。如果要把他的房間給寶寶住，就該提前幾個月把他轉移到他的新房間去。這樣做是爲了讓他覺得自己離開原來的房間是因爲他長大了，而不是因爲寶寶把他擠出了自己的房間。當需要把他移到大床上去睡覺的時候，也需要採取這種方法。如果他到了上幼稚園的年齡，就應該讓他在寶寶出生前就去。如果他覺得是由於他人的介入，自己才被父母扔到幼稚園裡，他就會很不願意去。但是，如果他在幼稚園裡已經安定下來，他就會有一種家庭以外的社會生活。這種生活就會減輕他在家裡的敵對情緒。

701. 分娩期間。母親分娩的時候，有些父母想讓自己的孩子守在旁邊，希望能減少他對新生的弟弟或妹妹的敵意。我不贊成這樣的做法，因爲它可能給孩子帶來太大的干擾。況且他也很難理解自己所看到的一切。

702. 產後。把寶寶擦洗乾淨，所有的人也都愉快地安靜下來以後，應該把寶寶抱給孩子看，鼓勵他摸一摸寶寶，對寶寶說說話，以及幫忙做一些簡單的事兒。例如，可以讓他去拿一塊尿布過來。這時，應該讓孩子感覺到他是這個家庭的一分子，他的存在是受歡迎的。如果孩子想要去看望寶寶，還應該讓他多去。但是如果他不想去的話，也不要勉強他。

703. 媽媽把寶寶抱回家的時候。媽媽從醫院回來的時候通常是一個緊張忙碌的時刻。媽媽很累，並且全心全意都投入在寶寶身上。爸爸則是四處奔跑幫忙。這時，如果年齡大一點兒的孩子在場的話，他會站在附近，覺得自己被忽略了，並且警惕地想：「新寶寶就是這個樣子！」

這種情況下，如果有可能，就可以安排較大的孩子離開家做一次短途旅行。這樣做可能會好一些。一個小時足以把寶寶和行李安排就位，媽媽也終於可以躺在床上休息了。這時完全可以讓孩子進來，媽媽可以擁抱他，跟他講話，把全部注意力都投入到他一個人身上。既然孩子都喜歡一些具體的贈品，給他帶回來一件禮物是很有必要的。當他有了自己的布娃娃或非常喜歡的新玩具以後，他就不至於產生被拋棄的感覺。你沒有必要不停地問他「你喜歡你的新妹妹嗎？」要在孩子樂意的時候，讓他自己提起有關寶寶的話題。如果他的話顯得不那麼熱情或有敵意，也不要感到吃驚，這是很正常的。

在最初幾個星期內，要適當地減少對寶寶的注意。不要對寶寶表現得太興奮，不要憐愛地凝視寶寶，不要過多地談論寶寶。如果方便，要在孩子不在附近的時候才去照料寶寶。你可以利用孩子出門或小睡的時間給寶寶洗澡、餵東西。許多孩子看到媽媽在餵寶寶，尤其是用乳房餵的時候，就會非常嫉妒寶寶。這時，如果孩子願意的話，也給他一個奶瓶或也讓他喝媽媽的奶。出於對寶寶的嫉妒，孩子會試著吸奶瓶，這種情景多少會讓人覺得難過，而孩子則以為那是天堂。但是，當他鼓足勇氣吸了一口的時候，他臉上的表情則是失望的。畢竟，那只是牛奶，流得慢騰騰的，而且還有橡皮味。他可能一會兒要奶瓶，一會兒又不要，這種狀況會持續幾個星期的時間。如果父母很情願地把奶瓶給他，並且做些別的事情來幫他學會處理自己的嫉妒心情，他就不會一直那樣。如果你餵寶寶的時候大孩子在附近，你應該允許他自由地進來。但是，如果他在樓下正玩得高興，就不要去分散他的注意力。這樣做的目的不是要完全避免孩子的敵對情緒（那是不可能的），而是要在最初幾週內把它減輕到最低限度。因爲在這幾週內，這種可怕的現實狀況已經開始深入孩子的內心世界。

704. **其他人也在一定程度上促使孩子產生嫉妒心理**。家庭成員走進家門的時候，應該壓制自己的衝動，不要問孩子：「今天小寶寶怎麼樣了？」最好表現得好像已經忘了家裡還有個小寶寶似的。要坐下來和孩子聊一會兒，當孩子的興趣轉移到別的事情上的時候，才可以隨意地走去看一看寶寶。有的時候，孩子的祖父、祖母會對寶寶顯示出過分的操心，這也會是一個問題。祖父拎著一個繫著緞帶的大盒子，在前廳碰到了孩子，問他：「你那親愛的妹妹在哪裡呀？我給她帶禮物來了。」此時，這位哥哥見到祖父時的快樂就會變成痛苦。如果父母對客人不太了解，不好告訴客人該怎麼做，就可以準備一盒較便宜的禮物放在架子上。每次客人送給寶寶禮物的時候，父母就從盒子裡取出一件禮物給孩子。

705. **玩布娃娃能給大一點的孩子帶來很大的安慰**。不管是男孩還是女孩，當媽媽在照料寶寶的時候，他們都可以通過玩布娃娃獲得很大的安慰。他會想按照媽媽做的那樣餵寶寶熱奶，還想擁有類似媽媽用的那種衣服和用具。但是，這種玩布娃娃的遊戲絕對不能代替讓孩子幫忙照料寶寶的事，而只能作爲它的補充。

706. **要幫助孩子，讓他們覺得自己快要長大了**。多數孩子對寶寶的到來做出的反應就是希望自己再成爲嬰兒。他們至少有一段時間是這樣的。這種發育過程中出現的倒退現象是正常的。例如，在衛生習慣的培養上，他們可能會有所退步，開始尿濕衣服，讓穢物沾在身上。他們也可能在說話方式上又退回到嬰兒的咿呀學語階段，以及在做自己的事情時也表現出什麼都不會的樣子。我認為，當孩子這種想成為嬰兒的願望很強烈的時候，父母要明智地滿足他們的這種願望。父母甚至可以溫柔地把孩子抱到他自己的房間，然後幫他脫掉衣服。於是，孩子就會明白他所要的這些感受，父母並沒有給予否定和拒絕。在他的想像中，這些感覺會讓他很愉快，但結果可能會令他很失望。

然而，只要這種暫時的倒退現象能在父母的同情和溫柔態度下得到正確的處理，孩子希望繼續成長和發展的動力通常很快就能超越那種希望倒退的願望。對你來說，你可以通過少關心他的倒退跡象，多關心他希望長大的一面，來幫助他成長。你可以提醒他，說他有多麼高大、多麼強壯、多麼聰明和多麼靈巧，要告訴他，他會做的事情比寶寶會做的多好多。我的意思不是說你一定要像兜售東西一樣盡說好話，而是說你不應該忘記在適當的時候給予他一些出自內心的稱讚。如果是我，我就會避免逼著他長大。但是，如果你不斷地把孩子偶爾渴望做的事說成是「孩子氣」，而把他有時不願意做的事說成「大人氣」，你只會使他覺得還是當一個嬰兒好。

你會注意到，我並不是想通過直接的比較來建議父母多疼愛大一點的孩子。讓孩子覺得自己受父母偏愛可能會給他帶來暫時的滿足，但是從長遠的觀點來看，他和偏心的父母待在一起會覺得不安全，因為他覺得父母有可能會改變他們的偏愛對象。當然，父母應當明顯地表示對寶寶的愛。我只是在強調一個重點，即：父母要給孩子機會，讓他通過時間來體會成熟的自豪感，和當嬰兒的許多不利條件。

707. 化敵為友。幼兒也想擺脫由於和小弟妹競爭所帶來的痛苦，而且也有很多辦法。其中的一個方法就是表現得不再和寶寶一般見識了。取而代之的是，他成了家中的第三家長。這樣，當對寶寶很生氣的時候，他自然就會扮演一位嚴厲父母的角色。但是，當他覺得比較安全的時候，他會成爲像你們那樣的父母。他會教寶寶如何做事情，給寶寶玩具，希望幫寶寶餵奶、洗澡和穿衣，會在寶寶難過的時候安慰他，並且保護寶寶不受傷害。在這種情況下，你可以幫助他完成他的角色。比如，在他沒有想到的時候建議他如何幫你的忙，以及對他所做的努力給予發自內心的讚揚。有時候，他們的幫忙並沒有一點假裝的性質。一對雙胞胎的父母常常急需別人幫忙照顧孩子，他們曾告訴過我，他們很驚訝地發現自己三歲的孩子竟能幫他們做那麼多的事情，例如，幫忙把浴巾或尿布拿來啦，或從冰箱裡把奶瓶拿來，等等。

幼兒總想抱抱寶寶，但是父母這時候往往猶豫不決，怕他把寶寶摔著。但是，如果孩子坐在地板上（地毯或毛毯上），或坐在一把有坐墊的大椅子上，或坐在床的中央，那麼，即使寶寶摔下來，也不會有任何危險。

通過這些辦法，父母就能幫助孩子完成從敵對到合作的轉變，使孩子眞正做到爲他人著想。這樣，應付新弟弟或妹妹所帶來的緊張和壓力，就被轉變爲解決衝突、與人合作以及與人同舟共濟方面的技巧。這些教育要獲得成功是不容易的，但是孩子在以後的生活中又不得不去多學習一些。他們既想在當地稱王稱霸，而又不能這麼做。所以對他們來說，走向成功的最重要一步，就是學會處理這種挑戰。

708. 嫉妒的表現形式多種多樣。如果孩子拿起一塊大積木打嬰兒，媽媽就應該清楚地認識到孩子是出於嫉妒。但是有的孩子比較客氣，他只是毫無表情而且一言不發地看著嬰兒。有的孩子會把怨氣都集中到媽媽身上，他會毫不猶豫地把爐灰掏出來，一本正經地撒在起居室的地毯上。還有的孩子性格不同，他可能會變得悶悶不樂，產生依賴性，失去堆沙堆和玩積木的興趣，並形影不離地跟著媽媽，嘴裡含著手指頭躲在媽媽的裙子後面。

你偶爾會看到孩子的嫉妒心理以相反的形式表現出來。這時，他會對寶寶格外投入。當看到一隻狗的時候，他能想到的話就是「寶寶喜歡狗」，當他看到朋友們騎腳踏車的時候，他就會說「寶寶也有一輛腳踏車」，在這種情形下，有些父母可能會說：「我們認爲根本沒有必要爲孩子的嫉妒擔心。約翰非常喜歡寶寶。」如果孩子表現出喜歡寶寶，這當然很好。但是，這並不意謂著嫉妒已經不存在了。事實上，嫉妒可能會以某種間接的方式出現，或只在一些特殊情形下才會出現。孩子可能會把寶寶抱得太緊，也可能只是在家裡的時候喜歡寶寶，而在大街上看到人們對寶寶表示欣賞的時候，他就可能變得很粗魯。一個孩子可能幾個月內對寶寶沒有任何敵意的表示，但是當某一天寶寶爬過去抓他的玩具時，他就可能改變友好的態度。也有的是直到寶寶開始學走路的那一天，孩子的態度才會發生轉變。

對寶寶過度熱心是孩子應付緊張感的另一種方式。但是究其根源，這仍然是那種既愛又妒的複雜情緒的強烈體現。這種強烈的情緒還驅使其他兒童要麼走倒退之路，要麼就不時地發洩自己的憤怒情緒。對父母來說，不管兒童的心情是否表露出來，最好還是把這種假設當眞，就認爲孩子對寶寶有愛也有嫉妒。所以，你應該做的工作既不是對孩子的嫉

兒童對寶寶通常是又喜歡，又嫉妒。

妒心理視而不見，也不是試圖去強行壓制它，更不是去責怪孩子使他羞愧得無地自容，而是去幫助孩子，讓他把愛心充分地表現出來。

709. 怎樣處理不同類型的嫉妒。當孩子攻擊寶寶的時候，父母做出的自然反應就是感到震驚並且用語言去羞辱他。這樣做的效果不好，有兩個原因。首先，他不喜歡寶寶本來就是因爲他害怕父母只愛寶寶而不再愛他，在這種情況下，如果父母再去威脅他說不再愛他了，孩子就會在心裡變得更著急，更狠心。另外，羞辱會使孩子的嫉妒行爲收斂，但是，如果嫉妒受到壓制，它要比不受壓制、自然外露持續的時間更長，對精神的創傷也更大。

父母在這種情況下有三項工作要做：保護孩子；讓大孩子知道決不允許他採取惡意的行動；向大孩子保證你仍然愛他，並且對他說他確實是個好孩子。

當你看到他手裡拿著武器，滿臉陰沉地朝寶寶走去的時候，你顯然應該趕緊抓住他，嚴肅地告訴他不許傷害寶寶。（實際上，每當他的殘酷行爲得以成功，他的內心深處總會覺得內疚並且感到更難過。）但是，這種情況又給你提供了一次機會，使你可以告訴孩子他的情緒是可以理解和接受的，而不可以接受的是他因爲這種情緒而採取的行動。你可以把抓住他的方式變成擁抱，並且對他說：「我知道你有的時候在想什麼，約翰。你希望這裡沒有需要媽媽、爸爸照顧的寶寶。但是你不要擔心，我們仍然是愛你的。」在這種時候，如果他能認識到父母接受他生氣的感情（但不是生氣的行爲），並且仍然愛他，他就會確信自己用不著擔心父母不愛他了。

孩子把爐灰撒在起居室的地毯上時，你感到怒不可遏是自然的，你很可能還會譴責他。但是，如果你意識到孩子是出於很深的失望和焦慮才這樣做，你或許日後會覺得應該想辦法消除他的疑慮。所以一定要避免發生可能讓他感到怨恨的事情。

710. 因嫉妒而悶悶不樂的兒童。孩子的本性都比較敏感和內向，因此，由於嫉妒而變得悶悶不樂的兒童，要比那些需要通過挑釁方式來撫平自己感情的孩子更需要大人的愛、承諾和引逗他說話。如果孩子不敢直接表現出自己的煩惱，你可以表示理解地對他說：「我知道你有的時候因爲我照顧寶寶而對寶寶惱火，而且還生我的氣。」等等。這樣做也許能幫助他感覺好一些。如果他一時對你的話沒有反應，那麼，如果經濟條件允許，你就應該考慮是否需要臨時僱一個人來幫忙照顧寶寶，看看在短時間內，通過你對他的專注能否使他恢復以往那種對生活的熱情。

如果孩子似乎克服不了嫉妒心理，不管他是否經常表現不好，還是一直悶悶不樂，還是總被寶寶攪得心神不定，都需要諮詢一下兒童精神科醫生或心理學家。治療專家可能會把他的嫉妒從內心引到表面上來，讓孩子認識到是什麼事情讓他煩惱並且把它講出來。

如果兒童的嫉妒心理在寶寶剛開始能抓他的玩具時就很強烈地表現出來，那麼，一個很有效的辦法就是單獨給他一個房間，讓他覺得在那裡他和他的玩具以及他的房間不會受到任何干擾。如果你不可能給他一個單獨的房間，就需要找一個箱子或小櫃子給他裝東西，並在箱子和櫃子上安裝寶寶打不開的簡易鎖。這樣不但保護了他的玩具，而且還給他一種認爲自己很重要而且可以負責任的感覺，因爲他有一個只有他才可以打開的箱子。

711. 父母應該鼓勵還是強迫孩子和寶寶分享玩具？儘管我很想讓孩子和寶寶分享他的玩具，但是，我決不會強迫他這麼做。你可以試著建議他給寶寶一件他已經不要了的玩具，這會使孩子產生一種比寶寶成熟的自豪感，使他對寶寶表現出一種實際上並不存在的大方精神。但是，要讓這種大方有意義，它就必須是發自內心的。要做到這一點，施與者必須首先覺得安全、愛別人和被別人愛。當一個孩子覺得不安全和自私的時候，強迫他去讓別人分享他的東西，只會讓他覺得自己上了當和受到輕視。

嫉妒的孩子必須管束，但他也需要得到使他放心的保證。

一般說來，對寶寶的嫉妒在五歲以下的小孩中表現得最強烈，因爲此時他對父母的依賴還很強，而且，很少對家庭以外的事感興趣。六歲以上的孩子與父母的關係稍有疏遠，但是他在朋友和老師之間找到了自己的位置，所以被從家庭的中心地位擠出去以後，孩子並不感到多麼難過。但是，認爲他們已經沒有了嫉妒心理則是錯誤的。他也需要父母的照顧，也需要從父母那裡得到愛的有形象徵。在剛開始的階段尤其是這樣。如果孩子特別敏感，或尚未在外面找到自己的位置，他就可能需要像一般的小孩子那樣得到保護。妻子與前夫（或丈夫與前妻）所生的孩子可能會在家庭關係中感到緊張不安，因此需要父母額外的幫助和保證。即使是處於青春期的女孩，隨著當女人的願望愈來愈強烈，看到媽媽又懷孕以後也可能會下意識地嫉妒她。我聽到過一位女孩子這樣傷心地說：「我原以爲我的父母不會做那種事的。」

這裡我想再加一句聽上去有點兒矛盾的警告。用心良苦的父母有時候會爲孩子的嫉妒而感到焦慮不安，因此可能就會去努力制止這種嫉妒。結果，這樣不僅不能使大孩子感到安全，反而使他們覺得更不安全了。父母可能會因為有一個新寶寶而感到非常內疚，而且，每當被孩子看到自己注意寶寶的時候就會感到羞愧，所以就煞費苦心地去姑息大孩子。當孩子發覺父母不自在，或對他心懷愧疚的時候，他也會覺得不自在。父母的內疚表現會更讓他懷疑有什麼罪惡的勾當在進行著，而且會使他對寶寶和父母都更加小氣。換句話說，父母對待年齡較大的孩子要儘量講究技巧，同時，既不應該感到焦慮不安和有歉意，也不應該對孩子百依百順，或缺少自尊。

712. **新生兒也引人注目**。我們一直在談論大孩子對嬰兒的嫉妒，甚至為了大孩子要不時地忽視嬰兒。我已強調過新生兒多麼需要關心和愛護。但是在最初的日子裡，他總是仁慈地睡好多覺，他每天需要的注意和關心的次數相對來說也比較少。這正好能滿足大孩子的需要，因為在這段日子裡，大孩子最需要父母格外的關心和愛護。如果父母能在一開始就做到這一點，大孩子就會漸漸地習慣寶寶的存在，在寶寶需要整個家庭的關心時，他也不會因此而感到驚恐了。

如果寶寶由於腹痛或其他原因需要大量的關心，父母就需要專門向大孩子保證他們仍然像以前那樣愛他。如果父母來分工料理家務，保證總有一人可以照顧大孩子，情況就可能會好一些。大孩子還需要得到父母的確認，他所想和所做的都與寶寶生病無關。

請記住，幼兒都是以自我為中心的。也就是說，他們認為世界上的每一件事都是因為他們才發生的。

怯生

713. **早期的怯生**。當五個月大的嬰兒在醫生的診療室裡的時候，如果醫生過早地接近他，他就會有怯生的表現。這就是幼兒的早期怯生。當醫生靠近診療台的時候，躺在上面的嬰兒就會停止向四周張望或玩弄他的手，而愣愣地、緊張又擔心地望著這個陌生人。接著他的小肚子開始一鼓一鼓地，並且速度越來越快，然後小嘴一咧就扯著嗓門大哭起來。他可能會躺在那裡連續哭上十幾分鐘，誰也沒有辦法讓他安靜下來。如果他會跑，他可能早就嚇得躲起來了。

一歲的幼兒和五～八個月的嬰兒相比，怯生的表現又有所不同。當兒科醫生接近他的時候，這麼大的幼兒就會掙扎著從診療台上站起來，並試圖離開診療台，倒向媽媽的懷抱。如果媽媽把他推回去，他就會用盡全身力氣大聲哭叫。他還會不時地回頭看，如果看見醫生還在那裡，他就會再次又是推又是哭的鬧起來。但是再過五分鐘以後，他就會變得高興起來，好像什麼事情都沒有發生過似的。再過十分鐘以後，他就可能拿著醫生的儀器玩起來，甚至還可能把它送給醫生。

分離焦慮

714. 媽媽不在的時候。如果媽媽需要離開家幾個星期，例如，去照顧她生病的母親，那麼，她的六～八個月的寶寶就很可能變得悶悶不樂。如果到目前為止媽媽一直是唯一照料他的人，孩子的這種表現就更為明顯。寶寶會顯得很沮喪，沒有食欲，對生人和熟人都不理睬，多數時間都仰臥在床上，時而把頭轉到左邊，時而把頭轉向右邊，也不再試著站起來去探索周圍的環境了。

孩子到了兩歲至兩歲半的時候，與母親分離時就不再那麼沮喪了。取而代之的是突然產生嚴重的焦慮，如果爸爸或媽媽因急事出差，或決定接受一份專職工作而把他轉交給保姆照顧，或送他到托兒所的時候沒有讓他做好心理準備，那麼在父母走的時候，孩子還表現不出明顯的沮喪，他可能像很喜歡保姆似的。與以前相比，他的表現好得簡直有點兒不正常。但是一旦父母回到家，所有壓抑的焦慮就會全部爆發出來。孩子會衝上去纏著他們不放，而且只要媽媽一走進另一個房間，他就會驚恐地大哭起來。他不再讓保姆為他做任何事情；不讓保姆靠近，甚至還會粗魯地排斥她。睡覺的時候他將緊緊地挨著媽媽或爸爸，生怕被放進他的小床裡。如果父母最終把他放進小床後離開他，他就會毫不猶豫地從小床側面爬下來（儘管他以前從不敢這樣做），在爸爸或媽媽後面追。這眞是一個令人揪心的驚恐場面。如果父母成功地讓孩子待在小床裡，他也會整夜不睡。

有的時候，媽媽迫不得已要離開家一些日子，或孩子要住幾天醫院。當他們再次團聚的時候，孩子就可能會採取不認媽媽的方式來「懲罰」媽媽。當他決定再次承認媽媽的時候，他可能會生氣地看著她號哭，或用手打她。

715. 孩子三歲的時候。孩子到了三歲的時候，這種恐慌的情況就少很多了。你可以把情況向孩子解釋，而且孩子很有可能理解你的話，因此而覺得放心。但是，你也很難說得準他會有什麼樣的反應。有的孩子侷促不安，有的孩子過於敏感，也有的孩子只認識父母。當父母把這樣的孩子留在托育中心或留給一個他不熟悉的保姆照顧的時候，他們可能會繼續抵抗。

716. 孩子五、六歲的時候。即使是五、六歲的孩子也會拒絕被留在幼稚園裡，或在剛上學的時候拒絕被留在學校裡。但是，如果家裡還有大孩子，這種情況就比較不多見，因爲最小的孩子可能已經盼望幾個月了，渴望自己也能像哥哥、姊姊那樣去上學。

如果一個三～六歲的孩子不想上學，你應該給他施加多大的壓力呢？我認爲兩位家長中應該有一個留在教室裡（在隱蔽的地方）幾天，等到孩子逐漸地熟悉了老師、其他的孩子以及有趣的活動以後，再把他一個人留在幼稚園或學校。但是，這種熟悉過程應該不超過一個星期（如果孩子願意，時間還可以縮短）。有經驗的老師都知道，如果孩子很執拗，而家長的心又非常軟，上述情形就會發生變化，因爲在這種情況下，它已經不再是一個孩子害怕離開家長的問題，而是父母與孩子間的一場毅力較量。在這場較量中，孩子總是能以他恐慌的表現獲勝。

父親陪著不願意上學的孩子去上學有時候好像管用。但是無論在什麼情況下都不應該欺騙孩子。所以屆時應該告訴他：「你已經和老師及其他的孩子成爲朋友了，所以媽媽明天就不待在學校裡了。」送孩子上學的家長應該對孩子愉快地說聲再見，然後就離開。

發脾氣

717. 一～三歲的孩子都有發脾氣的時候。他們已經有了自己的欲求和個性，當他們受到挫折的時候，他們能夠認識到並因此覺得生氣。但是，他們一般不去攻擊干涉他們的父母。這或許是因爲他們認爲成年人太了不起，太高大了。況且，他們自己的好鬥本質還沒有得到很好的發展。

當他們感到怒不可遏的時候，他們所能想到的只是把怒火發洩到地板和他們自己身上。他們會猛地倒在地上，一邊號叫，一邊拳打腳踢，還可能用頭來撞地面。

孩子偶爾發一次脾氣並不代表什麼，因爲孩子有時難免會受到挫折。但是，如果孩子發脾氣的次數太多，則可能是由於疲勞或飢餓所引起，也可能是因爲家長要求他們做的超出了他們的能力（孩子在大型散步區購物中心發脾氣就屬於這種情況）。如果孩子是由於這種原因發脾氣，家長可以忽略表面現象，而去解決內在原因：「你累了，也餓了，不是嗎？那麼我們就回家吧。你吃完東西以後就睡覺，然後你會感覺好多了。」

孩子頻繁地發脾氣大多是由於父母還沒有掌握靈活對付這種行爲的竅門（兒童所處的發育階段也是導致他發脾氣因素之一；參看782）。如果你的孩子一直頻繁地發脾氣，你不妨考慮一下下面幾個問題：他是否有充足的機會出去玩？他玩的地方有沒有可以推、拉和在上面爬的東西呢？他在家裡是否有足夠的玩具和家用物品可以玩，屋裡的東西是不是都是防止孩子亂摸亂動的？你是不是只讓他進來把襯衫穿上，而不是幫他穿上，而且什麼話也不和他說？或只問他是否想去廁所，但是既不把他領到那裡也不把他的便盆拿來？當你不得不打斷他的遊戲讓他回屋或吃飯的時候，你是直接地阻止他繼續玩呢，還是先使他把注意力轉移到愉快的事情上呢？當你發現暴風雨即將來臨（孩子即將發脾氣）的時候，你是嚴厲地直接去面對它呢？還是把他的注意力轉移到別的事情上呢？

718. **孩子發脾氣不可能每次都躲過**。如果父母有那麼多的耐心和技巧，每次都能避免孩子發脾氣，那麼他們就不正常了。暴風雨來臨的時候，要儘量隨便地去對付它，幫助孩子慢慢地克服它。但是你一定不能屈服，不能溫順地讓孩子隨心所欲，不然的話，他就會總是故意地發脾氣。你不要和他爭辯，因爲他根本就不想去認識這樣做的錯誤。你自己生氣只能迫使他一直吵鬧下去。所以，你應該給他一個體面的台階下。如果父母不知不覺地從孩子身邊走開，像平時一樣地去忙自己的事情，就像他們根本就沒有感到煩一樣，有的孩子在這種情況下就會很快地平靜下來。還有的孩子脾氣很倔強，而且自尊心也很強，這樣的孩子會一直哭喊和摔東西長達一個小時之久，直到他的父母向他做出友好的表示才肯罷休。這場暴風雨的高峰時期過去以後，家長就應該突然進來提議做一件什麼有趣的事情，還應該擁抱一下孩子，以表示願意爲剛才對他的冷落做出補償。

孩子在人來人往的人行道上發脾氣是件很令人難堪的事情。在這種情況下，你要帶著微笑（如果你能勉強做出來的話）把他拉到一個安靜沒人的地方。在這裡，你們雙方都能慢慢地平靜下來。

罵人和說髒話

719. **三、四歲的兒童**。四歲左右的孩子正在度過一個以說髒話爲樂的階段。他們彼此之間笑嘻嘻地互相侮辱，比如：「你這個大屁眼」或「我撒泡尿把你從廁所裡沖走算了」。他們以爲這樣做顯得自己很聰明、勇敢。但是，你不必爲此擔心，應該把它視爲很快就會過去的正常發育階段。以我的經驗來看，那些年紀小的孩子之所以會以說髒話爲樂，是因爲他們的父母對此公開地表示過震驚和驚慌，甚至還威脅他們說，繼續說髒話會給他們帶來可怕的後果。

父母這樣做不僅達不到預期效果，而且還會使孩子產生這樣的想法：「嘿，這可是一個惹事兒的極好辦法。很有趣！我可有了戰勝爸爸媽媽的辦法了！」這樣一來，當父母的就會越來越感到不安。

要想阻止孩子說髒話，最簡單的辦法就是顯得像沒聽見一樣。孩子說了很多髒話以後如果沒有人理他，他自己就會感到沒趣了。

720. 小學生。隨著年齡增長，所有的孩子都會從朋友那裡學會一些罵人的話和污穢的話。一開始，他們只知道這些話很下流，需要經過很長一段時間以後才會明白這些話的眞正意思。出於人的本能，他們寧可讓別人說自己有點兒壞，也要不斷重複這些髒話，以顯示自己老成。那些很盡心盡責的父母本以爲自己的寶貝單純可愛，所以，當他們聽到孩子口裡說出這樣的髒話時，通常都會感到很震驚。

那麼，一個好父母應該對此做些什麼呢？我認爲最好還是和對待三、四歲的孩子一樣，不要爲他們的髒話感到吃驚。因爲如果你顯得很驚訝，就會給膽小的孩子造成嚴重影響，也會使他不敢和說髒話的孩子一起玩。但是，多數孩子發現自己讓父母感到震驚以後，反而會感到很高興（至少是偷偷地）。所以，有些孩子仍然會在家裡不停地罵人，以期讓父母感到惱火。還有的孩子雖然在父母的威脅下不敢在家裡講髒話，但是在別的地方卻照說不誤。孩子之所以這樣做，完全是因爲你讓他們知道了他們具有使整個世界都不得安寧的能力。就好比你交給他們一門重型大砲，然後對他們說：「請看在老天爺的份上，千萬不要開砲。」另一方面，我認爲你也沒有必要默默地忍受這一切。你完全可以態度堅決地告訴孩子：「大多數人都不喜歡聽到那樣的髒話，而且我也不希望你們說那樣的話。」然後就不再多說了。

721. 青少年。最後我再說說那些青少年。他們經常在交談中很隨便地夾雜著一些髒話。他們使用這些髒話的目的有以下幾個：表達厭惡和鄙視（這是許多青少年的一種常見心態）；強調話題的重要性；發洩情緒；對武斷而且過時的社會禁令表示公開的藐視。但是在這一階段，孩子罵人的主要目的是把它作爲一個標誌，以證明自己屬於該年齡群體中的一員。鑑於這種情況，你的合理作法就是對他們提出要求，比如：不許在學校裡罵人；你在場的時候不許罵人；也不許當著弟弟的面罵人。這樣你就不必在罵人是好還是壞的問題上與孩子爭論了，因爲此時你的孩子已經知道了什麼樣的行爲會使你不高興。

髒亂

722. 有的時候，不妨就讓他們髒。年紀小的孩子什麼都想做，所以常常把自己身上弄得髒兮兮的。當然，他們這樣做對他們也是有好處的。他們很愛挖土和沙子，愛在小水坑裡走，愛用手去潑灑水池裡的水。他們還喜歡在草地上打滾和用手捏泥巴。他們做這些事情的時候就像成年人聽音樂或陷入熱戀中一樣，在精神上得到滿足，對別人也更加親熱了。

有些孩子經常受到父母的嚴厲警告，要他們不要把衣服弄髒，不要把東西弄亂。如果這些孩子認眞對待父母的警告，他們的心裡就會感到壓抑，並且會懷疑自己的愛好是否正確。如果他們眞的變得害怕弄髒衣服，他們在別的方面也會變得過於小心謹愼。這樣一來，他們反而不能像父母希望的那樣，成長爲自由、熱情和熱愛生活的人。

我的意思並不是說，只要孩子高興，你就應該任由他們胡鬧。但是，即使你不得不制止他們，也不要用恐嚇的方式，或不要讓他們討厭你。你只要採取比較實際的解決辦法就行了。比如，如果他們穿著最好的衣服玩做泥餅，你就應該給他們換上舊衣服，然後讓他們接著玩；如果他們想拿著舊刷子給房子刷油漆，那你就讓他們以水代替油漆在木柴棚上或廁所的瓷磚地板上刷。

行動遲緩

如果你曾見過一位家長在早晨試圖把孩子嚇起來，你就會發誓你以後決不這樣做。爲了讓孩子起床、洗臉、穿衣、吃飯、上學，有些家長不惜對孩子進行催促、警告，甚至責備。

723. 行動遲緩不是天生的。孩子行動遲緩是逐漸養成的，而且在許多情況下都是父母不斷催促的結果，比如：「快點把飯吃完！」「我已經告訴你多少次該準備上床了？」這種喋喋不休的責備口氣是父母很容易養成的習慣。而正是這種習慣促使孩子養成一種既漫不經心又執拗的性格。久而久之，正如有的父母所說，他們非得責罵孩子才能使他按照要求去做。這樣一來惡性循環就形成了，而這種惡性循環通常都是由父母引起的。有些孩子天生就是慢性子，如果父母沒有耐心，或不體諒他們，不給他們留出足夠的時間去從容完成該做的事情，那麼，這種惡性循環就更是在所難免了。

孩子在最初幾年裡還沒有能力去執行父母的指示。因此，父母要帶領他去做各種各樣的日常工作。當他們能夠獨立完成這些工作的時候，父母就要儘快放手讓他們自己去做。如果孩子又倒退了回去，或忘記該如何去做，父母就應該再帶著他們做一遍。當他們到了上學的年齡時，要讓他們把上學看作是他們的工作，並要求他們準時到校。一個較好的辦法就是默許他們遲到一、兩次，或誤了班車。要讓他們自己去體會這時的心情。實際上，雖然父母不喜歡讓孩子遲到，但是孩子自己更不願意遲到。這就是驅使他不斷前進的好動力。

你或許認爲，我不贊成讓孩子履行他們的職責。而事實恰恰相反。我認爲吃飯之前孩子必須先在餐桌旁坐好，早晨也應該按時起床。我只是想說明一點：如果父母多數時候都能讓他們憑自覺去做事；如果他們不會做的時候父母能就事論事地給予提示；如果不去過早地催促他們，以至於總讓他們感到火燒眉毛一樣著急，他們通常都能找到克服行動遲緩的辦法。

抱怨

724. 幼稚園和小學低年級階段的孩子最愛抱怨。孩子們不停地抱怨，不僅使他們自己不痛快，也使父母很惱火。下面我就專門談一談這個問題。孩子抱怨是要求過多的表現，這種習慣要幾個星期，甚至幾個月才能養成，也需要相當長的時間才能克服。我只談那些身體健康的兒童。還有一些不常見的情況，比如由於慢性病或父母離異帶來的不幸等也會導致孩子抱怨。

怨言是五花八門的。比如，一個孩子在下雨天可能沒完沒了地抱怨：「什麼事情都不能做，眞煩人。」或「我爲什麼不可以看完這個節目再睡覺呢？」這些抱怨的意思是顯而易見的：挑剔、牢騷、找碴兒。但是，它們卻是同一個要求的不斷重複，目的都是兒童希望得到自己喜歡的東西或要求從事他們喜歡的活動。從這個意義上講，這些抱怨多數都是正常的。問題在於他們不應該過分地絮叨個沒完。

許多兒童只向爸爸或媽媽一個人抱怨，而不是同時向兩個人抱怨。在這種情況下，兒童表達的不只是他們的習慣和情緒問題，還是對父母的態度問題，或是他們與父母之間的關係輕微失調的問題。另外也常有這樣的事：雖然父母有兩、三個孩子，但是他們往往只能容忍一個孩子的抱怨。我記得曾和這麼一家人度過一天。這個家庭有四個孩子，媽媽是個從不多說一句廢話的人。那天，媽媽和四個孩子中的三個在家。孩子們都很懂禮貌、樂於合作、自立能力很強，而且都很快樂，只有那個五歲的女孩不停地煩她媽媽。這個女孩兒不停地抱怨無聊、肚子餓、口渴、感到冷，而這些問題她完全可以自己解決。

有一會兒，媽媽先是不理她。後來，媽媽讓女孩自己去取需要的東西。但是，她說話的語氣明顯帶著猶豫和歉意。媽媽一直都沒有表現出強硬態度，而是一直讓女兒持續抱怨了一個小時。有時候她甚至還反過來向女兒抱怨，想以此來終止女兒的抱怨。但是她沒有收到任何預期的結果，反而演變成一場哭哭泣泣的抱怨二重唱。

從某種意義上而言，這樣的抱怨還不算令人十分心煩。但是，它肯定讓家人和朋友討厭。由於父母聽的最多，它還可能使父母感到十分沮喪。

725. 為什麼有的父母容忍抱怨？我認為，有些父母可能會（至少是下意識地）覺得孩子有權力不斷提出過分的要求，而且他們必須滿足孩子的要求。他們可能因某事而感到內疚，比如，沒有給孩子所需要的東西，或沒有給孩子足夠的愛。從小就在父母的責備聲中長大的父母最容易覺得自己不稱職。他們對待孩子極其盡心盡責，但是心裡總是有一點內疚感。他們覺得自己缺乏兒童護理方面的知識，擔心自己會做錯事。

父母只對某一個孩子感到內疚的原因很多。比如，他們可能還沒有充分地做好懷孕的心理準備；可能抱怨過沒有出生的嬰兒；可能一開始沒有好好對待哭鬧不止或很專橫的嬰兒；可能是孩子使他們想起了家族中的某個人，此人過去曾給他們的生活帶來痛苦，因此引起了父母的敵意和內疚。母親對待孩子的方式正是這些情感決定的。

所以，這種順從或內疚常常使得父母難以痛下決心，不能果斷、堅決和實事求是地去對待孩子。否則，家長就能夠制止孩子的抱怨，因為孩子能夠清楚地知道父母說「不行」的時候是說話算數的。遺憾的是，父母往往做不到這一點。比如，他們不說「不，你現在不能吃東西，因為快到吃午飯的時間了。」而是說「那麼，你就少吃一點兒吧。」這樣一來，孩子又會提出新的要求：「我可以吃一塊小甜餅嗎？」然後父母又回答說：「好吧，那你就吃一塊吧。」這時，孩子已經把你的脾氣摸透了。所以，他會毫不猶豫地抓上一大把小甜餅。孩子是出色的機會主義者，最善於洞察和利用父母猶豫不決的弱點。

726. **如果你的孩子習慣抱怨，你可以採取一些明確的實際措施**。首先，你必須弄清楚你對孩子的態度是否助長了他抱怨的習慣。比如，你說話的時候是否經常表現得模稜兩可、猶豫不決、逆來順受或內疚，而且你是否同時還爲自己受制於孩子而惱怒。這是最難做到的一步，因爲當父母的除了能意識到自己不耐煩和孩子的不斷提出要求之外，其他什麼都意識不到。如果你想不出自己有什麼猶豫不決的態度，那就應該找一找引起孩子抱怨的其他原因，然後自問一句你是否有些什麼不智之舉，從而助長了孩子的抱怨習慣。比如，你是否對孩子的抱怨注意得太多，或你是否總是採取讓步的方式來解決孩子的抱怨。

如果父母有信心能管好孩子而且確實做得很成功，他們對待孩子的時候就能既做到說一不二，又能滿面春風、態度友好。這樣一來，他們的友好態度就能使孩子樂於合作，他們的明確態度也爲孩子提供了明確的指導。這是孩子需要得到的，也是他們希望得到的。有信心的父母是不會在「什麼可以做，什麼不可以做」這一問題上和孩子爭論不休的，因爲如果你允許孩子討價還價，他們就可能一直爭論下去，而且還會處處強詞奪理。因此，父母必須把道理和孩子說淸楚，告訴他什麼可以，什麼不可以，然後愉快地、果斷地結束爭論。

727. **對孩子的任何要求父母都應該制定相應的規定，而且必須堅決貫徹**。比如，什麼時候必須上床睡覺，什麼電視節目可以看，多久可以請朋友吃一次飯或在家過一次夜。這些都是家中一般的紀律，是沒有討價還價餘地的。如果你的孩子抱怨無事可做，比較聰明的做法就是不要理他，不要給他提這樣那樣的建議，因爲孩子處於這種心情的時候會輕蔑你的建議，他會連想都不想就把你的建議一個一個地拒絕掉。如果出現這種情況，你不要和孩子進行無用的爭論，而要他自己解決自己的問題。比如可以對他說：「我現在有好多事情要做。但是等一會兒我還要做點兒有趣的事情。」換句話說，就是「跟著我學，爲自己找點兒事情做。甭想讓我哄著你玩，也甭想讓我和你爭論。」

你可以偶爾允許孩子提出一些特殊的要求。而且，只要你覺得他們的要求應該得到滿足並且你也想滿足他們，那麼，你就應該爽快地滿足他們。但是，在他們沒完沒了、急不可待地提出更多的新要求之前，你必須首先不容質疑地給他們規定和限制，這樣就能避免引起他們的抱怨，也避免使你灰心喪氣。

咬人

728. **一歲左右的嬰兒有的時候可能會咬父母的臉頰，這是正常現象**。他們長牙的時候就是想咬東西，而且，在感到疲勞的時候更想咬東西。

我認爲，對於一個兩歲到兩歲半的孩子來說，無論他是出於友好還是生氣，如果他咬了另一個孩子，這也沒有什麼。這個年齡的孩子感到氣餒的時候，或有什麼願望的時候，都無法用語言來表達他們的心情，因此他們就用一些原始的方式，如咬人，來表達。此外，他們還不會設身處地的爲受害者著想，甚至連自己的行爲能給對方造成多大的傷害都意識不到。因此，父母或其他照顧孩子的人應該嚴厲地對他說：「會痛的！輕點兒。」同時，趕緊制止他，或讓他離開小夥伴們一會兒。這樣做的目的只是讓他知道，他的這種行爲使你不高興。即使他還理解不了你的確切意思，你也要這樣做。

729. **如果兩、三歲的孩子咬人成爲一個嚴重的問題，你必須弄明白這是不是因爲他與其他孩子不來往而導致的**。要想一想孩子多長時間咬人一次，以及孩子在其他方面的表現如何。如果他多數時間都顯得神經緊張或不高興，並且總是毫無道理的咬其他孩子，這就預示著有問題了。這或許是因爲他在家裡受到的約束或限制太多，因而變得暴躁和高度緊張；也許是因爲他很少有機會去熟悉其他的孩子，因此就認爲他們對自己有危險或有威脅；也許是因為他在家裡嫉妒自己的小弟弟或妹妹，因此就把他的擔心和怨恨轉移到其他孩子身上，就好像他們也是他的競爭對手一樣。如果孩子咬人只是衆多的尋釁行為、令人煩惱的行為之一，那麼，它就僅僅是一個更大問題的症狀。這時，你應該注意的是那個大問題，而不是咬人的問題了。

然而，也有的孩子在別的方面表現得很好，但是會突然像晴天打雷一樣意外地咬起人來。這種情況是兒童正常發育階段中的一個尋釁行為，而不是什麼心理問題的症狀。儘管如此，大多數父母仍然擔心，害怕自己可愛的孩子長大後會成為一個殘酷的人。但是，咬人通常只是發育階段中存在的暫時性尋釁行為，而且即使是最溫順的孩子也可能會經歷這樣一個過程。

730. **如果你的孩子咬人，有很多策略可以幫助減少這種行為**。你首先（而且無論何時）需要做的，就是在孩子開始咬人之前就去防止它。那麼它發生的時間可以預測嗎？如果可以預測，大人在這段時間對孩子進行監視通常能有不錯的效果。另外，孩子會不會因為自己是玩伴中最沒有能力的一個，或因為你對他的限制常常前後不一致而使他感到無所適從呢？如果是這樣，你就需要考慮一下，是否應該調整他的日常活動安排。與此同時，在他表現好的時候，一定要給予他熱情的肯定和鼓勵（對有些孩子來說，只有去咬其他孩子才會引起別人的大量關注）。如果孩子的無所適從感在明顯地加劇，就要想辦法再把他的注意力引到另一項活動中去。如果孩子已經能夠明白事理，你可以另外找個時間和他談一談這個問題，讓你幫助他想一想咬人有多痛，以及當他想咬人的時候是否有別的辦法可以制止自己。

如果咬人的事情已經發生，你必須嚴厲地教訓他，要讓他知道你為此感到多麼生氣，並且告訴他你不希望他再去咬人。然後，你可以和他一起坐幾分鐘，讓他慢慢消化這一教訓。如果他試圖走開，你就要抓住他的手或緊緊地擁抱他。要避免對他進行長篇大論的說教。

有些被嬰兒或一歲的幼兒咬過的父母問我說，他們是否也應該反過來咬孩子。我認爲，如果父母把自己擺在一個友好而又負責任的位置上，他們理應能夠把孩子管好，而根本用不著把自己降低到孩子的年齡水平上，去採取咬、打和喊叫等孩子打架的方式。此外，如果你眞的去咬，或打一個非常小的孩子，他就會把它當作一場打鬥遊戲和你對咬下去。他會認爲，旣然你可以這樣做，他也完全可以這樣做。所以，當你發現他又想咬人的時候，你只能往後退以防再次被咬。要讓他淸楚地知道你不願意讓他咬，而且也不允許他咬。

731. **孩子到了三歲的時候，咬人的現象就會減少或消失**。因爲這時他們已經學會了用語言來表達自己的欲求或發洩自己的無所適從感。這時他們也能更好地抑制自己的衝動了。但是，如果孩子到了這個年齡還繼續咬人就値得注意了。這時，你應該向你的醫生、保育護士、顧問、朋友，或有類似憂慮的其他父母請敎。

攻擊性

732. **攻擊性的發展過程**。攻擊性是人類本性的特點之一。憤怒，作爲一種孤立的情緒，通常出現在孩子六個月以後。作爲父母，我們的工作就是幫助孩子找到一種可以讓人接受的方法，來表達和處理他們的攻擊性。孩子愛父母，也渴望父母愛自己，這種思想爲孩子提供了一種很強的動機，促使他們去學會處理好自己的攻擊性。如果孩子在成長過程中能得到父母的鼓勵，他們控制攻擊性的能力就會越來越強。一個一、兩歲的孩子如果生另一個孩子的氣，他就可能會毫不猶豫地去咬那個孩子的胳膊。但是到了三、四歲以後，他們已經懂得人身攻擊是人們不能接受的行爲。然而，他們還是喜歡假裝朝一個壞人開槍。他們甚至可能會假裝朝爸爸或媽媽射擊，但是同時還笑嘻嘻地，目的是讓爸爸或媽媽放心，他們的槍和對父母的敵意都不是眞的。另外，孩子在這個階段已經會說一些話了，因此父母可以鼓勵他們使用語言，而不是用行動來表達他們的憤怒。

六～十二歲的孩子會很認眞地玩打仗的遊戲，但是這種遊戲的規則可能很嚴格。他們可能會出現爭吵和打鬧，但是眞正的打鬥現象則很少出現。這個年齡的孩子通常不再向他們的父母射擊了，即使在開玩笑的時候也不這麼做。這並不是因爲父母對孩子的要求更嚴格了，而是孩子自己的良心對他們要求更嚴格了。他們說：「踩上裂縫，你媽背痛。」意思是說，即使是傷害父母的想法也會讓他們覺得不自在。

孩子進入青春期以後，他們的攻擊欲望就更加強烈了。但是大多數孩子此時已經能夠把這些情緒引向運動和其他比賽中，或引向與好友的玩笑中。

733. **孩子玩槍和攻擊性玩具好嗎**？玩槍好不好呢？我認爲沒有什麼害處。對此我已經強調多年了。有些家長考慮得很周到，他們不想讓孩子養成一絲一毫的違法或好戰習氣，因此對是否應該讓孩子玩手槍或其他戰爭玩具提出疑問。我的解釋是，玩槍和好戰之間沒有多少聯繫；玩打仗是孩子約束自己的攻擊性的必然過程；多數牧師和和平主義者可能也玩這種遊戲；現實的家長可能不會擔心自己眞的培養出一個惡棍來；好鬥的少年犯並不是因爲在五歲或十歲的時候扮演強盜才導致個性變態的，而是因爲在他一、兩歲的時候（即個性正在形成的時候）無人重視、受虐待或缺乏愛，結果，他還沒得到眞正的戰爭玩具，就已經被判定是個好鬥角色了。

但是，我現在還是想多給家長一點鼓勵，希望他們引導孩子不要使用暴力。有很多的事件使我相信，這麼做是非常重要的。

734. **我們社會中的攻擊性**。我曾觀察過一位有經驗的幼稚園教師上課的情況。這是最先讓我改變想法的事件之一。她的學生沒有什麼理由就粗魯地對打，而且越打越凶。當她規勸孩子們的時候，他們就反駁說，

「三個小丑」就是這樣的呀。這是一個兒童電視節目，由一些舊電影短片編排而成，裡面充滿了暴力和打鬥。此節目一開始上演，立刻受到歡迎。孩子的這種態度使我明白，看暴力鏡頭能降低孩子的行為標準。近來的心理實驗已表明，觀看電影或電視中的野蠻鏡頭也會刺激成年人，使他們變得殘忍。

使我改變想法的另一件事是，甘迺迪總統遇刺以後，一些學生聽到這個消息竟然都歡呼起來。這讓我感到非常震驚。但是我不想責怪孩子們，我想責怪的是這樣的一些父母：他們在談論自己不喜歡的總統時常說：「如果我有機會，我就殺了他！」

這件事情又讓我想起美國人容忍殘酷、違法和暴力的另一些證據。我們曾經殘暴地對待過印第安人；在有些偏遠開發區域，我們又退回到了由治安維持會來主持公正的傳統；我們對後來移居我國的移民過於苛刻；我們常常對那些持某種政治或宗教觀點的人有失公允；我們的犯罪率高於其他國家；許多成年人和兒童對那些西部暴力劇和電影電視中的野蠻犯罪故事一直興趣不減；我們不僅有過一段種族主義的私設刑法、胡亂殺人的可恥歷史，而且還有常見的種族虐待和種族歧視的現實；嬰幼兒受到粗野父母的野蠻傷害而被送進醫院。

當然，這些現象有一些只是美國人口中一小部分人的特殊作風。即使是那些大多數人都具有的特點也並不一定說明我們美國人骨子裡就比其他國家的人好鬥。我認為，更準確地說，是我們的好鬥性從兒時起就一直沒有得到較好的控制。

為了能過更穩定和文明的社會生活，我們應該教育我們的下一代更加地尊重法律，更加地尊重別人的權力和情感。

735. 我們有很多方法可以教育孩子去尊重別人，而且也應該用這些方法來教育孩子。在兒童時代的前半期，我們就有一個很簡單的機會可以利用，那就是對電視節目中和兒童玩槍遊戲中的違法和暴力行為表示不贊同。

我還相信，世界要生存下去，我們就必須避免戰爭，就必須積極地尋求和平協定。對此，人們必須有更加清楚的認識。我們寄望於我們的孩子，希望他們能認眞地爲這個艱巨的使命做好準備。

如果我們讓孩子長大後覺得殘暴是可以被人接受的，那麼，假如他們知道某件事是虛僞的；假如他們對某些個人或團體非常不滿；或假如殘暴是爲國家服務的（不管這個國家是對還是錯），那麼，他們受到挑釁的時候就會很容易發狂。

但是，我們當眞要剝奪美國兒童的玩具槍嗎？當眞要不讓他們看他們最喜歡的西部片或警匪片嗎？我認爲我們應該這麼做。父母應該堅決制止孩子的戰爭遊戲，制止任何蓄意製造殘暴和行凶的兒童遊戲。我不是說父母一定要干預孩子的每一次小小的爭吵或扭打事件，而是說，如果我有一個三、四歲的兒子要我給他買把槍，我會帶著友好的微笑而不是滿臉怒容對他說：「我不想給你買槍，也不想讓你去做哪怕只是假設的射擊，因爲世界上已有太多的行凶殺人事件。我們都必須學會如何與別人友好相處。」接著，我會問他是否還想要別的禮物。

如果不久以後我看到他拿著一根棍子當手槍，想加入一群正在互相「砰、砰、砰」射擊的孩子的行列，我不會衝出去提醒他我說過的話。只要其中沒有殘暴的行爲，我會讓他得到參與這個遊戲的樂趣的。如果他的叔叔給他一把槍或一頂戰士鋼盔作爲生日禮物，我自己也不會魯莽地從他手裡奪走。如果他到了七、八歲，決定用自己的錢買戰鬥裝備，我也不會禁止。我會提醒他我自己不會給他買戰爭玩具，也不會給他這些東西作爲玩具。但是從這時起，他會在離家越來越遠的地方玩，而且自己做決定的時候越來越多。他可以自己做決定，我不會用堅決否定的態度和他談話，不會讓他由於害怕我而不敢做出違背我的旨意的決定。我會認爲我已經擺明了我的觀點，他在內心裡已經受到了我的觀點的影響；而且我也只能給他這麼大的影響。這樣一來，即使他在那時還可能非要買武器不可，但是後來（在青春期和成年期）就不會再買槍了。因爲到了這個年齡以後，他就會考慮到我曾經因爲和平的問題禁止過他買槍，而且他甚至還可能考慮得更多。

我爲什麼總是先嚴令禁止，然後又讓步呢？原因是這樣做會更加深刻地觸動那些最不需要玩具武器的人。假如美國的所有父母都認識到需要禁止玩具武器，並且一致同意在下個月的第一天禁止玩具武器，我認爲我的目的就達到了。但是這種情況是不會發生的，除非恐怖主義分子發射一顆原子彈，嚇得全世界的人對什麼武器都禁止——無論是眞的還是假的。

有一小部分父母考慮問題很周到，而且對孩子盡心盡責。他們可能會勸說孩子不再玩玩具武器。但是，他們的孩子也很可能很理智，很負責任，根本用不著大人勸說。因此我認爲，儘管我們當中有些父母特別關心和平與友好，但是也沒有必要非要孩子和我們一樣，完全獻身於我們的事業。在他們的所有朋友都有槍的情況下，這樣要求他們就有點兒過分了。但是，如果一個街道的多數父母都有同樣的追求，這麼做或許還比較實際。我們的主要理想，就是讓孩子長大以後能夠熱愛全人類。這種態度主要靠家庭風氣的影響，然後再通過教育得以加強。因此，我們必須教育孩子以友好的態度去對待其他國家和團體。禁止孩子玩戰爭遊戲還會對他們產生一些其他的影響，但是它們都不如以上兩個因素對孩子的影響大。

過動

736. 什麼是過動（hyperactivity）。如果你向十位專家問這個問題，你就很有可能得到十個不同的答案。有兩個原因，首先，儘管這方面的理論很多，但是我們還是不能眞正了解引起注意力缺失／過動疾病（attention deficit hyperactivity disorder，簡稱ADHD）的原因是什麼。多數人認爲，眞正患有ADHD的兒童在大腦的化學組成（或叫「思維線路」）方面與正常兒童有微妙的差異。這種差異使得他們難以專心，難以抑制自己的衝動。（順便提一下，糖能引起ADHD的說法基本上已經被推翻。也沒有多少證據可以證明ADHD是飲食不當引起的。）另外，我們還沒有檢測ADHD的工具。對它的診斷依據僅僅是兒童的實際表現。而人們對這種表現的衡量尺度可能是有差別的。

我們當然認爲多數過動兒是天生的，並且還以爲，如果兒童七歲的時候還沒有出現這種症狀，他就不會得這種病了。

737. **我們對ADHD了解多少？**首先，人們認爲平均每二十五個小學生中就有一個ADHD患者。第二，得這種病的男孩要比女孩多。第三，眞正患有ADHD的兒童容易衝動、好動、焦躁不安，而且注意力集中的時間比多數同齡兒童短。他還可能脾氣急躁、情感幼稚、難以與人相處。第四，據估計，大約40％的過動兒學習能力低下（參看871-874）。這些特點使過動兒很難在學校和在家裡有良好的表現，而且也在交朋友方面使他們遇到很多困難。

你很可能至少知道一個符合上述條件的兒童，而且他很可能就是你自己的孩子。如何斷定你的孩子是否是過動兒呢？或許你自己不能斷定。那麼，最好的辦法就是向孩子的醫生或保育護士談談你的憂慮。她也許會把這些行爲的原因分類列出，也許會讓孩子去看一位經驗豐富的專家，例如，兒童精神科醫生或心理醫生，請他來進行評估。這位專家通常要和兒童一起待上至少幾個小時，還會和兒童生活中所有重要的成年人（包括他的父母和老師）談話，或者讓他們塡問卷。這些都是特別重要的步驟，因爲眞正的過動兒幾乎在任何地方都會表現出行爲問題。在學校和其他需要他們集中注意力的地方、需要遵守規則的地方、和需要守規矩的地方，他們的行爲問題表現得尤其明顯。但是，即使採取最認眞的評估方法，也難以確定一個兒童是確實患有ADHD呢，還是他僅僅是由於焦慮或緊張而導致的正常好動。

738. **對ADHD的治療方法很多，而且多數兒童都可以通過一種以上的方法得到治療**。如果父母和老師不去改變自己對待孩子的方式，而只給孩子用藥，這就是一種錯誤的治療方法。

如果孩子確實患有ADHD，就可以採取藥療法，例如，給孩子服用methylphenidate（Ritalin），dextroamphetamine（Dexedrine）和pemoline（Cylert）。這些藥不是鎮靜劑，而是興奮劑。它們的藥理作用好像是通過對大腦中控制注意力的部分和抑制衝動的能力進行刺激，以達到使其正常運作的目的。實驗證明，藥療法對四分之三的兒童有效。經驗顯示，如果藥物使用正確，它們通常比較安全，極少有不良的副作用。

但是在過去的十年中，藥物治療呈急劇上升的趨勢。專家們說，要麼是現在患有ADHD的兒童比以往多了，要麼就是我們太急於給有行爲問題的兒童用藥了。我的觀點是，我們既可以說在治療ADHD的時候採取藥物治療的手段過多，也可以說採取藥物治療的時候太少。有些專家確實試圖用藥物來解決所有的行爲問題：如果一個孩子太好動，好吧，那就給他用藥吧。這種做法一方面確實過於簡單而且也不正確。另一方面，藥物治療也確實曾讓很多患有ADHD的兒童受益匪淺。但是，毫無理由地害怕藥物治療，或對這些藥物過分依賴，都同樣糟糕。

如果你有一個患有ADHD的孩子（或有一個看上去好像是患有這種病的孩子），你或許可以參加你們社區的「過動兒家長聯誼會」。許多家長發現，找有其他類似情況的家長訴訴苦，互相探討一下處理問題的方法很有幫助。無論是誰，帶著一個過動兒都是一件很困難的事，而這些家長提供的建議對應付患有過動的孩子往往都是最有效、最實用的。你或許還可以到當地書店去買幾本寫給父母的有關過動兒方面的好書。

一般到後來，患有ADHD的兒童都能成長得很好。隨著他們的不斷成熟，多數孩子都能學會如何去處理注意力不集中和愛衝動的問題。儘管我們認爲ADHD會陪伴他們一生，但是它的症狀會隨著時間而發生變化。例如，可能會逐漸減輕，最後由躁動不安的情緒所取代。大多數患有ADHD的成年人都能找到可以揚長避短的工作。我決不贊成讓患有ADHD的人從事空中交通管制的工作。處理不好ADHD的成年人往往都是那些小時候很好鬥，而且缺乏自尊心的人。

我想專門給你們提個建議，希望你們特別留意孩子的自尊心問題（參看642-643）。患有ADHD的兒童在這方面舉步維艱，但是這既不是他自己的錯，也不是他父母的錯，而是他天生就和別人不一樣。他可能很難與別人相處，總是遇到麻煩，而大人也總是爲一些事生他的氣。所以，我們很容易理解，爲什麼他長大後可能認爲自己是一個沒什麼能力的人。

有時候，如果父母只看到孩子的不良行爲，而不去注意他的良好行爲，就會在孩子的心中刻上一個不好的自我形象。因此，你應該給孩子找一些他擅長做的事情，尤其是能使他發揮先天優勢的事情。一定要讓他明白，你反對的是他的行爲，而不是他這個人本身。

如果能及早診斷，採取不同的治療措施，比如藥物治療、行爲矯正術、提供解決自尊心不足的建議、密切關注他的學業成就、弄清是否同時存在著學習能力低下或其他行爲混亂問題，以及採取治療這些問題的其他特殊方法，患有ADHD的兒童就可以得到效果良好的治療。

16 兒童成長發育中的常見問題

訓練大小便

739. **父母要樂於此道**。人們總是喜歡談論孩子是否願意接受這方面的訓練，其實父母也必須樂於做這項工作才行。可是許多人做這項工作的時候總是「急於求成」。我想，我們之所以「急於求成」，部分原因就在於，我們的社會教育我們要爲隨地便溺的行爲感到羞恥和厭惡。

「急於求成」也可能來自你的內在壓力。那就是你希望自己的孩子能養成良好的大小便習慣，做到在恰當的時間以恰當的方式大小便。對於工作的父母來說，常常還有一種外部壓力，那就是要盡早地讓孩子養成大小便的好習慣，以便減輕全天工作的保姆的負擔，或者爲了避免要把孩子往日間托兒所送的時候人家不收，因爲那裡不接收離不開尿布的學步兒。

有些父母把「不要催促」和「不要強迫」誤解成「不要訓練」。這可不是我在這裡講的意思。我的意思是不要一遇到孩子的抵制就打退堂鼓。訓練與不催促之間有一種微妙的平衡關係，只有既訓練而又不催促，才能收到理想的效果。

訓練孩子養成良好的大小便習慣的第一步，就是先把你的複雜情感理順。當你發現自己有不良情緒的時候，就要設法找到一種辦法，使自己至少能平心靜氣地來對待某件事情。比如，當你的兩歲孩子剛剛弄得滿屁股都是屎，而你又不得不給他收拾的時候，你不應該說一些嫌髒、怕臭的話，而應該這樣說：「噢，寶貝，今天你又拉了一大攤！要是你坐在『小馬桶』上大便，是不是就用不著這麼老老實實地躺著等我給你收拾了？下次你再想大便的時候告訴我，我會幫你使用那種特製的小馬桶的。」

當你能夠屈駕自己的情感時，你就能把訓練孩子的大小便習慣這件事做得更好了。當你發現孩子想接受訓練的跡象以後，你幫助孩子完成這一重大使命的工作也就更好做了。

740. 教孩子學會使用馬桶是很重要的一步。訓練孩子大小便習慣的開始階段，通常也是孩子剛剛開始確立自我意識的階段，也就是孩子開始意識到自己是個獨立於他人的人。因此，他們無論做什麼都希望自己有更大的自主權和控制權。他們也剛剛開始明白什麼是自己的，而且能夠決定某件東西是保留還是丟掉。他們自然對從體內排泄出來的東西感興趣，而且對越來越有能力控制排便的時間和排便的地點感到高興。

他們身體下面的兩個排泄孔原來是失控的，而現在他們能控制它們了。爲此他們感到非常自豪。實際上，他們在一開始的時候都得意得過了頭，因此非要每隔幾分鐘就想「表現」一番不可。他們接受了父母賦予他們一生中的第一個重大責任，而與父母在這項工程上的成功合作，又增加了雙方的相互信任感。原來對食物和大便漫不經心的孩子，現在也開始尋求清潔帶來的滿足了。

你可能把這一轉變的基本意義理解成與尿布的告別。當然，這是很重要的一點。但是，兩歲左右的孩子獲得愛潔淨的心理，其意義要比這豐富得多。實際上，這是孩子一生愛乾淨的基礎：它使孩子喜歡保持雙手衛生、服裝整潔、居室乾淨整齊以及做事有條不紊等。孩子們後來之所以知道哪種做事方法正確，哪種不正確，就是因爲他們在養成大小便習慣的過程中，獲得了這樣的感知。這一點有助於他們養成責任感，成爲一個做事有條不紊的人。由此可見，訓練孩子的大小便習慣，在孩子性格的形成和建立與父母之間的基本信任關係上，都發揮著重要的作用。孩子生來就渴望更加成熟和自信。所以，如果你想利用他們的這種願望，就應該從訓練他們的大小便習慣上下功夫，這對你們夫婦二人來說，將是一種事半功倍的選擇。

控制大便

741. **一歲前**。一歲前的嬰兒對大便的排泄沒什麼意識，所以無法隨意控制。當他的直腸滿載以後，特別是飯後由於胃肌活動刺激而致使整個腸道的蠕動；腸道的蠕動對肛門內膜產生壓力，並使肛門有點開放；這樣又刺激小腹的腹肌，使之產生向下的擠推運動。換句話說，這個年齡的嬰兒不像大一點的孩子或成人那樣，去主動地通過小腹的腹肌來擠壓排便，而是全靠先天的生理機能自動排便。

在一歲前，有些孩子還不太具備接受排便訓練的條件，因爲他們總是在飯後5～10分鐘內就要排便。如果父母仍然希望訓練孩子，就應該每天都在這個時間準時將孩子放在小馬桶上，以便能接住孩子的大便。這樣過幾週以後，孩子一感覺到小馬桶在他身下，他的神經系統就會產生條件反射，促使他向下用力。這是一種程度非常有限的訓練，但卻算不上是學習，因爲孩子還不能意識自己是在大便或在做別的什麼事。他並不是有目的的配合，而且一些很早就被迫這麼做的孩子，在後來還很容易出現倒退的行爲，比如長期把大便拉在褲子上或尿床。因此我建議在孩子一歲前不要做任何訓練嘗試。

742. **一歲到一歲半**。這個年齡層的孩子在解大便時逐漸地意識到了。他們可能會突然中止正在做的事或剎那間變化臉部表情。但是這並非他們已經懂得如何去引起父母的注意。

當他們天眞地望著拉在尿布上的、地上的或被碰巧接入小馬桶中的大便時，很可能還會對它產生一種明顯的佔有欲。他們會把它當作是一種迷人的個人創造物而感到自豪。他們可能會像後來欣賞花香一樣，去聞一下自己糞便的氣味。他們對大便和大便的氣味所表現出的自豪感，以及機會到來的時候對便溺的愉悅感，都是這一年齡層的典型反應，只有在兩歲的後半年才會相對容易地轉化爲對潔淨的喜好。我認爲，大人不應該也不必要讓孩子對他的排便或其他行爲產生強烈的反感。但是，讓他做好喜歡潔淨的準備，在一定程度上有助於孩子受訓成功並且保持訓練成果。

有些父母在孩子兩歲初的時候用小馬桶給孩子接大便獲得了成功。他們發現，孩子對大便的佔有欲的表現之一，就是非常不願意把大便拉在小馬桶裡交給父母。他們的另一個表現就是，孩子看到糞便在馬桶內被水沖掉的時候，會感到不安。對於一些更小的孩子來說，這種困擾是很難忍耐的，就如同自己的胳膊被吸入到馬桶裡一樣。

743. 樂於接受訓練的間接信號。從孩子兩歲開始，樂於接受訓練的其他方面就顯露出來了。但是，我們通常不會因此就認爲他已經具備了接受大小便訓練的條件。孩子現在很願意送給別人禮物，而且還從中獲得極大的滿足。但是，他們一般還是希望送出去的禮物能很快地回到自己手裡。由於這種矛盾的心理，孩子可能會出現這種情況，比如親手舉著自己的某個玩具送給客人，但是他卻不把手鬆開。

這個年齡層的孩子還特別著迷於把東西放入容器中，並且喜歡看見它消失以後又重新出現。漸漸地，他們想模仿父母和哥哥姊姊的許多活動。這一主觀動力對孩子接受訓練起著重要的作用。

他們非常喜歡學習和掌握獨立做事的技巧，而且也願意因爲這方面的成績而受到表揚。

744. 行爲反覆。在兩歲的前半年已願意使用小馬桶的孩子有時候會突然改變他的行爲模式。他們願意坐在小馬桶上，可是一坐在小馬桶上，就沒什麼結果。但是他又站起來以後不是把大便拉在屋角，就是拉在褲子裡。有時候父母急了，就說：「我看我們家的孩子是忘記了他應該怎麼做了！」我並不認爲孩子就那麼容易忘事。我想是他們對大便的佔有欲又一次暫時增強了，所以不願意把它排泄出去。在兩歲的前半年，他們越來越渴望能用自己的方式爲自己做事，而在廁所解大便在他們看來主要是父母的意圖。因此他們就盡力地憋住，一直憋到從小馬桶上站起來溜走爲止。他們的這種行爲表示他們屈服於父母的意願，但是他們不想解大便了。

如果這種抵制行爲持續幾週，孩子不僅在小馬桶上的時候，而且（如果他應付得了的話）可能在一天當中都遲滯排便。這就是便秘的心理典型。

在兩歲的前半年，行爲反覆的發生率往往高於後半年。一旦出現這種情況，那就說明你要一直等到孩子兩歲半的時候，才能開始訓練孩子大小便。要讓孩子覺得是他自己決定要控制自己的大小便，而不是他屈服於父母的要求。

745. 一歲半到兩歲。在大約一歲半到兩歲之間，大多數孩子明顯地表現出樂於接受大小便訓練的跡象。

這時他們想弄明白，某個東西看不見了以後去了哪裡？是永遠地消失了呢，還是就在原來停放的地方，只是眼睛不能直接看到它？這種比較老練的觀察世界的方法（在此之前他們認爲看不見就是不存在）是他們樂於接受大小便訓練的又一個因素。到了他們樂於把玩過的玩具和脫下來的衣服收好的時候，他們就獲得了更進一步的認識，即東西各有其位。

他們現在認識到父母有別於自己。這種越來越清楚的自我意識進一步增強了他們取悅父母和不負父母所望的欲望。與此同時，他們還非常樂意去學習自己能夠獨立完成的任何技能，並且喜歡由於這方面的成就而受到表揚。

這時，孩子的感官機能也有所增強，他們能更加清楚地感覺到自己是否想排大便，而且在排大便的時候也知道自己在做什麼。比如在玩耍的過程中，他們要麼停下來，要麼表現得不舒服，要麼做出某個手勢或發出某種聲音，來向父母暗示尿布已經髒了，好像是要讓父母幫他們弄乾淨一樣。如果父母溫柔地問孩子是不是已經把尿布弄髒了，孩子就很可能會做出上述表示。一般情況下，要經過父母一段時間的鼓勵之後，孩子才能做到在大小便前及時向父母通知求助。這種身體的自我意識，是孩子學會獨立大小便和控制大小便的又一前提。

此外，孩子的活動能力也提高很多。他們可以爬到或走到任何地方，當然也能夠自己坐在小馬桶上。他們已經能夠自己取下尿布或脫下褲子。

最後一點是很重要的。他們的智力已經比較成熟，能夠明白父母對他們的要求，而且非常願意採取合作的態度來證明自己已經像個「大人」了，就像哥哥、姊姊、爸爸、媽媽一樣懂事。

概括起來說，達到這個發育階段的孩子，可能都已經具備了熟練控制大小便的能力了。

746. 訓練上廁所的哲學。巴瑞・布拉斯爾頓（T. Berry Brazelton）博士是一位小兒科醫生，長期致力於幼兒的上廁所訓練研究。下面我就把他的理論和方法簡要地介紹一下。他在實踐中建議數以千計的兒童使用了這種方法。其中80％的兒童在平均年齡兩歲半的時候，大小便的訓練同時獲得了成功。大約在三歲的時候，孩子就能夠自己控制夜間的大小便行為了。無論從哪一種標準上講，這些都是相當出色的成績。

布拉斯爾頓博士的基本理論是，訓練得在孩子願意接受的時候才開始，不可以強迫，不可以威脅，也不可以批評。他認為，只要採取這種方法，對孩子進行訓練就很容易獲得成功，而且以後也不容易發生把大便拉在褲子上和尿床等問題。（在他的病例中，只有1.5％的孩子到五歲的時候還尿床。有一個歐洲國家以有效的上廁所訓練理論而聞名，但是他們的訓練成績是仍有15％的成年人尿床。與他們相比，1.5％的比例是多麼微不足道啊！）他建議家長，當孩子在訓練失敗時應該採取適當的建議和誇獎，而不應該表現出明顯的不滿。如果孩子不願意坐小馬桶，也不要強迫他。當孩子想站起來的時候，不要硬逼著他坐著不動——哪怕是強迫他多坐一秒鐘也是不應該的。由於孩子總夢想長大成人，所以，當他們認爲自己有能力做到的時候，他們就會自覺地去控制大小便。這種方法要求家長信任孩子渴望成熟的心理，毫無怨言地等待這一天的到來。

但是要記住，這並不是在暗示父母可以不對孩子抱什麼期望。一旦決定了對兩歲左右的孩子進行訓練，父母的態度就要始終如一，眞心期待著受訓的孩子能與大孩子和大人一樣學會使用馬桶。這就需要家長在孩子成功的時候對他們進行溫柔的表揚，在孩子不願服從的時候對他們鼓勵，而不要在孩子不想合作的時候對他們發火或批評。

747. 用成人馬桶還是小馬桶。幼兒小馬桶是安裝在成人馬桶上的。有些孩子從一開始就習慣於使用幼兒小馬桶。如果準備讓孩子一直使用這種東西，最好是選擇那種帶有腳踏板的，以便孩子能感覺更穩當些。家長還應該做一個穩固的腳凳或一個結實的箱子來當台階，以便孩子學著一個人爬到馬桶坐墊上去。我自己認爲，在孩子兩歲半以前，應該讓他使用小馬桶，因爲這種小馬桶比較低，很接近地板。孩子對自己單獨使用而且可以直接坐上去的小傢俱有一種親切感。他們坐在上面時，腳能夠踩到地板，因此不會產生不安全的感覺。不要給男孩子使用與小馬桶配套的防尿護板，因爲在他站起來或坐下的時候很容易碰到而受傷。一旦孩子被傷著一次，他以後就不會喜歡使用它了。

748. 第一階段。剛開始訓練孩子的時候，不要剛解掉孩子的尿布，就把他直接放到小馬桶上。這樣做讓孩子感到太唐突，太難以理解。最好是先讓他對小馬桶熟悉幾個星期，比如讓他把小馬桶當成是一件可以穿著衣服坐上去的有趣玩具，而不是父母用來逼他大小便的設備。

749. 第二階段。孩子接受了小馬桶以後，你可以很隨便地建議他把蓋子打開，像大人使用馬桶那樣坐在上面大小便。（如果大人催促他或強迫他做某種不熟悉的事情，這個階段的孩子很容易產生警覺心理。）你可以向他示範一下怎樣坐在抽水馬桶上。

當孩子想站起來離開小馬桶時千萬不要阻攔。不管他在上面坐的時間多麼短暫，這種經歷對他都是有益的。你應該讓孩子滿懷自豪感的自願往上坐，而不要讓他有被強迫的感覺。

儘管安裝在馬桶上的坐墊沒有放在地上的小馬桶更讓孩子動心，但是，你還是可以用同樣的方法訓練孩子適應它。如果孩子非得裹著尿布才肯往上坐，那就需要再過一個星期或更長的時間再建議孩子使用它。

你可以再向孩子解釋一遍爸爸媽媽是如何使用馬桶的，也可以向他解釋一下他熟悉的大孩子是如何使用馬桶的。讓孩子看著他的小朋友怎樣做也有助於孩子熟悉使用小馬桶。如果他有哥哥或姊姊，他可能早就看會了。

給孩子講過幾次如何往小馬桶裡解大小便的事情以後，你就可以在預感到孩子要解大便的時候給他去掉尿布，然後把他帶到小馬桶前，建議他試一次。如果他不願意，也不要強迫他。你可以在下次或改天再另找機會。當某一天他眞的把大便解到小馬桶裡以後，他就會明白父母的意圖並且願意合作了。

除此之外，你可以在孩子把大便解在尿布上的時候，拿著尿布把孩子領到小馬桶前。你要讓孩子看著你把大便弄到馬桶裡，同時告訴他爸爸媽媽都是坐在馬桶上便便的，而他也有自己的小馬桶，也應該像爸爸媽媽那樣把大便排到小馬桶裡。

如果你沒能讓孩子把大小便解到小馬桶裡，就不妨先中斷幾週，然後再接著耐心地嘗試。但是一定不要催促，也不要斥責孩子。

750. **糞便的沖刷**。在這一階段，要一直等到孩子把興趣轉移到別的事情上以後，再把他解在尿布上的糞便沖進馬桶。大多數一、兩歲的兒童最初對沖刷糞便很著迷，因此就想自己來做這件事。但是後來，有些孩子可能會因爲水流沖刷糞便時的猛烈方式而感到害怕，並且因此害怕坐在馬桶坐墊上。他們或許是害怕自己也會被水沖進馬桶裡而捲走。因此，在兩歲半以前，要等孩子不在場的時候再刷洗便盆或沖馬桶。

751. **當孩子產生興趣的時候**。如果孩子開始有興趣並且願意配合，你就可以每天讓他在小馬桶上坐兩、三次。當他有跡象（哪怕是很不明顯的跡象）要解大小便的時候，尤其應該這麼做。如果在吃飯前他已經好幾個小時沒有解大小便了，吃過飯以後讓父母給他準備小馬桶。此時假若他解便成功，父母就應該表揚他長大了，能和爸爸、媽媽、哥哥、姊姊或最佩服的朋友一樣會做事了。但是表揚不能過分，因爲這個階段的孩子並不喜歡太屈從別人。

752. **讓孩子自己學著大小便**。當你確信孩子已經能夠進行下一步的訓練（自己學習大小便）時，你可以讓他光著屁股玩一段時間。與此同時，不管他在室內還是室外，你都可以把小馬桶放在他的旁邊，並向他解釋說，這是爲了他自己解大小便的時候方便。如果他不反對，你就可以每隔一個小時左右提醒他一次。如果他感到厭煩，或產生反抗的情緒，或在他往小馬桶上坐的時候出現意外，你就需要再次給他穿上尿布，並且等一段時間以後再說。

753. **對大便乾燥的痛苦和恐懼**。有時候孩子會逐漸或突然出現大便乾燥的現象，從而導致排便的時候很痛苦。如果大便呈乾燥的小顆粒狀，那是痙攣性便秘（spastic constipation），一般很少疼痛。如果是一大塊直徑很粗的乾燥糞便，那就應該重視了。

在排便的時候，大便可能在肛門的伸縮部位撕開一個小口或形成肛裂，而且流一點兒血。如果形成肛裂，在以後每次解大便時都容易把裂口再次撕開。這種情況不僅很痛，而且傷口在好幾個星期之內都難以癒合。你很容易就會發現，孩子一旦受過這種疼痛的折磨，他就會非常擔心再次受罪，並且對解大便抵死不從。如果孩子連續幾天不解大便，就很可能發展成惡性循環。因爲如果孩子眞的好幾天憋著不解大便，他的大便就很可能會變得更硬。

孩子的大便乾燥出現硬結時要及時通知醫生，在孩子正處於兩歲敏感期時尤其需要這麼做。醫生可以通過改變孩子的飲食或用藥使大便變軟。如果孩子願意吃，可以在每天的飲食中加入梅乾或梅子汁，這種辦法是很有效的。我嘗試過用糖漿、蘋果醬和梅子汁混合在一起給孩子服用，也很成功。孩子喜歡吃這種混合食物，而且它的通便作用也很好。食用全麥的麥片、麵包和餅乾，也有一定的通便效果。讓孩子在浴盆的溫水中每天盤腿靜坐幾次，每次10～15分鐘，也有助於通便。在需要的時候，還可以經常在孩子的肛門周圍塗抹含有凡士林和羊毛脂的軟膏。

如果知道孩子害怕大便疼痛，你可以安慰孩子一會兒，向他保證他用不著再擔心什麼，因爲通過藥物治療和飲食變化之後，大便已經變軟了。如果孩子還是害怕並且拒絕大便，好像仍有痛感，那麼就該到醫生那裡接受檢查，看是否還有未癒合的肛裂。

小便的自理

754. 大小便自理。布拉斯爾頓博士的方法的適用性表現在：當孩子樂於自理的時候，他們通常能同時控制自己的大小便。換句話說，在三歲至三歲半期間，無論是從自我意識上還是從身體機能上，孩子都已經具備了大小便自理的條件。此時發揮作用的就是孩子希望在這些方面成熟起來的意願，而根本不需要父母爲他們的小便自理做出專門的努力。

755. 對大小便的態度。孩子在對待大小便的態度上存在著頗爲有趣的差異，這一點有助於你理解他們的行爲。

對大便的自控意識要比對小便的自控意識形成得稍早一些，因爲肛門括約肌對固態的大便的抑制要比尿道對液態的尿液的抑制容易得多（當然，在鬧腹瀉的時候，肛門的作用就顯得差一些了）。

孩子很少白天尿褲子。他們好像不把尿當一回事，不像對待大便那樣，把它視爲自己的創造。

小便功能能夠自行成熟，與訓練沒有什麼關係。在周歲的時候，膀胱就可以經常性地自行排尿。但是到了十五～十八個月的時候，膀胱可以貯尿一、兩個小時。但是這也與訓練無關。實際上，一個正常的嬰兒到一歲的時候，夜間就不尿床了。

睡眠狀態下膀胱的貯尿時間比醒著的時候要長。在孩子白天能做到小便自理的時候，他已經有好幾個月能夠做到小睡兩個小時而不尿床了。

但是，在能完全做到小便自理幾個月以後，孩子可能還會在一段時間內偶爾在白天不自覺地排尿。這是因爲孩子太貪玩，而不想中斷遊戲去解尿。

756. 訓練孩子穿褲子和脫褲子。當孩子能大小便自理的時候，就應該開始訓練他自己穿褲子和脫褲子。這是教孩子邁向獨立的又一步驟，能減少孩子在大小便自理上倒退。在孩子能熟練地脫褲子之前，不要給他穿開襠褲。這類褲子對不會脫褲子的孩子不僅沒有任何好處，而且還會打消他們的學習積極性。

757. 出了家門就不會小便。有時候還會發生這樣的情況，兩歲左右的孩子能在家中熟練地使用小馬桶或大馬桶上的坐墊，但是到了其他的地方就不會解小便了。遇到這種情況，你不應該去催促他或斥責他。他最終可能還是把褲子尿濕了，然而這也不應該受到責備。如果孩子憋得難受，但是又尿不出來，而你又沒有辦法回家，那麼你可以讓他熱浴半個小時，告訴他可以尿在浴缸裡。這樣大概就會奏效。在帶著孩子旅行的時候，要牢記這種可能性。必要的話，可以帶上孩子的小馬桶，這對孩子及早習慣在室外的各種地方小便很有好處。有一種男孩和女孩都可以使用的攜帶式尿壺。在家時孩子們很容易習慣使用它，所以出門的時候就可以帶著它了。一些孩子離家在外的時候，使用尿布感到更舒服些。所以，出於保險起見，在他們離家的時候可以選擇用尿布。

758. 站著撒尿。有的男孩不會站立撒尿，因此家長可能會擔心，其實大可不必。只要他看見兄長和父親站著小便，他遲早都會萌發此念的。有些男孩一開始可能願意把尿撒在尿壺裡。這就是他們願意往馬桶裡撒尿的前兆。

759. 夜間不尿床。許多家長都認爲，孩子夜裡不尿床的原因就是家長臨睡前帶孩子去過廁所。他們問：「既然孩子白天已經不尿褲子了，我們什麼時候訓練他晚上不尿床呢？」這麼想是不對的，因爲聽起來好像訓練孩子夜間不尿床的工作很艱難。其實，只要孩子的神經系統沒有毛病，而且又不是特別難管，那麼，當他的膀胱成熟以後，晚上自然就不尿床了。事實清楚地表明，儘管家長不對孩子進行任何訓練，儘管孩子在白天還尿褲子，但是有1％的孩子從一歲開始就很少尿床了。還有少數這樣的孩子，儘管他們在兩歲的後半年和三歲的前半年就已經能做到晚上不尿床了，但是他們卻不能在白天控制好小便。由於人在安靜睡眠的時候，腎臟會自動地減少尿的產量並且使尿液更加濃縮，所以在人的睡眠期間，膀胱就會對尿液貯存更長的時間。

大多數孩子到了三歲時，晚上就徹底不尿床了。但是一般說來，男孩子不尿床的時間要比女孩子晚，過分活躍的孩子要比穩當的孩子晚。如果孩子很大了還尿床，那可能說明他有這樣的家庭病史（參看814-818「尿床」）。

我認爲，除了堅持不懈地期待孩子自己不尿床外，家長沒有必要做什麼特殊的事情。孩子的膀胱自然成熟以後，再加之應該往馬桶裡排尿的意識，他就能在多數時候不出事。當然，在孩子開始不尿床的時候，家長如果能表現得和孩子一樣自豪，效果就會更好一點。如果孩子能在白天控制小便，六～八個月以後又表現出晚上不要包尿布的意願，你要表現出對他的意願感到很高興，並且允許他這樣做。

760. **教孩子學會如廁後擦拭**。當你女兒對如廁後擦拭感興趣的時候，你可以跟她商量讓她自己先擦，然後你再幫她收尾，直到她能獨自做好這件事情時為止。從這時開始，你就應該教她由前向後擦，以防尿道感染。

761. **做好孩子退步的思想準備**。孩子在大小便自理方面的進步沒有明顯的階段性。在他們的進步過程中始終是平穩進步和退步並存。傷心、得病、旅途勞累和剛出生的弟弟或妹妹，都可能使有大小便自理能力的孩子出現倒退現象。如果孩子出現這樣的情況，也不要斥責他或懲罰他。當這類不可避免的事情發生後，孩子需要得到鼓勵，以便能很快地恢復大小便的自理能力，並且希望讓你知道，他仍然想在這方面成熟起來。

762. **能小便自理以後，大便自理能力的滑坡**。許多孩子（大多數是男孩子）在學習自己解小便期間，就不再坐在小馬桶或馬桶坐墊上解大便了。很明顯，他們不能同時按父母的所有要求去做。如果家長對此採取強迫或哄騙的手段，就很可能導致孩子把大便憋住。這樣時間久了以後，大便就會變得堅硬，造成大便疼痛，從而使孩子更不願意解大便。在這種情況下，你可以讓孩子墊上尿布以後再解大便。

睡眠

763. **睡眠的作用**。在過去的近二十年中，科學家一直在認真研究睡眠的作用，並且已經明白這是一個非常複雜的過程。進入睡眠狀態絕不像關掉開關那樣簡單，相反的，這是一個非常活躍的過程。在這個過程中，大腦的一部分促使大腦的另一部分發生化學變化，從而導致睡眠狀態。這種化學變化使人們失去平時的意識而進入夢鄉。

睡眠的作用到現在還沒有圓滿的解釋。一些人認爲它是一個從短期記憶向長期記憶轉化的過程。我們還了解到，睡眠好像能增強免疫系統的功能。或許正因爲如此，我們在生病期間才總想睡覺。就嬰兒而言，據說睡眠有助於他們組織、重整和記憶新學到的技能，甚至對大腦思維模式的形成也有重要的作用（參看147-179）。孩子的大部分成長過程似乎都是在睡眠狀態下完成的。不管睡眠的作用是什麼，對孩子來講都是非常重要的。這一點可以從「孩子越小，睡眠越多」中找到根據。

764. 睡眠的周期性。睡眠是一個非常規律的過程。每隔一個半小時（新生兒僅間隔一個小時），睡眠就像可預測的那樣，從輕睡（REM：睡眠時眼珠在睡夢中不斷轉動）到沉睡（有四個明顯階段）。這就是爲什麼有些孩子每隔一、兩個小時就會哭出聲來，或半醒過來，這時他們的睡眠轉入了活躍的輕睡階段。（一位受人尊重的同事過去常常抱怨生活緊張得使他「睡覺就像個嬰兒，一個小時醒來哭一次。」）

765. 孩子到底需要多長時間的睡眠？新生兒平均每天的睡眠時間爲16個小時（出生後頭一個月的睡眠時間分布請參看147-152）。六個月大的嬰兒每天需要睡14個小時，滿周歲的孩子需要大約13個小時，兩歲左右的孩子平均每天需要10～12個小時，還不包括白天的小睡。二～六歲之間，孩子的小睡時間逐漸減少，但是晚上的睡眠時間維持不變。在六～九歲之間，一般孩子會減少一個小時的晚上睡眠，有的時候是半個小時。比如，如果早上七點起床，他一般要在晚上八點睡覺。從十二歲開始，睡眠時間還會減少一個小時，也就是可以在晚上九點鐘上床睡覺。

這些都是平均的數據，而且其中存在著很大的差異。比如，有些嬰兒或兒童需要的睡眠時間多些，而另一些需要的相對少一些。儘管有的孩子睡的時間不夠多，滿足不了你的需要，但是你也不必擔心他的睡眠滿足不了他的需要。這樣就引出了一個睡眠特徵的問題：睡眠問題幾乎都不是嬰兒自己的問題，而是全家人的問題。如果孩子白天睡足了覺而晚上表現得精神奕奕，就會使本來已經讓孩子折騰得睡眠不足的父母越發頭疼。如果孩子每天只睡 10 個小時，父母就拿不出時間去照顧其他的家庭成員。另外，不僅需要在孩子睡覺的時候才能做的家事做不成，而且還使父母得不到充分的睡眠。

隨著孩子的成長，他們的睡眠會越來越少。剛開始的時候，你可能在傍晚注意到這種現象。以後，他們在白天的其他時間也會表現得一點睡意也沒有。每個嬰兒都養成了自己的睡眠規律，幾乎都在同一個時間醒來。將近一歲的孩子一天能小睡兩次，在一到一歲半之間就會減少一次。

766. **只有嬰兒才可以讓他想睡就睡**。孩子從兩歲起已經成爲一個思想比較複雜的人。雖然他可能需要多睡一會兒，但是孤獨感、害怕獨處、對噩夢和尿床的恐懼，或由於激動的經歷而導致的興奮等，都會使他無法入睡。另外，與小哥哥的爭鬥可能使他徹夜難眠，對小姊姊的嫉妒也可能使他怒火中燒。他還可能由於睡覺的時間問題與父母爭執不休，也可能由於家庭作業或令他震顫的電視劇而使他憂心忡忡。這些都可能使孩子每天晚上難以很快入睡。所以，千萬不要因爲孩子睡覺少就認爲他用不著那麼多的睡眠時間。

767. **小睡**。許多孩子在三、四歲的時候就不再小睡了。但是大多數孩子在午飯後還需要休息，或起碼需要在室內做一些安靜的遊戲。許多學校爲六年級以下的學生提供休息時間。小睡完全取決於孩子的性格和活動情況。我認爲，只要你的孩子能從小睡中受益，你就要堅持不懈地爲他提供小睡或靜休的時間。孩子應該遵守的規則是：在靜休的時間不能睡覺，但是一定要放慢節奏休息一會兒。

這樣又引出另外一個有關睡眠的問題：你不可能逼迫孩子睡覺，而且也不應該這麼做。你需要做的只是讓他上床休息。他可以選擇靜心讀書，也可以由你陪他靜休。但是這要讓孩子自己決定。

768. **讓孩子住哪個房間**？孩子應該獨居一室呢，還是應該和其他孩子居住在一起？這是個實際的問題。如果可能，最好讓孩子單獨住一間，當孩子比較大了以後就更應該這麼做了。孩子有了自己的房間以後，就可以自己保管自己的東西，而且可以在需要的時候保護自己的隱私。兩個孩子同居一室有個不利因素，就是他們在休息時間裡容易把對方吵醒。但是，同居一室也有它的好處：哥倆（姊倆）可以學會協調利用兩人的空間，學會如何保持安靜讓對方睡覺，而不是醉心於徹夜長談。同享一室有利於訓練手足間的親密關係，但是也很可能因爲地盤問題而導致長期的衝突。

769. **父母的床**。有些孩子半夜醒來以後可能感到害怕，因此就會往父母的房間裡跑並且哭個不停，而父母往往會把孩子放到自己的床上，認爲這樣可能還可以讓孩子多睡一會兒。在這種情況下這麼做好像很實際，但事實證明這是一種錯誤的作法。儘管在隨後的幾週裡孩子的不安情況減少了，但是他很容易對父母的床產生安全依賴感，而且想再把孩子打發回去就將大費周章。最好的解決辦法就是孩子一過來就立刻把他送回去。當然也有例外的情況，比如，當孩子生病或眞的感到害怕的時候，如果你覺得把孩子趕出去，讓他一個人孤獨地待在房間裡很殘忍，你也可以不這樣做。但是，即便在這種情況下，你也最好把他領回他自己的房間，而不要讓他誤解你的意思，認爲你同意他和你們待在一起。

但是，在這種特殊情況下，我也會採取措施來遵守規則。在多數情況下，我會高興地把孩子領到他自己的床上，然後在他的房間裡安撫他。我會關燈坐在他的床邊，讓他相信你在他旁邊，因此沒什麼可怕的，並且一直等到他睡著了再離開。如果有必要，就需要這樣堅持幾個晚上。

有時候，父母需要和孩子一起躺在他的床上來安慰孩子。但是這樣可能引起別的問題。比如，你確實在那個晚上使孩子得到了安慰，可是他覺得這種特別的安撫很舒服，因此就容易每天晚上都提出這樣的要求。經過一、兩個晚上以後，當父母一起身離開的時候，他還是會醒來。因此，從長遠看，最好是坐在孩子床邊的椅子上來安撫孩子。

770. 早晨讓孩子爬到父母的床上與父母擁抱則另當別論。只要不引起父母任何一方不自在，比如引起性衝動，那麼，它就是父母與孩子共同享受溫暖和關愛的特別時光。

771. 上床睡覺。有些孩子該上床睡覺的時候很聽話，而有些孩子則想方設法地拖延，甚至就是執拗地不上床。這兩種孩子的差別是由以下三、四個因素造成的。

首先，**要確保在上床睡覺的時間讓孩子感到愜意和愉快**。如果你能避免讓孩子把上床睡覺當成一項不愉快的義務，那麼對於疲乏的孩子而言，睡眠就是一件既甜蜜又誘人的事。所以，在孩子上床睡覺的時候，要表現出肯定而又愉快的樣子。

第二，**孩子該什麼時候睡覺，就要讓他什麼時候睡，就像你要確保他仍然在呼吸一樣不能含糊**。如果孩子很少和父母就睡覺的時間問題討價還價，那麼，他偶爾說服父母改變一下作息時間（例如在除夕夜）也不是件什麼壞事。在孩子三、四歲之前，無論如何都要對孩子的作息時間加以引導，而不可以採取語言脅迫的方式。這項工作要一直堅持到孩子有足夠的責任感，能主動上床睡覺的時候為止。對非常小的孩子要飽含愛意地抱他上床，對三、四歲的孩子則要牽著手領他上床。要邊走邊談，繼續以前談論的話題。

第三，**要切記，有些孩子需要履行一些睡前的例行程序才能得到安**

慰。例如，把布娃娃放到他們的小床上並用被子把它蓋上；再把玩具熊放到他們的床上；把孩子的被子拉好；然後再和他們吻別；最後父母才可以拉上窗簾或把燈熄滅。不管你有多麼急的事情，也一定不要試圖逼迫孩子上床睡覺。（另外，睡前的例行活動時間過長也是不智之舉。）要保證這個過程的安靜。如果你有空，可以定期給孩子讀故事或講故事，但是要避免講恐怖故事。多數孩子喜歡抱著一個布娃娃或動物玩偶上床做伴，這有助於他們盡早入睡。

772. **嬰兒床可以使用到幾歲？**只要兩歲大的孩子還沒有學會從嬰兒床上爬出來，我想讓他們繼續睡嬰兒床是比較明智的。我聽過許多這樣的事情：給兩歲的孩子換用普通童床以後，孩子就得了夢遊症。另外，也不要強迫兩歲的孩子把自己的嬰兒床讓給他的小弟弟或小妹妹，這樣容易導致他們之間的仇視。所以，應該給新生兒買一個或借一個嬰兒床。

常見的睡眠問題

773. **對上床睡覺的長期抵制**。這種睡眠問題是在不知不覺間產生的。在大多數情況下，它是由於腹痛或易怒的哭鬧所引起。它可以被認為是難入睡的問題。如果孩子在出生後前三個月的大多數晚上一直痛苦不安，父母可能會發現抱著孩子四處走一走會讓他更舒服些。這樣也使得父母感覺好一點。到三、四個月的時候，孩子會逐漸地感知到父母，因此他好像不再感到疼痛或痛苦。但是他這時的哭聲顯得氣憤和霸道。由於孩子習慣散步，並且認為這是他的權利，因此，他總是要求大人抱著他散步。當母親疲憊不堪地想坐下來休息一下時，他就會對她「怒目而視」，好像在說：「走呀！你這個老婆子。」

晚上總想讓父母抱著來回走動的孩子實際上也是在訓練自己保持清醒。幾個月後，他就逐漸地獲得成功——先是一直到晚上九點鐘才睡，然後到十點鐘、十一點鐘，甚至一直到午夜十二點。父母說他們抱著孩子的時候，孩子的眼皮常常閉著，頭也垂下來，但是，只要把他往床上一放，他就會立刻醒來並且扯著嗓門哭鬧不停。

這樣的睡眠問題不僅使父母感到筋疲力竭，而且孩子自己也感到很累。這樣的孩子在白天容易生氣，而且吃得也比較少。父母情不自禁地變得越來越惱怒和不滿，因為孩子不應該每天晚上都這樣折騰父母。儘管如此，但就是不知道該怎麼辦。我想，孩子也能意識到，他不應該以專橫的方式來達到自己的目的。

如果父母認識到這樣的習慣對孩子和大人都沒有什麼好處，那麼，要打破這個習慣通常就比較容易了。做法很簡單：可以在一個合適的時間把孩子放到床上，再慈愛而又堅決地對他道聲晚安，然後走出他的房間，而且不要再返回。

多數養成這種習慣的嬰兒在第一個晚上會一直哭上二、三十分鐘，然後就會不知何故地突然入睡。到了第二個晚上，他就可能只哭十分鐘。而到了第三個晚上他通常就不哭了。為了使孩子感到安全，或讓他知道你就在他的身邊，一定不要躡手躡腳地到他房間裡去。這樣做只會惹孩子生氣，讓他哭得更久。有些父母找到了一個很有用的方法，他們利用廚房定時器，這樣他們就能知道孩子哭了多長的時間。

如果孩子一直哭下去，心腸軟的父母就會覺得難以忍受。他們可能會想到最糟糕的事情：是不是孩子的頭被卡在嬰兒床的縫隙裡了？是不是孩子嘔吐了，躺在髒兮兮的穢物裡？還是他害怕被拋棄而驚恐不安？其實，孩子的這些睡眠問題可以在第一年內很快的解決，而且只要這些問題一解決，孩子就會立刻變得很快活。由此看來，這個年齡的孩子哭鬧只是因爲生氣。

如果孩子的哭聲一連幾個晚上總是把其他孩子吵醒，或惹得鄰居不高興，你可以在孩子房間的地板上鋪上地毯或毛毯，在窗戶上也掛一塊毛毯。這類東西的柔軟表面會非常有效地吸入聲音，減少對外人的影響。如果怕鄰居生氣，有時候需要向鄰居解釋一下，讓他們放心，這只需幾個晚上，並且請求他們給予方便。

774. 半夜醒來。有些孩子像天使般安靜地入睡，但是養成一種半夜醒來的習慣。這通常發生在第一年的下半年或第二年開始的幾個月裡。這種習慣有時候是由於耳部感染的疼痛引起。醫生做出診斷以後，父母可能會覺得內疚，因爲自己竟然沒有想到孩子的身體有病。從此以後，只要孩子在夜裡一翻身或一出聲，他們就擔心地趕緊過去安撫他。其實這不太可能是舊病復發。

我懷疑，孩子知道父母的某些憂慮，而且喜歡在半夜與父母有這樣的聚會。有時候，好像從長牙的疼痛階段開始，孩子就經常在夜間醒來。嬰兒也和大人一樣，當處於輕度睡眠階段，或轉換睡覺位置的時候，就會在半夜醒過來。這種情況每天夜間都會有好幾次。如果一連幾個晚上都把他叫醒陪伴著他，並且還給他東西吃，他就學會把自己從半睡眠喚醒到完全清醒的狀態，以便自己能玩得更開心。

有少數孩子在夜間不止一次地醒來，而且清醒的時間一次比一次長。他們不但要求有人陪伴，而且要人抱著走動。當你準備把他們放回床上的時候，他們就會狂怒地哭鬧著拒絕。

大多數夜間不睡的情況都可以容易地改過來：一定要讓孩子知道，

醒來就哭喊什麼也得不到。這個目的通常兩、三個晚上就可以達到。方法是：讓他哭，根本不理他。第一個晚上，他會哭上二、三十分鐘（或許會更長些）；第二個晚上，十分鐘；到了第三個晚上，他就根本不哭了。

以我的經驗來看，家長還必須做到另外一點，就是在孩子醒來的時候，不能讓他看到父母。如果讓他看到了父母，即使父母假裝睡著了，孩子也會感到惱怒而沒完沒了地哭下去。因此，不讓孩子和父母睡在同一個房間是很重要的。如果做不到這一點，你可以在房間裡裝一塊隔板或拉一個簾子來防止孩子看到父母。

有人認爲，六～十八個月的孩子夜間醒來哭鬧的主要原因是由於孤獨而產生的焦躁感。最好的治療辦法是父母走進孩子的房間，不開燈在孩子床邊坐下，同時不斷地小聲說一些讓孩子放心的話，例如「不要擔心，媽咪就在這兒，現在睡覺吧。」一直等到孩子睡著了再離開。這種方法的關鍵，是逐漸減少對孩子的安慰。比如，如果第一天晚上你輕輕地撫摸孩子，那麼第二天晚上你就只能說些讓他平靜下來的話，而不再撫摸他了。由於用這種方法孩子需要一段時間才能知道他必須靠自己去睡覺，所以，通常比第一種方法更費時間。當然，如果這種方法有用，從父母與孩子的角度來看，這比讓孩子哭上兩、三個晚上要好得多。如果採用這種方法無法讓孩子再次入睡，或這種情況一直持續好幾個星期，那麼，你就應該採取那種鐵石心腸的方法了。

775. 嬰兒嘔吐。有些嬰、幼兒生氣的時候容易嘔吐。這時，父母就會顯得很難過、很焦急，並且趕緊過去給他擦拭。而且以後也會更加同情孩子，只要孩子一哭就更快地趕到他的房間。孩子掌握了這一點以後，下一次發脾氣時就很可能會故意地嘔吐。同時，由於看到父母害怕自己嘔吐的樣子，他們也會對自己的嘔吐感到害怕。我認爲，如果孩子利用嘔吐來威脅父母，父母就應該對此顯得心腸硬一些。所以，如果父母想征服孩子拒絕上床睡覺的習慣，就應該堅持自己的既定計畫，不要到孩子的房間去。可以在孩子睡著以後再進去為他收拾嘔吐的穢物。

776. 輕微的分離焦慮。我不想給人們留下這樣一種印象，好像只要孩子不願意睡覺，父母就應該坐在他的床邊陪伴他。我所說的絕不是這個意思。嚴重的分離焦慮很少見，但是輕微的表現卻非常普遍。分離焦慮有兩類，第一類是孩子不願意讓父母離開自己的房間。儘管孩子幾分鐘前才剛去廁所，但是父母一想離開他就會急不可待地說：「尿尿，尿尿！」在這種情況下，母親就會猶豫不決。雖然他們知道這只是一個藉口，但是，他們又想通過自己的配合來鼓勵孩子自己獨處。所以，他們就只好對孩子說：「那就再尿一次吧。」可是等到孩子回到床上以後，母親剛要離開，他就又哭了起來，並且會像一個將要渴死的人那樣可憐地說：「喝水！」如果父母照做的話，他會整晚不斷地交替提出這兩個要求。

我認為，這樣的孩子只是有點兒擔心被單獨留下。一般說來，如果母親想讓孩子放心，最好、最實際的作法就是以友好、堅決、快樂的語氣提醒他，他剛喝了水，也去了廁所，然後向他道聲晚安就毫不猶豫地離開房間。如果父母憂心忡忡或猶豫不決地留下來，那就好像告訴孩子，「那好吧，也許眞的有什麼讓人擔心的事情。」所以，即使孩子嗚咽、哭喊一會兒，我認為明智的作法就是不要回去。對孩子來說，即使有點兒不愉快，但是能立刻明白這個道理也比痛苦地爭執上幾個星期好受一些。

我以前說過，我的宗旨從來就不是「讓孩子去哭」。為此，我一直在研究一個比較少見的長期「不睡覺」的問題。這是個幾個星期、甚至幾個月才養成的習慣（參看773）。

777. 爬出嬰兒床。還有另外一種類型的輕微睡眠焦慮症。它表現為，當孩子兩歲的時候，剛把他放到嬰兒床上，他就會從裡面爬出來，出現在父母身邊。他在這個時候可能表現得非常聰明可愛。他會愉快地和父母聊天，或讓父母擁抱——這些都是他白天沒有時間做的事情。這讓父母很難採取堅決的態度。但是，他們必須堅決地把他帶回到床上，否則，孩子就會不斷地從床上爬出來，並可能發展成爲一種每天都要爭執一個小時甚至更長時間的拉鋸戰。

當這樣的問題完全失去控制時，有的父母會問是否可以鎖上孩子的房門。我不喜歡這樣的主意，因爲孩子可能會被鎖在房間裡哭著進入夢鄉。一般說來，如果孩子從床上爬出來以後，你立刻態度堅決地把他送回去，並且每次都這麼做，他就會知道這樣做是無望的，從而放棄這種追求。

然而也有例外的情況。比如在半夜，有的孩子會趁父母不知道的時候來到父母的房間，並在父母房間裡徘徊。這種情況是具有潛在危險性的。如果儘管你堅決勸告，但是孩子仍然繼續這麼做，我就會考慮在他的門外安上一道門，甚至安一個鏈鎖。依我的經驗，通過威脅或必要的手段讓孩子夜間待在自己的房間裡，防止他在夜間漫遊，通常能收到理想的效果。但是你一般用不著把孩子鎖在房間裡。

778. 當孩子害怕上床睡覺的時候。有些人就試圖讓他的哥哥姊姊或弟弟妹妹與他同住一室，以此來解決孩子害怕上床睡覺的問題。但是，這可能給他的哥哥或姊姊帶來問題。而且和嬰兒睡在一個房間裡也確實會給他們帶來麻煩。

779. 噩夢。所有的孩子在三～六歲之間都開始做一些不好的夢。我們不清楚這到底是爲什麼。甚至在成年人中，三分之二的夢也都是令人心情煩亂的。做夢似乎更能引發我們內心深處的煩惱，而不是引發內心深處的快樂。孩子不斷地做噩夢可能暗示孩子醒著的時候有過什麼沉重的壓力。如果情況確實如此，這些噩夢通常只是孩子成長過程的一部分。

當孩子從噩夢中驚醒的時候，他或許會哭喊甚至驚叫。這時，你應該去安撫他，告訴他一切都很好，他剛才只不過是做了一個夢，而夢都不是眞的。然後可以讓他告訴你他做了什麼夢，以便你知道該怎麼去做。你還應該繼續向他說明那只是一場夢，就像假裝的一樣，並且向他保證在實際生活中你不會讓任何壞事發生在他身上。記住，夢有魔力，但是父母也同樣有魔力。在這種情況下你應該留下來陪孩子，直到他睡著爲止。在白天令人心情開朗的光線下，你可以進一步和他討論什麼是夢，爲什麼夢不會傷害人以及爲什麼每個人都會做夢的問題。就像你不能不讓孩子感到害怕一樣，你也不可能把惡魔從孩子的夢中驅逐出去，但是，你可以用一種讓他安心的方式來幫助他對付它們。

780. 夜驚。在三～六歲的孩子中，儘管夜驚現象不像做噩夢那樣頻繁，但是也很常見。孩子的夜驚現象不同於做噩夢。它們似乎是由於沉睡過程中神經系統的暫時擾動而引起的。有夜驚現象的孩子一般都有家族史，但是這些孩子最多在幾年內就能克服。孩子出現夜驚現象的時候就會驚叫。即使他的雙眼圓睜，目光發呆地盯著你，但是你同他講話的時候，他卻不會有任何反應。事實上，他好像沒有意識到你的存在。原因很簡單，因爲他仍然在沉睡中。你可能很難叫醒他。即使你把他弄醒了，他也不記得爲什麼自己那麼害怕，而且到了早上以後他就什麼也記不得了。儘管夜驚現象通常在很短的時間內就會過去，但是一般需要經過三十分鐘以後，孩子才能重新安靜地熟睡。

既然夜驚發生的時候孩子正在睡眠中，你當然不可能安慰他。但是你可以緊緊抓住他（他可能會掙扎）、搖晃他，向他保證他很好，他只是在做一個不好的夢，並且你會留下來陪他直到他再次進入夢鄉。

也有一些孩子會頻繁出現夜驚。在這種情形下，醫生可以開一些特殊的藥，讓孩子在睡前服用。這種藥可以連續吃幾天或幾個星期，直到孩子的夜驚現象消失爲止。

781. 夢遊。這好像也是由於深睡的時候神經系統的暫時擾動引起的。夢遊的孩子一般也有家族史，但是絕大多數孩子的夢遊現象在幾個月或幾年之內就消失了，不需要任何專門的治療。夢遊的孩子通常目光呆滯，說話語無倫次，但是，他可以笨拙地完成一些有目的的活動。例如，我就認識這樣一個孩子，他特別喜歡往垃圾桶裡撒尿。

如果發現你的孩子夢遊，要堅決地把他領到床上去，向他保證他很快就會睡著，並且直到他睡著了，你才會離開。如果他真的夢遊（有些夢遊的孩子會走出房門，處於危險境地），那麼，當他夢遊的時候你就需要通過某種方法知道。比如，在他臥室的門上裝一個門鈴或蜂音器。有些父母偶爾需要爲孩子把門鎖上，以防孩子走出門去遇到危險。

孩子從不記得自己夢遊。你的醫生或保育護士可能會開一些藥，讓孩子睡前服用。這些藥和治療夜驚的藥是一樣的，也可以治療少數孩子的夢遊症。這種藥很有效，通常服用幾天或幾星期後就能見效。

發脾氣

幾乎所有的兩歲孩子都會發脾氣，而幾乎所有的四歲孩子都不發脾氣。這就說明發脾氣是孩子早期發育階段的正常現象，而不是其他階段的正常現象。下面我們就來看一看兩歲孩子經常發脾氣的原因是什麼。

782. **孩子受挫的時候容易發脾氣**。每一個幼兒在日常生活中都會經常遭受挫折。就拿他們所處的環境來說吧，在他們眼裡，世界是一個讓人非常迷惑的地方。無論他們多麼努力，在他們的發育水平上，他們都不可能弄明白大多數的事情爲什麼會發生，下一次又要發生什麼事情以及如何去解決問題。與此同時，他們心中還正在萌發著獨立自主的念頭，從而慫恿他們冒險脫離父母給予他們的安全和對他們的控制。當幼小的實驗者在努力嘗試自己的能力極限時，父母卻對他們的這種探索精神感到驚恐不安。但是，孩子並不真正了解自己的能力極限，所以，他企圖得到的東西往往都是他能力所不及的。他想做某些事情，但是又缺乏取得成功所必需的運動控制能力和理性的理解。此外，當他的需要遲遲得不到滿足的時候他也忍受不了。當他想要某樣東西時，他想馬上就得到，因爲在他的思維方式裡，沒有「以後」這個概念。

所以，兩歲的孩子經常發脾氣的原因就在於，他的命運總是被閃電般地推翻，自己渴望的東西總是得不到，自己的願望和抱負也總是實現不了。因此，他就覺得不知所措。簡言之，他的生活就是一種經常遭受挫折的經歷。當然，他取得成功的時候也是興奮無比的。

除了挫折感之外，幼兒還缺乏足夠的語言技巧來實現自己的目的和平靜自己的失望情緒。在我們的生活中，語言在對付挫折時發揮著十分重要的作用。因此不難理解，爲什麼孩子發脾氣會和他的有限表達能力有關。幼兒懂得的要比他實際能用語言表達出來的多。他或許有一些解決兩難困境的見解，但就是不能在和別人交流的時候用語言很好地表達出來。因此，他的情緒就會越來越激動，他的挫折感也會越來越強烈。

最後，幼兒還缺乏控制情緒的能力。我們長大成熟以後都學會了如何抑制自己的情緒，避免感情衝動，但是幼兒是沒有這些技巧的。當他受挫的強烈情緒達到極點，需要發洩的時候，他就肯定會找機會發洩。但是他的發洩方法很有限，既不能找別人訴苦，也不能憋在心裡不說，怎麼辦呢？那就只好發脾氣了。他會猛地躺在地上，尖嚎不已，拳打腳踢，用頭撞地。這時的他就像一座火山，要想平靜下來，非得先把自己的頭部爆炸掉不可。

因此，我們可以認爲，發脾氣是兒童發育過程中的一個必然現象。有些孩子只是偶爾地發個小脾氣，而其他的則經常暴跳如雷。毫無疑問，孩子的性格也在其中起著一定的作用。各方面情感都很強烈的孩子發起脾氣來也很激烈；難以適應不同經歷的孩子忍耐挫折的能力可能也很低；注意力不太容易集中的孩子往往能把注意力轉移到別的事情上而避免發脾氣。

以上都是引起孩子發脾氣的一般原因。當然，如果一個孩子由於某種原因感到壓抑，那麼他就很可能會經常發脾氣。在這些情形下，除了發脾氣之外，通常還有一些其他線索（睡眠問題、不快樂）會告訴你哪裡出了問題。最後，有疾病的孩子也會經常發脾氣。如果孩子發脾氣的時候過多（例如一天超過3次），或一次發脾氣的時間過長（超過15分鐘），或已經過了發脾氣的年齡，已經能夠流暢地用語言表達自己的想法（到了四歲），卻仍然經常發脾氣，你就應該考慮一下這些可能性了。

783. **孩子發脾氣怎麼辦？**解決孩子發脾氣的可行辦法有三個：(1)儘量避免讓孩子在生活中受到挫折（這種可能性很小）；(2)趁孩子的脾氣還沒有爆發的時候，盡快分散孩子的注意力（這個方法對有些孩子是有效的）；(3)忍受這場風暴。

為孩子創造一個沒有挫折的世界，聽起來好像是個值得一試的目標。但是，如果沒有一定的前提，這個目標是不可行的。而且，這很可能還是個道道地地的壞主意。如果孩子學不會如何處理挫折，他長大後就會毫無準備地去應付眞正的生活。但是你可以在某種程度上把家裡特別佈置一下，以便孩子任意觸摸。這樣似乎就有點兒可行了。要確保孩子有足夠的時間去非常活躍地玩一些使他疲勞的遊戲，以便他能消耗無限充沛的精力。另外還要允許他不時地做一些小的選擇，來掌握自己的小天地。例如，你可以對他說「你小睡的時候想穿紅色睡衣？還是想穿那件綠色的？」而不要說，「現在你想小睡一會兒嗎？」當孩子覺得他至少對自己的一部分天地有控制權的時候，就不太可能發脾氣了。

多數孩子都有脾氣。如果你能看出孩子即將發脾氣，就應該想辦法去分散他的注意力：「嘿，看那隻小鳥。它在飛呢！我們去看看。」如果你走運，孩子的注意力就會從眼前的沮喪環境中轉移到其他事物上。分散注意力的辦法總是值得一試的。但是，你也不要指望它總會有效。

一旦孩子開始發脾氣，你除了忍耐就沒有什麼辦法了。在孩子哭鬧的時候，要確保他待的地方很安全，不會傷到自己。然後，你就可以不去理他，若無其事地忙你自己的事情。這時，你只能讓孩子自己來平息他的怒氣。你應該讓他知道你並不怨恨他發脾氣，但是你也不把他發脾氣當作一回事。我認為在孩子發脾氣時給予他過多的注意通常是一個錯誤。這可能在無意中鼓勵了孩子發脾氣，因為他（完全無意識地）把自己發脾氣同父母對自己的注意聯繫起來。雖然我並不認爲這麼做會導致孩子發脾氣，但是我認爲，這樣做會導致孩子放棄克服發脾氣的動機。

所以，當暴風雨爆發的時候，要儘量以比較隨和的態度來對待，幫助孩子克服它。當他征服了自己的脾氣以後，你可以愉快地對他說，「現在你感覺好些了嗎？我很難過你剛才失去了控制。」而不要對他說，「你發脾氣了，這樣很不好。」然後再建議他去做一項活動。不要總想著孩子發脾氣的事。事情發生了，也就過去了，剩下的就是向前看了。

當然，你不能向孩子屈服，不能溫順地讓孩子爲所欲爲，否則，他就會有意地發脾氣。你也不要和他爭論，因爲他沒有心情去認清自己的錯誤。如果你也生氣，他就只能被迫堅持到底，所以要給他一個台階下。有的孩子在父母若無其事地離開去做自己的事情以後，很快地就平靜下來了。也有的孩子比較堅決和傲氣，儘管父母向他友好地招呼，他也會連續一個小時地大聲哭鬧和打滾。這場暴風雨的高潮過去以後，母親就可以突然進來建議他去做一件有趣的事，並且擁抱他一下，以示自己希望與孩子講和。

孩子在繁忙的人行道上發脾氣是件很難堪的事情。這時你應該微笑的（如果你能做到的話）把他抱起來，然後將他帶到一個僻靜的地方。這樣，你們兩個就都可以在那裡慢慢地冷靜下來了。如果事情發生在超級市場裡，你可以趕緊把他帶到車上，等著這場暴風雨平息下來，然後再返回商店。

發脾氣不是什麼有趣的事，但也不是世界末日。最終，時間會完全治癒它們的。孩子發脾氣的時候多數都是由於焦慮引起的，但是它也可能導致孩子對父母的操縱。因此父母需要做的就是，既讓孩子感到很安全、受疼愛，又要保證不破壞規矩。

死亡

784. 幫助孩子應付死亡。死亡是每一個孩子都必須與之格鬥的生活現實。對有些孩子來說，看見一條金魚死了，可能是他們第一次面對死亡；而對另一些孩子來說，他們第一次見到的可能是（外）祖父（母）的去世。在許多文化裡，人們把死亡看作是一種自然發生的事件，認爲它是日常生活的一部分。而在我們的文化，人們仍然對它感到憂慮。人們傾向於死在醫院或養老院這類機構裡，而不願死在家裡，讓家人看到。我們在談論死亡的時候也是用委婉的語言，比如「他去了天國……；他睡著了……；他買了這個農場。」等可以把我們從他死了這一現實中拉開的話。我們不知道幼兒是否會因爲參加葬禮而過於緊張。

由於成年人一想到死就不舒服，因此，許多父母不知道如何幫助孩子克服對死亡的恐懼也就不足爲奇了。有些父母會乾脆地否認死亡的存在。看見路邊躺著一隻動也不動的狗時他們會告訴孩子，「牠只是在休息。牠很好。你今天在學校裡學了什麼？」還有的家長會採取迴避現實的說法，而採取虛無縹緲的說法，比如，「天使把你的（外）祖父帶走了，現在他正在天堂和你的（外）祖母在一塊兒呢。」還有一些則逃避這一問題而對孩子說，「不要擔心死亡是什麼。沒有人很快就會死的。你從哪裡得來這些想法？」

像生活中的大多數事情一樣，如果父母用容易理解的話來回答孩子的問題，並把死亡當作是一個很自然的話題來談論，孩子就能夠很好地學會如何應付死亡。顯然地，孩子第一次看見死亡的時候所受到的影響和他對死亡的理解取決於許多因素：孩子的年齡和他當時理解問題的水平；死者是誰以及他與孩子的親近程度；死亡的原因，以及是預料之中的死亡，還是突然死亡。

785. **學齡前階段**。孩子對死亡的觀點和錯覺一般是受到他的思維邏輯的影響。例如，這個年齡的孩子也許以爲死亡是可以逆轉的，認爲死去的人有一天還會活過來。這是因爲他們還太小，不能理解死亡是不可改變的。他們還似乎覺得自己要對發生的任何事情（包括死亡）負責任，擔心由於自己曾經對死去的人或動物有過不好的想法而受到懲罰。他們還可能把死亡看成是「有傳染性的」，就像感冒一樣，因此擔心另外一個人也會很快死去。他們還傾向於非常具體地考慮事情：「如果鮑伯叔叔在地底下，他將怎麼呼吸呢？」所以父母可以用同樣具體的方式來幫助孩子：「鮑伯叔叔不會再呼吸了。他也將不再和我們一起吃飯或刷牙了。」

應該對這個年齡的孩子強調一點：死亡絕不是他們引起的；死亡是生命周期的一部分。父母還應該承認，失去一位朋友或（外）祖父（母）是件非常傷心的事情，並且一想到那個死去的人將不再回來就感到非常難過。這樣就可以幫助孩子對付悲痛。父母處理好自己感情的同時，也幫助了孩子去處理他的感情。

慰藉物

嬰幼兒在疲倦或不快樂的時候會用各種東西和方法來安慰自己，例如，撫摸一個塡充動物或一塊編織物（有人把這種東西稱爲轉移對象〔transitional objects〕）；吮吸他們的拇指或手指、一個奶嘴或奶瓶；輕輕搖晃身體或擺頭。從六個月以後，嬰兒在疲倦或不快樂的時候就能夠利用這些吮吸、撫摸或搖晃的習慣，來喚起以前父母曾給予他們的那種無微不至的安全。

786. 最初的自我意識。大約六個月的時候，嬰兒就開始模模糊糊地意識到自己是一個獨立的人。也許這樣說更確切一些：他們逐漸表露出一種本能——堅持與父母的身體保持輕微的距離；堅持自己做某種事情的權力，並因此開始意識到這種獨立的重要性。我舉個例子，有許多六個月大的孩子在餵奶的時候，由於被母親緊緊地抱在懷裡而表現得很不耐煩，因此他們就試圖直坐起來。他們希望自己握住奶瓶，甚至會猛地把母親的手推向一邊，試圖擺脫它的束縛。從這個時候開始，直到他們長大成人，無論是從身體上說，還是從情感上講，孩子的獨立意識都會不斷增強。

787. 利用慰藉物來追回早期的安全感。當六個月以上的孩子非常疲倦或受到挫折的時候，就會渴望回到嬰兒早期，因爲那時在母親懷裡吃奶的時候感覺非常幸福。（心理學家稱這種傾向爲「壓力下的倒退」〔retreat under stress regression〕，即使是一個有能力的成年人在生病的時候也可能會變得像小孩子一樣無助或需要他人。）

另一方面，孩子不願意放棄他們已經取得的那種寶貴的獨立。也就是在這個時候，各種各樣的慰藉物開始起作用。通過利用這些慰藉物，嬰幼兒得到了快樂與安全，同時又不放棄自己的獨立性。吮吸拇指或奶嘴讓他們想起了在母親懷裡吃奶或捧著奶瓶吃奶時的快樂感覺。撫摸一個可以撫摸的玩具動物、珍愛的毛毯或尿布，讓他們想起了他們在吃奶的時候輕輕撫摸母親的衣服或裹在身上的毛毯的那種美好感覺。（小狗和小貓在吃奶的時候也有撫摸牠們媽媽乳房的本能。這種撫摸有助於奶的流出。人類在幼兒時期吃奶的時候喜歡撫摸媽媽的乳房。這或許就是我們的祖先在還沒有成爲人類的時候遺傳下來的本能吧。）當嬰兒前後搖晃自己，往椅背上撞來撞去的時候，或躺在床上來回轉頭的時候，他們實際上就是在重新體會小時候經歷過的那種有節奏的安慰：每當他們躁煩不安的時候，母親總是搖晃他們，或抱著他們走來走去。

當幼兒學會了用一個可以擁抱的玩具或他的拇指，來重新體會父母給予他的安慰的時候，他的精力就有了一種微妙而又非常重大的轉移。這時候不再是母親把他抱起來或控制他，而是他們自己採取了某種自我安慰的方法。（有時你會看到幼兒虐待一個他非常珍惜的物品，很有意思。他會生氣地打它或狠心地把它往傢俱上摔。）

我爲什麼要提慰藉物這樣一個問題呢？其中的部分原因是，慰藉物的使用有助於我們理解孩子（從六個月起）爭取獨立的心理意義和後來倒退的意義。但是與此同時，它也以一種非常實際的方式解釋了大量令人困惑的、有關兒童早期的事情。例如，幼兒在一歲的前半年吮吸拇指只是爲了滿足自己的吮吸需要而已，這就是爲什麼在他飢餓的時候，就會吸吮得更凶。但是半年後，嬰兒不再吮吸拇指，而開始吸吮別的東西，比如，嬰兒早期使用的慰藉物（現在他們只在疲倦或心煩意亂的時候才需要它）。也就是說，拇指變成了慰藉物。這種慰藉物非常寶貴，以至於多數孩子直到許多年以後才很不情願地放棄。

788. **嬰兒六個月以後，奶嘴的意義改變了**。它的意義從滿足孩子的吮吸需要變成了在孩子行爲倒退時的慰藉物。但是，奶嘴並不總是與拇指一樣寶貴。如果母親不再繼續鼓勵他使用奶嘴，大多數孩子就會在一、兩歲的時候放棄它。（孩子一般要麼吮吸拇指，要麼吮吸奶嘴，而不是兩者都吮吸。）

789. **奶瓶的意義也改變了**。我認爲，許多嬰兒六個月以後就變得越來越依戀奶瓶了。其原因是，他們的父母已經習慣於讓孩子在床上抱著奶瓶喝奶。這樣一來，奶瓶就成了孩子的慰藉物了。如果孩子由於這種方式對奶瓶產生強烈的依戀，他們就很可能一直對它留戀到一、兩歲。然而，如果父母把孩子抱在大腿上用奶瓶給孩子餵奶，奶瓶就不會成爲孩子的珍貴慰藉物了，因爲母親就在那裡。

790. **有些孩子不需要任何慰藉物**。例如，他們不需要可以擁抱的玩具、編織物、奶瓶、奶嘴或拇指。我不明白這是爲什麼。我看不出那些需要慰藉物的孩子和不需要慰藉物的孩子之間在心理上有什麼不同。我找不到鼓勵孩子使用慰藉物的理由，也找不到反對他們使用慰藉物的理由，而只有出於對奶瓶（參見237和262）和奶嘴（參見808-811）的一些實際考慮。

791. **可撫摸的慰藉物**。以我的經驗，吮吸拇指的孩子比那些不吮吸拇指的孩子更有可能依戀於可撫摸的慰藉物。他們好像在吮吸拇指的快樂中又回到嬰兒早期，然後又想通過撫摸某種東西來增加新的快樂。就讓我們接受它吧。我們成年人中不是也有些人在做同樣的事情嗎？（例如，我在寫作過程中苦思冥想措詞的時候，就常常用手指捻我的頭髮。）只不過我們把它叫做「緊張習慣」罷了。

有些孩子對某一樣東西能產生強烈的依戀，而且這種依戀還會持續好幾年。還有些孩子只有一點兒輕微的依戀，而不久以後這種依戀就減弱了。還有一些孩子對東西的依戀經常變換。

792. **如果孩子對抱著玩的玩具或編織物的依戀很強烈，就有可能產生一些實際的問題**。孩子可能會無論何時何地都隨身帶著慰藉物。因此這個慰藉物就會變得越來越髒，直至破爛不堪。孩子通常強烈反對清洗他的慰藉物，而且拒絕換新的。如果這個物體弄丟了，孩子就會眞的很失望，有可能好幾個小時睡不著覺。

我認爲，當孩子對慰藉物的依戀已經形成的時候，試圖打破孩子的這種依戀是不公平的——而且也往往是不可能的。但是，我也知道有這樣一些父母。他們很聰明並且足夠堅定地始終掌握著這個問題，因爲他們對此感覺很強烈，所以從一開始就堅持把這個東西放在孩子的房間裡，或至少也要放在這所房子裡。

比較好的辦法是在晚上定期地從孩子那裡偷偷拿走毛毯或尿布，不等它變髒就把它洗淨晾乾，而不要等它變得太有味道或太髒，因爲慰藉物的氣味對許多孩子是很重要的。還有一個比較好的辦法就是拿一件相似的東西，一件同樣的玩具或編織物，經常偷偷地用乾淨的把髒的替換下來。你不可能一夜之間就把塞滿東西的小動物洗乾淨並且晾乾，但是你完全可以用布或刷子沾著肥皂水把它的表面擦洗乾淨，然後用吹風機或電扇把它吹乾（不要用洗潔劑，因爲你不可能在天亮之前把這些液體都弄出來）。如果是塡充動物，可以根據它裡面塞的是什麼，把它放進舊尼龍長筒襪裡（以便把它們包在一起），放進洗衣機和烘衣機裡進行洗滌和烘乾。

793. **孩子依戀慰藉物並且抱著它睡覺，是否有害？** 據我所知，父母可能會因爲慰藉物很髒，而孩子仍然依賴而苦惱。除此以外是沒有任何害處的。不管怎樣，反正我們也沒有什麼辦法防止孩子對它產生依戀。幾乎所有一歲內的孩子都能得到柔軟的玩具，而且，等到他們長到十五～十八個月的時候，還堅持把一件愛物帶在身邊。只有在這個時候，他們的父母才意識到孩子已經對愛物產生了依戀。

大多數孩子從二～五歲之間的某個時候起，就不再依戀慰藉物了。但是有少數孩子可能依賴的時間更長一些。對父母來說，聰明的作法就是用鼓勵的語氣提醒他們（一個月幾次，並不是每星期都要提醒），他們總有一天會成爲大人，並且不再需要這種依賴了。這種暗示和信任能夠幫助孩子盡早擺脫對慰藉物的依戀。

吮吸拇指

794. 吮吸拇指的意義。嬰兒吮吸拇指的主要原因，可能是母親在哺乳或用奶瓶餵奶的時候，沒能滿足他們的吮吸需要。吮吸還可以幫助孩子緩解身體以及情感上的緊張。大衛・李維（David Levy）博士曾指出，每隔3個小時吃一次奶的嬰兒就沒有每隔4個小時吃一次奶的嬰兒吮吸大拇指厲害；另外，由於奶嘴變舊、變軟，原來需要用20分鐘才能吃飽，而現在只需要10分鐘就夠了。這樣的嬰兒要比仍然保持20分鐘吃奶時間的嬰兒更有可能吮吸拇指。李維博士曾採取用滴管餵幼犬的方法，以便使它們在吃奶的時候得不到吮吸機會。結果它們就像那些沒有足夠吮吸機會的嬰兒一樣，使勁地吮吸自己和對方的爪子和皮膚，以至於把毛都吸下來了。

795. 嬰兒先天的吮吸欲望不同。有的嬰兒雖然每次的吃奶時間從不超過15分鐘，但是他卻從不把拇指放進嘴裡。還有的嬰兒雖然每次都要用奶瓶吃上20分鐘，但是仍然沒完沒了地吮吸拇指。有些嬰兒在產房裡的時候就已經開始吮吸拇指了，然後就一直堅持下去。我懷疑這是否與一些家庭的吮吸史有關。現在我們知道，一些嬰兒在子宮裡的時候，就已經開始吮吸他們的大拇指了。有些嬰兒出生時，兩手和雙腳上就已經有了因吮吸而形成的水泡。

796. **在吃奶時間前幾分鐘，嬰兒可能會吮吸拇指**。但是你不必為此擔心，他們這樣做可能只是覺得餓了。如果嬰兒剛剛吃完奶就吮吸拇指，或在餵奶期間就多次吮吸拇指，你就需要考慮怎樣來滿足他們的吮吸欲望。大多數吮吸拇指的嬰兒都是在三 個月前開始的。

這裡我想再補充一點。在開始長牙的時候（通常是三、四個月的時候），幾乎所有的嬰兒都會啃咬拇指、食指和手。所以不要把這種現象與吮吸拇指混淆。有吮吸拇指習慣的嬰兒在長牙期間一會兒吮吸，一會兒啃咬拇指，這自然就不足為奇了。

如果你的女嬰開始試圖吮吸拇指、食指或手，我認為最好不要直接制止她，而是要試著給她更多的吃奶機會，或吸吮奶瓶和奶嘴的機會。如果你的寶寶不是一出生就有吮吸拇指的習慣，那麼防止這種習慣的最有效方法，就是在前三個月裡讓他吸吮奶嘴。另外，你還要考慮兩件事：餵奶次數和餵奶時間。

797. **孩子的吸吮行為在什麼時候應該特別注意**。嬰兒剛開始吮吸拇指就應該注意，而不是等他已經養成了習慣你才去注意。我之所以這麼說，是因為多數嬰兒在頭幾個月裡對胳膊還沒有多少控制能力。你也許見過嬰兒舉著手到處探尋自己的嘴的情況。如果運氣好，他們碰巧把拳頭放到了嘴邊，那麼，他們就會用力地吮吸它們。這些嬰兒就像那些熟練地吸吮拇指的孩子一樣，都需要母親用乳房或奶瓶多餵他們幾分鐘。

嬰兒越小越需要幫助，因為他們在最初的三個月裡最渴望吸吮。從三個月往後，他們的吸吮欲望就會逐漸減弱。多數嬰兒在六、七個月的時候，這種欲望就消失了。如果六個月以後嬰兒還不停地吮吸拇指，這也只是一種自我安慰的手段，而不是吮吸需要的表示。

798. 餵母乳的嬰兒吮吸拇指的現象。在我的印象當中，吃母乳的嬰兒不容易養成吮吸拇指的習慣。實際情況可能就是這樣，因爲只要孩子還想，母親一般就會繼續讓他們吃下去。乳房總是有奶的，所以母親總是讓嬰兒隨心所欲。如果嬰兒用奶瓶吃奶，裡邊的奶喝完了以後他就只好停下來。一是他不喜歡吸空氣，另外母親也可能把空奶瓶拿走。所以，如果吃母乳的孩子總是試圖吮吸拇指，你首先就應該想一想：如果讓孩子繼續吃，他還會一直吃下去嗎？如果答案是肯定的，你就應該在方便的時候讓他吃上30、甚至40分鐘（超過40分鐘就太浪費時間了）。嬰兒在10～15分鐘之內一般就能吃到半飽，剩下的時間裡，他只不過是在小滴奶的引誘下，滿足自己的吸吮欲望罷了。換句話說，如果他吃奶用了25分鐘，那麼他吃到的奶也只比用20分鐘吃到的奶稍微多一點兒。如果只要吃母乳的嬰兒想吃奶，母親就讓他一直吃下去，那麼，他每次吃奶所需要的時間就可能會有驚人的差別。他可能一次吃10分鐘就滿足了，而另一次則需要40分鐘。這個例子說明，餵母乳能夠根據孩子的需要來使他得到滿足。

如果孩子每次吃奶的時候吃完一邊乳房的奶就不想再吃了，你也沒有必要讓他繼續吃。但是，如果他每次都吃兩邊乳房的奶，而且還開始吮吸拇指，你就應該試著用兩種方法來讓他多吃一會兒。比如，你可以先讓他吃一隻乳房的奶，只要他想吃就讓他繼續下去，看看這樣他能否吃飽。如果用這種方法滿足不了他的需要，那麼，你就要儘量先讓他多吃一會兒第一隻乳房的奶，如果他想吃，你可以讓他吃20分鐘，而不要10分鐘後就不讓他吃了。然後再餵他第二隻乳房的奶，而且他想吃多長時間就讓他吃多長時間。

799. 用奶瓶餵奶的嬰兒吮吸拇指的現象。對於用奶瓶吃奶的嬰兒來說，他們吮吸拇指的習慣一般都是在能夠用10分鐘（而不是20分鐘）吃完奶的時候開始的。這種情況之所以發生，是因爲嬰兒長得越強壯，奶嘴相對的就顯得越軟。在附有塑膠羅紋套圈的奶瓶上，奶嘴的邊牙上有一個專門用來通氣的口。你可以把套圈擰得更緊一些，以便空氣進入得少一些。這樣做，部分地阻隔了空氣的進入，從而使瓶子處於一定程度的眞空狀態。下一步就是換上新奶嘴，不要管奶孔的大小，看看這樣做能否延長孩子的吃奶時間。當然，如果奶嘴上的洞太小，有的嬰兒就會停止吃奶。所以，至少在最初的六個月裡，要儘量保持奶嘴上的洞夠小，使餵一次奶可以持續20分鐘。我現在談的是嬰兒吸奶的實際時間。當然，用中途停止餵奶的方法來延長餵奶時間是沒有用的。

800. **如果嬰兒吮吸拇指，給他減少餵奶次數的工作最好慢慢進行**。嬰兒的吸吮需要是否得到了滿足，不僅取決於他每次吃奶時間的長短，而且取決於吃奶次數的多寡。因此，如果你在給孩子餵奶的時候已經儘量地讓他多吃一會兒了，但是孩子仍然吸吮拇指，那麼，你想減少餵奶次數的工作就應該慢慢地進行。例如，即使一個三個月大的嬰兒願意在夜間不吃奶，並且能夠和父母一樣一直睡到天亮，但是如果他不停地吮吸拇指，我建議你還是應該過一段時間再取消深夜的那次餵奶。也就是說，如果你把孩子叫醒以後他仍然想吃奶，那就需要過兩、三個月以後再取消這次餵奶。

801. **吮吸拇指對牙齒的影響**。你可能擔心吮吸拇指會對嬰兒的嘴和牙齒產生不良影響。吮吸拇指確實會使嬰兒的上門牙向外伸，使下門牙向裡倒。牙齒錯位的程度不僅取決於孩子吮吸拇指的頻繁程度，更取決於他吸吮時拇指所在的位置。但是牙醫師們指出，乳牙的這種歪斜對六歲左右的時候長出的恆牙沒有任何影響。換句話說，像發生在大多數例子中一樣，如果孩子在六歲前就已經不再吮吸拇指了，那麼他的恆牙就不太可能出現歪斜的現象。但是，無論吮吸拇指會不會導致牙齒歪斜，父母都希望孩子盡快停止吮吸。而我所提出的建議就是我認爲能使孩子盡快停止吮吸拇指的辦法。

802. **爲什麼不採取強制措施**？爲什麼不把嬰兒的手綁起來，不讓他吮吸拇指呢？因爲這樣會使他感到很失意，從而引起更多的問題。另外，這樣做對孩子克服吸吮大拇指通常也沒有多大幫助，因爲它並不能滿足孩子的吮吸需要。我們都曾聽說過，有些絕望的父母用夾板把孩子的胳膊夾住，或在孩子的拇指上塗上怪味的液體。他們堅持了不只是幾天，而是幾個月。但是，一旦他們拿下夾板或不再往拇指上塗怪味液體，孩子就會再次把手放進嘴裡。

當然，也有一些父母說，他們用這樣的方法收到了很好的效果。但是，在大多數的這種例子中，孩子吮吸拇指的程度是輕微的。許多孩子只是斷斷續續地有一點兒吮吸大拇指的習慣。像這樣的情況，即使你不採取任何措施，他們也會很快就克服的。所以，就長遠看，我認爲夾板和怪味液體只會強化孩子的吸吮習慣，因爲他們的習慣是根深蒂固的。

803. **稍大一點的嬰兒吮吸拇指的現象**。我們前面已經討論了幾個月內的嬰兒吮吸拇指的問題。但是，當嬰兒長到六個月的時候，就開始轉而吮吸其他東西了。在一些特定的時刻，他就需要奶嘴。當他感到累了、無聊、遭受挫折或者得自己睡覺的時候，他就會吮吸奶嘴。如果他再大一點還不能擺脫這種習慣，他就會倒退到最喜歡吮吸的嬰兒初期了。

儘管六個月以後的嬰兒吮吸拇指是爲了滿足一種不同的需要（當然，繼續吸吮拇指的是那些一開始就吮吸拇指來滿足吮吸需要的嬰兒），但是他現在這樣做只是爲了獲得某種安慰。幾個月或一歲以後才開始吮吸拇指的孩子是很少見的。所以，延長六個月或一歲以上的幼兒的吃奶時間是沒有任何意義的。那麼，父母有必要採取什麼措施嗎？如果孩子通常比較開朗、快樂和愛鬧，而且主要在睡覺時間吸吮拇指，偶爾才在白天吮吸，那麼我認爲，父母什麼也不用做。換句話說，吮吸拇指本身並不表示孩子不快樂、不順心或缺少愛。事實上，大多數吸吮拇指的孩子都非常快樂，不會吮吸拇指的反而是那些嚴重缺乏愛的孩子。有的孩子大部分時間都在吮吸而不是在玩。如果出現這種問題，父母就需要自問，自己是否應該做些什麼來安慰孩子，使孩子不再需要自我安慰。也有一些孩子由於見不到其他小孩，或沒有足夠的東西可以玩，所以也可能覺得無聊。還有的孩子可能因為在圍欄裡玩得太久而感到不耐煩。如果母親總是阻止一歲半的兒子去做一些讓他著迷的事情，而不是把他的興趣引到他可以玩的玩具上去，他就可能整天和母親過不去。有的孩子在家裡雖然有玩伴和做事的自由，但是他可能太膽怯，不敢加入那些活動中。因此，當他看別人玩的時候，自己就吮吸拇指。我舉這些例子僅僅是想說明一點，即：如果你想做點兒什麼來使孩子克服過度吮吸拇指的行為，那就是讓孩子對他的生活更滿意。

804. **不要給孩子肘部上夾板，也不要給孩子帶手套或往拇指上塗抹有怪味的東西，因為這樣做只會讓孩子更痛苦**。這些做法不能阻止小嬰兒吸吮拇指，更不能改變幼兒的習慣。我認為，這麼做反而會使孩子延長這種習慣。父母也不應該斥責孩子，或把孩子的拇指從他的嘴裡拉出來，因為這樣做同樣不會有任何效果。或許有人向你建議，看到孩子吮吸拇指的時候，就給他一個玩具玩。讓孩子周圍有可玩的東西當然是對的，因為這樣他就不會厭煩了。但是，如果每當你看見孩子吸吮拇指，就趕緊把一個舊玩具塞到他的手裡，那麼他很快就會接著吸吮起玩具來。

805. **對孩子進行誘導和鼓勵**。五歲以後還仍然吸吮拇指的孩子很少。如果你的孩子屬於其中一個，而且你還擔心這樣下去會影響他的恆牙發育，這時，你或許可以通過鼓勵和誘導的方式來獲得成功。如果一個四、五歲的女孩希望克服吮吸拇指的習慣，家長就可以像對待女人一樣把她的手指甲都染色。但是如果孩子才兩、三歲，他就沒有足夠的毅力去為了獎勵而抵制自己的本能。在這種情況下，你可能會小題大做，但是卻收不到任何效果。

所以，如果孩子吮吸拇指，你就必須保證使他的生活愉快。你應該告訴他，總有一天他會長大，而且不再吮吸拇指。從長遠看，這麼做對他是有幫助的。這種友好的鼓勵使他渴望能盡早停止吸吮拇指。但是千萬不要嘮嘮叨叨地責罵他。

806. **最重要的是儘量不去想它**。如果你總是擔憂，那麼，即使你決心不再說什麼，孩子也會察覺到你的情緒，並且對它進行反抗。要記住，吮吸拇指現象時候到了就會自動消失的。絕大多數的孩子在長出第二顆牙之前就已經不再吸吮拇指了。不過，這種表現是不穩定的。孩子可能會在一段時間裡吸吮的次數不斷減少，但是在他生病期間，或處於艱難的調節期間，他吸吮的次數可能有所回升。但是最終他還是會徹底放棄吸吮習慣。孩子在三歲以前很難停止吸吮，但是在三到六歲之間一般都逐漸改掉了吸吮習慣。

一歲以後還吮吸拇指的孩子中，多數同時還有某種撫摸習慣。有的男孩喜歡用手捻著或捏著一塊毛毯、尿布、絲綢或毛茸茸的玩具。也有的男孩喜歡撫摸他的耳垂，或扯著自己的一縷頭髮捲來捲去。還有的男孩喜歡拿一塊布去貼近自己的臉，或用一根閒著的手指去觸摸自己的鼻子或嘴唇。看到這些動作你就會想起，他們在嬰兒時期吃奶的時候，溫馨地撫摸著母親的皮膚或衣服的情景。

807. **反芻**。有時候嬰兒在下一頓飯之前會不停地吮吸和咀嚼自己的舌頭，有點兒像牛反芻一樣。這種情況很少見。有些嬰兒在胳膊受到約束的時候就開始吸吮自己的舌頭。在這種情況下，我建議在孩子還沒有養成習慣之前，馬上鬆開他們的手，讓他們重新吸吮拇指。一定要確保孩子經常有人陪伴、有遊戲玩、能得到愛。另外，當父母與孩子之間出現明顯關係緊張的時候，這種現象也會發生。

安撫奶嘴

808. **安撫奶嘴有助於緩解孩子的焦躁不安情緒**。安撫奶嘴是一個沒有奶孔的橡膠乳頭。它附著在一個圓盤上，可以放在嘴上以免乳頭被整個吸進嘴裡。圓盤的背面有一個環，可供嬰兒用手握住。

有一種安撫奶嘴比較理想，它是用軟橡膠做成的，這樣，當孩子睡覺時，奶嘴若被壓在臉下面，就不至於擠壓孩子的臉了。更重要的是，孩子不至於把乳頭從圓盤上拔下來而噎住。這種安撫奶嘴的唯一問題是乳頭很長，孩子可能會把它吸入而導致窒息。還有一種末端爲球狀的短型安撫奶嘴。有些嬰兒比較喜歡這種安撫奶嘴，這可能是因爲它比較短而且柔軟。另外一種安撫奶嘴的乳頭是歪向一邊的。雖然製造商把它說得天花亂墜，但是並沒有科學證據能說明這種樣式優於其他樣式。

809. **有輕微周期性焦慮症的嬰兒吮吸安撫奶嘴的時候常常會平靜下來。**但是我們還不知道，這是因爲吮吸緩解了嬰兒的某種不明痛楚呢？還是因爲孩子吸吮的時候完全忘記了痛楚？

810. **如果安撫奶嘴使用得當，就能有效地防止孩子吮吸拇指**。有些嬰兒剛出生幾個月就學會了使用安撫奶嘴。這樣的嬰兒即使在三、四個月的時候不再使用安撫奶嘴了，也不會再去吸吮拇指。

於是有人會問，既然吮吸安撫奶嘴和吮吸拇指同樣乏味，幹嘛要讓孩子去吸吮安撫奶嘴而不讓他們吸吮拇指呢？答案是，如果孩子在最初三個月裡養成吸吮拇指的習慣，他就可能在以後的好幾年中一直吮吸拇指。相較之下，大多數吮吸安撫奶嘴的嬰兒在幾個月之內就可以放棄它了。其餘的孩子中，多數也在一、兩歲的時候放棄。還有最重要的一點：吸吮安撫奶嘴不像吸吮拇指那樣，容易造成牙齒歪斜。

811. **如何利用安撫奶嘴來防止吮吸拇指**。首先，大多數嬰兒——可能有50％——根本就不去嘗試吮吸拇指，或只是偶爾無意識地吮吸一下。所以對他們來說，根本就不需要預防，因此也就不必考慮使用安撫奶嘴的問題了（除非出現腹痛）。

如果孩子已經有幾個星期甚至幾個月的吸吮習慣，他就很可能會拒絕使用安撫奶嘴，因爲他已經習慣了自己嘴裡和拇指上的感覺。所以，如果你計畫讓他吸吮安撫奶嘴，就要在他出生後的幾天內或幾個星期內給他安撫奶嘴。

當孩子用嘴巴四處搜索，試圖吮吸手邊的任何東西的時候，是給孩子安撫奶嘴的最佳時機。在最初幾個月裡，除了餵奶的前後，嬰兒很少醒著。因此，在邏輯上講，這是最合適的時間。這麼做的目的是，在最初的三個月裡儘量讓他多使用安撫奶嘴。這樣他就會感到滿足，才有可能到後來願意放棄它。

有兩種情況可能會對安撫奶嘴的應用產生不利影響。第一種是，該使用安撫奶嘴的時候父母卻根本不想使用，等到他們改變主意想使用的時候又太晚了。這樣，本來在最初幾週就應該使用安撫奶嘴的嬰兒現在卻不喜歡用了。

第二種情況是，有些父母雖然能成功地利用安撫奶嘴來緩解孩子的躁動不安情緒，但是他們卻養成了對它的依賴。他們無論在什麼情況下都用它來安慰孩子（比如只要孩子一哭，他們就給他安撫奶嘴），以至於養成每天不停地往孩子嘴裡塞奶嘴的習慣。即使孩子已準備放棄它（通常在兩、三個月之間），他們仍然繼續這麼做。

但是，如果嬰兒不願意放棄安撫奶嘴（不管他有多大），我認爲父母也不應該把它拿走。不過，等到嬰兒三、四個月的時候，當你把安撫奶嘴放進他們嘴裡時，有些嬰兒會很快將它吐出來。這就是說，他們已經眞的不再需要或不再想要安撫奶嘴了。這時，我認爲就應該停止給他們安撫奶嘴了。但是無論是哪種情況，我都不會試圖在一天之內就讓孩子完全不用安撫奶嘴。你可以用一、兩週的時間來減少使用它的次數。但是，如果他特別需要安慰，那麼，在一、兩天內多用幾次也沒什麼。但是，在他願意的時候，就要再次減少使用次數。

如果你的孩子五、六個月後仍然依賴安撫奶嘴，而且如果不給他，他就會在晚上醒來好幾次，那麼，就應該在他的床上多放幾個，以便他有更多的機會自己找到一個。也可以在他的睡袍袖子上別一個，但是不要用繩子掛在孩子的脖子上，也不要繫在嬰兒床的欄杆上。這樣是很危險的，因爲細繩可能會繞在孩子的手指上、手腕上或脖子上。

孩子長了幾顆牙以後可能會把破舊的安撫奶嘴從圓盤上拽下來，或把乳頭嚼成碎片。如果孩子把這些碎片錯誤地吞下去，就可能導致嚴重的窒息。因此，當舊奶嘴變得不結實或容易破碎的時候，就要買一些新的更換。

咬指甲

812. **咬指甲是一種緊張的跡象**。咬指甲在高度緊張的孩子中比較常見，而且還有遺傳傾向。這些孩子一感到緊張就開始咬指甲——例如，在學校等待探訪的時候和看到電影中的恐怖鏡頭的時候。如果孩子平時很快樂，也很有成就感，那麼，他即使有這種習慣，也不一定是個不好的跡象。儘管如此，這種現象還是值得認眞對待的。

如果對咬指甲的孩子嘮嘮叨叨地責罵或懲罰，通常也只能讓他停止一會兒，因爲他們很少能意識到自己在咬指甲。不僅如此，責罵和懲罰最終還會使孩子更加緊張。如果在孩子的指甲上塗上苦味的藥，孩子就會認爲這是對他的懲罰。而且這樣做只會使他更緊張，從而延長這種習慣。

因此，比較好的作法是找出孩子的壓力是什麼，然後再想辦法排除這些壓力。他是不是不停地受到催促、糾正、警告或責備？你是不是對他的學習期望得太多？你應該向老師諮詢一下有關他在學校的適應情況。如果他看到電影和電視上的暴力鏡頭時，比一般孩子顯得緊張，就乾脆禁止他看這類節目。

如果你的孩子在其他方面都表現得很好，就不要過多地說他咬指甲的事。但是，如果他是表現不好的孩子，那就需要找學校的心理醫生諮詢一下，或找家庭機構的社會福利工作者商議一下。總之，應該注意的是導致孩子焦慮的原因，而不是咬指甲這一行爲本身。

有些孩子咬指甲只是一種單純的緊張習慣。如果這些孩子能意識到同學和朋友可能會嘲笑他們，他們一般都希望改掉這種習慣。同儕的鄙視常常會對他們產生刺激，從而迫使他們去努力改掉這一習慣。如果給女孩一套修指甲用具，就可能給她提供額外的動力。還可以在孩子不咬指甲的日子給他們貼紙做爲獎勵，或在他們的手指頭上黏上小貼紙，這樣就可以提醒他們不要再去咬指甲。有些大一點的孩子能夠懂得父母在他們的指甲上塗抹苦味的藥並不是對他們的懲罰。他們覺得這是提醒自己不咬指甲的好辦法。但是，如果父母嘮嘮叨叨地責罵，就可能產生反效果。要記住，咬指甲的行爲雖然不好看，但也不是什麼大不了的事情。多數孩子最終都會自願地停止這種行爲。因此，不要把這個小習慣看得太嚴重，不要讓它影響你和孩子之間的關係，也不要把本來與此無關的孩子個性問題牽扯進來。

弄髒衣服

813. 糞便弄髒衣服。孩子把大便拉在褲子裡是一種大便失控的症狀。這種事情在四歲後的任何時候都可能發生。典型的例子有，已經接受過訓練的學齡兒童（幾乎總是男孩）還長期讓大便弄髒內褲。讓家人感到迷惑不解的是，孩子好像並沒有注意到他已經把大便拉在褲子裡了，而且他自己也說沒有感覺到自己排過大便。更讓家人不可理解的是，孩子甚至還不承認自己聞到了大便的氣味。這是一件既明顯又令人討厭的事情，以致孩子們堅決否認。這就是這個問題的特點。當然，他的朋友和家人不會聞不到這種氣味，因此就會迴避他。但是，其他孩子可能會無情地嘲笑他，叫他臭屎，並且迴避他，所以，這是一個讓人感到苦惱和丟臉的問題，因此，它引起父母的擔憂也是自然的事情。

大便弄髒褲子的現象通常是因爲長時間憋大便而導致便秘，由於腸道的蠕動將腸道上段的稀糞便向下擠壓，所以就從大塊糞便周圍向外滲漏出來。許多孩子都有便秘的時候：當他們攝入的流體食物減少的時候，大便感到疼痛的時候，被迫訓練大小便習慣的時候，或服用某些特殊藥物的時候，他們就可能出現便秘。當家中發生某種緊張情況，尤其是當一個非常重要的家庭成員突然離去以後，便秘也會發生。家中新生嬰兒的降臨、父母的離異或親人的死亡等事件，也都可能引起孩子便秘。還有一些其他變化，例如到了一所新學校或新營地以後，如果廁所不隱蔽，也可能讓一些孩子覺得不舒服。

大部分憋大便並且導致便秘的孩子都不會弄髒衣服。如果孩子憋大便的次數過多，憋的時間過長，他就可能出現控制大便肌肉功能減退。結果，他要麼弄髒內褲，要麼大便硬結。相比之下，不便秘的孩子很少弄髒衣服。

有些孩子弄髒衣服的主要原因是沒有接受過大小便習慣的系統訓練，所以沒有養成控制大便的良好習慣。如果父母對他們的態度和藹，並積極努力地去訓練他們的大小便習慣，他們就會比較容易克服自己的不良習慣。在多數情形下，醫生或保育護士會建議你在孩子的營養上做些變化（比如讓孩子多吃些含水分及纖維比較高的食物）來防止孩子便秘。有時他們也可能使用軟化大便的藥物。另外，還要承認孩子所處的情境很尷尬，並且承認這不是他的錯。這樣做對孩子克服自己的毛病也有作用。醫生或保育護士也許會用一副腸道圖，向孩子解釋便秘和弄髒衣服的過程。你還可以和醫生共同制訂一個嚴謹的方案，並以此來訓練孩子的大小便習慣。有些孩子長時間弄髒褲子。他們不但受到家人的壓力，而且治療效果也不好。在這種情況下，做父母的就必須帶孩子去看兒童精神科醫生、心理醫生或社工人員。

父母如果能夠清楚地認識到孩子把大便拉在褲子上的嚴重性，認識到它可能會嚴重地妨礙同齡孩子之間的關係和孩子的自尊心，並能及時地尋求專業人員的幫忙，而不是去羞辱孩子、爲難孩子或批評孩子，那麼，他們就可能給予孩子眞正的幫助。

尿床

814. 尿床的醫學術語是「遺尿」(enuresis)。如果大多數同齡孩子在夜間都已經不再尿床了，而你的孩子仍然尿床，那麼，他就是屬於這種現象。有的孩子開始不尿床的時間比較早，而有的孩子很大了還尿床。這就像孩子學走路一樣，有些孩子在九個月的時候就會走路了，而有些孩子到了十五、六個月以後才學會走路。孩子從什麼時候開始學會某種技能（如走路）不僅是由他的遺傳基因所決定，也是由他的神經和肌肉的成熟度決定的，因爲人的平衡和活動都要靠神經和肌肉來控制。

膀胱也是由神經和肌肉控制的。膀胱是一個由肌壁形成的空囊。它的肌壁必須放鬆，而位於膀胱末端的一塊微小肌肉（叫做膀胱括約肌）必須收緊，才能積存更多的尿，以便孩子夜間不尿床。在夜間，肌肉通過一鬆一收的過程便把尿保存在膀胱裡，直到孩子睡醒，去廁所解尿。

815. 膀胱和括約肌的成熟時間不同步。到了三歲半以後，大約有三分之二的孩子夜間就不尿床了；到了四歲以後，就有大約四分之三的孩子不再尿床。剩下仍然尿床的四歲孩子只佔總人數的25％。六歲以後，他們也逐漸地能夠在夜間控制好自己的小便。在八歲的孩子中，仍然尿床的約佔5～10％。到了十二歲的時候，繼續尿床的孩子就只有2～3％了。有些孩子在整個青春期都尿床（實際上，青春期以後還尿床就可能屬於夢遺了）。如果孩子五歲以後還尿床，那麼他們的父母、兄弟（姊妹）以及其他親屬在童年時期也可能有同樣的歷史。人們曾一度認爲，大多數尿床的孩子睡覺都很沉。有些家長曾對我說，他們的孩子睡覺的時候，無論是電話鈴聲、音樂聲或其他響亮的聲音都甭想把他吵醒。但是，對尿床和不尿床的孩子的對比研究表明，兩者在睡覺方式上並沒有什麼差異。但是不知道什麼原因，夜間尿床的女孩比男孩少。有些孩子長期尿床可能與他們接受大小便訓練的時間較晚或不願意接受訓練有關。

816. **有些孩子雖然接受過充分訓練，並且有很長一段時間不尿床，但是他們後來可能會開始尿床**。導致這種情況的原因通常是緊張、生病（尤其是尿道炎）和一些心理問題。比如家中又添了一位寶寶、剛搬進一個新家、剛轉入一所新學校或是看恐怖的電影等，都是與尿床有關的常見原因。如果孩子的緊張感或疾病已經排除，但是這些症狀還仍然存在，我建議你找醫生或保育護士諮詢一下。他們或許會把你的孩子介紹給一位兒童心理醫生或精神科醫生，由他爲孩子診斷和治療。

817. **尿床的孩子不同，解決的方法也不同**。大約有25％四歲以上的孩子能夠逐漸做到夜間不尿床。如果父母能以中立的態度或積極的態度去對待孩子，不去理會孩子把床尿濕了，或只對孩子說許多小孩兒都尿床，隨著他慢慢地長大成熟，將來就不會再尿床了，那麼大多數孩子就不會在心理上受到打擊。尿床的事可能會傷害孩子的自尊，影響他們社交能力的發展和與同齡孩子的關係。例如，還在尿床的學齡兒童不願意接受朋友們的邀請，因爲他們害怕在別人家裡睡覺。這是可以理解的。

無論是哪一種治療計畫，重要的是要避免讓孩子產生羞愧感和不自信，或起碼讓孩子減輕這種感覺。爲此我想再補充一點，即：父母雙方都必須主動尋找機會，讓孩子在心裡訓練起持久的自尊心。當母親的應該小心謹慎，不但不能嘮嘮叨叨地責備孩子或貶低孩子，而且還要表示你相信他遲早會不再尿床的。當父親的應該儘量找時間陪伴孩子，認同孩子的進步（不管進步有多小），聽孩子講故事，聽孩子講笑話並且和他一起笑。如果孩子試圖做到不尿床，父親就應該表示支持；當他成功的時候，應該表示高興；當他失敗的時候，就應該給予鼓勵。

818. **持續尿床**。有的孩子在心理方面和生理方面都很健康，沒有其他病症。但是他卻經常尿床。這種情況通常不是很嚴重。但是，如果他還有白天尿床、排尿困難或疼痛、原因不明的持續發燒、水和其他液體的消耗越來越多、或肚子疼等病症，你就應該帶他去找醫生或保育護士了。

如果他沒有任何這類病症，經過正常的體檢後，多數醫生就會讓你放心。有些醫生和保育護士可能還要檢查一下尿液，以確定他是否有感染或其他問題。

由於多數孩子到了八歲的時候才能在夜間控制好小便，所以，唯一需要採取的治療方法通常就是由父母來幫助孩子克服羞澀感、不自信和難堪的心理。由於尿床，有些學齡兒童和青少年的自尊心受到打擊。他們不願意接受去別人家睡覺的邀請，也不願意去露營。對於這些孩子，我們必須採取有效的措施來幫助他，直到他能自己控制小便為止。比如，當第一次發現孩子尿床的時候就應該給他準備一個鬧鐘，提醒他按時去廁所小便。也可以給孩子服用藥物，使他的膀胱能在夜間增加蓄尿量。還可以用一種在鼻腔噴霧的藥物，以減少睡眠期間的尿液產量。

總而言之，造成尿床的原因是不同的。這些原因有遺傳因素、孩子的性別、心情和疾病、突發事件（比如家中新添了一位寶寶）以及缺乏大小便訓練等。不管是什麼原因，父母和孩子都應該懂得這是個常見的問題。只要父母能給予理解，保持對孩子的積極態度，那麼，多數尿床的孩子最終都能克服自己的問題。

口吃

819. **口吃是兩、三歲孩子常見的現象**。我們並不完全了解口吃的原因，而只知道一些相關的事情，比如：口吃常常與遺傳有關；口吃的男孩比女孩多；有時候讓一個用左手的孩子改用右手好像也會引起口吃。由於大腦中控制語言的那一部分和控制（自己原來喜歡使用的那隻）手的那一部分是緊密地連在一起的，所以，如果你逼一個用左手的孩子改用右手，就可能擾亂他的語言神經的正常運轉。

我們還知道，孩子的情感狀態與口吃很有關係，所以，許多孩子感到緊張的時候就會口吃。有些只是在他們激動的時候，或和某個特定的人說話時才口吃。有的小孩子在剛出生的小妹妹從醫院回到家裡以後就開始口吃，但是他並沒有公開地表示他的嫉妒，也沒有設法去打她或掐她，他只是覺得不自在。如果一位親戚到家裡來住了很久，以至於兩歲半的女孩對他產生了很深的感情，那麼在他離開的時候，孩子就可能開始口吃。兩個星期以後，她的口吃可能暫時停止。但是當她搬新家的時候，由於特別想老家，她就可能出現一段時間的口吃。兩個月後，由於他的父親應徵入伍，致使全家人心煩意亂，這時，這個女孩就可能再次口吃。父母們說，他們自己感到緊張的時候，孩子就口吃得更厲害。我認爲，如果孩子一天當中沒完沒了地聽大人說話、講故事、被大人催著講話、背誦、或被大人拿去炫耀，那麼，他們口吃的可能性就非常大。當父親或母親對孩子的要求更嚴格的時候，孩子也可能會口吃。

爲什麼口吃在兩、三歲之間如此常見呢？答案可能有兩個。第一，這個年齡正是孩子努力學習說話的時期。由於他還小，所以說話的時候總是用一些用不著仔細考慮的短句，比如，「看車」，「要出去」。但是，到了兩歲以後，他就會試著創造一些長句子來表達他的想法。一個句子他可能試著說兩、三遍，結果由於找不到合適的詞而不得不中途停下來。而他的父母，由於聽他沒完沒了地說個不停而感到厭煩，因此並不太留意他的意思是什麼。他們只是心不在焉地應著「唔，唔」，同時並不中斷自己的事情。由於沒有人聽自己說話，孩子就會感到灰心喪氣。第二，在這個發育階段，孩子常常感到比較緊張，因此可能產生畏縮不前的心理。這種心理也可能影響孩子的語言。

820. **如何解決口吃的問題**。如果你自己或某位親戚一生中都在努力克服口吃的問題，你可能會特別苦惱。但是，這並不值得大驚小怪。我認爲，只要有半點機會，十之八九的兩、三歲開始口吃的孩子就能在幾個月之內克服它。在這個年齡開始口吃的孩子發展成經常性口吃的只是極個別的案例。因此，沒有必要去糾正孩子的口吃，也沒有必要擔心孩子在兩歲半時進行的語言訓練會遇到什麼困難。

要注意一下四周，看看有沒有什麼讓孩子覺得緊張。如果因爲和你分開許多天而使孩子心煩意亂，那麼以後就應該儘量避免和孩子長期分開。如果你覺得自己一直在對他講話，或一直在催他講話，就應該慢慢地停止這樣做。你應該和他一起多玩遊戲，少講話。你還應該想一想，他是否有足夠的機會和容易相處的其他孩子一塊兒玩？他有沒有足夠的室內或戶外的玩具和器材，以便他能夠在沒有人比手畫腳的情況下自己發明遊戲？我的意思不是說你應該不去管他或孤立他，而是說當你和孩子在一起的時候要放鬆，要讓他來帶頭。如果他和你說話，你就應該專心地聽，以免讓他生氣。如果受到妒嫉心理的困擾，你就應該看看能做些什麼來阻止它。大多數孩子的口吃都會反反覆覆地持續好幾個月。所以，你不要期待它會馬上消失，而要對孩子逐步取得的進步表示滿足。如果你實在想不出哪裡有問題，那就需要把情況和兒童精神健康專家談一談。「結舌」（舌繫帶，即舌下的中部與口腔底部相連的皮褶，看上去太短，限制了舌頭的自由活動）與口吃沒有任何關係，不應該割開。

有一些受過專門培訓的語言治療專家專門治療小孩子的語言問題。有些學校和醫院設有專門的語言治療班或門診。在那裡，大一點的孩子可以受到專門的訓練，這對需要幫助的學齡兒童來說是非常有用的。如果孩子明顯屬於緊張類型，比較好的辦法是先去諮詢一下兒童精神健康專家，看看是否可能發現並且排除造成緊張的原因。

有節奏的習慣

821. 搖晃、擺動、轉頭、撞頭。據報導，5～15％的正常兒童有搖晃、擺動、轉頭和撞頭的行爲。這種現象通常發生在六～八個月的孩子身上，一般到四歲的時候就停止了。長牙或耳朵感染也可能會突然引起這種現象。「搖晃」是指嬰兒坐在椅子上的時候，有節奏地前後晃動，不停地撞擊椅背。「擺動」是指嬰兒手腳著地，有節奏地前後晃動。當嬰兒躺在嬰兒床裡的時候可能會不斷地左右「轉頭」。「撞頭」則是指嬰兒不停地用頭去碰撞一個堅硬的表面，比如像床頭這樣的東西。這種動作最讓父母苦惱，因為他們擔心孩子可能會傷害自己。這種擔心是可以理解的。但是，孩子是不會傷害自己的。

這種現象很常見，而且很少會嚴重到傷害孩子的地步。它們通常是兒童發育過程中正常自我刺激的反應，因此父母盡可以放心。受虐待或沒有人關心的孩子可能會不停地晃動身體或撞頭。如果詳細地分析一下孩子的病史和社會環境心理記載，就可能會發現其根源所在。

822. **孩子的這種表現有什麼涵義？**孩子在一歲的下半年已經具有了體會節奏的本能，也就是從這個時候起他們才開始有這些行為表現。當孩子累了、睏了或受到挫折的時候，他們除了吮吸大拇指或撫摸一件柔軟的玩具（參看786和803）外，通常也會做這些有節奏的動作。因此，我認為這些動作是孩子的自我安慰方式，同時也體現了他們的一種願望，即：想自己創造一種早期被父母抱著搖晃的那種舒適感。

多數孩子都沒有這種行為表現，而且只是在一些特定的時刻有些孩子才會有這種行為，比如，當他們感到睏倦、無聊或心煩意亂的時候。這種動作（尤其是撞頭）在那些情感上被忽視或身體上受虐待的孩子身上發生得很頻繁並且很激烈。如果你發現孩子經常有這種動作，就應該和醫生或保育護士談一談。

早產兒

如果嬰兒的體重低於2.3公斤，把他留在醫院裡也許會更好一些，因為那裡有保溫箱，而且能得到專門的護理。

823. **難以克服的憂慮**。多數早產兒後來都發育得很正常。儘管在開始的時候他們體重增長緩慢，但是不久以後他們就會迅速增長，把原來的體重不足彌補上。但是，他們在成熟方面的欠缺自然是沒有辦法彌補的。比如，早產兩個月的嬰兒到「一歲」的時候，只應當被看作「十個月」

大。

824. 體重2.7公斤的早產兒。早產兒的體重達到2.7公斤時，他就可以和其他正常嬰兒一樣，不再需要大人的悉心照料或擔心了。對此，父母可能不敢相信。最初的時候，醫生可能會提醒父母，讓他們不要過於樂觀。只是到了後來他們才慢慢地讓父母放心。最初，嬰兒很可能不得不放進保溫箱裡，由護士和醫生經常觀察，用吸管餵奶。儘管現在的多數醫院都鼓勵父母在早產兒剛生下來的時候就撫摸孩子，並且在可能的情況下給孩子餵奶，但是在大多數的時間裡父母可能都沒有機會接近孩子。母親也許不得不把孩子留在醫院，自己一人回家。在以後的幾個星期裡，父母就將過著一種怪異的生活：他們在理論上知道自己有一個孩子，但是感覺上又好像沒有孩子。正如這樣的家長所說的：「有時候，我們覺得孩子是醫院的，而不是我們的。」

因此，當醫生最後說可以把孩子帶回家的時候，他們之所以會覺得十分害怕和不自在，原因就在這裡。他們甚至可能找出各種還不能把孩子帶回家的理由。護士和醫生都理解父母的這種矛盾心理，而且可以幫他們克服。比如，一定要在護士的監督下學會在家裡護理嬰兒的各種方法。這樣，你就會有信心做好這件事了。另外，在把嬰兒抱回家之前的最後幾天，要儘量在醫院裡多和嬰兒在一起。這對你也是有幫助的。

把嬰兒抱回家以後，剛剛做父母的人就會體驗到各種各樣的操心事：室內溫度、嬰兒體溫、呼吸、打嗝、大小便、食物調配、日程安排、嬰兒哭啼、腹痛以及是否會寵壞孩子等。所有這些就像三座大山一樣壓在早產兒的父母頭上。也許他們需要過好幾個星期的時間才能獲得自信心，需要再過幾個月的時間才能確信他們的寶寶與任何其他嬰兒一樣健康、強壯和聰明。

825. 煩人的親戚和鄰居。除了上述問題之外，也有來自外界的干擾。鄰居和親戚好像比孩子的父母還要緊張、著急和投入。他們不停地問問題，大驚小怪，嘮叨個不停，以至於讓孩子的父母幾乎無法忍受。許多來訪的客人會沒完沒了地和父母說，什麼早產兒會多麼脆弱、多麼敏感等道聽塗說的事情。如果他們說的事情屬實，將給父母帶來嚴重的壞影響。更不幸的是，這些沒有根據的說法將會嚴重地影響父母克服緊張的決心。

826. **餵奶**。早產嬰兒的體重達到1.8公斤的時候就可以出院了。你應該弄清楚孩子在醫院裡的時候一次餵多少，多久餵一次，回到家以後就可以按照這個標準繼續餵他。如果你用奶瓶餵奶，當你看到他能夠像足月的嬰兒那樣吃奶的時候，就可以逐漸增加他的食量和延長餵奶間隔。

一開始要注意的主要問題是，在嬰兒吃奶的階段以及後來吃固體食物的時候，要根據他的意願，讓他想吃多少就吃多少，以免吃得過多。由於他看上去很瘦，所以你可能很希望他多吃。你可能會認爲，如果他能多吃一點奶，就可能會長得越來越胖，從而也就能具備更強的抵抗力。但是對疾病的抵抗力和孩子的胖瘦毫無關係。像任何正常嬰兒一樣，你的寶寶也有他自己的成長規律以及滿足這種規律的胃口。如果你餵得太多，就會使他的食欲下降，從而減慢他的體重增長速度。

和正常的嬰兒一樣，早產兒也要長到四～六個月的時候才可以餵固體食物。儘管父母渴望孩子快速成長，但是，也必須給孩子足夠的時間去適應，以便他能慢慢地喜歡吃固體食物。而且，只有當他顯得還想多吃的時候才能給他增加定量。換句話說，就是要防止孩子出現不愛吃飯的問題。

827. **餵母乳**。如果母親想用母乳餵孩子，那麼她在醫院期間就應該一直定時地擠奶餵孩子。當孩子長得強壯起來以後，護士通常會在孩子出院之前就輔導母親如何給孩子哺乳。由於孩子一開始是用奶瓶吃奶，所以需要經過一段時間才能慢慢地學會用媽媽的乳房吃奶。他一開始的時候很容易感到疲勞，而且每次吸到的奶也很少。你可以請教一位在哺乳早產兒方面，既有經驗又感覺輕鬆自在的人，或與早產兒協會聯絡。

828. **沒有其他需要特殊注意的問題**。把嬰兒抱回家以後，你就可以給他在浴盆裡洗個澡（一定要注意給他保溫）。等到他的體重增長正常的時候，你就可以像正常嬰兒一樣把他抱出門了。

即使在嬰兒剛回到家裡的時候，父母也沒有必要帶口罩。一定要讓他習慣常存於家裡的細菌。和其他嬰兒一樣，不能讓他接觸患有感冒或其他傳染病的人。除此以外，就沒有什麼需要專門謹慎對待的問題了。

829. **脆弱**。父母可能會注意到，有些早產兒對刺激的忍受度較低。但是，如果發現孩子太容易發怒，而且不容易平靜下來，父母也不必覺得內疚或生氣。

830. **預防接種**。和足月出生的嬰兒一樣，早產兒的免疫措施也要在出生後兩個月開始實施。這是因爲早產兒對打針沒有多少反應，而且他們特別需要預防像百日咳這類疾病的感染。

17 發育缺陷

有生理缺陷的兒童

有某種生理缺陷或長期有某種問題的孩子，會把整個家庭引向一條預想不到的路程。沒有人能事先就做好這樣的心理準備。它可能是一個非常艱難的歷程：在這個歷程中，一切都是未知的和艱辛的，也無法知道何時才能到達目的地。父母突然間被拋進了一個陌生的世界：什麼醫學專家、深奧的高科技醫療器械、新的專業術語以及與許多資深的專家來往等。這是一個離父母成長的世界極其遙遠，也與他們心目中孩子應該生活的世界毫不相干的地方。

像聽覺障礙、視覺障礙、心智障礙、情緒障礙、腦性痲痹以及學習能力低下等，都需要多種特殊的服務。

831. **微妙的平衡**。在這條路上必然潛伏著痛苦，但是許多家長對我們說他們也有快樂。由於家裡有一個生理缺陷的孩子，父母和其他孩子就可能因此而獲得某種在平常條件下得不到的機會，比如，他們可能因此而學會對人熱情、同情和博愛。通過在這種經歷中的同甘共苦，許多夫妻的關係得到了鞏固（不過也有一些夫妻由於壓力致使關係破裂）。許多人體會到了愛一名有缺陷的孩子的美妙感覺。

你需要獲得一種微妙的平衡，但是這很難做到。這種平衡就是既要滿足你那有缺陷的孩子的需要，又要照顧好自己和家人。這需要你分清輕重緩急，酌情地投入你有限的時間和精力。作爲有缺陷的兒童的父母，你沒有一條十全十美的路可走。你總免不了需要在兩個方面做出選擇：有時候你想逃避一會兒，以尋求心靈的平靜；有時候你又覺得由於專心滿足一個孩子的要求而忽略了另一個家庭成員；也有時候你會覺得自己完全不能勝任這項工作。

這些都是很正常的，因爲你不可能同時面面俱到。只要你明白沒有人能做到這一點，而且你也不必都做到，你就可以得到安慰了。你和家人都有足夠的潛在能力去承受各種挫折的打擊（但是就是不能沒有愛）。也許用獲得平衡來比喻不恰當，因爲這更像是站在一個蹺蹺板上：你忽而跳起來，忽而落下去。但是你會發現，你在多數時間都處於中間位置，也就是那個平衡位置。

下面給你提供幾點建議，幫助你找到這個平衡點。

832. 克服你的悲傷。家有生理缺陷的孩子的父母都很悲傷。這是十分正常而且可以理解的。在你慢慢地接受眼前這個孩子之前，你肯定會爲失去一個健康的孩子而悲痛。因此，你必須努力忍受幾個悲傷的階段：先是受到意外的打擊，然後又不願意相信這是事實，接著又感到難過和憤怒，最終又不得不承認這個現實。你可能會注意到我沒有用「接受」這個詞，因爲我沒有把握多數父母會眞正地接受這一命運的打擊。但是我認爲，我們的目的就是去正確地面對這個現實，並把它溶進你的生活中，以便你能把你的愛、你的快樂和你個人的發展潛力盡可能正常地保留下來。

對這個悲傷階段的另一個錯誤理解是，父母先是經歷這些問題，然後就能一個一個地逐步解決。大多數父母說這些痛苦是始終存在的，但是會慢慢地變得不再那麼強烈了，而是隱藏在表面之下。比如，你會發覺自己莫名其妙地生氣或沮喪（或許是在超市裡），直到後來你才意識到，這是你心中壓抑了很久的悲傷不知何故地突然爆發出來了。其實，只有當父母親都沉浸於悲傷之中而不能自拔的時候，他們才會做出令人擔憂的悲傷反應：他們可能會對每個人發脾氣，或者由於心情沮喪而起不了床，或者拒絕承認孩子的事實。雖然這種反應在開始的時候很常見，但是如果這種情況持續幾個月得不到解決，我就會擔心父母可能無力履行自己的職責。

833. **採取措施，克服內疚**。母親對有缺陷的孩子感到內疚是很普遍的反應。我曾看到有些父母由於孩子的境況而陷入無限內疚的深淵，爲此我感到非常震驚和難過。父親或母親認爲：「這肯定是由於自己做錯了什麼。」儘管專家們已經向他們保證這種境況只是一件不幸的意外事件而已，但是他們還是會苦思冥想地檢查自己到底做錯了什麼。一位母親曾告訴我說，她深信孩子畸形的手是由於她在懷孕期間服用了阿斯匹靈才造成的（儘管這兩者之間沒有絲毫關係）。另外一些人則重複回憶事故發生的情景，並且嚴責自己，「如果我沒有讓他在那條路上騎自行車就好了，那樣的話，這種事情就不會發生了。」

834. **不要單打獨鬥**。有些時候，家長可能因爲孩子殘疾而產生一種無法克服的孤立感。而實際上，有數以百萬計的家長正在與類似的問題奮鬥，而且幾乎每一個可以想像得到的情形都擁有一個全國性的團體。

835. **研究學習能力低下問題的專家**。你需要在孩子的學校裡找一位研究學習能力低下問題的專家，一位從事特殊教育的老師或輔導教師，或者一位專門研究這種缺陷的兒童指導人士。請他們在家中和在學校給孩子提供治療和幫助。

找一位統攬的顧問很重要。他可以把你的孩子介紹給這方面的專家。此外，醫療、教育和經濟方面的問題也都必須得到妥善處理。最近幾年，各種有缺陷兒童的家長都組成了協會，可以幫助你找到處理沮喪、內疚、灰心和悲傷情緒的辦法，在情感上給你支持。

836. **儘量多了解孩子的身體狀況**。在一開始的時候，你很可能對孩子的情況知之甚少。你了解得越多，它就越不顯得那麼神秘，你也就更能理解醫生，也更有助於治療孩子的疾病了。你可以寫信給國內相關機構以了解情況，還可以到書店買這方面的書，也可以和醫生、保育護士或社工人員談談。

837. **有條不紊**。有缺陷的兒童的父母需要做到的事情好像都是非做不可的：和醫生會面、安排治療、診斷檢查和到學校了解情況等等。如果你不想一輩子都這樣忙碌下去，你就必須抓緊時間。許多父母都保存著一個活頁本，上面記著已經做過的和還需要做的事情。他們參加任何約會的時候都帶著這個小筆記本。你要儘量在一天之內多安排幾次活動，並尋找幾個商品齊全的地方。

838. **當好孩子的保護人**。你可能會發現自己不得不周旋於一些大官僚機構和許多專家之間。有時候，學校提供的方案不能完全滿足孩子的特殊需要；保險公司可能會一再迴避爲某項檢查或治療付錢。一些社區可能會無視生理障礙者的需要，不給他們提供應有的支持。在這種情況下，如果父母不斷地提出有見識的意見，情況就可能得到改變。但是，你必須確切了解你的孩子在法律上有資格享受哪些服務，健康保險公司應該怎樣對待有缺陷的兒童，以及學校應該提供些什麼樣的方便等。

839. **任何人的呼聲都沒有堅持不懈的父母來的有力**。當你的努力遭到拒絕的時候，不要輕易氣餒。你一個人的意見可能會在某一方面改變許多制度，而其他人則可能無力做到這一點。你可以加入全國性的父母聯盟，讓你的意見成爲其中的一部分，用團結的力量來影響立法者和法庭。總的來說，我們往往都容易口頭許諾，但是到了眞正需要爲他人提供幫助的時候就不情願了。就像你做其他任何事情一樣，你會越來越善於爲孩子呼籲，並將最終獲得成功。

840. **不要由於孩子的殘疾而看不到他的長處**。我們都容易根據孩子的缺陷而給他下定義。這也是我們改變術語的原因。你可能會注意到我沒有使用「殘障兒童」(disabled children)這個詞，而是使用「有缺陷的兒童」(children with disabilities)。我認爲這兩者之間的區別雖然微妙，但是卻很重要。前者的涵義是，孩子的殘疾是他的最重要的特性；而後者的涵義只是說他有點兒缺陷，但是還可能有其他的長處。

你需要做到的是發現殘疾掩蓋下的孩子的眞正面目，全面了解他的人格特點：他的強項、他的思維方式、他對世界的反應以及他的苦惱和快樂。這很可能是一項艱巨的任務。有時候，缺陷可能會掩蓋一切。但是經過一段時間以後你就會發現，你對孩子的了解更全面。你了解了孩子的各個方面，了解了他生來就應該享有的權利和地位——他需要別人把他當作一個人來看待，而不是把他當作一個上面寫有性格、苦惱和快樂的標籤。

841. **不要忽略孩子的兄弟（姊妹）**。有缺陷的兒童無論是在生理上還是在情感上都需要格外的關懷。如果你的精力有限並且已經過度緊張，你就可能把心思和精力都放在這一個孩子身上，因爲你認爲他最需要關懷，而他的兄弟（姊妹）則一切都很好。

這是一種常見的錯誤做法。如果父母把精力都放在有缺陷的孩子身上，其他兄弟姊妹就可能會對他產生怨恨，並且會不理解父母的做法。有些孩子甚至故意找麻煩，好像在說，「嘿，我也是你的孩子，看你怎麼對待我？」

因此，父母也應該讓健康的孩子得到他們需要的愛和關心。要做到這一點很困難，因爲沒有一個十全十美的解決辦法。但是即使你滿足不了每一個人的需要，也不必覺得內疚。只要你不時地告訴健全的孩子你多麼愛他們，多麼喜歡和他們在一起，那麼，即使你不能馬上那樣做，他們也會體諒你的。他們需要你儘量抽出時間專心和他們在一起，哪怕一星期只有一次也行。如果他們願意，你還可以主動讓他們參與對有缺陷的弟弟的檢查治療。這樣就能讓他們明白爲什麼父母一直那麼關心有缺陷的兄弟或姊妹，也可以讓他們親身體會到這項工作有多麼乏味和單調。

家中有一個有缺陷的兄弟或姊妹能豐富健全孩子的生活經歷。許多這樣的孩子懂得了同情的涵義，學會了容忍人們之間的差異，知道了應該設身處地的爲別人的痛苦著想，並且在同齡孩子嘲笑自己有一個「奇怪的」兄弟或姊妹的時候，知道如何去處理這種情況。

842. **不要忽視與其他人的關係**。夫妻之間的關係也需要經常關注與培育。數據統計結果很值得我們警惕：大約有三分之一的婚姻在壓力下處於崩潰的邊緣，還有三分之一的婚姻仍然保持如初，另有三分之一則因夫妻雙方共同面對挑戰而得到了鞏固和豐富。第三種情況並不是偶然的。它是夫妻雙方通過開誠布公的交流、相互信任和相互支持而獲得的。最重要的是，它需要雙方爲維護彼此之間的關係而付出積極的努力和精力。

你和朋友以及街坊鄰居之間的關係也可能發生變化。如果處理不好，家中有缺陷的孩子可能會讓你覺得很孤立。但是如果處理得好，這件事也可能給你和朋友之間的關係增添友誼的色彩。許多父母通過這件事情了解了誰是眞正的朋友：就是那些向他們奉獻愛心和幫助的人，而不是那些躲避他們的人。你只有不忽視生活中的其他重要事情，才可能成爲最優秀的父母。你需要朋友，也應該有朋友；你需要和朋友一起外出娛樂，以便能在繁雜的日常事務中忙裡偷閒，調節一下緊張的神經。

在一項調查中，當問到生活中他們最需要什麼的時候，有缺陷的兒童的家長們的回答是「短暫的調節」：他們需要有個人替他們照看孩子一段時間，以便他們能照顧一下生活中其他方面的事情，去看一場電影或去購物，或者只是去拜訪一下親朋好友。

843. **通過短暫的調節來輕鬆一下**。你可以在專業機構、朋友、教會、或者親屬的幫助下獲得短暫的調節。不要覺得孩子離不開你，他和任何正常孩子一樣，也需要學會與你分開，而你也需要讓別人來照顧他一會兒，以便能輕鬆一下。

844. **不要忽視你所在的社區**。許多社區和宗教團體爲有殘疾的朋友提供支持。但是，如果這些成員不加入他們的行列，這些團體就無法爲他們提供幫助。因此，你應該把孩子介紹給你的鄰居、你常去做禮拜的教堂以及你們的整個社區。當社區裡的朋友得知並且了解了你的孩子時，我想你就會因爲他們對你的支持而高興。

845. **不要忽視自己**。要當一位最優秀的父母，首先就要儘量活得瀟灑，也就是說要儘量滿足自己的需要。多數長期含辛茹苦的人到後來都爲自己的奉獻和所獻身的事業感到悔恨。所以，只有當你感到很幸福並且很有成就的時候，你才可能給孩子提供最好的照顧。但是沒有人能說出怎樣才能做到這一點。對一些父母來說，只要能找到給孩子提供最佳服務的地方，然後自己能重返工作崗位就心滿意足了。而有的父母則寧願在孩子身上多投入點時間。選擇並沒有正確與錯誤之分，只要最適合你就行了。另外，你能否爲你自己和家人做出正確的決定，關鍵是要清楚你自己的生活中需要什麼樣的支持和要達到什麼樣的目標。

846. **盡可能讓孩子接受正常的教育**。許多有缺陷的兒童仍然可以接受正常教育。比如，大多數對孩子的活動影響不大的畸形、心臟病以及像胎記這樣的特殊外表等，就屬於這類情況。因此，最好是讓這些孩子正常上學，讓他們在一般人中間度過他們的一生，並且最好在一開始就讓他們認爲自己和一般人幾乎沒有什麼兩樣。

以前人們認爲，如果孩子的缺陷（如視覺和聽覺障礙）影響他們正常上課，從一開始就應該把他們送到社區裡的學校。如果沒有這類學校，就應該把他們送到特殊的寄宿學校去。在最近幾年裡，人們已經認識到儘管有缺陷的孩子的教育問題很重要，但是他們適應生活的能力以及個人的幸福更加重要。因此，父母必須隨時牢記，一定要讓孩子把自己當成正常人一樣看待，不僅要讓他們與其他有缺陷的孩子交往，而且還要讓他們和正常的孩子交往，以便他們能從中獲得社交能力，獲得對世界的完整了解。另外，還要讓他們從家庭生活中獲得安全感。

孩子越小，就越需要得到他人親近的、富有愛心的和善於理解的照料。他們需要得到眞正的歸屬感，需要感到比在最好的寄宿學校還要好——就像在家裡得到照顧和在家裡的感覺一樣好。因此人們正在不斷努力，讓有缺陷的孩子在正規學校上學，並且在適當的時候，讓他們盡可能地在學校裡多留一段時間。這就表示需要增加學校預算，培訓更多的專業老師，以便使當地學校具備這些便利條件。這也就是說，可以讓有缺陷的孩子每天在特殊班裡待一段時間，其餘時間則在正常班上課。另外，讓其他孩子了解各種各樣的缺陷是有好處的。在有些情形下，特教老師可以指導教授正常課程的老師怎樣講課，以便能讓有缺陷的兒童理解和參與。特教老師也可以直接去教有缺陷的兒童。

智能不足

847. 什麼是智能不足（mental retardation）？孩子在十八歲之前，如果他在下列能力方面（至少）有兩項低於一般同齡孩子，就被認爲是智能不足。這些方面包括智力、語言技能、自我照顧能力、社交技能、預先計畫的能力以及做學校作業、娛樂興趣和職業上的能力。

專家們過去常常根據缺陷的嚴重程度把智能不足的孩子分爲輕度智能不足、中度智能不足、重度智能不足和深度智能不足幾類。但是，如果有的孩子在某種環境下（比如在一個特殊集體家庭）表現較好，而在另一種環境下（比如在一個無秩序的家庭）則表現不好，這個分類方法就很難應用了。現在，許多人不是根據孩子能否做什麼來做出判斷，而是根據孩子需要通過什麼樣的幫助和什麼程度的幫助來進行分類。比如，有些孩子只是偶爾才需要別人的輔助性幫助；有些一直需要某種專門的幫助；還有些主要依靠別人的幫助；另有一些則要完全依靠別人來照料他們的生活。

一般來說，只要孩子的能力不是明顯地低於一般人，我們通常不用「智能不足」這個詞。如果六歲以下的孩子出現這種情況，我們通常使用「發展遲緩」(developmental delays) 這個詞。這個詞的涵義是，雖然孩子的智力低於一般孩子，但是我們還不清楚再過幾年他會趕上多少，尤其是在有輔助性教育設施的時候。

由於小孩子在發展中常出現意想不到的進步，所以有時候就會出現一個不明的滯留階段。在這個階段，人們無法預料它會轉變爲智能不足還是轉變爲正常。所以，如果你的孩子出現發展遲緩的跡象，要記住關鍵的問題不僅是他現在的表現能力，還有五年以後他能達到什麼樣的能力。

848. **智能不足的原因**。眞正的智能不足可以粗略地分爲三類：器質性智能不足、經驗性智能不足和原發性智能不足。器質性智能不足是指那些大腦發展不正常的患者，是由於在胚胎期間大腦發展畸形（例如，由於基因缺陷），或者因爲大腦受到了物理損傷（例如，大腦發炎或環境毒素侵害）所致。

許多輕度智能不足的病例都屬於經驗性智能不足，也就是說孩子缺乏大腦正常發展所需要的刺激，或者遭受過其他心理疾病。通過特殊的教育項目，例如一些早期干預和優先起步（Head Start）教育，這種類型的智能不足可以大大地得到預防。但是很遺憾，三歲以下的發展遲緩的孩子中只有大約四分之一能夠報名參加這些項目，因爲這些項目接納不了所有的孩子。

當然，器質性智能不足和經驗性智能不足的界線並不是很清楚——有許多孩子同時具有兩種症狀。也許物理損傷或者缺乏環境刺激都不足以導致智能不足，而只有這兩者共存的時候才會作怪。

原發性智能不足是以我們現有的知識找不到原因的。

849. 被他人接受能促進智能不足的孩子發揮他們的最大能力。有些智能不足孩子的行爲問題有時候並不是由於智力低下而引起的，而是由於錯誤的處理方法才引起的。例如，如果父母覺得孩子不太正常或丟臉，那麼他們就可能不會給予他足夠的愛讓他得到安全和幸福的感覺。如果父母錯誤地認爲是他們一手造成了孩子目前的狀況，他們就可能會堅持對孩子進行各種各樣的「治療」，即使這些治療不但沒有用，反而對孩子有反作用，他們也不會承認。如果他們倉促地得出結論，認爲孩子的病沒有希望了，再也不會「正常」了，他們就可能會忽略這樣一個問題：他們的孩子也和其他正常孩子一樣，需要玩物、同伴及恰當的教育來發掘他們的最佳潛能。還有一個很危險的做法：有些家長不顧孩子的智能不足，試圖向自己和世界證明這個孩子和他的弟弟（妹妹）一樣聰明。他們在孩子還沒有具備必要的條件之前就試圖教他一些技能和禮貌，讓他在不適合他的班級裡學習，並且還在家裡教他功課。這樣一來，孩子就會由於不斷的壓力而變得執拗和易怒，且一次又一次地失去自信心。

有些家庭的父母只受過一般程度的教育，但是生活比較幸福；有些家庭的父母受過大學教育或成功的欲望極強。第一種家庭的智能不足兒童最終的發展結果都比第二種家庭的好。後者很可能把學習成績、上大學和從事某種職業看得很重要。但是，那些智力低於一般水平的人也能將許多有用的和高貴體面的工作做得很好。爲了能夠從事與自己智力相當的工作，每個人都有權力在成長過程中得到足夠的適應性訓練。

所以，應該允許孩子以自己的方式自然地發展，允許他們按照他們的智力發展階段而不是按照他們的年齡行事。當他們到了能參加活動的時候、喜歡玩具的時候、需要和他們喜歡而且水平相當的孩子玩耍的時候，即使他們在年齡上比別的孩子大一、兩歲，也不要在意。要給他們機會去挖掘、去攀爬、去用積木蓋房子、去扮演他人。當他上學的時候，應該把他放在一個適合他的程度並且有成就感的班級。

850. **父母和老師的悲觀態度可能影響孩子的進步**。但是，如果他們能對孩子進行細心的評量，並據此制訂出適合孩子的教育方案，他們就可能促進孩子的智力發展，使他在一定程度上彌補智力上的不足。像其他孩子一樣，如果他們覺得自己有一些吸引人的品質而被他人喜歡和欣賞，他們也會在心理上受到鼓舞。

曾經觀察過智能不足的兒童群體的人都知道，這些孩子中多數都很自然、很友善並且很令人喜歡。那些在家裡受到家人自然接受的孩子尤其如此。當他們玩一些適合他們的遊戲或忙於做家庭作業的時候，他們也像一般孩子或智力超常的孩子一樣，態度認眞，興趣盎然。換句話，「傻瓜相」是由於孩子覺得不知所措而導致的，而不是由於他的智商低。如果我們聽別人講高級相對論，恐怕多數人都會露出一副呆相來。

851. **在家中對智能不足兒童的照料**。輕度智能不足或中度智能不足的孩子通常都是在家裡由家人照料。和一般孩子一樣，家裡是他感到最安全的地方。但是如果有可能，家長應該送他去幼稚園。在那裡，老師可以根據他的實際情況，或者讓他和同齡的孩子在一起，或者讓他和小於他的孩子在一起。這樣做對他是有好處的。

當父母確信孩子在智力發展上遲緩的時候，他們可能會問醫生或社會福利工作者，自己應該給孩子買什麼樣的特殊玩具和教材，以及應該給予他什麼樣的特殊訓練等。人們總是自然地認爲，智能不足的兒童不同於其他兒童。其實，即使他們的興趣愛好和能力與他生理年齡不符，但是卻與他們的心理年齡相符。他們很可能想和小於他們的孩子一起玩耍，並喜歡玩那些比他們小的孩子玩的玩具。在長到五、六歲的時候，他們可能還沒有開始嘗試過繫鞋帶或分辨字母。對看到的或聽到的東西，他們也可能解釋不清。

如果孩子的智力普通，父母不必去請教醫生或從書中尋找孩子的愛好。只要觀察他玩自己的東西以及鄰居孩子的東西的情況，就可以發現他可能還會喜歡什麼東西。父母還可以觀察孩子願意學習什麼，並以恰當的方式去教他。

對待智能不足的孩子也一樣。你可以在觀察中發現他喜歡什麼，然後給他買一些適合他玩的玩具。如果可能，你可以每天幫他找到和他玩得愉快的孩子。你還可以教他一些自助的技能。

852. **讓孩子上什麼樣的學校**。如果你懷疑孩子智能不足，聰明的做法就是請心理醫生、兒童精神科醫生、兒童指導診所或學校給予指導，而不應該把他放進超出他能力的班級。如果他在班級裡跟不上進度，他的信心就會越發不足，並且還會因爲留級而失去勇氣。但是，如果他只是輕度智能不足，而且學校的安排又能讓每個孩子都能根據自己的能力有所作爲，那麼他或許能夠跟得上同齡的孩子。

延遲孩子上學的時間不是理想的作法。如果學校的政策比較靈活，他應該比平常兒童早一些上學。現在，專門爲智能不足兒童創辦的學前班，在美國全國各地都有。爲使這些特殊教育項目順利進行，我們迫切需要特殊教育方法。

853. **重度智能不足的兒童**。如果孩子到了一歲半至兩歲的時候還不能坐立，對周圍的人或事也表現不出什麼興趣，問題就比較複雜了。這樣的孩子在長時間內還會像嬰兒一樣需要人照料。最終的解決辦法取決於孩子的智能不足程度、他的性情、在家裡對其他孩子的影響、到了他能活動的時候能否找到使他高興的玩伴和活動，以及當地學校是否有適合他的特殊班級來接受他。最重要的是，這要取決於父母在照料他的過程中，滿意感佔主導地位還是緊張感佔主導地位。但是其中的有些問題要到孩子再長大幾歲以後才能回答。

854. 有些父母能泰然自若地對待智能不足的孩子。他們能夠找到既照料孩子，自己又不感覺勞累的辦法。他們欣賞孩子令人愉快的品格，既不為孩子帶來的困難而苦惱，也不讓照料孩子的事纏身。在這些方面，家裡其他孩子也將傚仿父母。這樣一來，由於家裡其他成員的接受，智能不足的孩子就能得到最大的發展，為自己的生活奠定一個好的開始。如果他無限期地住在家中，他就可能獲益最多。

有些父母雖然在照顧這種有特殊需要的孩子時，投入的精力和前面那些父母一樣多，但是他們卻發現自己越來越緊張和不耐煩。這樣一來，他們與智能不足的孩子以及與其他孩子的關係就將受到影響。如果出現這種情況，父母就需要得到專業醫生的大量幫助。專業醫生通常和一個專業醫療小組合作。小組中包括一名社會福利工作者、一名兒童心理醫生或精神科醫生。得到這種幫助以後，父母在心情上就會感到比較愉快。他們也可以在家庭以外找到更理想的解決辦法，比如，找一個智能不足兒童之家或寄養家庭。

還有一些父母發現，他們能夠全心全意地投入照料嚴重智能不足的孩子的工作中，而且不但不覺得緊張，反而覺得很愉快。但是旁觀者會看出，這是因為他們對孩子的責任感太強烈了，以至於他們沒有足夠的精力去考慮自己的配偶、其他孩子以及他們自己的正常愛好。從長遠看，這對整個家庭，甚至對這個智能不足的孩子都是不利的。這樣的父母需要得到幫助，以便能獲得一種區別輕重緩急的能力，緩解對孩子的過分投入。

如果父母覺得他們不能妥善地照料好智能不足的孩子，他們就應該找一個家庭服務機構或專門從事照料智能不足兒童的機構諮詢。有些時候，這種諮詢可以為父母提供他們需要的實用幫助和情感支持。通過諮詢，你還可能認為應該尋找一個寄養家庭或智能不足兒童之家來照顧孩子。近幾年來，人們在可能的條件下一般不把孩子往大的公共機構送。

855. 唐氏症（Down syndrome, 21三染色體症〔trisomy 21〕）。這是一種特殊的基因器質性智能不足症，但是它同時也伴有身體發展不正常。這種病還有一些其他的顯著特徵，比如，身體生長緩慢，孩子長不到正常的身高；多數病人的智力發展也很緩慢，但是也有人能發展到一定的程度；許多這樣的孩子性格很溫柔。

856. 21三染色體症指的是內在病因，即：嬰兒從胚胎時期起，第21對染色體上就多了一條染色體。有時候，此媽媽下次懷孕的時候還會再發生這種情況。這種情況多發生在高齡的婦女身上，而其他年齡的婦女也會偶然出現這種情況。通過對胎兒的染色體的研究可以確定胎兒的現狀，而對父母的染色體的研究則可以確定將來懷孕是否會出現這種問題。在懷孕早期，通過羊膜穿刺術（對胎兒周圍的羊水進行檢驗）或者母血篩檢，可以確定是否存在21三染色體症的病況。一般說來，只有三十五歲以上的孕婦才需要做這類檢查，因爲高齡產婦比較容易發生唐氏症。

和其他類型的智能不足兒童一樣，這類兒童將來能否發展到最佳狀態，取決於他們自身的發展、當地是否有適合他們的學校和玩伴，以及父母做其他工作和照顧這種特殊孩子的時候感到困難還是輕鬆。有些患唐氏症的孩子在家裡得到很好的照料，生活得也很愉快，而且也沒有使父母和其他孩子感到過度的疲勞。有些這樣的病童由外人照顧，比如由智能不足兒童之家來照顧，如此一來，隨著孩子年齡的增長，他和家人也變得越來越幸福。當然，父母要做出最好的決定還得不斷地請教專業醫生。

18 上學及學習問題

上學困難

857. **我們強加在孩子身上的第一個沉重包袱就是要他們在學校裡表現出色**。當孩子的學習成績不好的時候，我們就會像孩子發高燒一樣著急：這說明孩子有什麼問題，必須立刻採取措施，找出原因。當然，說起來容易做起來難——造成學習成績不好的原因可能有很多。

比如在生理方面的原因就有營養不良、聽覺或視覺障礙、慢性病、學習能力低下（參看871-874）和注意力方面的（參看636-638）問題等。還可能由於不受重視、父母不和、身體和性虐待、情感矛盾，以及所在的班級不適合自己的程度等原因而導致的心理問題。

858. **孩子純粹由於懶惰而使學習成績不好的情況很少**。不再努力學習的孩子根本就不懶惰。兒童天生就對各種事物好奇並且充滿熱情。如果他們失去了這種好奇心和熱情，那是因為孩子的學習能力方面有些問題，或者是因為學校在處理孩子問題的能力方面有不足之處。無論是由於環境的原因、生理原因、情感原因還是某種複雜原因而導致孩子學習成績不好，父母都應該嚴肅認真地來對待這件事。

859. **就孩子的學習問題與他進行一次友好而不帶責備的談話**。做這件事的時候，父母要持溫和與支持的態度。要問清楚造成這一問題的原因是什麼。還要向他詳細詢問學校裡發生的事情，以及他對這些事情的看法和感受。

860. **拜會老師和校長**。父母去拜會老師或校長的時候，最好把他們當作是合作者而不是敵人。許多家長簡單地認爲孩子出了問題完全是老師的錯，因而帶著故意挑戰的態度去找老師。老師或學校在孩子的問題上或許也有部分責任，但是，一開始就帶著這種想法去找他們，將不利於問題的解決。

861. **當孩子的情緒和情感問題成爲重要問題的時候，應該安排一次孩子與醫生或保育護士的會談**。當發現孩子有心理問題或出現家庭衝突的時候，建議父母安排孩子去看兒童精神科醫生、心理醫生或其他心理健康專家，以便能得到必要的診治。一位稱職的醫生能夠像發現生理病因一樣，去發現情感上的病因。他能給予孩子成功的治療，爲他排除發育過程中的障礙。

862. **教育者和家長可以採取多種方法來減少或消除孩子學習中的困難**。我建議試著把孩子放在一個不評分和不分等級的班級，看看去掉了評分的壓力以後，孩子是否會感覺更有信心。我曾經在一個沒有評分等級制度的醫學專科學校教過書，那裡的孩子由於沒有這種壓力而覺得非常安心。我認爲，這樣做對小學和初中學習不好的孩子也同樣有效。

我想更加強調一下，每次考試分數對孩子來說都是一種痛苦的災難，特別是在孩子剛上學的前幾年裡尤其是這樣。它會導致孩子心情沉重並且不願意與人交往，使孩子的自尊心受到嚴重打擊。尤其是在他升入初中的時候，這種情況往往會導致孩子輟學。

863. **在學校之外家長可以做很多事來幫助有嚴重學習問題的孩子**。要讓孩子獲得有效的學習經驗，關鍵是要找到一些方法來鼓勵孩子，使孩子能根據自己的能力去盡力而為。為了達到這個目的，你可以利用大多數兒童對周圍事物的好奇心。當你表現出和孩子一樣好奇，並且鼓勵他的這種好奇心的時候，孩子就會對學習產生興趣。你還可以和孩子一起發掘他的特殊愛好，允許孩子來指導你並且留意傾聽他對什麼感興趣。根據他的這些興趣，你可以安排一些實地旅遊，和他一起讀一些材料，並根據孩子的選擇從事一些活動項目。

如果可能，應該給每個孩子安排一個安靜的學習地點。如果全家人整天都在看電視，你就很難讓可憐的孩子仍然保持學習的興趣。問題不在於是否應該限制孩子看電視的時間，而是你們應該為孩子樹立一個好榜樣。如果父母每天晚上都花部分時間來讀書和寫作，孩子也會很快意識到學習的重要性。研究顯示，孩子花在看電視上的時間要比花在學習上的多。但是我也知道有這樣一些家庭，他們根本就不在家裡看電視，但是他們似乎都過得很愉快。

總之，我想說明的是，造成孩子學習能力低下的原因很多，但是如果父母、教育者、醫生以及心理健康專家齊心協力，查出問題和糾正問題的可能性就會大大提高。

學校的作用

864. **孩子在學校學習的主要課程應該是學會如何過生活**。學校開設的不同課程只不過是為了達到這一目的而採取的手段而已。在過去，人們常常認為學校的作用就是教孩子讀、寫、算，以及記住一定數量的有關世界的知識。我聽一位老師說，在他自己讀書的年代裡，他甚至必須記住介詞的定義。比如：「介詞通常表示位置、方向、時間或其他抽象關係的意義，用來把名詞或代詞同其他詞連接起來，發揮形容詞或副詞的作用。」

當然，他背定義的時候並沒有學會什麼。只有所學的東西對他有意義的時候，他才能學會它們。因此，學校的工作之一就是使不同的課程生動有趣，使學生願意學，並且希望記住一些能終生受益的信息。

如果抱著書本給孩子講課，你能做到的也只有這麼多了。但是如果讓孩子在實際生活中學習他想學的東西，他將會學得更好。比如，如果讓學生去管理學校的商店，讓他們找零錢或記帳等，他們在一週內學到的算術要比一個月內從枯燥的書本上學到的多得多。

如果孩子不幸福，不能與他人友好相處，也得不到自己喜歡的工作，那麼，他知道的再多也沒有用。優秀的老師總是努力去理解每一位孩子，為的是幫助他們克服弱點，成為全面發展的人。缺乏自信心的孩子需要有機會才能獲得成功。愛招惹是非和自我賣弄的孩子必須學會通過良好的學習表現來獲得他渴望得到的認同。不會交朋友的孩子則需要他人的幫助才能成為善於交際和有號召力的人。如果孩子看上去似乎很懶散，就需要他人幫助他發現自己對事物的熱忱。

如果學校按照常規教學，課堂上讓每個孩子都同時從課本的某頁讀到某頁，然後再做某頁上的習題，那麼學校也只能做到這麼多了。即便如此，如果孩子適應得很好，上述方法一般還是很有效的。但是這種方法對很聰明的孩子顯得太單調，而對智能不足的孩子又顯得太快了。不僅如此，它還可能給厭惡讀書的孩子提供機會，讓他們有時間把紙條黏在前面女孩的辮子上。另外，這種教學方法對孤獨的女孩或需要學會與人合作的男孩來說，是沒有任何幫助的。

865. **如何使學習生動有趣**。如果你開始講課的時候用了一個生動有趣的話題，那麼，你就可以把這個話題帶入各個科目。就拿三年級的某個班級來做例子吧。他們本學期的學習內容是圍繞印第安人的相關知識。孩子們對印第安人了解得越多，他們就越想多了解一些。而課本上講述的正是關於印第安人的故事，因此孩子們很想知道這個故事中到底說了些什麼。在數學方面，他們會學到印第安人如何數數，以及拿什麼當作錢。這樣一來，數學就不再是一個獨立的學科了，而是生活中的一個有用的組成部分；地理也不再是地圖上標出的一些點，而是印第安人生活和走過的地方，而且還能了解平原生活與森林生活的差別；在科學學科上，孩子們將學會從漿果中提取染料，然後用它來染布；他們還可以學會製作弓箭和印第安人的服裝。

如果學校的功課趣味性太強，有時候人們就會感到不安，認爲孩子還是應該多學習如何去做不愉快和困難的事情。但是，如果你冷靜地想一想你認識的那些非常成功的人們，你就會發現，他們中的多數人都熱愛自己的工作。不管做什麼工作，其中都包含大量乏味的事情。但是，你之所以做這種乏味的事情，是因爲你知道它聯繫著工作中有意義的一面。達爾文（Darwin）上學的時候各科成績都一直不好。但是在後來的生活中，他對自然史產生了興趣，開始從事前所未有的最累人的一項研究工作，並且最終研究出了進化論。同樣，一位上中學的男孩可能認爲幾何沒有什麼意義，因而討厭它，結果學習成績很差。但是，如果他在學習當飛機駕駛員，明白了幾何學的用處，意識到它可以挽救全體機員和乘客的性命，他就會拚命地去學習幾何學。好學校的老師都懂得，每個孩子都需要培養自我約束的能力，以便長大後成爲有用的人。但是他們同時也淸楚，他們不能像給孩子戴手銬一樣，通過外界給他們施加壓力來強迫他們自我約束。這是一種內在的養成，就像孩子的脊柱一樣。孩子必須首先理解自己的學習目的，認識到自己在學習的過程中對他人應負的責任，然後才能獲得自我約束的能力。

866. **學校如何幫助學習困難的孩子**。制訂靈活而有趣的教學計畫的目的不僅僅是爲了讓學習內容有吸引力，它還應該能針對個別孩子的特點進行調整。就拿一個二年級的女孩來說吧。在她就讀的學校裡，不同的科目是分開來教的。她在學習讀和寫方面有很大的困難，落在全班的最後，因此她很爲自己的無能感到丟臉。但是她表面上只承認討厭上學，而不願意承認其他任何問題。她一向和其他孩子處得不好，即使在她的學習問題還沒有出現之前也是這樣。由於她總覺得在別人眼裡她很蠢，所以導致她的狀況越來越糟。她很容易尋釁滋事，偶爾會神氣活現地向全班炫耀自己。這時，她的老師可能會以爲她是想破罐子破摔。她確實是在嘗試用這種不恰當的方式去贏得同班同學的某種注意。但是，這實際上是她不想脫離群體的一種衝動，是健康的。

她後來轉到了另一所學校。該校不但在讀和寫方面用心去幫助她，而且也幫助她找到在群體中的位置。通過和她母親的談話，老師得知她很擅長使用工具，而且喜歡畫畫。這樣，老師就找到了在班上利用她的長處的辦法。當時，孩子們正在畫一幅反映印第安人生活的圖畫，這幅畫完成後要掛在牆上。與此同時，他們還群體製作一個印第安人村落的模型。於是，老師就安排女孩參與這兩項工程。這些都是她不用緊張就能做好的事情。

日子一天天過去了，她也變得越來越對印第安人著迷了。爲了能把她所畫的那部分畫好，把她製作的那部分村落模型做好，她必須從書裡查到更多有關印第安人的資料。這樣一來，她就開始想學習閱讀了，而且越來越努力。她的新同學從來不因爲她不會閱讀而把她當作笨蛋，他們想到的是她在創作那幅畫和村落模型上發揮了很大的作用。有時候他們還誇獎她做得好，並且請她幫忙。於是，她開始激動和興奮起來，畢竟她已經有很長一段時間都沒有得到過他人的承認和友誼了。當她覺得自己更爲他人所接受的時候，她就變得更加友善和開朗了。

867. **把學校同外界聯繫起來**。學校希望它的學生能直接了解外面的世界、當地農民、商人和工人，最終達到了解功課與現實生活的聯繫。所以，學校應該安排學生到附近工廠參觀，請外面的人來學校給學生講課，並且鼓勵學生在課堂上討論。比如，可以給學習食品的班級提供一次機會，讓他們去觀察蔬菜的生長、收成、運輸和營銷等具體過程。

868. **沒有民主，就沒有紀律**。一所好的學校還應該教學生懂得民主。但是，這不是一種愛國主義理想教育，而是教學生生活態度和解決問題的方式。一位好老師懂得，如果他在教室裡表現得像一位獨裁者，他就不可能拿著書本教會學生民主。因此，他會鼓勵學生自己決定如何去解決某些課題和以後可能遇到的困難。他會讓他們自己決定由誰來做某項工作的某一部分，由誰來負責另一部分。這樣，學生就學會了如何正確地評價對方，同時也學會了如何去完成一項工作，而且在校內和校外都能做到這一點。

研究顯示，如果老師告訴孩子們如何一步一步地去做某項工作，那麼，當老師待在教室裡的時候，孩子們就會按他說的去做。但是，一旦老師離開教室，許多學生就開始閒逛起來了。這些學生認為上課是老師的責任，而不是他們的，所以，老師一離開，他們就有機會自由了。但是這些研究也顯示，如果讓孩子參與對作業的選擇和計畫，並且讓他們與別人進行合作，那麼，無論老師在不在，他們幾乎都會同樣好好地完成作業。

為什麼會出現這種情況呢？因為他們清楚這項工作的目的，而且也知道完成這項工作所需要的步驟。他們覺得這是自己的工作，而不是老師的。由於每個人都為自己是群體中一位受尊重的成員而自豪，所以每個人都想公平地分擔這項工作，而且每個人都能意識到，在這項工作中自己對他人應負什麼樣的責任。

這就是紀律的最高境界了。這種訓練方式和這種精神，能培養出最好的公民、最有價值的工人、甚至最優秀的戰士。

869. **與其他兒童專家合作**。即使是最好的老師也不可能獨自解決所有學生的所有問題。所以，他們需要通過「家長和老師協會」召開會議，或者以單獨會談形式來與家長合作。這樣，家長和老師都能了解對方在做些什麼，並且能夠互相交流對孩子的了解情況。老師甚至還應該與孩子的童子軍老師、牧師和醫生取得聯繫。這些人也應該主動和學校的老師取得聯繫。和他人合作的時候，每個人都能把工作做得更好一些。

還有一件事情尤其重要：如果孩子患有慢性病，老師和校醫必須知道這是什麼病，正在進行什麼樣的治療，在學校自己應該爲孩子做些什麼，並且提防孩子發生意外。還有一件事情也同樣重要：醫生要了解這種病在孩子上學期間對他會有什麼影響，學校應該如何幫助孩子，以及採取什麼治療方法才能不影響學校的安排和計畫。

對於某些孩子的問題，一般的老師和家長（不管他們多麼同情孩子）只有在心理健康專家的幫助下才能解決得更好。大多數學校都有一位諮商師、心理醫生或者是訪問教師。訪問教師受過專門的培訓，他能幫助孩子、家長和上課老師了解和克服孩子上學期間遇到的問題。如果孩子的問題根深蒂固，聰明的作法就是請兒童精神科醫生或心理醫生來協助學校的人員。

870. 爲建設良好的學校而奮鬥。家長們有時候抱怨說：「說起理想的學校，那自然很好。但是我的孩子就讀的那所學校枯燥乏味，死氣沉沉，而我們一點兒辦法都沒有。」她所說的可能是眞的，也可能是假的。當鎭上眞的擁有條件優良的學校時，那是因爲那裡的家長們懂得這類學校的價値，並且曾爲之而奮鬥過。但是，如果在一座比較大的城市裡，僅靠一個街區組織的力量旣不可能改變中央教育委員們的官僚政治，也無法改變市政官員的漠不關心。他們只爲少數人謀取利益，而不是爲全體人民的利益服務。因此，一個重要的措施就是由多個街區委員會來取代中央委員會，而這些新的委員會應由眞正關心兒童教育的當地老師和家長代表組成。

家長還可以參加當地的家長和老師協會，定期參加協會會議，向老師、校長以及負責人表示他們對學校教育的深切關心，並且表示如果學校的教育方法合理，他們將大力支持學校，並做學校的堅強後盾。如果當地官員爲改善學校的條件不斷努力，他們還將投票選舉他們，並參加他們的競選活動。他們還將積極支持學校的債券事務。

許多人意識不到一流學校在培養有用的快樂公民方面所起的作用有

多大。他們反對增加學校預算來進行小班教學、提高老師待遇、增加輔助教具、買電腦、開辦木工車間、建立實驗室、開音樂課以及各種課外活動項目。由於不了解這些計畫的目的和價值，所以他們自然會認爲這些都是不必要的裝飾，只能用來逗孩子們樂，以及爲更多的老師創造就業機會。

即使是從嚴格的金錢角度來看，這也只不過是少花錢聰明，多花錢愚蠢的觀點。實際上，社會爲了給兒童提供更好的教育而花的費用將會得到十倍於它的回饋。一流的學校能使學生覺得自己眞正屬於學校，而且是學校的一名受人尊敬的成員，從而大大減少了長大後不負責任或者犯罪的人數。這類學校的價值還將更多地體現在所有其他孩子的身上（他們無論如何也不會成爲罪犯），使他們成爲社區內的好工人、樂於與人合作的公民和生活中比較幸福的人。難道一個社區還有比這更值得花錢的地方嗎？

學習障礙

不久前，人們曾經認爲，孩子學不好讀、寫、算的原因只有兩個，即：要麼是孩子「不努力」，要麼就是「不如其他孩子聰明」。而現在我們知道，這只是對學習障礙（learning disabilities）的一個過於簡單而又不確切的看法。

871. **「學習障礙」是指在學習和應用語言（包括口語、閱讀和拼寫）和數學知識方面有困難**。這種困難可能存在於一種或幾種領域裡。儘管人們對造成學習障礙的確切原因還不清楚，但是大多數科學家和教育家認爲，大腦結構或化學上的改變是它的主要因素。同一個家庭中往往會出現不止一個學習障礙的孩子。當然，事情並不總是這樣。另外，出現學習障礙的對象中，男孩要比女孩多。

我們必須記住，一個方面（比如在閱讀方面）的學習障礙可能是由一系列問題中的任何一個引起的，也可能是由這一系列問題共同引起的。孩子可能看不出各個字母之間有什麼區別，聽不懂別人的話，記不住東西，不能夠集中注意力，或者不能按順序排列字詞和單詞。這還不足以說明他在閱讀方面的學習障礙。我們還必須弄明白，到底是什麼干擾了他學習一種特定技能的能力。

下面我們就來看一看這樣一個例子。對你和我來說，「dog」(狗)這個字看上去和「god」(上帝)完全不同。但是多數很小的孩子剛開始學習英語的時候，會覺得這兩個字看上去幾乎一樣，因爲每個字倒著拼寫就成爲另外一個字了。因此，他們偶爾會把「was」(是)念成「saw」(看見)，把「on」(在……上面)念成「no」(不)。他們有時候還會把字母倒過來寫，尤其是像小寫的「b」和小寫的「p」這樣的字母。他們也可能把「d」和「q」混淆。這在孩子剛開始學習識字的時候是很常見的。但是幾個月以後，大多數孩子就能比較準確地識別並且記住字母和單字了。這時，這種錯誤就不會經常發生，直至不再發生。

但是大約10％的孩子，其中大部分爲男孩，在識別和記憶字母及單字外形的時候遇到的困難要大於一般孩子。在以後的幾年裡他們還會繼續把單字和字母倒過來念。他們需要花費比一般孩子更長的時間來學會正常拼讀，其中有一些無論受過多少訓練，始終都不能準確地拼寫單字。例如，喬治・華盛頓(George Washington)的拼寫就很糟糕。

872. 儘管學習障礙似乎主要是由大腦發育不成熟或大腦機能失調所引起，但是，緊張或一些其他情感上的驟變，也可能使這些症狀更明顯或更嚴重。可能導致緊張或情感驟變的原因很多，比如父母將要離婚，家中將要有一個新寶寶或某個人去世了等。除了學習障礙以外，孩子也可能在情感上還不成熟，他可能過於誇張地表現自己的擔心，誇大噩夢對他的影響，或者誇大和同齡孩子相處時遇到的難題。上述任何一種情況都可能加重孩子在學習時存在的問題。

873. 學習障礙也常常會導致情緒問題。學習障礙與智力沒有任何關係。一個孩子可以非常聰明，但是卻學不會閱讀。許多被學習障礙困擾的孩子很容易認爲自己是笨蛋，因而常常因爲自己在學習上跟不上其他同學而開始討厭上學。因此，老師和家長應該讓他們放心，向他們講明這只是一種特殊的學習問題，在家庭教師、研究學習障礙問題的專家以及心理健康專家的幫助下，這個問題是可以得到解決的。

另外，同班同學很快就會注意到孩子在學習方面存在的問題。我記得有這麼一個孩子。由於她的拼寫能力很差，所以從來沒有被選進過拼寫小組，因此，她的一些同學就開始羞辱她、嘲笑她。如果老師能注意到這個問題，他就可以避免把孩子的短處暴露給班上的其他孩子。

874. 對學習障礙的診斷是很複雜的。只要孩子沒有達到他應有的能力，我認爲就應該對他進行診斷。家長要密切地與學校合作，充分利用他們可能提供的一切診斷服務。如果你覺得不滿意，或者得不到這種幫助，那麼多數城市裡的學習障礙方面的專家以及心理健康專家總是隨時準備爲你提供服務的。千萬不能拖，時間是很寶貴的。如果孩子的學習障礙在沒有他人幫助的情況下，掙扎著上完兩、三年的小學後，他就會失去勇氣，感到無望，因此也無法重新獲得對學習的樂觀態度和興奮感。

診斷包括語言、視聽測驗和一系列詳細檢查各個學習成分的特殊測試。由小兒科醫生、兒童神經學專家以及兒童精神科醫生進行的檢查是評估的一部分，用以查明任何造成學習能力失調的神經或心理方面的因素。你一定要等到檢查結束，弄清楚是否有什麼發現。你了解得越多，就越容易找到克服孩子問題的辦法。（例如，給孩子指導的時候要用口語而不要用文字。）

在家庭教師的幫助下，大多數學習障礙的孩子不僅能從課堂變化（比如坐得離老師和黑板更近一些）和課程變化中獲益，而且還能從家裡和學校裡對問題的專門補充指導中獲益。多數好的公立和私立學校都承認學習障礙的存在，並且爲診斷和治療提供一些服務。由於這些問題

（尤其是在比較嚴重的情況下）將影響人一生中的學習，所以中學、大學以及企業也都有一定的措施，幫助成年人發展成爲成功的和自信的個人，成爲對社會有貢獻的成員。

切記不要總是注意孩子的短處，忽略他們的長處。一定要對孩子的才能和長處予以認同和讚揚。

資賦優異的孩子

老師總是要求班上的學生都學習同一個水平的內容。這樣，比其他人聰明的孩子可能就會覺得無聊，因爲對他來說，學習內容顯得太簡單或過於重複了。在這種情況下，是應該讓他跳級呢，還是讓他繼續留在班上呢？當父母的該怎麼辦呢？

我相信，細心的父母對孩子的技能了解得和老師一樣多，有時候甚至還會比老師了解得多。所以，如果你認爲讓孩子跳級對他有利，你就應該找教師以及學校的顧問談一談這種可能性。不管最後的決定是什麼，你都有責任要求學校以適合孩子水平的方式來教育孩子，保證讓孩子的潛能得到最大的發揮。

但是，解決這個問題的辦法並不一定非要讓孩子跳級不可，因爲這樣做也有一定的風險。比方說，如果你的女兒比同齡孩子的個子高，而且社交能力也比較強，那麼，讓她跳級可能會對她有好處。但是，如果她的身材矮小，不能在遊戲中與人競爭或不受新同學的歡迎；或者她的興趣愛好顯得比同齡孩子幼稚，那麼，她就很可能被孤立或感到孤獨。

875. 資賦優異的孩子在上學以前就能顯示出他們的天分。他們的好奇心極強，語言能力發展很快，對讀和寫的興趣濃厚。長期以來，教育專家一直認爲，幫助孩子發展各種能力的最佳方式就是每天和他們談話，給他們讀東西，讓他們接觸周圍世界，鼓勵他們的好奇心和興趣。

如果家長能夠提供激發孩子興趣的活動，並且和孩子一起參與，也有助於促進對資賦優異的學齡兒童的教育（其他兒童也一樣）。比如，參觀博物館、動物園以及圖書館能使孩子們的求知欲望得到滿足。除此之外，你還可以帶他去聽音樂會、去旅遊以及去大自然中漫步。這些活動能豐富孩子的經驗，並且能幫助他把從外面學到的更廣泛的知識帶回到課堂上加以運用。

在有些情況下，父母對孩子的期望可能比他們意識到的還要高。他們爲了讓孩子在知識方面獲得成就，寧可犧牲他在情感上的安全感和全面的發展。例如，當四歲的孩子玩扮家家酒遊戲時，父母可能對此毫不在意。但是，當孩子開始學習讀書時，父母的眼睛就立刻亮了起來，並且對此顯示出濃厚的興趣。當孩子意識到家長對此感到高興的時候，他就會以更高的學習興致予以回報。這樣一來，孩子就可能失去該年齡層的孩子本來應有的興趣，而過早地變成一位學者（能寫會讀的人）。

876. **如果父母不爲孩子的優秀特質而高興，他們就成不了好父母**。但是，我們有必要把孩子的興趣和家長對孩子的迫切希望區別開來。如果家長對孩子的期望很高，但是能實實在在地認識到這一點，並且還能隨時提醒自己不要用這種過高的期望來支配孩子的生活，那麼孩子長大後就會更幸福，更能幹，並且在知識上和情感上更有安全感。家長不僅在孩子剛開始學習讀、寫的時候應該這麼做，對任何年齡的孩子所做的任何事情也都應該本著這項原則。比如，無論對孩子的家庭作業、音樂課、體育課還是社交生活，都不應該施加太大的壓力。

主張循序漸進的偉大教育家卡洛琳・查赫瑞（Caroline Zachry）一直強調，沒有必要非得給資賦優異的孩子專門開設課程，也沒有必要把他們都放在同一個班級裡。只要老師受過良好訓練，他就有辦法使資賦優異的孩子的學習內容豐富起來。他能激發他們的學習興趣，但是不至於使他們脫離自己的群體。

不受歡迎的兒童

877. 不受歡迎的兒童每天都要經受新的考驗。如果孩子不受歡迎，他就可能受到同齡孩子的輕視、嘲笑、甚至被欺負，而且在做遊戲的時候也沒有他的份兒。這是孩子所會遇到的最大難題。這種情況發展到最嚴重的時候，孩子就會越來越感到孤立，越來越疏遠他人，就會失去自尊心，感到沮喪，並失去對未來的希望。

當然，不受歡迎的孩子並不會失去所有的一切。研究結果顯示，有些不受歡迎的孩子長大後成了最成功的人。由於這樣的人從孩提時期就學會了如何去應付厄運和他人對自己的排斥，所以，他們具有一種不願意順從別人和我行我素的特質。但是家長必須明白，我現在談論的不是那些有一些朋友，只是偶爾感覺自己不受歡迎或受排斥的孩子。我說的是那些幾乎沒有朋友，而且多數時候總被孤立、嘲笑和虐待的孩子。

多數孩子不受歡迎都是因為他們的行爲模式與同學或同齡孩子不符所致。他們不理解同齡朋友們期望的是什麼，也不能在做事和說話之前預見其他孩子會做出什麼樣的反應。由於他們往往不成熟和以自我爲中心，所以不知道如何去向別人要東西而又不引起別人的不悅，而且也意識不到同齡朋友如何看待他們的言行。換句話說，不受歡迎的孩子之所以受到孤立是因爲他們沒有按照同儕的方式來做事——他們的言行與健康的同齡孩子不相似。總之，最受孤立和最不幸福的孩子通常都存在著由於上述問題引起的嚴重情緒問題。其他孩子當然不懂得這一點。他們只知道不受歡迎的孩子不知道如何像他們那樣玩，不懂得遵守遊戲規則，或者一直堅持按自己的方式行事。他們拒絕接受不受歡迎的孩子是因爲他與他們不同。但是這種不同並不是基於種族、宗教或民族上的不同，而是基於一種偏離了同儕團體的標準和期望。儘管同齡孩子顯得很殘酷，但是專家們還是很認眞地對待他們的看法，認爲這種看法暗示了不受歡迎的孩子有嚴重的問題，並且必須對此進行認眞研究。

878. 幫助不受歡迎的孩子。如果你的孩子非常不受人歡迎，那麼你就要認眞對待這個問題了。千萬不要輕視這個問題，認爲這無所謂。要盡可能地觀察他與其他孩子在一起時的行爲，並且儘量弄淸他多久會出現一次不同於其他孩子、激怒其他孩子、或者離開其他孩子的行爲。如果你仍然擔心，不妨把情況說給其他家長、老師以及關心孩子的成年人聽。他們會眞誠地幫你解決孩子的行爲問題。正如我前面提到的，如果孩子遭孤立和不受歡迎到了極點，那麼這通常表明孩子需要由兒童精神科醫生或心理醫生對他進行診治。解決這個問題的最好途徑通常是由專家進行治療，由父母進行細心地配合，並且讓老師和朋友等成年人也參與進來，以便在孩子沒有好轉之前減少孤立感和虐待等對他不利的影響。下面的建議中有一些也許會對你和孩子有所幫助。

你可以邀請一位朋友到家裡來玩，或者帶他和孩子去逛公園、看電影或去孩子和朋友都感興趣的任何地方。只帶一位朋友是爲了讓孩子有個伴，避免有時孩子孤單。在這種短途旅行期間，要注意觀察孩子的行爲。在這位朋友離開以後，再溫和地對孩子指出哪些方面表現得不當、自私或殘酷。

在孩子們進行遊戲活動的時候，如果家長在一旁觀看，任何年齡的不受歡迎的孩子都會覺得很開心。因此，你應該給孩子報名參加一些群體活動，比如體育運動、宗教活動或舞蹈課等。你應該把你的困難向帶頭者講清楚，並請他幫忙。如果他是一個曾與衆多孩子打過交道的人，這件事是不成問題的。到了青春期以後，許多孩子都會找到一、兩位與自己有相似愛好的朋友。這對他們是一個很大的安慰，並且有助於他們與其他人建立友誼。

如果你的孩子與其他孩子發生了不愉快，要帶著同情心去傾聽孩子說些什麼，不要責備他。要讓他覺得，在任何時候家都是一個安全的避難所，你和他的談話永遠都是安慰、愛和自尊的來源。

要記住，家長對孩子的理解和不容質疑的愛、其他成年人的支持、以及專家在必要的時候採取的診斷和治療等，都需要持之以恆，才能使不受歡迎的孩子有所進步。

∽ 討厭上學 ∽

879. **討厭上學的涵義**。不管原因是什麼，只要孩子不願意上學，我們就說他是「討厭上學」。有些孩子在整個小學期間，甚至到了上中學的時候，還可能不愛上學，甚至害怕上學。因此，必須找出具體的原因。

孩子不愛上幼稚園的常見原因是害怕離開家長。有些孩子雖然到了上幼稚園的年齡，但是並沒有發育到可以愉快地長時間離開父母的階段。事實上，讓一個只有五歲的孩子來到那樣一個又大又陌生的建築裡，他們一開始難免會感到不知所措。我記得一位頭一天上學的孩子，他從校車上走下來以後，茫然地問站在旁邊的校長：「嘿，先生，這是學校嗎？」此外，我們期望孩子能把自己交給陌生的成年人，並且能和一屋子的其他陌生孩子共同佔有這幾個大人。多數孩子都能比較容易地適應這種情況，而有些孩子則很難做到這一點。

880. **如何解決討厭上學的問題**。如果老師和父母明白，他們的基本目的是幫助孩子離開家，去適應學校和外面的世界，那麼，很多事情就好辦多了。但是，如果他們的唯一興趣是孩子的正規學習，那麼，他們就可能失去幫助孩子在情感上成長的機會。

首先，像所有在行為上有問題的孩子一樣，我們也必須儘量去理解孩子討厭上學的表現。孩子不愛上學可能是因為太小，所以看到父母擔心的樣子就做出這種反應。也可能是因為孩子有慢性病。如果我們能清楚地認識到孩子討厭上學可能有多種原因，那麼我們就可以針對不同的情況採取相應的措施了。有些老師堅持認為，不管是男孩還是女孩，也無論他（她）哭得多麼厲害，都必須把他（她）留在學校。其他老師則要求孩子的母親或父親陪孩子在教室裡待幾天，直到他們的孩子對新的環境和人熟悉了以後再離開。（美國政策規定，嚴禁父母在孩子上幼稚園或小學的第一天進入教室。我希望盡快用一種靈活的做法取代這項政策，允許針對個別情況採取靈活的措施。）

881. **在上學的最初幾年裡，孩子害怕或擔心上學是正常的**。有些孩子不想上學是因爲他們沒有朋友或是因爲他們在操場上一直被人嘲笑。如果你的孩子由於明顯的種族或文化差異而不適應的話，就需要找老師商量更換教室或轉學。但是，如果孩子十分不情願加入這個群體，或者多數孩子都認爲他的行爲怪癖，那就應該考慮安排兒童精神科醫生、心理醫生或其他心理健康專家對孩子進行治療。不被小學同學所接受是情緒問題的最常見症狀之一。

由於擔心家裡正在發生的事情，孩子也可能會拒絕上學。如果父母打架或不在家，或者如果照顧者對他不好，孩子就可能纏著父母不放。還有一些孩子在學校的時候會擔心父母的安全和現狀。但是這種擔心不是基於眞實的情況，而是由於孩子對父母有敵對的想法，所以就產生了這種內疚感。這聽上去似乎不太可能，但是精神疾病專家發現這是一種相當普遍的原因。

青少年時期的身體變化引起了孩子們的關注和擔心，並且可能導致他們拒絕上學。有些孩子發育得早，有些發育得晚，還有些由於某種不尋常的身體特徵而很顯眼。對於這些孩子來說，這種關注可能會壓倒所有其他事情。有一個十二歲女孩個頭很高，當一位男性老師隨便提到女孩比自己高的時候，無意中傷害了女孩的情感，因爲老師的說法進一步證實了她自己的想法——她認爲自己沒有任何吸引力，而且很特別。因此，每天上學對她來說就是一種折磨。父母和輔導人員的大量支持雖然能幫助她繼續上學，但她還是感到痛苦。她對身高的擔心一直出現在整個中學時期。她確信男孩子覺得她沒有吸引力。後來，當她中學畢業考大學的時候，她選擇了一所其他州的大學，因爲她聽說那裡的大多數男孩子個頭都很高。

九～十二歲（青春期前一段時期）的孩子的曠課率很高，而且在上體育課的時候尤其明顯。有些孩子正處於青春期，而且正受到其他感情問題的困擾。這些困擾傷害了他們的自信心和自尊心。比如每當他們想到要當著他人的面穿衣和脫衣，想到自己要被迫去做一些暴露自己眞正的或者想像的缺陷的體育活動時，他們就無法忍受。因此，對他們來說，唯一的解決辦法就是不去上學。

882. **年齡更大的青少年也可能會討厭上學**。他們的情況和小孩子一樣，也很複雜，而且需要進行研究。其中最常見的原因是過度肥胖、其他自己不願意接受的身體特徵、缺少朋友、由於學習成績很差而感到羞愧、以及害怕受異性的排斥等。

如果一個孩子（無論多大年齡）一再逃學，你就必須把它當作一件緊急的事情，給予及時的關照。父母、教育者、以及學校輔導人員必須做出各種努力來查明原因。在許多情況下，必須有專家的幫助才能確定原因。而一旦確定了問題的原因，就可以採取明確的糾正措施。在此期間，你應該堅持讓孩子繼續上學。如果允許他不上學，他以後再回去上學的時候就會覺得更痛苦、更困難。

上學前不吃早點的孩子

在剛開學的時候，偶爾會出現這種問題，而且在一、二年級的小學生中尤其常見。有些孩子很膽小，所以，一想起班上有那麼多的人和至高無上的老師就感到害怕，以至於他們早上吃不下東西。如果父母逼著他們吃下去，他們就很可能在上學的路上或到校後嘔吐。如此一來，在他們的膽怯心理上又增添了一層丟人的感覺。

883. **解決這種問題的最好辦法是在早餐時間不去管他們**。如果他們覺得只有喝果汁才舒服，那就讓他們只喝果汁好了。如果他們連果汁也喝不下去，那就讓他們餓著肚子去上學。讓孩子餓著肚子去上學並不是理想的做法。但是，如果你不去管他們，他們就會很快地輕鬆下來，並且能夠吃早餐了。這樣的孩子午飯通常吃得還算好，等到晚飯的時候他就會大吃一頓，以彌補早餐和午餐的虧空。只要他們不必爲吃飯的問題和父母爭執，等到他們習慣了學校和新老師以後，他們就能夠吃早餐了。

更重要的是，如果孩子很膽怯，剛上學的時候父母一定要把情況和老師談一下，以便老師能了解孩子和幫助孩子克服在校的困難。老師要盡力對孩子友好，並且在孩子從事的項目上幫助他，以便讓他能在群體中找到自己適當的位置。

你還必須做到不要催促孩子吃早餐。只要讓孩子早一點兒起床，早餐時間就會很充裕，孩子也可以更從容，更悠閒一些。要避免一遍又一遍地催促孩子快點兒吃飯。你只要把早點準備好，放在桌子上就行了。剩下的時間就留給孩子，讓他自己想吃什麼就吃什麼，不想吃的就留下來。

幫助孩子學習功課

884. **有時候，老師可能會告訴家長孩子學習落後了，並且建議家長找一位家庭教師幫他補課**。也有的時候，家長自己也會有這種想法。這是一件需要認眞對待的事情。如果學校能給你推薦一位優秀的家庭教師，而且你也付得起錢，那麼你就可以僱用他。家長往往都不勝任家庭教師的工作。這並不是因爲家長知道得不夠多，也不是因爲他們不夠努力，而是因爲他們太介意了，以至於每當孩子出現理解困難的時候他們就感到很苦惱。我在七歲的時候就知道這一點。當孩子在功課上一塌糊塗的時候，如果父母不耐煩，他們就可能把事情搞得更糟，最終使孩子支持不住而徹底垮了下來。另外還有一個問題，父母使用的方法可能與老師在課堂上用的不同。當孩子已經對老師在課堂上講授的內容困惑不解的時候，如果再由家長用不同的方法向他講授，他很可能會感到更困惑。

我並不是說父母不應該輔導孩子，因爲在某些情況下，由家長輔導效果也非常好。我只想建議家長，首先應該和老師全面地研究一下輔導孩子的問題，如果自己輔導的效果不好，就必須馬上停止。但是，無論孩子由誰來輔導，他都應該定期和老師保持聯繫。

885. **如果孩子求你幫助他做家庭作業，你該怎麼辦？**如果他們對某一問題弄不懂，請你幫忙解釋，你把問題講解清楚了是不會有什麼壞處的。（家長感到最高興的事情就是偶爾有機會向孩子證明自己的確知道一些事情。）但是，如果你的孩子因爲不懂而讓你替他們做作業，你最好還是去找老師談一下這個問題。一名優秀的老師一般都喜歡幫助孩子弄懂問題，然後讓他們自己動手來完成作業。如果老師太忙而抽不出時間來幫助你的孩子，你就不得不幫忙了。但是，即使在這種情況下，你也應該只是幫他弄懂問題，而不是替他做。你的孩子可以有許多老師，但是只有一位母親和父親。所以，作父母的責任更加重大。

家長和老師之間的關係

886. **如果你的兒子讓老師感到驕傲和歡喜，並且在班上的表現很好，你就會很容易和老師相處**。但是，如果你的孩子總是惹麻煩，那麼情況就很微妙了。最優秀的家長和最優秀的老師都是非常有人情味的。他們都爲自己的工作感到自豪，並且都對孩子有一種責任感。無論是哪一方，也無論他多麼通情達理，他都在心裡暗自覺得，只要對方稍微改變一下對待孩子的方法，孩子就會做得更好。對家長來說，一開始就意識到老師也和他們一樣敏感，將有助於他們和老師建立良好的關係。如果在和老師會談的時候再顯得友好和樂於配合一些，他們的關係就會更進一步加深。

有些家長害怕面對老師，但是他們忘記了一點：老師也同樣常常害怕見到家長。家長的主要工作是把孩子過去的歷史、興趣，以及他喜歡什麼、討厭什麼向老師介紹清楚，然後和老師一起認眞研究一下，看一看如何在學校充分利用這些資料。如果老師在課堂上很成功地利用了這些資料，家長不要忘了誇獎老師一下。

偶爾也會出現這樣的情況：無論孩子和老師做出多大的努力，雙方就是不能互相「適應」。在這種情形下，校長可以參與解決這件事，看看是否應該讓孩子轉到另一個班級。

家長不應該因爲孩子的學習成績不好而怪罪老師。如果孩子聽到父母說老師的壞話，他也學會怪罪他人而推拖自己應該承擔的責任。但是，即使出現這種情況，你還是應該對孩子表示同情，你應該對他說：「我知道你一直在努力！」或者「我知道當老師對你不滿意的時候，你感到多麼不快樂。」

19 日間托育、保姆及外出問題

兒童與照顧者

887. **幼兒特別需要長期固定的照顧者**。從幾個月大起，他們就開始熱愛和依賴主要照顧他們的一、兩個人了，並且知道能從他們那裡獲得安全。對四個月大的嬰兒來說，假如一直照料他們的父母離開了他們，他們就會變得無精打采，沒有笑容，失去胃口，也失去了對周圍的人和事物的興趣。如果定期幫助父母照料家務的人離開了他們，嬰兒也會覺得沮喪，但是程度要比在上述情況下小一些。那些曾經好幾次被從一家轉到另一家撫養的幼兒，可能會失去對別人的愛和信任，好像他們沒有眞正學會怎樣去依戀一、兩個人，又好像他們一次又一次地感到失望，以至於實在令他們難以忍受。

因此，父母一方或別的照顧者在開始的兩、三年裡不應該離開孩子。即使需要離開，也應該在接替人逐漸熟悉了工作以後再離開。另外，找接替人的時候一定要確信他（她）想一直做下去。在集體看護的時候，如果由兩名以上的照顧者共同照顧一組幼兒，要保證每一個孩子都有一名固定的照顧者，以便孩子和照顧者之間能建立起類似於孩子和父母之間的那種關係。

888. 照顧幼兒的各種選擇。誰能像善良的父母那樣去本能地愛孩子、嚴格地管理孩子、回答孩子的問題以及對他們的進步給予表揚呢？

最好的選擇就是調整父母的工作安排，以便做到不但雙方都能上班，而且在一方上班的大部分時間裡，另一方能待在家裡帶孩子。有些工作是輪班制的，也有些老闆對上班時間的要求比較靈活。在這種情況下，家長要做到上述這點並不難。如果父母雙方都有一段時間不能在家，可以找一個合適的照顧者來塡補這個空白。當然，在睡眠時間父母都必須在家，這和孩子醒著的時候有一段時間父母都必須在家一樣重要。

另一個解決辦法就是父母雙方或者一方在兩、三年內改做非全日制的工作。一直到孩子能上日間托兒所或學前班爲止。但是這一點越來越難以做到，因爲每個家庭都需要兩個人工作才能滿足家庭開支的需要。和父母的看法完全一致的親戚是最理想的照顧者。但是，現在住在附近又樂意擔負這樣一份沉重責任的親戚已經很難找到了。

一些兩個人都有工作的父母選擇請女管家、保姆、或照顧者（caregiver，這個詞似乎要比「保姆」意義更豐富一些）在白天的某段時間來家裡照顧孩子。如果需要這個人在白天的大部分時間裡照顧孩子，她就可能成爲第二個對孩子的個性發展影響最大的人。所以，父母應該儘量找一位和自己差不多的人，以便她能給予孩子幾乎同樣的愛和關心，並且能像他們一樣耐心地回答孩子的問題和嚴格管理孩子。

889. 接替父母照顧孩子的人的素質。這個人最重要的素質是她的性情。這個人最好是女性。她必須愛孩子，理解孩子，容易和孩子相處，對孩子理智，而且還要有自信。她應該喜歡並欣賞孩子，而不是對孩子關心過多而導致對他們的溺愛。她必須做到既用不著嘮叨也用不著過分嚴厲就能把孩子管理好。換句話說，她應該能和孩子愉快地相處。因此，當你對照顧者進行面試的時候，讓孩子在跟前對你是有幫助的。通過觀察她的行爲來判定她對孩子的態度要比單聽她一面之辭好得多。千萬不要找容易發怒、愛罵人、愛管閒事、沒有幽默感、或滿口理論的人來照顧孩子。

在找照顧者的事情上最常見的錯誤做法就是先看她帶孩子的經驗。把孩子交給一個知道如何處理孩子的腹痛或哮喘的人，父母當然會覺得比較放心。但是，孩子生病或受傷的情況並不很多，而重要的是每天的每時每刻如何度過的問題。所以，如果這個人既有經驗，性格又好，這對孩子來說是再好不過的了。但是，如果這個人的性格不好，那麼她所擁有的經驗也就沒有什麼價値了。

還有一個比經驗還重要的條件，就是照顧者是否注重衛生習慣和做事態度是否認眞。如果她拒絕按照衛生要求來給孩子調配奶粉，你決不應該讓她來做這項工作。當然，也有許多人平時很不注意衛生，但是到了需要講衛生的時候他們就會表現得很認眞。此外，寧可找一個太隨便的人，也不要找一個太愛管閒事的人。

有的父母只重視照顧者所受的教育。但是，我認爲與其他特質相比，這並算不上重要。在孩子還很小的時候尤其是這樣。還有些父母很希望他們找的人能講點外語。我以爲，如果孩子在成長過程中能學到一種外語是件非常好的事情。在絕大多數情況下，他們不會被照顧自己的人和父母所說的不同語言弄糊塗，況且，如果這個人留下來與孩子在一起生活幾年的話，兒童可能會大大得益於他早年所學的兩種語言。

一個常見的問題是，（外）祖母或照顧者可能會偏愛家裡最小的孩子，尤其是在她來到這個家庭以後才出生的孩子。她可能會管這個孩子叫「奶奶（姥姥）的寶貝」。如果她意識不到這樣做的危害，你就不應該讓她繼續留下來了。把孩子交給一個不會給予孩子安全感的人來照顧，會給孩子帶來不可彌補的害處。

由於有些年輕的父母沒有經驗，所以儘管他們對照顧者不是很滿意，他們也可能會接受她。他們或者是因爲自己感覺還不如她，或者因爲她在如何給予孩子安全感的問題上說的頭頭是道。我認爲，父母必須堅持自己的標準，一直找到理想的照顧者爲止。

還有一個很常見而又很人性的問題——孩子是誰的。有一些照顧者特別想把孩子全部接管過來，把他的父母推到一邊，以顯示她們總是知道得最多。她們可能會意識不到自己的這種欲望，而且也很少有人會告訴她們。這樣一來，當父母看到自己的孩子對照顧者很依賴，而且感情也很深的時候，他們就會不自覺地產生嫉妒感。這種嫉妒可能會使這些父母對照顧者過分地挑剔——甚至不尊重。其實，如果照顧者對孩子好，孩子自然就會依戀她，而當父母的也自然會產生嫉妒的痛苦。但是，如果他們能意識到自己的嫉妒並且能實事求是地面對它，他們是可以調節好自己的心態的。

所以從某種意義上說，無論是對照顧者還是對父母來說，最重要的問題是他們能否以誠相待，能否聽得進彼此的意見和批評，能否開誠布公地進行交流，能否尊重彼此的優點和好意，以及能否爲了孩子的利益而合作。

890. 如果父母在外工作，如何照顧三歲以上的幼兒。多數兩、三歲的幼兒已經具有足夠的獨立性和與人友好相處的能力。因此能在一個良好的群體環境中（幼稚園或日間托兒所）過得很愉快並且喜歡這樣的環境。

孩子到了六歲以後，特別是到了八歲以後，就開始尋求獨立而且喜歡獨立。他們開始把注意力轉向外面的成人（尤其是優秀的老師）以及其他兒童，並且從他們身上尋求他們的理想和友誼。他們一次可以愜意地玩上幾個小時而不需要向一個親近的成年人尋求支持。但是放學以後，他們仍然可能有一種想找歸宿的感覺。這時，一個慈母般或慈父般的鄰居就可能代替孩子的父母，照料孩子直到孩子的父母回家。校外活動中心對兒童很有用，對那些父母都有工作的兒童來說更是如此。

由於缺少收費合理、品質優良的校外活動中心或組織，我們國家仍有數百萬名的鑰匙兒。放學後，他們用自己的鑰匙打開公寓或房屋的門，然後把自己關在裡面直到父親或母親下班回家。這就是我們國家需要修改兒童福利準則的又一個例子。

保姆

保姆爲父母提供了便利，並且能幫助孩子發展獨立精神。但是，這要你和孩子對保姆很了解才行。讓我們假設這位保姆是個女人（儘管我們沒有理由說不應該是個男人）。在夜間臨時照料一個睡覺的嬰兒時，她只需要警覺和值得依賴就可以了。但是對一個夜間肯定會醒來的嬰兒，或者夜間可能會醒來的五個月大幼兒來說，保姆必須是孩子認識而且喜歡的人。如果他醒來以後看到一位陌生人，多數孩子都會被嚇著。

如果保姆想照顧孩子，或者僅僅是想把孩子放在床上，你就應該觀察她對孩子是否細心，要確信她理解孩子、愛孩子，並且能以和藹而又堅定的態度來管教他們。所以，你和保姆在一起的時候，應該儘量多讓她來照料孩子。這樣，還沒等到她獨立爲孩子做太多的事情時，孩子就已經習慣她了。隨著孩子對她的逐漸接受，她就可以爲孩子做更多的事情了。

堅持一直僱用固定的一、兩名保姆的做法肯定是對的。如果你相信某位朋友的判斷力，你就可以通過他了解一些有能力的保姆或某個可靠的保姆介紹所。

891. 保姆的年齡。選保姆要看她是否成熟和是否熱心，而不是看她的年齡。我曾經偶然遇到過這樣一個孩子。她才十四歲，但是卻很有能力，並且也很值得信賴。但是，期望所有像她這麼大的孩子都有她那樣的素質是不公平的。有些成年人可能很不可靠、很苛刻，或者很沒有能力。有的年齡較大的人可能確實有看孩子的本領，而還有的則可能太靈活，或者太急於適應新孩子。

爲了使事情進展順利，明智的做法就是爲保姆準備一個長期的記事本，用她的習慣用語把孩子的日常活動、保姆可能需要的東西、醫生和某位鄰居的電話號碼（以防有急事找不到你的時候，可以打電話找人幫忙)、睡眠時間、廚房中保姆可以隨便使用的東西、襯衫和睡衣所放的地方、可能需要的其他東西以及如何使用爐具等事項記在上面。

但是最重要的是，你必須了解保姆，而且要保證你的孩子信任她。

家庭與事業

892. **不要爲了孩子放棄事業**。如果家長覺得很需要從工作或事業中獲得滿足，那麼，他們就不應該爲了孩子而完全放棄自己的需要，因爲這樣的犧牲並不會給孩子帶來什麼益處。我認爲，父母應該在事業與孩子的需要之間採取一種折衷的辦法——找人幫忙看孩子。在孩子發育很關鍵的前三年尤其需要這樣做。有時候可以讓樂意幫忙而且適合幫忙的家庭成員(例如祖母或姑媽)幫你帶孩子。除此之外，就需要請專業保姆幫忙了。

893. **恢復工作的時間**。儘管在孩子出生後的任何一個階段，父母都可以恢復工作，但是最好是越晚越好。如果你能夠做到，最好休息三～六個月，這樣孩子就有時間去養成吃奶、睡覺和日常活動的規律，並習慣家庭生活的節奏。而且父母也可以在恢復工作之前(如果她想這樣做的話)，慢慢地適應自己的生理和心理變化，確定是繼續給孩子哺乳還是改爲喝嬰兒奶粉。

美國1993年頒布的「產假和病假法」(The Family and Medical Leave Act)規定，有五十名以上員工的僱主必須准許父親或母親十二個星期的停薪假期，以便讓他們照顧剛出生或收養的孩子。這部美國法律很好地體現了以家庭爲中心的進步政策，是許多維護兒童福利的團體不斷呼籲的結果。(編按：台灣現行「勞基法」規定：因本人分娩者，給假八週；因配偶生產者，給假二天。)

生第一胎的母親要恢復工作之前，需要有二～四個星期(越長越好)的過渡期。在這段時間裡，她仍然要待在家裡，讓孩子逐漸習慣替代她的人。換句話說，要等到孩子熟悉了新的照顧者並且感到和她在一起很安全的時候，母親才可以離開孩子（參看713）。

日間托育和學前班

894. **許多兩、三歲的孩子和上幼稚園的兒童都能從群體生活中獲得益處**。當然，並不是在任何情況下，孩子都需要這種群體生活。對於那些獨生子女、很少有機會同其他孩子一起玩的兒童、住在狹小的公寓裡的兒童以及難以管教的兒童來說，群體生活尤其有用。

孩子到了三歲的時候都需要同齡夥伴——不只是爲了玩耍，還爲了學習怎樣與人相處，因爲這是兒童生活中的一份很重要的工作。他們需要在家裡有跑和喊的空間、攀爬的設備、建築用的積木、箱子和木板、玩的火車和布娃娃。除了父母以外，他們還需要學習如何與其他成年人相處。可是，現在很少有兒童能夠在家裡享受到這些有利條件給他們帶來的樂趣。由於父母雙方在外工作的家庭越來越多，所以，良好的群體照料不僅對父母很重要，而且對孩子也十分重要。

895. **日間托兒所**。「日間托兒所」這個詞是指在父母工作期間，對孩子進行集體照料的機構。服務時間爲上午八點到下午六點。其中有一些日間托兒所是由政府或私人企業提供資助的。最好的日間托兒所能提供幼兒園所能夠提供的所有必要條件。它們有自己的教育宗旨、經過培訓的教師以及齊全的教育設備。

在美國，日間托兒所起源於第二次世界大戰期間。那時的聯邦政府爲了鼓勵有年幼孩子的父母去兵工廠工作，所以就建立了日間托兒所。它主要照料一、兩歲的幼兒，但是同時也可以照料放學回來的幼稚園兒童和一、二年級的小學生。

896. **學前班**。在美國，學前班的出現不只是爲了照顧母親在外工作的兒童，也不只是專門爲兒童上學之前打好必要的讀、寫、算三種基礎。它的目的是爲三、四歲的兒童提供各種經驗，以幫助他們全面成長並且成爲更理智、更能幹、更具有創造力的人。這些經驗通常包括舞蹈、樂器演奏、憑靈感作畫、用手指作畫、用黏土製作模型、用積木蓋房子、有活力的戶外遊戲、以及扮家家酒等各種娛樂活動。理想的學前班還有供孩子單獨玩耍和休息的安靜角落。這些做法的目的是培養兒童多方面的能力——學術能力、社交能力、藝術才能、音樂才能和體力。但是重點是培養兒童的創造力、獨立性和合作（討論和共享遊戲設備，而不是爲此打架）精神，並使他們能把自己的想法帶到遊戲中去。

897. **學前教育對兒童是否有好處？**這個問題在美國一直爭論不休。有些人斷言，才只有幾歲的孩子不適宜過群體生活。他們認爲，每個兒童都需要一、兩個特別喜歡他、全心全意地關心他、以及感到離不開他的重要照顧者。他們堅信，正是這種早期建立起來的對人的強烈依戀關係，才使得孩子長大後能夠與某個人保持親密的關係。反對日間托育的人士擔心，如果孩子很小就由多個照顧者照顧，他們就可能永遠也不能獲得這種強烈的眷戀情感。他們還爭論說，對兒童來說，什麼樣的老師也比不上很投入的父母。

支持日間托育的人則有不同的說法。他們斷言，培養孩子有多種合適的方法。他們指出，在有些文化裡，嬰幼兒是由哥哥（姊姊）或者大家庭撫養的，而且並沒有什麼明顯的不良後果。他們還提醒人們，並沒有任何研究結果可以證明，高品質的日間托育會對兒童的情感發展帶來什麼害處。他們擔心的是，一些有工作的父母因爲把孩子送到日間托兒所而毫無必要地覺得內疚，好像是他們害了孩子一樣。

下面我就談一談我對這個問題的看法。我認爲，就某種程度來說，嬰幼兒是很容易恢復活力的小傢伙，根本沒有任何理由說高品質的日間托育會損害孩子的發展。兒童最需要的是對他們盡心的成年人，不管這個成年人是一位單親還是一群托兒所老師。他們需要與成年人保持始終如一的關係，但是，這種關係既可以在家裡得到，也可以在日間托兒所得到。

人們曾經做過大量的研究，試圖發現去過日托中心的兒童是否與沒有去過的兒童有什麼差異。這些研究顯示，如果日間托兒所的老師都經過嚴格的挑選和嚴格的訓練，而且照顧的孩子人數又不是很多，這樣的高品質托育不但不會給孩子帶來害處，反而對孩子有積極的影響。但是，如果孩子人數很多，並且由沒有受過嚴格培訓的老師來照料，這種群體生活經歷可能就會對孩子產生不良的影響。不過，這裡有一個很有意思的發現。這個研究顯示，如果孩子的群體生活過久了，他們就容易適應同齡夥伴，並且容易對他們做出反應，而對成年人就顯得差一些。而那些沒有過群體托育生活的兒童則容易以成年人爲中心（經常成爲老師最喜歡的學生），而對他們的同齡夥伴的適應能力就顯得差一些。那麼，這兩種情況中是不是有一種比另一種更好呢？我不這樣認爲。我認爲這完全取決於你希望孩子長大後成爲一個什麼樣的人。

但是每個人都同意，日間托育的質量對兒童的心理健康很重要。由於越來越多的孩子在很小的時候就被送去日間托兒所，所以，關鍵的問題就是要保證他們的感情需要和智力需要得到滿足。根據我們的了解，兒童的早期經歷對他們的大腦發育的影響極爲重要（參看22）。所以，照顧好孩子的關鍵就是要及時對他們的問題做出反應，要耐心地教育他們、鼓勵他們，並且還要保持照顧者的穩定。只有在日間托兒所的照顧者訓練有素、穩定和資金來源有保證的前提下，它才可能做到這一點。

但是很遺憾，一般在附近很難找到這種高水準的日間托兒所，而且即便找到了，普通家庭也付不起昂貴的費用。因此，唯一的解決辦法就是對地方和聯邦政府的具體負責部門不斷施加政治壓力。

898. 孩子是否應該去托兒所。我認爲這完全是一個因人而異的決定，需要從你的家庭實際需要出發。如果你想送孩子去托兒所的話，我一點兒也不覺得有什麼不對之處。只要那裡的服務品質很高，孩子就一定會很好的。從長遠的觀點來看，只有當父母幸福，事業有成的時候，孩子才能表現得最好。假如父母在家裡感到孤獨和痛苦，而且討厭整天待在家裡看孩子，那麼對孩子來說，去一所好的日間托兒所要比待在家裡好得多。反過來，如果你決定整天待在家裡，想儘量和孩子在一起多待一段時間，這也是一個很好的選擇。我認為不管是反對日間托育還是支持日間托育的人，如果他們建議只能讓孩子上托兒所，或者決不應該上托兒所，他們都是在幫孩子父母的倒忙。其實最好的辦法就是在你們家最行得通的辦法。

日間托育的種類

899. **可供家長選擇的日間托育種類**。可供家長選擇的日間托育種類很多：可以由親戚照料，可以由養育院來照料，也可以由家庭日托照料，還可以由日間托兒所進行群體照料。每一種方式都有它的優點和缺點。

• 親戚照料：如果你和親戚的關係很好，並且在培養孩子的意見上一致，這種托育方式是很好的。

• 養育院照料：在養育院裡，有一位保姆照料你的孩子，或許還有一些別的孩子。在一般的情況下，保姆的工作時間比較靈活，並且能夠提供一個類似家的環境，不至於因為環境突變而給孩子帶來太大的影響。她或許還能提供更多的關心，但這要取決於兒童的數量。然而，這種托育花費也相當高。

• 家庭日間托育：家庭托育就是照顧者在自己的家裡照料幾個孩子。它比養育院便宜些。在美國，照顧者通常都有許可證，至少能保證達到最低品質的標準。雖然群體生活能為孩子提供與同齡孩子相互交往的機會，但是，如果這個群體的人數太多，孩子就不能從照顧者那裡得到足夠的關心和注意。

• 日間托兒所：日間托兒所越來越受歡迎。日間托兒所都有營業許可證，而且全年開放。它能提供專門護理兒童的穩定的規劃建築環境。但是，這種托兒所的收費標準一般很高，而且，那裡的工作人員流動率很頻繁，孩子不能一直由同一個人來照料。另外，那裡的工作人員的受訓水平參差不齊，孩子與工作人員的比例也相當不穩定。像其他種類的日間托育一樣，各日間托兒所的品質也有相當大的差異。

對兩歲或三歲以下的兒童來說，我自己傾向於找家庭日間托育。父母最好能夠調整一下自己的工作安排，保證在孩子醒著的時候兩個人能照料他一半以上的時間，其餘時間（無論是兩個小時還是八個小時）可以讓照顧者住到家裡來，或者白天來家裡照料孩子，或者把孩子送到保姆家。

選擇日間托育還是學前班

900. **先列出一張單子，把社區內現有的托兒所和學前班記下來**。然後打電話看他們能否提供你所希望的服務。打聽一下那些服務對象的名字和電話號碼，並給這些家庭打電話，以便了解一下有關情況，比如他們是否對孩子進行體罰或採取其他的約束方法。

901. **實地考察**。先到你初步選定的幾家去看一看，並且在每個地方待上幾個小時，觀察一下照顧者與孩子之間的關係是否親熱、教育方法是否有效、監護措施是否合理、安全措施是否完備、以及那裡的活動是否適合兒童的發展水平。還要看一看孩子們是否輕鬆自在，是否信任老師並且請老師幫忙，以及是否彼此合作，很少吵架。如果老師和孩子之間的關係很友好，往往也能在孩子之間的關係中反映出來。

902. **照顧者與被照顧者的比例**。要查明照顧者與孩子的比例。如果照顧對象是兩歲以下的孩子，建議孩子與照顧者的比例爲3：1；如果是二十五～三十個月的幼兒，孩子與照顧者的比例爲4：1；如果是三十一～三十五個月的孩子，比例爲5：1；如果是三歲的兒童，比例爲7：1；四～五歲的兒童，比例爲8：1；六～八歲的兒童，比例爲10：1；九～十二歲的兒童，比例爲12：1。也要詢問有關拒絕生病兒童的政策。

903. **定期拜訪托兒所**。拜訪托兒所之前不要提前通知他們，這樣看到的情況會讓你更放心一些。家長到那裡應該有受歡迎的感覺，而且無論他們什麼時候去拜訪，都應該得到允許。

904. **到學前班的前幾天**。性格開朗的四歲兒童就像鴨子喜歡池塘一樣喜歡學前班，並不需要家長進行任何引導。對一個仍然強烈依賴父母的三歲孩子來說，上學前班就相當困難了。如果媽媽在第一天就把他一個人丟在學校，他有可能不會馬上就大驚小怪地鬧起來，但是過不了一會兒，他就會想媽媽了。如果他發現媽媽不在，他就會覺得害怕。到了第二天，他就可能死也不去幼稚園了。

對這種依賴性很強的孩子，最好是對他進行循序漸進的引導。在剛開始的時候，媽媽可以在他玩的時候待在附近，玩一會兒就把他帶回家去。以後每天都延長在學校陪伴孩子的時間，使孩子逐漸建立起對老師和其他孩子的依戀感。這樣，等到媽媽不再陪伴他的時候，他就能從老師和其他孩子那裡得到安全感。

有些孩子在媽媽離開學校後一連好幾天都過得非常愉快。但是當他受到傷害以後，就會突然地又需要媽媽了。在這種情況下，老師可以幫助母親決定是否應該再回學校幾天。但是，如果母親待在學校周圍，她只能在暗地裡監護孩子。這麼做的目的是讓孩子逐步產生想加入群體的願望，從而忘記自己對媽媽的需要。

有時候母親比孩子還要憂慮。如果母親面帶憂容地連說三遍再見，孩子就可能會想，「看她的表情，好像是說我待在這裡可能會有什麼可怕的事情發生，所以我最好還是不要讓她離開我。」如果母親心腸很軟，她第一次要離開孩子的時候就會擔心孩子不愉快。這是很自然的。學前班的老師很有經驗，你可以請他們給你出主意。

一開始就非常害怕離開父母的孩子可能會發現，他的這種心態能夠支配富有同情心的父母。於是，他就可能慢慢地學會利用這種手段來支配父母。

雖然學校裡有善解人意的老師，有些孩子還是不願意或者害怕回到學校。在這種情況下，我認爲父母最好要堅定自信心，並且要表現得果斷一些。要向孩子解釋：所有的孩子每天都必須上學。從長遠的觀點來看，讓孩子戰勝依賴感總比讓依賴感戰勝孩子要好。但是如果孩子的恐懼心理極爲嚴重，你就應該跟一位兒童心理專家談談此事了。

905. **在家裡的反應**。有些孩子在上學前班的最初幾天或幾個星期裡感到很難適應。班裡的人數多、新的朋友多、要做的新鮮事情也很多。所以他們感到很緊張、很疲乏。但是，孩子一開始感到很累並不表示他不能適應學校，只是你必須暫時做出點兒讓步，直到他習慣學前班的生活爲止。比如，你可以和老師商量一下，是否需要暫時縮短他在校的時間。一般說來，上午晚一點兒送孩子去是最好的辦法。由於孩子討厭正在玩的時候離開學校，所以不應該因爲孩子容易疲勞就在放學之前把他接回家。有些孩子在一開始的時候過於興奮或過於緊張，所以午睡的時候睡不著，這樣，孩子最初幾個星期容易疲勞的問題就更難在全日制學校解決了。解決這個問題的辦法就是讓孩子暫時在家裡待一、兩天。剛上學前班的孩子儘管很累，但是在學校的時候還能堅持自制，可是一回到家裡就把情緒發洩到家人身上了。遇到這種情況時，父母需要格外耐心，而且還要和老師談一談。

經過嚴格培訓的學前班老師應該是（也通常是）非常寬容的人。因此，不管孩子的問題與學校有沒有關係，做父母的應該毫不猶豫地跟老師談。老師可能有不同的觀點，並且她也許曾經在其他場合遇到過同樣的問題。

906. 如何在社區內找到合適的托兒所或學前班。你也許會說：「我相信學前班或托兒所對孩子很重要，但是在我們的社區內一個也找不到。」其實，要創辦這樣的學前班並不容易，它需要訓練有素的老師、大量的設備和空間。這些都需要花錢才能辦到。學校好，收費就高，因爲那裡的每個老師都可以令人滿意地只照料少數幾個孩子。這些學校一般都是由私人創辦的，家長需要支付所有的費用；也有教會創辦的，由它來提供場地；也有學院創辦的，用來培訓兒童護理方面的學生。從長遠看，如果公民能向聯邦和地方政府說明，他們確實需要這些學校，並且向他們保證，只要當地的候選人或聯邦候選人保證爲他們的利益服務，他們就會選他們。這樣，政府就能出資創辦足夠的學前班和托兒所了。

帶孩子旅遊

907. 家庭中最好和最壞的一面都將在旅行中暴露出來。和孩子一起冒險和玩樂是有好處的。你可以擔當專業導遊的角色，帶著興趣十足的孩子去欣賞那些以前只有在書本上才能見到的風景。這對孩子和父母都是件很快樂的事情。

然而，兄弟姊妹之間的爭吵也可能逐步加劇。當乘車時間太長，他們感到無聊的時候，往往會爭吵得更加激烈。總會有個孩子要上廁所，可是上一次停車休息的時候，儘管你一再催促他，他就是不去廁所。每個孩子都有自己的打算：有的想去下一個村鎮，有的則堅持馬上在這裡停下來；有的喜歡露宿，有的則喜歡待在溫暖舒適而且乾淨的汽車旅館裡；有的想六點鐘就起床早點兒出發，還有的希望多睡一會兒（因爲畢竟是在度假）。所有這些因爲觀點不同而產生的口角，都需要父母堅決而又明確的態度才能解決。

爲了保證你們的旅行成功，我建議你們做到以下幾點：

908. 爲嬰兒準備的食品。在旅途中，用母乳餵孩子是最方便的方法。但是，這種方法也有潛在的危險。比如，如果你忘記喝水或者休息不好，就會出現奶水不足的問題。如果你用奶瓶餵孩子，你就需要想到路上將用到的設備和奶瓶離開冰箱的時間。

因此，我建議你買一些**拋棄式的瓶裝即用奶**。這種奶瓶連同上面的奶嘴用完以後就可以扔掉。這種瓶裝奶不需要冷藏，而且也不需要清洗和消毒。雖然這種即用奶價格很貴，但是你們旅行的時間也可能不會太長。奶粉比較便宜。可以事先按照調配比例準備好奶粉和水，分別裝在不同的容器裡，在需要餵孩子的時候再沖泡。

多數**固體食品**應該是罐裝的。我認爲這種食品應該冷藏保存，比如把它們放在儲藏櫃裡加人工乾冰保存。罐裝食品開蓋後可以直接餵孩子。如果你沒有冷藏櫃，吃剩下的食物就必須全部倒掉。如果你一直把它冷藏保存，你就可以安全地保存8～12個小時。用不著把孩子平時吃的各種食物都帶上，只帶他最喜歡吃而且最容易消化的食物就行了。在旅途中，許多嬰兒沒有在家的時候吃得多。因此，即使他比在家的時候吃得少許多，也不必催促他吃不想吃的東西。你可以試著一次少餵他一點兒，但是餵的次數要多一些。

909. **爲幼兒準備的食品**。最好不要給幼兒吃那些平時不常吃的食品。在公共場所給他們買吃的東西時，千萬不要買帶濕餡的糕點和油酥點心、牛奶布丁、冷掉的肉、魚、蛋、奶油沙拉以及含有這些東西的三明治和沙拉。因爲如果處理不當或冷藏不當，這些食物很容易感染上有毒的細菌。因此，最好堅持吃熱食、自己削的水果、以及由密封包裝的餅乾。當然，你可以自己製作花生奶油和果凍三明治。即使你想在路旁的飯館裡餵他吃飯，或者他想吃飛機上提供的飯，你也要帶上一袋速食食品以防用餐時間延遲或者孩子沒有胃口。不包魚片的三明治壽司是一種很好的旅行食品。它不需要冷藏。

910. **飲料**。輕度脫水是旅行當中很常見的事情。這種情況不但在炎熱的天氣裡過於勞累才會發生，而且在長途飛行或乘車時間太長的時候也會發生。因此，旅途中應該鼓勵每個人多喝水、多休息。

911. **準備一個旅行藥箱**。旅行途中，你和孩子可能會生小病、割傷或擦傷，因此我建議你至少要攜帶下列物品：繃帶、抗生素藥膏、鑷子（用來挑刺兒）、吐根糖漿（如果孩子吃了不該吃的東西，可以服用此藥使孩子把它嘔吐出來）、減充血劑、兒童用的醋氨酚（用於退燒和鎮痛）、白醋和用於擦拭用的酒精（按1：1的比例混合對治療血吸蟲皮炎很管用）、類固醇乳膏（用於治療接觸毒長春藤引起的皮膚疹和其他發癢的皮膚疹）以及大量的隔離霜。當然，孩子正在使用的每一種藥物都必須帶足，還要確保你們對各種傳染病的免疫期還沒有過（要把免疫記錄帶在身邊）。要把你們的所有醫生的電話號碼帶上，以防萬一。

912. **娛樂活動**。當你帶著小孩子出外旅遊的時候，不要忘記帶上孩子睡覺時需要蓋的毯子和需要摟著的玩具。這些東西在旅途中將成爲對孩子很有安慰作用的物品（一定要在上面標上你的名字和地址）。除了孩子最喜歡的玩具以外，還要帶上一些能讓孩子玩很長時間的新玩物。比如：模型汽車或火車、配有很多衣服和裝備的小玩偶、一本描圖册或剪紙册、一本新畫册、紙板折疊屋、其他拼裝玩物、一疊紙、鉛筆和蠟筆。你們街區的書店裡有許多娛樂方面的好書可以供孩子在路上看。這些書裡有許多很富有創造性的，不需要任何設備就可以玩的遊戲。我認爲應該讓三歲以上的孩子自己準備自己的玩具，讓他們用自己最喜歡的玩具把背包裝滿。

913. **清潔用品**。必須帶上一大盒清潔紙巾。還要帶上兩塊大塑膠布，以便鋪在床上防止孩子把床尿濕，還可以鋪在地毯上讓孩子在上面吃東西或者坐在地板上玩。現在有旅遊專用的單片包裝清潔紙巾。但是要避免選用含有酒精和香水的，因爲那可能會刺激皮膚。雖然多數父母都選用這種現成的清潔紙巾，但是還是需要準備一點兒用塑膠袋包裝的濕紙巾。儘管你可能在平時不用紙尿布，但在這個時候，用它還是很方便的。你還需要帶上孩子最喜歡的小馬桶。

914. **開車旅遊**。在開車旅遊中，聰明的家長不但有規律地在吃飯時間停車休息，而且在上午或下午的中途也要停下來吃點心，並且給孩子機會四處跑一會兒。停車地點最好是一塊田地，或者是城市公園裡的一個空地。總之，應該是那些用不著父母擔心孩子會跑到馬路上的地方。

開車旅遊的時候，一定要讓孩子坐在政府批准的乘載工具裡。20公斤以下的孩子需要使用政府批准的汽車安全座椅，大一點兒的孩子就必須像成年人一樣，一直繫著安全帶（參看554-564）。

如果你的孩子容易暈車，讓他坐在高一點兒的地方以便能看到車外的東西，這樣可能會有所幫助。要鼓勵他向車窗外看而不要讀書或畫畫。你的醫生可能會告訴你一些對防止暈車有用的藥物。

開車旅行應該好好地遵守一條規律，那就是下午四點就應該準備停下來過夜了，以便有足夠的時間在汽車旅館裡訂房間。一定要避免在孩子累了的時候還要繼續走上幾個小時。許多開車的人哪怕咬著牙也一定要開出一定的距離才肯停車休息，即使天色已晚他們也不在乎。不過，如果他們在起程前就很莊重地同意在某個時間停車，他們這樣做可能也有道理。但是要記住，除了酒後駕車以外，引起車禍的第二個主要原因就是司機開著車睡著了。

915. **有關搭飛機旅遊的幾點建議**。飛機起飛和著陸的時候，有些孩子會耳朵疼。大一點兒的孩子懂得吞嚥東西可以避免疼痛，因此，可以給他們一些吞嚥（一瓶紙盒裝的飲料就很好）或者咀嚼的東西。飛機開始降落的時候應當把嬰兒弄醒，同時給他餵奶，好讓他不時地吞嚥。如果孩子得了感冒，你可以向醫生要一些長效減充血劑，使孩子的耳咽管在旅途中一直保持敞開。

搭飛機旅行的時候，人們對在飛機上是否應該使用汽車安全座椅很有爭議。聯邦航空當局認爲，由於搭飛機旅行非常安全，所以，如果非要他們的父母給嬰幼兒專門買票（以便安放汽車座椅），就只會讓更多的孩子喪命，因爲在這種情況下父母們將寧可選擇比較危險的開車旅行。如果飛機上有空位，大多數航空公司會允許你在飛機上使用汽車安全座椅的。嬰兒大約9公斤重的時候，應該使用面向後方的座椅；在9公斤到18公斤重的時候，應該使用面向前方的座椅；超過18公斤重的時候，就應該使用飛機上的安全帶了。

916. 帶孩子去餐館。除非是在快餐館，否則大多數兒童在餐廳等飯期間總是坐立不安。在大多數城市裡，許多餐館爲了迎合有小孩子的家庭的需要，不讓小孩感到無聊，所以專門爲他們設置了活動設施。但是，在多數餐館裡，解決無聊的最好辦法就是帶著紙和鉛筆，或者還有一、兩本描圖冊。這樣就可以在飯菜端上來之前，用這些東西來吸引他們的注意力。在孩子吃完飯以後，或者大人想要再喝一杯咖啡時，這些東西也會佔住他們的心思，著實讓他們忙一陣子。如果孩子覺得無聊而在餐館裡到處亂跑，就會讓其他客人惱火，而且也很容易惹出事來。至於嬰兒的食物，你可以從家裡帶一些出來。

與祖父母的關係

917. 不管在哪個方面，祖父母對年輕的父母都可能會提供很大的幫助。他們也可以從孫子那裡得到快樂。他們常常若有所失地問自己：「爲什麼以前我沒有像喜歡孫子一樣喜歡我自己的孩子呢？我猜想當時我可能是太吃力了，以至於只能想到責任問題。」

在世界上的大多數地區，祖母被看作是撫養孩子的專家。因此，當年輕的母親遇到問題或者需要一點幫助的時候，她就會向她的母親詢問，並認爲這是理所當然的事。如果一位母親對祖母有這樣的信心，那麼她得到的就不只是忠告，而且還有安慰。然而，在我們國家，一位剛剛做媽媽的母親遇到問題的時候，往往總是首先求助於醫生。有一些女士甚至連想都沒有想過要詢問她們的母親。其部分原因是我們已經太習慣於向一些專業人士請教我們的個人問題了。這些專業人士包括醫生、指導顧問、婚姻顧問、社會福利工作者、心理學家和牧師等。而且，我們都想當然地認爲，知識在迅速發展，一個知道二十年前應該怎樣帶孩子的人現在顯然已經落伍了。

還有一個更基本的原因就是：許多年輕父母的想法與他們在青春期時的想法非常接近。他們想向世人證明，同時也向自己證明，他們有能力安排自己的生活。他們也許害怕祖父母會把他們當作需要依賴他人的孩子一樣，告訴他們該做什麼。他們不想再回到以前的那個位置上。

918. **緊張是正常的**。有些家庭裡，父母和祖父母之間的關係很融洽，而在另一些家庭，雙方簡直是水火不容。還有些家庭雖然氣氛有點兒緊張，但是一般都是在護理頭胎孩子的問題上意見不一致，而且隨著時間的流逝和逐漸的調整，這種分歧也就慢慢地消失了。

有的年輕母親很幸運——她天生就很有自信。所以，在她需要幫助的時候，她就能毫不猶豫地求助於自己的母親。另外，當母親主動提出建議的時候，如果她認爲這項建議很好，她就會接受，如果她認爲這主意不好，她就會採取機智得體的方式把它放置一旁，而繼續按自己的方式去辦。

但是多數年輕父母一開始並不是這麼自信。就像其他剛開始從事一項陌生工作的人一樣，她們容易發現自己的無能之處，並且對別人的批評也很容易生氣。

多數祖父母從以前的經驗中體會到了這一點並且記得很清楚，所以，他們總是儘量不去干預年輕父母。但是，由於他們有照料孩子的經驗，認爲自己有判斷力，又非常疼愛孫子，因此，常常會情不自禁地說出自己的觀點。在剛開始照料孩子的時候，他們會發現有許多做法發生了令人吃驚的變化：餵奶時間變得很靈活；給孩子吃固體食物的時間延遲了；培養衛生習慣的工作就更是以後的事了。所以，即使他們採納了新的方法，在實施這些方法的過程中，他們還是會覺得那麼做有些太過分了。當你當上了祖父母的時候，你或許就能理解我的意思了。

我認爲，如果年輕父母有勇氣，就應該允許、甚至請祖父母說出他們的看法，這樣才能和祖父母保持愉快的關係。從長遠看，坦率的討論通常要比含蓄的暗示或者令人不自在的沉默更讓人感覺舒服些。一位母親如果對自己照料孩子的方法非常自信，她就可以這樣說：「我意識到你似乎覺得這個方法不太合適。那麼我就再去問問醫生，看看是不是我把他的意思理解錯了。」這樣說並不表示這位母親做出了讓步。她只是承認了祖母的好意以及明顯的焦慮，同時又保留了自己做最後決定的權力。如果年輕的母親能這樣理智地處理眼前的問題，以後出現問題的時候，她也能處理得讓祖母放心。

如果祖母對女兒有信心，並且能盡可能地按照女兒的方法辦，她就能幫助女兒把孩子照料得很好。這樣，當女兒有疑問的時候，她就會主動地向祖母請教了。

如果要把孩子留下來由祖父母照料，無論是半天還是兩個星期，父母與祖父母之間就必須相互理解，互相做出適當的妥協。一方面，父母必須確信，在重要的問題上祖母必須按照他們的意見辦：比如，不能逼著孩子吃他不喜歡的食物，不能因爲偶然的大小便問題羞辱孩子，也不能用「警察來了！」一類的話來嚇唬孩子。另一方面，父母不應該期望祖父母就像自己的翻版一樣，完完全全按照自己的方法來管教孩子和約束孩子。這對他們是不公正的。如果祖父母希望孩子多尊重他們一點兒，不讓孩子和他們一起吃飯，或者孩子穿戴得比以前髒了點兒，這對孩子都不會有任何害處。如果父母認爲祖父母照料孩子的方法不對，他們當然就不應該讓他們來照顧孩子。

919. 有些父母對別人的忠告很敏感。如果年輕的父母在兒童時代經常受到父母的批評，他們帶孩子的時候就會比一般人緊張，因爲這種經歷不可避免地讓他們覺得沒有自信，容易對別人的反對意見感到不耐煩，而且還會固執地顯示自己的自立能力。爲此，他們可能會極其熱中於有關育兒方面的新理論，並且會在實踐中努力運用這些理論。對他們來說，這些理論不僅使他們感到了有益的變化，而且還可以向祖父母證明他們的做法已經過時，從而達到向他們發洩一點兒不滿的目的。爲了洩憤而研究理論確實很有趣。但是對雙方來說，唯一的導火線就是怎樣帶孩子的問題。我建議，如果父母發現自己不斷地使祖父母不愉快，就應該至少做一下自我檢查，看看是不是有故意這樣做而自己卻沒有意識到的情況。

920. **善於管理孩子的祖母**。有些祖母一直對子女管得很嚴。即使子女都已經有了孩子，他們還是一如往昔，不肯放手。這樣一來，年輕的父母一開始就可能很難按自己的主意行事。例如，女兒會害怕父母給自己提建議。如果給她提出建議，她就會生氣，但是又不敢表達出來。如果她接受了這個建議，她就會覺得自己總是受人擺布。如果她拒絕了這個建議，她又會覺得內疚。那麼，這樣的新媽媽怎樣才能保護自己呢？聽起來好像她得凡事小心翼翼。從某種意義上說，她是需要這樣，但是，在實踐中她可以慢慢地做到這一點。

首先，她可以不斷地提醒自己現在自己是母親了。孩子是她自己的，她應該按照自己的想法，用最好的方法來照顧孩子。如果他人的觀點使自己對自己的方法產生懷疑，她可以從醫生那裡得到支持。她當然有權利要求丈夫的支持。當婆婆總是干涉自己的時候，她尤其有權利要求丈夫的支持。如果某一次丈夫認爲自己的母親是對的，他應該把自己的看法如實地向妻子說明，與此同時，他還必須向母親表明，他和妻子一樣反對他人的干涉。

年輕的母親不應該躲避孩子的祖母，也不應該害怕聽他們把話說完，因爲這兩種做法在一定程度上會顯得自己太軟弱，不敢面對他們。

如果她能在實踐中慢慢地悟出這個道理，她就會做得更好一些。但是還有一點更難以做到：她不僅需要學會不生悶氣，而且還要學會不發脾氣。你或許會說她有權力生氣，因爲那是她的眞實感受。但是如果她壓抑不住自己的怒火而發了脾氣，這就說明她由於害怕祖母生氣而已經忍耐得太久了。喜歡發號施令的祖母通常能間接地覺察到兒女的這種膽怯跡象，並且還會利用它們。如果事情到了沒有辦法不讓祖母生氣的那一步，年輕的母親也不應該爲此而感到內疚。實際上，對祖母發脾氣是沒有必要的。即使出現這種情況，最多也不應該超過一、兩次。在祖母生氣前，年輕的母親完全可以用一種平靜和自信的口氣爲自己辯解：「醫生告訴我要這樣餵孩子。」或者「你看，我是想儘量讓孩子涼快些。」或者「我不想讓他哭太久。」這樣的語氣通常能使祖母相信，孩子的母親對自己的方法很自信。

雖然只是偶爾才出現一次激烈的碰撞，但是它們牽扯到的緊張氣氛卻是持久的。因此，父母和祖父母可能都需要單獨找專業人士（比如，有智謀的家庭醫生、兒童精神科專家、社會福利工作者、明白事理的牧師）諮詢一下，以便每個人都能把自己的看法清楚地說出來。但是無論什麼時候，責任是父母的，做出最後決定的權力也是父母的。

20 新的問題：爲21世紀做準備

孩子是我們的未來

921. **我們爲什麼需要理想主義的孩子？**有理想的孩子在二十一世紀不會缺少實現理想的機會。但目前在我國和全世界，存在著大量令人恐慌的問題。儘管依靠創造力和實用主義，我們已經達成了工業奇蹟，但隨著物質需求的不斷滿足，令人困窘的問題發生了。顯然，美國在人類關係、精神安寧、世界安全這些方面幾乎沒有取得任何進展。美國是世界上離婚率、自殺率、犯罪率最高的國家之一，我們的民族關係還是未開化的——這對一個自稱信仰自由、平等和上帝的民族來說，眞是一個恥辱。在美國還存在貧窮和道德敗壞的地區，然而要是我們能面對自己的責任，那麼這些問題可以在一年內走上解決的途徑。但是現在上百萬的美元卻被用來勸說我們購買那些五倍於我們所需馬力的汽車，和那些引發癌症的香菸上面。

　　我們知道如何以令人驚奇的效率生產食品，但是儘管現在世界上飢餓的人們比歷史上任何時候都多，我們仍然保持著較低的生產量。

　　我們擁有世人知曉的最危險的武器。儘管冷戰已經結束，但我們仍處在即將發生的具有毀滅性的危險之中，這種危險尤其是來自於意外的發射事件。仗著美國的力量，經常傲慢地干涉他國事務，這已經引起了世界廣泛的怨恨。

依我所見，我們唯一理想主義的願望就是撫育我們的孩子，要讓他們覺得他們活在這個世上的目的不是爲了自我滿足，而主要是爲了服務他人。在孩子很小的時候，就可以逐漸灌輸給他們這種想法，讓他們驕傲地認爲自己能成爲眞正有用的人，並且長大後面臨挑戰。即使只有九個月大的嬰兒也不應該允許他們留下這種印象：揪母親的頭髮，或咬母親的臉頰並不會怎樣。他們應該學會尊重母親。一歲多的孩子不應該允許他故意破壞自己的物品，或者把東西搞得亂七八糟。到孩子兩歲的時候，應該吩咐他們做一些雜事，比如幫助佈置桌子或收拉圾，儘管他們這樣做並沒有節省父母多少時間。孩子長到七歲或八歲時，他們每天應該做些眞正有用的工作。等孩子成爲青少年了，他們可以在醫院或其他機構做志工，或者爲比他們小的孩子做指導老師。

在家庭談話中，孩子們應該聽到他們的父母對社會、民族和世界的關心。他們應該看到他們的父母正通過參與地方組織和委員會的活動來尋找某些問題的解決措施，直接做出貢獻。

在學校裡，孩子不僅應該學習他們民族的偉大成就，而且應該學習他們民族的缺點與錯誤。他們的學校應該容納來自不同種族、擁有不同背景的孩子，這樣做，不僅僅是出於對少數群體的公平考量，而且也能使各種各樣的孩子學會欣賞別人並與別人友好相處。高中和大學的學生，當他們選擇職業時，應當花時間分析一下他們選擇的領域中那些尚未解決的問題——包括人的問題和技術的問題。我認爲還有一件事對年輕人也很重要，那就是他們在上學時可以做一些志願工作或在業餘時做一些有報酬的工作。在這些地方，他們能爲那些嚴重匱乏的人們服務，然後他們可以在課堂上討論這些問題，這樣他們就不會對那些與他們不同的人持有批評或傲慢的態度。

꩜ 天才兒童 ꩜

922. **你能創造出天才兒童嗎？**當一個孩子被疏忽或被持續忽視時——「我已經告訴你多少次了？不要再拿你的問題打擾我。」——他的精神和思維將不會得到完全的發展。

而在另一個極端，你已經發現，如果你足夠嚴厲，那麼你可以教會一個兩歲的孩子閱讀，你甚至可以教你一歲的孩子認識閃光字卡。這樣的發現已經鼓勵了一些父母，他們希望從孩子嬰兒期開始，通過適當的玩具，通過家裡、學校裡適當的腦力刺激，可以在孩子不尋常的事業道路上把他培養成一個出色的人物。我認為，儘管這種特殊類型的父母的野心在這樣一個智力被高度讚譽的國家中，在這樣一個電腦專家看起來掌握著通向未來的鑰匙的時代裡，是可以理解的，但是，它是錯誤的，且會產生不良的後果。

智力只是人的一部分，它可能無法使人在生活中成功，除非智力能與溫情和常識很好地平衡。當父母只關心孩子的智力時，他們可能使孩子成為一個發展不平衡的人，這種人無法勝任任何工作，也不會得到任何生活的樂趣。

923. **是什麼刺激了孩子正常而全面的發展——是情感的、社會的還是智力的因素？**嬰兒和兒童，天生就保持著與人和事物的接觸。溺愛孩子的父母，看著、哄著孩子，用自己的微笑、點頭和愛，積極地去回應嬰兒的第一次微笑。這種情境的重複，以及幾個月以來孩子醒著的時候緊抱著她，痛苦的時候安慰她，飢餓的時候給她食物，這些都保持了孩子對母親不斷增強的愛與信任的感情。這些行為構成了一個基礎。在孩子的未來生活中，他與其他人的關係將建立在此基礎上。甚至孩子對事物的興趣和他日後處理學習和工作中的想法和概念的能力，都將依靠這一基礎。

一、兩歲時，孩子通過努力模仿父母的行爲而日益成熟。父母則通過對孩子的每一個微小的成就都表示欣喜來鼓勵這種發展。例如，這就是詞彙量是怎樣在孩子兩歲時擴大的原因。到三歲時，孩子變得對他們看到或聽到的每件事情都非常好奇，他們求助於父母以獲得解釋和鼓舞。在三歲到六歲之間，孩子們通過努力模仿他們所深愛的父母，從而在情感上和智力上成熟起來。

這種在孩子向外探尋與父母反應之間的自然相互作用，已經足夠在這一階段培養大量聰明、有能力、友善、可愛的孩子。特殊的訓練和特殊的儀器至少在上學前是不必要的。

如果你試圖使孩子通過你的興趣和創造力成爲天才，那麼你可能會用錯誤的方式引導他們，會使他們對你的計畫產生厭惡感。也許你能成功，但是卻使孩子成了單方面發展的機器人。

我認爲，同樣的危機也存在於過分強調一個小女孩的美貌或者竭盡所能使一個男孩成爲運動員的行爲中。孩子們應該伴隨著這樣一種感覺長大，那就是覺得他們被人欣賞和喜愛是因爲他們整體的人和性格，而不僅僅是因爲他們的頭腦、容貌、肌肉或是他們的音樂才能。欣賞一個孩子特殊的天賦是對的，只要這是出於次要的考慮。

電腦方面的能力

924. **毫無疑問，孩子應當在適應電腦的環境中成長**。個人電腦的問世，已經改變了我們獲取資訊、記錄財政收支情況、與他人交流、與媒體相互作用以及撰寫論文和通信的方式。有充分的理由相信，我們才剛剛開始探討這一領域的問題。在二十一世紀，電腦將在我們的生活中，不僅在家裡而且在工作中，有著更爲重要的作用。

假如一個孩子對電腦感到不適應或者不通曉電腦，那麼他就像一個在國外旅遊而不會說該國語言的遊客一樣。他要很費勁才能得到想要的東西，而且總要不得不尋找他人的幫助。事實上，學習使用電腦有點像學習一門語言。如同學習語言的過程一樣，孩子學習電腦開始得越早越好。一但使用電腦的規則變成孩子的第二天性，更複雜的操作方法就很容易學了。

對兒童來說，使用電腦也是一門用規則控制邏輯的課程。一旦他理解了操作電腦的規則，事情就會非常有規律地向前發展。孩子很快會明白，電腦上的任何錯誤都永遠不變地是他自己的錯誤。如果他想在遊戲中獲勝，就必須遵守遊戲規則。這種直接的、有邏輯性的因果關係對那些將在更混亂、更缺少邏輯性的現實世界中，奮力想掌握這一概念的兒童來說，是一門很有教育意義的課程。

如果你能買得起電腦，我建議你買一台家用電腦，並且學會自己使用它。你可以買到很多有意思的互動軟體，這些軟體即使對非常小的孩子也很有吸引力，並且非常簡單，你可以和孩子一起分享它們。電腦上的這種娛樂和遊戲將幫助孩子放鬆自己，並學會諸如怎樣使用鍵盤、滑鼠等基本的內容。這些活動在孩子三、四歲時就可以開始了。

如果你買不起電腦，也不用擔心，孩子上學後開始學電腦也夠早了。但是你必須搞清楚學校是否確實把電腦的操作作爲課程的一部分來教。

925. **孩子使用（誤用）電腦的途徑很多，所以在家長這方面需要有一些監督和指導**（參見928-930）。當然，電腦是一種不可思議的獲取資訊的途徑。百科全書、地圖和字典只要點一下滑鼠就可以利用。寫學校的報告或進行其他文字處理時，用電腦也是非常便利的。一些供孩子使用的軟體很有教育意義，而且它們通過聰明的、互動式的遊戲創造了學習樂趣。雄心勃勃的孩子甚至可以學會如何編寫程式，如何掌握電腦神奇的內部結構。所有這些都爲孩子在新世代中將遇到的事務和獲得的樂趣做了了不起的準備。我不會讓電腦完全佔據孩子的心思，以至於孩子沒有時間交朋友，進行體育運動或讀書。要限制孩子使用電腦的時間。

電腦遊戲

926. 電腦世界也有陰暗的一面。我要說的是大多數電腦遊戲，它們都是環繞著殺死壞人（可以用槍、雷射光、空手道等使壞人受重傷）的主題在打轉。這些遊戲就像是星期六早晨的暴力卡通片一樣，具有不可想像的影響力。唯一值得一提的是，這些遊戲有助於提高孩子手眼協調的能力。這些遊戲最壞的影響是它們認可、甚至促進了對衝突事件做出攻擊及暴力的反應。但是可以確定地說：大多數電腦遊戲都是在浪費時間。

有些孩子對這些不費腦筋的射擊敵人的遊戲幾乎玩上癮了。好的方面是這些使孩子玩上癮的遊戲可以讓孩子不再看暴力影片了。壞的方面是現在孩子已由被動地觀看暴力卡通片轉爲積極地參與了。這雖然代表了細微的進步，但對孩子來說仍是一種無益於健康的課外活動。

你對電腦遊戲所做的工作應當與收看電視節目一樣：幫助孩子選擇合適的遊戲，然後確定時間限制，告訴他們可以玩多久。哪種遊戲可以被接受呢？一般來說，是那些試圖教你一些東西的遊戲，是那些以互動的娛樂方式傳遞資訊的遊戲。另外還有一些遊戲，儘管它們不是出於基本教育目的，但是它們依靠智力（如解釋線索）來實現目標，這也可以。對於那些爲孩子解說和評估軟體的家長來說，我建議最好參考一下優秀的指導手册。這些手册的內容經常變化，所以一定要使用最新的指導手册。

927. 孩子適宜在電腦上花費多長的時間？這當然取決於孩子個人、他的年齡及他使用電腦的原因。這還取決於使用電腦是否允許孩子忽略生活中其他重要的部分，像家庭關係、朋友關係、自我創造的遊戲等等。

一般來說，小一點的孩子如果大多數時間能與他身邊的另外一個大人一起使用電腦，這是最好的。隨著年齡的增長，孩子變得更獨立了，但是這時他仍然需要你監督指導、限制時間，並且你要確定電腦是用於教育目的的。生活中有比電腦遊戲更豐富的內容。我想讓我的孩子也學會如何進行戶外活動、如何交朋友、如何進行喧鬧的娛樂活動。你不能強迫孩子參加這樣的活動，但是你可以嚴格地限制他使用電腦的時間，這樣你會看到這種做法是否會導致他在興趣方面有一個更好的平衡。如果不是這樣，那麼你也已經盡力了，你將不得不對產生了一個電腦神童而感到滿足。

當然，電腦有一定的局限性。但是它也代表了在高水平上學習與交流的機會。要幫助孩子充分利用這一機會，並儘量減少潛在的危險。

徜徉網際網路

假設你的孩子今晚對你說：「一會兒見。我要自己去一個奇特而又吸引人的地方，大概一、兩個小時後回來。」你明白這個地方有著很多東西：會遇到陌生人，會去一些不受限制的地方，去參觀你能想到或想不到的任何主題的展覽。

928. **你應當怎樣反應？**在你最初的慌亂平息之後，最好先考慮一下孩子的成熟程度。他眞能自己決定去那種地方嗎？如果他能，你確信他不會去那種可能會受到傷害的危險地方嗎？對於像他這個年齡的孩子來說，什麼樣的展覽才是合適的？他應當去多久？

網際網路就是這樣一個地方。作爲一個負責任的家長，不管你喜不喜歡，你將不得不接受它。網際網路爲孩子提供了一個令人興奮的機會：獲得獨立與自由。訪問網際網路就像對一個眞實的陌生地方進行眞正的參觀而預先進行彩排一樣，而且這樣做危險很小，又有很多同行的朋友。

孩子知道網際網路允許在電腦上以一種非常容易訪問的方式獲取資訊，且這些資訊包羅萬象。網際網路潛在的教學功能也是巨大的。所謂的聊天室，在那裡人們可以參與圓桌討論，可從思維相似的同儕那兒得到支持。甚至有這類的聊天室：一些失去某種能力的孩子可以和世界上其他失去同樣能力的孩子交談。網際網路是一種打破孤立、從而建立地球村的資源。一些孩子發現單是這方面的功能就極有幫助、有樂趣。

但是，危險——尤其對孩子來說——也和這些非常實在的好處一起出現了。不幸的是，如同在現實世界中一樣，在網際網路的實際世界中，有一些人利用孩子的幼稚、無知來為他們自己的需要服務。比如，一個兒童聊天室能被一個裝作兒童的成年人轉變為一場猥褻的獨角戲。網際網路提供的匿名條件可被孩子中的一些開發者利用來達到不良的目的。另外，許多致力於暴力或色情的網站很容易把那些聰明的、雄心勃勃的孩子作為訪問對象。

一些家長對網際網路潛在的危險非常擔憂，以至於他們禁止孩子上網。我認為這是不對的。孩子們必須學會處理資訊高速公路上的訊息。如果孩子們準備充分並富有責任心，他們就會發現一個充滿著奇妙經驗的無主寶藏正等著他們呢！如果他們不能熟練地運用電腦與他人交流或獲取資訊，那麼他們在日後的工作崗位或社會生活中，可能會處於劣勢地位。

最好把對網際網路的準備工作看作是讓孩子準備讀一本書，準備駕駛一輛汽車，準備拒絕吸毒或過早發生性關係一樣。當開始利用這一令人驚異的新資源時，保護孩子遠離那些他們還沒意識到的危險，並且討論對你的家庭來說什麼是重要的，這些對你來說又是一個機會。也就是說，這是又一個傳授孩子如何決定要不要承擔責任的機會。

929. **自己學習網際網路**。為了確保網際網路對孩子來說是一種有建設性的、安全的、有啓發性的工具，如果你的孩子已經了解了網際網路，你應該讓他來教你，或者你們可以一起學習。通過這種方法，你至少可以在一段時間內與孩子一起在網絡中遨遊，和孩子一起討論去哪裡、做什麼、不做什麼，並且闡明你對良好態度的期望。通過分享這種經驗，你將獲得一種討論事情的方法。可是，如果你不曾有過網際網路的入門知識，就不會得到這種方法。通過學習，你會知道網際網路提供哪種聊天室或資訊網站，它們是如何工作的。通曉了網際網路將使你更能判斷出什麼場所會給孩子帶來威脅，什麼時候你正在落伍且變得不可靠。

930. **設定訪問網際網路的規則**。為了設定公正的規則，這裡有一些你可以問自己的問題。

- **孩子多大時，我可以允許他不受監督地暢遊網際網路？**本人認為無論什麼時候，都需要某種程度的監督，即使僅僅是瞥一眼孩子正在上網的螢幕。對於十三歲以下的孩子，需要更直接的接觸，要詢問他們正在網上做什麼。當較小的孩子使用網際網路時，大部分時間你要坐在他的旁邊。除非有良好的管理，否則年幼兒童應避免進入聊天室。你要和孩子一起討論他獲得的經驗，並把它作為一種機會，來表示你對他能負責的使用網際網路有充分的信心。
- **合理的時間限制**。你應當像限制孩子看電視一樣，限定他上網的時間。對孩子來說，迷失在電腦世界中，而忽視了現實生活中的交談、經驗與朋友，這是無益於身心健康的。

下面是一些有用的規則，你可以教給孩子：

- **不要把個人資料發給網上的任何人**。這就是說，不要把你的地址、電話號碼、或者學校的名稱給你不認識的人。不要把你的照片發給任何你沒有親自見過面的人。不要把密碼告訴任何人。要提醒孩子注意，儘管聊天室的回應者看起來像你的朋友，但實際上他們仍是陌生人。對這些陌生人要謹慎，要像對那些街上遇到的行人一樣。
- **和孩子討論如何處理不合適的或令人討厭的資訊**，是你和孩子討論你的家庭可以接受什麼、不可以接受什麼的機會。如果顯示的某個資訊使孩子感到不舒服，應該建議他關掉機器或者轉移到另一個網站。之後如果孩子告訴你這件事，那麼你就可以和他討論這個資訊究竟意謂著什麼。

• **討論「網路禮儀」**。要提醒孩子，你希望他在網際網路中也要像在其他環境中一樣，不管做什麼，要替他人著想，並且要有禮貌。也就是說，不要以匿名為藉口，進行不合適的、粗魯的談話。如果違反規則，這種特權就可能被取消。

• **考慮運用網上商業服務的監控特徵或購買「限制程式」（blocking program）軟體**。很多網上服務為家長提供一種方法，它能把孩子的上網限制在那些經過仔細篩選和監督的兒童資訊網站和聊天室。同樣，家長能夠買到在實質上限制訪問內容的軟體。這些軟體可使故意地或非故意地訪問成年人聊天室或資訊網站的活動變得困難起來。有些軟體有保存記錄的功能。這種功能可以使你準確地看到孩子曾去過什麼地方。

這些程式為臨時看管孩子提供了先進的技術保障。尤其對較小的孩子來說，這些程式能使家長放心。但是，大一點的孩子卻可以隨意拆除這些程式，這對他們來說是輕而易舉的。另外，這種控制特徵可能使那些讓孩子避諱的網站像禁果一樣，對孩子更具有挑逗性。因為沒有可以向孩子灌輸責任感與價值觀的替代品，所以孩子必須自己做出正確的選擇。就這樣的一個孩子來說，對於資訊和經驗的奇妙新世界，網際網路簡直是一塊神奇的魔毯。

酒和其他麻醉藥

931. 融洽相處的重要性。如果父母與孩子的關係從一開始就很融洽，他們就不必擔心孩子會突然陷落到毒品的深淵裡去。我所指的融洽相處是什麼意思呢？

它是指態度友善強於經常指責；相互信任；期待最好的結果；不管談論日常瑣事，還是談論道德方面的嚴肅問題都要開明坦白；相互尊重；講禮貌；表示愛心。我所說的「從一開始」指的是從孩子兩歲或三歲開始。而在青春期時再想彌補失去的時間就很困難了。

幫助孩子度過困難時期的重要家庭觀之一就是：開放的交流與清晰的渠道。在有些家庭中，某些話題——如在麻醉藥上虛度光陰——或忌諱，會引起家長憤怒與焦慮的風暴，孩子不敢提起。家長不要糊塗，不提麻醉藥與不用麻醉藥一點關係都沒有。實際上，沉默反而可能會促進孩子使用麻醉藥。事實上，孩子會跑到其他人那裡討論這個問題，而那些人通常對麻醉藥的使用和潛在的結果同你有不同的看法。當家庭中擁有開明的討論氣氛時，父母會不斷增加孩子的自由和做決定的機會；期望孩子憑著逐步增加的責任感來處理事務；並且研究當孩子逐漸成爲一名成熟的個體時，在他們的生活中正在發生什麼事情。所以，如果你想讓孩子做出明智的選擇，你就必須確實注意自己與孩子的交流方式。

因此，一方面，家長脾氣要好一些。另一方面，家長和孩子都不應該不願談論那些難以啓齒的話題。我並不是說家長眞要把孩子當作一個成年朋友來對待，這樣做在孩子學齡前和上小學時還太早了。但是家長應當在孩子高中階段鼓勵和尊重他的不斷成熟，家長還應當期望青春期的孩子對逐漸獲得的尊重和自由，以越來越負責任的行爲做出反應。

成爲父母就意謂著要爲孩子操心——而且有很多事要操心。美國一份1996年的報告顯示：24％的八年級學生和40％的高中畢業生於1995年用過違禁藥品。高中畢業班28％的學生經常抽菸，80％的學生承認他們喝過酒，並且有30％的學生報告說在調查前兩個星期內喝醉過（其中至少有五次是在吵鬧中喝的）。

932. 藥品文化。美國的孩子是在藥品文化的氛圍中長大的。道理很簡單：如果你不舒服，就吃顆藥。我們是隨著這種暗示長大的：即藥品是解決很多問題的正當手段。

孩子小的時候，他們模仿父母。很多家長飲酒或服藥，或者說他們願意求助於藥品解決各種類型的問題。如果孩子看到父母喝酒或服鎮靜劑之類的藥品，他們會因此而推斷自己可以很輕易地使用藥品。

隨著孩子慢慢長大，同儕的影響變得越來越重要了。不幸的是，在這一敏感時期，麻醉藥是很容易利用的。青春期是孩子竭盡全力想獨立的一個階段。各類藥品看起來立即滿足了孩子們的某種需要。藥品能使孩子感到更舒服並能幫助他們被朋友所接納。

933. 麻醉藥的增多。80年代，大麻菸、酒類、菸草的消耗日益減少了。但最近的研究顯示，90年代這些麻醉品的消耗又有了明顯的增長。而且介入這一領域的孩子的年齡也變得更小了。

青少年使用麻醉藥的原因很多。其中導致麻醉藥用量增加的重要原因之一是使許多年輕人感到未來希望渺茫的經濟因素。在一些城市的某些地區，現在失業人數要多於就業人數，這種情況使年輕人灰心喪志。

還有很多其他因素：比如家庭重要性的降低，離婚率的不斷上升，父親經常不在家，婚姻的不穩定，單親母親的低收入等——所有這些都對麻醉藥的使用量有影響。絕望的心情會導致許多孩子從藥品中尋求解脫。

青少年正在世界上尋找一個地方，但那種能使青少年獲得力量、健康成長的穩定的地方看來還不存在。

這就是麻醉藥被濫用的背景。應當注意的是，儘管許多青少年試過麻醉藥，但是並不是所有人都會繼續下去且上癮的。

934. 麻醉藥的不同種類。麻醉藥就是用來麻醉的藥品，首先，你應當記住，酒類是青少年最常用、也是用得最多的麻醉藥。其他的麻醉藥也變得更大眾化了，但「麻醉藥和酒」這一表達法常誤導人們認爲酒不是麻醉藥。可是對更多的青少年來說，酒類比所有其他混合的麻醉藥的危害性更大。許多青少年看到父母飲酒或電視上的人物飲酒，在這些地方飲酒的負面影響是不會表現出來的，這使飲酒看起來很有魅力。一種麻醉藥不合法（如大麻）並不代表它的危害程度比另一種合法的麻醉藥（如酒）的危害大。我們已經給年輕人傳遞了一種困惑而混淆的資訊，他們對允許一些麻醉藥合法化，而禁止另一些看起來危害小的麻醉藥的使用深感不解。

年輕人也明白麻醉藥並不都是一樣的，可是家長卻想把它們合併在一起：海洛因就像古柯鹼，古柯鹼就像迷幻藥。但是每一種藥品都有它獨特的藥效。一些藥吃了使你睡覺，變成被動性的。而另一些藥吃了使你清醒，變成攻擊性的。在引人上癮的能力和對健康的影響方面，這些藥也不同。例如古柯鹼能引起突然死亡，但每天一杯酒可能對心臟有好處。

作為成年人，因為我們把所有的麻醉藥混為一談或暗示所有的麻醉藥都有同等的危害力，所以我們逐漸損壞了自己的威信。嘗試大麻與嘗試海洛因或古柯鹼不是完全一樣的。如果你認為它們一樣，那你就可能被你要幫助的那個人——你的孩子，看成實在是無知與天真了。

935. **大麻**。在過去二十年中，我們對於大麻的態度已經發生了改變。有段時間我們認為它是無害的，因為它不會造成身體的依賴。現在人們的觀點已經變了，可能是由於植物本身變得更強效，精華更集中的緣故。

相較於麻醉藥，較小的孩子更常使用大麻，因為大麻很容易買到而且他們認為大麻是無害的，孩子們強烈地渴望了解生活的各方面，尤其是可能有危險的方面。

另外，許多孩子有冒險的衝動——嘗試瘋狂的事情，接受危險的挑戰，驕傲地在兩頭點燃蠟燭來證明自己的勇氣。這也是為什麼有如此多的孩子大膽地吸菸而上了年紀的人卻盡力要戒菸的原因之一。

同時，孩子們可能暗地裡害怕面對新的困境。像酒精這樣的麻醉藥可以使他們麻痹受壓抑的心理、排除恐懼、增加勇氣，這種勇氣足以使年輕人跨越諸如做愛這種事情的最後界限。

大麻的作用與酒精或其他麻醉藥的作用在某種程度上是不一樣的。相當多的年輕人——甚至包括很多初中生和高中生——至少嘗試過幾次大麻。儘管大麻不一定會導致人們使用其他麻醉藥，但它被視為是一種入門藥品，可能引導使用者嘗試其他麻醉藥。

大多數用過大麻的年輕人現在已經不常用它了。對那些每天吸幾次大麻，處於輕微興奮狀態的少數人來說，我們不應該認為是大麻毀掉了他們，而應該看作是他們已經失去了生活目標，並且就像那些嚴重濫用酒精和更危險的麻醉藥的其他人一樣，正從大麻中尋找安慰。這些經常且嚴重吸食大麻的人已經喪失了在這一階段的年輕人應該在學業、工作和人際關係等生活方面奮鬥的雄心壯志和精力。到本書完稿為止，已經證明了大麻還有其他的危害，例如性激素的減少、經常大量吸食大麻的男人精子數量的減少、短期記憶力和注意力的衰退以及對肺的危害等。年輕人時常留心關於大麻的消息，他們對那些言過其實或做出不可信的論斷的成年人已失去了信心。

作為一個生與死的問題，大麻和那些每年引起四十萬人死亡的菸草比起來，和那些每年導致十萬人喪生、毀壞家庭、使上萬人失業的酒類比起來，對人一生中的健康的危害要小得多。但是，我們也不應該忽視大麻的危險性。

936. **嘗試、濫用、依賴**。微量的使用或嘗試一下麻醉藥和濫用麻醉藥之間，存在著很大的差別。大多數青少年都很好奇，都想冒險。在這個焦慮不安、藥品充斥的社會中，他們嘗試麻醉藥不僅僅出於好奇，也把它作為一種滿足自己需要的手段。十幾歲的孩子大多數在週末的聚會上抽大麻，或在朋友的聚會上喝酒。大約80％的青少年說他們至少偶爾喝喝酒。

如果你在孩子的房間裡發現大麻，這並不一定說明他是個嚴重的麻醉藥使用者。很可能他由於好奇而試一試，或者只是偶爾吸一下。

一方面，所有的麻醉藥濫用者可能都是從嘗試開始的。另一方面，大多數涉獵麻醉藥的青少年最終會放棄它而不會繼續成為嚴重的上癮者。既然在美國至少有一半的青少年在某個時期嘗試過被禁止的麻醉藥，那麼你像對待經常或持續使用麻醉藥的人那樣來對待只嘗試過一次或不經常使用麻醉藥的青少年，是毫無幫助的。事實上，對於僅用麻醉藥取樂就歇斯底里大發作可能是弊大於利。我並不是說嘗試麻醉藥是對的，但我認為你應該認識到，在青春期這一階段，即使是最優秀的孩子也會對麻醉藥產生好奇心並拿它們取樂。如果發生了這種事情，你就應該和孩子談一談。

要記住，那些嘗試過麻醉藥的青少年中很少有人繼續長期地使用麻醉藥。如果關於使用麻醉藥這一問題的討論，能通過開明的對話得到很好的處理，那麼通常這種挑戰會幫助孩子訓練決斷的技巧，警惕冒險的危險。它們的確是一些很難獲得但卻非常有用的經驗。

大多數孩子遲早會因長大而放棄使用麻醉藥。他們開始明白花費在麻醉藥上的費用遠遠超過了獲得的滿足。但是，如果孩子正在用麻醉藥，為了防止對麻醉藥的濫用和依賴，父母需要集中注意力於那些潛在的問題。

重度的麻醉藥濫用。對麻醉藥的依賴和濫用通常發生在這些年輕人身上：他們還不成熟，以自我為中心，態度消極，幾乎沒有生活目標。

對有危險的麻醉藥上癮是一種極端的情況，大多發生在人們十五、十六歲到三十歲左右這一時期。在此階段，許多人都在尋找自己的位置——在這個世界上的坐標和積極的作用。

在對青少年談論麻醉藥之前，父母要讓這個話題變得夠輕鬆，如果必要，可尋求專家的幫助，這樣父母就不會像是在作報告或在威脅孩子了。

937. 防止青少年濫用麻醉藥。還有一個很重要的問題需要考慮，就是家長怎樣保護孩子不受頻繁使用麻醉藥的侵害。即使偶爾用一下麻醉藥也應當引起家長的注意。比如，我們知道，至少有一半機車事故的肇事原因是麻醉藥和酒精，它們也是十五～十九歲孩子死亡的主要原因。

如果你看一下增加青少年嚴重濫用麻醉藥的個人因素——使用麻醉藥的家長；壓抑和其他精神問題；不能主宰世界的感覺——那麼預防的手段之一就是培養健康快樂的孩子。當然了，這也是現在我們正力圖去實現的目標。

如果要我選擇一種基本技能灌輸給小孩，以便他有能力避免濫用麻醉藥，那麼我會選擇給他一套核心的價值標準，以便讓他擁有良好的決斷能力。

能做出良好決斷的孩子通常是這樣一些孩子，他們的標準告訴他們什麼是對的，什麼是錯的。他們的性格力量使他們能拒絕朋友的強迫，能像旁觀者一樣冷靜。試不試麻醉藥，首先是一個選擇的問題。

938. **延後開始的時間**。研究已顯示，把開始使用麻醉藥的時間延後到孩子大一點的年齡，將減少麻醉藥的危害程度。也就是說，一個人越晚開始使用麻醉藥，可能受到的危害就越小。

一個人年齡越大，他將完成的發展任務越多，他處理各種情況的能力也越強，這是常識。因此，考慮以下三個建議：

・從健康的角度出發，別鼓勵孩子使用麻醉藥。

・要接受可能會有使用麻醉藥的情況發生，尤其當考慮到藥品文化和我們從孩子成長過程中了解到的情況。

・如果眞的無法避免，至少要盡力拖延開始使用麻醉藥的時間。

939. **濫用麻醉藥的徵兆**。早期麻醉藥的使用並沒有明顯的跡象，除非你偶然看到這一現象。想知道你的孩子是否剛剛開始使用麻醉藥的唯一辦法是通過公開的談話。

一旦麻醉藥的使用達到了上癮的程度，某些類型的行爲就會提供給你一些暗示。然而，即使這種行爲不是用藥上癮的證據，它也會有其他原因。不管怎樣，你仍然應該對此予以關注。

・無法解釋的頻繁的情緒波動；

・對他外出後做了什麼，明顯地在撒謊；

・在學校的表現明顯變壞，包括逐漸增多的遲到和曠課現象；

・顯出無精打采和過度飲酒後不舒服的現象；
・重複受傷；
・明顯的體重增加或減少；
・縮短注意力集中的時間；
・沮喪；
・學校的成績不及格或停止不前；
・因激動而緊張或焦慮；
・逐漸變壞的身體狀況；
・性格的改變，諸如妄想症或日益嚴重的健忘症。

對任何一個家長來說，上面都是一個令人驚駭的列表。要注意，這些類型的行爲不管是由何種原因引起的，都要予以相當的關注。你不應該輕率地下結論，但當你試圖弄懂孩子看起來不可解釋的變化時，要記住酒精和麻醉藥上癮的情況。

940. **如果孩子正在使用麻醉藥**。如果你猜到孩子正在使用麻醉藥，不必驚慌，但你要予以關注。因爲它潛藏著危害性，你確實需要有所行動。

根據用藥量和孩子的年齡，可以採用不同的方法。對小一點的孩子，關於麻醉藥你可以制定嚴格的、不可商量的規矩。

對大一點的孩子，你可以幫助他對麻醉藥做出明智的選擇，而不是施加壓力和制定規矩，如果那樣，他反而會有想打破規矩的衝動。首先，你需要在平等的基礎上公開地和孩子討論這一問題。如果你不知道自己支持什麼，反對什麼，就很難得到反應。家長需要收集一些資訊，諸如：孩子正在用什麼？用多少？多久用一次？爲什麼用？從那裡孩子得到了什麼？朋友們怎麼說？對藥品的使用孩子擔心什麼？

不要試圖想在一次談話中就能得到所有問題的答案。如果由於某種原因，你不能和孩子談話，那麼你就需要讓另一個成年人試著與他談。

年輕人需要一個成年人和他談話，不管這個人是否有成熟的經驗，只要他對孩子的成長有一個自然的理解，而不會首先想到懲罰的辦法就可以。

941. 較小的孩子和較大的孩子。通常來說，如果孩子不滿十四歲，你的建議應當清楚明瞭、堅決果斷：「你不能使用麻醉藥。你還不適合做這樣危險的決定。你還沒準備好。」這種年齡的孩子沒有足夠的生活經驗，還不能對使用麻醉藥做出決定。

身爲家長，你在孩子的這個年齡層，比以後對他有更多的控制權，當這種情況發生時，你應該儘量利用這種權力。

另外，早期麻醉藥使用的徵兆將提醒你，孩子的身上正發生著某些事情，需要你注意。你可以對他們規定嚴格的限制，這比對那些年齡大的孩子更有效。要繼續和孩子討論他爲什麼使用麻醉藥和這樣做對他有什麼意義。

如果你的孩子超過十五歲，情況就大不相同了。這是一個在他生命中你想給予並且應該給予他更多自由的階段。通常較多的限制對一個不管怎樣都要叛逆的孩子來說是起不了作用的。

如果你把談話的焦點放在邀請孩子談一談他的感受上面，你就向前邁進一步了。聽他講話，並且接受他，而不是試圖改變他。要準備好聽到眞正在孩子身上發生的事情，而不是準備因爲他的行爲而懲罰他。

942. 麻醉藥檢測。如果孩子否認使用麻醉藥，而你卻很懷疑，最好考慮安排一次藥物檢查。如果孩子和他的醫生或保育護士關係很好，很可能願意洩漏秘密，並接受專家的幫助。

我並不是對那些否認使用麻醉藥的青少年進行藥檢的狂熱主張者，但是在很多特殊情況下——當然不是在所有情況下——藥檢也許是恰當的。

家長不必驚慌失措。如果孩子表現出了使用麻醉藥的所有跡象，如果他看起來在撒謊，而又沒有解釋這些現象的其他原因，那麼藥物檢驗會把問題擺到桌面上，強迫孩子面對使用麻醉藥的問題。實際上，有時藥檢，甚至是經常的藥物監測將幫助孩子獲得對生活的控制能力。這也可能給孩子和家長提供一個討論問題的共同立場。

但是，如果麻醉藥檢測做得不妥當，可能會引起更嚴重的負面影響。它對家長和孩子的關係所造成的傷害可能比家長想冒的風險更大。

943. 和孩子談論麻醉藥。不管孩子多大，我認爲讓他們知道，他們可以和家長討論任何事情並且家長會以誠實的、教導性的方式給予回答，這總是很重要的。家長可能不喜歡所談論的話題，但是對孩子置之不理會妨礙你在他最需要幫助的時候提供建議和支持。

與其被動地等待孩子提出麻醉藥的問題，不如以一種非判斷性的、非憂慮的、非歇斯底里的語調向他詢問這一問題。這會讓孩子知道藥品對所有的孩子都是一個問題，你對待此問題很嚴肅，並且可以在任何時間與他談論這一話題。談論這一艱難的話題時，穩定家長自己的內心恐懼和感情是很困難的。但是，如果家長的反應慌亂不安、心思不定、沒有教育意義，那麼對孩子將毫無幫助。

首先，家長需要探出孩子對麻醉藥的感覺和想法。你可以問他，「你認爲爲什麼有這麼多的孩子嘗試麻醉藥呢？」「他們喜歡麻醉藥的什麼呢？」「你認爲嘗試麻醉藥錯了嗎？」「嘗試麻醉藥有什麼害處呢？」「你認爲你的一些朋友可能使用麻醉藥嗎？」「你試過麻醉藥嗎？」不論孩子如何回答，對他的觀點，你都應當表現出尊重與體諒，而不是恐懼與驚慌。要記住孩子對這類問題的回答將揭示出他抗拒使用麻醉藥的堅強性（或脆弱性）。在你考慮防止麻醉藥的使用和上癮的辦法之前，應當了解孩子對於使用麻醉藥的看法。

家長對酒和麻醉藥的使用有一個正確的認識是很必要的。青少年容易習慣於非正確的想法，尤其易受父母的影響。如果一個家長誇張地認爲大麻會使人瘋狂，而孩子卻很清楚他們用大麻的朋友並沒有瘋。那麼，家長在孩子心目中的威信就會嚴重地降低。這以後家長說的任何事情都會遇到一種不信任的、警惕的目光。

我認爲擁有一些包括酒在內的各種麻醉藥的客觀研究的小册子或書籍是很有益處的。你可以和孩子一起讀這些資料，並討論讀到的內容。孩子需要把你看作是一個腦袋裡裝滿了各種以事實爲依據的資訊人，他有問題的時候能向你請教，而不是把你看作是一個反對使用麻醉藥的傳播者。（別擔心，酒和其他使人上癮的麻醉藥的實際影響已經夠糟了，你不需要再誇大它們的影響。）

你的討論也具有提醒孩子做出良好決定和拒絕同儕壓力的重要性。最好是談話，而不是說教或嚴厲地批評。一個較好的通用規則是：如果你經常和孩子談話，就不會離題太遠。你的目標是幫助孩子看到嘗試麻醉藥的害處，然後允許他自己得出避免用藥上癮的結論，這裡面可能包括拒絕同儕使用麻醉藥的壓力，不縱容自己對藥效的好奇心。

在這些關於麻醉藥的談話中，家長應負責反映（reflect back）孩子說的話以表明他的心情。例如，家長可以說：「聽起來，對於麻醉藥的使用，你好像有點緊張和興奮。」對他打算採取的行動注入可預見的結果，例如，家長可以說：「那麼你認爲如果喝酒，你可能像你的朋友那樣失去控制或發生交通事故嗎？」澄淸孩子的動機，例如，家長可以說：「聽起來你好像很擔心，如果自己不和朋友們一起抽菸，就會失去朋友。是這樣嗎？」

此刻，你能使自己在酒精和麻醉藥作用方面的觀點更淸晰。比如，你可能相信，任何麻醉藥的使用都是錯誤的。那麼就闡明你這樣認爲的原因。家長強調，自己知道實際上他沒有能力阻止十五歲以上的孩子做他想做的事，但是自己信任他能做出正確的決定，並能盡他最大的努力。這種做法是明智之舉。家長對孩子能夠做正確的事情所抱持的信心，是爲孩子提供力量以拒絕同儕壓力的關鍵。

此刻，如果孩子承認沒有使用麻醉藥，那麼你可以和他（她）進行角色扮演來說明怎樣拒絕朋友的強迫：「我們假設你的朋友對你說，『過來，別太膽小了，這很有趣。』那你怎麼回答呢？」如果孩子對這種壓力無法做出保留面子的回答，那麼你可以提出建議：「你看這樣說怎麼樣，『你可以做你想做的事，但我認爲亂用麻醉藥是不對的，很多不好的事會發生。我寧願在你擺脫了身不由己的感覺後再和你待在一起。』」

這裡有一些要喚起孩子注意的事實：即使像鎮靜劑這種非烈性的麻醉藥也能使一些超量使用者誤入歧途。家長應當告訴孩子：目前你正經歷著生活最困難的時期，它充滿了無數變化與緊張的狀態，一些使用麻醉藥的人已失去了他們的精力和方向。我希望你要等到你已經年滿十八歲或二十歲了再決定是否吸菸、喝酒或服用鎮靜劑，因爲這時事情已經安頓下來，並且你對想從生活中獲得什麼已知道得更多了。當然，前提是你自己必須做出決定。

如果家長自己不濫用酒精、菸草、安眠藥或興奮劑，這條建議將更具有說服力。

經過這些討論以後，對這些事我將依賴孩子自己的良好判斷力。孩子可能偶爾也用過這些麻醉藥（我們作父母的，大多數人在年輕時至少偶爾也反對過父母對我們在菸、酒或其他麻醉藥上的要求）。像成年人一樣，青少年通常不清楚酒精、鎮靜劑或其他「消遣性」麻醉藥的影響，他們的判斷力和技巧還很弱。無論孩子什麼時候去參加聚會，你都可以鼓勵他使用你指派的司機——在那個晚上，一個不喝酒，不使用麻醉藥的人。而且你可以使孩子相信，無論什麼時候，只要他感到不能安全地乘車回家或自己不能安全地開車回來，都可以打電話要你開車去接他，而你不會問任何問題。

但是你應該明白，進一步的說教——或是尖銳的問題，或是打探消息——不僅毫無好處，可能反而會驅使並誘導孩子進行反抗。

每個人都知道海洛因是非常危險的。迷幻藥（酸性的）常常引起感情的騷動。古柯鹼和其他各種可吸食的藥品是非常危險並極易引人上癮的。

但是，年輕人不會突然被這些危險的麻醉藥帶入深淵的。那些用藥上癮的人通常表現出逐漸偏離正常軌道的跡象：在學校表現差；對嗜好、友誼和運動失去興趣；倦怠，沒有生氣。當孩子行爲和態度上有了這樣的變化，就該是觀察他們並用愛心去關注他們的時候了，而這時並不是責備他們和對他們生氣的時候。你要使十五歲以上的孩子淸楚地知道，這是一個嚴重的問題，你將全力以赴地幫助並支持他，可是，最後必須由他自己做決定，來控制和解決這一問題。

此時，你還需要決定對於這一問題是否需要專家的介入，還是在家庭內部解決。我建議和你的醫生或保育護士進行一次會面，談一下這個情況，再檢查一下自己的意見和想法是否正確。依我的經驗看，通常家長在尋求專業協助前等太久了。麻醉藥顧問、心理健康專家、家庭治療、青少年濫用物質的治療組——所有這些人都是非常有幫助的。你不必等到問題完全失去控制才尋求幫助。你越早採取行動越好。

你還需要決定如何與家裡的人處理這一問題。市面上有很多關於如何解決孩子使用麻醉藥問題的書籍——有些好，有些不好。但是，當你選擇處理這一情況時，應當記住並運用開放式的談話來幫助孩子，讓他自己做出正確的決定，這才是最好的，也是長遠的解決問題的方法。

944. **對濫用麻醉藥的處理**。如果你的孩子正在濫用酒精或其他麻醉藥，該怎麼辦呢？使用麻醉藥若引起任何一種上面討論的行爲類型，都是一個嚴重的問題，對此你不能忽視。你的孩子需要幫助，而且現在就需要。你也一樣。

945. **嚴重的用藥者**。在處理上，我們希望麻醉藥的使用會立即停止，但是沒有強大的壓力可使它立刻停止。麻醉藥明顯地滿足了孩子的某種需要。不要強迫孩子對他可能繼續用藥這一問題撒謊。如果你能發現麻醉藥滿足了孩子哪些需要，並能說出那些需要，那你就又前進一步了。那些需要之一可能是使孩子感到更時髦。此外，麻醉藥也被用來忘掉難題、減少壓抑、減輕憤怒，並對社會的境況感到無憂慮。

通常，在面對改變時產生壓力的孩子經常會反叛或捏造事實。一種較好的處理方法就是理解這一點。如果我們打算能在最後獲得成功，就必須停止妄圖使孩子立即退出的突擊行爲。孩子需要空間來弄清他是誰。治療者爲達到迅速成功的突擊行動雖然使家長放心了，但這通常會導致更壞的結果，即孩子的反叛和撒謊。

孩子做出的如果是軟弱的、非眞心的認同，可能使家長感到好受一些。但實際上並不能眞的找出最先導致孩子使用麻醉藥的原因。一種好的辦法是幫助孩子弄明白他需要改變，而不是命令他馬上改變。孩子需要知道麻醉藥的毒害性。從長遠的觀點來看，那些理解孩子成長並知道麻醉藥滿足了孩子某些需要的專家通常更能取得持久的勝利。在孩子放棄麻醉藥之前，必須明白他可以從其他地方獲得這些需要的滿足，而不必通過冒著健康危險的東西——酒精、菸草或其他麻醉藥——來實現。好的專家必須懂得這一點，並能幫助孩子辨淸自己的需要，以及找到能滿足這些需要的其他方法。

培養非暴力的孩子

946. **當今社會的頭號問題：青少年暴力行爲急劇上升**。這些事情目前的狀態已經改變了我們看待年輕人的方式。我們過去認爲孩子需要大人的保護，然而現在我們常認爲大人需要警惕孩子。許多青少年被貼上「掠奪者」的標籤，並被認爲是無可救藥的。青少年被當作成年人來起訴的年齡，在美國許多州已經降低了。美國青少年暴力行爲的發生率看起來在全世界居於首位。我們的社會不知由於什麼原因，至少促進了某些年輕人的暴力和攻擊行爲。

我認爲把所有這些災難都簡單地歸咎於媒體的暴力或是過分寬容的社會，是把問題看得太簡單了。青少年暴行的根源可以追溯到早期撫養中的一些因素，及那些鼓勵敏感的青少年施行暴力的同儕。

有暴力傾向的青少年的背景是什麼呢？首先，他們常常是父母施行暴力的犧牲品或見證人。初期，這種體驗對孩子來說是痛苦而難忘的，孩子可能哭喊著表達出他的恐懼和焦慮。這樣一個孩子總是警惕著，時常戒備著，等待著下一次的精神創傷。

然而，隨著時間的推移，這些緊張的情緒產生了變化。孩子太緊張了，最後終於無法忍受。他們慢慢變得對這種精神創傷麻木了，然後自己變成了攻擊者。攻擊對極度痛苦的情緒來說，是一種可以理解的防禦措施。

一些孩子開始覺得與創傷的製造者接近了。畢竟他是有力量的人——通常是一個家長或是一個大一點的孩子。看起來模仿家長在道德上是允許的。

自相矛盾的是，使用暴力的人幾乎總認爲他們自己是犧牲品——是政府、是其他恃強凌弱者或偏見的犧牲品——因此，他們相信自己的暴力行爲完全是合理的。通過這種方式，暴力在兩代人之間的循環得以永存。

變成一個暴力青少年還有其他的先兆。其中包括孩子是以冷酷的、缺少愛的方式被撫養長大的；孩子被過度地懲罰，尤其是身體上的懲罰。自尊心弱的孩子更可能變得具有暴力傾向，尤其是受其他一些冒險因素合併在一起的影響。好衝動的、頭腦發熱的孩子，在遭受挫折或生氣時更可能使用暴力。

所以，不管由於什麼原因，那些後來變成愛用暴力的孩子，把世界看成是一個冷酷的、充滿敵意的地方。他們養成了一種對他人總是有敵意傾向的思維習慣。他們的觀點是「世界上的人企圖攻擊我」。舉個例子，一個小男孩偶然撞上了另一個小男孩，大多數的孩子會對此不屑一顧，而把這當成一件偶然發生的事情。但是，具攻擊性的孩子卻相信那個男孩是故意撞他的，目的是想傷害他。所以，他捉住那個男孩並猛擊他。事情從此就變壞了。具攻擊性的孩子認爲世界是一個不安全的地方，在世上只有受害者和害人者，所以他（無意識地）選擇了後者，並成了一個恃強凌弱者。他從傷害別人中得到了力量和滿足，這和他早已痲木的感情湊在一起，形成了一種致命的混合。具暴力傾向的孩子較缺乏同情心；也就是說，他們甚至看不出（或很少能感覺到）別人的痛苦。他們還相信壓服他人是力量與價值的標誌，而且暴力是解決爭端的合理手段。對其他孩子的野蠻可能是他們獲得自尊的唯一泉源，也是對他們人生價值的唯一肯定。

隨著孩子慢慢長大，所有這些早期的發展合起來促進了暴力行爲，但是事情當然不會在這兒結束。另一個加強攻擊傾向的致命因素是：武器的可利用性。一個暴力青年即使沒有武器，對身體傷害也是一個威脅。而有手槍的暴力青年則能暗殺他人。比起其他因素，青少年死亡數量的增加更要歸咎於手槍和其他輕武器的容易取得。

947. **預防和教育是關鍵**。本書的讀者沒有一個人會從此開始有目的地培養暴力兒童，當然，你們中的大多數人不會這樣。但我相信培養非暴力傾向的兒童和青少年對我們的社會來說是極爲重要的。所有人必須在暴力發生之前盡我們所能來預防它。

在了解了關於暴力先兆的基礎上，這兒有一些我推薦給所有家庭的規則。首先，在家裡，下面這則訊息應當是淸楚的，不是模稜兩可的，那就是：**不要傷害他人！**這對全家人都適用。當小孩對他人使用暴力，家長不應該使用像打屁股這樣的肉體懲罰方式。家長應首先給受害者密切的關注和親切的照顧，而不給攻擊者。然後，應當使攻擊者淸楚地意識到（要達到他成長能力所能接受的最佳程度）受害者是怎樣感受暴力的：「這樣做眞的傷害了別人。如果有人這樣對你，你也不會高興的。」該開始努力教給孩子具有同情心——那種能設身處地爲他人著想的能力。例如，一個兩歲的孩子咬了人，他不知道他對被咬的人做了什麼。但是他當然明白你看起來給了那個孩子更多的關心。隨著孩子的長大——比如說，四歲左右，當他開始變得很少以自我爲中心，並有了更強的語言能力時——就會開始理解當他攻擊別人時，是怎樣傷害別人的。

和較大的孩子例行性地談論暴力是很有幫助的。你可以問他學校裡發生了什麼事？學生中有打架的嗎？你認爲他們爲什麼打架？有人想和你打架時，你怎麼做？根據孩子的回答，你可以角色扮演一下一個人不用暴力可以怎樣對付各種公然的挑釁。例如，你可以教孩子試探攻擊者的動機：「你認爲他爲什麼打架？你認爲他因爲打架感覺好點了嗎？你認爲打架很酷嗎？」

隨後，你可以詳細討論孩子對於逐漸增強的暴力情形可以怎樣反應。比如，你可以讓孩子試著說：「我知道你想打架，但這不值得打。我沒有什麼眞正反對你的事。如果你想談什麼，就讓我們談談吧。但如果你想打架，恕不奉陪。你要是繼續打擾我，我要告訴老師（或家長）。」

你的目標是想出非暴力的辦法來減輕潛在的暴力情況。你也要教孩子對於模稜兩可的、易變的情況做出鎭定的、合理的反應。你期望孩子對最輕微的挑釁不是去應戰，而應考慮：「這個人爲什麼這樣？他很不安嗎？他喝醉了？我怎樣能使他平靜下來？打架會有什麼好處？」

培養非暴力性的孩子，像爲人父母的其他任務一樣，說容易也容易，說難也難。一方面，充滿愛心、合理的堅持、且公平地撫育孩子，是避免青少年暴力流行病的最好辦法。然而，勸導青少年不使用暴力這一問題，即使在最溫和的家庭中也需要特殊的關注。很明顯，使用暴力的人是後天形成的，而不是天生的。非暴力社會的創造是從家裡、從家庭生活、從你開始的。

媒體暴露

電視、電影和搖滾樂已被指責應對每件事情——包括西方文明——的衰退負責。然而，它們是導致我們文化中許多令人痛惜的道德敗壞的眞正原因嗎？還是它們只不過代表了人們想看的和想聽的？可能兩者都有。毫無疑問，在過去的二十年中，流行文化經歷了劇烈的變化。從我的立場來看，這種變化看起來像是內容上的庸俗和文明上的衰敗。

看一下這些統計數據：年輕人看電視花的時間比從事其他任何活動的時間都多，睡覺除外（平均每週23小時）。孩子們每年在電視上平均看到10,000個謀殺、襲擊、搶劫、強姦事件，20,000個商業廣告和15,000個性的場景（這其中只有175個有控制生育的作用）。

所以，出現了這樣一種情況：我們每週有23個小時把孩子留給了電視這個臨時保姆。這個「保姆」告訴孩子暴力是可以被接受的解決問題的手段；尤其在沒有愛情的情況下，做愛是令人興奮的，此外並沒有什麼眞正的負作用；擁有最新的產品是成功與幸福的手段。看起來，在電視保姆展示給孩子的世界和我們希望看到的世界之間，幾乎沒有相似點。家長爲什麼願意把孩子托付給這樣一個保姆呢？

原因很複雜。很多家長當然擔心媒體對孩子的影響，可是很少有人能把他們的想法讓電視台和廣告商知道。然而，電視非常有催眠作用，以至於人們很難拒絕它。檢查並刪剪電視節目需要大量的時間和精力。聽音樂是一種令人愉快的享受，但是家長怎樣才能眞正防止孩子聽不好的音樂呢？看電影是一種很好的娛樂活動，也是一種豐富經驗的活動，但是家長怎樣才能限制孩子，不讓他看過分暴力或粗俗的性影片，而不是採取把電視機扔掉或變得更警惕的方法呢？

研究者認爲是媒體教給孩子（和成人）以歪曲的方式看待這個世界。例如，看了很多暴力電視片的孩子相信在眞實生活中，被搶劫或被謀殺的機率比實際上可能發生的機率高很多。電視也不必要地暴露給孩子一個可選擇的宇宙，在這兒爲了吸引孩子的注意力，日常生活的價值也被扭曲了。

這種注意力的確是電視網絡正在尋找的東西。很多人錯誤地以爲電視工業的生產線是廣告。事實上，電視公司賣的產品是觀看者的注意力。他們積累的這種產品越多，從廣告中賺的錢就越多。既然電視是一種吸引你注意力的手段（而不是用於教育、啓發或娛樂，除非這些能吸引你的注意力），那麼，這就很清楚了——爲什麼大多數電視節目都盡力吸引最廣泛的收視者，這種情況常常變成故意聳人聽聞。

所以，不要試圖限制孩子涉入媒體；我認為，身為家長，你所能做的最重要的事情是幫助孩子理解並正確認識他們在媒體中看到的、讀到的和聽到的東西。你還要幫助孩子學會區分什麼是眞實的和眞正重要的，而什麼是媒體幻想出來的東西。

電視

948. **在所有媒體中，電視對孩子具有最廣泛的影響**。毫無疑問，一些通常在公共電視台播出的節目，給孩子提供了良好的學習經驗。這些節目以娛樂的方式進行教育，教給孩子關心他人與友愛他人的價值，喚起了孩子較崇高的本能。不幸的是，這些節目很少。大多數兒童節目是在賣產品，並通過快速的、又經常是小丑的行為來吸引孩子的注意力。

電視對觀看者的另外一個較少被注意卻很令人擔心的影響是促進了被動性且缺乏創造性。看電視不需要觀看者動用腦力，你只需坐著讓畫面從眼前經過就可以了。這和讀書或聽廣播有很大的差別，因為讀書強迫你運用想像力。看電視的人對電視選擇播放的任何畫面成了被動的接受者。看電視與創造力是不相容的。一些人認為這種非參與性的觀看活動損害了孩子學習閱讀的能力，只是培養了短時間的注意力。

那麼，家長應該做些什麼呢？我認為，不看電視看起來是一個合乎邏輯的解決方法。這種方法使孩子和家人不再依賴被動的娛樂活動，而要像人類幾千年來做的那樣，學習通過讀書、寫作或和他人交談，來創造性地、積極地發展他們的興趣。

但是我認為這種方法對你們大多數人來說太走極端了，為了充分發揮電視的優點，減少它對孩子的不良影響，下面有一些合理的規則。

949. **應該限制孩子看電視的時間**。某些孩子從下午一進家門，便黏在電視機前，直到晚上被迫上床睡覺。他們不想花時間吃晚飯、做作業，甚至跟家人也不打招呼。讓孩子沒完沒了地看電視對家長也有吸引力，因為這樣可以使孩子保持安靜。關於什麼時間進行戶外活動和與朋友在一起，什麼時間做作業，什麼時間看電視，家長和孩子最好達成一個合理而明確的共識。孩子做完作業、雜事或完成其他任務後，最多有一、兩個小時的時間看電視，這對大多數家庭來說是一個合理的限制。

當然，所有的人都必須遵守這一協議。否則，無論什麼時候當家長看到孩子在看電視時，他們就會不斷挑剔孩子應做的事。而無論什麼時候當孩子認為父母沒有注意他們時，他們就會打開電視機。

對於較小的孩子，處理的辦法很簡單，因為家長對他近乎是絕對的控制，要一遍又一遍地為孩子選擇好的錄影帶來觀看。孩子們甚至沒有意識到電視可用其他的方法來使用！當孩子要看商業電視時，一定要經過你的同意。隨著孩子逐漸長大，勝利的機會應當允許你限制他們可以看哪個電視台的節目——也就是說，如果孩子不夠聰明，還不能自己操作這個機器時，你可以這麼做。如果你把電視當作臨時保姆，那麼要弄清它是否符合你的要求，要像你對其他臨時保姆要求的一樣，這是完全正確的。

比如，家長應當直截了當地禁止孩子看暴力節目。年紀小的孩子只能部分地區分戲劇與現實的關係。你可以解釋說：「人們互相傷害和殘殺是不對的，我不想讓你看他們這樣做。」即使孩子對你撒謊，偷偷地看這樣的節目，他也會很清楚你不同意他看，這會保護他不受那些粗劣的暴力場面的影響。

等孩子再長大一點，他當然會開始對你管制節目的企圖表示憤怒：「其他人都看這些卡通片，為什麼我不能看？」發生這種事情時，你應當堅持自己的觀點。毫無疑問，孩子會在朋友家裡看這些被禁止的節目，但你仍然要告訴他這種節目和你家庭的標準不符，這就是你不想讓他們看的原因。

950. **和孩子一起看電視**。處理電視上那些無益於孩子身心健康的節目的最好辦法是和孩子一起看這些節目，並幫助他成為一個有辨別和批評能力的觀衆。你可以就你們剛剛看完的節目是否和現實社會相似，做出評論。如果你們剛剛看完一個打鬥片，在打鬥中，有人挨了揍卻對此不屑一顧。你可以對孩子說：「那個人鼻子上挨了拳頭，事實上一定受了傷，你認爲是這樣嗎？電視並不像眞實的生活，是不是？」這也會教給孩子同情暴力的受害者，而不是認同攻擊者。看廣告時，你可以說：「你認爲他們說的是眞的嗎？我認爲他們只想讓你買他們的產品，這樣他們就可以發財。」你希望你的孩子是爲了知道廣告是什麼而看廣告，並開始了解廣告的操縱企圖。當看到帶有性內容的場景時，你可以這樣評論：「這一點也不像實際生活中的樣子。通常，這種情況是在兩個人相互了解了很長時間並眞正相愛後才發生的。」

你可以利用看電視來幫助孩子學會用更眞實、更健康的方式來了解世界，且看出電視虛幻的一面。當孩子學到了這些內容，他就能避免對媒體所傳達的信息全部接受。

951. 給電視台打電話、寫信，告訴他們對於兒童節目的編排你喜歡什麼，不喜歡什麼。當電視台接到一封信時，他們會假定外面有一萬個人有同感，因此，你就能夠產生影響。

電影

952. 對電影和電視的恐懼。對七歲以下的孩子來說，看電影是一個冒險的活動。比如，你聽說有一個活潑生動的影片，它似乎是小孩子最理想的娛樂片。但是，當你到了電影院，你會發現故事中的一些情節把孩子嚇得不知所措。你必須記住，四、五歲的孩子不能清楚地分辨什麼是編造出來的、什麼是眞實的生活。對孩子來說，銀幕上的女巫活生生的，很嚇人，就如同你看到的有血有肉的竊賊一樣。我知道的唯一安全的原則就是不帶七歲以下的孩子去看電影，除非你或其他非常了解小孩的人已經看過這部電影，而且這部電影具有積極意義，沒有不健康的內容。

即使這樣，小孩也應該總是和一個有同情心的大人去看電影，這個人可以在必要的時候向孩子解釋任何不健康的畫面並能安慰孩子。

953. **孩子適合看什麼樣的電影？**對這個問題顯然沒有硬性的、迅速的規則。問題的答案視下列條件而定：孩子的發展水平和成熟程度，他對恐怖故事的反應，他想看電影的渴望，以及你的家庭標準。你想避免所有的暴力還是某類的暴力，諸如圖片暴力？你認為什麼時候孩子已經成熟到能看描寫性的畫面，在這些畫面中哪些是可以接受的？我認為，如果你犯錯誤，那也要是錯在對於允許孩子看什麼樣的電影上過於嚴厲。讓孩子看一種他還沒準備好、不安心或不適當的電影畫面，這比不讓他看實際上他已成熟得可以看的電影，害處更大。關於「哪種電影合適」這樣的爭論家長應該聽一下孩子的觀點，為什麼他覺得自己完全準備好了，而且絕對必須看這個電影。然後你可以闡明你的觀點，即：在任何年齡，沒有愛情的、野蠻的性都是不好的。孩子仍舊不喜歡這樣，但是你正以一種非常直接的方式教給孩子你的標準，並從孩子的世界中了解更多的東西。

搖滾樂

我記得很清楚，在搖滾樂出現的早期，家長們很擔心貓王在電視上表演的舞蹈。電視上只能展示這位演員腰部以上的部分，以免他旋轉的臀部腐蝕大批年輕的觀眾。最近，一些歌曲原始且粗野的韻律已經受到指責，說它們引起青少年暴力事件的發生。

如果說過去幾十年中，青少年的音樂有一個普遍的威脅，那就是轉變了佔社會主導地位的古老又保守的音樂並且反叛社會現狀。如果青少年的音樂沒有被大人們討厭，它可能不會非常成功。音樂是一種手段，每一代新人通過它與老一輩的人相區別，並給自我提供一份可分享的音樂文化和身分標誌。

這並不是說令人討厭的音樂只存在於聽衆的耳朵裡。聽那些讚美攻擊行爲、不尊重女性和增加麻醉藥使用的這類音樂是令人痛苦的。但是，有防止孩子聽這類音樂的辦法嗎？我想坐下來和他們談談，問他們一些關於歌曲的問題：「爲什麼這首歌以藐視的名字稱呼女性？爲什麼這些歌曲如此不尊重警察？你認爲這些描寫性的歌曲實際上代表什麼？」在與孩子的這些討論中，你也可以表明自己對於歌曲的觀點：「我不喜歡宣稱麻醉藥好的歌曲。」你需要對孩子的音樂愼重考慮並給予尊重，即使你認爲它聽起來像一連串貓頭鷹尖銳而刺耳的叫聲，你也應當在闡明你的觀點時，尊重孩子和他的同儕。如果你從一開始就表現出拒絕這種音樂，那麼孩子可能認爲你對此一竅不通，因而對你置之不理，他不相信你必須說明的任何事情。

已有研究顯示，對大多數孩子來說，多數令人討厭的音樂只是左耳進，右耳出。我懷疑這些音樂不像電影或電視那樣，眞能對多數孩子的健康成長產生很大的影響。但是對一些音樂中，庸俗的、攻擊性的實質內容不應該視而不見，應該討論一下。這也是一個機會，可以藉此了解孩子的文化並幫助他們弄淸這種對他們來說最重要的藝術形式的思想和內涵。

男性和女性正在轉變的角色

社會正朝著兩種趨勢發生著深層的變化，這兩種趨勢是：隨著男性和女性外出工作，我們的社會不斷進步的工業化和婦女爲獲得兩性平等而做的努力。

954. 性別歧視仍然不能被制止。在我們這個社會，婦女們爲了獲得受教育、選舉和從事某些職業的權利，不得不鬥爭了半個世紀。可是，到了二十世紀90年代，婦女仍然明顯地受到歧視——在大多數工作領域中，她們被高收入的工作所忽視；她們和男人做同樣的工作卻只能拿較低的工資。面對不公正的法律和有偏見的社會風俗，婦女們的活動已經取得了一些成果，但仍有很長的路要走。

那些待在家裡照顧孩子的婦女中，很多人對自己的工作感到驕傲和幸福。而另一些人則感到嚴重缺少這個功利主義社會對這種工作的尊重，因爲這一工作沒有薪水，又沒有可以競爭的高職位。由於關係孤立的家庭生活方式，許多做母親的人感到在日常生活中與成年同伴的刺激和樂趣無法銜接。這和較單純社會裡的親密群體不大相同。

對所有婦女來說，最大的傷害是她們意識到，就能力和影響力來說，她們被衆多男人和其他許多女人認爲是次級性別。

955. **女人的附屬性是從童年早期被無數的小行爲培養起來的**。一些行爲是有意識地企圖輕視女性，而大多數行爲是偏見或老傳統在無意識中表達出來的。

人們易於對小男孩的成功和小女孩的美麗表示讚美。設計女孩式的衣服是爲了讓一個成年人說：「你看起來多漂亮啊！」這在某種意義上是稱讚的話，但這也給女孩子造成一種印象，即她們主要是由於外表而不是由於成就才受到稱讚。兒童書籍也描繪出男孩修理東西，或去冒險，而女孩則在一旁看或玩布娃娃。女孩通常被警告不要爬樹，不要爬到汽車房頂上，因爲這些東西不結實，或者女孩會很容易受傷。人們經常給男孩玩具車、建築設備、運動器械、或醫生的工具，而給女孩布娃娃。這些禮物本身沒有任何錯誤，尤其是孩子自己要的。但危害來自於當大人們持續加強這些區別時，就暗示了女性（或男性）只能擅長有限的一些職業。

男孩被指派在修車廠、地下室或草地上做事，而女孩則在家裡處理家務。當然，家事對整個家庭的幸福安定很重要，所以它應當受到尊重。但是當家事只由女人完成時，這就在社會中給了男人過多的特權，男人和女人都將認爲家事是傭人做的。

許多男孩，由於他們個人的自卑感作祟，促使他們譏笑女孩子跑得不快或擲球擲不遠，所以進不了田徑隊或球隊。

一些家長和老師告訴女孩子，由於她們天生的本質，她們沒有能力學習高深的數學或物理知識，或者成為工程師。同儕的表現也使許多女孩信服她們在諸如抽象推理、行動能力和情緒控制等方面不如男孩。接受這些誹謗，不僅破壞了女孩的自信心，也導致女人天生能力的減弱。

956. **男人也需要解放**。有悟性的婦女，在盡力解放自我的過程中，已經意識到男人也是「性別主義假說」——性別固定模式的受害者。男孩被教導，當他們受傷、害怕或不高興時，千萬不要表現出自己的情緒。當他們吸收這一信條到一定程度時，他們就失去了對所有情感的某些敏感性——不管是對他人的情感還是對自己的情感，即使對像溫柔與快樂這樣實在的情感也失去了敏感性。（我已經在試著幫助醫科學生理解病人的感覺時，看到了這種情況。）這些人的情感被束縛了，他們——作為丈夫、父親、朋友和處理公眾事務的人——理解力很差，因此在生活和處理事務中，遇到了很多困難。

男孩很小的時候就知道了在我們社會中，男人應該是堅強、嚴厲、勇敢、有進取心、有競爭力，並且是成功的。他們必須從事那些傳統上只能由男人做的職業。大多數能很好地適應這種方式的男人，有一個結果是多多少少在性格上被剛性化了。這些人在超越傳統時，即在他們的興趣、友誼、工作方面朝新方向發展時，將猶豫不決。

那些不能享受堅強和競爭的男孩和男人被迫對自己產生技不如人、甚至是特殊的感覺。不管他們從事傳統的還是非傳統的工作，這都可能會損害他們的效率。這還將破壞他們完成任務的信心。

當個體感到被迫與傳統的男性或女性的性別模式相一致時，他們都被限制住了。這樣，個人有價值的特性就在社會中喪失了。人們的性別模式使他們感到不適應，以至於他們無法與假定的理想相吻合。

957. **對於男性和女性來說，他們工作的意義是什麼**。在簡單的非工業化社會中，所有的成年人和大一點的孩子都在他們自己的群體裡從事耕種、打漁、紡織、燒飯、製陶等等的活動。

在這種社會裡，工作是由擴大的家庭組織或廣泛的團體組織互相配合、友好地共同完成的。人們工作的目的是爲團體服務——而不是賺錢或超越其他人。孩子總待在父母身旁，但對他們的照顧是在其他工作中摻雜著進行的。母親可以在工作時把小嬰兒背在身上，以後她把嬰兒交給四歲的姊姊看管。孩子們很小就開始幫忙做一些成人的工作了。

在我國前工業化時期，手工藝人從他們爲自己和別人製作的東西中（例如他們做的工具、裝飾品、紡織纖維、服裝、地毯、手飾、玩具、傢俱等等）得到了充分的創造性的滿足；但是，在像我們這樣的工業化社會中，工業的需求已經劇烈地人工化並分裂了我們的家庭生活以及工作生活。許多家長去很遠的地方工作。而工作可能枯燥無味，機械重複，又不受個人感情影響，工作本身也不能給人滿足感。那麼，工人的滿足感不得不純粹地依靠於所賺的錢和擁有的地位。

長期下來，確實如此，以至於我們認爲這些是很普通的滿足感。實際上這些不像是手工藝人那樣，由創作有用、漂亮的東西所得到的快樂，而是褊狹、貧乏的代替品。人們對金錢與地位的關注趨向於在同事之間、鄰里之間，有時在工作的夫妻之間培養競爭意識，而取代了來自於爲了家庭和集體的利益齊心協力工作的溫馨氣氛。

爲了找工作、取得高薪或晉升而準備搬家的夫婦，或者是因爲公司規律性的職務調遷得搬家的夫婦，一定把大家庭的愛和安全置於不顧。他們通常住在多少有點兒相互孤立的房子裡，和鄰居缺乏密切的往來。他們常常被迫頻繁地搬家，以至於沒有時間在某一群體中建立新的生活或從群體中汲取營養。這種孤立性和變動性可能使待在家裡的家長和孩子感到緊張。

958. 男人和女人在外頭的工作。薪水和權勢在二十世紀的美國一直是男人最主要的價值。以我的觀點看，這項強調在許多方面誤導了男人並且起了很重要的作用，這些方面包括：過度的競爭，過度的功利主義，常常忽略妻子和孩子（很多做父親的人在他們十幾歲的兒子或女兒遇到麻煩時，向我承認了這一點），忽視友情，忽視群體關係和文化興趣。同時，它也常常導致了潰瘍、心臟病和其他與緊張有關的疾病。

當婦女解放運動在70年代初出現時，職業婦女自然把焦點集中在獲取工作的平等——同工同酬，和晉升高級職務的機會均等上面。她們當然被賦予了這些權利，儘管這些權利還沒有實現。

所以在追求與男性的工作機會平等時，許多女性並沒有意識到剛才提的那一點，她們已經表現出了我認爲是狹隘的、通常是錯誤的男性價值觀。在某種意義上，女性加入了激烈競賽。一些婦女已經得了和緊張有關的疾病，像潰瘍和心臟病等。另一些在事業上已經成功的婦女，因爲整天和他們的嬰兒和小孩分離，已經感到權利被剝奪了，她們感到很內疚。（如果男人是在一個要求他們照顧孩子的平等社會中長大的，他們也會感到內疚。）所以，在薪水和權勢基礎上即使是部分的平等，它的代價也是很大的。

如果男人在1970年有良好的知覺來培養他們的自我意識並能明白幾世紀以來，女人在感知一些事情方面一直是明智的，女人感覺家庭、感情、參與群體活動及對文學的興趣，對大多數人來說，是提供最深刻、最持久的滿足感的標準；如果女人能通過比較，認爲從許多外面的工作而得到的長期滿足是膚淺的——如果男人能明白這些（儘管這決不會發生），那該有多好。

我相信如果男人能最先考慮家庭和感情，那麼這將大大有益於美國男人。這樣，男性和女性將分享共同的目標和對生活共同的看法。

但爲什麼要這樣誇張地減低工作的重要性呢？我並不否認生活收入對於雙親家庭是絕對必要的，這對於單親家庭甚至更重要。但是我擔心，我們對「工作優先」的成見正在爲家庭生活造成不能忍受的緊張感；正在使女人和男人一樣把外面的工作看成是她們生活的中心目標；正在促使婚姻的破裂；正在剝奪成千上萬的小孩在家庭裡的安全感，因爲在一天中本應該至少有部分時間，至少有一個家長在家。

我相信男孩和女孩都應當伴隨著這樣一個堅定的信念被撫養長大，那就是家庭對大多數人來說，能使他們得到生命中最豐富、持續最久的滿足。這樣的話，女性在接受男性傳統的價值標準上可能感到的壓力會減輕，而從過去狹隘的性別成見中解脫出來的男人，可能會練習許多女人的技能並嘗試採納她們的價值標準。

21 不同的家庭組合

單親家長

959. **不管你怎麼看，撫養孩子都是一項艱難的工作，而作爲一個單親家長，這項工作就更爲艱難**。作爲單親家長，你沒有互相支持的伴侶來幫你減輕日常撫養孩子的繁重負擔。每個人、每件事全都靠你支撐。你得不到眞正的休息或休假。如果你是家庭裡唯一的經濟來源，那麼在經濟上的操心會加重你的負擔。有時你會感到好像身體和感情已沒有足夠的精力來促使一切事情順利進行。

你們是怎樣成爲和爲什麼成爲一個單親家長的原因也大不相同。你們有些人選擇一個人過，並從家裡和朋友那兒得到了充分的支持，對未來的道路充滿了信心，而有些人成爲單親家長則是因爲一些感情上的創傷——分居、離婚、遺棄或愛人去世——你們對周圍環境感到非常緊張。

成爲單親家長並不是件輕鬆愉快的事，但它的確會有所回報，這的確有它自己應有的回報。你和孩子可能很親密，這在雙親家庭中並不常見。你可能發現你擁有自己以前並不知道的力量和才能，並且顯現出更堅強、更聰明的人才擁有的經驗。你應該確信並知道科學研究已顯示，儘管生活道路上有很多危險和困難，但在單親家庭中長大的孩子通常也很出色。

960. 單親家庭潛藏的危險性。我想強調，單親家長在撫育孩子方面通常做得很出色，但是也存在著危險。以我的經驗來看，最常見的情況之一就是把孩子當成是自己最好的朋友和知己。比如，單親家長特別容易對孩子說：「現在你是咱們家的女人（男人）了，我眞的很依賴你。」這是完全可以理解的。由於你自己沒有歷久不渝的同伴，很容易把自己的感情、希望、夢想向你的孩子傾訴，並使他成爲自己最好的朋友。這樣可以滿足你的需要，但是對孩子會怎麼樣呢？把孩子當作自己的同輩，家長和孩子的界線就模糊不清了。如果你對某件事感到不安，孩子會覺得有責任照顧你並滿足你的需要。

然而孩子必須維持他們自己的感情成長和發展，如果他們得像替代的成年人那樣做事，這種成長的過程就會受到干擾。的確有些孩子能夠做一些額外的家事，並給苦惱的家長感情上的支持，但沒有一個孩子能夠這樣扮演一個成年人的角色，而不會對她（他）未來感情的成長和發展造成嚴重的影響。

961. 尤其對於隱私這一問題，孩子需要家長和他們保持清楚的界線。對孩子來說，成長的一部分是在世界上找到與父母不同的道路；擁有父母從不知道的關係和秘密；並且不被父母的幸福所迷住。所以我強烈地建議你：拒絕使孩子成爲你最好的朋友的誘惑，或者更壞地說是成爲你的同伴的誘惑。一些單親家長發現，在孩子一歲以後把孩子放到床上和自己睡在一起，並通過某種方式使這種行爲合理化，他們發現這樣感覺很舒適。這樣做可能再次滿足了母親或父親的需要，比如說不再感到孤獨，但是孩子可能不願這樣。他需要保持做孩子的特性，那就表示和家長保持清楚的界限，這樣他才能發現自己的道路。

962. 對單親家長來說，另一個潛在的危險是他們不願對孩子制定嚴格的

限制。這種情況的發生可能有其最充分的原因。許多單親家長感到內疚，因為他們的孩子不是由父母共同撫養長大的。這些家長擔心孩子正在失去一些對他們健康成長很必要的東西。因為不能花足夠的時間和孩子在一起，這些家長也感到很煩惱。結果是：缺乏主見地放縱孩子，屈服於孩子的每一個怪念頭，忽略設定限制。有一個家長每天仍然給她那個已經非常胖的孩子吃聖代冰淇淋。我和她談了很多次之後，她開始哭泣並說道：「我只是感到很內疚，孩子從沒見過她的父親，她又特別喜歡冰淇淋，我就是不能對她說不。」

對這些家長來說，沒有必要用禮物或屈服來溺愛孩子。實際上，在家長和孩子待在一起的大部分時間裡，家長如果把注意力都集中在孩子身上，好像孩子是一個來訪的公主那樣，這樣做是不明智的。其實在大部分時間裡，孩子可以做他喜歡的事，做作業或者幫忙做家事，而家長也可以做自己的事情。但這並不表示他們必須互不接觸。如果家長和孩子做事能互相協調一致，那麼隨著思維的活動，他們可以聊天、議論或批評。

963. **單親家庭中的母親**。讓我們舉一個男孩的例子。這個孩子沒有父親的原因可能是由於父母離婚、父親去世了、母親未婚生子，或是由於一個單身女人領養了他。如果認為沒有父親對孩子來說沒什麼區別，或者認為母親能很容易地以其他方式來補償孩子，這些看法都很愚蠢。但是如果事情處理得好，這個孩子也會心理健康地成長起來。

母親的精神是非常重要的。一個單親母親可能會感到孤獨，像坐牢似的，或者時常會發脾氣。有時，她會把感情釋放在孩子身上。這是正常的，並不會過於傷害孩子。對她來說，重要的是做一個正常的人，維持她的朋友、娛樂、事業和戶外活動，不要使自己的生活完全圍繞孩子轉。如果她有一個嬰兒或孩子要照顧，又沒有人幫她，完成這些事是很困難的。但是她可以邀請人們到她家裡來，而且如果她能適應在陌生的地方睡覺，她可以帶孩子去朋友的家裡參加晚會。對孩子來說，讓他的母親外出並且讓母親高興比讓他自己的生活完美更有價值。把母親所有的行動、思想和關愛都放在孩子一個人身上，這樣做對孩子沒有任何好處。

964. 孩子不論大小，不論男女，如果父親不在身邊，都需要對其他的男人表示友善。當孩子長到一歲或兩歲時，要頻繁地提醒他們：除了女人之外，還有令人愉悅的男人存在，這些人的嗓音低沉，服裝和行爲方式和女人不同。如果能這樣做，那麼一個好的想法就實現了。如果沒有更親密的朋友，那麼僅僅是一個微笑並能打招呼的店主也是有所幫助的。當孩子長到三歲多的時候，他們與男人分享的這種同伴之誼就越發顯得重要了。他們需要與男人和較大的男孩待在一起並感覺親近的機會。祖父、外祖父、叔叔、舅舅、堂（表）兄、童子軍領隊、男老師、神父（或牧師）、家裡的朋友，如果這些人喜歡孩子的陪伴並能有規律地、正常地來看望孩子，那麼他們就能替代父親做一些事情。

三歲以上的孩子不管他們記不記得，都會在心目中勾畫出父親的形象，那是他們的理想與榜樣。孩子看到的並與之玩耍的其他男人爲這一形象提供了模子，影響了父親的概念，並使它具有更多意涵。母親做一些事情對孩子也是有幫助的，這包括對男性親戚格外好客；送她的兒子或女兒去有男領隊的夏令營；如果她能選擇，就選一個有一些男老師的學校；鼓勵孩子參加有男性領導者的俱樂部和其他的組織等等。

到兩歲的時候，沒有父親的孩子尤其需要獲得機會和鼓勵與其他的男孩玩，如果可能的話每天都要讓孩子這樣，並且主要玩兒童遊戲。對於和其他人沒有緊密聯繫的母親，吸引她的是通過讓兒子對她的事務、愛好和品味感興趣，而使兒子成爲她最密切的夥伴。如果母親成功地使她的世界對孩子來講具有更大的吸引力，而且與孩子將不得不取得成就的男孩世界比起來，她的世界更容易相處，那麼孩子可能會帶著明顯的成人興趣長大。只要一個母親讓孩子走自己的路，分享孩子的興趣而不是讓孩子過多分享她的興趣，那麼她花時間與兒子在一起並玩得很高興，這對孩子很有好處。另外，經常邀請別的男孩子到家裡來，並帶兒子和他們一起出去遊玩、旅行，也是有幫助的。

965. **單親家庭中的父親**。我所說的關於一個單獨撫養孩子的母親的每件事同樣也適用於一個單獨撫養孩子的父親。但是通常還有另外一個問題。在我們社會中，很少有父親對養育孩子的角色感到完全舒服。許多男人是追隨著這樣一種看法——養育孩子的人是軟弱的，且有些女性化——而被撫養長大的。所以許多做父親的發現，自己很難給孩子所需要的溫柔撫慰和擁抱，至少最初是這樣的。但是隨著時間的推移和經驗的增長，他們當然會勝任這項工作。

離婚

一直有說法認爲，在美國，家庭就像一個機構，而這個機構正在消亡。我認爲這種說法不對。當然家庭一直在變化。自從二十世紀80年代中期以來，美國由在外工作的父親、在家幹活的母親和兩個孩子組成的家庭模式的比例已小於10%了。但是，不論家庭結構如何，它仍然是我們日常生活的中心。我們大多數人從家庭中得到了重要的愛、營養和支持。我認爲，一個家庭中不論是父母雙方或只有一方在工作，不論是從上次婚姻帶來的孩子，還是只在週末或假期才回來的孩子，這些愛都是最重要的。

966. **分居和離婚已經變得很普遍了**。在美國，每年大約有一百萬離婚案件。儘管你在小說中能讀到「友好分手」這類的事並能在電影中看到這類的例子，但是在現實生活中，大多數分居和離婚所涉及的兩個人都對另外一方感到憤怒。

967. **婚姻諮詢**。在大多數情況下，至少在幾年之內，離婚會使所有的家庭成員都感到不安。當然，離婚比雙方持續有敵意的衝突所帶來的不安要少一些。但是，還有第三種選擇——（在診所、家庭社會服務機構或者通過個人治療專家）進行婚姻諮詢、家庭治療或家庭指導。如果丈夫和妻子都能經常去諮詢，對家裡出現了什麼問題，每個人正在扮演的角色得到更清楚的認識，這當然最好了。夫妻雙方可能吵架，但是如果一方拒絕承認他（她）在衝突中的錯誤，那麼另一方去諮詢一下是否需要挽救婚姻和怎樣挽救婚姻仍然是值得的。畢竟戀愛當初在雙方之間存在強大的吸引力，而且許多離過婚的人後來都說，他們後悔過去沒有盡力挽救婚姻並把它維持下去。

當一對夫婦產生異議時，每個人都認爲主要責任在對方，這種現象普遍存在。然而旁觀者經常能看清問題不在於誰對誰錯，而在於雙方看起來都沒有意識到他（她）在做什麼。另外一種情況是，一個跋扈的配偶並沒有意識到他（她）想盡力統治對方的程度有多深，而那個被挑剔的人要求的程度有多少。一個不忠誠的伴侶通常不是眞的愛上了別人，而只是從隱藏的恐懼中逃走或是無意識地想讓他的配偶嫉妒一下。

968. 孩子總是清楚地意識到父母間的衝突，並對此深感不安，不管父母是否考慮離婚。爲了讓孩子了解實際情況不像他們想像的那樣，那麼讓他感到可以和父母一起單獨討論這些情況是有好處的。爲了孩子長大後能相信他們自己，信任父母雙方也是非常重要的。所以，父母明智的做法是避免痛苦地堆積指責，雖然這是一種自然的誘惑。取而代之的應是父母可以用概括的說法來解釋他們的爭吵而不是盯住指責不放，比如父母可以說：「我們對每件小事都生氣」；「我們因爲如何花錢而爭吵」；「當爸爸經常喝酒時，媽媽很不安」。

明智的做法是不讓孩子聽到盛怒中大叫「離婚」這個詞。當離婚幾乎是必然的時候，應當反覆地討論這一問題。對小孩子來說，世界是由家庭組成的，而家庭中的主要成員又是父親和母親。向孩子提出打碎這個家庭的想法就如同提出世界末日一樣。所以，向孩子解釋離婚時要比向一個大人解釋更謹慎。可以對孩子這樣解釋：比如說，他大部分時間要和母親住在一起；父親要住在附近（或很遠）；父親仍然愛他們並且還是他們的父親；他們可以安排一些時日和父親住在一起；他們可以在任何時間給父親打電話或者寫信。要一再告訴孩子，父母離婚不關孩子的事，這很重要。小孩往往以自我爲中心，他們會想像是他們的行爲使父母分開了。

同告訴孩子離婚這件事一樣重要的是，給孩子大量問問題的機會。你會對孩子一些錯誤的假設感到驚奇——比如說，孩子認爲是他們引起離婚或者他們可能失去父母雙方。盡快地糾正孩子這些錯誤的想法是明智之舉，但是如果孩子又滑回到難以解釋的概念中，也不要感到驚奇。

969. **所有的孩子都表現出緊張的跡象**。一項研究顯示，六歲以下的孩子多數經常表現出：擔心自己被拋棄、睡眠問題、又開始尿床、愛發脾氣、攻擊他人等等現象。七歲和八歲的孩子表現出悲哀和孤單的感覺。九歲和十歲的孩子對離婚的現實理解得多一些，但是他們對父母一方或雙方表示出敵意，並且抱怨胃疼和頭疼。青少年提到父母離婚給他們帶來的痛苦，還提到他們的悲傷、氣忿和羞恥。有些女孩在和男孩發展良好的關係時也因此受到了阻礙。

幫助孩子最好的方法是經常使他們有機會談論自己的感覺，並且使他們確信這些感覺是正常的，他們並沒有引起父母離婚，父母雙方也仍然愛他們。如果家長自己經常陷入太多的感情痛苦之中，而不能爲孩子做這些事，那麼尋找一個孩子可以經常拜訪且有經驗的諮詢專家就很重要了。

970. **家長的反應**。獲得孩子監護權的母親通常發現離婚最初的一、兩年是非常難度過的。孩子更加緊張，經常命令和抱怨；他們完全缺少了吸引力。母親沒能實現父親在決策、處理爭論、承擔計畫等責任中所扮演的角色，而工作、料理家務並照顧孩子，這些事常使母親感到精疲力盡。她失去了成年人的陪伴，其中包括男人社會化的或浪漫的關注。大多數母親說，最糟的事情是她們害怕不能謀得一份令人滿意的工作來養活這個家。（在分居協議上，父親保證給孩子一份充足的供給，但這並不保證這些錢能按時拿到。）許多女人說她們最後得到了極大的滿足和補償，這時她們證明了自己不需要別人的幫助也能支撐並養活這個家。這給予她們以前在生活中從沒有過的競爭和自信感。

對於一些離婚的女人來說，有一個已被證明是確實可行並令人滿意的方法就是：爲了限制花費，分享對房屋和孩子的照顧，並得到陪伴，與另一個離婚的女人共享一間房子或公寓。當然，在搬到一起住之前，她們應該互相深入了解。得到孩子監護權的父親也同這些母親一樣有相似的問題，所以他們也可考慮這一選擇。

一些人想像離了婚的父親如果沒有監護權，就擁有了高質量的舊日時光，他們可以安排所有的約會，除了孩子的撫養費和探視之外，他們沒有家庭義務。但是研究顯示，大多數的父親多數時候是愁苦的。如果他們投身在短暫的事務中，他們很快會發現這些事是如此狹隘，毫無意義。由於不能爲孩子重要的或不重要的計畫提供諮詢，他們很不高興。他們失去了孩子的陪伴。更甚的是，他們失去了讓孩子徵求他們意見或許可的權利，而這正是作爲父親的一部分。週末，孩子過來玩，他們經常帶孩子吃快餐，看電影，這能滿足孩子快樂的需要，但這並不是他們自己的需要，或者說並不是他們對眞正父子關係的需要。父親和孩子也可能會發現在這種新情況下，互相交談是很困難的。

監護和探視

971. 監護。在二十世紀的前七十五年中，人們一直認爲孩子若主要和母親住在一起並在母親的監護下，他們的需要會得到很好的滿足，至少在青少年時期以前是這樣，除非母親明顯的不稱職。（有趣的是，在19世紀或更早一些，當時離婚的情況很少，監護權通常給予父親，因爲孩子是屬於父親的財產。）

近年來，認爲許多父親也像母親一樣有能力養育孩子的認知漸增，如今更多的法官在判別監護權時考慮了這一點。很自然卻又很不幸的是，在許多離婚事件中存在著緊張的痛苦。這增加了父母之間在監護權上的競爭，而干擾了他們集中精力思考對孩子來說什麼才是最好的。父母雙方都認爲自己的監護是最好的。

家長需要考慮的因素有以下這些：大部分時候是誰在照顧孩子的，尤其是考慮到嬰兒和小孩非常想念他們已經熟悉的照顧者？每個孩子和每個家長是哪種關係？每個孩子表達出的喜愛是什麼，尤其是在童年後期和青少年時期？對每個孩子來說和一個哥哥（弟弟）或一個姊姊（妹妹）住在一起有多重要（雙胞胎的這種願望更強）？

過去通常認爲要求離婚的雙方由於考慮到監護權、孩子的撫養費、贍養費和財產的處理等問題，會在法庭上成爲敵人。這種敵對的態度，尤其是在監護方面避免得越多，對孩子越好。近年來，有一種聯合監護的運動，這是爲了讓沒有監護權的家長（多數是父親）避免只能享受一點點的探視權，甚至更重要的是，爲了避免使這個家長感到和孩子斷絕關係，並覺得他再也不是一個眞正的家長——這種感覺經常會導致他與孩子的聯繫逐漸減少。

當談及聯合監護時，有些律師和家長的意思是平等地分享孩子，比如孩子四天和一個家長在一起，三天和另外一個家長在一起，或者和一個家長待一星期，再和另外一個家長待一星期。對家長來說，這種做法可能行得通也可能行不通，對孩子來說，他可能感到舒服也可能感到不舒服。學齡期的孩子必須持續去同一所學校，對於上幼稚園或學前班的孩子也同樣如此。孩子們喜歡並且受益於有規律的時間安排。

我自己喜歡把聯合監護看成是離了婚的家長爲了孩子的幸福而協力合作的一種精神，這意謂著重點是家長就計畫、決策和回應孩子的主要要求互相商量，這樣的話，就沒有一方家長會感到被忽略了。（找一個了解孩子並能幫助家長做出一些決定的諮詢專家可能會很有幫助。）其次需要考慮的事情是，要以下面這種方式來分享孩子的時間，那就是：每一個家長要盡可能密切地與孩子保持接觸，這必須依靠諸如家長雙方住宅的距離、住宅的容量、學校的位置，等等因素。很明顯的是，如果一方家長搬到了大陸的另一端，那麼他不得不在假期的時候才來看孩子，雖然家長仍然可以通過電話和信件與孩子保持聯繫。

聯合監護只有當父母雙方都確信把孩子的利益放在首要位置，而把他們的痛苦放在次要位置時，才是確實可行的。否則的話，爭吵仍然會繼續下去。這樣到不如讓一個家長有監護權而讓法官制定探視的規定。

當一個孩子，尤其是青春期的孩子，發現和有監護權的家長待在一起很緊張的時候，他可能開始想像也許和另一個家長會好一些。有時，讓孩子和另外一個家長住在一起，至少住一段時間，比較恰當。但是來回住了幾次的孩子可能會盡力把問題置之腦後而不去解決它們。因此，盡力找到眞正困擾孩子的原因是很重要的。

972. 聯合監護。實際上，父母可以將孩子和每個家長住在一起的時間加以劃分。這就是聯合監護的意思。當父母分享聯合監護時，孩子主要和父親或母親住在一起也是可能的。在聯合法律監護中，對於孩子生活中的重大決定——例如其中包括學校、夏令營、健康問題和信仰方面的事務——家長應互相商量並盡力使決定達成一致。在家長之間合作精神的指導下，可以實現較理想的聯合監護。

有時離婚後，一些父親將從孩子的生活中退出（母親如果沒獲得監護權也可能退出孩子的生活）。對於那些想要並需要擁有父親和母親作爲生活一部分的孩子來說，這樣做非常艱難。那些後來看到孩子的父親經常這樣描述：他們感到不連貫了，自己顯得不重要，不被需要了。

我認爲聯合監護是要讓家長雙方知道他們在孩子的生活中都很重要。儘管有一個被法律約束的契約，在這兒最重要的事情是家長之間的合作精神。

聯合監護是一項需要技巧的工作。根據具體情況，它可以對孩子產生良好的作用。目前越來越多的法官正在允許聯合監護，因爲聯合監護看起來很公平，它能使家長在照顧孩子的過程中處於平等地位。爲了孩子最大的利益，具體的細節需要順利地進行。在剛剛分開的家長之間，如果還有不可平息的憤怒，那麼就會影響孩子，孩子會感到被夾在中間。如何處理這些憤怒的感情，向專家諮詢是有幫助的。

如果一個家長拋棄了這個家庭，而後又回來了，那麼家裡的成員就會越發擔心這種情況是否會再次發生。隨後，有監護權的一方當然擔心孩子將怎樣面對這個家長再次離開的情形。但是如果一個家長對孩子表現出興趣和關注，那麼支持他與孩子見面是很重要的。

聯合監護的關鍵是家長爲了給孩子創造舒適的環境，應該把任何氣惱和挫折放在一旁。但這很難做到，因爲許多情況需要妥協和調整。

除了離婚雙方正當的抱怨以外，他們對不能維繫他們的婚姻可能會感到內疚。這給了他們一個強烈的動機把所有的責任都推到對方身上。

當這類敵對的情況上了法庭，很顯然危險就產生了。由於這一原因，較多的家庭法院指定公正的調解員盡力和家庭一起工作，這樣會幫助家長雙方執行聯合監護的協議。

我認爲當孩子從一個家長到另一個家長那兒去拜訪時，讓一個中間人出現也很有益處。讓一個祖父（母）或外祖父（母）出現，對於建立一個安全的、中性的環境是非常有益的。這個條件在分居或離婚的初期階段尤爲重要，這時夫妻雙方的感情是外露的且雙方可能感到自己是脆弱的，受到了對方的傷害。中立的關係人會幫助夫妻雙方與孩子獲得安全感。

如果夫妻雙方能一起行動，那麼聯合監護對孩子具有顯著的積極影響。關於離婚的調查已經發現，總的來說，如果父母雙方都能在孩子的生活中保留一部分的影響力，那麼孩子在社會、心理和學業方面就能夠有更好的調節能力。

973. **按規定探視**。孩子五天和母親在一起，週末和父親在一起，這是人們實際的印象，也是通常的時間安排。但是母親可能有時在週末非常想和孩子待在一起，這時她能更放鬆；而父親也可能偶爾想過一個沒有孩子的週末。同樣的問題也存在於學校放假期間。隨著孩子慢慢長大，朋友、運動或其他活動可能把孩子拉到一家或另一家。所以任何時間安排都需要很靈活。

沒有監護權的家長不隨便破壞探視的約定是很必要的。如果讓孩子覺得家長其他的約會比他更重要，那麼他們就會受到傷害。他們喪失了對隨隨便便的家長和他們自身價值的信任。如果家長不得不取消探視，就應該提前告訴孩子，可能的話要找到替代的事情。最重要的是沒有監護權的家長不應該頻繁地、反覆無常地破壞約定。

974. 在探視的這段時間要保持輕鬆愉快。一些離婚後的父親當探視時間來臨時，常感到羞愧和懦弱，尤其是如果他們的兒子來玩時。母親也有同樣的問題，但是這種情況很少，因爲母親通常都能獲得監護權。此外，通常父子之間比父女之間的緊張感要強一些。父親經常單純地款待孩子——出去吃飯、看電影、看體育比賽、外出旅行。偶爾這樣做並沒有錯，但是父親不應該認爲這些款待對每次探視都是必要的；這樣的行爲可能會標誌著父親害怕沉默，並且使這些款待每週都變得更加必須。

孩子的拜訪通常可以像在以前的家裡那樣輕鬆和隨意。這就表示有機會去進行很多活動，比如讀書、做家事、騎自行車、在人行道上溜直排輪、打藍球、踢足球、釣魚等等，還可以做一些諸如組合模型、收集郵票、做木工等個人愛好的事情。父親可以參加那些孩子喜歡的活動，這就爲隨意談話提供了機會。孩子可以看他經常看的電視節目，但是我作爲一個父親，不會鼓勵孩子整個週末都看電視。父親部分時間也可以按自己的興趣做事，就像他在沒有破碎的家裡一樣。

父母經常發現孩子，尤其是年紀小的孩子，當他們從一個家長轉到另一個家長那兒時，會感到不適。特別是當孩子從沒有監護權的家長那兒回來後，可能會因爲疲勞而變得容易生氣。這就像孩子把一套設備上的齒輪換到另一套設備上時存在著困難一樣。每一次分離與返回都讓孩子想起，至少是下意識地提醒了他，與沒有監護權的家長的分離。

家長在轉換中具有耐心，對接送孩子的時間和地點絕對放心，努力使這些變化盡可能避免衝突，家長可以通過這些來幫助孩子。

975. **離婚後的祖父母**。孩子在父母離婚後和祖父母保持像以前一樣多的聯繫也很重要。和你以前配偶的父母保持聯繫是非常困難的，尤其是如果你和他們感到受了傷害或很氣憤。有時，獲得監護權的家長可能會說：「在探視時間，孩子可以和你去看你的父母。可是我和你的父母沒有關係了。」但是這樣就再也不能方便地安排生日、假日或特殊的日子了。要盡力記住祖父母是給孩子持續支持的強大泉源，所以和他們保持聯繫是值得努力的，況且祖父母對他們的孫子（女）的情感需要也應該受到尊重。

976. **避免試圖用偏見影響孩子**。家長不要試圖在孩子面前懷疑，甚至批評對方，儘管這是一個巨大的誘惑。父母雙方對於婚姻的失敗都感到有些內疚，至少是無意識地。如果他們能讓他們的親戚、朋友和孩子都認同是以前的配偶有錯，他們就能減輕內疚感。所以，他們被誘惑去講他們前夫（妻）可能最壞的事情，而絕口不提自己的過錯。問題在於孩子認爲自己是父母共同創造的，如果他接受了一方家長是無賴的觀點，他會認爲自己也繼承了這方家長的一些特點。此外，孩子自然想保留父親和母親雙方而且被父母所愛。聽到對父母一方的指責會使孩子產生不舒服、不忠誠的感覺。如果家長讓孩子得知另一方的秘密也會令孩子感到同樣的痛苦。

到了青少年時期，孩子明白了所有人都有缺點，儘管他們牢騷滿腹，但是他們不會被家長的錯誤深深影響。讓他們自己發現錯誤吧。在這個年齡，家長最好不要試圖通過指責另一方來贏得孩子的忠誠。青少年容易對輕微引起發怒的事情變得反覆無常。當他們對自己一直喜愛的父親（母親）生氣時，他們會發生很大的轉變，會認爲以前聽到的另一方家長的所有不好的事情都是不公平的，都是不眞實的。如果父母讓孩子愛他們兩個人、信任他們兩個人，花時間和他們兩個人在一起，那麼他們就能長期保留孩子對他們的愛。

任何一方家長向孩子盤問他去看另一方家長時發生的事情也是錯誤的。這樣只會使孩子不舒服，最後可能會引火上身，使孩子怨恨這個多疑的家長。

977. 家長的約會。那些父母最近剛離婚的孩子有意無意地想讓父母再回到從前，因爲孩子認爲他們還是一家人。

孩子容易認爲爸媽與別人約會代表著不忠，而約會本身是一種不受歡迎的侵擾。所以，家長最好慢慢地、有技巧地向孩子介紹他們的約會。讓離婚這一事實消沉幾個月。對孩子的評論要警覺。過了一段時間以後，你可以向孩子提出你很孤獨這一話題，並提出你想和一個朋友約會的想法。這並不表示你允許孩子永遠控制你的生活，你只是讓他們知道約會的可能性。這樣做比突然和一個人出現在孩子面前，讓孩子感覺更舒服一些。

如果你是一個和年齡很小的孩子一直生活在一起的母親，孩子們罕見或從沒見過他們的父親，那麼他們可能會央求你結婚，再給他們一個「爸爸」，這是最好不過的；但是一旦你讓他們看見你和另一個男人之間越來越密切的關係時，他們可能會嫉妒，當然到那時你已經又結婚了。這種情況也會發生在一個對年齡小的孩子有監護權的父親身上，孩子可能想讓父親再給他們一個「媽媽」。

再婚家庭

幾年前，我給一份雜誌寫了一篇關於繼父（母）方面的、自認爲是最明智的文章。隨後在1976年我自己成了一個繼父，這時才意識到我不能遵循自己的建議。我曾建議繼父（母）絕對要避免成為維護紀律的人，但是我卻因爲自己十一歲的繼女的連續粗魯的舉止，而不斷責備她，我總想使她遵守我的一些規則。這是我曾經歷的最痛苦的經歷之一，也是惠我良多的一件事。

978. **再婚家庭關係常常不好處理，最有說服力的理由可能是任何年齡的人都憎恨對親密家庭關係的侵入者**。當我指責妻子不能讓她的女兒更有禮貌地對待我時，她正確地指出是我的兩個已經長大成人，並接近中年的兒子先對她沒有禮貌的。繼女和兩個已成人的兒子的怨恨使我想起了一個兩歲孩子對一個新生嬰兒侵入的痛苦感受。

我和妻子、繼女去諮詢。專家告訴我，如果我認爲能夠很快地被一個十一歲的繼女所接受，那麼我就是在做白日夢。這件事確實需要花上好幾年的時間。

社會上有如此之多的神話傳說把邪惡的繼母或繼父當作壞人，這並不意外。再婚家庭關係導致他們互相誤解、嫉妒和怨恨。父母離婚後，孩子會認爲母親完全是她自己的，通常與有監護權的家長形成了一種緊密的、佔有的聯繫。然後，來了個男人，他佔有了母親的心和床，吸引了母親至少一半的注意力。不管繼父多麼努力想建立一種良好的關係，孩子都不能忍受，而只是怨恨這個侵入者。這種怨恨經常通過極端的形式表達出來。這種做法激怒了繼父，他感到被迫以同等的敵意來做出反應。在成人之間的新關係很快就變緊張了，因爲這像一個沒有贏家的選擇。對繼父（母）來說，主要的事情是要意識到對雙方來講，這種敵意幾乎是不可避免的，這並不是他們自身價值或彼此關係最終結果的反映。這種緊張關係經常持續幾個月，甚至幾年，它只能逐漸放鬆。很少有新來的父（母）親一下子就被接受的情況。

有很多原因可以解釋爲什麼在再婚家庭中，對大多數孩子而言，生活至少在最初階段都是緊張的。

・**損失**：到大多數孩子進入再婚家庭的時候爲止，他們已經經歷了人生重大的損失：父母之一的損失，或者由於搬家失去了朋友。這種損失的感覺影響了孩子對新父（母）親早期的反應。

・**忠誠問題**：孩子可能奇怪，現在誰是我的父親和母親？如果我對繼父（母）表示愛，是不是就表示我不能或不應該再愛那個不能再和我在一起的父（母）親了？我怎樣能分割我的愛呢？

・**失去控制**：沒有一個孩子曾自己做決定要一個再婚家庭。決定是由成年人爲他做的，因此他覺得自己缺少對事件的控制力。孩子感到被強迫和受到他無法掌控的人的打擊。

・**繼父（母）的孩子**：所有這些緊張情緒由於繼父（母）孩子的出現而更加惡化了。孩子懷疑，如果我的母親（父親）對繼父（繼母）的孩子比我好，怎麼辦？爲什麼我必須和這個完全陌生的人分享我的物品或房間呢？

979. 再婚家庭的積極影響。孩子的這些緊張情緒相當普遍，但是它們決不是家庭的整個畫面。再婚家庭還有很多潛在的有益之處。首先，儘管一開始有困難，但是大多數家庭成員最終會適應新的環境並接受他們在新家庭群體中的位置。但是要記住，這種適應需要時間。通常繼父（母）的孩子和繼父（母）之間建立了一種緊密的、長期持續的關係。畢竟，每個人都擁有家庭分裂和家庭重組的經歷，可以彼此分享。生活在兩個分離家庭中的「雙重公民」身分，可以豐富孩子對不同類型和文化差異的理解與接納。

980. 繼父（母）撫育孩子的一般原則。這兒有一些可能有幫助，也可能沒有幫助，但肯定是很難應用的通則。家長要做的第一步是提前在處理孩子的問題方面取得共識，並且對新的家庭的未來發展有切合實際的期望。

家長要能理解，孩子需要很多時間來適應新的安排，這一道理是我不得不通過很艱難的方式才明白的。關於作息時間、日常事務和家庭作業等方面的規矩，要使孩子們保持一致，並給孩子時間接受這些規矩。

作爲繼父（母），你最好避免扮演一個完全指導、糾正孩子的家長，除非你已被孩子所接納。如果你立即試圖在作息時間、日常事務和外出活動等方面強迫孩子，你一定會被孩子看作是一個嚴厲的侵入者，即使你像孩子原來的父（母）親那樣，確實是在制定同樣的規矩，但孩子並不這樣想。

另一方面，當孩子侵犯了你的領域，比如說他用了你的一件物品，對此你表示順從也不好。這時，你應當用一種友好的但卻堅定的語氣說，你不喜歡別人亂用你的東西。但是你不能做出帶有敵意的憤怒表情。那樣你會整天都生氣。因此，忽略那些微小的事情，把意見留給在家庭規矩的主要摩擦上。

最後，要記住：多數婚姻和再婚家庭不會在我剛才所描述的緊張狀態中倖存下來。如果你只是對你再婚家庭的關係有點擔心，那就尋找專家的幫助吧。大人或孩子的精神科專家或心理專家已經處理過很多像你這樣的問題了，他們能提供幫助。他們可能會在怎樣維持婚姻或家庭治療方面給予家長建議或指導，也可能和一個或多個孩子個別進行談話。你可以加入繼父／母的組織，或者向兒童指導中心詢問這類組織方面的信息。

如果相關的實際困難和感情問題都被確認並解決了，那麼出於各方面的考慮，你的新家庭會是一個愛和幸福的泉源。祝你好運。

多胞胎孩子的養育

近年來在治療不孕症藥品方面的突破已導致了一胞多胎——雙胞胎、三胞胎和多胞胎現象的增加。

同時應付幾個孩子需要耐心、計畫和創造力。我曾經號召那些雙胞胎的父母，告訴我他們爲自己遇到的問題找到的解決辦法，這樣我就能把它們宣傳出去。我得到了兩百封非常有價值的信。正如你能想到的那樣，這些信在某些方面極爲不同，而在某些方面卻極其一致。

981. 尋找幫助。所有雙胞胎的父母都認同他們的工作量是很大的，尤其在初期階段，然而他們得到的回報也是極豐厚的。如果有可能，最好僱些人手，即使你不得不爲此負債。或者央求你的母親或另外一個親戚來幫你一、兩個月的忙。如果家裡沒有多餘的房間，沒有隱私，家長甚至可以在適當的天氣裡把車庫變成來幫忙者的臥室。擁有兼職的助手也比連一個助手都沒有來得好：可以讓一個高中學生在放學後來幫忙，也可以讓一個打掃環境的女人或是保姆每週來一次或兩次。鼓勵鄰居時常來幫忙餵奶。甚至從一個只有三歲的雙胞胎的姊姊或哥哥那兒能得到的幫助也會令人大吃一驚。

即使以前曾經有過一次機會，那麼這也是一次夫妻雙方互相表示體貼與寬大的時機。他們可以制定時間表來分擔無窮無盡的家事。當要求夫妻雙方傾注大量他們尚未習慣的愛和照顧給孩子們時，夫妻雙方可以互相給予對方所需要的關愛。

從事某些工作的父親應該能夠在幾個月內縮短他們在外工作的時間。當嬰兒們從醫院第一次回到家的時候，父親可能就承擔起了家庭的重擔。（對於這些嬰兒來說，他們在醫院的時間比一般嬰兒平均的住院時間長一些，因爲他們通常是早產兒。）

即使這個父親不得不繼續每天好幾個小時的工作，他也可以在下班回家到第二天早上上班這段時間做得很好。我曾觀察過一位父親，他有五胞胎和兩個大一點的孩子，他從一回家就開始忙碌：給五胞胎餵吃的、喝的，洗澡，換尿布，給大孩子和夫妻兩人準備晚飯，在晚飯後洗碗，還要花時間陪兩個大一點的男孩。週末他要買東西、打掃房子、送洗衣服。

982. 送洗衣服。洗尿布的服務費用與拋棄式尿布的價格比起來，是相當便宜的，拋棄式尿布雖然方便但很貴。如果有任何可能的話，現在正是買洗衣機和烘乾機的時候。它們能幫你節省工作時間，即使在下雨天，也能洗出乾淨的床單、墊子、襯衫、睡衣。

根據父母的意願，可以一天給嬰兒洗一次澡，或隔一天洗一次。在嬰兒的屁股底下放一小塊防水床單可以減少頻繁地更換床單和墊子。只在每次餵奶的時候、餵奶之前或之後也可以，更換一次尿布，可以減少尿布的花費。

把全部衣服或一部分衣服送去洗衣店，對家庭的其他成員來說，也能節約時間和精力。

983. **多胞胎的父母絕對需要找到做家事的捷徑**。他們可以每個房間逐一檢查，清除不必要的傢俱和其他會拉長打掃時間的物品。也許他們應該考慮只做以前一半的打掃工作。他們可以為家人挑選一些不會很快起皺和弄髒，及容易洗熨並盡可能不需要熨燙的衣服。他們可以挑選那些準備起來既不費時又不費力的食物，然後用肥皂水浸泡盤子，最後排乾水並把盤子弄乾。

984. **合適的裝備幫助極大**。許多雙胞胎的父母發現，他們自己設計的那種在中間隔開的單人嬰兒床在頭幾個月裡是非常實用的，直到雙胞胎長得太大，又太好動了，才不便使用。帶彈簧的嬰兒床可以升高，這樣就不會讓父母的後背太累並可節約時間，而且它還可作為換尿布和穿衣服的桌子。一個哭鬧的嬰兒可用一輛特別的推車推到另一個房間，這樣有助於保持另一個嬰兒的睡眠。在兩層樓的房子裡，較方便的作法是平常放一張額外的嬰兒床和衣服在樓下，這樣可免去來回爬樓梯。這些裝備很多可以借到或買到二手貨。

用有輪子的醫用平台或有輪子的茶桌來存放大量的尿布、衣服和床單是非常方便的。它可以在嬰兒床之間和各個房間之間推來推去。

可併排坐兩個嬰兒的推車一般太寬，很難通過大多數的門，兩個緊挨著睡覺的嬰兒可能在幾個月之內就互相打擾了。然而，一輛雙人嬰兒車卻被證明在好幾個月內是有價值的。背靠背的嬰兒車能更輕鬆地通過很多門。兩張小汽車式的床也是很有用的，但要記住它們與小汽車的座位不同，每一個嬰兒都必須有他自己統治範圍的汽車座位。最好得到那種能轉換成給大一點的嬰兒用的車，這種車比當嬰兒重9公斤就不得不被替換掉的那種車好。兩個有斜度的座位真的很有必要。

985. **洗澡**。如果孩子照顧得好，可以不用常常洗澡。嬰兒的臉可用一塊沾有乾淨水的布來保持清潔。墊尿布的地方每天可用一個帶肥皂水的布清洗一次，再用另一塊沾濕的布清洗兩次以除去肥皂水。只要嬰兒的皮膚狀況良好，洗澡可以兩天一次，一週兩次，甚至一週一次。可在一塊防水床單上面用毛巾來給孩子徹底地洗澡，如果更方便的話，可用棉球給孩子洗澡。想給兩個嬰兒盡快洗完澡而不讓他們任何一個大聲哭鬧，這很困難。對此有幾種解決辦法：請一個幫手給最先洗澡的嬰兒餵奶；當兩個家長都在的時候給孩子洗澡；給兩個嬰兒分別在不同的日子或不同的時間裡洗澡。如果在浴盆（洗滌槽或澡盆）裡洗澡，而且如果孩子能等待足夠長的時間，那麼在一盆水裡給孩子一個接一個地洗澡是很節省時間的。在洗澡開始前，所有的洗澡工具、衣服、嬰兒床和奶瓶都必須準備好並放在離手邊很近的地方。

986. **母乳餵養是實際而可能的**。從我收到的信件中，我獲知雙胞胎也像一般嬰兒那樣通常吃好幾個月的母乳。（這再次說明了一個母親的奶量沒有固定的限制。如果母親餵奶有正確的方法和態度，那麼乳房會滿足一個嬰兒或多個嬰兒的需要。）如果嬰兒太小不好餵，或者嬰兒在醫院待的時間比母親長，那麼通過乳房來建立母乳的供應是很容易的。一旦孩子可以吃奶，他們兩個就可以一起抱在身上了。

母親必須有一張有好扶手的舒適椅子。在椅子上至少要有三個可能的姿勢。如果母親全躺或半躺著，雙胞胎可以在她的胳膊旁邊一邊躺一個。如果母親坐得相當直，在她一邊放一個枕頭，孩子就可以躺在她的身旁，腳朝著她的背，頭可以被母親用手托起放在乳房上。也可以把嬰兒放在母親的腿上，一個嬰兒稍微在另一個嬰兒的上方，但是他們的頭都面向母親。在這些情況下，就不用擔心地上的狗了。

987. **供兩個嬰兒喝的奶在調配和儲存上是很麻煩的**。通常雙胞胎出生時都很小，可能平均每隔三小時需要餵一次奶，這樣加起來每二十四小時就要有十六個奶瓶。假設你不必進行消毒處理，如果冰箱的容量有限，調配好的奶可以冷藏在容量20公升的瓶子裡。然後，每次餵奶的時候，可在兩個嬰兒用的奶瓶裡裝上適量的奶。使用嬰兒奶粉比較省錢。

988. **餵奶進度**。大多數家長發現經過修改的餵奶進度最有效。他們等第一個嬰兒醒來，先餵他，然後喚醒另一個嬰兒；或者一旦第一個嬰兒有吃奶的動作反應時，就喚醒另一個，這樣就可以一起餵兩個孩子了。

989. **怎樣給孩子餵奶**。如果只有一個家長，那麼怎樣在同一段時間內，用奶瓶給兩個嬰兒餵奶呢？有些家長已經訓練出一個能合作的嬰兒，他可以比另一個嬰兒晚醒半小時。但是，大多數家長發現兩個嬰兒通常會同時醒來，當試著給一個孩子餵奶而另一個孩子餓得直叫時，你簡直在經受神經的折磨。在頭幾個星期，一個解決辦法是把雙胞胎放在家長旁邊的沙發或床上，一邊放一個。假如是母親餵奶，讓孩子的腳朝著她後背的方向，用這種姿勢，她就可以同時拿兩個奶瓶給孩子餵奶。另一個辦法是給一個孩子使用奶瓶吊架，而家長拿著奶瓶給另一個孩子餵奶，下一次家長再換餵另一個孩子。

　　但是一些家長發現用一個奶瓶吊架或者用一堆折疊起來的尿布支撐奶瓶，這樣做效果不太好，至少在頭幾個星期效果不好。嬰兒可能會因為找不到奶嘴而哭起來，也可能會被奶嗆到。之後，為了挽救這個嬰兒，家長不得不慌忙放下手中吃奶的這個嬰兒，結果這個嬰兒也哭了。

這些家長發現把兩個嬰兒放在傾斜的椅子上，給他倆同時用奶瓶吊架或其他支撐物餵奶，這樣更可行一些。家長坐在兩個孩子之間或靠近孩子，自由的雙手就可以提供孩子所需的任何幫助。像這些家長正確指出的那樣，他們通過奶瓶吊架節約了足夠時間，能在不太忙碌的時候給雙胞胎更多更好的擁抱。

如果你發現自己混淆了對哪個孩子做過了什麼，那麼你可以針對餵奶、洗澡和其他的事情做記錄。筆記本或黑板將幫你實現這一目標，或者在每個嬰兒床前放一個紙板。儘管不是眞有必要這樣做。耽誤一次或增加一次洗澡，並不會傷害到嬰兒，但是他會讓你知道你少餵了一次或多餵了一次奶。

許多雙胞胎也像一般嬰兒一樣，如果吃完奶後平躺著，會打嗝。還要記住，有一些嬰兒會感到不舒服，除非氣泡排出來了，然而另一些嬰兒看起來感覺沒什麼不同，那麼，就沒有必要去做一些額外的努力了。

990. 餵固體食物。這也不得不有效率地進行。這時，對雙胞胎來說，一切都是新的，許多家長用湯匙餵一個孩子，而讓另一個孩子捧著奶瓶，然後再交換這個過程。用另一種方法則可以節省一些時間：你可以把食物放在一起餵，這樣每天就可以餵兩次而不是三次。等到雙胞胎能夠熟練地吃飯的時候，他們可以被支撐著放在嬰兒座椅裡或者放在嬰兒車、嬰兒床或扶手椅裡，然後用湯匙一起餵他們吃飯。另外有一種能滿足雙胞胎需要的連椅嬰兒桌，它的椅子可爲還不能坐直的嬰兒調到半傾斜的位置，家長會發現它很有用。

同時餵雙胞胎吃飯可以節省很多時間。家長盛起一匙飯，把它餵給一個孩子的時候，另一個孩子剛好有時間來消化剛吃的那口飯。共用一個盤子和一只湯匙，這看起來可能有點不衛生、不禮貌，但是這卻實用得多。

對於雙胞胎，有特殊的原因讓他們早些開始吃用手拿的食物（麵包片、有益於健康的餅乾、成片煮熟的蔬菜、成片的肉），並讓他們完全依靠自己。也有原因鼓勵他們用湯匙自己吃飯，這最晚要在孩子十二個月的時候開始。

991. **遊戲圍欄的使用**。遊戲圍欄對雙胞胎來說，尤其有價值（立刻觀察兩個來回爬的嬰兒是不可能的）。他們在圍欄裡很高興，由於有相互的陪伴，他們在裡面待的時間比一般嬰兒長，而且能待到大一點的年齡。（遊戲圍欄也可在遊玩時用作雙人推車。）雙胞胎應該被放在裡面玩一段時期直到他們兩、三個月大爲止，這樣他們就不會先習慣於自由。必須避免沉重的、鋒利的玩具，因爲雙胞胎會拿它們互相用力打，而不知道它們會傷人。以後，如果他們開始討厭待在圍欄裡，就先把一個孩子移到搖椅裡，然後再移另一個。這種變化甚至會令那個在圍欄裡的孩子也發生興趣。

雙胞胎長到一歲以後，讓他們在一個獨立的房間裡玩很合適，房間的門上要裝一個閘門。房間可以佈置一下，這樣，孩子就不會輕易損壞房間或因胡鬧而傷害他們自己（雙胞胎有創造力，有合作精神，又像閃電一樣迅速），他們在房間裡快樂地玩耍的時間要比一般孩子長。

992. **衣服和玩具是否應該相似？**一些家長指出，若考慮到童裝的款式、保暖和價格，在一個吸引家長的商店裡，通常只找得到一種合適的，那麼即使想給孩子穿不一樣的衣服，也是很困難的。而且他們說，他們的雙胞胎通常堅持在同一時間穿相似的衣服。而另一些家長卻強調相反的觀點——比如關於服裝——買一種類型的兩件衣服通常不可能，所以孩子被迫穿得不一樣。還有一些家長說，因爲雙胞胎幾乎不得不全部穿舊衣服，所以從一開始他們就穿得不一樣，同時可以享受擁有自己和別人明顯不同的衣服。

一些家長報告說他們從一開始就不得不買相同的玩具，否則他們的雙胞胎就會競爭、就會痛苦。而另一些家長卻說他們除了像三輪車和洋娃娃那樣特別昂貴的物品以外，通常給孩子買不同的玩具，因爲雙胞胎很小就學會了快樂地分享玩具。

我猜測是家長的態度導致了這麼大的區別。如果家長認爲雙胞胎多數時間必須穿不同的衣服，並分享他們的玩具是理所當然的，不管這樣是出於必要，還是根據原則，孩子通常會接受這一觀點。但是如果家長期望孩子穿同樣的衣服，用同樣的玩具，尤其當孩子每次堅持這樣的話，家長就屈服了，那麼隨著時間推移，孩子會變得更加堅持穿同樣的衣服。當然，這一原理也適用於一般孩子：如果家長堅決，孩子就會接受；如果家長猶豫不決，孩子就會反對。

如果雙胞胎中每個孩子都有自己單獨的抽屜和存放物品的小空間，如果相似的衣服被標上了名字或其他標記，這樣會幫助孩子發展對自己衣服的個別意識並喜歡它們。款式相近但顏色不同的衣服可以保持既有雙胞胎特點又有個人特色的一些優點。

993. **培養孩子的個性**。最後這一點把我們引向了哲學問題，要強調多少雙胞胎特性，要鼓勵多少個人特性，尤其對於長得完全一樣的雙胞胎。世人都對雙胞胎感興趣，弄不淸他們，喜歡看他們穿著相似的衣服看起來相像的模樣，還經常問家長關於他們的愚蠢問題（「哪個更漂亮？」「你最喜歡哪一個？」）。要家長不滿足人們情感的興趣是很困難的。爲什麼不滿足他們呢？問題在於這樣做會給雙胞胎留下一種印象，那就是他們吸引人的唯一原因是長得像、穿得像，他們又漂亮又逗人喜歡。在三歲的時候，孩子看起來非常相像可能很吸引人。但是像偶然發生的那樣，如果這種情況結束了，雙胞胎仍然想吸引別人的注意力，在三十歲的時候還穿一樣的衣服，他們彼此相互依賴，以至於他們無法戀愛、結婚，那麼這種結果就不是可喜而是可悲的了。

但是，這並不表示家長應該擔心曾給雙胞胎穿得相似，或者因爲喜歡世人對孩子的注意而感到慚愧。對雙胞胎和家長來說，雙胞胎的特性是很有趣的。實際上，因爲是雙胞胎，他們形成了性格上的特殊力量：他們很早就不依靠父母的關注，他們有不尋常的能力，能合作玩耍、彼此忠誠、慷慨大方。

但是爲了避免過分強調雙胞胎的共同性，尤其是完全一樣或非常相似的雙胞胎的共同性，家長明智的做法是不對他們用相似的名字（即使名字不一樣，也很難把他們區分開來）；用名字來稱呼他們，而不叫「雙胞胎」；只在部分時間給他們穿相似的衣服；在他們變得習慣獨佔彼此的陪伴之前，早一點並經常把他們介紹給其他孩子；讓他們按自己的意願交各自的朋友；鼓勵鄰居自由地邀請其中一個孩子和他們玩耍或參加聚會，使另一個孩子能獲得自己完全擁有父母的機會，藉此來變化一下生活。

偶爾，一個孩子可能變得過分依賴另一個孩子。這時，明智的做法可能是經常把他們分開，例如把他們放在不同的小夥伴中，或者一旦他們上學，把他們放在不同的班級。但是，沒有必要的時候，卻制定任意的分離規矩，這看起來是愚蠢而殘忍的。

994. **擔心偏愛**。還有一點建議。一些盡職盡責的家長開始太擔心他們可能給了其中一個嬰兒較多的關注並且總是先照顧他——比如因爲他比較小或者反應比較靈敏。每個孩子都想要並需要由於他自己值得愛的特質而自然地受到喜愛。如果孩子知道自己在父母心中有他自己適當的位置，他就會滿足，那麼就不會擔心他的哥哥（弟弟）或姊姊（妹妹）得到的愛。但是最終他會感受到強迫關注的虛假性。墨守成規地平等對待會使他的注意力集中在他的權利上，並會像律師一樣爲這些權利爭辯。要避免像「媽媽先給A穿襯衫，然後先給B穿褲子」，或者像「今天輪到A挨著爸爸坐了」等等這類事情的發生。

同性戀家長

在美國，目前大概有一千萬的孩子與三千萬的同性戀家長生活在一起。這一數字可能還會增加。越來越多的同性戀夫婦正在選擇成爲家長

——通過收養子女、人工授精，找代理孕母或者作養父母。另外，有些男人和女人，他們通過傳統的婚姻擁有了孩子，但後來卻發現他們是同性戀者。一些這樣的家長仍維持著婚姻，直到孩子長大，而另一些則離婚了，但繼續和他們的前任配偶分擔撫養孩子的工作。

如果你不是同性戀者，相信你已問過自己這個問題：這類家庭對孩子是否有好處。如果你是一個同性戀家長，那麼在非傳統形式家庭中的經歷，已使你直接了解了一些區別。

995. 關於同性戀家長的孩子，我們知道些什麼？許多研究把焦點放在家長雙方都是同性戀的孩子，並且已經得知了許多事情。

心理測試顯示，異性戀父母撫養的孩子和同性戀父母撫養的孩子沒有明顯的差別。像任何一個家庭一樣，對孩子來說最重要的是家長怎樣愛護他們、養育他們，而且家長是否能意識到他們的特殊需要。既然同性戀的男人和女人可以像異性戀父母或有功能障礙的父母一樣給予孩子溫暖和照顧，那麼他們孩子的心理健康可與他人相提並論並不奇怪。這些研究還顯示，同性戀家長的孩子和那些在更加傳統的家庭中成長的孩子一樣，可能成爲異性戀者。同時，這些孩子更能忍受不同的性向，而且對未成年的身分更敏感。大多數研究顯示，同性戀家長盡很大努力給孩子展示強烈的角色模式，有男性的，也有女性的，有異性戀的，也有同性戀的。而且，根據統計，同性戀家長很少會發生性別混淆的現象。然而，異性戀的男子卻承認了大多數家庭內部的性別混淆現象。

同性戀家長的孩子面臨的挑戰和其他少數族群面臨的挑戰相似，當同學們得知他們的家長是同性戀時，他們在學校可能會被取笑並感到羞恥。如果老師、學校的官員、和同學的父母一點也不盡力培養他們自己和他們的家庭對於同性戀家長的正確看法，那麼這種折磨將更殘酷。

對於正値性格形成過程的孩子來說，被同儕認爲不正常，並被認爲他對主流文化是一個威脅的話，會引起他情感的衝突。當然，童年的這種考驗也可以確立孩子堅強的性格和對他人的同情（並且事實常常如此），但是這種過程對家長和孩子來說都是異常痛苦的。很多學校通過教育孩子尊重其他文化群體的生活標準和生活方式，來盡力不讓他們取笑任何一個孩子，在這些學校裡，譏笑他人的現象可能很少發生。

因此，這一科學的事實是非常清楚的：同性戀家庭的孩子通常和那些傳統家庭中的孩子做得一樣好。我的感覺是好家長就是好家長。我們應關心家長給予孩子的是否是愛、一致性和細心的照顧，而不是他們親密關係的本質。

996. 同性戀家長。你已清楚地知道，作一個家長很難，而且如果你和你的孩子被主流社會的一些人所蔑視，那麼這會更難。在一些社會團體中，同性戀家庭是一種完全可以被接受的家庭形式。這通常發生在大城市，在那兒，州法律對同性戀行為並不起訴和判罪。然而，另一些社會團體卻詆毀這種非傳統的家庭，以至於甚至你在家庭之外討論這一問題都會感到不舒服。這當然會使你的生活更加艱難。

不管你的社會團體接受還是反對你的家庭，你（和其他的少數文化族群）將不得不面臨的一個問題是：你的孩子可能被嘲弄。

像大多數家長一樣，你最好保護孩子不受傷害，即使這種可能並不存在。我建議你在孩子小的時候和他談一談，隨便地給他解釋一下你們家庭的本質並告訴他你們的家庭和其他孩子的家庭有什麼不同。當孩子再長大一點，你可以和他談論：一些人對與他們不同的事物和他們不理解的事物是怎樣的害怕。當這些人害怕的時候，他們會通過取笑別人或變得刻薄惡毒來表現。然後，你可以舉一些具體的例子來幫助孩子決定：當這種情況發生時，他該做什麼；你還要幫助孩子以一種想獲得其他孩子好感的方式，來向他們解釋你們家庭的性質。像其他問題一樣，你和孩子之間公開而坦誠的談話是不可缺少的。你對於與自己性別不同的人的態度也很重要。儘管你可以選擇一個同性別的人作為伴侶，但是你對於性別不同的人表示的尊重是很重要的。任何一個母親，如果她對兒子宣稱她恨男人，或者她用一種方式看待所有的男人，那麼她就把兒子置於這樣的情境中：如果她的兒子選擇成爲男性並尋找男性角色的模式，那麼他就得冒著失去母愛的危險。

997. **法律上的問題是複雜的**。既然美國不承認同性戀的婚姻，那麼缺少法律承認的家長爲孩子做決定便會有困難。向律師諮詢關於照顧你的孩子潛在的法律問題是很重要的。很多州現在正在提出這一問題，有些州正在爲同性戀家長規定更多的權利，但是其他的州可能還沒有。時時注意了解本地的、本州的、和聯邦政府的有關這方面的規定，對你將有所幫助。

有很多爲同性戀家長寫的書籍，你會發現它們很有用。很多社會組織爲孩子和家長提供支持團體來與他人分享他們的經歷。也有一些給孩子看的、提出同性戀家庭問題的書。我還建議，假定你的家庭是開放的，如果孩子的老師已經注意到了其他孩子出現的一些問題，如果同性戀問題曾在課堂上討論過，那麼你就去孩子的學校和老師討論一下他對非傳統家庭有怎樣的感覺。

對於異性戀者，同性戀家庭的存在給你提供了一個機會來教育你的孩子有不同的家庭類型，並來評價什麼是眞正重要的——不是其他的家庭與你的家庭是否不同，而是他們是否也持有你的家庭所尊重的標準：和藹仁慈、體諒他人、親切溫和。教導你的孩子忍受、接受不同家庭的結構，將使他能很好地應付二十一世紀正在爆發的文化差異。

出生順序

998. **出生順序與性格**。一些科學家相信孩子的出生順序是他們性格發展的一個重要決定因素。這些科學家列舉了一些研究，這些研究顯示，最先出生的孩子長大成人後比較內向（保守）和沉靜。他們尋找方法來保持社會現狀。當有新思想出現時，他們傾向於拒絕它，仍堅持他們的舊方法。另一方面，後來出生的孩子總是較具冒險精神。他們尋找方法來打破社會現狀。他們歡迎思想和生活方式上的改變，並探尋觀察世界的新方法。

爲什麼會這樣呢？一些人推測這完全是因爲個人的早期家庭關係。最先出生的孩子擁有父母沒有分割的關愛，至少有一段時間如此。在這段時間裡，父母的精力和關愛只放在他一個人身上。結果，他努力爭取保持父母的贊同並保持他在家裡國王一樣的地位。他想讓事情都保持這個樣子，因爲這些事情現在正處於一個非常令人滿意的狀態。

另一方面，後來出生的孩子從未擁有過父母沒有分割的關注，他們總是不得不和至少一個兄弟（姊妹）來競爭，以贏得父母的喜愛。結果，他們學會了打破現狀，從事引起關注的獨特行爲，以使自己在人群中被注意到。既然現有的體系對他們不利，他們就想要動搖這一體系。

這是一種簡單的看待出生順序對於性格影響的方式，但是它可能是眞理。讓我們再進一步看一下一些只有一個孩子和有幾個孩子的家庭動力學。

999. **獨生子（女）**。許多家長，尤其是那些離家在外工作的家長，都只有一個孩子。獨生子（女）可以像一個有兄弟姊妹的孩子一樣成長。但是你必須注意不要把你所有的希望與夢想都放在這個孩子身上，因爲這對於任何一個男孩或女孩來說，都是非常沉重的負擔。

1000. **幫助第一個孩子走出去**。大多數身爲長子（女）的孩子能快樂地長大，並能自我調節得很好。但是他們之中很多人在適應外界的時候有一段比較困難的時期。

家長們會說：「老二很省事。他不哭。他幾乎不成問題。他自己玩得很高興，而當你走近他的時候，他又是那樣的友善。」當他再長大幾歲時，家長會說：「老二是這樣一個友善、外向的孩子，每個人自然會喜歡他。當我們在街上走的時候，陌生人會朝他微笑，並讓我們停下來，問他幾歲了。他們只是隨後才基於禮貌而提到老大。」你會看到這傷害了老大的感情。他渴望獲得比老二更多的關注。

造成這種差別的原因是什麼呢？問題之一是：在有些家庭中，第一個孩子得到了過分的關注，這超過了對他有好處的程度，尤其是在他六個月以後，當他開始自娛自樂時，父母會注意他，給他提建議，輔助他做一些本來不必要的事情。這使他很少有機會發展自己的興趣。他很少先向父母問好，因爲父母總是先對他說話。他可能總被父母炫耀給其他成年人。如果不是常常這樣並無大礙，但是持續這樣做會使他的自我意識加強。當第一個孩子生病的時候，父母自然圍在他的床邊，表現出更多的擔心與焦慮，而當他們有了更多的經驗時，他們就不會這樣表現了。當他淘氣的時候，父母總是易於把這件事看得很嚴重並大驚小怪。

持續對一個孩子過分的關注會導致他認爲自己是世界的中心，每個人都應該欣賞他而不管他自己是否有吸引力。另一方面，他從沒嘗試過怎麼自我娛樂、不依靠父母，或者怎樣走出去，吸引別人。

當然，問題的答案不是忽視第一個孩子。孩子需要以良好的方式表達愛和反應。因此，讓他玩自己的遊戲，只要他感興趣並玩得高興就讓他玩，儘量不打擾他、命令他、指責他，不對他過分擔心。有時給他機會開始說話。當有來訪者時，讓他自己採取行動。當他來找你玩或尋找愛撫時，要對他親切、友好，當他想自己玩時就讓他離開。

另一個有時看起來使第一個孩子不善交際的因素是：父母過於嚴厲的態度。父母並不是嚴厲的人，他們能夠和他們的朋友和後來出生的孩子輕鬆相處。他們只是對第一個孩子太緊張了。

如果你曾經看過緊張的人第一次試著騎一匹馬的情景，你會明白我的意思。他們坐得很硬，就好像是陶瓷玩偶，他們不知道如何適應馬的活動，他們可能成爲不必要的專權者。這對騎馬者和馬來說都是艱難的工作。有經驗的騎馬者懂得如何放鬆，如何順從並和馬一起運動而不摔下座位，如何溫柔地指引馬的方向。撫養孩子和騎馬並不太像，但同樣的精神可以用在這兩件事上。

還有一個類似的例子是第一次管理他人的年輕軍官。如果他對自己沒有把握，那麼出於害怕不能保持控制權，他可能在開始時沒有必要地變得莊嚴和嚴厲。越有經驗的人越不害怕表現出和藹可親與合情合理。

你可能會說：「問題是我沒有經驗。」但是做好嬰兒的撫育工作不必有經驗——你所需要的一切是以一種友善的精神開始。一個孩子不會像馬一樣把你摔下來（至少在他長得足夠大之前不會這樣），他也不會像一班士兵那樣笑話你。不要擔心，放鬆，要成爲令人愉快的人。過於輕鬆比過於嚴厲要好。

1001. **處於中間位置的孩子**。關於處在中間位置的孩子有如此之多的談論，以至於有時你會聽到關於「中間孩子症候群」（middle child syndrome）的說法，好像這是一種疾病。其實並沒有這樣的病症，但是有時一個處於中間位置的孩子感到他的兄弟姊妹被父母認爲是特殊的，而他自己卻被遺忘了，這卻是眞實的情況。（感覺身處中間位置可以發生在任何一個在一大群兄弟姊妹中既不是最大也不是最小的孩子身上。）我認爲你能爲一個處於中間位置的孩子做的最好的事情就是：避免把他和其他兄弟姊妹做比較。如果處於中間位置的孩子知道你愛他，並把他當作一個個體來欣賞，這就對了。

1002. **最小的孩子**。這個孩子出於幾個原因被認爲是特殊的。你經常聽到父母提到一個最小的孩子：「他總是我的寶貝。」當然，這樣感覺並沒有什麼錯誤 ，除非它干擾了父母想讓孩子在每一個成長階段都能自由發展的願望。然而可能有這種情況：父母對他們前幾個孩子一直很失望。可能孩子們沒有像父母希望的那樣成爲運動員或學者，所以父母把太多的壓力放在最小的孩子身上。也許父母特別想要一個男孩來繼承家族的姓氏，但當最小的孩子又是一個女孩時，他們會表現出失望的情緒，並使孩子感到她什麼地方做錯了。意識到這些事情的可能性將幫助你避免它們。

收養

1003. 人們有各種各樣的原因想收養孩子。一對夫婦只有當他們都很愛孩子並非常想要一個孩子的時候，才應該決定收養孩子。所有的孩子，不管是親生的還是收養的，都需要感到他們屬於父母，並且會被父母深深地、永遠地愛著。一個被收養的孩子會很容易感到缺少父母一方或父母雙方的愛，因為他一開始就不安全，他從前曾經歷過一次或多次的分離。他知道因為某種原因他被親生父母遺棄了，他可能偷偷地害怕他的養父母某一天也會棄他而去。

只有一個家長想要孩子，或者兩個家長都只考慮到實際的原因，例如希望在他們歲數大的時候有人來照顧他們，為了這些理由而想要擁有孩子的想法是錯誤的。偶爾，一個擔心失去丈夫的女人會想收養孩子，希望這樣能留住丈夫的愛。出於這些原因的收養對孩子來說是不公平的，這些原因通常從父母的角度出發，並被證明是錯誤的。

只有一個孩子，而這個孩子又不太令他們高興或不善交際，這樣的父母有時會考慮再收養一個孩子來給他們作伴。在這樣做之前，最好和心理健康專家或者是領養代理人商量一下。如果家長過分努力對新來者表示喜愛，那麼有可能傷害了而不是幫助了他們的親生孩子。出於所有的考慮，這是一種潛在冒險的行為。

通過收養來代替一個已經死去的孩子，也是有危險的。家長需要時間來消除他們的悲傷。他們想收養孩子只是因為他們需要一個孩子來愛。收養一個和他們死去的孩子在年齡、性別或外貌上相似的孩子是沒什麼害處的，但是二者之間的比較應該就此停止。想使一個人扮演另一個人是不公平也不合理的。他注定要在扮演一個鬼魂上失敗，他會令父母失望，自己也會變得不快樂。他不應該被提醒另一個孩子做了什麼，不應該與另一個孩子在父母的頭腦裡做比較。讓孩子做他自己。（這裡的一些建議也適用於在年長的孩子死後出生的孩子。）

1004. 一個孩子應該在多大年齡被收養才合適？從孩子的角度考慮，越早被收養越好。但是因爲大量複雜的原因，對於那些生活在孤兒院和福利機構的成千上萬的小孩來說是不可能的。調查顯示：大一點的孩子也可以被成功的領養。孩子的年齡不應該妨礙他們的去留，代理人將幫助大一點的孩子和家長決定這樣做對他們是否正確。

一些收養孩子的家長擔心遺傳性，擔心它會怎樣影響一個孩子的前途。我們對於包括智力在內的性格發展了解的越多，就會越清楚，儘管遺傳因素有一定的影響，但是孩子成長的環境起著決定性的作用。孩子從家長那兒得到的愛和歸屬感尤爲重要。有很好的證據說明，社會的特殊反常現象，諸如暴力行爲、不道德的行爲、違法犯罪和不負責任等等，都不是遺傳的。

一對夫婦不應該等到他們在行爲方式上已僵化了才去收養孩子。他們已經想了好長一段時間——家裡有一個金色捲髮的小女孩，她的歌聲充滿了整個屋子——所以即使是最好的孩子對他們來說也變成了粗魯的打擊。這不單單是時間問題，而是一個人有多大能力能夠滿足一個特殊孩子的需要，這是要和代理人討論的事情。

1005. 想要被收養的孩子，大多數都是年紀較大的。這就表示大部分想要收養嬰兒或幼兒的人不能實現他們的心願，他們必須等待很長的一段時間。這些人可能被誘惑通過律師或醫生來收養一個嬰兒。許多人認爲與不經過任何法律手續而收養一個「黑市」嬰兒相比，如果他們以這種方式得到一個「灰市」嬰兒是不會有任何麻煩的。但是這些人時常會發現，他們仍然會遇到麻煩，不僅有法律上的也有感情上的麻煩，比如說，後來當嬰兒的親生母親決定要回孩子時。

更多沒有結婚的家長正保有並撫養他們的孩子。因此，沒有那麼多需要家的小嬰兒。然而，卻有另外一些等待父母的孩子。他們大部分處在上學的年齡。他們可能有一個不想與之分開的哥哥（弟弟）或姊姊（妹妹），可能有一些身體上的、情緒上的或智力上的障礙。他們可能是戰爭孤兒。他們像其他的孩子一樣需要愛，同時也能對父母有所回報。然而，這些孩子的確有一些特殊需要。既然他們年紀大一些，他們就有可能在一個以上的社會撫育機構待過。由於已經失去了父母（親生的，然後是撫育的），他們感到不安全，害怕再一次被拋棄。孩子們以各種各樣的方法來表達這一點，有時他們會試驗收養者，看能否把他們再次「送回來」。孩子的這些憂慮向養父母提出了特殊的挑戰。只要父母事先了解這一點並預先做了準備（而不是期望孩子是令人愉快的），那麼這些孩子能夠給你們特殊的回報。收養代理人的責任應集中注意力為這些孩子尋找家庭，而不僅僅是為收養的家長找到孩子。

如果大一點的孩子有些特殊的需要，代理人員和醫生應把收養的家長必須具備的條件提供給他們。大多數人都有能力照顧好這樣的孩子。專家的工作應幫助沒有經驗的養父母發展這一能力。

如今許多打算收養孩子的家長已經收養了孩子。他們不是不能生育，而且已經被證明有生育能力。他們出於人道主義的動機，希望收養孩子，並想為這個孩子做些事情。

單親的和同性戀的家長現在已經被考慮作為收養孩子的家長。多數正在等待的孩子馬上就需要父母。童年很快就會過去，現在有一個永久的家長比將來某一時刻擁有兩個家長的可能性更有價值。所以許多找不到傳統類型父母的代理人就選擇了獨身的或同性戀的家長。在某些情況下，這樣做還有一些其他有價值的原因，比如，某些孩子在感情上以某種方式受過傷害，對他們來說最好擁有一個特殊性別的家長；還有一些孩子極度需要關注和照顧，那麼缺少配偶的一方可以允許一個單親家長或一個非傳統的家庭給予這個孩子所需要的東西。

1006. **通過好的代理機構來收養**。這裡最重要的規則也許是通過一家一流的代理機構來安排收養過程。要收養孩子的家長直接與孩子的親生父母或與沒有經驗的第三者打交道總是很危險的。這給那些親生父母留有餘地來改變主意並試著領回他們的孩子。即使當法律支持親生父母時，這種不愉快也可能破壞收養家庭的幸福和孩子的安全感。

好的代理機構會幫助孩子的親生母親或親屬首先對是否放棄孩子的問題做出正確的決定。這個代理機構也會利用它的判斷和經驗決定勸哪些夫婦不要收養孩子。代理人可以在調整階段幫助孩子和那個家庭。所有要考慮的目標就是幫助孩子和那個家庭，幫助孩子成爲收養他的家庭中的一員，聰明的代理機構和明智的州法律在收養孩子成爲定局前，都需要這種調整與適應。

1007. **開放的收養**。近年來，親生母親（有時也是親生父親）與孩子的養父母之間彼此了解的程度比過去更多，這種現象已越來越普遍了。這和過去只在代理機構那兒得到一些關於對方的大概描述有所不同，現在雙方實際上可以在代理機構互相見面。有時，孩子的親生母親可以聲明她喜歡哪一對要收養孩子的夫婦。有時也安排親生母親和孩子保持聯繫——例如，每年一次或幾次得到孩子的照片和養父母寫的信。

我們還不知道，從長遠的觀點看，這些開放的安排會起怎樣的作用，尤其是在孩子的親生母親和養父母之間提供持續聯繫這一做法。我認爲在開始時親生母親與養父母之間多了解一些是有好處的，因爲這可以防止雙方許多焦慮和疑惑。但是我不淸楚長久的聯繫會在感情上產生什麼樣的影響。在我看來，這可能會干擾親生母親在感情上放棄她的孩子，這還可能妨礙養父母認爲孩子眞正屬於他們。

1008. **一個被收養的孩子應當在什麼時候被告知他是收養的**？對於這個問題所有有經驗的人都同意應該告訴孩子她是被收養的。不論父母認爲他們怎樣小心保持這一秘密，孩子肯定遲早也會從某個人那兒知道這件事的，對於一個大一點的孩子，實際上這總是一個非常令人不安的消息，即使一個成年人突然發現他是被收養的也會如此。這可能會打擾他多年來的安全感。

這個消息不應該被留到任何一個特定的年齡。家長應該從一開始就在他們互相的談話中，以及和孩子、和熟人的談話中，讓孩子是收養的這一事實自然地、隨意地出現。這樣會創造一種氛圍，在這種氛圍下，無論什麼時候，只要這一話題使孩子感興趣，他都可以問問題。隨著孩子理解力的提高，他會慢慢地明白收養是什麼意思。

一些收養孩子的家長若是想保秘，便是在製造錯誤；另一些家長卻在相反的方向犯錯：他們過於強調這件事了。大多數養父母非常自然地在一開始有一種誇大的責任感，好像他們不得不證明自己能把別人的孩子照顧得很好。如果他們太急於給孩子解釋他是收養的，孩子可能開始疑惑，「無論怎樣，被收養有什麼不對嗎？」但是如果他們像接受孩子頭髮的顏色一樣自然地接受收養這一事實，他們就不必把它當成一個秘密或者不斷提醒孩子這件事。他們應該提醒自己，既然自己被代理機構選定了，那麼他們就可能成為好父母，孩子很幸運能找到他們。他們不應該害怕孩子失去的親生父母。養父母需要處理好他們的恐懼和憂慮，或者他們可以和孩子進行一下交流。

讓我們舉一個例子，一個三歲左右的孩子聽到她的母親向一個新認識的朋友解釋說她是收養的，她問道：「媽媽，什麼是『收養』？」母親可以回答：「很早以前，我非常想要一個小女嬰來愛她、照顧她。於是我就到了一個有很多嬰兒的地方，我告訴那個夫人說，『我想要一個長著棕色頭髮和藍色眼睛的小女孩。』於是她就帶給我一個嬰兒，那就是你呀。我說，『這正是我想要的嬰兒。我想收養她，把她帶回家永遠擁有她。』這就是我領養你的過程。」這樣就創造了一個良好的開端，因為它強調了收養的積極一面，強調了母親得到的正是她想要的這一事實。這個故事會使孩子高興，她會多次想聽到這個故事。

在較大年齡時，被收養的孩子需要另一種不同的方法。他們可能記得他們的親生父母和哺育他們的父母。代理機構應該幫助孩子和新父母來解決這一問題。家長要認識到在孩子生活中的不同階段，這些問題會重複地出現。應該盡可能簡單、誠實地回答這些問題。家長應當允許孩子自由表達他們的感情和恐懼。

在三歲到四歲之間，像大多數孩子一樣，你的孩子也想知道嬰兒是從哪兒來的。家長最好回答得足夠眞實、簡單，這樣三歲的孩子就容易理解了。但是當養母向孩子解釋說嬰兒是在母親的肚子裡長大的，這會使她奇怪這怎麼和在代理機構挑選她的那個故事不吻合呢？隨後，也許幾個月以後，她會問：「我是在你肚子裡長大的嗎？」那麼，這個養母可以簡單、隨意地解釋說，她在被收養前，是在另一個母親的肚子裡長大的。這可能使她在一段時間內迷惑不解，但以後她會弄明白的。

最後，孩子會提出更加困難的問題：爲什麼她的親生父母拋棄了她。暗示親生父母不想要她會動搖她對所有父母的信心。任何一種捏造的原因都會在將來以某種意想不到的方式困擾孩子。也許最好的回答並且最接近於事實的回答是：「我不知道爲什麼他們不能照顧你，但我相信他們想照顧你。」在孩子消化這一想法的期間，家長需要緊抱著她並提醒她，她現在是你的了。

所有養父母都很自然地對孩子的親生父母非常好奇，不管他們是否表示出這種好奇。以前，收養代理機構只是非常模糊地告訴他們關於孩子親生父母的身體及精神健康方面的概況。他們完全隱藏了親生父母的身分。這在某種程度上使養父母可以很容易地對孩子的根源問題和他爲什麼被拋棄，回答說：「我不知道。」這甚至可以更加地保護親生父母的隱私，在大多數情況下，他們都沒有結婚，他們在以後各自的生活中，可能把未婚懷孕這件事作爲一個秘密。如今，法院根據對個人獲知權的確認，有時強迫代理機構向一個被收養的年輕人或是需要這方面信息的成年人揭示親生父母的身分。在有些情況下，當這種事導致了拜見親生父母的時候，它可能會對被收養者的狂亂心情和纏繞於心的好奇產生有益的影響。然而，在另一些情況下，這樣一種拜訪對年輕人、對養父母、對親生父母都造成了不安的影響。被收養的年輕人或成年人的任何一種這樣的要求都需要同代理人、贊成者與反對者詳細地討論，不管這件事是否被提交到法庭上。

1009. 被收養的孩子必須完全地屬於養父母。被收養的孩子可能會偷偷地害怕如果養父母改變了主意或他做得不好，他的養父母某一天也會像他親生父母一樣拋棄他。養父母應該隨時記住這一點並且發誓他們在任何情況下，都不會說出要拋棄他或在腦中出現這樣的想法。在沒經過考慮或者生氣時說出的一個威脅，足以永遠地毀壞孩子對養父母的信心。當孩子看起來感到困惑時——例如，當孩子談論他的收養問題時，養父母應該讓他知道他永遠是他們的孩子。儘管這樣，我還想補充一點，養父母如此擔心孩子的安全感，以至於他們過分強調了愛他的話語，這是錯誤的。基本上，養子女的安全感是來自養父母對他全心全意的、自然的愛。它不是言語，而是啓動人心的音樂。

22 家庭壓力與危機

虐待和忽視孩子

1010. **大多數家長有時對孩子很生氣，以至於會有想傷害他們的衝動。**你可能對一個哭不停的嬰兒生氣，因爲看起來你竭盡所能去安慰他的時間已經過了好幾個小時了；或者你可能對一個把你的一件珍貴物品打碎了的孩子生氣。你有理由的盛怒沸騰了，但是在多數情況下，你有足夠的控制力來避免把自己的挫折放在孩子的身上。（我記得當我還是一個醫科學生的時候，在一個午夜，我抱起自己那個哭得永無止境的六個月大嬰兒並對他吼道：「閉嘴！」我幾乎不能控制住自己不去傷害他的身體。幾週以來，他在晚上一直不能入睡，我和他的母親精疲力竭，不知所措。）經歷了這樣一件事以後，你可能感到慚愧和羞恥。如果你記得大多數家長都有同樣的經歷，你就能夠和你的另一半或孩子的醫生談論此事，並得到你需要的支持和幫助。

近年來，對於虐待和忽視孩子這一問題一直有很多研究和關注。可能有情感上的虐待、身體上的虐待和性虐待。忽視可能有情感上的和物質上的。在各種經濟階層中，都有虐待和忽視孩子的現象發生，儘管這種現象在窮人中發生得較頻繁一些，窮人們的貧困給他們原本已經困難的生活又增加了一個主要的壓力。如果孩子太小或生病了，需要比平時更多的照顧，他可能更容易被虐待。女孩比男孩更常受到性虐待，通常是異性戀男人的性虐待。

大多數以某種方式虐待或忽視孩子的成年人並不是殘忍的或瘋狂的人，但是他們都有可能瞬間對自己的身體和情感喪失控制。與那些不斷失去控制的病人的密切接觸揭示出，他們大多數人在自己的童年受過虐待、忽視或騷擾；他們從家庭和朋友那兒幾乎得不到物質上或精神上的支持，他們對被虐待的孩子有不合理的過高期望。他們會從諮商中受益匪淺，尤其是參加那些和他們有相似問題的家長的聚會。在那兒，他們會明白打孩子只會給孩子留下這種印象：暴力是解決問題的一種辦法。挨打的孩子也想打其他的人，這就是爲什麼在兒童或青少年時期曾受過虐待的成年人可能會虐待他們自己孩子的原因。

關於虐待和忽視孩子的問題，法律的目的不是懲罰家長，而是通過商議來幫助他們理解和處理他們施加給孩子的各種各樣的壓力，使對孩子的期望更切合實際。當家長接受支持和幫助的時候，最好讓孩子一直待在家裡。但是如果隨時有危險，那麼就應該把孩子放在寄養家庭，直到他的家庭準備好再一次照顧他。

1011. 性虐待。孩子遭到的絕大多數性騷擾事件不是那些墮落的陌生人幹的，而是家庭成員、繼父母、家庭的朋友、保姆或是其他孩子等早已認識的人。意識到這一點很重要。

一個已經被確定的建議是學校裡警員的一番話，他們要孩子對那些給他們糖果和帶他們坐車的陌生人提高警覺。我擔心如果沒有經過特殊訓練的權威機構進行這種談話，那會給成千上萬的孩子造成過度病態的恐懼，然而這樣做的效果卻非常非常有限。我建議父母不要提出他們自認爲是明智的警告，取而代之的是應該依靠孩子自己對危險的判斷。爲了使警告聽起來不那麼令人恐懼，我會在（三歲～六歲的）小孩問某些問題或當母親已經發現她和另一個小孩在玩性遊戲時，告訴她：如果一個大一點的孩子想碰她的私處——她的陰蒂或陰道，她不應該讓他（她）這麼做。可以教她這樣說：「我不想讓你這麼做。」並且讓她馬上把這件事告訴她的母親。隨後母親可以再補充說：「有時一個大人可能想碰你，或者想讓你碰他，但你不應該那麼做。告訴他你不想讓他那麼做。然後將這件事告訴我。這不是你的錯。」最後這句話要特別提出來是因爲孩子由於感到羞恥，特別不想報告這種事情，尤其當騷擾者是家裡的親戚或朋友的時候。男孩也是性騷擾的受害者，儘管他們比女孩受騷擾的次數少一些。

家長很難察覺孩子受到性虐待，醫生也很難診斷，因爲害羞、內疚和困窘導致了孩子的沉默，通常也因爲缺少性虐待留在身體上的跡象。當孩子不時出現生殖器或直腸的疼痛：出血、外傷或者傳染病的跡象時，你應該考慮到性虐待的可能性，並向孩子的醫生或保育護士請教診斷結果。（青春期以前的女孩出現極其輕微的陰道感染不是性虐待的結果，了解這一點很重要。）

大多數遭受過性虐待的孩子表現出不尋常的、以前沒有看見過的行爲，例如與孩子的成長年齡不相符的性行爲。我記得一個受過虐待的孩子看起來很喜歡在其他孩子面前模仿成年人的性行爲。這種行爲與在孩子當中諸如「你給我看你的，我就給你看我的」這樣普通的性探險不一樣。一個經常在公共場所出現強迫性手淫的孩子也表現出比在普通手淫的孩子中所能看到的更頻繁、更強烈地對性行爲的興趣（參見680）。其他被發現與兒童和青少年性虐待有關的行爲不太明確，這包括退縮、極度憤怒或具攻擊性、離家出走、恐懼（尤其對與虐待有關的情形）、食欲的改變、睡覺不安穩、最近開始尿床或者弄髒內褲，或學校的表現狀況下降。當然，這些行爲變化在兒童和青少年身上的發生也會是很多其他壓力的結果。實際上，在大多數情況下，它們不是性虐待的標誌。我想強調在具體環境中解釋這些行爲的重要性。我擔心那些在每種行爲上都尋找性虐待跡象的家長，我希望身爲一個家長，你對可能受虐待的孩子的行爲要很敏感。孩子的醫生或保育護士在解釋孩子表現出的不尋常行爲時，對你會很有幫助。

1012. **怎樣獲得幫助**。在許多地方，爲防止孩子受到虐待和忽視，家長們已經組織了幾個國際性組織，並在各地設分支機構。他們爲家長和孩子準備了關於預防的資訊手册，並把這些手册放在學校和圖書館。他們在孩子們非常了解的地方舉行慶祝活動，做出關於孩子們能怎樣保護自己的公衆服務宣言。這些都在地方電視上和廣播電台上播出。

在美國，就有他們所提供的關於孩子受虐、防止孩子受虐和如何撫育孩子的免費小册子。他們能夠告訴你在你所處的區域內如何獲得幫助，並且告訴你他們在住所附近是否有駐地的機構。許多大型城市設有兒童受虐電話熱線，當你感到正失去控制時可以打電話。另外，當地的兒童福利機構也能對你提供幫助。

失踪兒童

近年來有很多關於失踪兒童的報導。很多失踪兒童是被離婚後沒有監護權的家長綁架的，這些家長覺得他們被不公平地剝奪了權利。

其他那些失踪兒童大部分是青少年，而且多數是女孩，她們離家出走是因爲她們覺得沒有人愛她們或者受到了不公平的對待。在出走者中，年紀小的很快會顯示出他們是出走者並且自暴自棄。年紀大一點的孩子可能躲著不想被找到，並把這作爲離開家尋找快樂的途徑。

當然，一旦孩子大到足以自己離開家的時候，就應該教育他們決不和陌生人去任何地方，無論這個陌生人告訴他們什麼。

請教兒童心理健康專家

在本書中，我多次建議你請教孩子的心理健康專家。家長很容易混淆精神科醫師、心理學家和社會工作者的職業和他們之間的區別。

所有這些專業人士都經過培訓來理解和處理孩子中的各種各樣的行爲和情緒上的問題。追溯到十九世紀，那時由於一些人仍然不願向心理健康專家諮詢，精神科醫師主要工作是照顧那些瘋子。但是因爲我們知道了嚴重的疾病是怎樣從輕微的小問題發展而來的，心理健康專家已經把越來越多的注意力放在了解日常生活問題上。通過這種方法，他們能夠在最短的時間內達到最好的效果。一直等到孩子嚴重受擾的時候才拜訪少年兒童心理健康專家和一直等到孩子處於肺炎極危險的情況時才去看醫生或保育護士，兩種情況的後果都一樣。

1013. **精神科醫師**。他們是專門處理心理和情緒混亂的醫學博士。他們能夠指定調節辦法來緩解情緒和心理上的問題，他們還可以經常提供個人的和集體的指導。少年兒童精神科醫師在處理兒童和青少年問題方面受過特殊的訓練。

1014. **心理學家**。他們是專門研究心理學許多分支之一的非醫學專家。和孩子在一起工作的心理學家受過許多方面的訓練，比如智力測試、能力測試、學習的原因和表現、行爲問題和情緒問題。心理學家可能有碩士學位，但通常都有博士學位。

1015. **精神病社會工作者**。他們大學畢業後又修習二年的課程與臨床培訓，以獲得學士學位。精神病社會工作者能對孩子和家庭，以及孩子所在的學校進行評估，並能對孩子在家庭中所表現出的行爲問題進行診斷與治療。

1016. **心理分析家**。是一個在心理學和情緒問題的原因和處理方法方面受過額外的教育和訓練的精神科醫生、心理學家或其他的心理健康專業人士。心理分析家有時通過精密的心理治療，提供更深層的策略。少年兒童心理分析家，也像少年兒童精神科醫師一樣，在兒童和青少年問題上受過進一步的培訓。

1017. 你應該選擇誰？如果藥物治療是基本的處理辦法，那麼少年兒童精神科醫師是最好的選擇。然而，在多數情況下，專業人士的頭銜並不像學位後面的那個人那麼重要。向你的朋友和家人尋求推薦。首先會見一下那位專業人士，看你對他（她）是否有良好的感覺。

在城市中，你可以查詢兒童醫療機構、私人少年兒童精神科醫師、或從事測試的心理學者。把你的查詢告訴你的醫生、大醫院、學校校長或管理者、或社會服務機構，也可以向你的健康護理者、精神病協會、或心理分析協會去尋求意見。從你的保險業者那兒可能只會得到有限的選擇。在你開始行動之前，要確切地弄清楚他們提供哪些心理健康的福利。

我希望某一天會有和所有學校系統聯在一起的少年兒童指導診所，這樣孩子、家長和老師就能夠去徵求對於各種各樣小問題的建議，就像他們在詢問關於免疫、飲食和身體疾病的預防時一樣輕鬆、自然。

1018. 家庭社會機構。大多數城市至少有一個家庭社會機構，而一些大城市有天主教的、猶太教的和新教的機構。這些機構由社會工作人員組成，他們受過訓練，能幫助家長解決所有一般的家庭問題——孩子的管理、婚姻的調解、家庭預算、慢性疾病、住房、找工作、找醫療資源等。他們通常有諮詢專家——精神科醫師、心理分析家或心理學家——這些人能幫助解決最困難的事情。

許多家長是伴隨著這樣一種想法成長起來的，他們認爲社會機構只是爲窮人開的，主要提供救濟。這與當今的事實相反。現代的家庭機構願意幫助人們解決重大問題，也願意幫助人們解決一般問題，它們願意幫助那些付不起費用的家庭，也願意協助那些能付得起費用的家庭，通過這種方法他們可以擴大服務。

23 醫療問題

和你的醫生或保育護士進行溝通

在大多數情況下，家長和醫生或保育護士很快便彼此了解、相互信任，並相處得很好。但是，既然他們都是普通人，偶爾他們之間也會出現誤解或緊張的狀態。這些情況多數可以通過雙方坦誠相待來避免或輕易地化解。

除非不考慮費用，否則當你第一次僱用一個醫生時，先和他商量費用問題比較好。開始這樣做比以後再這樣做要容易。儘管商量費用會令人尷尬，但要記住這對醫生來說是習以爲常的，他應該能輕鬆地處理這個問題。許多醫生對那些平均所得比較低的人會降低他們的收費，並樂意提前知道病人的需要。

1019. **健康保健組織（HMO）或其他有管理的健康保護系統**。通常在你去拜訪這類機構或診所的時候，需要付款。當你給自己的家庭簽定健康護理計畫時，他們會通知你這些費用的情況。那時候，也會給你一張具體實施這一計畫的醫生和保育護士的名單。如果你有機會爲孩子選擇一個醫生，那麼聽取一下其他家長關於醫生或保育護士的經驗比較好。這會提供你一些有幫助的資訊，讓你了解每個醫生的執業型態，並幫你做出決定。

多數剛作父母的人在一開始很怕問那些他們擔心過於簡單或過於愚蠢的問題。如果你擔心這個，就太傻了。只要你頭腦中有任一類型的問題，你都有權得到回答——這是醫生的職責。大多數醫生和保育護士很高興回答他們能回答的任何問題，而且越簡單越好。在你每次去看醫生之前，寫下你的問題是個不錯的主意。

即使你確信你的醫生對你問的可能不很嚴重而你卻很擔心的問題變得脾氣暴躁，不管怎樣你也要問他。孩子的健康比醫生的感覺或你的感覺更重要。

家長問了一個問題，而醫生只解釋了一部分就在回答家長提出的最重要問題之前轉移了目標，這種情況經常發生。如果一個母親很害羞，她可能猶豫著不能回到那個關鍵點，而僅僅是不滿意地回家了。她應該鼓勵自己大膽些，這樣醫生才能給她答案，必要的話，建議她去其他的專家那兒請教。

家長們經常拜訪過醫生後，在回家的路上又發現自己忘了提出最重要的問題，可是他們卻又很害羞，不好意思再回去。其實醫生們是不會爲此而介意的，因爲他們已非常習慣這種情況了。

1020. 你也是孩子的護理專家。你的醫生或保育護士是醫療專家，但你也是孩子的專家。他們給你建議和處理辦法的能力通常依賴於你提供給他們的信息。這種交流是雙向的，需要建立在雙方的信任與尊重的基礎上。記住，你們有相同的目標：讓你的孩子長成一個健康、快樂、有價值的人。

1021. 把你的感覺端上台面。如果你感到不安、憂慮或者擔心，最好讓你的醫生或保育護士知道你的感覺。一些家長過於受到恐嚇以至於他們對醫生的診斷或是醫生在身體檢查期間處置孩子的方法不敢表示懷疑。

如果你心裡有事，把它講出來——以一種尊重和開明的方式。只有把這些感覺表達出來，才能夠加以討論。如果你把它們放在心裡，驚恐之情可能會增加，也就失去了改善交流渠道的機會。大多數醫生和保育護士並不是這樣不可靠和容易得罪的人，以致對他們說的或做的每一件事都需要絕對的聽從。

定期健康檢查

1022. **定期看醫生**。確定孩子長得很健康的辦法是讓醫生或保育護士爲他定期健康檢查。大多數慣例建議你在孩子出生後頭兩週內做一次檢查，然後在孩子二個月、四個月、六個月、九個月、十二個月、十五個月、十八個月和兩歲的時候分別做一次檢查，隨後每年做一次。如果你願意給孩子多做一些身體檢查，那麼也不要因太害羞而不去做。

在定期健康檢查期間，醫生或保育護士會問你一些孩子長得怎樣的問題，還會給孩子量體重和身高，來看看他長得怎麼樣了。爲了確信孩子很健康，醫生或保育護士會給他做全面的身體檢查。在孩子頭十八個月裡，幾乎每次檢查都要接受預防接種。

去做健康檢查的時候，你應該帶著5～10個你想問的問題。在手邊放一個小筆記本（有些家長用孩子的健康手册）的主意不錯，這樣在家裡碰到問題的時候就可以記下來。你也應該記錄孩子重要的成長經歷，例如對預防接種或出疹子的反應，以後你可能需要知道這些事情的日期。

即使你的孩子長得非常健康，這些日期也會提醒你孩子何時該預防接種，以保持孩子健康。健康檢查還會讓你與醫生或保育護士之間形成信任與熟悉的關係。這樣，當你有疑問、擔心或重要的醫學問題要問的時候，你就會明白合作的好處。最佳的狀態是你與醫生或保育護士之間形成合作的關係，在此基礎上，你的想法和希望能夠得到考慮和尊重，並且不論提出什麼可能影響孩子健康成長的問題，你都會覺得很自然。

到醫院看病

一些家長記得，他們小時候生病時，醫生會來家裡看病。對他們而言，把孩子帶到醫生的診所裡似乎是錯誤的。當然，在診所看病對醫生來說更方便。但是如果這樣做對許多疾病沒有益處，或是在那些汽車開得很快的年代裡不是絕對的安全，那麼醫生是不會建議這樣做的。例如，許多的喉嚨發炎，現在重要的是到診所做喉嚨的細菌培養，看看鏈球菌是否是發病的原因。如果是這個原因，那麼用抗生素是必不可少的。如果不是這個原因，那麼最好不要使用抗生素。對於無法確定的疾病，驗尿、驗血通常很有幫助。受傷以後，X光檢查是可以考慮的。在這些情況和許多其他情況下，醫生在他們的診所或醫院的急診室裡能更出色地完成工作。

1023. X光。X光曾被當作常規性的診斷措施，例如，判定懷孕的正常狀態或對於痤瘡的積極性治療，直到意識到它們可能對身體有害。從那時起，深思熟慮的人變得小心翼翼的，一些人則不管如何必要都拒絕接受任何X光。然而，實際上單一的X光輻射量非常地少，也沒有一點可覺察到的風險。若衡量照或不照的風險，來自於牙齒或肺部無法確認的感染的風險要比來自於單一X光的風險大多了。如果你非常害怕輻射，就應該告訴你的醫生或牙醫，這樣他就可以考慮這一點。但是如果醫生仍然極力主張用X光，要是我是家長和病人，我就會聽從他的意見。

1024. 徵求其他意見。如果你的孩子生病了或者處於你非常擔心的狀況，你想聽取一下其他專家的看法，那麼徵求其他的意見是你應有的權利。許多家長對這種做法猶豫不決，害怕這樣會表示他們對醫生或保育護士缺乏信心，會傷害彼此的感情。但是，這是醫療實踐的常規手續，醫生應該能夠輕鬆地看待這件事。實際上，像其他人一樣，醫生對他們處理的病人也感到不安（即使不說出來），而且這種不安可能使得他們的工作更困難。不同的意見通常爲醫生、也爲家庭掃除了這一氣氛。

坦誠相見效果最好。我認爲在所有這些情況中要記住的重點是，如果你對醫生或保育護士的建議或治療不滿意，你應該以最實際的態度把這個問題馬上公開地提出來。盡早與醫生交換想法對你們兩個來說，比讓緊張與憤怒在你內心積聚起來要容易。

但是，有時家長和醫生會發現無論他們怎樣盡力做到坦誠與合作，他們都不能融洽相處。在這種情況下，最好公開地承認這一點，然後尋找一位新醫生。所有健康專業人士，包括那些最成功的人，都明白他們不是對每一個人都適合，並且他們豁達地接受了這一事實。

給你的醫生或保育護士打電話

1025. **打電話的時間**。對於給醫生打電話詢問孩子的情況，要找出這位小兒科醫生的行醫規矩。大多數醫生在日常工作期間僱有護士，她可以回答有關病情的一些問題並決定孩子是否需要看醫生。找找看一天中是否有合適的時間給醫生打電話，尤其是要詢問有可能需要到醫院就診的新病情。孩子的大多數病情最先在下午表現出明顯症狀，大多數醫生也願意在下午盡早地了解這些症狀，這樣他們就可以相應地做出診斷。

然而在晚上或週末，情況就不同了。如果你很擔心孩子，所有的醫生都有電話可聯繫。通常你會得到答覆，告訴你那天晚上是哪位醫生還是護士在值班。值班的專業人士可能是你的醫生或保育護士（如果幸運的話），但是更可能是對你或你的孩子一點也不了解的人。這會造成麻煩，尤其當值班的醫生或護士低估了孩子病情的嚴重性時。

電話醫療（phone medicine）充滿著危險。醫生或護士經常很難說出你的孩子是否眞的病了，是否應該立刻到醫院來，還是這個問題可以等到明天醫院開診的時候再解決。這就是爲什麼你傳遞給值班的醫生或護士的信息是至關重要的原因。

1026. 告訴醫生或護士有什麼情況。在打電話之前，你要確定自己手邊有如下訊息（如果有必要，你可以寫下來）。

• 令人擔憂的確切症狀是什麼？什麼時候開始的？多久發作一次？還有其他的症狀嗎？

• 孩子主要的表現是什麼：發燒、呼吸不正常、臉色蒼白，還是其他？（無論什麼時候孩子無緣無故生病了，你都應該給他量體溫。）

• 對這個問題，你採取了哪些措施？有效嗎？

• 孩子看起來病得怎樣？他清醒還是睏倦？眼睛有神還是無神？高興地玩耍，還是可憐地哭喊著？

• 孩子過去經歷過和目前相關的疾病嗎？

• 孩子吃藥了嗎？如果吃了，吃的是什麼藥？

• 你對這種情況的擔心程度如何？

電話診斷的品質將視你提供的訊息品質而定。醫生和護士也是人，他們有時也會忘記詢問所有這些重要的問題，尤其是在深夜。你有責任弄清楚所有重要的訊息都在電話裡講了，這樣才能讓醫生或護士做出正確的結論。

1027. 什麼時候給醫生打電話？在你撫養了兩個孩子以後，對於孩子的哪些症狀或問題需要立即和醫生聯繫，哪些可以等到明天或下次去醫院的時候，你就會有概念了。在此之前，你必須運用自己的判斷力。

初為父母者經常覺得需要一份症狀的名單，以便打電話給醫生時能溝通得更好些。但是，沒有名單能包羅萬象，畢竟有上千種不同的疾病和外傷。你總得運用自己的常識來判斷。一項好的通則是如果你真的很擔心，那麼即使不必要，也應該給醫生打電話。我建議你寧可在一開始不是真的必要的時候多打幾次電話，也不要因為你不想顯得愚蠢或在電話上打擾醫生或護士，而在應該打電話的時候卻不打。

還有一些普通的建議。到目前為止，最重要的原則就是如果孩子看起來生病了或表現出生病的跡象，要立即向醫生詢問，至少是在電話上詢問。對於這一點，我指的跡象是諸如不尋常的疲勞、昏昏欲睡或對什麼都缺乏興趣；不尋常的發怒、煩躁或不能安靜；不尋常的臉色蒼白等等。在嬰兒一、兩個月或三個月期間，他可能會沒有發燒或其他明確的病徵就嚴重得病了，這尤其應該警惕。如果孩子看起來病了，那麼不管孩子有沒有明確的症狀，你都應該和你的醫生或保育護士聯繫。與此相反的情形通常也是正確的：如果孩子看起來不錯，玩得很好，聰明、靈活、好動，那麼不論有什麼症狀，都不太可能是嚴重的疾病。

還有其他一些你要注意的更明確的症狀，這些提醒你該給醫生或保育護士打電話。

1028. **發燒**。體溫的高低與孩子是否眞的病了一樣重要。較小的嬰兒不發燒或有一點點燒也會病得很厲害，但是孩子三歲或四歲以後，高燒經常伴隨著輕微的感染。按照常規，如果孩子體溫是38.3°C或更高一些，就得請教醫生了。如果幼兒體溫是38.3°C，並伴有輕微的感冒症狀，除此之外其他狀況良好，你不必在午夜給醫生打電話。（除非嬰兒不到三個月大，小於三個月的孩子一有發燒症狀就應該給醫生打電話。）在那種情況下，你可以在早上給醫生打電話。但是如果孩子看起來的確病了，即使沒有發燒，也要立即給醫生打電話，尤其是在嬰兒一、兩個月大或三個月大的時候。（關於發燒，請參見1045-1051）

1029. **呼吸困難**。你可以用很多方法來判斷孩子是否有呼吸障礙。但是，首先我要建議你對孩子健康狀態下的呼吸方式要熟悉。注意他呼吸的速度、呼吸的強度、呼吸時是否有噪音。如果你清楚他健康狀態下的呼吸方式，你就能更準確地判斷當他生病的時候，呼吸是否眞的發生了改變。

這裡有一些呼吸困難的跡象和症狀：

- 內縮（retractions）。你可能會注意到一個嬰兒很努力地呼吸著，帶動胃部、胸部和頸部的肌肉（內縮）。對嬰兒來說，內縮是表示他需要額外努力吸入空氣的一個跡象。有些嬰兒呼氣的時候，可能也有咕嚕聲，或者他們的呼氣時間延長且費力。

• **呼吸急促**。這種情況是在呼吸速度（呼吸率）提高的時候發生的。發燒本身不會引起呼吸困難，但卻能引起呼吸加快。要記住，孩子呼吸的頻率一般比成年人快。新生兒和嬰幼兒呼吸一般的最高限是每分鐘大約四十次；學齡前兒童每分鐘大約三十次；十幾歲的少年每分鐘大約二十次。判斷呼吸率最好的方法是簡單地數一下一分鐘的呼吸次數。我建議你分別測一下孩子健康時在睡眠和清醒時的呼吸率。通過這種辦法，你會知道他正常情況下是怎樣呼吸的，這樣你就處於一個更有利的條件來判斷孩子生病時呼吸率是否眞的有所不同。有時，孩子短時間內呼吸得有點快，然後又恢復到正常狀態。眞正生病的孩子——比如，得了肺炎——就會有很高的呼吸率。所以，除非孩子看起來病了，否則單憑一次測量我是不會驚慌的。如果孩子發燒，要盡力使燒退下來，然後再檢查一下他的呼吸。

1030. 有雜音的呼吸。胸部感染或氣喘的孩子呼吸比平時帶有更多的雜音。你很難準確地判斷出噪音來自何處。有時，噪音只是來自鼻子的黏液——一點也不是肺部的問題。而有時，噪音可能來自於氣管（哮鳴），在孩子吸氣的時候噪音最大。哮吼症是從有噪音的呼吸開始的，因爲肺部被感染，經常伴有吼叫的咳嗽或嘶啞的聲音或哭喊。還有些時候，噪音來自於肺部下方的較遠部位。如果這是些尖銳的、幾乎像音樂似的噪音，通常在呼氣的時候大一些，那麼它們可能是像得了氣喘的孩子容易發出的那種喘息聲。有噪音的呼吸相對來說是個好消息，因爲它表示足夠的空氣正圍繞那一部位運動才產生了噪音。如果孩子繼續有內縮或呼吸急促的現象，但有噪音的呼吸卻減少了，可能因爲圍繞受阻塞部位運動的空氣太少了，甚至不能產生噪音。這就眞的是醫療上的緊急事件。

1031. **疼痛**。疼痛是身體對某個地方出了毛病的內部警告。那些生來就沒有感知疼痛能力的孩子（一種罕見的情況）遭受著頻繁的、有時會有生命威脅的骨折、割傷和挫傷的折磨。如果孩子正受著疼痛，你應該盡自己最大努力找出它的來源。可以按壓孩子全身的皮膚來尋找疼痛的部位。尋找有紅疹或皮膚變色的部位。如果疼痛並不厲害，而且沒有其他的症狀（例如發燒），你也許可以安全地等待並觀察。如果疼痛看起來非常厲害，如果孩子不能夠被安撫，如果他看起來病得很嚴重，那麼無論如何都要給醫生打電話。你有懷疑的時候，就要打電話。

1032. **食欲驟減有時是生病的跡象**。如果這種情況只發生過一次，如果孩子像往常那樣感到舒服和快樂，那就不用向醫生報告這個情況。但是，如果孩子在其他方面的行動也與平時有所不同，尤其是肚子疼，那就應該打電話給醫生。在童年的幾個階段，就是當孩子的生長速度減慢的時候，他似乎就吃得少一些。

1033. **感冒**。一般來說，如果感冒不輕，如果感冒持續了十天以上，如果孩子看起來病得更重或者又有了新的症狀，你應該打電話給醫生。

1034. **聲音嘶啞**。如果孩子聲音嘶啞並伴有呼吸困難，家長應該立刻向醫生或護士報告，尤其是在伴隨有流口水的時候。

1035. **嘔吐**。任何一種不尋常類型的嘔吐都應該立即向醫生報告，尤其在孩子看起來病了或者其他方面與平時有所不同的時候。這當然不適用於溢奶現象，這種情況在孩子小的時候是很常見的。

1036. **腹瀉**。較嚴重的腹瀉，比如帶血的腹瀉和嬰幼兒嚴重的腹瀉，都應該立刻向醫生報告。輕一點的腹瀉可以等一下。尋找脫水的跡象（尿的排出量減少、乾燥的口腔和眼淚的減少），把這些情況報告給你的醫生或保育護士。大便裡出現血，嘔吐物中出現血，或者尿液中出現血，都應該馬上報告。

1037. 頭部受傷。如果孩子頭部受傷後出現以下情況應該報告：孩子失去了知覺；在十五分鐘內看起來不快樂、也不健康；隨著時間的推移，孩子看起來更加睏倦和迷糊；在頭部受傷之後開始嘔吐；眼睛發炎或眼睛受傷等，都應當立即報告。如果孩子看起來病了，那麼不管皮膚是腫起還是凹陷，都要告訴醫生。

1038. 吞嚥有毒物質。如果你的孩子吃了可能有危險的任何東西，你應該和毒物控制中心（Poison Control Center），或者和你的醫生或保育護士取得聯繫。把醫生和毒物控制中心的電話號碼記在你的電話簿裡，並在家裡備好吐根糖漿（syrup of ipecac），是個不錯的主意，這樣當毒物控制中心、你的醫生或保育護士指導你採取措施時，你就可以把它拿出來（參見1085）。

1039. 起疹子。對於所有持續的或是不尋常的一片紅疹都要請教醫生。這很容易被弄錯。如果孩子看起來病了，或者疹子出得很厲害，你應該馬上給醫生打電話。

記住，這些只是你應該給醫生或保育護士打電話的一小部分情況。當你有所懷疑的時候，一定要打電話。

另類的治療

如果你像大多數人一樣，就會請一個主張對抗療法（allopathic，編按：意圖產生與病人的病情相反或對抗條件的醫學系統，例如對發熱的病人採用冷敷或給予退燒藥）的醫生或護士來給你的孩子做身體檢查或診斷病情。這些專業人員就像我一樣，採行現代的西方醫學。我們利用現代科技來進行診斷和處理各種問題，並且依靠科學研究來證實我們正在從事的事情確實有益。對抗療法的醫學已經讓我們延長了平均壽命，實現了醫學的奇蹟——從小兒麻痺症的疫苗到抗生素類的醫學，這是我們的祖先所夢想不到的。

1040. **西方醫學有其限制**。有時，我們做的事情並不是存心要造成負面影響，但治療結果變得比原來的病情更糟了。有時過多人爲的干預看起來打亂了自然的計畫。我們經常注意特殊的問題，卻忽視孩子的整體狀況。我們在治療特定的疾病時也會被現代醫學的限制所阻撓，雖然這種情況不經常發生。

由於這些原因，現在50%以上的美國人寄望較古老的或者是其他種類的醫療護理系統來幫助他們自己或他們的孩子。這些系統包括營養療法、草藥療法、冥想療法、針灸療法、瑜伽療法、按摩脊柱療法、順勢療法（homeopathy）、自然療法和推拿療法。

西方醫學近來已經開始深入研究另類醫學（alternative medicines）了。例如，催眠已被證明非常成功，即使是對非常小的孩子，在幫助他們對付疼痛、減少焦慮不安或者改善表現方面也很有用。許多對抗療法的醫生認爲催眠（或者自我催眠）是一種不錯的療法。嬰幼兒推拿已經被證明改善了一些早產兒的情況。針灸能夠幫助解決一些疼痛的疾病。草藥正在被越來越多的人所使用。許多食物正在用來對付及預防癌症。

儘管我的基本觀點適用一個在對抗療法方面受過訓練的醫生，但隨著時間的推移和經驗的增多，我已經意識到其他醫療系統中，許多療法已有幾個世紀的歷史了。

1041. **你要如何評斷非傳統的（或傳統的）醫學界人士對於疾病的治療和預防提出的主張呢**？這不是一個容易回答的問題。

如果你打算嘗試另一種醫學療法，你的醫生或保育護士可能會同情你，也可能不會同情你。但是，你可以在當地的圖書館、書店或健康食品店的圖書區尋找你要的主題。我推薦一本由坎伯爾（Kathi Kemper）醫師所寫的書：《整體小兒醫學》（*The Holistic Pediatrician,* New York: HarperCollins, 1996）。他是一位小兒科醫師，在此書中他嘗試對二十五種最普遍的兒科疾病的另類療法提出客觀的評論。另外，你也可以看看喬布拉（Deepak Chopra）寫的《完全健康手冊》（*Perfect Health*）。

如果一種特殊的療法實際起作用了，那麼它令人很難理解的一部分是安慰的效用（placebo effect）。這是一種醫療之外的作用，它的發生是由於病人相信那種療法的功效。如果我們相信我們正在接受有效的治療，這比我們眞正將得到的效果要多。安慰的效用在對抗療法和另類療法中都會發生。身心相關的醫學領域正在大力研究在心理與身體之間的奇妙關係——這是過去的非傳統醫學有時卻成了當代主流醫學的又一個例子。

我認爲所謂的另類療法在未來幾年中，將有所增加，所以輪到你將成爲一個博學的健康護理消費者了。沒有必要認爲另類療法是傳統西醫的替代品。它們常常被用作輔助療法——來對付疾病的情緒或物理方面的問題，例如，我自己多年來一直利用冥想療法、針灸療法、推拿療法、催眠療法、瑜伽和順勢療法的一些形式，並取得了明顯的效果。

對待生病的孩子

1042. 把事情搞糟很容易。如果孩子眞的生病了，你給他們很多特別護理和關心，不僅僅是因爲實際的醫療原因，還因爲你對他們感到抱歉。你不介意頻繁地爲他們準備飲料和食品，甚至把他們拒絕喝的飲料放在一邊，馬上再準備另一種飲料。你很樂意給他們新玩具，以使他們保持快樂和安靜。你經常用一種請求的口吻問他們感覺怎麼樣了。孩子很快會適應家庭裡的這個新位置。如果他們得了使他們胡思亂想的一種病，他們可能會像古代的君王一樣使喚、命令家長。

不幸的是，至少有90%的孩子幾天內就康復了。一旦家長不擔心了，他們會停止屈服於不合情理的孩子。鬧了幾天彆扭之後，每個人都會恢復正常。

但是如果孩子得了一種慢性疾病或是一種威脅生命的疾病，如果家長有成爲憂慮者的傾向，那麼這種持續的過分關心對孩子的精神可能會有不好的影響，因爲孩子吸收了圍在他身邊的那些人的憂慮情緒。孩子容易變得驕橫起來。如果孩子對此表現得太過有禮貌，他們可能像糟糕的演員一樣，變得激動和敏感。孩子很容易學會享受生病的權利和獲得同情。他們使別人接受他們的一些能力可能變得更弱了，這就像不被使用的肌肉一樣。

1043. **保持孩子繁忙、有禮貌**。家長一有可能，就和有病的孩子一起回到日常的平衡狀態，這是很明智的。這指的是：在進屋的時候帶著一種友好的、實事求是的表情；以一種期待好消息而不是壞消息的語調詢問他們今天感覺怎樣，也許一天只問一次。當你憑經驗看出他們想喝什麼或吃什麼的時候，隨意地給他們弄一下。不要強迫他們，除非醫生認爲有必要。病童的胃口因人爲強迫時毀壞得更快。

如果你正在買玩具，注意尋找那些全部能讓孩子自己動手完成並能給他們動用想像力機會的玩具；積木和建築套件；縫紉、針織、穿珠子的工具；繪畫、做模型和收集郵票的用品。這些玩具需要孩子做很多事並且佔據了他們大量的時間，而那些僅僅是漂亮的物品會很快就喪失吸引力，只會刺激孩子索求更多禮物。一次只分給孩子一個新玩具。還有很多在家做的活動，比如從舊雜誌上剪割圖片、製作一個圖片本、縫東西、用紙板做面具或建造農場、城鎮、布娃娃的家。不要鼓勵孩子玩過多的電視遊樂器。

1044. **如果孩子因生病要臥床很久**。如果他還能夠學習，那就盡快讓一個老師、一個輔導者或是家庭教師開始給他輔導學校的功課，每天要有一段固定的時間。

生病期間，如果孩子感覺好了，可讓他坐起來，例外的情況很少。

只要是人，就需要同伴，你可以參加他們的一些活動或者讀書給他們聽。但是如果孩子想要越來越多的關注，儘量避免與他爭論和討價還價。留固定的一些時間讓孩子和你待在一起，而另一些時間讓他們知道你要去別的地方忙了。如果他們的病不會傳染，醫生也允許他們有同伴，可以經常邀請其他的孩子來玩並留下來吃飯。

最困難的是孩子病已經好了，但是他還沒完全從過去生病的情境中清醒過來。你不得不運用自己最好的判斷來決定他還需要多少特別的關心。這些總之就是爲了讓孩子盡可能過平常的生活，期望他對家裡的其他人有合情合理的舉動，避免憂慮的談話、表情和想法。

發燒

注意：沒有醫生的處方，決不可以給幼兒或青少年吃阿斯匹靈來治療發燒、感冒或流行性感冒的症狀。只有acetaminophen（醋氨酚，普拿疼）、ibuprofen（異丁苯丙酸）和非阿斯匹靈類的藥品才應該被用來治療兒童和青少年的這些疾病。如果碰到的是病毒感染的疾病，尤其是流行性感冒或水痘，阿斯匹靈會使孩子更容易感染雷氏症候群（Reye's syndrome）——一種不常見但卻非常危險的疾病（參見1193）。

1045. **什麼是發燒，什麼不是發燒？**首要的一件事是意識到一個健康孩子的體溫不是固定在37°C。孩子的體溫總是比37°C稍高或稍低一點，這取決於一天的不同時刻和孩子正在做什麼。通常這一體溫在清晨最低，在傍晚最高。

在一天的不同時候體溫變化很小，但是在孩子休息和活動之間體溫變化則較大。非常健康的年幼孩子跑來跑去之後，他的體溫可能達到37.5°C，甚至達到37.7°C，但是體溫在38.3°C時，不論孩子是否一直在運動，可能表示他生病了。這就是說，如果你想知道孩子是否由於疾病而輕微發燒，你一定要在他已經眞正安靜了一小時或更長時間以後再量他的體溫。

1046. **病中發燒的原因是什麼？**發燒是身體對許多感染性疾病，有時也是對其他疾病的部分反應。科學家相信發燒本是幫助身體與病菌做對抗的方式，因爲某些細菌在較高的溫度下更容易被殺死。

如果一個人發燒了，疾病就會在身體裡造成一系列變化，這引起了在大腦中的溫度「設置點」（set point）被提高。身體內的溫度「設置點」是在大腦中被決定的（在下視丘中）。它的工作原理非常像房子中火爐的恆溫器。通常身體的恆溫機構調整（上或下）由新陳代謝產生的熱量來保持身體的常溫。當身體與細菌對抗的時候，產生了化學物質，它提高了設置點，這樣體溫就升高了。這也是發燒時我們感覺冷的原因。我們不是眞的冷——我們太暖和了——但是上升的體溫仍在新增高的設置點之下，這就是我們覺得冷的原因。治療發燒的藥品通過化學原理使設置點復原而起作用。

許多家長認定發燒本身不好，不管發燒程度如何，他們都想用藥把體溫降下來。但是要好好記住的是：發燒不是疾病。發燒是身體用來幫助克服疾病的一種方法，它也有助於觀察疾病的發展情況。有些時候，醫生想把體溫降下來，因爲發燒干擾了孩子的睡眠或者耗盡了病人的力氣。而另外一些時候，醫生卻很願意不管發燒，而集中力量治療疾病。

在大多數有發燒症狀的疾病中，溫度傾向於在傍晚最高，在清晨最低——但是，如果體溫在早晨高，在傍晚低也不要奇怪。發燒在一些疾病中，不是升高又降低，而是穩定的居高不下。這些病最常見的有肺炎和嬰兒玫瑰疹（roseola infantum）。低於普通體溫的溫度（低到36.1°C）有時發生在患病的末期，它可能在健康的嬰兒身上或是清晨時在年齡小的孩子身上發生。只要孩子覺得沒什麼不舒服，就沒有必要擔心。

1047. 體溫計。用於口腔（口溫計）和用於直腸（肛溫計）的兩種體溫計的唯一區別是下端球狀部分的形狀不同。肛溫計的球狀部分是圓的，這樣它就不至於太尖銳。口溫計有一個細長的球狀部分，這樣水銀就可以在口腔內更快地被變熱。兩種體溫計的標誌完全一樣，也代表著同樣的意思——換句話說，它們用相同的標記來表示口腔和直腸溫度的差別。現在有一種很流行的體溫計，它有一個球的形狀，有點介於肛溫計的圓形和口溫計的細長形之間的形狀，這使得不管在哪一部位測量都很方便。任何一種體溫計都可用來測腋窩的溫度。

現在來談一下口腔、腋窩、耳膜和直腸溫度的區別。直腸的溫度最高，因爲它正好在身體內部。口腔的溫度最低，因爲口腔被鼻腔吸入的空氣變涼了。直腸和口腔的溫度差別通常在一度以內。腋窩的溫度在這兩者之間。

大多數體溫計在直腸內測體溫時，一分鐘就夠了。如果你有時觀察一支在嬰兒直腸內的體溫計，你會看見溫度開始時上升得很快。在前二十秒內，溫度會上升到它最後停止的溫度的一度以內。在這以後，它幾乎是緩緩地爬行上升。這就表示如果你對量一個不老實的嬰兒的體溫很緊張，你可以不到一分鐘就把體溫計拿出來，這樣對體溫的高低便有個大概的印象。

在口腔中要想量出正確的溫度需要長一點的時間——一分半到兩分鐘。這是因爲嘴在張開以後需要一會兒才能暖和起來，也因爲體溫計的球狀部分被空氣環繞著。需要四分鐘才能量出腋窩處準確的體溫，但是你在兩分鐘內可以得到一個大概的印象。

現在有些家長喜歡用電子數字顯示的體溫計。它們只需很短的時間就能提供體溫的確切顯示，並且上面的數字也很容易讀。這些體溫計大多數像水銀體溫計一樣精確，但它們更貴一些。對那些特別不肯合作的孩子，你可以握住電子體溫計放在耳道外面來感覺耳膜的溫度。儘管這些通常很準確，但是體溫計需要放得絕對正確，否則測出的溫度就不準了。電子數字顯示的體溫計很貴，我不想建議你使用它們，除非沒有別的可行的辦法來測量你那頑皮孩子的體溫。

1048. **讀體溫計**。對很多家長來說，量體溫是件很煩人的事。他們發現水銀體溫計很難讀。如果你不會查看體溫計，那我建議你使用有數字顯示的那種。但是有99％的家人可以學會讀水銀體溫計，如果他們用心的話。

對你來說，讓他人告訴你如何讀體溫計也許更容易些。這就開始吧！大多數體溫計是以相同的方式刻記的。對應每一度有一條長線，對應每一度的十分之一——就是說0.1，0.2，0.3至0.9，有一條短線。有一個箭頭指向「正常」體溫37度。許多體溫計在正常體溫點以上用紅色標誌。

一旦你掌握了訣竅，讀體溫計就非常容易了。大多數體溫計的形狀有點類似三角形，一端比另一端尖。尖的一端應該指向你。在這種位置下，度數標記在上，數字在下。在它們中間是水銀顯示區域。輕輕轉動體溫計直到你看見水銀帶。不要過分擔心度數的小數部分。

1049. 量體溫。在給孩子量體溫之前，先把體溫計原來的度數甩下去。用你的拇指和其他手指緊緊地拿住體溫計的上端（即球狀部分的反側端），突然用力地甩幾下。你要把水銀降到至少在36°C以下。要在床上或沙發上甩體溫計，直到你看見了水銀帶下降。這樣，如果體溫計滑出了手，它也不會摔破。浴室是所有地方中最不適合甩體溫計的，因爲它的地面比較硬。如果體溫計眞的摔碎了，一定要讓孩子離遠一點，不要接觸到水銀，它可能會滲透到皮膚裡面。

如果你要量直腸的溫度，先把體溫計的球狀部分揷入凡士林或冷霜裡。最好讓孩子趴在你的腿上（讓孩子的腹部跨在你的膝上，如下圖），這樣孩子就不能扭曲身體而輕易地離開這個位置，他的腿也會垂下來。

然後，輕輕地把體溫計揷入肛門內2.5公分或再短些。用輕微的觸動揷入體溫計，讓體溫計找到適合它的方向。如果你拿得緊了，體溫計可能戳到孩子的體內。一旦揷入體溫計，別再緊握體溫計的底部，因爲如果孩子掙扎，這種扭動會傷到他。取而代之的是，把你的手掌橫放在孩子的屁股上，輕輕地用兩個手指夾住體溫計，就像圖示那樣。

你也可以讓孩子在床上側躺著，膝蓋翹起一點，來量他的體溫。當孩子臉朝下趴著的時候，是很難找到肛門的。最不好的姿勢是讓孩子臉朝上平躺著。這樣的話，很難找到他的肛門，而且他的腳正好可以無意地或有意地踢你的手。

孩子到了一歲或一歲多的時候，心理上以在腋窩下量體溫爲宜。他開始意識到他的身體、他的尊嚴和他的安全。由於有東西插入了他的肛門，他很容易受到煩擾甚至是驚嚇，所以你可以把體溫計的球狀部分放在他的腋窩下，然後握住他的胳膊平著貼近胸部，等四分鐘（看著錶），這樣就可以得到一個比較準確的溫度了。在胳膊和胸之間不應該有衣服，當然只能有體溫計的球狀部分。你也可以在腋下使用肛溫計或口溫計。

孩子五、六歲以後，他通常能夠配合你把體溫計的球狀部分放在舌頭下面，嘴巴閉著。這樣，你就可以在嘴裡或腋下，哪一個更方便，你就用它來量體溫。不管體溫是37.6°C或37.5°C，之間並沒多大的區別。

醫生只對大概的體溫感興趣。當你告訴醫生孩子的體溫時，一定要

說出體溫計的眞實顯示，還要加上是「口溫」、「腋溫」，還是「肛溫」。我這樣說是因爲有時一些家長誤認爲口溫是通過肛門測量體溫的唯一正確溫度，他們會想像口腔的溫度，然後把這一結果告訴醫生。一般情況下，測量體溫的最佳時間是清晨和傍晚。

你可以用溫水和肥皀來清潔體溫計，然後用清洗用的酒精把它擦乾淨，再用冷水把它清洗乾淨，以便在下次使用之前除去酒精的氣味。

1050. 你應該持續測量多少天的體溫？這兒有一些偶爾發生的事情。孩子得了重感冒、發燒，醫生定時地爲孩子診斷或向家長要一些最新情況報告，並要家長每天給孩子量兩次體溫。後來，孩子燒退了，正恢復得很好，只是有點輕微的咳嗽和流鼻涕。醫生囑咐家長，孩子的感冒一好就讓他到戶外活動。兩週以後，家長打電話說他們和孩子幾乎無法再待在屋裡，孩子的咳嗽和流鼻涕已經好十天了，但是孩子每天下午的體溫仍高達37.5˚C。就像我前面解釋的那樣，這對一個好動的孩子來說不是發燒。在屋裡待了十天而且又擔心體溫簡直是浪費時間和精力，這是不對的。

在大多數情況下，如果體溫持續幾天在38.3˚C之下，那麼一般就不用再爲孩子量體溫了。除非醫生要求你繼續量體溫或者除非孩子無緣無故地看起來病得更重了。**要等到正常體溫持續24小時以後並且孩子確實感覺好多了，才可以讓他上學**，儘管這時感冒的症狀不一定完全消失。

1051. 在你到達醫生那兒之前，怎樣處理高燒。孩子一到五歲之間，可能會燒到40˚C這麼高，有時甚至更高，同時伴隨著諸如感冒、喉嚨痛或流行性感冒這些輕微感染的初期症狀，看起來孩子就像得了嚴重的傳染病。另一方面，危險的疾病可能從不會使體溫高於38.3˚C。所以不管怎樣，不要讓發高燒過於影響你的判斷。當孩子看起來病了或是和平時不同，不管體溫是多少，都要和醫生取得聯繫。

有時孩子因爲高燒，感到特別不舒服。如果在生病的第一天，孩子的體溫達到了40°C或者更高，如果在你能和醫生取得聯繫之前，即使是通過電話取得聯繫之前還有一個多小時的時間，那麼你可以給孩子吃一些如acetaminophen或ibuprofen之類的藥，來給孩子退燒。這些藥既可以是片劑的，也可以是液體的。必須遵照藥品說明書上的指示，使用正確的劑量。（確定把這些藥放在孩子搆不到的地方或孩子拿不到的抽屜裡。）記住這些藥的使用劑量隨年齡和體重的不同而有所變化。

這些退燒藥只能給孩子吃一次，除非你在三、四個小時之後還沒有與醫生取得聯繫，在這種情況下，你可以再給孩子吃一次。

你可能想給孩子洗澡或者用一塊濕布或海綿給孩子擦一擦。給孩子洗溫水澡或擦澡的目的是想通過摩擦把血液帶到表皮上，並且通過水分的蒸發來使身體涼爽一下。人們常用酒精給孩子擦洗，但是在一個小屋子裡用得太多，就會有很多酒精被吸入肺部。這些辦法只能使體溫暫時降低，然而由於身體的恆溫器還保持在一個較高溫度的設置，它很快又會引起體溫的回升。

如果孩子發燒的溫度很高，臉都燒紅了，在一般的室溫下，你可以給孩子蓋薄薄的一層，也許像一條床單那麼少。這樣做，孩子可能會感到更舒服一點，也許對降低體溫會有幫助。

家長時常擔心長時間的高燒會引起抽筋。這不對。通常是疾病初期體溫的急劇上升導致了小孩的抽筋（參見1189）。盡力使高燒退下來的原因是爲了幫助孩子減輕痛苦，而不是爲了預防抽筋。

患病期間的飲食

1052. **患病期間的飲食**。你的醫生或保育護士每一次在孩子生病時都會考慮疾病的性質和孩子的口味，然後告訴你孩子可以吃什麼食物。嬰兒腹瀉期間的飲食已在345-346中討論過了。下面是一些在你能得到醫療幫助之前，應遵循的通則。

1053. 沒有發燒症狀的感冒期間的飲食。孩子得了感冒，但並沒有發燒，這期間的飲食可以完全照常。但是，孩子即使患了輕微的感冒，胃口也會下降，因為他們待在屋裡，沒有平時運動得那麼多；因為他們有點不舒服，總是吞嚥黏液。不要強迫孩子吃他不想吃的食物。如果孩子吃得比平時少，那麼在兩餐之間就多給孩子一些飲料。人們有時認為，飲料越多越好。讓孩子們隨意喝他們喜歡喝的飲料，是沒有害處的，但是過多的飲料也不會有更多的好處。

1054. 孩子得了感冒，在你能請教醫生之前，如何安排孩子的飲食。當孩子由於患了傷風、流行性感冒、喉嚨痛，或任何一種其他傳染性的疾病而發燒達到38.9°C以上時，在患病初期他們通常會胃口大減，尤其對固體食物。發燒的第一天或前兩天，孩子如果看起來不餓，不要給他們任何固體食物，但是他們醒的時候，就要不斷地給他們液體食物。

柳橙汁、鳳梨汁和水是最常用的飲料。不要忘記水，水雖然沒有營養，但這個時候水是很重要的。正是由於這一原因，水經常對生病的孩子吸引力最大。其他的飲料要看孩子的口味和所患的疾病。如果孩子得的疾病引起了口腔內的疼痛，他可能不想要酸的和使疼痛加劇的飲料。有些孩子喜歡葡萄柚汁、檸檬汁、梨子汁、葡萄汁或淡茶。大一點的孩子喜歡諸如薑啤酒和水果味蘇打之類的含二氧化碳的飲料。有些可樂含少量的咖啡因或某種刺激物，最好不要讓孩子喝。

在孩子生病或康復的時候，不要給孩子喝牛奶。因為乳製品可能引起更多黏液併發症，隨著上呼吸感染而引起更多的不適。

1055. 如果持續發燒，在第一天或第二天之後，孩子的胃口可能會好一點。如果儘管孩子發燒，卻感到餓了，他可以吃一些簡單的固體食物，像烤麵包、薄脆餅乾、奶油麥片粥或蘋果醬。

孩子在發燒期間經常不想吃的或不能消化的食物是煮過的或生的蔬菜、肉類、魚類，或諸如奶油、人造奶油、乳酪等油脂和其他的乳製品。但是，克拉拉・戴維斯（Clara Davis）博士在她對於飲食的實驗中發現，孩子在身體康復過程中——燒退了以後——經常亟欲吃蔬菜並能很好地消化它們。

有一條比其他都重要的原則是：不要強迫生病的孩子吃他不想吃的任何東西，除非醫生有特殊的理由來強迫他這樣。這樣太容易導致嘔吐，引起腸道不舒服，或者引起餵食的問題。

1056. **有嘔吐現象出現時，孩子的飲食安排**。在許多不同的疾病中，都有嘔吐現象的發生，尤其是在發燒的初期。這種現象的發生是因爲胃被疾病攪亂了，不能消化食物。這時的飲食必須考慮很多因素，應該由醫生規定。但是，如果你不能馬上見到醫生，你可以參考以下這些建議。

在嘔吐開始之後，至少讓胃徹底休息兩個小時，這是個好主意。之後，如果孩子要水，就給他喝一口，開始不要多於15C.C.。如果這水沒有吐出來，而且他還要喝，就讓他再喝一點，比如說15分鐘以後給他喝30C.C.。如果他還很想喝水，就逐漸把給水量增加到100C.C.（半杯水）。如果他把這些水都喝下去了而沒有吐出來，那麼你可以試一試給他一點稀釋的蘋果汁或不含咖啡因的茶。最好第一天每次不要超過75C.C.。

從嘔吐到孩子要固體食物幾個小時以後，給他吃一些簡單的東西，像一塊薄脆餅乾、一片烤麵包、一點香蕉、一勺蘋果醬。不要給他牛奶或乳製品。

在有發燒症狀的疾病中，嘔吐現象多數容易在第一天出現，之後即使孩子繼續發燒，也不會再嘔吐了。當孩子劇烈地嘔吐時，嘔吐物中有時會出現小點的或小條的血絲。它本身通常並不嚴重，但你應該向你的醫生或保育護士提到這件事。

1057. **腹瀉時孩子的飲食安排**。孩子到兩歲或兩歲多以後，很少有嚴重或長時期的腹瀉。在和醫生聯繫上之前，最好的處理辦法就是休息，並給他一些普通食物。研究顯示，諸如蘇打飲料和蘋果汁等傳統的糖水「止瀉飲食」，實際上增加並延長了腹瀉，所以這種飲食不再被提倡。

一些孩子喜歡喝口服電解質溶液（oral rehydration solutions），這些東西你可以在藥店或超級市場買到。它們僅僅是加了身體在腹瀉中失去的礦物質的糖水而已。通常它們對輕微的腹瀉沒有必要──就是說，一天瀉肚只有幾次──但是它們對嚴重的腹瀉，當考慮到脫水時，卻非常有幫助（參見346）。那時，醫生可能會推薦你一種口服電解質溶液。

腹瀉期間飲食的主要特徵是爲了確定孩子攝取了充足的流質，這樣就不會因爲攝入量（喝水）少於排出量（腹瀉）而發生脫水。孩子喝的流質不應該是水、茶或其他不能補充礦物質損失的液體。最好是口服電解質溶液。

1058. 避免在孩子快痊癒時出現吃飯的問題。如果孩子燒了幾天，不想吃東西，他的體重自然也會下降。第一次或第二次發生這種情況時，家長會很擔心。當燒最後退下而且醫生說現在可以恢復正常飲食的時候，家長會很耐心地再次餵孩子吃飯。但是，通常會有這種情況發生，就是第一次給孩子餵飯的時候，他會跑掉。如果家長強迫他吃，一頓接一頓，一天接一天，他的胃口可能再也不會恢復了。

這樣的孩子不是忘了怎麼吃飯，也不是太虛弱不能吃飯。在體溫降到正常溫度的時候，在孩子的體內仍然有足以影響他的胃和腸道的感染。孩子一看到那些爲他端上來的食物時，他的消化系統就會警告他，消化系統還沒有對此準備好呢。

如果催促或強迫一個因爲疾病而感到噁心的孩子吃這些食物，他會比平時胃口好的時候，更容易迅速地產生厭惡的情緒。他會在好幾天內出現餵食問題。

一旦胃和腸道從大多數疾病的影響中恢復過來，並能再次消化食物時，孩子的飢餓會強烈地表現出來，但胃口不見得和之前的一樣。爲了彌補損失，孩子在一週或兩週內通常很餓。孩子到了三歲的時候，就會具體要求他們飢餓系統極度渴望的食物了。

在孩子快痊癒的時候，家長的任務就是只給孩子想要的飲料或固體食物，而不要強迫他，要耐心等待他們準備要吃更多東西的信號。如果孩子的胃口在一週後還沒有恢復，應該再次請教醫生。

給孩子吃藥

1059. **有時讓孩子吃藥要講究策略。**第一個原則就是以一種實事求是的方式迅速地讓他把藥吃下去，好像他不想吃藥的事情從來沒有發生過。如果你以一種抱歉的方式做這件事，再加上很多解釋，你會使孩子相信你期望他不喜歡吃藥。當你把湯匙送到他嘴裡的時候，講點其他的事情，大多數年紀小的孩子會自動地張開他們的小嘴，就像鳥巢裡的小鳥一樣。

不容易處理的藥片可以碾成細粉末，再混以粗糙的、好聞的食物，例如蘋果醬。把藥和一茶匙蘋果醬混在一起，可以防止孩子不肯吃它。苦藥片可以和一茶匙蘋果醬、米糖漿或米漿混在一起，讓孩子服用。

眼藥膏和眼藥水可以在睡覺的時候用。你可以把年紀小的孩子放在你的腿上，讓他的雙腿圍著你的腰，不要讓他踢到你，這樣就可以上眼藥了。把他的頭輕輕地、穩固地放在你的膝蓋之間，一隻手上藥的時候，另一隻手捧著他的頭。（這種姿勢對吸鼻子和滴入鼻藥水也很好。）

當給孩子喝藥的時候，選擇一種孩子不常喝的飲料，如葡萄汁、酸梅汁等比較安全。如果你給孩子餵的柳橙汁有種怪味，孩子可能會幾個月都懷疑它。

1060. **沒有醫生或保育護士的建議，不要給孩子吃藥。**沒有和醫生保持聯繫，就不要繼續給孩子吃藥。孩子因爲感冒而咳嗽，醫生給他開了一種止咳藥；兩個月以後，孩子又咳嗽了，家長沒有請教醫生又用了原來的藥。這藥看起來在頭一週有用，但是隨後咳嗽就變厲害了，家長不得不找醫生。醫生或保育護士馬上意識到這次的疾病不是感冒而是肺炎；如果家長一週前告訴他們的話，他們會猜到的。

那些以同樣的方式處理過一些感冒、頭痛或胃痛情況的家長開始覺得自己是專家了——在某種有限的程度上，他們所屬的那種專家。但是，他們沒有像醫生那樣受過訓練，一開始醫生會認眞考慮診斷結果是什麼。而對家長來說，兩種不同的頭痛（或兩種不同的胃痛）看起來是一樣的。但是對醫生來說，一種頭痛和另一種頭痛可能完全不同，它們會受到不同的治療。

其孩子被醫生或保育護士用一種抗生素（如盤尼西林）治療過的家長，有時對相似的病症也被誘惑再次使用這種藥。他們認爲這種藥產生了非常好的效果，很容易買到，他們從上次的使用中也知道了使用的劑量——所以，爲什麼不用呢？第一，這種藥可能再也不會有效了，或者孩子需要不同的劑量或完全不同的療法。第二，當最後去看醫生的時候，抗生素會干擾診斷的結果。第三，孩子偶爾會對這些藥品的使用產生嚴重的反應——發燒、出疹子、貧血。幸運的是，這些現象很少見。但是，如果這些藥品經常被使用，尤其是被不正確地使用時，這些現象就更容易發生。這就是爲什麼應該在醫生或保育護士已經確定了這種疾病的危險，並且確定了這種藥品的好處超過了治療風險時，才可以用這些藥。即使像acetaminophen這樣常見的藥，持續使用偶爾也會帶來很大的麻煩。基於相同的原因，你也決不應該把鄰居的、朋友的或親戚的藥給孩子吃。

過度的使用抗生素會導致細菌的抗藥性。順便提一下，「抗生素」實際上意指「對抗生命」。我寧願看到使用例如「抗細菌」，「抗眞菌」，或者「抗病毒」這類的詞語，這些詞語可能更合適一些，而且對它們治療的疾病更明確。

1061. 沒經過醫生的同意，不管出於何種原因，現在都不該使用緩瀉劑和輕瀉劑（排便的藥品）——尤其是肚子痛時。一些人錯誤地認爲肚子痛經常是由便秘引起的，他們最先想要給孩子吃緩瀉劑或輕瀉劑。肚子痛有很多原因（參見1127-1139），例如闌尾炎和腸阻塞等原因，如果用了緩瀉劑或輕瀉劑，情況會變得更壞。因此，既然你不能確定是什麼原因引起孩子肚子痛，那麼給孩子用一種烈性的藥是很危險的。

1062. **一般的處方**。一般的處方是一種不使用藥的商品名稱而使用它的化學名稱的處方。在大多數情況下，這種處方上的藥比那些用藥品的商品名稱開的處方上的藥便宜一些，儘管它們實際上是相同的藥品。你應該要求醫生用一般的處方。多數時候（但不是所有的時候）這是個好主意。

對傳染性疾病的隔離

1063. **傳染性疾病從一個人傳到另一個人有很多種途徑**。一些傳染病是通過咳嗽，通過和患病者的接觸而傳播的。只是待在房間裡，你是不會傳染上什麼病的，除非細菌以某種方式費力地從患病的個人身上到達你的身體。一些傳染病，像水痘、痲疹，它們的傳染性是很厲害的；而另一些傳染病，相對來說較難傳播（像人類免疫缺乏病毒和B型肝炎）。

在常理的基礎上，我認爲如果孩子得了傳染病，要讓他待在家裡，直到他再也不發燒了，而且醫生或保育護士也宣布他再也不傳染了，這樣做比較好。我認爲把患傳染病的孩子和家裡其他人（除了照顧孩子的人）的親密接觸（親吻、擁抱、摟抱）保持在最低限度，是明智之舉。這種小心謹愼有助於防止其他人沒有必要地傳染上這種疾病。如果在你知道這種病是什麼之前，其他的孩子和生病的孩子待在一起，那麼他們會很容易被傳染上這種病，但是這也只是要他們不要一直黏在一起。另一個把生病的孩子隔離的原因是，不讓生病的孩子再從其他得病的人那裡感染上新的細菌。

在多數地方，家裡的成年人——除了那些在學校做老師的和做食品處理員的人——當家裡有人得了傳染病時，他們並不需嚴格地離開家或者去上班。對於拜訪那些有易受感染的孩子的家庭時，你必須運用你良好的感官知覺。只要你遠離他們，那麼你帶給其他孩子細菌的機會實際上等於零。

同樣道理，如果有的家長小題大做，如果疾病是很恐怖的那種，尤其是像腦膜炎或百日咳這樣的病時，那麼你們去別人家也是不受歡迎的。如果第二年的某一時候，別人家中的任何一個人得了這種疾病，那麼他們就會怪罪於你。另一方面，如果孩子得的那種疾病不太可怕；如果你已得過這種病；如果你的朋友並不擔心；如果在你們拜訪的時候，她的孩子不在家，那麼就可以去拜訪。

爲了你自己的孩子和其他小孩的健康，要讓你那生病的孩子遠離其他的孩子，尤其是當你的孩子處於疾病恢復階段的時候。

護理完一個生病的孩子之後，洗手是極爲重要的。

住院

怎樣幫助你的孩子

1064. 在孩子一～四歲間，他非常擔心和父母分開。每次去醫院探病之後，當父母要離開孩子時，他都感到好像要永遠地失去父母了。在每次探病之間，孩子可能總是焦急而沮喪。當家長再來看他時，首先，他會通過拒絕和家長打招呼來責備他們。可能的話，父母應該和孩子待在一起。

孩子在四歲以後，容易對即將對他做的事情、對他身體的傷害和疼痛更加害怕。家長不要向孩子保證醫院將是玫瑰花床。如果有不愉快的事情發生了，事實上肯定要發生的，孩子會對父母失去信任。另一方面，如果孩子被告知可能發生的每一件不好的事，那麼他更容易在期待中遭受更大的痛苦。

對父母來說，最重要的是展現他們平靜的、實事求是的信任，而不是過份強調這件事以至於這件事聽起來是錯的。除非孩子以前住過院，否則他會焦急地盡力去想像醫院是什麼樣子，最壞情況也許還會感到害怕。父母最好大概描述一下醫院的生活來使孩子放心，而不要同他爭論傷害要多一些還是少一些。你可以告訴他護士將怎樣在早晨喚醒他，並且就在床上給他洗澡；每頓飯將怎樣用托盤送來並在他自己的桌上吃；將有怎樣的時間可以玩；他可以怎樣用便盆或尿壺，而不是去洗手間；如果他需要什麼東西，他可以怎樣告訴護士。你還可以告訴他探病的時間和所有其他那些在病房裡和他做伴的孩子。

你可以談一下他要帶哪些喜歡的玩具和書，談一下有遙控器的電視，也許有一個他可以從家裡帶去或借到的小收音機。他會對呼叫護士的電子按鈕感興趣的。

詳細敘述醫院裡更加愉快的日常生活是很公正的，因爲即使是最壞的情況，孩子也會用他大部分的時間來玩。我不是完全不談醫療程序，但是讓孩子只把它看作是醫院生活的一小部分。

很多兒童醫院還爲那些提前約定好住院的孩子設有參觀醫院的節目。在實際入院的前些天，孩子和家長可以到醫院的各個部門去參觀，並獲得問題的解答。很多醫院的參觀節目用幻燈片和木偶表演來提前向孩子解釋住院的經歷將會是什麼樣子。

1065. **讓孩子告訴你他們的擔心**。最重要的是給孩子機會和權力讓他問問題，並訴說他的想像。年紀小的孩子認爲這些事情從不會在成人身上發生。首先，他們通常認爲自己不得不接受手術或被送進醫院是因爲他們過去表現很壞——因爲他們沒有穿靴子，或生病的時候沒有待在床上，或者因爲和家裡的其他人生氣。孩子可能想像他的脖子不得不被切開以便移除他的扁桃腺，或者他的鼻子被挪動以便搆到腺樣體。所以應該讓你的孩子輕鬆地提問題。要有心理準備聽到孩子奇怪的恐懼，並且盡力使他安心。

1066. 讓孩子提前知道住院的事。如果你提前幾天或幾星期知道孩子要住院，你想決定何時告訴孩子。如果孩子沒有機會自己發現，我認爲最好等到要離開家的前幾天再告訴年幼的孩子。讓他擔心幾星期沒有任何好處。提前幾星期告訴一個七歲大的孩子，可能更公平一些，如果這個孩子是那種能講理地面對現實的孩子，特別是如果他有某些猜忌的話。當然，如果孩子問問題，不要對任何年齡的孩子撒謊；也決不要騙他說，到醫院是假裝爲了別的事而誘惑孩子進醫院。

1067. 麻醉。如果孩子要動手術並且你在協議上有所選擇，那麼你可以和醫生商量麻醉師和麻醉的事情。孩子如何接受麻醉決定了他對手術感到不安還是完全成功地通過手術，之間有著極大的差別。在醫院裡經常有一、兩個麻醉師，他尤其擅長激勵孩子的信心，並能不嚇到孩子而對他麻醉。如果你能選擇，非常值得獲得這樣一位麻醉師的服務。在有些情況下，對於醫生考慮使用的麻醉藥的種類也可以選擇，這對孩子心理上的影響也有區別。一般來說，麻醉一開始若使用氣體，很少會嚇到孩子。當然，醫生是了解情況並必須做出決定的那個人。但是，當醫生認爲幾種麻醉藥在醫學上效果相同的時候，就應當認眞地考慮心理因素。

在給孩子解釋麻醉時，不應該用「使你睡覺」這樣的表達方式。這樣會導致外科手術後，孩子產生睡眠的問題。相反的，可以把麻醉解釋成導致一種特殊的睡眠，一旦手術結束，麻醉師會把孩子從麻醉狀態中喚醒。

已經有研究顯示，實施麻醉的時候，讓一位家長陪伴在孩子旁邊會減輕孩子的恐懼感與減緩緊張的情緒，並能減少鎮靜藥品的使用。

1068. 探望孩子。對於一～五歲的孩子，如果可能，家長就應該陪孩子待在醫院裡，尤其是在白天。至少有一個家長每天都應該探望孩子一次。大多數醫院現在都擁有便利的住宿設備，這樣家長或孩子很熟悉的大人就可以在孩子的房間裡過夜。

如果家長只能間歇地來探望孩子，那麼這種探望對年紀小的孩子會產生暫時性的困難。孩子看見父母會想起他錯失了很多東西。當父母離開的時候，他會心碎地哭泣，甚至會在整個探望期間哭個不停。家長很容易留下這個印象，就是孩子在醫院的整個時間都很傷心。實際上，一旦父母離開，年紀小的孩子就會驚人地調整好對醫院生活的適應，儘管他們正感到難受或正在接受不舒服的治療。我的意思並不是說家長應該離開。孩子意識到父母離開，但他們一定會回來，從這種意識中他得到了安全感。家長能夠做到的最好的事情就是盡可能地表現出高興和不擔心。如果家長表現得很苦惱，這會使孩子更焦慮不安。家長最好和孩子待在一起不分開，或者很少分開。

急救與緊急事件

割傷

1069. **對於割傷和擦傷要用肥皂和溫水清洗**。對於擦傷和較小的傷口最好的處理辦法是用肥皂和溫水將傷口清洗一下。仔細清洗是預防感染的關鍵。用一條乾淨的毛巾把傷口弄乾以後，應該用繃帶包紮傷口，以便讓它保持清潔直到傷口痊癒。清洗應該持續每天一次，直到傷口完全癒合。

當然對於蔓延開的**大傷口**，你應該請教醫生。這些較大的傷口多數需要縫合，以減少留下傷痕的機會。保持縫合傷口的清潔、乾燥直到拆線，這是很重要的。每天要檢查傷處是否有感染的痕跡，如增加的疼痛、紅、腫或傷口有流出物。

可能由灰塵、泥土或者髒物品，例如刀子，引起感染的傷口，應該向醫生報告。醫生也許會建議打追加的破傷風疫苗，尤其對那些深度的切傷或刺傷。如果孩子以前打過一系列的三劑破傷風疫苗並且在近五年內打過追加的破傷風疫苗，那麼他可能就不需要再打針了。如果你還不確定，最好讓醫生檢查一下。

偶爾，一個人摔倒在碎玻璃或木頭上時會受傷。在這種情況下，**玻璃、木頭或砂石等物質的碎片或殘餘部分**可能會留在傷口裡。除非那些小碎片可以輕易地取出來，否則的話，建議你讓醫生處理這些傷口。可能需要照X光來確定是什麼留在那兒，然後決定是否應該移走它。任何沒有被恰當地治療或受感染的傷口（有發紅、疼痛或有流出物的現象）可能存有像木刺這樣的異物。

刺傷

1070. 移出刺傷物。僅次於割傷和小擦傷，刺傷可能是兒童時代最常見的小外傷。我喜歡用我所謂的浸泡一撥出法來把刺進的東西弄出去：先用肥皂和水清洗刺傷的地方，然後用熱水浸泡至少十分鐘。如果用水泡不到受傷的部位，那麼就用一條毛巾（或繃帶）熱敷。（必須每隔幾分鐘重新弄熱水或毛巾。）如果刺傷物的一頭探出了皮膚，你可以用一把好的鑷子夾住它，然後輕輕地把它拔出來。如果刺傷物完全在皮膚裡面，你需要一個經過醫用酒精擦試過的縫衣針。熱水的浸泡已經使皮膚變軟了，所以你可以輕輕地用針尖把它撥開，撥開足夠的皮膚，這樣就可以用鑷子夾住刺傷物了。刺傷物弄出來以後，用肥皂和水洗淨受傷的部位，然後用乾淨的繃帶把它包紮起來。

不要在皮膚裡撥弄太深。如果你在第一次浸泡之後，不能取出刺傷物，那就用熱水再浸泡十分鐘，然後再試。如果還是取不出刺傷物，那就讓醫生來做吧。

咬傷

1071. **由動物（或人）造成的咬傷**。所有動物，甚至人類的口腔都存在著引起傳染病的多種細菌。咬傷通常導致很深的傷口，它的情況比簡單的裂傷清洗要困難。所有的咬傷都應該報告醫生。同時，一開始的處置同割傷一樣，重點要放在多沖洗，並要用肥皂和水洗淨。

由動物或人造成的咬傷最常見的疾病是細菌感染。爲了防止感染，醫生或保育護士會在一開始處理的時候，給你開一種抗生素。即使孩子吃了抗生素，也應該仔細地檢查傷口，看是否有如紅、腫或者其他流出物等的感染現象。如果出現這些現象，需要再到醫生那裡去一次。

狂犬病是一種威脅生命的傳染病，對於由動物造成的咬傷要列爲重點考慮。狐狸、浣熊和蝙蝠等野生動物造成的咬傷應當被認爲具有潛在的狂犬病危險。依據你所住的地區和動物的免疫狀況，像貓、狗這樣的家養寵物也可能傳播狂犬病病毒。幾乎不用擔心小沙鼠、倉鼠、豚鼠會攜帶狂犬病病毒。儘管一旦發生傳染病，還沒有對付狂犬病的措施，但是盡快地在咬傷後給孩子打特殊的疫苗，是能夠預防狂犬病的。

你的醫生會建議各種動物造成的咬傷，最好的處理辦法也是接種狂犬病的疫苗。考慮狂犬病傳染的危險，另一個有益的資源是當地的健康委員會或是州公共健康部門。他們也會幫助你在孩子被咬傷後觀察那隻動物，來確定它有沒有狂犬病的症狀。

出血

1072. **出血**。大多數傷口只在幾分鐘內出一點血。這也是有益的，因爲出血把那些侵入的細菌沖掉了。只有大量的持續出血（溢血）才需要特殊的處置。對於多數割傷，止血的關鍵是在抬高傷口的時候，直接在傷口上加壓（直接加壓止血法）。讓孩子躺下，在有傷口的肢體下面放一個或兩個枕頭。如果傷口繼續地出血，就用一個無菌的紗布方塊或是任何乾淨的布塊壓在上面，直到出血停止。在受傷肢體仍被抬高的時候來清潔和包紮傷口。在包紮已流了很多血，或者仍在出血的割傷時，在傷口上方蓋上一些紗布塊（或折疊起來的乾淨布片），這樣在傷口上就有了一層厚墊。然後，在這上面纏上帶黏性的繃帶或紗布捲繃帶，它會在傷口上面施加更多的壓力，這樣就不容易再次出血。

嚴重的出血。如果傷口以驚人的速度出血，你必須立即止血。如果可能的話，直接施壓力於傷口處並抬高肢體。用你手邊最乾淨的布做一個襯墊，不管是紗布塊、乾淨的手帕，還是孩子或你身上的一塊乾淨衣服。用這個襯墊壓住傷口，保持壓力直到救援到達或直到不出血爲止。不要移動原先的襯墊，因爲它被完全浸透了，所以只能在上面加上新的襯墊。如果出血緩和了，又有合適的材料，那就做一條壓力繃帶。

傷口上的襯墊應該足夠厚，這樣當傷口被包紮起來的時候，它可以對傷口施加壓力。如果壓力繃帶控制不了出血，那就繼續直接施加壓力在傷口上。如果你沒有任何布或任何種類的材料用來向大量出血的傷口施壓力，那就用手在傷口邊緣甚至傷口上施加壓力。

大多數溢血能被簡單的直接加壓止血法所止住。如果你正在處置一處出血不止的傷口，繼續直接加壓並讓人去叫救護車。在等待救護車的時候，讓傷者躺下，給他保暖，抬高他的腿和受傷的部位。

流鼻血

1073. 流鼻血。有很多簡單的方法可以用來止鼻血。僅僅讓一個孩子安靜地坐上幾分鐘常常就足夠了。爲了避免嚥下許多鼻血，讓孩子坐直，頭向前傾；如果孩子正躺著，把他的頭轉向一側，這樣他的鼻子就朝下了。不要讓孩子搖晃鼻子、壓迫鼻子或用手帕擦鼻子。

流鼻血通常發生在鼻子的前部。有時你可以通過輕輕地捏住整個鼻樑的部分，持續五分鐘，來止住嚴重的流鼻血。（看著你的錶，在這種情況下，五分鐘看起來像一段永無終止的時間。）要慢慢地、輕輕地進行。如果儘管施行了這些措施，鼻血還是流了十分鐘，那就要和醫生聯繫。如果你有一瓶緩解鼻子流血的藥水，就用它滴濕一小團鬆軟的棉花，然後把這個棉球塞入鼻腔的前部，再壓鼻子。這樣更可能會止血。

鼻子出血最常發生的原因是由於鼻子受到外傷、重複地挖鼻孔、過敏性反應、感冒或其他傳染病引起的。如果一個孩子沒有明顯的原因，就重複地流鼻血，他就需要接受醫生或保育護士的檢查以確定他凝結血塊的功能有沒有問題。如果孩子持續流鼻血，可能有必要炙燒總是破裂的暴露血管。醫生可以很容易地在他的診所裡完成這項任務，這通常要在鼻子停止流血之後進行。

嬰兒流鼻血並不常見。如果嬰兒流鼻血，應該向醫生或保育護士報告並徵詢意見。

燙傷

1074. **燙傷**。燙傷通常是意外地接觸熱水造成的，儘管熱油、熱油脂和其他熱物質也會對皮膚造成傷害。甚至長時間暴露在陽光下，皮膚也會導致嚴重的灼傷。燙傷被分爲三種類型：一度燙傷，涉及的只是皮膚的最表層，它通常造成這個區域的皮膚發紅；二度燙傷，已經傷害到了皮膚的深層，它通常導致水泡的形成；三度燙傷，涉及了皮膚的最深層，它損壞了皮膚下面的神經和血管。三度燙傷，是嚴重的外傷，經常需要做皮膚移植。

燙傷最初的處理是盡可能地把受傷的部位放到冷水裡（不是冰水）。**決不可塗抹任何油膏、油脂、黃油、奶油或凡士林產品**。你的醫生需要弄走這些東西，這樣會使孩子的疼痛加劇。在水裡沖洗過燙傷部位之後，用一塊稍重一些的無菌紗布把這個燙傷區域覆蓋住。這樣會減輕燙傷引起的疼痛。（編按：沖、脫、泡、蓋、送是燙傷的急救法則）

如果出現了水泡，不要動它們。因爲水泡裡面的液體是無菌的，所以決不要碰破任何一個水泡。如果你弄破了一個水泡，你就讓細菌進到傷口裡去了。如果水泡確實破了，就用一把已經在沸水裡煮過五分鐘的指甲刀或一把鑷子移走所有鬆下來的皮膚比較好，然後用無菌繃帶把它包上。醫生或保育護士應該見過任何已經破了的水泡，因爲他們經常開一種特殊的抗生素藥膏來防止感染。如果水泡沒有被碰過，卻顯示了感染的跡象——比如，水泡裡有膿、水泡邊緣泛紅——你當然應該請教醫生或保育護士。決不要在燙傷的傷口上用碘酒或任何類似的消毒劑，除非醫生或保育護士指導你這樣做。

除了輕微的陽光灼燒的外傷，**應該讓醫生或保育護士看到所有的燙傷**。這對在臉上、手上、腳上或生殖器上的燙傷尤其重要，這些地方的燙傷如果延誤處置會導致留下疤痕或造成功能受損。

1075. 曬傷。對於曬傷，最好的辦法是先不要碰它。嚴重的曬傷是痛苦的、危險的，也是沒有必要的。在夏季的海灘上，經受半個小時太陽的直接照射，對一個沒有採取任何防曬措施的白皮膚的人來說，足以造成曬傷（參見635-639）。

爲了緩解曬傷，你可以用一些涼水，並且可以給孩子吃一種如ibuprofen 或acetaminophen這類弱性的非阿斯匹靈類止痛藥。如果有水泡產生，應該像處理燙傷水泡那樣。一個人受了中等程度的曬傷，可能會打寒顫、發燒、感覺不舒服。那麼你應該請教醫生或保育護士，因爲曬傷和燙傷一樣嚴重。要使被曬傷的部位完全隔離太陽照射，直到紅色消褪爲止。

1076. 觸電。大多數孩子觸電的情況發生在家裡，這種情況相對較少。受傷的程度與通過孩子的電流量成正比，這還視孩子觸地面積的大小而定。水或任何的潮濕成分都減少了觸地面積，形成了嚴重電擊傷的潛在性。由於這個原因，在孩子正在洗臉或洗澡的浴室內，不應該啓動任何電器。

多數觸電情況產生了一個重擊，這引起孩子因感到痛苦的刺痛而反射性地縮回。更嚴重一點的觸電，孩子會出現以水泡或泛紅區域爲特徵的燒傷。你也會注意到一片燒焦的區域，這代表著壞死的皮膚。大多數這些燒傷的處理方式應該像1074關於燙傷傷口護理的描述那樣。

還有一些需要額外治療護理的特殊情況。電流能夠通過神經和血管，如果孩子的傷口有一個入口和出口，那麼電流可能已經沿著這條路損壞了神經和血管。如果孩子有諸如癡呆或刺痛這樣的神經痛的症狀，或者孩子抱怨疼痛，那麼他就應該接受醫生的檢查。

偶爾孩子咬到電線之後也會觸電，也許在嘴角附近有小範圍的燒傷。所有這類燒傷的孩子都需要醫生來診斷。既然所有的燒傷都會留下疤痕，那麼你的孩子需要特殊的護理來避免留下那些會影響他微笑和咀嚼功能的疤痕。

皮膚感染

1077. 當你的孩子皮膚被感染的時候。如果孩子起了疔瘡，手指末端感染，或有任何類型的被感染的割傷，這些情況都應該讓醫生或保育護士來做檢查。如果醫生不能及時看到孩子，那麼最好的急救措施就是把被感染的部位浸泡在溫水中或用溫暖、濕潤的布包著。這會使皮膚變軟，加速膿包破裂，讓膿儘快流出來。溫水也會防止開口再次過於快速地癒合。在感染處纏一卷相當厚的繃帶，然後往繃帶上澆足夠的溫水以使它徹底變溫。讓它浸泡20分鐘，然後用一卷清潔、乾燥的繃帶替換下這卷。在你盡力和醫生或保育護士取得聯繫的時候，每天要重複泡3～4次。如果你有一種抗生素的藥膏，可以塗在受影響的區域上，但是還是得去看醫生。

如果孩子因爲皮膚感染而發燒，或是感染的地方開始有些泛紅，或是在孩子的腋下或腹股溝有一觸即痛的淋巴腺，那麼這種感染正在嚴重地擴散，應該考慮醫療的緊急救助。立刻把孩子帶到醫生、保育護士那兒或醫院，因為在和嚴重的感染對抗的過程中，抗生素是非常重要的。

∽ 異物 ∽

1078. **鼻子和耳朵中的異物**。年幼的孩子經常把一些東西——小珠子、玩具上的小碎片、或是軟紙——塞入他們的鼻子或耳朵中。在你努力把異物取出來的時候，切勿把它推得更深了。不要嘗試去尋找一個光滑的、尖硬的東西，你只會把它推得更深。用一副鑷子，你能夠夾住塞得還不太深的柔軟的物體。如果孩子不能安靜地坐著，要小心這個鋒利的鑷子，它自己會比異物造成更大的傷害。即使你看不見異物，它可能還在那兒。

有時大一點的孩子，能通過擤鼻涕排出異物；但是如果孩子很小，當你告訴他擤鼻涕的時候他可能會吸鼻涕，所以不要嘗試這樣做。有些孩子過一會經常會把異物擤出去。如果你有一瓶減充血的噴鼻劑，讓孩子擤鼻涕之前在他的鼻子裡噴一點。如果異物還出不來，那就把孩子帶到醫生、保育護士或是耳鼻喉科專家那兒。在鼻腔裡待了幾天的異物通常會引起略沾血液的、難聞的流出物。若鼻孔中流出這類物質，你應該想到這種可能性。

∽ 扭傷 ∽

1079. **「扭傷」和「勞損」**。這是用來描述被拉緊或撕裂的韌帶、肌腱或肌肉的詞語。肌肉被很厚的帶狀結構即肌腱附著在骨頭上。韌帶是給連接處（即兩塊或多塊骨頭連接在一起的地方）提供支持的強壯組織。摔跤、運動中受傷，以及一般的扭曲、翻轉都會造成扭傷或勞損。扭傷若很嚴重，可能需要像骨折一樣的處置。

如果你的孩子扭傷了腳踝、膝蓋或是手腕，讓他躺下半個小時，用一個枕頭墊高扭傷的肢體。把一個冰袋放在受傷的部位，這能防止腫起、減輕疼痛。如果疼痛消除了，孩子受傷的部位能恢復正常的運動、沒有不適感，那就不需要看醫生或保育護士了。如果發生腫起的現象或是受傷的部位一碰就痛，那麼你應該請教醫生或保育護士，因爲骨頭有可能碎了或斷了。需要X光來決定骨頭是否斷了。即使X光片正常，孩子也可能需要上石膏或夾板，以固定受傷處，讓韌帶和肌腱適當地復原。受傷以後的幾天，醫生或保育護士可能指示一些運動、熱身活動和對待扭傷的療法。遵守醫生的指導很重要，因爲扭傷部位的運動可能會使韌帶再次受傷，導致更劇烈的疼痛，甚至使慢性受傷部位更敏感，但是完全不動也會引起肢體以後的僵硬和活動範圍的縮小。

骨折

1080. **骨折**。骨折是指骨頭折斷或碎裂。孩子的骨折和成年人的骨折有很大差別。孩子可能會折斷骨頭的成長中心，很典型的骨折可在長骨的末端發現。孩子的骨頭只有一面會折斷（樹枝性骨折），也可能會發生像成人那種典型的骨折，也就是骨頭的兩面都發生碎裂。

當你觀察一處受傷的手（足）時，可能很難分辨出是骨折還是扭傷，因爲骨折可能像扭傷一樣，並不表現出變形。大多數的骨折像扭傷一樣，通常會腫起來，一碰就痛，所以只有醫生或保育護士才能分淸它們，醫生經常需要拍X光片來做判斷。

如果孩子抱怨受傷的部位持續地疼痛、腫起、或有瘀傷，就要懷疑是否是骨折。要防止受傷的部位進一步活動，以避免被懷疑是骨折的這一部位的傷勢加重。

1081. **上夾板**。上夾板是爲了不讓肢體移動，並防止斷骨再運動而造成更大的損傷，以減輕疼痛。爲了達到最佳效果，夾板的放置要能防止受傷部位的上下關節運動。對於腳踝受傷，夾板應該搆到膝蓋；對於小腿骨折，夾板應該上到臀部；對於腕部骨折，夾板應該從指尖直到肘部；

對於前臂或後臂骨折，夾板應該從指尖直到腋下。

你需要一塊木板來做一個長夾板。可以折疊一塊紙板來給較小的孩子做短夾板。當你放置夾板的時候，要用極輕柔的動作移動肢體，避免受傷部位附近的任何運動。把肢體緊貼著綁在夾板上，用手帕、布條或綳帶在4～6處固定。有兩條應該靠近骨折處，一邊一條，另外三條應該在夾板的每一端綁一條。設置好夾板後，把一個冰袋放在受傷的部位。決不要在受傷部位直接冰敷（而沒有袋子），按常規，冰敷一次不要超過20分鐘。對於鎖骨骨折（鎖骨在前胸的頂部），要用一塊大的三角巾做一個吊帶，把它繫在孩子的脖子上，這樣它會支持前臂放在胸部。

脖子或後背受傷

1082. **脖子或後背受傷**。我們的脊椎是神經系統的一部分，它連接於大腦，控制呼吸肌，指揮手足的運動，負責正常的膀胱和排便功能——這裡僅僅舉了它的幾個功能。脊椎被稱爲脊椎骨的柱狀骨頭結構所保護著。由於脖子或後背受傷的嚴重性，爲了不產生更大的傷害，不移動病人是很重要的。只有受過特殊訓練的健康護理專業人士才能移動你懷疑是脖子或後背受傷的孩子。

如果孩子必須被挪開而專業人士還沒有到，那麼應該指定一個人在中間托住孩子的頭和脖子。在移動孩子的時候，整個過程都要讓孩子的頭和脖子保持在這個固定的位置上。決不要不顧孩子的頭部而單獨翻轉他的身體。這些措施將減少使脊椎進一步受傷的機會。

頭部受傷

1083. **頭部受傷**。頭部跌傷對任何年齡的人來說都很常見。即使在嬰兒開始走路之前，他也可能由於滾下床或轉換方向而造成頭部受傷。如果孩子跌倒後，失去了知覺，那麼應該立刻讓醫生來檢查。任何頭部受傷的孩子都應該被認眞地觀察。如果嬰兒撞到頭以後，立刻哭了起來，之後15分鐘內停止了哭泣，臉色很好，也不嘔吐，那麼他大腦受傷的機會幾乎不存在。可以允許他馬上恢復正常活動。

如果頭部受傷比較嚴重，那麼孩子會嘔吐、沒有胃口、幾個小時內臉色蒼白、有頭痛和暈眩的跡象、輪流出現焦急和倦怠的表情，並且看起來比平時更睏倦。如果孩子有這些症狀中的任何一種，你應該和醫生或保育護士取得聯繫，這樣他們就會給孩子做檢查。

孩子跌倒後，腦袋上很快起了一個包，如果沒有其他症狀，這本身並不表示有什麼嚴重的情況。這個包是由皮膚下面破裂的血管引起的。

即使孩子沒有立即表現出什麼症狀，在接下來的24～48小時內，也應當密切觀察。

在孩子受了重傷時，醫生會安排一種叫做CAT掃描的特殊X光（電腦斷層掃描）來觀察孩子的大腦，並診斷是否有頭蓋骨骨折或大腦中有血塊之類的問題。

最後，還要觀察孩子頭部受傷後在學校的表現。產生腦震盪的孩子——即導致喪失意識或喪失記憶力的頭部傷害——可能會產生注意力集中困難或記憶力衰退的現象。

關於牙齒受傷，參見622-624。

∽ 吞嚥物品 ∽

1084. **吞嚥物品**。嬰兒和幼兒會吞下他們放進嘴裡的任何小物品。如果這些東西卡在氣管或呼吸道裡，就會發生眞正的危險。孩子吸入的（即吸進呼吸道中）最常見的東西包括，諸如葡萄、堅果、熱狗、葡萄乾、飲料瓶蓋或果核等等。其他一些不常見但潛在著危險的物品包括骨頭、花生殼、小玩具，鈕釦型電池和一些玩具或運動物品上的小零件。一種非常危險的情況是直接從湯匙上或塗奶油的刀子上吃花生醬。如果它被吸入肺裡，無法排出，就會導致死亡。花生醬只能抹在麵包片上讓孩子吃。

堵在呼吸道的東西會妨礙充足的氧氣進入孩子的肺部。突然開始的呼吸困難、咳嗽、急促的咳嗽聲、不能說話或哭喊，這些都是吸入異物的症狀，需要馬上急救（參見1089-1091）。沒有叫醫生的時間了。

異物能夠完全阻塞呼吸道，以致威脅生命。這通常是指物體在聲帶附近被卡住，這就需要如漢姆利克術（Heimlich maneuver）這樣的生命救護措施來移開阻塞的物件。一個健康的孩子突然不明原因地失去了知覺，最常見的原因就是他因異物窒息了。因此，所有家長都應該熟悉哽塞的緊急處理（參見1089-1091）。大多數窒息事件都可以預防。

這些異物也可以通過另一個路徑而進入消化系統。通常它們能毫無困難地直接穿過胃和腸。但是，它們也會在消化道的某一個地方塞住，通常是塞在食道裡（在喉和胃之間的管道）。最有可能出現這種情況的物品是縫衣針、直的大頭針、硬幣和鈕釦型電池。這些東西會引起咳嗽或窒息、有東西卡在喉嚨裡的感覺、吞嚥的疼痛或困難、拒絕吃東西、流口水或持續的嘔吐。

如果你的孩子吞下了一個光滑的物體，例如梅子核或是一個釦子，而沒有感到不舒服，那麼這個物體可能毫無困難地通過了胃腸（儘管如此，你還是應該通知你的醫生或保育護士）。很明顯，如果孩子發生了嘔吐的疼痛或上面所列的任何一種症狀，你都應該立刻請教醫生。

如果孩子吞下了一個鈕釦型電池，要讓醫生知道，因爲電池會腐蝕腸壁。

孩子吞下了一個物品，很典型地需要X光來確定它的位置。醫生隨後會告訴你這個東西是否已通過了腸道或者是否需要特殊的手段來把它拿走。

最後，**決不可以給一個吞嚥了某種物品的孩子吃催吐劑或緩瀉劑。**這些藥不會有所幫助，相反的，可能會把情況弄得更糟。

∽ 有毒物質 ∽

1085. 每年有200萬以上的電話打給毒物控制中心，諮詢孩子有可能吞嚥了有毒物質的相關情況。在家裡爲了預防起見，把離家最近的毒物控制中心的電話號碼放在緊挨著你的電話號碼的地方。在手邊隨時爲家裡的每一個孩子準備一瓶吐根糖漿（催吐劑）。

每一種藥品、醫生開的處方藥、維他命和自己家裡的藥，都應該看作是對孩子有毒的。即使孩子經常吃的藥，如果一次服用相當大的劑量也是有危險的。一些物質儘管看起來沒有危險，但實際上也是危險的，像菸草（對一歲的孩子來說，一根被吞下的香菸是很危險的）、硼酸、含鐵合成物的維他命藥片、給植物或昆蟲用的噴藥劑、某些植物、指甲油清洗劑、香水或洗潔精。打電話給毒物控制中心，或向你的醫生或保育護士徵求意見是最好的。

如果你懷疑孩子吞下了一種潛在有毒的或是不知名的物質，你應該按以下這些建議行事。

• 和你的孩子待在一起，確定他正在呼吸並很清醒。拿走任何剩下的物質或溶液，以防止孩子吞下更多的東西。不要因爲孩子看起來不錯而延遲尋求幫助。許多有毒物質的效果——比如阿斯匹靈——幾個小時後才會表現出來，但是可以通過早期的處理來防止藥效的發作。

• 不要對一個不清醒的、抽搐的、或是在吃了不明物質後看起來非常睏倦的孩子進行催吐。打電話給119急救中心，以取得及時的援助。

• 打電話給當地毒物控制中心。告訴他們孩子吞下去的藥品或其他物質的名稱，如果你知道，也要告訴他們孩子吞下去的數量。

• 準備用吐根糖漿，但是除非有毒物控制中心、醫生或保育護士指導你這樣做，否則不能給孩子用吐根糖漿。

吐根糖漿的使用劑量如下：六～十二個月的孩子，給10C.C.（2茶匙）；一～十二歲的孩子，給15C.C.（1餐匙）；十二歲以上的孩子，給30C.C.（2餐匙）。你要和吐根糖漿一起給孩子一些其他液體（牛奶或水就足夠了）。在服用吐根糖漿大約20分鐘以後，孩子就會開始嘔吐了。

如果孩子吞嚥了一種非常有害的物質，而你又不能和毒物控制中心、急救中心或醫生聯繫上，那麼讀一下被吞下的物質的標籤。這經常會告訴你是否應該對孩子催吐。那些你不應該進行催吐的物質包括煤油、松節油、氨水、汽油、汽車亮光劑、清潔劑、下水道清潔劑、苯、腐蝕性的石灰、傢俱亮光劑、漂白劑、昆蟲噴霧劑、洗滌劑和強酸（硫酸、硝酸、鹽酸、碳酸）。

・隨後毒物控制中心會告訴你是否要把孩子帶到醫院做進一步處理。帶上那些剩餘的藥片或有毒物質，以便在醫院辨別它們是什麼。

1086. 皮膚接觸到有毒物質。儘管我們經常認爲皮膚是一個保護層，但是要意識到藥品和有毒物質可以通過皮膚被吸收，並且到達皮膚的內層。如果孩子的衣服或皮膚接觸了潛在的有毒物質，移開弄髒的衣服，並且迅速用大量清水沖洗皮膚10分鐘。然後用肥皂和水輕輕地沖洗這一部位，再把它沖淨。把弄髒的衣服放在塑膠盆裡，使它遠離其他的孩子。給毒物控制中心或你的醫生打電話。如果他們建議你去醫院，要把弄髒的衣服也帶去，以備他們希望檢驗衣服來辨清這種有毒物質。

1087. 眼睛裡進入有害液體。如果孩子偶然把一種有害液體噴進或撒進了眼睛裡，立刻沖洗眼睛。讓孩子臉朝上平躺著，你在距離他的臉5～7公分的地方用一個大玻璃杯裡的溫水（不熱）沖洗他的眼睛，這時候讓孩子盡可能地睜開眼睛。不要強迫他把眼皮翻開。保持這個沖洗過程15分鐘，然後打電話給毒物控制中心、你的醫生或保育護士。一些液體，尤其是腐蝕性的液體，會對眼睛造成嚴重的損害，這需要你的醫生或眼科醫師來進行醫學診斷。儘量不要讓孩子揉他的眼睛。

過敏

1088. 過敏反應發生在身體對體外（和它本身不同）物質進行反應的時候。刺激物可能是食物、寵物、藥品或蟲咬。認清輕度的、中度的和嚴重的過敏症狀，是很有幫助的。

有輕微過敏反應的孩子可能會抱怨眼睛有淚水或發癢，還經常伴有流鼻涕或鼻子不通的情況。有時孩子會出現蕁麻疹，即皮膚上出現非常癢的、限於局部的紅腫，看起來就像一個大蚊子咬的。中等程度的過敏症狀，除了蕁麻疹，孩子還會發生諸如哮喘或咳嗽這樣的呼吸症狀。另外，少部分孩子會發生非常嚴重的過敏反應，這種情況是在接觸過敏刺激物後幾分鐘內發生的。這些孩子可能發生蕁麻疹或呼吸的問題，包括呼吸道的完全堵塞和低血壓。嚴重過敏反應以全身性強烈過敏反應（anaphylaxis）最典型，這時要進行醫療緊急處理。

輕微的過敏反應通常用大家孰知的像二苯安明（Benadryl）之類的抗組織胺來處理。稍微嚴重一些的過敏反應需要腎上腺素的皮下注射。任何一個有中度或嚴重過敏反應的孩子都需要醫生的進一步診斷，醫生會建議你隨身給孩子帶上Eip-Pen，這是一種在孩子有嚴重過敏反應的時候，能給孩子注射腎上腺素的帶彈簧的裝置。最後，醫生可能用過敏測試給孩子診斷，來決定哪種刺激物引起孩子過敏，並告訴你和孩子在將來如何避免它。醫生還可能建議「減敏治療」（過敏注射）。

哽塞和人工呼吸

孩子可能會由於噎住、悶住、溺水、被煙嗆（煙吸入肺部）、嚴重的肺部感染或電擊而停止呼吸。如果孩子的呼吸不能很快恢復，他會缺氧，這會導致大腦受損。如果持續幾分鐘缺乏氧氣，孩子的心臟會停止跳動，他需要施行緊急的心肺復甦術（CPR）。

1089. **每個成年人都應該接受急救和CPR方面的訓練**。消防隊、紅十字會、許多醫院和診所都提供這方面的課程。這些課程將教你在別人心跳停止時，如何盡力啓動心跳，如何進行人工呼吸。不論何時，如果一個人停止了呼吸，最先做的一步就是立即開始人工呼吸。要一直這樣做，直到他能自己呼吸或是外援趕到。決不要給一個自己正在呼吸的人做人工呼吸。

1090. **當孩子呑下了什麼東西，正在費力咳嗽的時候，儘量給他機會把這個東西咳出來**。咳嗽是一種企圖把外物弄出肺部的保護機制，也是把外物從呼吸道清出去的最好辦法。如果他能夠呼吸、說話、哭喊，留在他身邊並請求他人去找救援。不要試圖把東西取出來。不要敲他的後背，不要讓他倒立，不要伸進他的嘴裡試圖把東西弄出來，這些行爲都會使這個東西嵌入呼吸道更緊，由於呼吸的完全阻塞而引起窒息。

1091. **如果孩子哽噎了，不能呼吸、哭喊或者說話，那麼這個東西就完全地堵在呼吸道裡，使空氣不能進入氣管**。如果孩子頭腦清醒，就進行下列緊急措施。如果孩子不清醒也不呼吸了，立即讓人去叫救護車，這時你要開始對他進行緊急搶救。記住要尋找呼吸道被完全堵住的跡象（不哭、不說話、也不咳嗽）。

一歲以下嬰幼兒的哽塞急救措施

1. 如果孩子是清醒的，把一隻手放在他的背部來支撐他的頭和頸。另一隻手，用拇指和其他手指捏住他的下巴，前臂平放在他的腹部上。

2. 把孩子如圖所示那樣旋轉，讓他的臉向下，頭比軀幹低。用你貼在大腿上的前臂支持孩子的腹部。

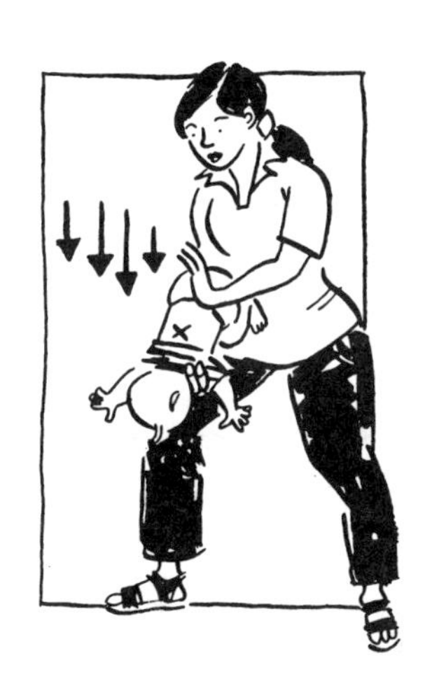

3. 用掌根在孩子後背的中央，在肩胛骨中間的高度，快速地捶打五次。

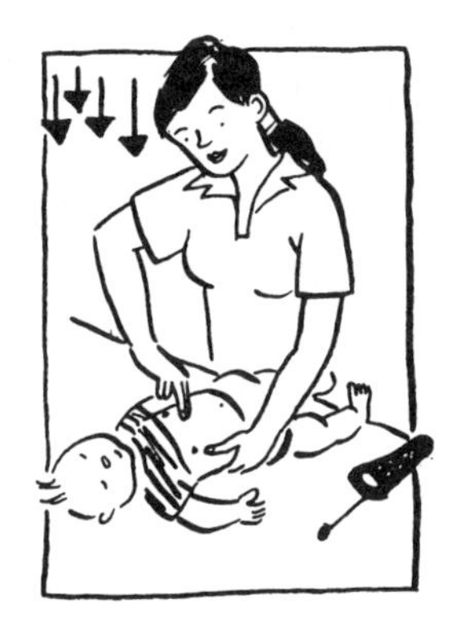

4. 如果捶打後背不能把噎住孩子的東西弄出來，那麼把孩子翻過來，臉朝上，這時用你的前臂支撐著他。記住孩子的頭要比腳低。把你的食指和中指放在胸骨上，就是孩子乳線下面胸部的中央位置，迅速地壓4次。每次要把胸骨壓下1～2公分。

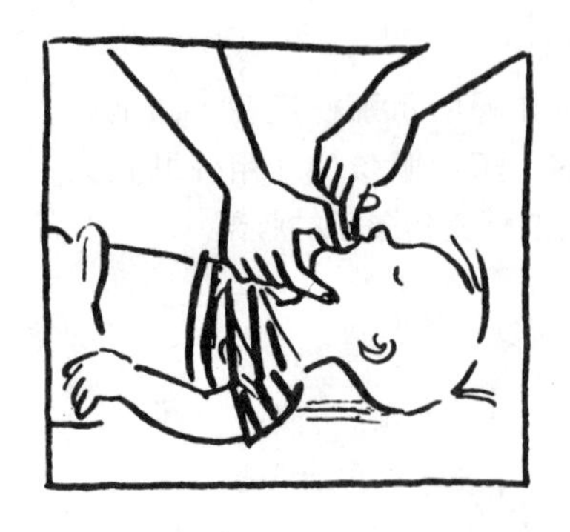

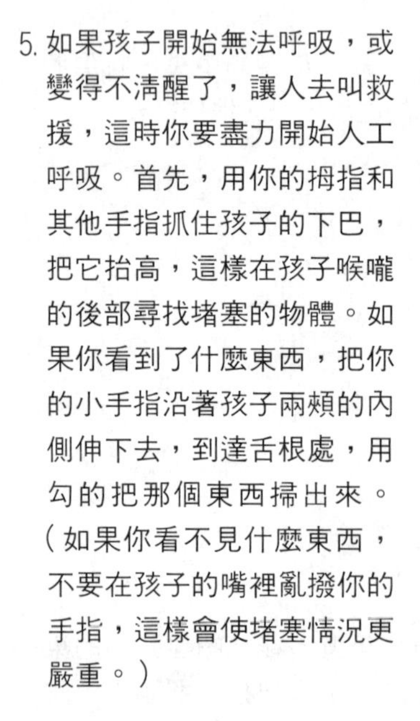

5. 如果孩子開始無法呼吸，或變得不清醒了，讓人去叫救援，這時你要盡力開始人工呼吸。首先，用你的拇指和其他手指抓住孩子的下巴，把它抬高，這樣在孩子喉嚨的後部尋找堵塞的物體。如果你看到了什麼東西，把你的小手指沿著孩子兩頰的內側伸下去，到達舌根處，用勾的把那個東西掃出來。（如果你看不見什麼東西，不要在孩子的嘴裡亂撥你的手指，這樣會使堵塞情況更嚴重。）

6. 接著，把孩子放好，開始人工呼吸，在你壓住孩子前額的時候，抬高孩子的下巴，這樣就使孩子的嘴張開了。（如圖）

7. 如果孩子還無法呼吸，把他的頭向後傾斜，抬高下巴，用你的嘴唇完全封住孩子的嘴和鼻子。給他吹兩次氣，每次大概一秒半的時間。要有足夠的壓力以使孩子的胸部鼓起來。

8. 如果空氣沒有進入孩子的肺部，他的呼吸道仍然被堵著。重新開始捶打她的後背，重複步驟3～7。持續重複這一過程，直到孩子開始咳嗽、呼吸、哭喊或直到救援到達爲止。

一歲以上幼兒的哽塞急救措施

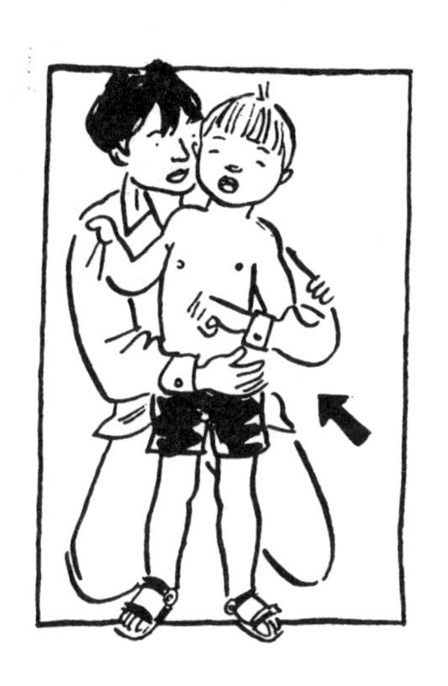

1. 如果孩子頭腦清醒，就開始施用漢姆利克術。跪在或站在孩子的身後，用你的胳膊圍住他的腰。一手握拳，拳頭上的拇指放在孩子的肚臍上，正好在他胸骨的下方。

2. 把另一隻手放在這手的拳頭上，用拳頭以快速、向上的推力壓孩子的腹部，對年紀小或長得小的孩子動作要特別輕柔。重複漢姆利克術，直到物體被噴出來。這應該使孩子開始呼吸或咳嗽。（如果這種辦法使孩子不再窒息了，即使孩子看起來完全恢復了，也要給醫生打電話）。

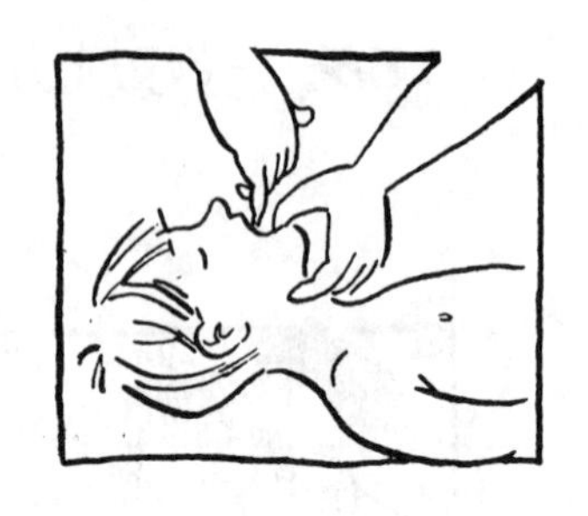

3. 如果孩子在施行漢姆利克術之後，仍不能呼吸，用你的拇指和其他手指抓住他的下巴，使他的嘴張開。看他的喉嚨裡是否有東西。如果你看見有東西，將你的小手指沿著孩子臉頰的內側伸到舌根處，勾出那個物體。（如果你看不見什麼東西，或不能勾出那個物體，不要在孩子的口腔裡亂撥你的手指，這會使堵塞情況更糟。）重複漢姆利克術直到外物被取出或到病人沒有意識爲止。

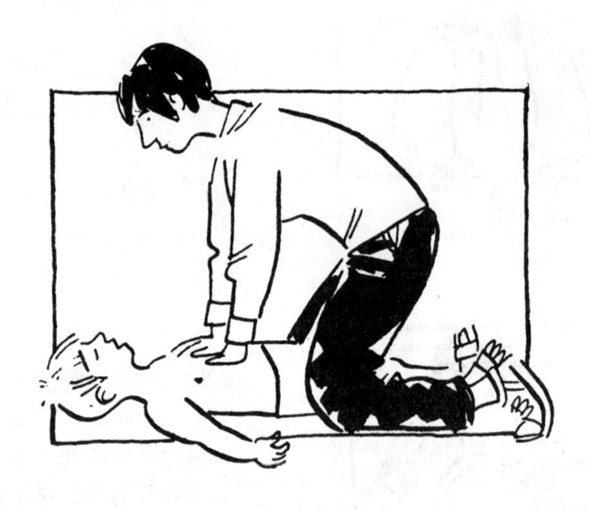

4. 如果孩子失去知覺，讓孩子躺下，臉朝上，施行漢姆利克術。在他的腳邊跪下（對於年齡大一些或長得較大的孩子，可跨在他的雙腿兩側）。把一掌根平放在孩子的肚臍上，正好在胸骨下方。把另一隻手放在你的拳頭上，兩隻手的手指都指向孩子的頭部。用快速向上的推力壓孩子的腹部。對於年紀小或長得小的孩子，動作要輕柔。重複這一過程直到外物被吐出來。

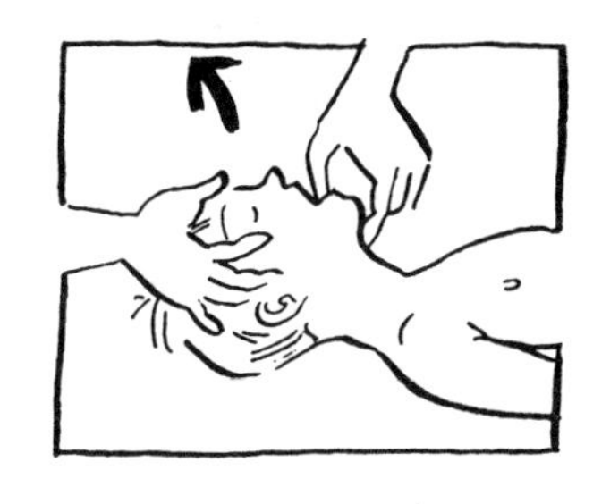

5. 如果孩子仍然沒有知覺，或是你不能取出外物，立即讓別人去請求救援。讓孩子臉朝上躺著，用你的手指把他的頭部向後傾斜並抬高下巴，來打開他的呼吸道。捏住他的鼻子，用你的嘴完全堵住孩子的嘴，給他吹兩次氣。要用足夠的氣以使孩子的胸部鼓起。如果你不能使他的胸部有運動，那麼重新調整呼吸道，再盡力吹兩次氣。

6. 如果空氣不能進入孩子的肺部，重複第 4 步和第 5 步。持續交替進行嘴對嘴人工呼吸及漢姆利克術，直到孩子恢復呼吸或直到救援到達。

怎樣進行人工呼吸

讓你的每一次吹氣都進入遇難者的體內。對一個成年人進行人工呼吸，要以你自然的速度進行吹氣。對一個孩子，則要用稍微快一些、短促一些的吹氣。決不要給一個正在呼吸的人進行人工呼吸。

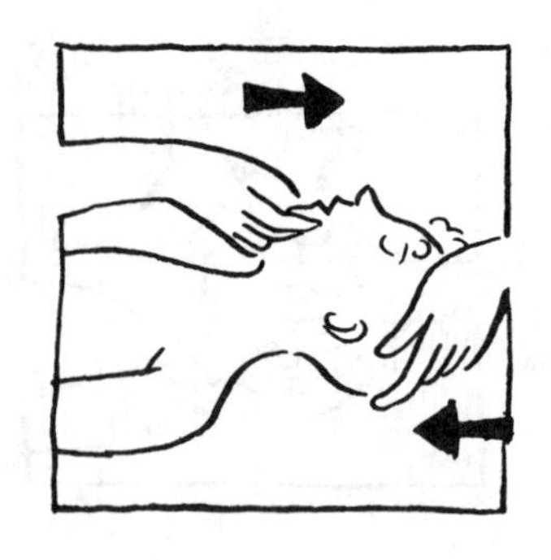

1. 首先通過正確旋轉孩子的頭部來打開呼吸道。把孩子的前額向後傾斜，這時用你的手指抬起孩子的下巴，這樣就可以打開呼吸道。你每一次做人工呼吸時，都要保持這個姿勢。

2. 對於較小的臉部，你可以對鼻子和嘴一起吹氣。（對成年人，要在捏住鼻子的同時，對嘴吹氣。）

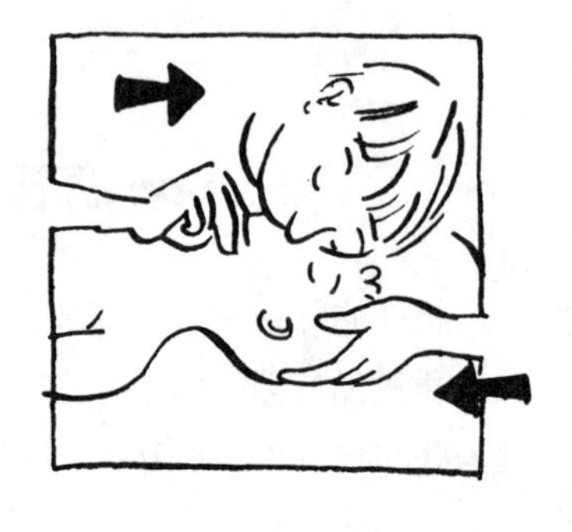

3. 給遇難者吹氣，只要用最小的力道。（較小孩子的肺部不能容納你吹出的全部氣體。）移開你的嘴唇，在你吸入下一口氣的時候，讓孩子的胸部能收縮。再次給孩子吹氣。

ᔕ 家庭急救裝備 ᔕ

1092. **發生緊急情況時，人類都會變得不安與焦慮**。這不是找繃帶、找電話號碼和其他急救用品的時候，這些東西可能放在整個房子的不同抽屜裡。我極力提倡事先有所準備，並且建議你在家裡留有一個小型的急救裝備，以便在緊急情況下可以使用。

你可以在當地的五金行買到一個小箱子。下面這些物品應該裝在這個裝備箱裡。

緊急救援電話號碼表，包括：

- 怎樣與你社區內的救護車或急診部取得聯繫（可以打119）；
- 毒物控制中心的電話號碼；
- 孩子的醫生或保育護士的電話號碼；
- 鄰居的電話號碼，你應該需要一個成年人來幫助你。

急救用品，包括：

- 無菌的繃帶；
- 無菌的絆創貼布；
- 彈性繃帶；
- 眼罩；
- 黏貼用膠帶；
- 冰袋；
- 整瓶的吐根糖漿（這只能在與當地毒物控制中心、你的醫生或保育護士商量之後才能使用）；
- 孩子可能需要的任何緊急藥品；
- 溫度計；
- 凡士林；
- 小剪刀；

- 鑷子；
- 消毒溶液；
- 抗生素藥膏；
- 退燒藥；
- 球狀的沖洗器；
- 1％的類固醇（hydrocortisone）藥膏。

嬰幼兒的常見疾病

感冒

1093. **孩子患感冒**（上呼吸道感染或URIs）的次數也許是患所有其他疾病總次數的十倍。目前我們僅部分地了解感冒的情況。大多數的感冒是由濾過性病毒引起的。這是一種非常小的病菌，它能穿透（濾過）沒有上釉的瓷器，它非常小，以至於普通的顯微鏡都看不見。現在確信，大約有200種以上的病毒能導致感冒。如果沒有其他的事情發生，病毒性感冒會在大約3～10天內好轉。

感冒病毒會降低鼻子和喉嚨對比較討厭的細菌，如鏈球菌、肺炎球菌和嗜血桿菌等細菌的抵抗力。在這些情況中，它們被稱爲第二入侵者；在其他的情況下，它們自身能夠引起傳染疾病。這些細菌在冬季和春季經常存活在健康人的鼻腔和喉嚨中，但是由於它們受到人體的抵抗力，所以沒有造成傷害。只是在感冒病毒降低了人體的抵抗力之後，其他的細菌才得到了繁殖和傳播的機會，潛在地還會引起肺炎、耳朵感染和鼻竇炎。

爲了預防感冒，你所能做的就是避免和任何患感冒的人有密切的接觸。

1094. 嬰幼兒患感冒。如果你不到一歲的孩子得了感冒，多數情況程度很輕。開始的時候，孩子可能會打噴嚏、流鼻水，鼻子冒泡泡或不通氣。他可能會有點咳嗽。他可能沒有發燒。孩子鼻子出泡泡的時候，你希望能爲他吹走，但看起來泡泡並沒有打擾孩子。而另一方面，如果孩子的鼻子被黏液堵住了，這會使他狂亂不安。接連不斷企圖閉上他的嘴，對他不能呼吸十分生氣。當孩子想吃媽媽的奶或瓶子裡的奶時，鼻子不通氣是最讓孩子煩惱的，以至於孩子時常把這些事情一併拒絕。

鼻子裡的泡泡和阻礙物通常可以通過用吸鼻器抽出鼻涕而得到解脫。壓著吸鼻器的球狀部分，把它插入鼻子中，然後再鬆開球狀部分。在吸之前，可以在鼻腔內滴一、兩滴鹽水。記住，孩子的鼻子內側是非常敏感的，所以不要推得太用力，儘量限制吸的次數，要在眞正需要的時候才吸，比如在孩子吃東西或睡覺之前。

房間內較大的濕度有時有助於防止鼻腔內的分泌物變乾。如果鼻子堵塞很嚴重，醫生會開鼻腔滴液或口服藥，僅在餵奶之前使用。在其他一些情況下，嬰兒可能不會失去胃口。通常，感冒在一個星期內消失。儘管有的時候，一個小嬰兒的感冒會令人不可思議地持續很長一段時間，即使這個感冒程度很輕。當孩子的感冒持續的時間超過兩週以上，要讓醫生或保育護士檢查一下。

當然，嬰兒的感冒也會很嚴重。它們會引發耳朵感染、鼻竇炎和其他一些併發症。孩子得病幾天來一直發燒，這可能是二度細菌感染。如果孩子頻繁地、深重地、喘息著咳嗽，應該讓醫生或保育護士給他檢查一下，即使他不發燒。同樣的原則也適用於孩子看起來因爲感冒而生病的情況。記住，一個嬰兒可以病得很厲害卻不發燒，這種情況尤其發生在孩子頭兩、三個月大的時候。在頭兩、三個月裡，孩子對傳染病的抵抗力是很弱的。在這個階段，發燒時也應該由醫生或保育護士來檢查。

1095. 嬰幼兒期之後的感冒與發燒。一些孩子繼續患和嬰幼兒期間一樣的輕度感冒，不發燒也沒有其他併發症。但是孩子六個月大以後得的感冒和喉嚨發炎通常有不同的表現。這兒有一個普通的例子。一個兩歲的小女孩這天上午還很好。吃過午飯，她看起來有點累，胃口也比平時小。午睡醒來的時候，她有些任性，家長也注意到她很熱，量了她的體溫，是38.9°C。到醫生給她檢查的時候爲止，溫度已經達到40°C。她的臉頰發紅，眼睛混濁，但是她看起來病得不特別厲害。她可能一點也不想吃晚飯，但也可能想要一頓豐盛的晚餐。她沒有感冒的症狀，除了喉嚨有點紅之外，醫生沒有發現其他明顯的症狀。第二天，她可能還有點燒，但是現在她開始流鼻涕了，可能還偶爾咳個兩聲。從這一點看來，這只是一個尋常的輕微感冒，它會持續2～14天。

對這個典型的例子還有另外幾種可能。有時孩子在發燒的時候會嘔吐。如果父母不明智地竭力讓孩子吃她不想要吃的東西，那麼尤其容易發生嘔吐（當孩子失去胃口的時候，總要按她的話去做）。有時在開始階段，在感冒症狀出現之前，發燒會持續幾天。有時發燒持續一、兩天，然後沒有流鼻涕，也沒有咳嗽的情況發生，燒就退了。對這種情況，醫生稱之爲流行性感冒。這一詞語通常被用來指沒有局部症狀（像流鼻涕或腹瀉）而只有整體症狀（如發燒或全身都難受的感覺）的傳染病。你懷疑這種發燒一天的情況有時是被中斷的感冒：孩子退燒一、兩天後，看起來完全康復了，但是隨後她又立即開始流鼻涕或咳嗽。

我要提出的重點是：六個月以上的孩子會突然的發燒而開始感冒，所以如果這種情況發生了，你也不必太驚慌。如果你的孩子突然由於發燒而得病，也應該向醫生或保育護士請教，因爲這有時候會是一個更嚴重的傳染病。

當孩子五、六歲的時候，他們又容易不發高燒就開始感冒。

得了感冒之後發燒與第一天發燒具有完全不同的意義。感冒之後發燒表示感冒已經傳開或者變得更嚴重了。你沒有必要因此變得緊張或驚恐。這僅僅表示醫生應該再次看一下孩子，以確認她的耳朵、支氣管和泌尿系統是否仍然完好無損。

1096. 給醫生打電話。如果孩子只是流鼻涕或有輕微的咳嗽，你可以不給醫生打電話。但是，如果有新症狀出現，如耳朵疼、頻繁地咳嗽或是患感冒幾天後開始發燒，這些症狀暗示可能有併發症，你應該給醫生打電話。若伴隨著急促的呼吸、躁動或是過度的疲倦，你也應該給醫生或保育護士打電話。

1097. 治療。大多數醫生和家長不會讓孩子關在屋裡，或者對輕微的感冒使用特殊的治療。記住，感冒是由病毒造成的。抗生素只有在二度細菌感染時才被使用。對輕微的感冒就過多地使用抗生素會增強細菌的應變能力，使它們對那些抗生素產生抗藥性。結果是，當孩子眞正因爲細菌傳染而生病的時候，一般的抗生素就起不了作用了。

如果你的孩子對頻繁地、長期地感冒或對諸如支氣管炎、耳朵感染等疾病特別敏感，你可能會很緊張。從觀察孩子和我自己的感冒情況中，我有這樣一個印象，就是寒冷會使感冒的情況更糟（實驗已經證明，寒冷並不會引發感冒）。所以，我認爲讓一個年紀較小的孩子待在屋裡一、兩天是合理的，除非外面天氣很暖和。

1098. 在過熱的房間裡保持空氣濕潤。醫生有時建議，在孩子患感冒的時候，要增加孩子房間裡空氣的濕度。這會減少乾燥，使孩子發炎的鼻子和喉嚨得以緩和。這對又乾又緊的咳嗽或是很黏稠的黏液的處理非常有價值。在不會太熱的溫暖環境裡，過大的濕度就不太必要了。能產生涼爽的水蒸氣的超音波加濕器，便宜的有40美元一台，貴的有400美元一台。但是，價值30美元或更便宜的普通涼霧加濕器就足夠了。對任何類型的涼霧加濕器，至少每週一次用一杯氯化漂白劑和一加侖水的混合物來清洗存水的地方是很重要的。這能防止存水地方長出黴菌和細菌，它們隨後會被吹進房間裡。

一個電子蒸汽加濕器是通過把一個電子加熱元件放在一個大玻璃水罐裡，通過使水沸騰來濕潤空氣。它比較便宜，但是由於它也使房間變熱了，可能會不太舒服，也因爲小孩可能會摸它或碰到它而不太安全。如果你要買一種這樣的蒸汽加濕器，就買能容納很多水的大號加濕器，當水不再沸騰的時候，要切斷電源。

1099. 滴鼻液。醫生可能給孩子開滴鼻液。總的來說，滴鼻液分兩種。第一種是食鹽水（含鹽的）滴鼻液，你可以在家自己做：把四分之一茶匙的食鹽溶入約110C.C.的溫水中就可以了。或者你也可以在西藥房裡買到這種食鹽水。它對於稀釋黏稠黏液很有好處，這樣孩子就可以容易地把這些黏液吹出去。對於嬰兒，變稀的黏液可以用吸鼻器吸出去。在給嬰兒的鼻子滴入一、兩滴食鹽水之後，大約一分鐘後再吸鼻子。

另一類普通的滴鼻液是由收縮鼻腔組織的藥水製成的。這能爲呼吸擴展開更多的空間，並且爲黏液和膿液提供更好的外流機會。但是它主要的缺點是鼻腔組織收縮一段時間以後，它們會再次擴張，有時擴張得比以前還要厲害。這會使鼻子比以前更糟，如果這樣做的次數太頻繁，會刺激纖弱的鼻黏膜。

在兩種情況下，收縮類的滴鼻液是很有用的。第一種情況是當孩子鼻子堵得使他發狂的時候。如果不刺激他或不直接在他嘴裡塞東西，他就無法吃飯，也不能好好地睡覺。（這種情況也可以單獨用吸鼻器吸除來緩解。）年齡大一點的孩子由於感冒而不能舒服地睡覺也可以使用這些滴鼻液。第二種情況是在重感冒或鼻竇炎的後期，當鼻子充滿了很厚的分泌物而鼻子又不能自己清除這些分泌物的時候，可以使用這些滴鼻液。

滴鼻液應當只在醫生建議下使用，至多每隔六小時用一次。使用滴鼻液不要超過五天，除非醫生讓你繼續使用。滴鼻液的一個缺點是許多小孩討厭它。僅在一些情況下，滴鼻液才會發揮最大功效，以至於值得讓孩子感到不舒服。

在有些情況下，醫生會開一種口服藥來收縮鼻腔組織。許多醫生用藥水而不用滴鼻液，因爲藥水既減少了鼻竇、支氣管（呼吸道）的分泌物，也減少了鼻腔的分泌物。

1100. 如何使用滴鼻液。如果滴鼻液回流進入鼻腔較裡面和較上面的通道，會起更大的作用。用吸鼻器吸除孩子鼻腔前部的黏液，然後讓他臉朝上平躺在床上，讓他的頭懸在床的邊緣。插入滴管，在液體流向後面和上面的時候，盡力讓他保持這個姿勢半分鐘。

1101. 止咳藥。從殺死病菌的意義上來講，沒有任何止咳藥能治療感冒。止咳藥只能使氣管內的黏液變稀一點。氣管或支氣管感染的人不得不一會兒咳嗽一次，以便把黏液和膿液帶出來。嬰兒的咳嗽不應被過分地壓制，這點很重要。醫生開止咳藥是為了防止咳嗽過分頻繁以至於使病人感到厭煩，或打擾病人的睡眠和吃飯，或刺激喉嚨。任何一個常常咳嗽的孩子或大人都應該接受醫生的治療。你的醫生會給你推薦一種安全的止咳藥。決不要給孩子吃成年人的止咳藥。

1102. 抵抗感冒。許多人相信當他們疲勞或感到寒冷的時候，更容易感冒，但是這從沒有被證實過。常識告訴我們，充足的休息和在寒冷的天氣裡穿著保暖的外出服，對大人和孩子來說都是合情合理的。

在冬季，過熱和過乾的屋子和公寓會使人的鼻子和喉嚨發乾，這會在鼻子充滿黏液的時候，引起呼吸困難。室溫是24°C的空氣就過分乾燥了。許多人通過把水盆放在暖氣上來加濕空氣，但是這種方法幾乎完全沒有價值（對小孩也很危險）。在冬季，保持室內空氣有足夠濕度的正確方法是，把室內溫度降到21°C或再低一些（20°C是一個比較理想的溫度）；你不需擔心這種潮濕。如果你不能控制濕度，可以用涼霧加濕器來保持空氣的濕度。

1103. 飲食對於抵抗感冒有何影響？很自然，應該提供給每一個孩子營養均衡的飲食。但是，沒有證據顯示，這些已經得到合理的食物調配的孩子比那些偏重某些種類食物的孩子得感冒的次數少。另外，也沒有證據顯示服用高於一般劑量的維他命C可以預防感冒。

1104. 年齡是抵抗感冒的一個因素。隨著越來越多的孩子進入育嬰中心和學前班，四個月至兩歲之間的孩子得感冒的次數更多了，感冒時間更長，患其他疾病的次數也更多了。（在美國北方城市，孩子一年中感冒的平均次數是七次——如果家裡有上學的孩子，感冒的平均次數會更多。）在兩、三歲以後，感冒的頻率和嚴重程度就降低了。九歲的孩子得感冒的次數僅是他們六歲時得感冒次數的一半，而十二歲的孩子得感冒的次數又是他們九歲時的一半。這些數據應該會使那些家裡有一個看起來永遠在生病的孩子的家長得到安慰。

1105. 感冒中的心理因素。有證據顯示，某些孩子和成年人在他們緊張或不高興的時候，更容易罹患感冒。我想起一個六歲的男孩，他對上學很緊張，因爲他在閱讀上趕不上同班同學。幾個月來每個星期一的早晨他都咳嗽。你可能認爲他是假裝的，但事情並不那樣簡單。那不是乾咳和被迫的咳嗽，而是眞正的、原發的咳嗽。隨著一週時間的推移，咳嗽也會加劇。但是到了星期五，咳嗽就全好了，只是在星期日的晚上或星期一的早晨又出現了。對此，沒有什麼好驚訝的。科學家已經獲知情緒和免疫系統是緊密相連的。緊張情緒通過對白血球和其他免疫的化學物質的作用，降低了身體對傳染病的免疫力。

1106. 你的孩子是否常與其他孩子接觸。另一個影響孩子感冒次數的因素是與之玩耍的、尤其是在戶外與之玩耍的孩子的數量。獨自生活在農場上的孩子很少感冒，因爲他很少接觸感冒病毒。然而，在學前班、幼稚園或小學裡的孩子平均得感冒的人都很多。人們在自己開始表現出感冒的症狀之前，已經把這種病毒傳染給他人至少24小時了。有時，他們能攜帶病毒，並把它傳染給別人，而自己卻沒有表現出什麼症狀。

1107. 在一個家庭中，感冒的傳播能被檢測嗎？大多數被帶入家裡的感冒都是由年齡較小的孩子攜帶的，至少是以輕微的方式攜帶的，尤其在房子很小，每個人不得不用同一個房間的時候。感冒病毒和其他傳染病在鼻涕和痰的飛沫中從一個人傳到另一個人，所以，對家長來說——尤其對那些喉嚨痛的家長——應該避免直接對著嬰兒或兒童的臉擤鼻涕、咳嗽或呼吸。在處理孩子要吃的東西之前，家長應該洗手，以防止傳播大量的細菌。

如果外來者有任何感冒的跡象，或是患了任何疾病，絕對不要讓這個人和寶寶待在同一個房間裡；外出時，也不要讓這個人和孩子待在狹窄的密閉車廂裡。

耳朵感染（中耳炎）

1108. 對於年紀小的孩子，耳朵感染是常見的。一些孩子在多數感冒中罹患耳朵感染；而另一些孩子則從來不這樣。在孩子三、四歲之前，耳朵更容易被感染。實際上，在這個年齡，在多數感冒中，中耳都有些輕微的發炎，但是通常不會導致什麼事情，孩子也沒有什麼症狀。

1109. 什麼是耳朵感染？耳朵感染是由細菌或病毒引起的中耳炎。中耳是在耳膜後面的一個小室，它通過一個叫做歐氏管的小渠道接於喉嚨的後部。當這個管道由於各種原因——比如由於感冒而產生的黏液，由於過敏反應的腫脹，或由於被增大的腺樣體——被堵塞的時候，中耳內的液體就不能流進喉嚨後部。在喉嚨後部的細菌或病毒隨後就通過歐氏管感染了中耳內的不流動的液體。膿就形成了，中耳因此發炎，而且耳朵變得非常疼痛。

通常耳朵不會發炎到引起疼痛的程度，直到感冒持續了幾天之後才會這樣。兩歲以上的孩子能告訴你他什麼地方痛。嬰兒可能不斷地摩擦他的耳朵，也可能尖聲地哭喊幾個小時。他可能發燒，也可能不發燒。

不論何時，如果孩子耳朵疼，你都應該在同一天和醫生或保育護士取得聯繫，特別是在孩子發燒的時候。必要時在耳朵感染的初期階段使用抗生素效果更好。

假設在你能與醫生聯繫上之前，還有幾小時的時間，你怎樣做才能減輕孩子的疼痛呢？躺著會加重耳朵的疼痛，所以要把孩子的頭支撐起來。裝熱水的瓶子或是電子加熱墊都有所幫助，但是小孩子常對此不耐煩（不要讓孩子在加熱墊上睡覺，這有可能導致燙傷）。acetaminophen 或 ibuprofen 或許可以減輕一些疼痛。往孩子的耳朵裡灌一些溫的（不是熱的）礦物質油也會減輕一些疼痛。如果你碰巧手邊有一劑含可待因（codeine）的止咳藥（這是醫生給特殊的孩子開的）會有更大的幫助。（給年齡較大的孩子或成年人開的藥可能劑量過高。）可待因不僅是一種止痛藥也是一種止咳藥。如果耳朵疼得很厲害，你可以把這些措施一起運用，但是沒有醫生的指示，決不可使用超過劑量的可待因止咳藥。

一旦耳膜在感染的初期破裂了，就會排出一種稀膿。不用孩子抱怨耳朵疼或表現出發燒，你就會在清晨孩子的枕頭上發現這一流出物。但是，通常耳膜只是在膿腫發生了幾天之後才破裂的，同時伴有發燒和疼痛。既然耳朵感染對耳膜造成壓力，當耳膜破裂的時候，疼痛也改善了。膿液現在有了流出的通路，有時它本身也治療了耳朵感染。因此，耳朵膿液的排出幾乎一定意謂著耳朵感染，但是它可能也意謂著耳朵感染正在康復的階段。如果服用抗生素，更容易治癒耳朵感染。通常耳膜僅在幾天內就會復原，不會引發進一步的問題。

在任何情況下，如果你發現了孩子的耳朵有流出物，你應該做的事是把一條鬆軟的吸水棉栓塞在耳朵的開口處來收集膿液，用溫水和肥皂把耳朵外面的膿液擦掉（不要把水弄進耳道裡），並和醫生取得聯繫。不管怎樣，流出物若是刺激了孩子的皮膚，就輕輕地把膿從耳朵周圍的皮膚上擦掉。決不要把棉花棒插入孩子的耳道裡。

1110. 慢性耳朵感染。有些孩子在最初幾年中重複地罹患耳朵感染，在耳膜後面有持續的液體積聚。尤其是在耳朵感染干擾了孩子的聽覺時，醫生或保育護士可能會用下面三種方法之一來處理。第一種方法，醫生會開一種抗生素，讓孩子每天服用，持續幾個月。抗生素的目的是即使在中耳內的液體不能流出歐氏管，也要防止它被感染。這對某些孩子很有效，而對另一些孩子則效果不大。第二種方法是，醫生會尋找促使液體鬱積在耳朵裡，造成感染的過敏原。第三種方法是，醫生會讓孩子求助於耳鼻喉科專家，他會考慮通過耳膜插入細小的塑膠管。這會讓中耳內的氣壓與外面耳道的氣壓一致，減少進一步感染或液體積聚的機會，並使孩子的聽力恢復正常。

扁桃腺和腺樣增殖體

扁桃腺和腺樣增殖體並不被人注意，除非它們正在引起麻煩。在二十世紀，扁桃腺和腺樣增殖體由於受到很多指責，以至於許多人認爲它們像壞人一樣，最終不得不被除掉，而且越快越好。這種看法是錯誤的。扁桃腺和腺樣增殖體在身體內的目的是爲了幫助克服感染，建立起身體對病菌的抵抗力。

扁桃腺和腺樣增殖體是由淋巴組織構成的，它們和脖子側面、腋窩、鼠蹊（腹股溝）處的腺體相似。包括扁桃腺和腺樣增殖體在內的這些腺體，當它們周圍有感染的時候，它們便奮力殺死病菌並建立防禦力，因此腫了起來。

1111. 扁桃腺。正常情況下，健康孩子的扁桃腺到八歲爲止，逐漸變大，然後又逐漸變小。以前認爲所有增大得很厲害的扁桃腺都是有毛病的，應該被拿掉。如今，人們理解了扁桃腺的大小並不重要。扁桃腺（或腺樣增殖體）需要被拿掉的情況很罕見。

頻繁的感冒、喉嚨痛、耳朵感染和風濕熱並不是摘除扁桃腺的原因。即使在扁桃腺很大的時候，也不需要摘除一個非常健康的、很少鼻腔或喉嚨感染的孩子的扁桃腺。由於吃飯、口吃或神經的問題，也不是摘除扁桃腺的原因，事實上，手術可能會使孩子的情況更糟。然而，摘除扁桃腺有三種可以接受的原因：一是經常發生嚴重的鏈球菌扁桃腺炎；二是異常增大的扁桃腺和腺樣增殖體的嚴重阻塞；三是扁桃腺膿腫。

1112. 腺樣增殖體。腺樣增殖體是在軟顎後上部，鼻腔與喉嚨連接處的淋巴組織。當它們擴大得很厲害時，它們會堵塞從鼻腔過來的通道，導致用嘴呼吸和打鼾。它們還會妨礙鼻腔中的黏液和膿液的排出，因此就幫助了重感冒和鼻竇炎的發展。也許它們會堵塞歐氏管，導致慢性耳朵感染。以前，這些情況都被認為是立即摘除腺樣增殖體的原因。然而，如今這些情況可以通過抗生素被成功地治癒，不需要摘除腺樣增殖體了。

還有另外一種情況，叫做阻塞性睡眠呼吸暫停（obstructive sleep apnea），在這種情況中，腺樣增殖體變大，以至於它們在孩子睡覺的時候，阻塞了他們的呼吸道。孩子不僅打鼾聲很響（這並沒有危險），而且有些時候根本無法通過呼吸道呼吸。在孩子的鼾聲中，家長會聽到很長的一段停頓（超過5秒鐘），在這期間，孩子無法經由喉嚨來輸送空氣。這種情況常常需要摘除腺樣增殖體以確保在夜間呼吸道的通暢。

摘除腺樣增殖體後，孩子不見得要通過鼻子才能呼吸。一些孩子出於習慣用嘴呼吸（他們看起來天生就這樣）而不是因為受到阻塞。一些孩子的鼻子不是被腺樣增殖體堵塞的，而是被鼻子前部腫脹的組織堵塞的。例如，由花粉熱或其他類型的過敏症引起的。偶爾，耳科專家也會因為慢性耳朵感染或經常犯的耳朵感染而摘除腺樣增殖體，以使耳內液體通過歐氏管引流。

如果扁桃腺被摘除了，有時腺樣增殖體也會被切除，但是如果腺樣增殖體引起持續的阻塞，也有理由單獨拿掉腺樣增殖體而留下扁桃腺。

在某種程度上，腺樣增殖體總是會再長出來，人的身體總是在扁桃腺過去的地方，盡力再生長出新的淋巴組織。這並不表示手術做得不徹底或不得不重做。這只表示身體意欲在這一區域具有淋巴組織，並盡力替代原來的淋巴組織。

喉嚨痛、扁桃腺炎和腫大的腺體

1113. **扁桃腺沒有發炎的喉嚨痛叫做咽喉炎**（pharyngitis）。扁桃腺發炎的喉嚨痛叫做**扁桃腺炎**（tonsillitis）。對於喉嚨痛特別要注意的是查明並迅速地使用抗生素來治療那些由鏈球菌引起的感染。在所有喉嚨痛的情況下，打電話給醫生是明智的，尤其是在伴有超過38°C的高燒時。如果有任何懷疑，醫生會針對鏈球菌做咽喉培養或進行快速的檢驗。如果確定是鏈球菌感染，醫生會開一種抗生素。

如果醫生進行了喉嚨檢驗，發現喉嚨痛不是由鏈球菌引起的，而是病毒引起的，就不必用抗生素。取而代之的是給孩子吃acetaminophen，讓孩子多休息，喝大量的流質食物。

1114. **鏈球菌性咽喉炎**。這是對由鏈球菌引起的咽喉感染的通稱。通常孩子幾天來發高燒，覺得難受。頭痛和胃痛也很常見。扁桃腺常常紅得很厲害並腫了起來。脖子上的腺體也腫了起來，有時很痛。一、兩天後，扁桃腺上可能出現白點或白斑。年齡大一點的孩子會抱怨咽喉疼得他們幾乎不能吞嚥東西；另一些孩子抱怨胃痛或頭痛。令人奇怪的是，小一點的孩子受喉嚨痛的影響很小。通常在鏈球菌性咽喉炎中，上呼吸道感染的症狀或咳嗽較不易發生。

1115. **猩紅熱**。這是一種由特別類型的鏈球菌引起且會長出疹子的喉嚨感染。典型的發疹從孩子有病的一、兩天後開始。發疹從身體溫暖、濕潤的部分開始，例如腋窩、鼠蹊（腹股溝）和背部。從遠處看，疹子紅成一片，但是如果從近處看，你會看見它是由細小的、重疊的紅點組成的，它們在紅色的背景下突出來。如果你用手撫摸疹子，會感覺它像砂紙一樣。疹子可能會蔓延到整個身體和臉的兩側，但是嘴巴周圍則沒有。孩子的咽喉發紅，有時會紅得很厲害。不久，舌頭通常也變紅了，先從舌頭的邊緣開始。儘管它看起來比普通的鏈球菌性咽候炎更厲害，但是猩紅熱並沒有更大的危險。治療方式與鏈球菌引起的喉嚨痛一樣。在極少情況下，猩紅熱產生的毒素會導致毒性休克（toxic shock）。

扁桃腺已經被摘除的人仍然會患鏈球菌的咽候疾病。

1116. 其他類型的喉嚨痛。有各式各樣、各種程度的，由不同細菌、主要是病毒引起的喉嚨感染。在每次感冒一開始的時候，許多人感到喉嚨有些輕微的疼痛。醫生經常在給一個發燒的孩子做檢查的時候，發現喉嚨稍微發紅是疾病的唯一跡象。孩子可能感覺到了疼痛，也可能沒有感覺到。

大多數這類喉嚨痛的疾病會很快康復。孩子如果感覺不舒服或發燒，應該待在屋裡。如果孩子發燒，看起來病了，或者喉嚨不只是輕微的疼痛（即使不發燒），都應該打電話給醫生。

一些孩子在冬天的早晨醒來的時候喉嚨痛。可是他們行動靈活，喉嚨痛很快就消失了。這類喉嚨痛是由於冬季乾燥的空氣造成的，而不是由於疾病造成的，沒有什麼大不了的。

感冒時流鼻涕、鼻子不通也會引起喉嚨痛，尤其在清早，因爲黏液會在夜間流下來進入喉嚨的後部，引起刺激。

1117. 腫大的腺體。在脖子兩側上下分散的淋巴腺或淋巴結，當出現咽喉疾病時，不論輕重，有時會疼痛、腫大。淋巴結並不像這裡描述的那樣經常感染，但是對周圍的感染會有反應。事實上，被感染的淋巴結（淋巴結炎）不是我在這裡所要描述的。腺體腫大最常見的原因是扁桃腺炎。這種情況可能在扁桃腺炎中期或是一、兩週以後發生。如果孩子的腺體腫到能看見的程度，或者如果發燒高於38℃，那麼當然應該給醫生打電話。在某些情況下，若用抗生素來治療，在疾病初期使用最有效。

在有些喉嚨感染之後，孩子脖子上的腺體會持續輕微的腫大幾週甚至幾個月。這也可能來自其他的原因，比如牙齒感染、頭皮的傳染病，以及像德國痲疹這樣普通的疾病。對於這些，你應該請教醫生。但是如果醫生發現孩子大致上都很健康，即使腺體輕微的腫大，你也不用太過擔心。

哮吼和會厭炎

1118. **「哮吼」（croup）是平常用來指兒童各種類型的喉炎的名詞**。經常有嘶啞地、尖聲地、吼叫似地咳嗽（哮吼咳）和呼吸緊迫的現象，特別是在孩子吸氣的時候。哮吼是由導致聲帶底下的組織發炎、腫大的病毒引起的。

1119. **不發燒的痙攣性哮吼**。這通常是在傍晚時突然發作的輕微型哮吼形式。孩子在白天可能一直都很健康，或者他有一點最輕微的感冒而不咳嗽，但是晚上孩子突然隨著一陣劇烈的哮吼咳嗽而醒來，他的嗓音非常嘶啞，呼吸有困難。孩子奮力地、胸部一起一伏地呼吸。他並不發燒。當你第一次看到哮吼的情景時，眞是一幅恐怖的畫面，但是它通常不像看起來那樣嚴重。在兒童時代早期，哮吼可能重複發生幾次。對於任何一種哮吼，你都應該立刻打電話給醫生。

1120. **哮吼（喉氣管支氣管炎）**。這種類型的哮吼通常伴有病毒性感冒和發燒。它以哮吼咳、呼吸緊迫和在孩子吸氣時發出的響聲爲特徵。這種疾病在白天或夜晚的任何時刻逐漸地或突然地發作。咳嗽聲聽起來像狗或海豹在叫。蒸汽可能會有助於或部分地緩解這一情況。伴隨著發燒、嘶啞、哮吼咳的孩子，特別是如果他的呼吸緊迫、急促，必須讓醫生密切、連續的監控他，不能有一點耽擱。如果你不能馬上找到你的醫生，就另外找一個醫生。如果你聯繫不上任何醫生，就把孩子帶到醫院去。

醫生到達之前的緊急處理是加濕空氣。如果你有涼霧加濕器，就用它（關於其他的加濕方法，參見1098）。小房間比較好，因爲你可以更快地增加濕度。你也可以把孩子帶進浴室，往浴缸裡放很熱的水，來製造蒸汽，但不要把孩子放進去。如果有蓮蓬頭，它的作用最好。在浴室裡，讓孩子挺直坐在你的大腿上，關緊浴室的門，用20分鐘的蒸汽是最好的急救措施。

如果加濕器或蒸發器的蒸汽被集中在一個暫時的代用帳篷中，效果會好得多。你可以把床單覆蓋在嬰兒床上或是覆蓋在床上的小桌子上來做一個帳篷，你也可以把床單釘在牆上來做一個帳篷。當孩子吸入濕潤的空氣時，哮吼通常開始迅速地改善。但是，一個焦慮的孩子會使哮吼的情況更糟。如果暫時的代用帳篷嚇倒了孩子，最好別用它。只要有任何哮吼的症狀，你或另外一個大人就應該清醒著，在哮吼停止後兩、三個小時，你也要醒過來看看孩子的呼吸是否通暢。

接下來的痙攣性哮吼和病毒性哮吼有時在第二天晚上或接下來的兩天晚上還會發作。爲了避免這一點，讓孩子在一個已經被加濕的房間裡睡三個晚上。

1121. 會厭炎。這是一種傳染病，它有時看起來像伴著發燒的、嚴重的哮吼。會厭軟骨（當你吞嚥食物的時候，蓋住氣管的閥門）的發炎是由流行性嗜血桿菌（通常叫做H型流感）引起的。患H型流感會厭炎的孩子很快就會生病，顯得非常難受，身體向前傾，很不願意朝任何方向轉動他的頭。孩子會流口水，拒絕吃任何食物、喝任何飲料，通常他一點聲音都不發，因爲害怕會產生典型的哮吼咳嗽。孩子拒絕轉頭的原因是他正使他的脖子保持在那個位置，這樣能給空氣最大的空間以便從腫起的會厭軟骨和氣管之間通過。會厭炎是眞正的醫療緊急事件，必須盡快地把孩子帶到醫生那兒或醫院。幸運的是，這種威脅生命的問題很少會在接受過流行性嗜血桿菌預防接種的孩子身上看到。

流行性感冒、支氣管炎和肺炎

1122. 流行性感冒。流行性感冒是一種惱人的疾病，伴有頭痛、喉嚨痛、發燒、肌肉痛、咳嗽、流鼻涕，有時還會有嘔吐或腹瀉的現象。偶爾小腿肌肉痛得非常厲害，以至於孩子不願意走路。發燒會持續一週左右，咳嗽持續的時間更長。

一個人接觸流行性感冒病毒幾天後就會得病；症狀通常在一個人受到感染5～7天後開始出現。即使孩子在開始生病之前，他也具有傳染性，而且直到退燒，他仍然具有傳染性。這就是疾病傳播得如此之快的原因。

流行性感冒疫苗是有用的，但是因爲病毒會有所改變，每年必須接種新的疫苗來保持作用。向你的醫生詢問流行性感冒疫苗是否對你或你的孩子有好處。有氣喘病、其他慢性肺炎、心臟病、糖尿病和一些神經系統疾病的孩子應該每年都接種。

對於流行性感冒的處理辦法是保持孩子的舒適：讓他在家休息，直到他的體溫已恢復正常達24小時爲止；每小時甚至每半小時給孩子提供一次吸引他的飲料，但是不要強迫他喝；給孩子吃acetaminophen或ibuprofen來退燒和減輕疼痛。（不要給患流行性感冒的兒童或十幾歲的青少年吃阿斯匹靈，因爲阿斯匹靈提高了孩子對雷氏症候群的罹病率。）

如果孩子看起來病得不尋常，一開始就應該給醫生打電話；孩子耳朵痛、呼吸困難或幾天後仍不見好轉時，也要給醫生打電話。耳朵感染、鼻竇炎、或肺炎會緊隨流行性感冒而來，造成二度感染，這需要用抗生素來對付。

1123. 支氣管炎。有各種程度的支氣管炎，從非常輕的、不發燒的到非常嚴重的。支氣管炎簡單地說，就是指感冒病毒傳播到了支氣管。通常咳嗽的次數很多。有時孩子看起來喘不過氣來。有時你能在孩子呼吸的時候聽到遙遠的、短而尖銳的噪音。當家長認爲他們聽見黏液在胸腔中波動的時候，一般都很擔心。實際上，黏液是在喉嚨中，是它發出的噪音傳到了胸腔，所以沒有令人擔心的原因。

不發燒、不太咳嗽、胃口不降低的極輕微的支氣管炎僅僅比傷風感冒嚴重一點。但是，如果孩子表現出病了，頻繁地咳嗽，喘不過氣來，或者發燒超過38.3°C，應該在當天就送到醫生或保育護士那兒。

1124. 肺炎。肺炎是肺部遭到細菌或病毒的感染。細菌性肺炎通常在孩子罹患感冒幾天後發作，但是它的發作沒有任何預警。當孩子的體溫升到39°C、呼吸變得急促、頻繁地咳嗽時，你就要猜到孩子可能得了肺炎。如果開始治療得早，抗生素會對細菌性的肺炎產生立竿見影的效果。當然，如果孩子發燒，頻繁地咳嗽，就應該給醫生打電話。

更常見的是病毒性肺炎，這些肺炎儘管對抗生素沒有反應，但是不管怎樣還是經常用抗生素來治療，因爲它們有的很難與細菌性肺炎區分開來。通常，儘管疾病可能持續較長的時間，但是孩子病得不厲害。常見的情況是孩子的病情在2～4週內緩慢的，但是持續的得到改善。

1125. 細支氣管炎。細支氣管炎是肺部附近細小的呼吸通道（細支氣管）遭病毒感染。它是一種有響聲的呼吸疾病，通常影響二～二十四個月的嬰兒和學步兒。通常嬰兒不僅咳嗽、哮喘，還伴隨著感冒。嬰幼兒通常呼吸得很快，要比平時費更大的力氣來把氣呼出去。細支氣管炎或輕或重。一些嬰兒呼吸急促，必須非常努力地呼吸。孩子不能舒服地吃飯、休息，由於身體上費盡力氣，他們變得精疲力竭了。儘管大多數患細支氣管炎的嬰兒狀況不錯，能夠在家治療，但是大約二十分之一的孩子需要去醫院，接受確實的呼吸狀態的監控。有一種抗病毒的新藥，對一些嚴重的傳染病有時會有所幫助，但是它只能在醫院服用。對於危險性很高的孩子，也可以打一劑血清來預防這種疾病，需要一個月打一次。

因爲細支氣管炎偶爾會導致嚴重的呼吸問題，和你的醫生或保育護士取得聯繫很重要，這樣他們就能夠幫助你監控孩子的症狀。大多數嬰兒在7～10天內逐漸好轉，但是一些嬰兒在以後的感冒中還會哮喘。

頭痛

1126. 頭痛在兒童和青少年中很常見。儘管頭痛是（從普通的感冒到更嚴重的傳染病）許多種疾病的早期症狀，但是，顯然頭痛最常見的原因是緊張。想想那個孩子：幾天來一直在記憶學校演出中自己將扮演的一個角色，或者是放學後一直在體操隊進行額外訓練。經常的疲勞、緊張和期待合起來，在血液到頭部和頸部肌肉的流動裡產生了真正的變化，因此引起了頭痛。

當一個小孩抱怨頭痛時，最好馬上給醫生打電話，因爲在這個年齡層，頭痛更容易是即將到來的疾病的早期症狀。對於年紀大一點的兒童和青少年，可以給他們適當劑量的acetaminophen或ibuprofen，隨後讓他休息一段時間，躺下，安靜地玩，或是做其他休息性的活動——直到藥物開始生效。有時，冰袋也會有幫助。如果孩子服藥後，頭痛又持續了4小時，或者出現了其他症狀（比如發燒），那麼就應該打電話給醫生或保育護士。

頻繁頭痛的孩子應該做一次徹底的身體檢查，包括視力檢查。在這種情況下，在孩子的家庭生活中、學校或社會活動中，是否有什麼事情引起孩子過度的緊張也是值得考慮的。一側的頭痛，或是和視覺或某一肢體的感覺微弱聯繫在一起的頭痛可能是偏頭痛。

和你的醫生討論任何清晨重複發生的頭痛和任何與暈眩、模糊或重影的視覺、噁心、嘔吐聯繫在一起的頭痛。

肚子痛和胃不舒服

1127. 任何持續一個小時的肚子痛，不管它是否嚴重，你應該與醫生取

得聯繫。肚子痛有很多原因。有些肚子痛很嚴重。大多數不嚴重。醫生或保育護士會制訂正確的治療方法。人們很容易倉促地下結論，認為肚子痛歸因於闌尾炎或者孩子吃的東西。實際上，這兩者都不是肚子痛常見的原因。孩子通常能夠消化他們吃下的奇怪食物或者是大量的普通食物。

在你給醫生打電話之前，量一下孩子的體溫。在醫生來之前，處理辦法應該包括把孩子放在床上，什麼也不給他吃。即使孩子渴了，也只能給他喝一點點水。

1128. 肚子痛的常見原因。孩子剛出生的幾週內，腸絞痛和消化不良較常見（參見321和337）。嬰兒表現出肚子痛，感到不適或嘔吐的時候，應該立即打電話給你的醫生。

一歲以後，孩子肚子痛最常見的原因是簡單的感冒、喉嚨痛或流行性感冒的開始，尤其在發燒的時候。肚子痛只是傳染病擾亂了腸和身體其他部位的一個跡象。同理，幾乎任何一種傳染病都可能引起嘔吐和便秘，尤其是在開始的時候。當較小的孩子真的噁心時，他容易抱怨說他的肚子難受。在抱怨之後，他常常會嘔吐。

1129. 便秘是腹痛的常見原因。便秘可能不明顯，可能重複發生，也可能突然發作、非常痛（儘管便秘也可能突然消失）。疼痛經常在飯後更厲害。便秘可能發生在學步兒接受大小便訓練的這段時期，這時他正在抑制糞便（參見753）。當孩子喝的液體減少或當活動使孩子「忘記」去洗手間的時候，年齡大一點的孩子也會出現便秘的情形。

許多不同類型的胃和腸道感染都會引起肚子痛，有時伴有嘔吐，有時伴有腹瀉，有時則兩者都有。醫學術語稱之為急性腸胃炎（acute gastroenteritis）。它們經常被稱為「胃流感」或「腸流感」，意思是由不知名的病毒或細菌引起的傳染性疾病。這些傳染病經常在一個家庭內的幾個成員中傳播，一個接一個。他們中有的人發燒，有的人不發燒。

1130. 食物中毒是因爲吃了含有某種細菌毒素的食物而引起的。這種食物嚐起來可能和平時一樣，也可能和平時不一樣。食物中毒很少來自於剛被徹底煮過的食物，因爲燒煮能殺死這些細菌。食物中毒大多數是因爲吃了過多含有牛奶蛋糊或攪打過的奶油製糕餅、奶油沙拉或家禽肉而引起的。如果這些食物放在冰箱外的時間過長，那麼細菌就已經在這些物質中迅速繁殖了。另一個食物中毒的原因是家裡不恰當地製作的罐裝食物。

食物中毒的症狀通常是嘔吐、腹瀉和胃痛。有時打寒顫，有時發燒。每個吃了被污染的食物的人都容易在同一時間在某種程度上受到它的影響，這和腸胃炎不同，腸胃炎通常要幾天後才傳遍一個家庭。當你猜測有食物中毒的時候，應該給醫生打電話。

1131. 有吃飯問題的孩子。有這種問題的孩子在坐下來吃飯的時候，或是已經吃了一點以後，經常抱怨肚子痛。家長容易認爲孩子假裝肚子痛，作爲不吃飯的理由。我認爲更可能是脆弱的胃由於孩子在吃飯時間的緊張情緒而全都收緊了，所以肚子痛是真的。此時的辦法就是家長要以某種方式來安排吃飯，才能使孩子喜歡食物（參見560和563）。

其他肚子痛的常見原因是孩子有產氣的慢性消化不良、腸道過敏、腹部的淋巴腺發炎和腎臟疾病。肚子痛的孩子——不論是急性、嚴重的肚子痛，還是慢性、輕微的肚子痛——都需要由醫生進行徹底的檢查。

1132. 嘔吐或腹瀉之後可能出現脫水。脫水（體內水分的嚴重損失）可能是嘔吐的結果，也可能是腹瀉的結果，尤其可能是兩種情況一起發生的結果。脫水現象在嬰兒或幼兒身上最常見，因爲他們體內貯存的水分不像大一點的孩子或成年人那樣多，因爲他們不能理解在生病的時候，要使自己多喝水的需要。

脫水有很多跡象，你會觀察到：排尿次數少於6～8小時一次；孩子的眼睛看起來很乾；當孩子哭的時候，可能沒有眼淚；他的眼睛看起來可能凹陷並有陰影；他的嘴唇和口腔看起來有裂縫而且乾燥；對嬰兒來說，頭頂上的囟門顯得下陷了。如果你的孩子開始表現出任何脫水的跡象，要儘快地把他送到醫生那裡或醫院。

1133. 情緒不安會引起肚子痛。從沒有吃飯問題，但是有其他憂慮的孩子也會肚子痛，尤其是在吃飯時間前後。想想那個對即將開學覺得很緊張的孩子，對早飯毫無胃口而且引來一陣肚子痛；或者想想那個對某事感到內疚，而那件事還沒有被發現的孩子。各種各樣的情緒，從恐懼到快樂的興奮，都會引起腸胃不適。它們不僅會引起疼痛和毫無胃口，而且會引起嘔吐、腹瀉或便秘。在此類情況下的疼痛比較會發生在腹部的中心。既然沒有傳染病，孩子就不會發燒。

這種類型的肚子痛在兒童和青少年中是常見的，隨後肚子痛經常一週反覆二、三次或更多次。疼痛幾乎總在腹部中線的位置，或者在肚臍左右或剛好靠上的部位。對孩子來說，疼痛是很難形容的。

治療的方法包括找出家庭中、學校中、運動中和孩子社會生活中的緊張原因，然後做各種必要的措施來減輕孩子的壓力。醫生已經研究過這種情況，他們稱之為復發性腹痛症候群（recurrent abdominal pain syndrome）。意識到孩子經受的疼痛是真實的疼痛，而不是「都在孩子頭腦中」，或「只是為了引起注意」，這一點非常重要。

1134. 闌尾炎（盲腸炎）。讓我從反駁一些關於闌尾炎的通常說法開始：不一定會發燒。疼痛不一定很厲害。疼痛通常不是位於腹部的右下側，直到疾病的攻擊已經進行了一段時間才會這樣。不一定總是會嘔吐，儘管失去胃口是非常典型的。血球數不能證明肚子痛是否起因於闌尾炎。

闌尾是大腸的小分枝，大概像小蚯蚓那麼長。它通常位於腹部右下四分之一部分的中心。但是它也可能低一些，偏向腹部中間，但也許它靠近肋骨。闌尾發炎是一個漸進的過程，像疔瘡的形成一樣。這就是你如何知道腹部突然痛得很厲害，持續了幾分鐘，然後又消失了，這種表現並不是闌尾炎。最可怕的危險是發炎的闌尾會破裂，很像疔瘡的潰裂，會感染到整個腹部。隨後發生的情況就叫做**腹膜炎**。發展迅速的闌尾炎能在24小時之內，達到破裂點。這就是為什麼只要是持續了一個小時的任何肚子痛都要和醫生商量的原因，儘管十次有九次將證明是其他的疾病。

在大多數闌尾炎的典型案例中，疼痛都是圍繞肚臍持續幾個小時。只是在後來，疼痛才會移到腹部右下側。孩子有可能嘔吐一次或兩次，但這並不經常發生。孩子的胃口通常會減小，但不總是這樣。大便可能正常，也可能便秘，但是很少會拉肚子。在這些情況發生了幾小時以後，孩子的體溫容易稍有上升，但是孩子得闌尾炎的時候，也可能一點也不發燒。當孩子將右膝上抬或後拉的時候，或者當他四處走的時候，他可能感到疼痛。

你會看到闌尾炎的症狀在不同的案例中區別很大，所以你需要醫生來做診斷。如果醫生們在腹部的右側發現了一個疼痛點，他們可能懷疑是闌尾炎，但是有時他們喜歡用血球數來協助診斷。超音波在診斷中也是有幫助的。

有時即使是最有經驗的醫生也不可能絕對肯定孩子得了闌尾炎。但是，如果有足夠的理由值得懷疑的話，通常是要做手術的。這是因為如果它是闌尾炎，那麼拖延外科手術是很危險的，因為闌尾可能破裂，引起腹部的感染。如果它不是闌尾炎，這樣做也不會有害處。

1135. **腸套疊**。在這種不尋常的情況下，腸子自己套在一起，阻塞了。兩個最主要的症狀是在一個看起來很健康的嬰兒身上發生嘔吐和腹部間歇性的痙攣。有的情況，嘔吐較引人注目；有的情況，疼痛較明顯。嘔吐比平時嬰兒的吐奶量更多、更反覆。痙攣是突然發作的，通常很厲害。痙攣每隔一段時間才發作，在這期間，寶寶可能感覺相當好或睡得相當好。幾個小時以後（這期間可能有正常的或較稀的糞便）寶寶可能會排出一次帶黏液和血的糞便——典型的「草莓果醬」或「梅乾汁」似的糞便；但是更多時候，這種情況不會發生。這種情況在四～二十四個月的孩子中最常見，不過這種情況也會在這個年齡層之外發生。儘管不常見，但是腸套疊需要緊急醫療處理，絕不可耽誤。

很罕見但都很嚴重的還有**其他類型的腸阻塞**。腸的一部分在腹部的一個袋中糾結、黏合在一起，最常見的是腹股溝疝氣（參見1180）。通常也有嘔吐和劇烈的痙攣。

1136. 慢性腹瀉。慢性腹瀉最常見的類型發生在明顯長得健壯、不抱怨不舒服的小孩身上。腹瀉一開始可能是自然產生的，或許伴隨著胃流感開始的。孩子一天排3～5次軟的或稀的、難聞的糞便，儘管這天剛開始時孩子可能排便正常。在糞便中夾帶著黏液或者沒有消化的食物。孩子的胃口仍然很好，也很愛玩、很好動。和醫生一起檢查很重要，但是在這種情況下，孩子繼續像平常那樣增加體重，糞便化驗的結果也沒有顯示什麼不正常的。一般情況下，孩子自己會逐漸好轉。腹瀉經常可以通過減少孩子飲食中的果汁而得到改善。最可能的單一罪魁禍首是蘋果汁。這就是爲什麼這種情況有時也被稱爲蘋果汁腹瀉或學步兒腹瀉的原因。通常來講，果汁一天應限制在200～280C.C.以內。

以下還有幾種引起嬰幼兒慢性腹瀉的不常見的、但更嚴重的消化性疾病：

1137. 囊腫性纖維化（cystic fibrosis）。這種疾病兩個最常見的症狀是惡臭的腹瀉和咳嗽——但是其他症狀則有極大的差別。在嬰兒小的時候，可能有頻繁的排便狀況，看起來很正常，但是嬰兒吃了固體食物以後，糞便變得軟糊糊、油膩膩、帶有惡臭。肛門可能突出。孩子剛出生後，腸子可能被乾燥的胎糞所阻塞，以後腸子還會被堅硬的、乾燥的糞便斷斷續續地阻塞。大多數嬰幼兒得這種病時胃口很好，有時甚至狼吞虎嚥的。但是，由於沒有能力適當地消化食物，不良的身體成長，營養不良出現了，持續的支氣管炎也發作了，但是在輕微的病例中，這些可能直到兒童後期才會發作。

囊腫性纖維化是一種特定腺體漸進的遺傳疾病，是從家庭的雙方遺傳來的。胰腺分泌的消化液不充足，沿著支氣管的腺體分泌的只是數量不充足的乾燥的黏液，因此不能充分地預防和處理感染。汗腺排出了過多的鹽分（診斷中用到鹽的檢測）。在嚴重的病例中，沒有治療的話，嬰兒和幼兒最大的危險來自於呼吸道感染。

治療的主要目標是通過姿勢引流（一種對胸部力度大的有韻律的按摩治療）和抗生素把支氣管清掃乾淨。對於消化的症狀，要食用高蛋白、中脂肪的飲食，攝取額外的維生素，在飯中增加胰腺酶。

如果有可能，孩子應該在一個特殊的囊腫性纖維化中心接受診斷和治療。

1138. **其他消化不良的情況**。最常見的是不能消化某些糖或小麥裡的麩質。在這些情況中，總有腹瀉的現象，有時氣味惡臭，經常有絞痛的情況。通常孩子體重增加的狀況不理想，看起來也不健康。當孩子吸收不了的食物從飲食中去掉的時候，這種情況就會得到解決。和你的醫生一起研究，來保證孩子的飲食仍然有足夠的營養是很重要的。

隨著長時期的腹瀉，孩子可能在消化乳糖，即牛奶中的糖分方面出現問題。過去，這些孩子被說成是對牛奶過敏。這個問題通常是暫時的。受到刺激的腸道在恢復正常消化之前需要一段時間來治癒。對於牛奶中的乳糖的消化問題可能是遺傳的。絞痛或腹瀉一般在學齡期的孩子身上開始發生。治療的措施是排除飲食中的乳製品。

1139. **寄生蟲並不可恥，但需要治療**。發現孩子的糞便中有寄生蟲，嚇壞了家長，但是家長沒有理由苦惱或認爲孩子沒有得到很好的照顧。

蟯蟲是最常見的類型。它們看起來像0.8公分長的白線。它們生存在位置較低的腸中，但是夜晚從孩子的肛門中爬出來產卵。夜晚能在肛門口或在糞便中發現它們。蟯蟲會引起肛門發癢，這會打擾孩子的睡眠。

（早些時候，寄生蟲被認爲是孩子夜晚磨牙的主要原因，但現在不是這樣了。）對寄生蟲清晰的描述能幫助醫生做診斷。對蟯蟲有一種簡便有效的治療方法，但醫生或保育護士應該監督這個方法的實施。

蛔蟲看起來非常像蚯蚓。最先的猜疑來自於當一條蛔蟲在糞便中被發現的時候。除非孩子體內有大量的蛔蟲，否則它們不會引起什麼明顯症狀。

鉤蟲在美國南部一些地區很常見。它們會引起營養不良和貧血症。在有大批害蟲出沒的土壤裡光著腳走路，就會罹患這種疾病。

便秘

一般來講，便秘是指很難排出來的堅硬的、乾燥的糞便。並不是每天排便的次數決定了嬰兒或兒童（或成年人）是否便秘。

1140. 暫時性便秘。暫時性便秘在患病期間很常見，尤其是在發燒的時候。以前，家長和醫生常常認爲發燒是必須處理的最重要症狀，但是直到糞便被「清除」以後，孩子才能恢復健康。有些人甚至相信便秘是得病的主要原因。能使一個人感到渾身不舒服的任何疾病都容易影響整個胃、腸系統，減慢腸的運動，降低人的食欲，也許還會引起嘔吐，意識到這一點是比較明智的。這些症狀可能在其他症狀出現前幾個小時就表現出來了。如果你要到醫生那兒時被耽擱了，不必太在意這一點時間。

如果你不得不在沒有醫生的情況下處理一個生病的孩子，不要對大便過於擔心。做得少比做得多要強。如果孩子什麼也不吃，就不會有太多糞便排出。可以不斷地給孩子喝流質的東西。

1141. 長期便秘。長期便秘在大一些的幼兒或兒童身上並不常見，尤其在那些吃的食物多樣化，包括全麥穀類、蔬菜和水果的孩子身上不常見。如果你的孩子便秘了，要和醫生商量——不要試圖自己處理這種情況，因為你並不能確定它是由什麼原因引起的。不論你採取什麼措施，不要讓孩子擔心自己的排便功能是很重要的。不要和孩子對此進行嚴肅的談話，不要把他們的腸功能與細菌、他們的健康或他們的感覺聯繫在一起。不要鼓勵孩子隨時關心糞便或自己對此明顯地過分關注。避免給孩子使用灌腸劑。要像醫生或保育護士建議你的那樣做，不論對飲食、醫療還是運動，都要儘量實事求是、心情愉快、簡潔明瞭，不要和孩子討論細節。你不想把孩子變成一個疑心病症者吧。

但是，假設你無法向你的醫生諮詢，而你的孩子在其他方面都很健康，只是漸漸地有一段時間便秘（當然，如果有任何疾病的症狀，不管怎樣你都必須把寶寶帶到醫生那兒或醫院），那就給孩子吃更多的水果或蔬菜，如果他喜歡吃任何一類，每天吃2～3次。如果孩子喜歡吃梅子或無花果，讓他每天都吃。水果汁和蔬菜汁也是有幫助的。我用蘋果醬、麥麩和梅子汁打成的綜合汁有過很好的效果。大多數孩子喜歡甜味，這種綜合口味的效果不錯。要盯著孩子做大量運動。如果孩子是四歲、五歲或更大一些，儘管你在飲食上做了努力，但他還繼續有便秘現象和不至於構成傷害的不規則排便現象，在你能得到醫生的幫助之前要放鬆。

一般認為礦物油對三歲以下的孩子是不安全的。如果孩子不小心被它嗆住了，會把它吸入肺中，這可能會引起慢性肺炎。

1142. 心理上的便秘。起源於心理上的便秘主要有兩種類型，最常見的發生在孩子一、兩歲之間。如果處在這個年齡的孩子有過一次或兩次疼痛且困難的排便經驗，這之後由於害怕再次受傷，他們可能趨向於幾個星期甚至幾個月不排便。如果他們憋住一天或兩天不排便，就會使排便再次發生困難。偶爾當家長以過分強迫的方式訓練孩子上廁所的時候，處於自身發展獨立階段的小孩，自動地會拒絕並阻礙排便，這就導致了便秘（對於源於怕弄髒褲子而便秘的討論，參見813）。

1143. 疼痛的排便和BM軟便劑。對於一歲、兩歲或三歲孩子疼痛、困難的排便應該立即處理，以避免憋住和進一步便秘的惡性循環。你的醫生會向你推薦幾種使糞便軟化的方法。治療通常至少持續一個月，應讓孩子有信心認爲這種疼痛再也不會發生了。但這些方法中沒有一種能像瀉藥那樣軟化和加速排出早已硬化的糞便。（瀉藥是一種促進腸壁收縮，導致排便的藥品。只有當你的醫生開立這個處方時，你才能使用它。）

生殖器和泌尿器官的失調

1144. 頻尿。頻尿有幾種可能的原因。如果一個以前不頻尿的孩子出現了這種情況，就可能是某些疾病的症狀，諸如泌尿系統的感染或糖尿病。孩子和尿液都應該立刻讓醫生檢查。

有一些人，他們似乎生來膀胱的容量就比一般人小。但是一些經常不得不頻繁地小便的孩子（也包括有些成年人）可能在精神方面有點過度緊張或擔心。有些情況，是由於臨時的緊張；有些情況，則是一種長期的趨勢。即使是健康的、正常的運動員，也容易在比賽前不得不每隔15分鐘去趟廁所。

那麼家長的任務就是去找出是什麼原因造成孩子緊張。一種情況是家庭的，另一種情況是與其他孩子的關係，還有一種是孩子學校的狀況。最常見的是這些情況的綜合。有一個很常見的例子就是一個膽怯的孩子和一個看起來很嚴厲的老師。一開始，孩子的擔心使他的膀胱不能充分地放鬆來保存很多的尿液。隨後，他就擔心請假時老師不允許。如果老師對他離開教室大驚小怪，情況就會更糟。這時，從醫生那兒拿到一張證明是很明智的，不僅僅是要求老師准孩子的假，而且能解釋孩子的本質和爲什麼他的膀胱是那樣的運作方式。如果老師是可親近的，家長又很有技巧，那麼個人的拜訪也是有幫助的。

偶爾，在炎熱的天氣裡，當孩子流很多汗，而又沒喝足夠的水時，他可能在幾小時或更長一段時間內不會想排尿。隨之而來的是不充足的、暗色的尿液。發燒期間也會發生同樣的事情。所以處於炎熱的天氣或發燒情況下的孩子，就需要偶爾提醒他在每頓飯之間喝水；尤其是在孩子太小還不能告訴父母他想要什麼的時候。

女孩解尿疼痛相當常見的原因是尿道口周圍區域的發炎，這也許來自於一些因糞便污染造成的感染或是在浴盆裡洗泡沫浴的刺激。這可能使她感到好像她不得不頻繁地排尿，儘管她無法排尿或害怕得不能排尿，或者只是排幾滴尿。在此情形下，應該向醫生請教，並做尿液化驗，來確定孩子有沒有膀胱感染。到那時，孩子才能每天在已加了半杯小蘇打的溫暖淺水裡坐浴幾次來放鬆。洗澡之後，要輕柔地擦乾孩子泌尿區的水分。

1145. 陰莖末端的疼痛。有時在陰莖的開口處（尿道口）附近會出現一處小的發炎區域。這兒可能有組織腫起，關閉了尿道的一部分，這樣就使男孩排尿時很困難。這種小的疼痛是局部的尿布疹。最好的處理辦法是把疼痛處儘可能地暴露在空氣中。每天用中性肥皂給他洗澡也有助於治療。如果孩子處於疼痛中，許多小時不能排尿，那麼他可以坐在溫暖的浴水中半個小時，並鼓勵他在浴盆裡排尿。如果這還不能使他排尿，就應該打電話給醫生了。

1146. 尿道感染。腎或膀胱的感染（膀胱炎）可能會引起伴有不規則高燒的嚴重疾病。另一方面，大多數尿道感染是輕微的，沒有高燒的現象。年齡大一點的孩子可能抱怨頻繁地、有灼燒感的排尿，但是大多數情況下沒有徵兆能指出是尿道感染。這些感染在兩歲以前的女孩中更常見。及時的治療是必須的。

如果尿裡有很多膿，尿液可能是混濁的或有顏色，但是有一點膿，肉眼可能看不見。被感染的尿液聞起來有點像糞便。另一方面，由於尿液裡有一些普通的礦物質的原因，正常孩子的尿液也可能是有顏色的，尤其是在尿液變冷的時候。所以，從觀察尿液，你不能明確地判斷出尿道是否被感染了，你的嗅覺更可信。不管尿液的顏色或是氣味，如果孩子抱怨排尿時有灼燒感或疼痛，就要把他帶到醫生那兒。爲了做診斷以選擇抗生素，驗尿是絕對必要的。

在感染的所有情況中，孩子整個的泌尿系統都應該通過特殊的測試進行徹底的檢查。超音波沒有害處，可以不用照X光片。許多醫生現在在第一次尿道感染之後推薦這些研究。泌尿道感染在那些尿道形成異常的孩子中更常見，儘管大多數罹患尿道感染的孩子具有完全正常的泌尿系統。如果有任何徵兆顯示有這樣一種異常的情況，應該在對腎造成永久傷害之前就得加以修復。出於這種原因，在孩子患了泌尿道感染之後，明智之舉是讓醫生一、兩個月後再次化驗孩子的尿液以確定感染沒有再發作，儘管孩子看起來不錯也要如此。感染通常要認眞地治療10～14天。然後，在一段時期內，還要有幾次隨後的檢驗，以便查出膿或細菌是否重新在尿中出現。

要教女孩在排尿或排便以後由前往後擦，這是非常重要的。這防止了細菌從肛門傳播到尿道（在膀胱與外界之間的管道）口。由後往前擦被認爲是女孩發生尿道感染的主要常見原因。

1147. **女孩尿中的膿液可能並不表示泌尿道感染**。膿液也可能來自於一種輕微的陰道感染，這種感染甚至沒有明顯的發炎症狀或排出物。出於這種原因，沒有進一步的調查，決不應該認爲普通尿液中的膿液就表示孩子泌尿系統遭到感染。第一步是確保「乾淨」的尿液。這意謂著讓孩子排尿之前，先分離她的陰唇，用一片濕的吸收棉簡單地、溫柔地擦淨外陰區域，然後用一塊柔軟的毛巾或一片乾爽的吸收棉來吸乾。最重要的檢驗是尿液的培養，以便能查出是否有細菌，它們是哪一類型的。尿液的培養需要在無菌操作的方式下進行。

陰道的分泌物

1148. **要體貼地對待孩子**。年齡小的女孩有輕微的陰道分泌物是相當正常的。這主要是由不重要的細菌所引起而且在短時間內便可除去。但是，有刺激性、又厚又多的分泌物可能是由較嚴重的感染引起的，需要及時治療。持續幾天的輕微分泌物也應當進行檢查。帶有一部分膿、一部分血的分泌物有時是由小女孩把物體塞入了陰道所致。如果那個物體還在那兒，它會引起刺激和感染。如果情況眞是這樣，父母要求她別再這樣做是很自然和明智的；但是最好不要讓女孩感到有罪惡感或暗示她可能嚴重地傷害了自己。孩子做的這種探索及實驗與這個年齡大多數孩子做的事情沒什麼不同。

如果耽擱了看病的時間，來自於輕微的分泌物的灼熱感常常可以通過讓孩子每天兩次坐在一個淺水浴盆裡，水中加入半杯小蘇打，這樣無需大費周章就可以緩解不適感。

穿白色棉質的寬鬆內褲，用沒有加香料的白色衛生紙，穿能給陰道區域提供充足通風的衣服都可以幫助預防和治療對陰道的刺激。正確的擦拭（由前往後）和避免泡沫浴也會有所幫助。

一個孩子重複出現的長期的或嚴重的陰道分泌物可能是性虐待的跡象。你的醫生可能會問你關於孩子的保姆的問題和虐待的可能性。醫生將會認眞地進行陰道的檢查和分泌物的化驗。大多數有陰道分泌物的小女孩沒有遭到性虐待。你的醫生可能會提出這個問題作爲全面檢查的一部分。

過敏

1149. 牛奶過敏和特殊的配方。牛奶過敏並不像大多數人想像的那樣常見。小孩子常常覺得肚子不舒服，這大多是由於他們發育不成熟造成的，而不是過敏造成的。眞正過敏的嬰兒往往表現出典型的過敏症狀（參見1150-1154），並且往往來自於有過敏遺傳的家庭。餵母奶對於有過敏遺傳家庭的嬰兒是最理想的，但是對有腸道疾病而食用配方奶粉的嬰兒，你和醫生或保育護士就要考慮修改奶粉配方了。你的醫生很可能針對孩子的特殊病症，推薦更具體的配方。爲了確定是否過敏，可以在症狀消退後，再給孩子餵少量牛奶，看一看症狀是否重新出現。在一、兩歲之前，幾乎所有的此類嬰兒都應該避免任何乳製品（參見 547）。

1150. 過敏性鼻炎，包括花粉熱。你可能認識患豚草花粉熱的一些人。每年八月中旬當豚草花粉（常見於美國東部地區）散播在空氣中的時候，這些人就要持續不斷地打噴嚏，並伴有鼻塞、鼻癢的症狀。這就是說鼻子對花粉過敏或過分敏感，但這一點不會打擾其他人。還有一些人在春季患花粉熱，因爲他們對某些樹的花粉過敏。如果孩子每年同一時間都持續幾個星期地鼻癢，就應該向醫生或保育護士諮詢。通過觀察鼻腔內部的情況，研究暴露在特殊環境下的症狀的類型和家族的歷史，醫生能夠判斷過敏的根源。藥水、藥片和滴鼻液在緩解打噴嚏和鼻塞方面是有效的，醫生會給孩子開這樣的藥方。對於一些嚴重的花粉熱病例，醫生會推薦使用除過敏針劑（減敏治療）。

其他一些鼻過敏症可能沒有花粉熱那樣嚴重，但都很麻煩。鼻子可能對枕頭裡的羽毛、狗毛、屋子裡的灰塵或其他某種物質過敏。這樣常年的過敏使孩子鼻塞、流鼻涕、用嘴呼吸。這樣慢性的鼻塞可能使孩子更易感染鼻竇炎。如果孩子有這樣的症狀，醫生或過敏症專家應該能夠找到過敏的根源。

治療方法因病例、過敏原而異。如果過敏原是天鵝絨，就應該更換枕頭。如果過敏原是狗毛，就應該養其他寵物來代替狗。如果過敏原是灰塵這類很難避免的東西，醫生會給孩子減敏治療，但需要一段長時間。建議打掃房間——尤其是臥室——以減少灰塵和塵蟎的孳生，特別是當孩子的症狀大多主要發生在夜裡或清晨起床時。最好移走地毯和窗簾，每天拖地。從房間取出所有的羊毛製品和塡充玩具。你可以買防塵的床單和枕巾，使用泡沫橡膠的床墊和枕頭，或者使用不帶枕頭的帆布嬰兒床。

過敏症狀一般很難徹底消除。能得到部分的改善，你就該滿足了。

1151. 氣喘。氣喘會造成孩子長期缺課和住院。不過，氣喘中的敏感器官與花粉熱不同，不再是鼻子，而是肺中的小支氣管。當刺激物到達小呼吸道時，小支氣管腫脹，分泌黏稠的黏液，於是空氣的通道變狹窄了。呼吸，尤其是呼氣，變得困難、費力、帶有雜音。空氣通過狹窄的氣管時，會發生像口哨一樣的聲音，就是我們常說的哮喘聲。病人會發生咳嗽的症狀，有時咳嗽發生在沒有哮喘聲的時候（多數是在夜裡）。

那些呼吸道易受感染的孩子，往往會對不同的物質和在不同的條件下產生過敏的反應。例如菸味、感冒、呼吸道感染、過敏、劇烈的運動、天氣的變化、精神的緊張、某些食物的刺激都可能誘發氣喘。一些孩子的氣喘有多種誘因，而另一些孩子則只有某種特定的誘因。作爲家長，努力去辨清孩子氣喘的誘因是很重要的。然而，這通常很難做到。

如果大一點的孩子患了慢性氣喘，一般是由空氣中的飄浮物質，如灰塵、塵蟎、狗毛或黴菌引起的。過敏症專家稱之爲被吸入的東西（inhalants）。食物也會引起氣喘，尤其是對很小的孩子。患嚴重慢性氣喘的孩子都應該檢查一下，要盡力找到刺激物。如果這種疾病被忽視了，多次復發將會損害孩子的肺；但是氣喘可以用藥物和避免刺激物而得到很好的控制。

氣喘的治療同樣因病例、病因的不同而不同。應該避免讓孩子吃有刺激性的食物。當吸入的東西是誘因的時候，治療方法與鼻子常年過敏的方法一樣。上呼吸道感染也會引發氣喘。一旦氣喘發作，就要使用主治氣喘的藥物或吸入性藥物。

如果孩子得了氣喘，就必須去醫生或保育護士那兒看病。儘管氣喘一般不會危及生命，但是盡早診斷和治療還是必要的。氣喘的發生很難預測。兒童早期發生的氣喘要比在晚些時候發生的氣喘更容易在幾年之內治癒。有些氣喘在青春期後完全治癒，也有一些會持續到成年階段。

對於氣喘人的治療方案大多取決於其病情的嚴重程度和醫生能否找到對該病人有效的治療方法。最好的治療是使用霧狀氣體（被霧化的氣體）吸入的藥物並且避免受誘因的刺激。當孩子確實呼吸困難時，可以給他口服或注射藥物來暫時緩解一下症狀。另外，還可以讓孩子每天吸入藥劑來防止氣喘發作。

孩子不應該待在煙霧繚繞的環境中，這對患氣喘的孩子尤其重要，因爲香菸會刺激他們敏感的支氣管。

如果孩子的氣喘會頻繁地復發，應該接受連續的保護性治療。該措施包括使用吸入藥物防止支氣管發炎；在一些病例中，還建議使用另一種吸入藥物以預防支氣管痙攣。

孩子兩、三歲時，可能有氣喘或呼吸困難的時候，這可能不是由於過敏或外物的刺激引起的，而是由於孩子罹患感冒所引起的。儘管這種情況在孩子三歲以前最常見，但還可能對孩子的成長帶來一定的影響。有一個經常由於感冒而氣喘的孩子令人喪氣。感冒時易氣喘的體質，叫做敏感性呼吸道，但值得慶幸的是，這通常會慢慢好轉而消失。當然也應該打電話給醫生或保育護士。大多數引起感冒的感染都歸因於病毒，還有一小部分是由細菌引起的，細菌感染需要治療。如果房間被加熱了，使空氣潮濕是有幫助的。有一種特殊的病毒（RSV），會使嬰幼兒的細支氣管急性感染而導致氣喘（參見1125）。

1152. **蕁麻疹**。蕁麻疹至少在大多數病例中是由對藥物或食物過敏引起的。最常見的蕁麻疹就像被蚊子叮了一樣，有一片紅腫而中間是一點白，那是由於腫脹擠壓造成的局部供血不足。蕁麻疹一會兒出現，一會兒消失，而且很癢，有時讓人難以忍受。有的人會反覆患蕁麻疹，但大多數人在一生中只會得一次或兩次。這是偶爾對某種特殊食物過敏造成的，也有可能是對某種藥物過敏造成的。蕁麻疹還可能出現在感染結束的時期。還有許多病例無法找到原因。醫生一般給孩子打針或吃藥來緩解蕁麻疹的症狀。

非常少見的情況是蕁麻疹伴有口腔內部和喉嚨的腫脹、呼吸困難。如果發生這種情況，要馬上叫救護車。這屬於緊急醫療狀況。

1153. 濕疹。濕疹是成片的、粗糙的、紅色的疹子。它通常與乾燥的皮膚有關。濕疹很癢，抓搔將會導致很多問題。與花粉熱和氣喘一樣，濕疹也是由過敏引起的。花粉熱是鼻子對像豚草花粉這樣的花粉過敏而引起的；而濕疹可能是皮膚對某種食物過敏而引起的。當食物進入血液，到達皮膚時，皮膚受到刺激而起疹子。另外，皮膚也可能對直接接觸到的東西，如羊毛、絲綢、兔毛等過敏。在氣喘、花粉熱、濕疹和蕁麻疹中，嬰兒更容易患的是濕疹。

儘管濕疹主要是對食物過敏引起的，但是外界對皮膚的刺激也起著一定的作用。一個嬰兒患濕疹，可能是皮膚受到冷空氣刺激引起的，也可能是在熱空氣中，受到汗的刺激引起的，還有可能是受到尿布上的尿液刺激引起的。如果一個嬰兒只在與羊毛直接接觸的地方起濕疹，就說明他對羊毛直接刺激過敏，也許他對某些食物過敏，而羊毛只作爲一種刺激物。

對於有遺傳病史的年齡大一點的孩子來說，情緒因素也會導致濕疹，精神緊張時常使濕疹惡化。

你需要醫生或保育護士來診斷並處理這一情況。最容易描述的濕疹是那種成片的、紅色的、又密又粗糙的鱗狀似的皮膚。濕疹症狀很輕或剛剛發作的時候，一般是淺紅色或淡粉色，如果情況更嚴重一些，就會變爲深紅色，通常很癢，孩子總是又抓又搔。這會引起抓痕和液體的滲出。當滲出的血清凝固後，就會形成痂皮。一片濕疹治癒後，即使紅色消褪了，仍然會感到皮膚很粗糙。

嬰兒最常起濕疹的地方是面頰、前額部位。從那兒可能延伸到耳朵和脖子。從遠處看，患處的皮膚就像有鹽結晶在上面，尤其是在耳朵上。孩子一歲左右，濕疹會發於全身各處——肩膀、墊尿布的地方、胳膊、胸部。孩子在一～三歲期間，最典型的發病區是在肘部彎曲處和膝蓋後面。

濕疹嚴重時需要精心的護理。孩子癢得難受，家長卻必須盡力防止他抓搔。濕疹會持續幾個月。把嬰兒的手指甲剪短是很重要的。孩子抓搔的地方越少，受到皮膚中經常存在的細菌的二次感染的可能性就越小。對患了濕疹的孩子，晚上最好給他戴上一雙白棉布手套，防止孩子在睡覺時，不自覺地抓搔。

1154. 治療濕疹的幾個方面。醫生研究和治療一個病患取決於很多因素，包括孩子的年齡、濕疹發生的部位及特徵、濕疹發生前不久吃的新食物、以及孩子對不同治療手段的反應。家長能做的最重要的事情是保持孩子皮膚充分濕潤；這可以通過每天給孩子擦幾次簡單的潤膚霜（不添加色素和香料的）來實現。可以請你的醫生推薦一種潤膚霜。許多病人單獨使用乳液和藥膏就使病情得到改善。儘量不用肥皂，因爲肥皂會將皮膚表面的油脂洗掉。如果必須用肥皂，就使用具保濕成分的，或使用不含洗潔劑（non-detergent）的清潔液。此外，孩子洗澡後，要用毛巾把水吸乾，不要用毛巾擦。

對於那些頑固性濕疹，必須盡力找出孩子是對哪種食物過敏。牛奶一般是罪魁禍首。有些孩子只是停止食用牛奶，而改用大豆、黃豆、稻米、穀類或其他特殊配方的奶粉就治癒了濕疹。

如果正在吃大量食物的較大嬰幼兒患了嚴重濕疹，醫生一般會細心地從患者的食譜中剔除各類食物。在嚴重的、頑固的病例中，可以通過注射各種不同食物的試劑來做皮膚測試。如果孩子對某種食物過敏，注射點附近就會出現蕁麻疹。

如果有其他誘發濕疹的外部原因，也需要注意。羊毛是濕疹很常見的誘因，儘量不要穿含羊毛的衣物。如果濕疹全部發生在墊尿布的區域，採取各種預防手段是值得的，具體討論請參見347-351。如果寒冷的、颳風的天氣誘發濕疹，那麼就讓孩子在一個有遮避的地方進行戶外活動。

如果暫時找不到醫生，而年幼的孩子又患了嚴重的濕疹，你可以在孩子癢的地方每天塗兩次1%的氫化可體松（hydrocortisone；編按：類固醇藥物）軟膏，並讓孩子口服苯海拉明（diphenhydramine；編按：抗組織胺類藥物）。如果大一點的孩子出現了同樣的情況，比如吃了鷄蛋後出現了嚴重的濕疹，那麼立即停用鷄蛋，直到你得到了醫生的指示。一般兩週或再久一點，皮膚就可以恢復。小麥也是誘發濕疹的常見食物。

請記住，膚色深一點的孩子在濕疹痊癒後，患處皮膚的顏色要淺一些。這會隨著時間的推移而消除的，一般需要幾週的時間。在此期間，不必去處理患處的皮膚。

家長不向醫生或保育護士諮詢，就隨意禁止孩子食用許多食物，這是錯誤的。原因如下：一種濕疹即使對同一種食物，也會因時間的不同而產生不同的反應。當你擅自改變食譜的時候，你可能一開始會認為是某一種食物導致了濕疹，隨後又會認為是另一種。而當濕疹再次復發並加重時，你就糊塗了，危險在於你使食物的供給不平衡，以至於孩子會產生營養不良的後果。如果濕疹不十分嚴重，在沒有醫生的指導下，就不要隨意更改孩子的食譜。

關於濕疹要記住的事情是：濕疹不像小膿疱疹之類的感染可以徹底治癒的。在多數情況下，如果你能把濕疹控制在輕微的程度，你就應該滿足了。在嬰幼兒早期發作的濕疹可以完全消除，或者至少在隨後的一、兩年內症狀會變得非常的輕微。

1155. **行為問題及過敏**。近年來，孩子各式各樣的行為問題被指責是過敏反應——例如對空氣中的化學物質、食品添加劑、食用色素等等過敏。但是這些說法還沒有被科學所證明，許多說法也已經被否定了。很多家長把孩子帶到非醫學專業醫生那裡進行十分昂貴的檢查，然後這個醫生開出一張極複雜的藥方和其他的治療方法。這些方法中產生的結果還沒有經過任何一種現行的、人們接受的科學方法的檢驗。卻有一些報告顯示孩子在經過這些治療後，病情更糟了。如果你認為孩子由於過敏產生了一種行為問題，你想嘗試一種非醫學專業醫生提供的治療方法，我認為最好和你的醫生或保育護士進行一次坦率的交談。

皮膚狀況

1156. 區分各種常見的疹子。這一部分並不是要教你做診斷。孩子一旦起了疹子，就必須請醫生或保育護士來診斷。疹子的發病因病人不同而大不相同，有時甚至皮膚科專家都難以診斷。非專業人士就更容易弄混了。這節的目的僅僅在於介紹一些孩子發疹子的常識，這樣在你到達醫生或保育護士那兒之前不至於過度緊張。

猩紅熱。在出疹子之前，孩子已病了一天，通常伴有頭痛、發燒、嘔吐和喉嚨痛的症狀。紅色的疹子感覺像砂紙一樣，往往發生在身體溫暖濕潤的部位，如腋窩、腹股溝和後背（參見855和1115）。

痱子可能在初夏季節對嬰兒產生影響。痱子從肩膀和脖子周圍開始，是由成片而細小的深粉紅色丘疹組成的，甚至有一些發展成細小的水泡（參見357）。

尿布疹發生在被尿浸濕的部位。症狀爲出現大小不等的、粉紅色或紅色的丘疹，或者成片而粗糙的紅色皮膚（參見347-351）。

1157. 蚊蟲叮咬。有各式各樣的蚊蟲叮咬，大到半美元大小的腫包，小到僅僅是一個小紅點而沒有腫包。但是大多數蚊蟲叮咬有兩個常見的特徵：其一是在蚊蟲叮咬過的區域中央會有一個小孔或腫脹，其二是叮咬通常發生在皮膚裸露處。

對於任何發癢或有刺痛感的蚊蟲叮咬，可以在一茶匙碳酸氫鈉（小蘇打）中滴幾滴水後把這種液體塗抹在患處，這樣症狀會得以部分地緩解。對於蜜蜂螫過的地方，如果可以看見蜂針，先用鑷子將蜂針拔出，再塗抹如上所述的碳酸氫鈉藥水。對於螞蜂或大黃蜂的螫咬，塗一滴醋則效果更佳。

1158. 扁虱。扁虱能攜帶多種疾病，例如洛磯山斑疹熱（Rocky Mountain

spotted fever）和雷姆病（Lyme diseases），這兩種病的特徵都是起疹子。如果你住在扁虱出沒的地方，詢問醫生在扁虱出沒的季節應採取何種預防措施。你應該用一把好鑷子來捉扁虱。夾住皮膚上的扁虱，輕輕地把它直著拉出來而不要扭曲。如果你沒有鑷子，用一塊紙或布墊住手去捉扁虱，捉完後要把手洗乾淨。

1159. **疥瘡**。疥瘡是由潛伏在體內的疥**蟎**引起的，這種情況下的癢令人難以忍受。疥瘡看起來就像一片頭上已結了痂的小膿疱，周圍是由於奇癢難耐而抓破的痕跡。疥瘡多發於經常摩擦的部位：手背、腰部、陰部、腹部（卻不發生在背部）。儘管疥瘡並不危險，但傳染性很強，所以需要及時處理。

1160. **錢癬**。這種皮膚病並不是由寄生蟲引起的。它是皮膚表面的一種眞菌感染。錢癬是成片堆起的、粗糙的、邊緣略紅、中央清晰的圓斑，最常見的有硬幣大小。錢癬的外緣是由小的腫塊構成的。錢癬不是突出的，而是隨著時間慢慢擴大的。錢癬常在理髮時顯現出來。頭癬，是在頭髮脫落的地方有成片的圓形的鱗狀皮膚。錢癬的傳染性不太強。一般的療法就是連續一個月以上在患處塗抹藥膏而不採口服藥。但當錢癬出現在頭皮時，醫生會開一種口服藥。

1161. **膿痂疹**。孩子自嬰兒期後長的小膿疱疹都有痂，一部分是棕色的，一部分是蜜糖色的。事實上，凡是臉上長的痂首先應考慮是不是膿痂疹。膿痂疹開始時常在頭部出現黃色或白色的丘疹，並且多發於臉部，而膿疱頭很快就會被擦掉，然後結痂。臉上還會出現其他的點，並且經孩子的手，還會傳染到身體的其他部位。這時就應該立刻叫醫生或保育護士來給孩子診斷和治療。膿痂疹不是什麼大病，但如果忽視了，它就會很快傳到全身各處，而且是有傳染性的。如果膿痂疹不進行治療，這種「鏈球菌」可能會引發急性腎炎。

1162. 有毒的常春藤。（編按：台灣較少見，但與咬人貓等植物的毒性相似）這是在泛紅的皮膚上會起的一片大小不同的小丘疹。它很癢，且經常於春、夏季出現在身體裸露的部位。可用1％氫化可體松軟膏或口服苯海拉明來治療較輕的病症。如果發病情況很嚴重，就要向醫生或保育護士諮詢治療方法。

1163. 頭虱。找虱子卵比找虱子容易。虱子卵細小、乳白色、呈蛋形，它緊附在髮根附近，一根頭髮上一個。在後頸髮際線附近可能有很癢的紅色丘疹。看一看髮際線，尤其是孩子耳朵後面。許多人錯誤地認爲虱子只會出現在很不衛生的地方。但是它們能夠存在於孩子的學校或托兒所。儘管虱子看起來很大，卻不會眞的有害處。但是，它們非常容易傳染，所以需要治療。

1164. 疣。疣是由皮膚下面的病毒感染引起的。在手上、腳底、外陰部、臉上等部位會長幾種普通的、不同類型的疣。它們容易傳播，所以應該立即就診。另外，我們知道還有一種有傳染性的特殊類型的疣，叫做傳染性軟疣。這種疣在初發時呈圓形、光滑、蠟質、白色或粉紅色，大小如針頭一般。隨後，它們數量增加，體積變大，中間凹陷。當疣大量出現時，就應該接受治療以防止其繼續蔓延。

1165. 疱疹。疱疹是一種在全世界都能發現的病毒。疱疹有兩種主要的類型。I型疱疹總是在口腔內部或周圍出現，並且一般不隨性行爲而傳播。在初次感染，疱疹通常在學步兒身上引起一種以高燒、腺體腫大、口腔內潰瘍爲特徵的疾病——一種惱人的疾病。年齡大一點的孩子有時會像成年人一樣復發唇邊的水泡。這些都是由I型疱疹病毒引起的。有些孩子在高度緊張、疲勞或生病時會復發這種疾病，而在另一些孩子身上這種病則一直不會復發。患I型疱疹的病人，無論是成年人還是小孩，在口腔潰瘍痊癒之前，都不要吻其他人。

Ⅱ型疱疹病毒通常發生在外陰部或外陰周圍，幾乎無一例外地是性傳染疾病。小丘疹生成後，可能會破裂，然後形成疼痛的潰瘍。這種生殖器類型的疱疹廣爲人知並且使人們非常擔心。這種疾病對新生兒可能會引起腦部的感染。

用肥皂和水清洗能殺死疱疹病毒。一些病例需要進行專門的治療。如果家長和護理人員患了任何一種類型的疱疹，只要他們接觸疼痛處或潰瘍處之後用肥皂和水洗手，就不會把病毒傳給他們正在護理的孩子。

傳染病

麻疹、德國麻疹、玫瑰疹和水痘

1166. **麻疹**。麻疹在發病的前三、四天並不起疹子。它看起來就像正在逐漸惡化的重感冒。孩子的眼睛發紅，並且淚眼汪汪的。如果你翻開孩子的下眼皮，會看到裡面非常紅。孩子會有頻繁且嚴重的乾咳。孩子每天高燒。第四天以後，麻疹開始出現，這時孩子體溫仍然很高，耳朵後面出現不確定的粉紅色小點。麻疹逐漸傳到臉和全身，並且變得更大、顏色更深。體溫仍然很高，儘管用藥，咳嗽仍然很頻繁，孩子感到病弱不堪，此時正是麻疹全面發作的日子，大約持續一到兩天。這之後，孩子會迅速好轉。

如果孩子從疹子出現以後持續高燒兩天。或者如果燒退了一天以上而又再次發作，那麼你就要猜測是不是產生了併發症。最常見的併發症是中耳炎、支氣管炎和肺炎。除了預防之外，現在還沒有治療麻疹的方法。併發症可能很嚴重，但不像麻疹本身那樣，一些併發症可用現代藥品得以成功地治療。

如果你的孩子曾完成預防接種，那麼麻疹通常不再發生，但並不是完全沒有可能發生。所以當孩子發燒、咳嗽同時發疹的時候，不論你認爲是不是麻疹，都應該向醫生或保育護士進行諮詢。

麻疹的最初症狀在接觸病毒 9～16 天後開始，出現在所有的地方。麻疹在出現最初的感冒症狀時就有傳染性。一般來說，一個人一生中只會得一次麻疹。

麻疹能夠並且應該通過在孩子一週歲的時候注射疫苗來預防，在孩子五歲的時候，應該追加一劑（編按：國內現行制度於九個月及十五個月大時分別注射麻疹、德國麻疹和腮腺炎疫苗）。但是，如果一個未注射過疫苗的孩子面臨麻疹的威脅，在三天之內注射疫苗或在六天之內注射 γ（伽馬）球蛋白（免疫球蛋白），仍然可以預防麻疹的發作或減輕它的發作程度。兩個月後，當 r 球蛋白的作用消失後，讓孩子再去注射麻疹疫苗是非常重要的。

1167. 德國麻疹。德國麻疹發的疹子看起來與眞正的麻疹非常相似，但是這兩種病是不相干的。德國麻疹並沒有感冒的症狀（如流鼻涕或咳嗽），但是孩子的喉嚨會有一點痛。發燒通常是低燒（39°C以下），孩子幾乎不會感到難受。通常在第一天粉紅色的扁平斑點就會遍及孩子的全身。第二天這些斑點會消褪一些，但卻連成了一片，這樣整個身體看起來發紅而不再是斑斑點點的了。最典型的症狀是頭骨後部、耳朵後面、脖子後面兩側出現腫起、一觸即痛的淋巴結。這些淋巴結可能在疹子出來之前就腫起來了，並且這些腫起在病癒後還要持續存在一段時間。在一些病例中，疹子很輕，以至於不被注意到。大一點的孩子，可能有關節炎的症狀。

德國麻疹通常在接觸病毒後 12～21 天發作。通常，孩子無需臥床。應該請醫生或保育護士做診斷，因爲德國麻疹與麻疹、猩紅熱和一些病毒感染很容易混淆。沒有針對德國麻疹的特殊療法。

對於懷孕處於前三個月的婦女而言，患德國麻疹可是很糟的。因爲胎兒很可能會因此產生缺陷。如果婦女遇到這種情況，應該立即與醫生研究對策。

對所有的孩子，應該在他們一週歲的時候注射德國麻疹疫苗，並且在五歲的時候追加一劑。

1168. 玫瑰疹。玫瑰疹的學名是幼兒急疹（exanthem subitum），但是稱之爲玫瑰疹較簡易。知道這種感染的人並不多，但它卻很常見。它多發於兒童一～三歲期間，以後就很少發作了。孩子發病時，持續3、4天高燒卻沒有感冒的症狀，通常看起來病得也不是非常厲害（偶爾在得病的第一天由於高燒會發生抽搐的現象）。高燒會突然褪了下去，同時一片粉紅色的扁平疹子，有點像麻疹中的疹子出現在孩子的體表。到這時爲止，孩子不再表現出病態，而只是虛弱一些。紅疹會在一、兩天內消褪，不要擔心會有什麼併發症。

在紅疹爆發之前，很難診斷是玫瑰疹。但是到那時候，孩子的燒也退了，感覺也舒服多了。玫瑰疹是由Ⅵ型和Ⅶ型的疱疹病毒引起的。

1169. 水痘。水痘最初的症狀通常是在孩子的身上、臉上和頭皮上出現一些有特徵的小丘疹。水痘看起來與一般的丘疹相似，但這些丘疹的頂部是黃色的小水泡（「像玫瑰花瓣上的一滴露珠」）。這些丘疹的底部及周圍的皮膚呈深紅色。膿疱頭會在幾個小時內破裂並結成硬痂。水痘爆發時很癢。醫生或保育護士在診斷的時候，要在所有結痂的水痘中尋找新的還帶有膿疱頭的水痘。因爲新的水痘在三、四天內還會繼續出現。

大一點的孩子或成年人在水痘發作的前一天會感到不舒服、頭痛、發燒，而小一點的孩子則不會感覺到這些症狀。發燒開始時很輕微，但是在接下來的兩天中體溫會逐漸升高。有的孩子根本不會不舒服，而且體溫也不會超過38℃。但是有一些孩子卻感到非常不舒服並伴有高燒。

藥物治療可以縮短水痘的持續時間或減輕水痘發作的嚴重程度。你可以和醫生或保育護士討論藥物的治療對孩子是否有效。水痘也可能與其他一些疾病，如膿痂疹相混淆，因此，如果孩子起了任何疹子，尤其是他發燒或者感到不舒服的時候，你應當打電話給醫生或保育護士。

醫生可能會開一種溫和的抗組織胺來幫助孩子止癢。Acetamino-phem 可以幫助孩子感覺舒服一些，尤其在孩子發燒的時候。（不要給患水痘的兒童或十幾歲的少年服用阿斯匹靈，這會使他們容易罹患雷氏症候群。）每日2～3次，每次在配製的藥液中浸泡10分鐘可以止癢。藥液是在溫熱的水中加入玉米澱粉、小蘇打或燕麥粉製成的。在小浴盆中加入一茶杯藥液，在大浴盆中加兩茶杯藥液。把玉米澱粉放入一個容量爲2～4茶杯的容器內，然後慢慢地加入冷水，邊加水邊攪拌，直到玉米澱粉全部溶解（這樣可預防結成塊狀）。隨後再將溶液加入到洗澡水中。不要讓孩子把痂抓破，否則會導致二度細菌感染或使孩子感到恐懼。每天爲孩子用肥皂洗手三次。晚上睡覺時給孩子帶上棉質手套，這樣會防止孩子在睡夢中抓搔而帶來損傷。

水痘會在接觸病毒後11～19天發病。通常的規則是讓孩子在出疹後的第六天出門或返校。病情比較輕微的孩子如果水痘結痂了，可以盡快的返校。水痘結成乾痂後不會傳染，所以不應該因此把孩子隔離起來。

目前有一種抗水痘的疫苗，它或者能減輕水痘的發病程度，或者能完全預防水痘（參見633）。由「鏈球菌」引起的併發症可能很嚴重，但可以治癒。

1170. 其他出疹子的傳染病。其他一些常見的感冒或腸病毒（比如腺病毒、艾柯病毒 [Echo virus]、克沙奇病毒 [Coxsackie virus]）也會引起疹子。這些常常是在皮膚上的淡色的圓點或花紋的疹子。有時會傳播到臉上、胳膊上和腿上。這些疹子通常在兩天內消褪。

百日咳、腮腺炎和白喉

1171. 百日咳。百日咳發病的第一週內，沒有什麼跡象能使你猜到這是百日咳。就像一般感冒那樣，流點鼻涕、幾聲乾咳。在第二週內才開始產生懷疑。這時候你注意到孩子開始在夜間連續咳嗽。一次呼吸咳嗽8～10次。某夜，孩子在多次這樣連串的咳嗽後，會出現做嘔和嘔吐的現象，還可能有哮喘聲。這種哮喘聲是孩子在一連串咳嗽後試圖恢復正常呼吸而發出急促的呼吸雜音。

孩子在注射了疫苗之後，還是有可能患百日咳，儘管這種情況十分少見。但是這樣的病例都不太嚴重，不會達到百日咳的階段，有時甚至連嘔吐的現象都沒有。診斷百日咳依靠的是孩子在第二週咳嗽時的特點（咳、咳、咳、咳、咳、咳、咳、咳——一連串快速連續的咳嗽，中間沒有呼吸）和周圍鄰居中是否有這樣的病例。

你絕不應該只是因爲孩子在感冒前幾天咳嗽得厲害就貿然斷定孩子得了百日咳。事實上，感冒初期的劇烈咳嗽恰恰不是百日咳的症狀。

百日咳能一週一週地持續下去。平均持續四週，嚴重的可能持續二到三個月。不論什麼時候，一歲以下的孩子乾咳持續一個月左右，醫生就會考慮到百日咳。對於大一點的孩子，如果在他處的那個區域一直在流行百日咳，醫生也會想到他得了百日咳。

如果懷疑孩子得了百日咳，去做診斷是很重要的，實驗室的化驗有時能有助於診斷。

醫生將根據孩子的年齡和病情來制定治療方案。抗生素在防止疾病傳播方面很有用。醫生也常常使用止咳藥，但一般情況下作用不明顯。大多數病例會因孩子整天待在寒冷的空氣中而好一些，但要注意不能讓孩子打寒顫。只要孩子不發燒，有時也可以讓他到戶外去玩。孩子在接受erythromycin（紅黴素，一種抗生素）的治療之前，不應該和其他孩子一起玩。有些孩子臥床的時候，咳嗽會減輕很多。如果孩子出現嘔吐的情況，少量多餐比正常的一日三餐要好。給孩子餵飯的最安全時刻是在他剛剛嘔吐完以後，因爲在這段時間，孩子不會咳得非常厲害。

既然百日咳有時是一種嚴重的疾病，尤其對嬰兒和兒童來說如此，那麼如果有一點猜疑，馬上給醫生打電話是很重要的。這樣做有兩個主要的原因：其一是爲了確定診斷；其二是爲了制定正確的治療方案。對嬰幼兒來說，需要專門的治療，而且這是很有價值的。如果家中有小嬰孩，那麼就要像防鼠疫一樣來防百日咳。孩子在這個年齡的主要危險是虛脫和肺炎（關於百日咳疫苗部分參見629）。

百日咳在接觸病菌後5～14天產生症狀。

1172. 腮腺炎。腮腺炎主要是病毒引起唾液腺發炎的疾病，多發於位於耳垂下面空腔中的腮腺。首先淋巴結腫大充滿空腔，然後引起整個面頰腫起來。它把耳垂都擠高了。如果你用手指沿下頜骨後部上下摸索，會感到有硬的腫塊向前移動，腫塊已經蓋住了部分下頜骨。

當孩子脖子側面腫起的時候，心裡總升起這樣的問題：是得了腮腺炎，還是其他罕見的腮腺疾病（這些病會不斷復發）呢？還是普通的淋巴結（如脖子側面的一個淋巴結）腫起呢？有時由於咽喉疼痛引起的淋巴結腫大，都位於脖子下面，不會隆起到耳垂下，並且硬腫塊不會越過下頜骨。

如果一個較小的孩子得了腮腺炎，耳朵下面的腫起通常是你最先注意到的。大一點的孩子在腮腺腫起前抱怨耳朵周圍疼痛或喉嚨疼痛，尤其在吞嚥和咀嚼時。孩子可能感到十分難受。一般腮腺炎開始時很少發燒，但第二天或第三天，體溫會逐漸升高。通常情況下，腮腺從一側開始腫起，但一、兩天後就會波及到另一側。有時需要一週或更長的時間才會波及到另一側，還有一些病人另一側腮腺根本不發生腫大的現象。

腮腺之外還有其他的唾液腺，腮腺炎有時也會波及到它們。頜下腺位於下頜骨的靠下一點的地方。舌下腺恰好在下巴後面。有時人也會患有腮腺炎的併發症，而沒有唾液腺腫大的現象。

輕微的腮腺炎3～4天就可消腫，平均腫大的時間持續7～10天。

腮腺炎會波及成年男人或青少年的睪丸。一般只會影響一側睪丸。但即使雙側睪丸都發炎，通常也不會導致不孕（沒有生殖能力）。青少年和成年男人應該避免感染上腮腺炎。女性的卵巢可能也會受到影響，但這幾乎不會對今後的生育能力造成任何影響。

有時，以前得過腮腺炎的人，腮腺也會再次腫大。大多數醫生認爲這是由某種細菌而不是腮腺炎病毒引起的，或者是由細小結石堵塞唾液分泌造成的。一般來說，一個人不會得兩次腮腺炎，因爲患一次腮腺炎後可以終生免疫，但是如果他錯誤地認爲以前得過，那麼他當然可能感染上眞正的腮腺炎。因此，我建議沒有免疫力的男人和進入青春期的男孩不要染上腮腺炎，尤其當家裡有人患腮腺炎的時候。

所有的孩子在一歲的時候都應該接受腮腺炎疫苗注射，並在五歲的時候再加打一劑。腮腺炎、麻疹、德國麻疹疫苗通常是三合一劑的（編按：國內目前例行於十五個月大時施打麻疹、德國麻疹、腮腺炎三合一疫苗）。

當懷疑孩子患了腮腺炎時，應該給醫生打電話。確切的診斷是很重要的。如果發現只是淋巴結腫大，那麼治療方法則截然不同。

腮腺炎在接觸病毒後二～三週。

1173. **白喉**。白喉是一種很嚴重但又可以完全預防的疾病。如果你的孩子在嬰兒期接種三劑，並且在一歲半、四歲（台灣沒有）、六歲時追加一劑，此後每隔十年再追加一劑（台灣沒有），那麼他就不會患上白喉。白喉剛發病時很不舒服，喉嚨疼痛，並且發燒。扁桃腺上有成片的灰白色，隨後可能傳到喉嚨的其他部位。偶爾，這種疾病從喉部開始發作，聲音嘶啞、有哮喘似的咳嗽，呼吸困難。

無論如何，當孩子出現喉嚨痛、伴有發燒，或者當他有任何哮吼的症狀時，應該馬上給醫生打電話。治療白喉應當立即對症下藥。

白喉從感染到發病不到一週的時間。

小兒麻痺症和肺結核

1174. **小兒麻痺症**。這種病毒性疾病在有系統地使用小兒麻痺疫苗的地區幾乎已經被消除了。每個孩子都應該在嬰兒早期通過口服沙賓疫苗或接種沙克疫苗來杜絕三種小兒痲痺病毒（參見630）。

這種疾病和許多其他的感染一樣，發病時會很不舒服、發燒、頭痛。可能有嘔吐、便秘或有一點腹瀉的現象。大多數患病者不會留下痲痺的後遺症，那些留下後遺症的人中有相當一部分也可以完全治癒。如果孩子在小兒痲痺症急性階段後留下了痲痺的後遺症，至關重要的是讓孩子繼續接受常規的、專業的醫療護理。

1175. 肺結核。肺結核在嬰幼兒、兒童和成人身上發病情況是不一樣的。大多數人認爲肺結核典型地發生在成年人身上。病人肺部有點和空洞，還會產生諸如疲乏、胃口不好、體重減輕、發燒、咳嗽和咳痰等等症狀。

兒童患的結核病通常是另一種形式。孩子兩歲以前，身體抵抗力不像後來那樣強，有更多的機會將病菌傳染到身體的其他部位。這就是爲什麼你不要讓孩子與任何結核病患者有最輕微的接觸的原因，除非醫生或X光片保證這個病人已經痊癒了。同樣的原因，如果家裡有人長期咳嗽，他應該去檢查並做結核菌素的檢測。另外，讓新來的清潔人員、護理人員或家裡的新成員去做結核菌素的檢測也是明智之舉。如果檢測的結果呈陽性，就應該去做胸部的X光片檢測。

在童年時期的後期，肺結核更容易發生但不會很嚴重。但並不能對此掉以輕心或抱僥倖心理。結核菌素的檢測結果顯示在一些城市中，10%的孩子在十歲以前都得過輕微的結核病。這些病多數程度都很輕，以至於當時沒有人猜到有什麼不妥。X光片至多可能顯示出結核病在肺部或肺門部的淋巴腺上治癒後留下的疤痕。

然而有時候，兒童時期的結核病也會出現較嚴重的病程，產生發燒、食欲不振、臉色不好、躁動、疲倦的症狀，可能伴隨著咳嗽。沒有很多痰；如果有的話，多半也被吞進肚子裡了。

感染也可能發生在身體其他部位，例如骨頭、腎臟、頸部淋巴結或是腦膜。但是最常見的還是位於肺部或肺門淋巴結。

在大多數顯性病例中，如果孩子的護理得法，在一到兩年的時期內病會逐漸痊癒，只留下一個疤。正確用藥會加速痊癒的過程並且防止這種感染的全身性散佈。患結核病的孩子一般沒有傳染性，因此多數情況下不必將他們與家人隔離。

當孩子進入青春期時，就更容易感染比較嚴重的、成人類型的結核病。不論何時，一個青少年或年輕人出現萎靡、疲憊、厭食或體重下降的情形時，都應該記住這一點，不要管是否有咳嗽的症狀。

1176. 結核菌素的檢測。結核桿菌（誘發肺結核的細菌）進入人體幾週後，人體通過對結核桿菌積極地產生抗體，人會變得「敏感化」。在這以後，如果給人的皮膚注射結核菌素（由死亡的結核菌製成），在注射點的周圍就會出現鼓包，這叫做PPD皮膚測試，僅僅是注射點附近發紅還不能說明是陽性，只有鼓包的大小達到了一定的程度，才能說明是陽性。許多家長對皮膚發紅無謂地擔心，後來發現檢測結果是陰性（因爲沒有鼓包）。應該讓健康護理專業人士測量這一測試區域，以決定孩子對TB測試反應的強烈程度。儘管注射點附近會變紅，但是陽性的診斷結果只能依據鼓包的大小來決定。一般來說，如果一個人曾患過結核病，那麼他在以後的測試結果就會呈陽性，儘管這種感染在很久以前就被治癒了。

在肺結核出現頻仍的社區內，應該在兒童時代依常規定期給孩子做皮膚測試。當孩子感覺不舒服或是長期地咳嗽，或是在家中的另一個成員身上發現了結核病，都應該給孩子做測試。

如果孩子被發現對結核桿菌測試呈陽性（當你考慮有多少孩子呈陽性時，這不是不可能的），你必須保持心態的平衡。既然大部分在兒童時代中期被發現的病例或者已經痊癒了，或者正在逐漸地痊癒，家長就沒有必要大驚小怪了。另一方面，你不要忽視任何預防手段，按照醫生的指示辦事是很重要的。

第一步是醫生要針對孩子的病情進行調查。在所有的病例中，肺部的X光片是必不可少的，這是爲了看清是否有活動的感染跡象或已治癒的疤痕跡象。有時，醫生還會做其他的測試。

所有對結核桿菌測試呈陽性的孩子，即使是那些現在沒有活動性感染證據的孩子，都應該服用特殊的抗結核病的藥物，至少持續九個月。在這期間，如果疾病不呈活性，孩子就可以過正常的、有朝氣的生活。醫生會時常做進一步的X光片檢測。現代的藥物治療通常也是有效的，它們沒有嚴重的負作用。

除了患病的孩子，如果有可能，家裡的每一個成員（和孩子經常接觸的其他成年人）也必須接受測試，這樣可以發現結核病細菌的來源，並且查清家裡其他的孩子是否也被感染了。在許多病例中，家裡的大人身上沒有病，所以可以認定孩子是從外面某個傳染源傳染上了病菌。在另外一些病例中，活動性的結核病有時是在家裡很少被猜到的成年人身上發現的。對病情在初期就被發現的人來說，這是一件幸運的事，而且對家裡的其他人來說，排除了被傳染的危險，也是幸運的。患活動性結核病的人不應該和孩子待在家裡，而應該去其他的地方接受藥物治療，直到醫生說他不具傳染性爲止。

其他有關健康的問題

關節問題

1177. 風濕熱。風濕熱是所謂的自體免疫問題。這種疾病是在受到鏈球菌的感染（例如鏈球菌扁桃腺炎）之後，身體產生排斥這種感染的抗體的表現。其結果是，這些抗體也會反抗人體自身內部的某些器官。因此，風濕熱有很多表現形式，可以影響到關節、心臟、皮膚和身體的其他部位。一旦發病，如果不能夠及時充分地進行治療，病情會持續幾週或幾個月。更進一步，這種疾病具有一次又一次不斷復發的特點，在整個孩提時期，只要一感染上鏈球菌扁桃腺炎，孩子就會發生風濕熱。

有時風濕熱表現出非常急性的形式且伴隨高燒，而有時又僅僅是連續幾週的輕微發燒。如果風濕熱表現出嚴重的關節炎，這個症狀會從一個關節轉移到另一個關節，引起紅腫，以及明顯的關節疼痛。另外，關節炎也可能是輕微的——僅僅一個或另一個關節偶爾疼痛。如果風濕熱嚴重地侵犯到心臟，孩子就會明顯地衰竭、蒼白無力、透不過氣來。在某些病例中，還發現心臟曾被過去的風濕熱所傷害，只不過傷害很輕微，以至於都不曾被注意到。

換句話說，風濕熱是一種極端變化不定的疾病。如果你的孩子有了突然發病的嚴重徵兆，你自然得去請問你的醫生或護士。而如果孩子的症狀不十分典型時，也必須給孩子做檢查，這一點非常重要，這些症狀表現如下：蒼白、疲勞、輕微發燒、輕微的關節痛、不十分明顯的皮膚疹等。

現在，有一些非常有效的藥品，可以用於扁桃腺發炎時，清除鏈球菌感染，以及加速治癒風濕性關節炎或風濕性心臟病。因為，心臟瓣膜有可能在第一次患病後不久，就受到損傷。更重要的是，曾經發作過一次風濕熱的孩子，要避免再次患病而進一步侵害心臟。這些孩子必須在醫生持續不斷的指示下，定期地口服或注射抗生素（預防新的鏈球菌感染），以便正常進入成人期。如果鏈球菌扁桃腺炎在發病的前七天內得到治療，風濕熱就可以得到預防。

1178. **關節疼痛和生長痛**。在過去，對於孩子們訴說他們的胳膊和腿有疼痛感時，沒有人會為他們感到擔憂，都認為發育期的生長痛是很自然的事情。一個兩歲到五歲之間的孩子，在睡覺醒來時會大聲哭嚎，訴說他的大腿、膝蓋和小腿疼痛。這種現象僅在夜間發生，但可能持續幾週的夜晚都發作。某些人認為，這種疼痛是由於迅速生長的骨骼疼痛或肌肉的痙攣所引起的。

通常，如果疼痛從一個地方轉移到另一個地方，如果孩子並沒有腫脹、發紅、局部壓痛或者跛行的現象，且其他方面都很好，這種情況就不像是什麼其他嚴重的原因所引起的疾病，而是孩子的生長痛。如果疼痛總是出現在同一個肢體的同一個部位，或者又出現了其他症狀，很顯然的，必須進行身體檢查，看看是否出現了其他的疾病。

還有很多其他的原因會引起胳膊和腿部的關節疼痛，我們需要照料孩子健康的專業人士來進行檢查、測試，以便判斷出現的各種情況。

心臟的問題

1179. 心臟雜音。簡單地說，心臟雜音只不過是血液被泵入心臟、流過心臟時快速形成的聲音。儘管「心臟雜音」這個詞對於人們來說，代表著一個令人擔心的心跳聲，但是大部分的心臟雜音，並不表示有非常嚴重的問題。一般來說，心臟雜音有三種類型：功能性（無害性）、後天性和先天性的。

功能性或無害性雜音是一種並非由於風濕熱、也不是由於天生的畸形所引起的雜音。事實上，心臟通常是很完美的。無害性的心臟雜音在兒童成長的前期是非常普遍的，而到了青春期，無害性心臟雜音會逐漸減退。你的醫生會將孩子的心臟雜音告訴你，因此，如果在成長期的後期，另一個新的醫生發現了孩子的心臟雜音，你可以向他解釋說，這孩子一直有心臟雜音。

造成孩子**後天心臟雜音**的原因是風濕熱，它使心臟瓣膜發炎紅腫，並在其上留下疤痕。這將導致瓣膜上正常血流的滲漏或阻塞。當醫生從孩子的心臟聽到以前從未聽到過的雜音時，這也許意謂著活躍的風濕性炎症正在發生。在這種情況下，將會有一些其他的感染症狀，如發燒、脈搏加快和血球數增多。醫生可以使用藥物對患病的孩子進行治療，直到所有症狀都消失爲止，即使這將花費數個月的時間。如果在較長的一段時間內都沒有發現其他的感染症狀，則雜音也許是由於上一次疾病侵襲所留下的疤痕造成的。

以前，有心臟雜音的兒童有時長期被視爲半傷殘的孩子。即使沒有出現發病的徵兆，他們也被禁止進行激烈的遊戲和體育活動。而現在，醫生們傾向於如下做法：讓已經從發炎活躍階段完全康復的孩子漸漸地、盡可能地恢復正常的生活。這包括：如果已經痊癒的疤痕沒有明顯地影響心臟的正常運作的話，可以進行一些簡單的遊戲和活動。原因有二：一是在沒有發炎的情況下，心肌能通過正常的運動得到加強；更重要的是這可以保持這些孩子的心理健康——防止他們自我感覺不好，或覺得自己生活沒有希望，和其他人不同。但是，這些孩子同時也應當接受完全的藥物治療，以防進一步的鏈球菌感染。

由**先天性心臟病**所引起的雜音，通常可以在嬰兒出生時、或出生後幾個月內（一般不會在幾年後）發現。這種雜音通常不是由於炎症引起的。主要原因是心臟本身的結構不正常。重要的不是雜音本身，而是這種結構上的缺陷是否直接影響心臟的正常運作。如果答案是肯定的話，這將會導致嬰兒臉色發青、呼吸困難或發育遲緩。一個患有先天性心臟病的嬰兒或兒童，需要請專家進行細心的檢查。目前，許多心臟雜音的病例已經能通過手術治癒了。

如果一個患有先天性心臟雜音的孩子在運動時，沒有出現臉色發青或喘氣不正常的現象，而且他發育正常，則對孩子的心理發展來說，最重要的是他可以不被視爲或當作一個傷殘者來對待，而允許他過一種正常人的生活。當然，他需要避免各種感染，尤其是流行性感冒，因此每年都必須打預防針。

有先天性或後天性心臟病的孩子，在進行牙科手術或外科手術以前，應當接受抗生素治療，以防止細菌從口腔傷口轉移到心臟。

疝氣和陰囊水腫

1180. **疝氣**。簡單地說，疝氣就是器官或組織的突出部分，穿過身體皮膚或肌肉上的異常出口。所有疝氣中最普通的一種是：凸起的肚臍。關於它，我們已經在369部分進行了討論。另一種最普通的疝氣發生在腹股溝之間（腹股溝疝氣）。這指的是從腹腔，沿著腹股溝（位於腹部和股骨之間的凹槽）向下，進入陰囊（對男孩而言）的一條小通道。該通道傳送連接到睪丸的血管和神經。該通道必須通過組成腹壁的肌肉層，如果這些肌肉上的開口超過正常水平，則當孩子用力或大聲哭喊的時候，也許會將一段腸子擠出腹部，掉入這條通道中。如果腸子只是到達通道的一半，則將使腹部產生不規則突出；如果腸子全部進入陰囊，則陰囊將會暫時腫大。腹股溝疝氣雖然並不常在女孩中發現，但也決非沒有這種病例。這種情況下，它的表現形式爲腹股溝內的異常突起。

在大部分的疝氣病例中，當兒童或嬰兒靜靜躺著的時候，腸子會滑入腹腔內。當每次孩子站立起來的時候，腸子會被推出來，或只在孩子非常用力的時候掉出來。

有時，腹股溝疝氣會產生絞扼現象。這意謂著腸子在通道內卡住，血管都被纏結在一起，引起血流不通暢。這是腸阻塞的一種形式。它引起腹部疼痛和嘔吐，需要立即進行外科手術。

由腹股溝疝氣引起的絞扼經常發生在嬰兒出生後的前六個月內。通常，它是一種以前沒有引起充分注意的疝氣。當父母因爲孩子的不停哭鬧而翻動孩子的身體時，才首次發現產生在孩子腹股溝的異常隆起。試圖用手指將其壓平是不明智的行爲。但是，在等候醫生到來的時候，可以將嬰兒的臀部放在枕頭上，用冰袋（或將碎冰塊放在塑膠袋內）敷在患部。這幾種方法的共同作用也許會使腸子滑入腹腔內。在和醫生討論孩子的病情以前，請不要貿然給孩子餵任何食物，因爲如果需要做局部麻醉或外科手術的話，孩子最好是空腹。

如果你懷疑自己的孩子有疝氣，你應當立即向孩子的醫生報告情況。現今，腹股溝疝氣一般都能通過外科手術快速得到補救。這並不是一個複雜的手術，成功率非常高，孩子在手術的當天即可出院。

1181. 陰囊水腫或睪丸腫大。人們常常將陰囊水腫和疝氣弄混，因爲它同樣也會導致陰囊腫大。陰囊內的每個睪丸都被一個包含著少量液體的柔軟液囊所包圍著。這有助於保護睪丸。對新生兒來說，時常會見到有些人在液囊裡會有額外的液體包圍著睪丸，致使它顯得比正常的尺寸要大上數倍左右。有時，這種腫大發生在孩子出生後不久。對於陰囊水腫，人們用不著緊張。在大部分的情況下，液體隨著孩子的成長將逐步消失，並不需要做些什麼處理。有時，一個年齡稍大的男孩會出現慢性的陰囊水腫症狀，如果它使人感到不舒服，則應當通過手術來解決。患者不應當自行診斷，而應當讓醫生來判斷它是疝氣還是陰囊水腫。

眼睛問題

1182. 看眼科醫生的原因。在下列情況下，需要帶孩子去看眼科醫生：在任何年齡階段出現的「鬥雞眼」或「斜視」；看不清楚黑板上的字；抱怨眼睛疼痛、劇痛或疲勞；眼睛發炎；頭疼；閱讀時將書拿得離眼睛過近；當仔細觀察事物時，將頭偏向某一邊；視力測驗時，發現孩子的視力很弱。視力測驗應當在孩子三～四歲時，由孩子的醫生進行。此後每年都應當去醫院進行檢查。還有，孩子在學校測得的視力很好，並不保證他的眼睛沒有問題。如果孩子出現眼部疲勞的症狀，也應當及時到醫院進行檢查。

1183. 近視。所謂近視即發生在看東西時，距離近的物體看得清楚，距離遠的物體則比較模糊。這是在學校中最普遍的眼睛問題。近視眼大部分發生在孩子六～十歲的時候。它來勢洶洶，因此，不要因爲孩子的視力在數月前還很好，就忽視其症狀的存在（比如說：看書時，書距離眼睛很近；看黑板時，有一定的困難）。

1184. 眼睛發炎（結膜炎）。這是由多種不同的病毒、細菌或過敏症引起的。大部分輕微的病例，如眼睛輕微紅腫、眼部分泌物不多且透明，都是由普通的感冒病毒引起的，並會同時引起鼻子不舒服。如果沒有鼻子不舒服的症狀出現，就應當懷疑是發炎。那麼，最好的辦法是直接與你的醫生取得聯繫，尤其是出現眼球發紅、眼睛刺痛或眼部分泌物發黃變黏的症狀時。細菌性結膜炎可以使用醫生所開的抗生素藥膏或藥劑來進行治療。所有傳染性的結膜炎都是高傳染性的。在接觸受感染的眼睛或其分泌物後應當立即洗手，這樣可顯著降低被感染的機率。

1185. 瞼腺炎。瞼腺炎俗稱麥粒腫，是一種睫毛毛囊的感染。在某種程度上，它與粉刺類似。瞼腺炎是由突然進入眼瞼的普通細菌引起的，一般會在出現膿點時暫停發展。醫生一般會開出一些眼藥膏來治療和防止擴散。使用熱敷會使被感染的瞼腺感覺舒服一些，同時也會使它快速達到成熟階段，並停止生長（眼瞼對溫度非常敏感，因此最好用溫的而不是熱的水）。瞼腺炎的主要問題在於，一隻眼睛的感染常會引起另一隻眼睛的感染。其原因大概是由於當第一個毛囊破裂的時候，細菌傳染到了另一個毛囊。因此，當瞼腺炎發展到化膿階段的時候，應當阻止孩子觸摸他的眼瞼。

和結膜炎的患者一樣，患了瞼腺炎的成年人在接觸孩子以前，應當完全清洗自己的雙手，尤其是在觸摸了受感染的眼瞼以後。因爲病菌很容易從一個人傳染到另一個人。

1186. 以下行爲有損於孩子的眼部健康：

- 看電視時距離電視機螢幕太近；
- 過度地閱讀；
- 在光線比較暗的地方看書；
- 看書時，眼睛與書的距離太近。

神經方面的問題

1187. **抽筋和痙攣**。抽筋是由於大腦內部的異常放電所引起的。造成後果的嚴重程度視放電發生在大腦的哪個部位。大多數人一想起抽筋，總以爲是涉及到了整個大腦。如果涉及整個大腦，病人會失去意識，手臂和腿都發生痙攣。但是，發作也可能只涉及到大腦的極小部分。在這種情況下，病人也許可以保持清醒，只是身體的局部發生痙攣，或者他將暫時失去意識，並且目光呆滯。

全身性的痙攣看起來是一件很可怕的事情，尤其是對於一個孩子來說。但是，大部分痙攣本身並不具有危險性。無論是否及時給予任何治療，絕大部分痙攣都會在一段短時間後，自動停止下來。

在大部分普通的痙攣現象中，患病的孩子會失去意識、眼球上翻、牙關緊咬、整個身體或身體的一部分隨著痙攣擺動、呼吸沉重、口吐白沫。有時還會伴隨著大小便失禁的現象。

1188. **全身性的痙攣發生時，應當怎麼做？**請立即跟醫生聯絡。如果不能及時找到醫生，請不要著急，痙攣通常會在一段時間後停止。當你向醫生陳述病情的時候，孩子或許已經熟睡。實際上，在孩子出現痙攣症狀的時候，除了防止他傷害到自己以外，沒有什麼更多的事情可做。請將孩子置於地板上或其他不會摔下來傷害他的地方。切記要經常幫助孩子翻身，以便讓唾液從嘴角流出來，並確保他的胳膊和腿不會碰到尖銳的物體。請注意看你的手錶，以便記住發病的時間。努力保持鎮靜，記住：大部分痙攣在數分鐘之內會主動結束（雖然看起來似乎是過了幾個小時），且它對孩子並不會產生危害。如果痙攣持續時間超過5分鐘，建議父母撥打緊急電話；如果時間超過10分鐘，請向當地的緊急救護單位（119）求助。痙攣過後，通常會有一段時間的睡眠期，其間孩子會有一些反應不良和意識混亂。當痙攣結束，孩子完全清醒以後，會有伴隨痙攣出現的發燒症狀。請給孩子服用一些退燒藥，然後幫他洗一個溫水澡或用熱水擦洗身體。

1189. 發燒性痙攣。導致兒童產生痙攣的最常見原因是發燒。五歲以下的孩子中，約有4％出現過發燒性痙攣。痙攣通常在有發燒症狀疾病的初期發生，如感冒、喉嚨痛或流行性感冒等（在發燒開始後的一、兩天後，痙攣很少出現）。當發燒來勢凶猛時，它非常容易引起神經系統的興奮。這個年齡層的一些孩子在發燒初期會有發抖的現象產生，即使他們並沒有患上痙攣。有的孩子甚至會出現幻覺（他們會看見小昆蟲、其他動物或一些鮮亮的顏色），並出現短時間的意識混亂。如果這種刺激引起大腦的異常放電，則會發生痙攣。

因此，如果你的孩子在發燒初期產生痙攣，並不表示他有什麼嚴重的疾病，也不表示在未來的生活中，孩子會經常有痙攣現象的產生。這只是簡單的發燒性痙攣。如果孩子在一歲內已經發生過痙攣，則他將來再發生發燒性痙攣的機率為50％。如果第一次痙攣發生在一歲以後，則痙攣復發的機率為25％。大量的研究表明：大部分曾遭受過發燒性痙攣的孩子發育很快，並不因為痙攣而受到影響。

當然，任何發生痙攣的孩子都應當去看醫生，尤其是在第二次痙攣發生以後，以便確定只是簡單的發燒性痙攣而不是其他疾病。在不同的年齡階段，導致痙攣的原因也不盡相同。除了在任何可能的傳染性疾病發病初期服下一定的退燒藥以外，對於發燒性痙攣還沒有公認的治療方法。不幸的是，等到父母意識到可能的疾病時，高燒已經發生而且孩子已經出現痙攣了。

對於一個常患發燒性痙攣的孩子，醫生會開一些反痙攣的藥物，以便防止進一步的痙攣發生。

1190. 癲癇。癲癇指的是一個年齡較大的孩子在沒有發燒或其他疾病的情況下，經常性地出現痙攣的情況。目前大多數病案的具體原因尚無從知曉。最普通的兩種癲癇是**全身性癲癇（大發作）**和**部分型癲癇（小發作）**。一般說來，當全身性癲癇發作時，病人完全喪失意識，並伴隨痙攣現象的產生。部分型癲癇發作時，痙攣現象不十分嚴重，因此病人不會失去自我控制，而只是短時間內出現目光呆滯和身體僵硬的現象。

每個癲癇發作的病例都應當向神經科醫生報告。這種疾病通常是慢性的，有幾種藥物對於制止癲癇的發作，或降低癲癇的發作頻率是非常有效的。

嬰兒猝死症

1191. 在美國，約有千分之一的嬰兒死於嬰兒猝死症（SIDS）。出生三個星期到七個月間（其中三個月大最常見）的嬰兒突然死在嬰兒床上。即使進行驗屍，也無法找到合理的、充分的解釋。

父母常會被這個事實所震驚——猝死比長時間患病後死去，對家庭更加具有毀滅性。父母們被罪惡感壓垮了，埋怨自己應當在嬰兒剛患上感冒時更加當心；應當注意所有的事情；應當隨時照顧嬰兒，即使根本沒有任何理由這樣做。但是，無論多麼細心的父母，也不會爲孩子所患的極端輕微的感冒而去找醫生。即便是找來醫生，他可能也不會採取任何的治療方法，因爲沒有必要這麼做。沒有人可以預料到悲劇的發生。

如果不是因爲醫療緣故的話，所有的嬰兒都應當面朝上（仰臥）睡覺。這種簡單的、睡覺方式上的變化，可以使嬰兒猝死的機率降低50％左右。雖然嬰兒猝死症已經得到廣泛的研究，但是仍然無法找到一種合理的科學解釋。我們甚至不知道導致嬰兒猝死症的原因，究竟是一種因素，抑或是多種因素的共同作用。目前受到懷疑的因素有：睡夢中窒息、心律不整、過敏症、低血糖、突發地致命性感染和睡夢中的有害刺激。但是，都沒有確切可靠的證據。關於嬰兒猝死症的新理論不斷湧現，請隨時向你的醫生諮詢。

請記住：嬰兒猝死症不是父母所造成的。雖然看來似乎嬰兒面朝上睡覺可以避免嬰兒猝死症發生的機率，但它遠不是人所能預防的。

對於父母來說，通常這種悲痛要持續數週左右。他們會難以集中注意力、無心睡眠、飲食不佳或出現心臟病和胃病。他們會有強烈地逃避現實和獨處的願望。如果家中還有別的孩子，父母們會害怕讓他們離開自己的視線，想盡到照顧他們的責任；有時又會表現得喜怒無常。有些父母會不停地述說；而另一些則會把自己的感情封閉起來。

家中的其他孩子一定也很難過，無論他們的悲傷是否表現在臉上。年齡小的孩子也許會黏著父母，或表現得很壞，藉以引起父母的注意。年齡稍大的孩子會表現得明顯的冷漠，但經驗告訴我們，他們是試圖用這種方式來防止自己被悲傷和罪惡感壓垮。對成年人來說，很難理解孩子的罪惡感，但幾乎所有的孩子都會對自己的兄弟姊妹產生怨恨的情緒，而他們的樸素的、非理智的想法，會讓他們以爲是這種怨恨的情緒帶來了死亡。

如果父母對死去的孩子絕口不提，則他們的沉默會增強孩子的罪惡感。所以，比較好的辦法是：父母與活著的孩子討論死去的嬰兒，解釋嬰兒死亡的原因，說明沒有任何人應當爲此負責。類似於「寶貝消失了」或者「他永遠不會醒來了」之類的委婉說法，只會增加新的神秘色彩和焦慮。父母以溫和的方式，回答孩子們提出的任何問題並加以評論，是非常有益的，這將使他們感覺到不再那麼悲傷。

父母們也可以向家庭社會機構、醫生、心理學家或神職人員求助，以便表達出或逐漸淡化自己的絕望情緒。

荷爾蒙失調症

1192. **幾種荷爾蒙疾病和一些荷爾蒙藥物會對人體產生一定的影響**。例如，當甲狀腺素分泌不足時，孩子的身體發育和心理發展會顯得比較遲緩。具體的表現是孩子的行動比較遲緩、皮膚乾燥、頭髮粗糙、嗓音低沉及面部浮腫，有時還會引起肥胖。孩子的基礎代謝——休息時身體新陳代謝的速率——將低於正常值。服用適當劑量的甲狀腺激素藥物將使狀況得到顯著的改善。

有些人讀了一些關於荷爾蒙腺的通俗文章，就認爲每個個子矮小的或行動遲緩的、有點神經質的人都患有荷爾蒙失調症，通過適當的服藥和打針即可痊癒。這種結論是沒有科學根據的。荷爾蒙疾病不能通過單一的症狀來確定。比如，一個身高在正常範圍內的孩子就並非不可能患上荷爾蒙失調症。

如果一個男孩在青春期發育前過於肥胖，他的生殖器官多數情況下會顯得比實際的要小，這是因爲他的肥胖大腿相對而言太大了，脂肪層蓋住約四分之三長的生殖器。這些男孩中的大多數人，到了青春期都會有正常的性發育。同時，他們中的絕大部分，也都會減掉多餘的贅肉。

當然，任何發育不當、體形不正常、顯得遲鈍、神經質或行爲失常的孩子都應當進行全面的身體檢查。如果醫生發現孩子的情況是由於先天因素造成的，或他的精神狀態是由於日常生活中的困境所引起的，則他所需要的是調整生活狀態，而不是尋求神秘力量的幫助。

雷氏症候群

1193. **這種疾病並不常見，但卻嚴重到可能導致大腦和其他器官的永久性傷害，甚至可能致命**。其產生的原因，目前尚無充分的解釋，但它通常在由濾過性病毒引起的疾病發生期間發生。現在我們所知道的是：如果孩子在患由濾過性病毒所引起的疾病期間，尤其是流行性感冒或水痘，服用了阿斯匹靈，則他們患上該病的機率，將大大高於服用抗生素或其他非阿斯匹靈藥物的人。

愛滋病

1194. **愛滋病**（AIDS，後天免疫缺乏症侯群）**是由人類免疫缺乏病毒**

（HIV）**引起的**。一旦HIV病毒進入血液循環，它將降低人體對於其他感染的免疫力。因此，一個患上愛滋病的人會死於一些對正常人來說，完全可以通過人體自身保護機制痊癒的感染。估計世界上目前約有2000萬人感染上了HIV病毒。

HIV病毒一般通過體液傳染，如性交時通過精液和陰道分泌物進入血液。共用注射器的吸毒者之間也會相互感染。HIV病毒在同性戀之間的傳播機率更高。HIV病毒也在被感染的男人或女人之間傳染，即使他們在性交時並沒有受感染的症狀出現。如果輸血時沒有對所用的血液進行嚴格的檢驗，也可能因此而感染上HIV病毒。

孩子的愛滋病通常是在母親懷孕或生產時染上的。並非所有感染上HIV病毒或患上愛滋病的孕婦都會傳染給自己的孩子。懷孕期間的藥物治療能大大地降低嬰兒感染病毒的機會。如果採用正確的治療方法，受感染的嬰兒可以存活越來越長的時間。就在本書寫作之時，又傳來一個鼓舞人心的消息：同時使用多種抗愛滋病藥物，可以將愛滋病轉換成一種可控制的疾病，從而延長患者的壽命。

HIV病毒不會通過以下幾種方式傳染：手或身體接觸、親吻、同室居住、坐同一間教室、在同一個游泳池游泳、使用同樣的餐具吃飯或使用同一個馬桶。雖然愛滋病是一種致命的疾病，而且目前已經蔓延到了全球各地，但它並不是一種高傳染性的疾病。

1195. 如何對孩子和青少年解釋愛滋病。請用一種隨意的方式談及這個論題，這樣做，可以使你的孩子提出問題，並得到你的認可和幫助。很可能你的孩子已經從電視、錄影帶、電影或學校聽說過愛滋病。父母應當以一種適合孩子年齡階段的方式來討論愛滋病。

我個人認爲，兩種最好的預防感染上HIV病毒的方法：一是進行安全的性教育；二是樹立高尚的性愛觀念。青少年在交友時，一定要在雙方深入了解後，再進行性愛活動。應當使孩子們意識到，這是和純粹的肉體行爲同等重要和有意義的。在664部分，我已經說明了爲什麼我認為積極的性愛觀，包括精神方面，應當是首要的。如果可能的話，這是防止性氾濫的有效方法。進行早期教育的主要原因是，十歲以下的兒童更願意聽父母的話。如果十歲左右的孩子已經急於了解愛滋病，那麼，他們需要知道哪些行為不會感染上HIV病毒，以及如何使性行為安全可靠。

孩子們應當意識到感染上HIV病毒的最危險的行為是，和多位性伴侶進行無保護措施的性行為。性伴侶的數量越多，則他們之中有人患愛滋病或攜帶HIV病毒的可能性越大。理想情況下，他們應當在進行性行為前，就知道性伴侶的健康狀況。當然，最好的辦法是將性行為延遲到結婚以後，或彼此深入了解以後再進行。孩子們也應當知道，保險套在性交時提供了更多的安全性，雖然不是完全的安全性。這是子宮帽和避孕藥都無法辦到的。十歲以下的兒童也應當知道吸毒者共享吸毒用具所冒的風險。事實上，許多孩子已經從電視或其他媒體上了解到靜脈毒品注射和愛滋病的關係。請記住，和父母溝通及共享信息是非常重要的。

脊椎側彎

1196. **這種脊椎側彎通常在十～十五歲的孩子中發生**。與其說它是姿勢問題，不如說它是發育問題。許多州的學校掩蓋了這種情況。該年齡階段的所有兒童中，約有4％患有可發現的脊椎側彎。女孩子發病的機率是男孩子的兩倍，並且具有遺傳性。具體的原因尚不可知。任何脊椎側彎都應當找醫生做診斷。大多數病例只能被觀察，而絕不需要進行干預。脊椎側彎的治療方法——矯正和手術——是複雜、昂貴且有爭議的。

後記

爲了帶給孩子們一個更加美好的世界，美國的家庭正面臨著前所未有的壓力。在這裡，我僅將這些問題羅列出來，以提醒人們注意這種壓力的複雜性，你們當上了父母以後自然就會更容易感受到各式各樣的壓力。這些問題有些已經在其他地方詳細地討論過。我相信，只要我們能夠意識到它們的存在，就一定可以醫治它們。

現在，多數學齡前兒童的母親都得外出工作，然而，卻沒有高質量的日間托育服務。成千上萬的兒童無人照料，使父母們感到很內疚。

更糟糕的是，有工作的母親仍然很明顯地受到歧視——她們不僅薪水少，而且得不到應有的地位。自1975年以來，美國單親及再婚家庭的數目已經增長了一倍，這樣的家庭面臨的壓力尤爲突出。孩子根據法院裁決得到的撫養費極低，而且很多離婚的父親不久就停止支付了，從而把家庭的經濟重擔全都壓在單身母親的身上。

工廠和辦公室的裝配線作業剝奪了工作者的創造性，使他們喪失了獲得滿足感的機會。

富有的更富有，貧窮的更貧窮。無家可歸者到處可見，嚴重地威脅著兒童的生命安全。

濫用酒精和毒品導致了家庭道德敗壞，而家庭道德敗壞反過來又引發酒精和毒品的濫用。

十幾歲的少女懷孕已成爲普遍現象。

美國的暴力行爲比任何其他工業國家都多——主要表現在如下幾方面：家庭謀殺、強暴和兒童虐待。與此並存的，還有非禮的和野蠻的性行爲。種族歧視依然存在，令人憤慨。

我認爲，我們的煩惱主要來自於激烈的競爭和物質主義。它使很多人相信，他們生活中最重要的就是在事業上獲得成功，而家庭幸福、友誼、以及精神和文化方面的興趣愛好，在必要的時候是可以犧牲的。當有些孩子在青春期出現問題的時候，他們的父親曾十分歉疚地檢討說，他們承認自己沒有時間去好好地了解自己的孩子。除此之外，父母們也將他們的極端競爭意識灌輸給孩子們。比如，最典型的例子就是，有人試圖教會年僅兩歲的孩子閱讀書本。一般說來，他們這樣做就是想創造出天才兒童。

在正常的狀況下，人類都有精神信仰方面的追求。比如在世界上的其他地方，人們都是根據自己的財力來爲他們的宗教信仰做奉獻。對美國人來說，這些價值觀早已不復存在，而只剩下他們的物質主義。我認爲，這就是某些青少年感到絕望，自殺率呈四倍增長的主要原因。另一個原因就是他們對核子毀滅的擔心。

要想減少這種緊張，使我們的社會更加和睦、更加幸福，我們就必須堅持走兩條寬闊的大道：第一條是把我們的孩子培養成具有不同理想的人；第二條是使他們多關心政治。

我們培養孩子的目的不是爲了讓他們超越他人，而是使他們成爲善良的、有合作精神的、和富有同情心的人。他們將高度重視家庭生活，參與社團工作，用文化趣味來豐富自己的精神世界，而不會讓自己的工作擾亂自己的生活秩序。所以，從孩子兩歲起，我們就應該教育他們成爲善良和樂於助人的人，並期望他們進入青春期以後，能成爲醫院、慈善機構，以及青少年輔導工作的青年志工。學校不應該使用等級制，家長們也不應該懲罰孩子；但是應該禁止孩子們觀看暴力的和色情的電影及電視劇。

改善社會的另一途徑就是讓我們的公民多關心政治。這樣就能控制我們的政府，打消它對武器製造商的特殊興趣。現在，武器製造商們給政府施加了極大的影響，並得到政府數十億美元的財政撥款。這些美元本應該用於幫助人民的公益事業，比如兒童的日間照顧、學校教育、保健、住屋、以及改善窮人和老年人的處境等。

政治活動包括初選和決選（我們的公民只有近一半的人關心選舉）。我們應該詢問和聽取候選人的觀點，而不應該過份注意他們的個性。公民們應該不斷地寫信或者打電話給他們的參議員、民意代表、乃至總統。一次不夠；一年一次也不夠；每當那些對人民、對孩子、以及對他們的社區十分重要的問題出現時，就應該隨時隨地給他們打電話。

醫學名詞解釋

在本書中，我試著不用醫學術語來解釋醫學上的狀況。大部分的醫生和保育護士也會這麼做。但儘管如此，可能還是會出現一些讀者並不熟悉的字眼。這份名詞解釋的用意，是幫助讀者去了解那些可能並不熟悉的醫學名詞。如果你去看病的診所或醫院讓你覺得彷彿身處陌生的異國國度，那麼你首先要做的，就是去學習他們的語言，豐富你的知識，成為你小孩醫護方面的有力支持者。

○劃

HIV：人類免疫缺乏病毒，為愛滋病的病原體。

X染色體易脆症候群（fragile X syndrome）：主要常見於男性（但非絕對）的遺傳性症候群，特徵為發育、學習及行為方面出現問題，並伴有此症候群的典型外表（編按：如大耳、長臉及男性巨睪症）。肇因於X染色體產生突變；可能是弱智最常見的遺傳形態。

二劃

人工呼吸（artificial respiration）：心肺復甦術（CPR）的實施項目之一，由他人或使用球狀急救器和面罩（bag-and-mask）將空氣迫入患者的呼吸道。

三劃

口瘡潰瘍（canker sore）：經常發生於口腔或嘴唇上的潰瘍；病因通常不明。可能是I型疱疹病毒（herpesvirus Type I）所致。

大便失禁（encopresis）：糞便拉在褲子上，通常是便秘的續發症狀。

小頭畸型（microcephaly）：頭部異常的小，通常會導致智力不全，因爲異常的小頭表示腦也是異常的小。不過，有時候它只是家族特徵而無關任何心智問題。

四劃

中耳炎（otitis media）：細菌或病毒引發的中耳感染。

中暑（heat stroke）：肛溫高於41°C導致譫妄、抽搐或昏迷。通常肇因於在熱天裡運動過度，但絕少因感染所致。

內分泌系統（endocrine system）：分泌激素的腺體系統，例如甲狀腺和腎上腺。

心內膜炎（endocarditis）：心臟內膜的發炎症；多爲細菌感染或風濕熱所引起。

心肺復甦術（cardiopulmonary resuscitation, CPR）：遇到心臟停搏者或呼吸停止者時，採行這種包括人工呼吸和胸腔按壓的緊急措施，可讓血液持續流到腦部。

心雜音（heart murmur）：心臟壓送血液時所發出的嘶嘶聲。可能表示心臟結構異常，不過通常不是。

支氣管炎（bronchitis）：較大支氣管的炎症；可能是病毒或細菌感染所致。

支氣管與肺的發育不良症（bronchopulmonary dysplasia, BPD）：發生於某些早產新生兒的症狀，其肺部有疤痕、慢性腫脹及發炎出現。一般而言，此症會隨著嬰兒生長及肺部新組織形成而獲得改善。

月經間痛（mittelschmerz）：發生於月經週期中段的腹部疼痛，多半是因排卵所致。

水痘（chicken pox; varicella）：帶狀疱疹病毒（varicella virus）引起的急性傳染病，病徵是發燒及出現發癢的小水泡。嚴重時可施予治療。

水腫（edema）：組織內積聚過多液體。

水腦症（hydrocephalus）：腦中的異常積水。若不治療，會壓迫並破壞腦組織；通常要以引流裝置將腦積水引至腹部或胸部。

牙關緊閉（lockjaw）：破傷風的早期症狀，頷骨因破傷風毒素而咬緊，因疫苗的施打現已少見。

牛皮癬（psoriasis）：慢性皮膚病，特點是反覆性紅色發癢斑塊上覆蓋有銀白色鱗屑和斑。病因不明；無法治癒，不過可以滋潤乳液、類固醇藥膏和陽光作爲症狀的治療。

五劃

出血（hemorrhage）：大量失血。

包皮垢或陰垢（smegma）：聚集在陰莖頭及陰蒂附近，濃稠似乳酪狀的正常分泌物。

包皮環切術（circumcision）：切除陰莖包皮的外科手術。

包莖（phimosis）：陰莖的包皮異常緊縮，以致無法縮回陰莖上方。可能需採用包皮環切術治療；一歲之內沒有症狀的包莖，可以是正常的。

四肢癱瘓（quadriplegia）：自頸部以下的身體麻痺（癱瘓）。

外耳炎（otitis externa）：俗稱游泳者的耳朵（swimmer's ears），耳道受到細菌感染。

甲狀腺機能亢進（hyperthyroidism）：甲狀腺分泌過多激素，造成心跳及呼吸速率加快、體重減輕、眼球突出、易怒及過動；通常可用藥物加以治療。

甲狀腺機能減退（hypothyroidism）：甲狀腺分泌激素過少，造成肌肉張力及活動力降低、便秘、昏睡及虛弱嘶啞的哭聲；可以口服的甲狀腺激素輕易地治療。新生兒篩檢有助於在傷害造成前做出診斷。

白血病（leukemia）：白血球的癌症，特徵爲貧血、出血、感染和淋巴腺腫大。有些類型的白血病現在已可用化學療法及放射線療法醫治。

白喉（diphtheria）：今日罕見的一種細菌感染疾病，特徵爲嚴重的咽喉痛、高燒和虛弱。

皮膚炎（dermatitis）：皮膚的發炎症，病因有過敏、感染或刺激。

六劃

休克（shock）：血容量減少引發的循環機能不全，造成供應組織的氧氣不足。特徵爲皮膚蒼白濕冷、血壓低、心跳急促。可能導致意識喪失及死亡。

先天性的（congenital）：出生時或出生前已存有的（不等同於基因遺傳），且由遺傳或環境因素所引起。

地中海型貧血（thalessemia）：遺傳性血液疾病，身體製造的異常血紅素引發嚴重貧血。

多毛的（hirsute）：毛髮過多的。

百日咳（pertussis; whooping cough）：經由細菌感染引發的呼吸系統傳染病，特徵爲陣發性的強力咳嗽。治療方面包括施用抗生素和支持性治療。

肌無力（hypotonia）：靜止時，肌肉張力或活動力異常低落；有時會以「軟趴趴寶寶」形容之。

肌營養不良（muscular dystrophy）：一組遺傳性疾病，特徵爲肌肉逐漸軟弱消瘦。此病分爲幾種類型，有的嚴重，有的輕微。目前無治療方法。

肌腱炎（tendonitis）：將肌肉連接於骨頭上的肌腱發炎。

自閉症（autism）：神經系統疾病，患此症的兒童有語言及人際關係方面的障礙；病情程度從輕微至嚴重不等。

自體免疫疾病（autoimmune disease）：身體免疫系統轉而對抗自身組織的一種疾病（例如紅斑性狼瘡或風濕熱），並對那些組織造成損傷。。

血小板（platelet）：血液中的細小盤狀物質，當小血管破裂時，有助於促進血液凝固及止血。

血友病（hemophilia）：遺傳性疾病，幾乎僅發生於男孩身上，特徵爲外傷時血液無法凝固，造成關節和其他深部組織積血。

血尿（hematuria）：尿中帶血；可能來自泌尿道某處，例如腎或膀胱。

血紅素（hemoglobin）：紅血球中的含鐵色素鏈，從肺部攜氧至身體組織。

血球比容（hematocrit）：紅血球佔全血容量的百分比。幼童的血球比容偏低常因缺鐵所致，亦即表示貧血。

血管瘤（hemangioma）：血管的良性腫瘤，常發現於皮膚中。

七劃

初乳（colostrum）：乳腺在產生眞乳前，最早分泌的稀薄乳狀黃色液體，富含蛋白質、抗體及礦物質，不過碳水化合物及脂肪量偏低。

男性女乳症（gynecomastia）：男性乳房發育過度，常見於12至15歲的男孩身上；一般會自動地康復。

免疫球蛋白（gamma globulin）：一種含抗體的血液製物，可抵禦多種細菌及病毒引起的疾病；可用以防止某些疾病，如肝炎和痲疹，也可治療如川崎病（Kawasaki's syndrome）和免疫缺陷等某些疾病。

吞嚥困難（dysphagia）：在吞嚥上有困難；一般肇因於腦性痲痺或咽喉的某種結構性異常。

吸入（aspiration）：將液體或固體物質吸入氣管。

尿道下裂（hypospadias）：陰莖的先天性異常；尿道口位在陰莖下方；嚴重時需以外科手術修復。

志賀桿菌（shigella）：引發痢疾和高燒的細菌。通常以抗生素治療。

抗生素（antibiotic）：抑制或消滅細菌生長之化學物質（例如青黴素）。抗生素對病毒無效，另有其他注入體內的化學藥劑可消滅一些病毒。「抗生素」其實意指「抗生物」。我會比較樂見諸如「抗細菌劑」、「抗眞菌劑」或「抗病毒劑」等名稱被使用，因爲它們較能清楚指明所治療的對象。

扭傷（sprain）：過度伸展引發的關節損傷，不伴有韌帶撕裂。症狀爲疼痛及腫脹。

沙門氏菌屬（Salmonella）：這種細菌會引發嚴重的腹瀉、發燒或菌血症，或者病人成為帶菌者而無症狀。這種細菌係經由未熟的雞肉、生蛋及活的寵物龜散播。一般以抗生素治療。

系統性紅斑狼瘡（lupus, systemic lupus erythematosus）：一種自體免疫疾病，即身體免疫系統攻擊自體組織，尤其是在皮膚、關節和腎等部位。

肝炎（hepatitis）：肝臟發炎，造成黃疸及不適，多因病毒感染或肝臟的化學或藥物中毒所引起。

肝腫大（hepatomegaly）：肝臟異常增大。

八劃

呼吸道融合病毒（respiratory syncytial virus, RSV）：主要引發嬰兒細支氣管炎的病毒，可在高危險群嬰兒身上先行預防。對於RSV病情嚴重的嬰兒有治療方法可用。

呼吸暫停（apnea）：呼吸暫時停止至少十秒鐘。

念珠菌（candida）：酵母真菌，可感染口腔及引發嬰兒的尿布疹。

性傳染疾病（sexually transmitted disease, STD）：經由性交或其他親密性接觸所傳播的各類傳染病。病因可能是披衣菌、淋病或梅毒。

披衣菌（chlamydia）：只存活於人體組織細胞內的非典型細菌；可能是最常見的性傳染疾病。亦可引起一歲以內嬰兒的肺炎及結膜炎。

抽筋（convulsions）：肌肉不由自主地劇烈抽動，肇因於腦部異常的放電。

抽搐（seizures）：突然發生在手臂或腿部的抽動，通常伴有意識喪失，肇因於腦部異常的放電。反覆性的抽搐發作又稱癲癇。

昏迷（coma）：長期陷入不省人事的狀態，病人無法被喚醒。常因外傷、中毒、受感染、休克，或是心肺疾病而引發。

注意力缺失異常（attention deficit hyperactivity disorder, ADHD）：相對於其智能及年齡，注意力無法專注、易衝動，亦稱之為ADD（attention deficit disorder）；俗稱過動症。

泌尿道感染（urinary tract infection, UTI）：膀胱或腎臟受細菌（病毒罕見）感染。

玫瑰疹（roseola）：發生在嬰兒的病毒感染，病原爲 疱疹病毒VI或VII型，特徵是持續3或4天的高燒，燒退後會出現廣泛的玫瑰紅疹且嬰兒無恙，無需治療。

疝氣（hernia）：某組織或器官通過皮下肌肉的異常開口而突出；一般常見於臍疝（umbilical hernia）或腹股溝疝氣（inguinal hernia）。

肺炎（pneumonia）：肺部受細菌或病毒感染所引起，症狀有咳嗽、呼吸急促，時有發燒出現。

肺炎球菌（pneumococcus）：在肺部、耳朵或神經系統引發感染的細菌，病徵是急性發作和發高燒，通常對抗生素的反應良好。

花粉熱（hay fever）：此過敏症的症狀有流鼻涕、鼻塞、打噴嚏和流淚等，每年定期發作；常因對花粉過敏所致。

虱子（lice）：小型體扁的寄生蟲，經常寄居在身體的毛髮區，並在其間產下白色小卵附著在毛幹底部；虱子是童年時常見的討厭病，相當容易經接觸而傳染，不過它基本上無害。

阿普伽新生兒評分法（Apgar score）：產後一分鐘、五分鐘和十分鐘時，對新生兒的身體狀況所作的評量，分數總和爲0至10。評量心跳、呼吸、肌肉張力、反應和膚色，各項的給分從0至2。滿分是10分，低於6分者則視爲不佳。

青光眼（glaucoma）：眼球內液體壓力異常增高，若不治療會造成失明。

九劃

便秘（constipation）：排便困難或次數鮮少，多半是因糞便乾硬所致。

咳血（hemoptysis）：呼吸道咳嗽出血。兒童時期的咳血不是肺結核所引起。

咽喉炎（pharyngitis）：由病毒或細菌引起的喉嚨發炎，有時是鏈球菌所致。

幽門狹窄（pyloric stenosis）：嬰兒的胃阻塞（通常在嬰兒3至4週大的時候發生），肇因於胃通道至腸的幽門肌肉肥厚；通常需採用外科手術修復。

扁桃腺炎（tonsillitis）：扁桃腺（咽後部淋巴組織）的炎症，由細菌或病毒感染而起。

流行性感冒（influenza）：A型或B型病毒的疾病，病徵爲發熱、寒顫、昏睡、肌肉疼痛及呼吸方面的症狀，爲期3至14天不等。

流行性腮腺炎（mumps）：病毒性疾病，攻擊並造成臉部和頸的唾液腺發炎，有時則是胰臟、睪丸、卵巢或腦部。無特定療法。

流行性嗜血桿菌（Haemophilus influenzae）：此細菌可能對嬰幼童造成嚴重感染；如今已因預防接種而罕見；也稱之爲H型流感（編按：國內尚無大規模的例行性接種）。

疣（wart）：皮膚的病毒感染，特徵爲皮膚上隆起的粗糙腫塊。雖然常以化學劑將它除去，但並沒有良好的治療方法。大部分的疣會在2年內自行消失。

紅眼（pinkeye）：見結膜炎（conjunctivitis）。

紅斑（erythema）：血流量增加導致的皮膚潮紅，通常是感染或發炎所致。也出現於曬傷中。

胃食道逆流（gastroesophageal reflux）：胃裡的食物逆流至食道；可能引發心口灼熱、嘔吐及吸入異物。

胎兒酒精中毒症候群（fetal alcohol syndrome）：先天性的出生缺陷症候群，這是由於母體在妊娠期間的酗酒所致；會導致胎兒的發育不良、智力問題和面部畸形。

胎記（birthmark）：出生時已有的色素痣或斑疵。

胎斑（蒙古斑，Mongolian spots）：皮膚表面的黑青色斑，常見於深膚色的嬰兒身上。一般出現在臀部和背上，不過也可能在任何部位。它們會隨著時間消退，不會引發任何其他問題。

風濕熱（rheumatic fever）：上呼吸道受鏈球菌感染之後所發生的自體免疫疾病，特徵是心臟、血管、關節、神經系統及皮膚的發炎。治療方法主要是靠每日服用青黴素，以預防更進一步的鏈球菌感染。

食物中毒（food poisoning）：食用遭細菌污染的食物而引發嘔吐及腹瀉。

食道（esophagus）：連接喉與胃的肌性管道，食物由此通過。

香港腳（athlete's foot）：足部的眞菌感染，病徵爲趾間發紅及產生鱗屑。

毒血症（blood poisioning）：血液中的細菌感染或細菌毒素引起的病症。

十劃

凍瘡（frostbite）：由於暴露於極冷的溫度中而引起的組織損傷，常發生於手指、腳趾、鼻子和耳朵。

哮喘（stridor）：兒童吸氣時發出的刺耳聲，常發於哮吼（croup）、過敏反應、吸入異物及其他咽喉感染。

唇裂及顎裂（cleft lip, cleft palate）：唇部及（或）上顎有裂口的一種先天性畸形。

弱視（amblyopia）：眼睛結構雖然正常，但視力卻模糊。發生於兒童身上，原因常是早年時期的斜視，造成無法準確對焦所致。

氣喘（asthma）：慢性呼吸道疾病，特徵是小呼吸道的痙攣、發炎及黏液分泌引發反覆發作的喘鳴；可能因過敏反應或非過敏原，如煙味所致。

消化性潰瘍（peptic ulcer）：胃部某區域的黏膜刺痛、發炎，且受到胃酸刺激。目前已知細菌感染（Helicobacter Pylori）爲常見之病因，可以抗生素加以治療。

病毒（virus）：僅能生存於活宿主細胞中的微粒感染體。只有少數藥物可消滅病毒；一般抗生素對它毫無作用。

眞菌（fungus）：屬於低等的植物類微生物，包括酵母、黴菌和蕈類。可引發或輕或重的感染，需以抗眞菌藥物治療。

破傷風（tetanus）：一種深層的細菌感染，會分泌毒素造成口部的肌肉痙攣（牙關緊閉），並延至身體其他部分的肌肉。預防方法爲兒童期例行的預防接種及每隔十年的加強注射。

神經性厭食症（anorexia nervosa）：心理方面的飲食失調，特點是異常懼怕肥胖、減少進食以刻意急劇地減重，並且對身體形象有扭曲的想法；一般常發生於青春期的女孩。

缺血（ischemia）：供應身體組織的血液不足。

缺氧（hypoxia）：血液中的氧減少，多半起於呼吸性問題。

脊柱側彎（scoliosis）：脊柱異常的彎曲，病因不明。早期發現是治療的關鍵。

脊柱裂（spina bifida）：先天性缺陷，特徵是包裹脊髓的骨頭閉合不完全，通常伴隨有水腦症和下半身的神經性問題。

脊髓灰質炎（polio）：傳染性病毒侵犯負責隨意運動的脊髓神經（編按：俗稱小兒麻痺）。兒童時期接受預防接種可徹底預防此病。

骨折（fracture）：骨頭折斷或裂開，通常需以X光片做診斷。

骨盆腔炎（pelvic inflammatory disease, PID）：子宮、輸卵管及生殖器管道的感染；常發生於青春期15至19歲的年紀；肇因於自陰道向上傳進生殖器管道的細菌（一般是披衣菌、淋病或其他種微生物）；若未迅速以抗生素治療，會導致不孕。

骨髓炎（osteomyelitis）：骨的感染症，通常是細菌引起。可能需花上數週或數月才能治癒，因爲骨頭的血液循環不好，抗生素滲透性不佳。

高血壓（hypertension）：血壓異常的高。

十一劃

停經（amenorrhea）：非正常的月經停止或沒有月經。

健康保護組織（Health maintenance organization, HMO）：在這種經營形

態的醫療保健系統中，由一位初級保健醫生（或保育護士）負責協調醫療照顧，包括預防、診斷及治療等事宜。而門診或住院醫療時可能需要「共同付費」(co-payment)。

偏頭痛（migraine）：某種週期性發作的頭痛，多半是一側頭痛，伴隨著噁心、嘔吐及視覺障礙。偏頭痛經常是家族性的遺傳。

動脈（artery）：將血液攜離心臟並運送至身體組織的血管。

動脈硬化症（arteriosclerosis）：病症爲動脈硬化及增厚。

帶狀疱疹（shingles）：皮疹部分有痛感，病因爲潛伏於皮膚神經的水痘病毒沿著神經感染所致，造成劇烈痛感。發於兒童身上時，疼痛感多半輕微，但發於成年人時可能有嚴重痛感。此病可治療。

敗血症（septicemia）：見血中毒（blood poisioning）。

斜視眼（lazy eye）：眼睛無法對物體聚焦，而朝內或朝外斜視；通常需要用眼罩遮住正常眼，以改善斜視眼的聚焦能力。

梅毒（syphilis）：螺旋體屬細菌引起的性接觸傳染病，可感染任何器官系統。

梨形鞭毛蟲（giardia）：這種原蟲生物會感染腸道，症狀有腹瀉及（或）腹部疼痛；通常來自於受污染的飲用水。

淋巴球（lymphocytes）：擊退病毒和細菌感染的白血球。

淋巴腺（lymph glands）：圓囊構造，製造淋巴並將其排入血管中。這些圓囊在抵禦感染時常會增大。

淋巴腺病變（lymphadenopathy）：淋巴腺腫大；可能是因各種疾病及感染刺激了淋巴組織以抵禦疾病。

異物（foreign body）：著於人體腔室內的物體，例如鼻、耳或陰道內之物。

痔瘡（hemorrhoids）：直腸的靜脈曲張（腫大），會造成疼痛、發癢，有時會流血。

窒息（asphyxia）：氧氣不足，及血液中含過多二氧化碳的狀態。

細支氣管炎（bronchiolitis）：病毒感染引起的小呼吸道發炎，症狀有喘鳴和呼吸困難。

細菌（bacteria）：圓形或桿狀的微生物，侵入人體會引發感染（抗生素只能對抗細菌感染）。

脫水（dehydration）：人體流失過多水分的狀況，造成組織和循環內的液體減少；通常是因嘔吐及（或）腹瀉卻沒有攝取足夠水分以補充流失的液體。天氣熱時，則可能因流汗而發生此症狀。

脫髮（alopecia）：禿髮或局部脫髮。

蛋白尿症（proteinuria）：因「腎漏」所引起，尿中出現蛋白質。此症可見於腎病症候群、慢性腎臟感染和其他與腎相關的疾病中。

貪食症（bulimia）：心理方面的飲食失調症，特徵爲超量進食，繼之自行引發嘔吐或腹瀉。

貧血（anemia）：循環系統中的紅血球數量減少，或是攜氧的血紅素減少。

軟骨症（rickets）：維生素D缺乏所引起的骨骼畸形，多肇因於維生素D攝取不足及（或）日曬不足。

陰道炎（vaginitis）：陰道的發炎，伴隨疼痛及分泌物，通常是因細菌感染或異物入侵引起。

陰囊水腫（hydrocele）：睪丸周圍的液體堆積，造成陰囊腫脹；通常會自行消退。

麻疹（measles; rubeola）：病毒性傳染病，特徵是發熱、寒顫、發疹、結膜炎和上呼吸道症狀。

十二劃

喘鳴（wheezing）：空氣通過狹窄氣道時所發生的高音調呼吸音。在氣喘、細支氣管炎、呼吸道異物入侵，以及小呼吸道狹窄的其他狀況下，可聽到這種喘鳴。

單核細胞增多症（mononucleosis）：EB疱疹病毒（EBV）所引發的病毒傳染病，特徵爲淋巴腺腫大（尤其是頸部部位）、喉嚨痛、疲倦、發熱和發疹。此病可為期數週；無特定療法。

喉頭炎（laryngitis）：喉頭的發炎導致聲音嘶啞或失聲，通常是因可自癒的病毒感染所引起。

猩紅熱（scarlet fever）：鏈球菌引發的咽喉感染，並伴隨著廣泛的鮮紅色皮疹。如今一般認為猩紅熱不比其他鏈球菌感染更具危險性。

痢疾（dysentery）：腸道的炎症，尤指結腸，症狀有腹痛、頻便、便血或糞便帶黏液。通常是因受感染，例如細菌、寄生蟲或原蟲所引起。

痣（mole）：皮膚上微突、帶色素的瑕疵，有時帶毛髮。大部分的痣是良性的，不過，日後某些痣則容易轉變成癌，那麼就必須移除。

痣斑（nevus）：同痣（mole）。

痙攣（spasticity）：腦部受損引發的肌肉張力增加，造成僵硬及動作笨拙。

發炎（inflammation）：身體對損傷、刺激或感染所產生的反應；發炎部位複雜的病程包括疼痛、熱、紅腫，這些反應是由一群血液成分引發的（例如白血球及各種化學物質）。

發紺（cyanosis）：血中氧減少，導致皮膚呈青紫色。

發育遲緩（failure to thrive）：發生於幼童的症候群，其體重增加及成長速度長期顯著地低於一般平均值；病因可能出自疾病及（或）社會環境、心理方面的困擾。

發熱的（febrile）：跟發燒有關的。

結核病（tuberculosis, TB）：結核分支桿菌（Mycobacterium tuberculosis）引發的接觸傳染病，造成肺部、淋巴結和其他器官受感染。治療方式通常是服用數種抗結核病藥至少9個月。

結腸炎（colitis）：結腸發炎，可能是受感染、自體免疫或其他不明原因所引起。

結膜炎（conjunctivitis）：鞏膜（眼白）的發炎，症狀有眼睛發紅，也可能出現分泌物；通常是因病毒或細菌感染，或過敏所致。

紫斑病（purpura）：出血所致的皮膚紫斑。本病可因血小板數量低、病毒感染或外傷所引起；或是肇因於較少見的自體免疫病，如類過敏性紫斑（Henoch-Schöenlein purpura）。

腎炎（nephritis）：腎組織的發炎，經常造成尿中帶血；可能是因自體免疫失調（如鏈球菌感染後發生的腎炎）或傳染疾病所引起。

腎盂腎炎（pyelonephritis）：細菌感染所導致的腎臟炎症，症狀有發熱、疲倦和腰窩疼痛；可以高劑量抗生素治療。

腎病症候群（nephrotic syndrome）：腎臟疾病，腎排出過多蛋白質至尿液，導致血中蛋白低於正常值並引發身體水腫。像類固醇之類的藥物有時有效。

脾腫大（splenomegaly）：病因多半是因急性感染，或紅血球急速被破壞的血液疾病（如溶血性貧血）所致。

萊姆病（Lyme disease）：最近發現由螺旋菌所引發的疾病，該細菌源自鹿身上的壁蝨。症狀爲明顯的皮膚紅疹，繼之爲發熱、疲倦、頭痛、關節痛，稍後有時會出現各種神經系統的症狀。預防措施包括遠離鹿壁蝨，或是在被咬後迅速將其排除。抗生素有效，尤其是在發病初期的階段。

菌血症（bacteremia）：血中出現細菌的病症。

黃疸（jaundice）：皮膚、黏膜和眼白發黃，係因血中膽紅素過多。發生於新生兒身上時，多半是因爲肝臟尚未發育完全；而在較大孩童身上，則是因膽管阻塞或肝發炎所致。

黑色素瘤（melanoma）：皮膚的黑色素細胞所形成的癌症；可能是由色素痣發展而來。發生於成年人的黑色素瘤，有部分是因早年兒童期的曬傷所引發。

十三劃

傳染性軟疣（molluscum contagiosum）：皮膚的病毒性感染，可經由接觸傳染，病徵爲中心凹陷的白色圓形突起。它們雖屬良性，但若不加以治療可能會延續數月。

感冒（cold）：上呼吸道、鼻子及喉嚨的病毒性感染。抗生素無效。

感冒瘡（cold sore）：由疱疹病毒所引起，發生在唇部或嘴邊的小水疱。亦稱熱病性疱疹。

愛滋病（aquired immunodeficiency syndrome, AIDS）：人類免疫缺乏病毒（HIV）引起的後天免疫不全症候群，損害身體對抗感染的防禦機能。

暈厥（syncope）：短暫性喪失意識，通常是因腦部短暫缺氧及血流量不足所引起。

畸形足（clubfoot）：足的先天性畸形，尤指足踝、腳跟及腳趾的扭曲翻轉。

瘀斑（petechiae）：皮下出現的深紅色扁平圓小斑點，係因小血管的出血所致；也可能是病毒或嚴重的細菌感染。壓迫不會使其褪色。

督拉（doula）：有經驗的婦女，在分娩過程中對夫婦（或女性）提供精神及身體上的支持。

睡眠阻塞性呼吸暫停（obstructive sleep apnea）：發生在孩童睡眠時的狀況，咽喉後方的呼吸道被阻塞，雖然用力但仍無法呼吸；有時會因腺樣體肥大而引發。若不及時醫治會造成嚴重問題，通常是將腺樣體及扁桃腺移除。

腸胃炎（gastroenteritis）：胃和腸壁的發炎，通常會導致嘔吐及（或）腹瀉。典型病因是病毒感染，但也可能是細菌、寄生蟲感染或其他病因。

腹膜炎（peritonitis）：包圍腹部和骨盆的腹膜發炎，通常是從腸破裂（如闌尾穿孔）的細菌感染所引起。

腹瀉（diarrhea）：頻密排泄稀糞便，通常是因病毒感染而起；也可能是由細菌感染或其他腸疾病所引起。

腺樣體炎（adenoiditis）：扁桃腺上方的淋巴腺受感染及發炎。

腺體腫大（swollen glands）：見淋巴腺病變。

腦炎（encephalitis）：腦部的發炎；一般多爲病毒感染所致。

腦病變（encephalopathy）：腦部的廣泛異常，導致行為、意識以及（或）癲癇發作；通常非經感染引發。鉛中毒即為一例。

腦膜炎（meningitis）：包圍腦和脊髓的腦脊膜發炎，通常是因細菌或病毒感染；症狀有頭痛、頸硬和嘔吐。細菌性腦膜炎需緊急醫治，而病毒性腦膜炎大多可自癒且不會造成嚴重問題。不過疱疹病毒所引發的腦膜炎則例外，因為它會造成腦炎。

腦震盪（concussion）：頭部受傷後，知覺暫時受損，並有長達數秒、數分鐘或數小時的無反應及無意識；可能對外傷事件有記憶喪失的症狀。

腦性麻痺（cerebral palsy）：肇因於腦部受損或不明原因的神經性疾病，通常於出生前就已發生。症狀包括肌肉控制、運動和姿勢功能的障礙。這不是漸進性的疾病。

蜂窩性組織炎（cellulitis）：皮下組織的發炎或感染。

過敏反應（allergy）：身體對某些可引發免疫系統反應的物質特別敏感，特徵為發炎、打噴嚏、發癢及（或）出現疹子。

過敏性呼吸道疾病（reactive airway disease）：肺部小氣管的發炎和損傷，因某些傳染病、污染物質、毒素、冷空氣和煙味所致，導致喘鳴和咳嗽。此病症可以藥物治療。

過敏性鼻炎（allergic rhinitis）：引發鼻塞、流鼻水的過敏症。

十四劃

圖雷特式症候群（Tourette's syndrome）：此病特徵為慢性運動性抽搐（眨眼、面部扭曲、頭部的急動）及聲帶顫搐（反覆性的清喉嚨、發出咕噥聲或話語）。可能是遺傳性疾病。

瘧疾（malaria）：傳染性疾病，係由紅血球中的原蟲寄生蟲引起。特徵是發熱、寒顫及出汗週期性發作；此病經由瘧蚊散播；可用多種抗瘧疾藥物加以治療。

膀胱炎（cystitis）：膀胱的發炎症，常肇因於病毒、細菌感染或化學刺激物。

蒙古症（mongolism）：唐氏症（21體染色體三體症）的舊稱，現已不再使用此名稱。

酵母菌感染（yeast infection）：輕微的黴菌感染，常發於嘴、包尿布的部位或陰道。

鼻出血（epistaxis）：流鼻血。

鼻炎（rhinitis）：鼻內黏膜層發炎，造成鼻涕及鼻塞。通常是因上呼吸道病毒感染而起。

鼻竇炎（sinusitis）：鼻竇發炎，病原爲細菌或病毒。

十五劃

德國麻疹（rubella）：一種病毒傳染病，特徵是上呼吸道感染症狀以及很類似麻疹的皮疹。懷孕初期若感染此病，可能造成胎兒的先天性缺陷；兒童接受疫苗接種可起預防作用。

撕裂傷（laceration）：皮膚上的切口，視傷口位置、深淺及嚴重程度而定，有時可能需做縫合。

潰瘍（ulcer）：許多器官黏膜的疼痛性損害，例如胃；多半是因該部位發炎或血流不足所致。

熱性痙攣（febrile convulsions）：只在體溫升高時發作的抽筋；通常並不危險，也不會導致癲癇。

膝外翻（knock-knees）：腿的畸形。膝蓋部分不正常地碰在一起，足踝則分得太開。

蝨病（pediculosis）：見虱子（lice）。

輪狀病毒（rotavirus）：這種病毒是在世界各地造成嘔吐及水性腹瀉的主要原因，通常發生在冬季。

十六劃

戰壕口炎（trench mouth）：牙齦的有痛感細菌感染；帶有灰色潰瘍。通常需以抗生素治療。

糖尿病（diabetes mellitus）：此疾病係胰臟分泌的胰島素不足，造成體內含糖（葡萄糖）量過高；而如果未接受治療，多尿還會導致極度口渴和飢餓、體重減輕及虛弱。青少年型的糖尿病通常比成年型糖尿病更嚴重，且更依賴胰島素。典型的治療方法是一天至少注射2次胰島素並且小心控制飲食。

遺尿（enuresis）：五歲後孩童的不自主排尿。

蕁麻疹（hives; urticaria）：一種過敏反應，症狀是有紅癢的皮膚腫塊，其中心並有蒼白色區域。

十七劃

嬰兒猝死症（sudden infant death syndrome, SIDS）：嬰兒的突然意外死亡，通常發於3至4個月齡的嬰兒，原因不明。是出生第一年內最常見的死因。

嬰兒頭屑（cradle cap）：頭皮上有黃色的油膩鱗屑，起因爲油脂分泌過盛；會引發臉部和腹股溝部位的發炎及皮膚疹，此病又稱之爲脂漏性皮膚炎。

擦傷（abrasion）：皮膚表面的擦傷。

濕疹（eczema）：皮膚發炎，特徵爲小紅疱形成、發癢、鱗屑及結痂。常常是皮膚的過敏反應或皮膚受到直接刺激所致。

癌症（cancer）：細胞的惡性異常生長，能侵犯鄰近組織並蔓延及轉移至身體其他部位。

膿痂疹（impetigo）：皮膚的細菌感染（通常是鏈球菌或葡萄球菌），極具傳染性，並帶有黃色厚結痂。

膿腫（abscess）：局部感染導致的膿液積聚（pus），該部位會出現疼痛、發熱、腫脹和發紅。治療時通常需切開膿腫讓膿液流出。

黏液（mucus）：腺體分泌的滑溜黏稠物質，以保護呼吸道及其他通道的黏膜。這些細胞受到感染原刺激會製造更多黏液。

十八劃

蟯蟲（pinworms）：常見的腸傳染病，爲一種白色的細小寄生蟲所引發。典型的唯一症狀是肛門附近發癢。現有口服藥物可給予有效治療。

鵝口瘡（thrush）：見念珠菌。

癤（boil）：皮膚下的痛性含膿小結，經常始發於毛囊或汗孔。受細菌（通常是葡萄球菌）感染而起。

十九劃

壞疽（gangrene）：由於感染（通常是因細菌感染）而使組織壞死及腐爛，導致該部位的血液供應不足及更進一步侵犯的感染。

鏈球菌性咽喉炎（strep throat）：咽喉部受鏈球菌感染。可以青黴素或別種抗生素治療。

關節炎（arthritis）：關節發炎，引發疼痛及腫脹。

二十一劃

鐮狀細胞性貧血（sickle-cell anemiia）：非洲人或原籍地中海的人最易罹患的遺傳性疾病，異常的紅血球變形成鐮刀形狀。這會造成該細胞擠塞小血管，引發疼痛和組織受損。除了骨髓移植外，目前尙無療法。

二十二劃

囊腫（cyst）：皮下封閉的小囊，通常含液體。

囊狀纖維化（cystic fibrosis）：遺傳性疾病，分泌性的腺體無法分泌氯化物穿過各種薄膜，會引發呼吸系統及消化系統的問題。

癬（ringworm）：皮膚的眞菌感染（絕非寄生蟲引起），病徵爲環狀的紅癢斑塊。傳染度輕微。

二十四劃

癲癇（epilepsy）：這種疾病的病徵為反覆抽搐發作，肇因於影響腦細胞電波活動的潛在性神經問題。

二十五劃

顱骨縫過早閉合（craniosynostosis）：頭顱骨不同部位的過早閉合，會延緩顱骨接縫區的垂直生長。

髖（關節）脫臼（hip dislocation）：通常為先天性異常，股骨未和髖關節緊密接合；若不治療，會導致髖關節畸形。

二十九劃

鬱血性心臟衰竭（congestive heart failure）：心臟無法供應身體所需的足夠血液；導致循環鬱積，進而引發身體腫脹、虛弱及呼吸急促症狀。

作譯者簡介

【作者簡介】

史巴克醫生（Benjamin Spock, M.D.,1903-1998）曾就讀於耶魯大學醫學院，並在哥倫比亞大學醫學院取得醫學博士學位。1930~40年代在紐約行醫，之後陸續在梅約醫學中心（Mayo Clinic）、匹茲堡大學與西保留大學（Western Reserve University）任教並從事研究工作；1998年3月完成《育兒寶典》第七版修正之後不久即過世，享年94歲。史巴克醫生畢生致力於兒童福址及醫療照顧，共有11本著作，其中以代表作《育兒寶典》一書最爲人所稱道；本書自1940年代首度發行以來，已翻譯成39種語文版本，銷售逾50,000,000本。

巴克爾醫生（Steven J. Parker, M.D.）是一名小兒科醫師，長於兒童行爲與兒童發展等議題。他是波士頓大學醫學院小兒科副教授，並擔任波士頓醫學中心幼兒行爲和發展部門的指導員，目前他還主持波士頓醫學中心針對特殊需求及接受行爲發展評量的兒童所設計的全方位計劃。曾發表專業論文三十餘篇，並著有*Behavioral and Development Pediatrics: A Handbook for Primary Care*一書。

【譯者簡介】

趙昌榮教授，1950年出生，畢業於北京外國語大學英語系，現工作於中國人民解放軍指揮裝備學院外語系。曾翻譯出版十多本譯著。

國家圖書館出版品預行編目資料

Dr. Spock's 育兒寶典／Benjamin Spock, Steven J. Parker 著；趙昌榮譯. --初版. --臺北市：遠流, 2000[民 89]

面： 公分. --（生活情報源；87）

譯自：Dr. Spock's baby and child care

ISBN 957-32-3906-X（精裝）

1. 育兒 2. 兒科 3. 家庭教育

428 89000487

成爲有效能的父母系統化訓練法

這套由美國輔導服務公司(AGS)所研發的系統化訓練法，是根據民主和相互尊重的原則，以心理發展的觀點，探討兒童行為背後真正的目的，教導父母如何有效的糾正孩子的不良行為——以鼓勵代替讚許，建立孩子的自尊自信；以合理的後果處理代替懲罰，培養孩子自律負責的態度；以反映式傾聽及「我」的訊息，增進父母與子女間的溝通和了解。

透過按部就班的訓練，你會學到有效建立自己及子女自尊的方法；檢視自己的信念和態度，進而學習加強自己的能力；你也會發現專門為處理壓力設計的策略，制定家庭規範的各種建議，以及不失民主並能維護父母權利的方針和指南。孩子是在學習承擔責任的過程中長大成人的，有效能的父母會提供成長的經驗，使孩子成為負責、合作及有自信的人。

A3272《父母親自我訓練手冊》
紀李美瑛．紀文祥 譯

A3273《幼兒期教養法》
王敬仁 譯

A3274《青少年期教養法》
林瑩珠 譯

A3275《有效能的父母》
宇沙 譯